KU-107-679

NIEWIDZIALNA
KORONA

79 792 358 5

Dwa miecze...
Dwie korony...
Jedno królestwo.

ELŻBIETA CHEREZIŃSKA

NIEWIDZIALNA
KORONA

MILTON KEYNES LIBRARIES		
MHC	DON	4/19
POL CHE		

ZYSK I S-KA
WYDAWNICTWO

Copyright © Elżbieta Cherezińska, 2014
All rights reserved

Redaktor prowadzący
Tomasz Zysk

Redakcja
Tadeusz Zysk
Jan Grzegorczyk
Magdalena Wójcik

Projekt graficzny okładki
Jędrzej Chełmiński

Projekt pieczęci Przemysła II
prof. Józef Stasiński

Ilustracje herbów oraz mapy
Maciej Szajkowski

Opracowanie graficzne i techniczne
Barbara i Przemysław Kida

Wydanie I

ISBN 978-83-7785-137-1

ZYSK I S-KA
WYDAWNICTWO

ul. Wielka 10, 61-774 Poznań
tel. 61 853 27 51, 61 853 27 67, faks 61 852 63 26
Dział handlowy, tel./faks 61 855 06 90
sklep@zysk.com.pl
www.zysk.com.pl

Druk i oprawa
AbediK
drukarnia

„Królestwo to dar święty, którego strata kosztowała nas wiele łez i krwi. Bóg dał koronę pierwszemu królowi, lecz królestwo rozbiliśmy sami, gdy brat stanął przeciw bratu z mieczem w dłoni i życzeniem śmierci na ustach. Ale oto za nami zostaje czas głuchych lat, dwustu z górą lat, podzielonego narodu. Dzisiaj bowiem dobiega końca klątwa Wielkiego Rozbicia! Starsza Polska i Pomorze już się połączyły. Oto Bóg dał nam władcę, na którego czekaliśmy!

Królestwo bez króla jest łodzią bez sternika rzuconą na sztorm; jest koniem bez jeźdźca, mieczem bez dłoni zdolnej nim władać! Ale królestwo to coś więcej niż król!".

Mowa arcybiskupa Jakuba II
w dniu królewskiej koronacji Przemysła II
Gniezno, 26 czerwca 1295 roku

1296

PRZEMYSŁ II leżał na dębowej ławie. Z jego rozrzuconych włosów ściekała brudna woda, kropla za kroplą kapiąc na nierówne kamienie posadzki. Przykryte płaszczem ciało króla rozmarzało. Sześć solidnych pochodni dawało sporo ciepła. Ich chwiejne światło budziło niespokojną grę cieni na ścianach. Suche źrenice Przemysła utkwione były w sklepieniu kaplicy. Wokół ławy krzątało się dwóch joannitów. Czarne habity z białymi krzyżami sprawiały, że rycerze zakonni wydawali się identyczni, niczym rodzeni bracia. Jednak gdy się prostowali, widać było, iż jeden z nich jest wysoki i ma nienaturalnie obniżone ramię. Drugi zaś, niższy, wydawał się pod płaszczem skrywać sylwetkę zapaśnika. W głębi kaplicy posługacz przelewał wodę z cebra do miski; najwyraźniej była ciepła, bo uniósł się nad nią siwy kłąb pary. Nieco z boku, przy pulpicie, stał czwarty mężczyzna. Królewski notariusz Tylon.

— Więcej światła — zażądał suchym głosem, rozkładając na pulpicie pergamin.

Jeden z joannitów syknął na sługę, bo ten nie zareagował na polecenie.

— Nie słyszałeś, czego życzy sobie królewski notariusz?

Sługa bezszelestnie odstawił miskę i przyniósł lampę oliwną. Stawiając ją na pulpicie, schylił się nisko, tak że przed Tylonem zamajaczyła na chwilę szczecina jego szarej, sztywnej czupryny. Tylon kiwnął głową i w chwiejnym blasku lampy rozprostował arkusz pergaminu.

— Możemy zaczynać — powiedział do joannitów, wprawnym ruchem nabierając w *calamus* pióra inkaustu. „Oględziny ciała króla Przemysła II po morderstwie..." — zapisał i nagle odłożył pióro, podnosząc oczy na braci zakonnych. — Czy arcybiskup Jakub odebrał od was przysięgę? — spytał.

— Wstępując w szeregi Zakonu Świętego Jana, każdy z nas przysięga na jego przenajświętszą głowę. Innych przysiąg składać nam nie wolno — odpowiedział wyższy z braci, poruszając krzywym ramieniem.

— Rozumiem, ale to sytuacja nadzwyczajna. — Tylon zawiesił głos, wsłuchując się w echo słów odbijających się od kamiennych ścian kaplicy. — Mamy do czynienia z królobójstwem. Zamachem na najświętszą osobę Królestwa. — Znów przeszedł go dreszcz, gdy kamienie odbiły jego słowa. Zacisnął szczęki i już nie powiedział, ale pomyślał: Mamy pusty tron, brak dziedzica korony i kraj otoczony przez wrogów.

— Joannici nie są poddanymi króla — grzecznie wtrącił zakonnik.

— Lecz korzystają z jego gościnności — nieustępliwie nacisnął Tylon.

Przez chwilę zapanowała złowroga cisza.

— Każdy brat szpitalnik służy potrzebującym w pierwszej i ostatniej potrzebie w myśl jednej zakonnej przysięgi — dodał pospiesznie drugi z joannitów.

Tylon popatrzył na jednego, potem na drugiego i pokiwał głową.

— Przyjąłem do wiadomości. Wasze imiona? — spytał.

— Wolfram i Pecold — odpowiedział za obu ten wyższy.

Czubek pióra Tylona szybko zaskrzypiał na pergaminie. „Bracia szpitalnicy z pogorzelickiej komandorii Zakonu Świętego Jana, Wolfram i Pecold, w myśl reguły swego zgromadzenia zobowiązują się do zachowania całkowitej tajemnicy z oględzin ciała zamordowanego króla Przemysła II. Jednocześnie zobowiązują się, że w czasie dokonywania czynności użyją pełni swej wiedzy i nie zatają żadnego, nawet najdrobniejszego faktu związanego z oględzinami". Tylon odłożył pióro i odczytał powyższe, po czym dodał:

— To nie jest przysięga. To zobowiązanie. Możecie je podjąć, nie narażając własnych ślubów.

— Pan notariusz zawsze taki skrupulatny?

— Zawsze — potwierdził Tylon i lekko wzruszył ramionami.

— Możemy — zgodził się ze zniecierpliwieniem ten niższy. — Skończmy te formalności, bo ciało rozmarza i jeszcze trochę, a nawet przy „pełni swej wiedzy" niewiele panu notariuszowi powiemy. Ja, Pecold...

— I ja, Wolfram...

— ...zobowiązujemy się do zachowania tajemnicy o każdej ze spraw, jakie ujawnione zostaną podczas oględzin.

— W imię Boże, zaczynajcie, bracia joannici!

Pecold i Wolfram jak na komendę unieśli płaszcz przykrywający ciało zamordowanego króla.

JAKUB ŚWINKA, arcybiskup gnieźnieński, przyglądał się twarzom zebranych. Królowa Małgorzata. Wojewoda poznański Beniamin Zaremba. Kanclerz Andrzej Zaremba. Biskup poznański Jan Gerbicz. Wojewoda gnieźnieński Mikołaj Łodzia. Spotkali się wszyscy w Okrągłej Sali poznańskiego zamku, przy stole, przy którym jeszcze miesiąc temu obradowała Mała Rada Królestwa. Wysokie krzesło, zwykle zajmowane przez Przemysła II, stało puste. Puste i okryte kirem. W srebrnych lichtarzach płonęły czarne żałobne świece. Barwny gobelin przedstawiający opowieść o królu Arturze pospiesznie zdjęto ze ścian, a jego miejsce zajęła czarna i niczym niezdobiona wełniana materia. Jedyną jasną plamą w pomieszczeniu był biały orzeł na purpurowej chorągwi Królestwa. Ale ta purpura raziła oczy Jakuba Świnki, nazbyt oczywiście kojarząc mu się z krwią Przemysła. Nie, nie tylko orzeł był biały. Trupio biała była twarz królowej Małgorzaty. Jakub widział, że trzęsą jej się dłonie, że kryje ich konwulsyjny ruch pod stołem. Widział, iż ma zsiniałe usta, podpuchnięte od płaczu oczy. Widział, że nie może utrzymać głowy, opuszcza ją nisko, porusza podbródkiem i znów unosi. Widział też, że wstydzi się swej niebieskiej sukni; okryła pyszną barwę jedwabiu czarnym płaszczem, który wyglądał jak pożyczony od prostej dwórki. Biedaczka — pomyślał — nie ma żałobnej sukni. Niegotowa była na jego śmierć, niegotowa, jak my wszyscy. Boi się losu królowej wdowy. Dlaczego się lęka? Nie była tak ukochaną panią, jak świętej pamięci Rikissa, ale nikt tu jej nie ukrzywdzi.

— ...gońcy ruszyli niezwłocznie. Wojewoda pomorski powinien być w Poznaniu jutro — dotarł do niego głos kanclerza.

Choć arcybiskupowi, jako najwyższemu godnością, powierzono pierwsze krzesło, obok pustego, królewskiego, to kanclerz Andrzej Zaremba prowadził spotkanie. Robił to wprawnie i zręcznie, jak zawsze. Jakub Świnka był mu wdzięczny. On sam jeszcze nie czuł się na siłach, by zabrać głos. Zerknął na obecnych: wojewoda poznański Beniamin Zaremba, bliski krewny kanclerza. Jego opanowanie i spokój były w Starszej Polsce legendarne. Zasługi też. Teraz siedzi, opierając czoło o dłoń, zgięte ramię zasłania mu twarz. Oj, tak — pomyślał Jakub — wojewoda szanował króla. Choć jego ród — arcybiskup pamiętał o tym nazbyt dobrze — jako jedyny otwarcie wystąpił przeciw Przemysłowi. To było jednak tak dawno, tak dawno temu. Król przecież oczyścił Beniamina z zarzutów i przywrócił mu urząd wojewody. A syn Beniamina, Michał? Ten Michał, zwany Południowym Wichrem, był najbliższym przyjacielem króla. No tak — skonstatował Jakub — i jedynym, który przeżył rogozińskie piekło. Wojewoda jest jednak człowiekiem wrażliwym i nie cieszy się przecież, że jego syn wyszedł cało z opresji, w której poległ król i kwiat jego rycerstwa — westchnął w duchu arcybiskup. — Zwłaszcza że stracili tam tego młodego, jak go wołali? Wawrzyniec. Wawrzyniec Zaremba. Straszna sprawa. Ponoć znaleźli chłopaka z odrąbaną głową. To musi być cios dla Zarembów. Odrąbana głowa. Któż jest zdolny do takich czynów? Czy sam Szatan odprawiał te piekielne zapusty w Rogoźnie?

— Jakubie Świnko!

Arcybiskup wybił się z ponurego toku myśli, nagle unosząc głowę.

— Słucham? — spytał, mrugając i patrząc na Andrzeja Zarembę.

Ten jednak wyglądał na zaskoczonego nagłym odezwaniem się arcybiskupa.

— Tak, Jakubie II? Zechcesz coś powiedzieć? — zapytał grzecznie kanclerz.

Arcybiskup zarumienił się i wymamrotał:

— Zdawało mi się, żeście mnie wzywali. Wybaczcie, panowie, królowo. Zamyśliłem się. Kontynuuj, kanclerzu, kontynuuj.

W duchu skarcił się po dwakroć. Raz, że skoro Pan upomniał go i to po raz pierwszy w życiu publicznie, po raz pierwszy, odkąd Pan zaczął do Jakuba przemawiać, to znak, że tok jego myśli musiał zabrnąć w wyjątkowo grzeszną stronę. A dwa, że zamiast uczestniczyć jako najwyższy godnością w tej najtrudniejszej z Rad, błądzi myślami po opłotkach. Co z tego, Jakubie Świnko — mówił sam do siebie gniewnie — że bolejesz i myśli zebrać nie możesz? Oni wszyscy tu obecni, boleją. Małgorzata straciła męża. Kraj króla. A ty biadolisz nad sobą, żeś niegotów. Weź się w garść i to już — upomniał się.

— *Bene*, Jakubie, *bene*! — arcybiskup usłyszał głos i był na tyle przytomny, że nie pytał zebranych, kto mówi. Wiedział.

Odchrząknął, wstał i powiedział:

— To bardzo słuszne, kanclerzu, że notariusz Tylon i znani z doświadczenia bracia joannici zajęli się ciałem króla. Równie oczywiste jest, iż powierzono śledztwo tak wprawnemu sędziemu jak wielebny Gniew. I właściwym tokiem postępowania było wysłanie gońców do wojewody pomorskiego Święcy z żądaniem natychmiastowego przybycia. To działania ważne i prawidłowe. Ale, choć wszyscy jesteśmy pogrążeni w żałobie i wstrząśnięci po śmierci króla, to dzisiaj musimy zadbać o jego tron.

— Nie mamy dziedzica — odpowiedział kanclerz, stwierdzając fakt znany wszystkim obecnym.

— To wiemy nie od dziś. Król Przemysł już przed laty obawiał się braku następcy tronu. Jest ten nieszczęsny układ, którego nie zdążył anulować, choć jak niektórzy z was wiedzą, chciał to uczynić niebawem.

Kanclerz Zaremba ściągnął brwi.

— Anulować?

— Owszem — potwierdził arcybiskup.

— Czy masz na myśli, arcybiskupie, układ o dziedziczeniu Starszej Polski przez księcia głogowskiego Henryka? Ja nic nie wiedziałem o tym, by król chciał cofnąć to postanowienie. A jestem przecież kanclerzem! Czy ktoś z zebranych tutaj wiedział? — Andrzej Zaremba był niepomiernie i chyba niemile zdziwiony.

— Ja — powtórzył stanowczo Jakub.

— I ja — potwierdził wojewoda gnieźnieński.

— I ja — cicho dodała królowa.

— Pierwsze słyszę — sucho skonstatował kanclerz. — A ty, Beniaminie? — wyrwał z zamyślenia swego rodowca, wojewodę poznańskiego.

— Mnie się król z takiego zamysłu nie zwierzył, ale może mój syn, Michał...

— Wybacz, wojewodo, ale twój syn, jako jedyny świadek zdarzeń związanych ze śmiercią króla, przebywa teraz w odosobnieniu — powiedział Jakub, dziwiąc się, że w jego głosie nie słychać współczucia, choć z całego serca współczuł Beniaminowi. — Wolą króla było nie czynić głogowskiego księcia dziedzicem.

— Czy ktoś wie, dlaczego? — ostro zapytał kanclerz.

— Nie jest tajemnicą, że przyjaźń Przemysła i Głogowczyka mocno zetlała. To, co książę Głogowa zrobił śląskiemu szwagrowi króla, też nie było bez znaczenia... — rozłożył ramiona Jakub Świnka.

13

— Nie mieszajmy do tego szwagra — zanegował kanclerz. — Bo jak przypomnimy, co ten śląski szwagier zrobił wcześniej...

— Dobrze, dobrze! Najważniejsze jest to, że po małżeństwie z naszą kochaną Jadwinią i po udanej współpracy przeciw królowi Czech, Václavowi II, zwłaszcza zaś po nieugiętej postawie wobec obrony Krakowa przed czeskim zaborem, to książę kujawski Władysław wydawał się królowi najbliższym i najpoważniejszym kandydatem na swego następcę — odparł Jakub Świnka.

— Władysław? — po raz pierwszy tego dnia odezwał się biskup poznański. — Ten książę Władysław?

— Karzeł? — wprost sformułował istotę wątpliwości kanclerz.

— Nie karzeł. Po prostu niewysoki mężczyzna — zaprzeczył Jakub Świnka. — Przypominam, iż Władysław ma skończone trzydzieści sześć lat, jest mężem naszej ukochanej księżniczki Jadwigi, najbliższej stryjecznej siostry Przemysła.

— Która w dodatku spodziewa się dziecka — mruknął Beniamin Zaremba, pocierając czoło. — I to, jak mówią, na dniach ma rodzić.

— Właśnie — pokiwał głową arcybiskup. — Ma rodzić.

Andrzej Zaremba ze złością powiedział:

— Czy naprawdę wyobrażacie sobie, że rycerstwo Starszej Polski wezwie na tron karła?

— Upominam cię, kanclerzu! — surowo skarcił go Jakub Świnka. — Nie karła. Księcia Władysława. Zresztą on ostatnio urósł. Wydaje mi się, że urósł.

— Dorośli mężczyźni nie rosną — mruknął cicho kanclerz, a głośno dodał, rozkładając ręce: — Jeśli panowie Starszej Polski zechcą, ich wola. Najważniejsze, by tron nie stał pusty. By nie kusił nieprzyjaciół naszych. A co z królewną Rikissą? Jedyna córka Przemysła ma skończone siedem lat, to nieco za mało, by wydawać ją za mąż. Jednak powinniśmy i o jej przyszłości zdecydować szybko. Czy król pozostawił w tej kwestii jakieś rozporządzenia, o których nie wie jego kanclerz?

— Niepotrzebnie się unosisz, Andrzeju — próbował uspokoić urażoną ambicję Zaremby Jan Gerbicz, biskup poznański.

Gdy Gerbicz uspokaja Zarembę, to jakby rzucać słomę do ognia — przemknęło przez myśl Jakubowi Śwince. — Kanclerz nie może wybaczyć Gerbiczowi, że to jego kapituła katedralna obwołała biskupem.

— Niepotrzebnie? — Kanclerz poczerwieniał. — Martwię się o los Królestwa, a ty mówisz, że to niepotrzebne?

— Nie zrozumiałeś, Andrzeju. Ale ty w gniewie potrafisz być taki popędliwy — głos biskupa Jana był za to ostentacyjnie spokojny.

— Tak — odezwała się cicho królowa Małgorzata.

Nikt jej nie usłyszał, bo kanclerz właśnie zerwał się z miejsca, przewracając z hukiem krzesło. Zapanował tumult. Słudzy skoczyli podnieść krzesło. Jan Gerbicz perorował, udając męża opatrznościowego, w sposób tak obrzydliwie spokojny, że Zaremba kipiał gniewem. Wojewoda gnieźnieński zaś usiłował poruszyć wojewodę poznańskiego, szarpiąc go za łokieć i powtarzając w kółko:

— Beniaminie, zrób coś, no zrób coś...

Jakub Świnka nawet jeszcze nie zdążył pomyśleć, że nikt nie powinien targać Beniamina Zaremby, gdy ten wstał od stołu i ryknął:

— Panowie! Król zamordowany. Tron pusty. Wróg być może gna do naszych granic z zachodu i południa, a wy kłócicie się jak przekupki z jatek mięsnych? Czy tak zachowują się pierwsi ludzie Królestwa?

Zapanowała cisza. Kompletna cisza. I wtedy królowa Małgorzata odezwała się po raz drugi:

— Mój mąż przed wyjazdem do Rogoźna potwierdził zaręczyny swej córki Rikissy z moim bratem Ottonem, margrabią brandenburskim.

KAPŁANI TRZYGŁOWA byli gotowi. W głębokiej puszczy położonej w widłach Noteci i Warty, na uroczysku opodal Sowiej Góry czekali na Dębinę. Gdyby zaczęli bez niej, kobieta, którą wszyscy uznawali za najważniejszą z matek Starej Krwi, mogłaby podważyć wartość ich przesłania. To się zresztą zdarzało w przeszłości. Widzieli wysoką sylwetkę górującą nad otaczającymi ją kobietami. Węzły warkoczy i okrywający ramiona płaszcz z ptasich piór. Wreszcie ruszyła ku nim i stanęli naprzeciw siebie. Trzej siwobrodzi starcy i wyższa od nich siwowłosa kobieta.

— Matko. — Mężczyźni wyciągnęli dłonie na powitanie.

— Ojcowie. — Skinęła głową, i patrząc im kolejno w oczy, stwierdziła bez ogródek: — On nie żyje. Czy Trzygłów jest już syty piastowskiej krwi?

Jak dobrze, że kapłani nie muszą żyć z kobietami — pomyślał najstarszy z nich, a głośno zaprzeczył:

— To nie my.

— Czyżby? — Zmrużyła jasne oczy Dębina. — Przecież to waszymi ustami Trzygłów wołał o krew Piastów.

— Mylisz się. Trzygłów kazał nam powołać do życia Dziedzica Starej Krwi.

— Przez to zginęła jego pierwsza żona — natychmiast odparowała Dębina. — Obudźcie się. Nawet jeśli przyszło nam żyć w świecie, który stał się wrogi, to nie znaczy, że mamy być przeciwko wszystkim! Wykrzykujecie swoje wojownicze proroctwa i co z tego wynika? Nic. Krew woła o krew.

— Jesteśmy ustami boga o trzech twarzach. Mówimy tylko to, co szepce nam On. Słowo w słowo — wyniośle odpowiedział najstarszy.

— A może niewłaściwie interpretujecie jego słowa? — W głosie Dębiny niespodziewanie zadźwięczała miękkość. — Każdy ma prawo się mylić.

— Nie Trzygłów. Każde z jego obliczy patrzy w dal i widzi to, co przed nami ukryte.

— Jak nigdy potrzebna nam teraz jedność. Ale przyjmijcie do wiadomości, Ojcowie, że kobiety Starej Krwi są przeciwne jej rozlewowi.

Dębina nie skinęła im głową. Odwróciła się i odeszła, bosymi stopami rozgniatając śnieg.

Na polanie narastała nerwowość. Mężczyźni i kobiety stali osobno. One skupiły się z boku wokół ogniska i raz po raz zerkały w stronę wielkiego, bezlistnego o tej porze dębu, pod którego konarami Ojcowie rozmawiali z Dębiną. Mężczyźni składali broń na skraju polany, by być gotowi na obrzęd. Odgarniali długie włosy, spoglądając na krzątające się wokół ognia kobiety. Ich proste zielone suknie odbijały się na śniegu niczym pierwszy znak wiosny. Dębina doszła do ogniska i zajęła miejsce na wyplecionym z gałęzi siedzisku. Natychmiast pochyliła się ku niej dziewczyna o włosach w kolorze orzechów buczyny.

— Przyznali się? — zapytała szeptem.

— To nie oni zabili Piasta — równie cicho odpowiedziała Dębina. — Nie chcę ci nic radzić, Jemioło, ale...

— Wiem, wiem. Radziłaś mi przed dwudziestu laty...

Dębina westchnęła ciężko i przyciągnęła Jemiołę ku sobie.

— I wtedy też spóźniłam się z radą. Teraz mogę tylko dać ci ziół, które uśmierzają smutek.

— Nie trzeba. Radzę sobie, choć wiedz, że nie jest mi wszystko jedno, z czyjej ręki zginął Przemysł... — Jemioła umilkła, bo Ojcowie właśnie podeszli do pokrytego lodem pnia starego dębu, równocześnie wyciągnęli w górę ramiona i dotknęli palcami zamarzniętej kory.

— Niech przemówią korzenie ukryte w skutej lodem ziemi! — krzyknął pierwszy.

— Niech przemówi pień! — zawołał suchym głosem drugi.

— Niech odpowie korona, która wznosi się i widzi, co ludziom niedosięgłeee! — zawył trzeci.

Z głębi otaczającej dąb polany dał się słyszeć świst kościanych piszczałek. Młodzi chłopcy, rytmicznie przeskakując z nogi na nogę, dmuchali w nie, aż poczerwieniały im policzki. Rytm szybko udzielał się tłumowi mężczyzn stojących już w półkolu przy drzewie. Po chwili wszyscy tańczyli, skacząc w miejscu i skandując:

— Niech przemówią! Niech przemówią! Niech po trzykroć przemówią!

Stojące wokół Dębiny kobiety spokojnie patrzyły na tańczących mężczyzn.

— Niech przemówią! Niech przemówią! — niemal wyli skaczący, ale żaden z kapłanów nie odrywał dłoni od drzewa.

Dębina uniosła głowę, patrząc gdzieś daleko. Zmrużyła jasne oczy, jakby dostrzegła na zimowym niebie coś niewidzialnego dla reszty. Jemioła spytała niespokojnie:

— Co takiego, Matko?

Siwowłosa uniosła brew.

— Nadciąga burza śnieżna.

— Kapłani zdążą? — spytała dziewczyna, wskazując głową na starców.

Dębina odpowiedziała lekceważąco:

— Gdyby ci chłopcy tak nie jazgotali na piszczałkach, może kapłani usłyszeliby daleki pomruk nawałnicy. — Wzruszyła szerokimi ramionami. — Ale oni lubią, jak się robi wokół nich zgiełk. Zresztą, czy to pierwszy raz, Jemioło?

Dziewczyna nie odpowiedziała, bo w tej samej chwili kapłani Starej Krwi oderwali dłonie od drzewa. Piszczałki umilkły. Kilku mężczyzn pochłoniętych ekstatycznym tańcem wciąż jeszcze podskakiwało na śniegu, wydając odgłos głuchych tąpnięć. Ale na głos kapłanów zastygli w bezruchu.

— Śmierć. Nadchodzą wojownicy Umarłego! — krzyknął pierwszy starzec, schylając nisko głowę ku korzeniom dębu. — Trzygłów każe wzmocnić krew i zbroić się!

Drugi kapłan uderzał czołem w pień drzewa i skandował:

— Zakuci w żelazo — zimni jak stal — bezwzględni jak — wezbrana powodzią toń! Trzygłów każe wzmocnić krew i zbroić się!

Trzeci ze starców, unosząc ramiona ku koronie bezlistnego dębu, płaczliwie wył:

— Przybędą, śpiewając pieśniii... w umarłym języku... wataha za wataaahą... na koniach okrytych żelazem... z nagimi mieczami w rękuuu... z krzyżem Umarłego na płaszczach... podłożą pod święte gaje ogień, aż kraj zasnuje dym... — Opadł na kolana, jego palce konwulsyjnie drapały udeptany śnieg.

Na polanie zaległa głucha cisza. Ostatni z kapłanów wciąż szeptał:

— Zapanuje noc w biały dzień... płacz dzieci branych w niewolę... na sznur... Trzygłów każe nam... — nie dokończył i skulił się.

Chłopcy przycisnęli kościane piszczałki do piersi i powtórzyli szept starca:

— ...noc w biały dzień... płacz dzieci branych na sznur...

Dwaj pierwsi kapłani chwycili trzeciego pod ramionami i unieśli w górę, odwracając się wreszcie twarzami do ludzi. Kobiety stojące przy ogniu jęknęły, widząc twarze starców. Mężczyźni zawyli, a zaraz po tym zaczęli skandować za kapłanami:

— Wzmocnić krew i zbroić się! I zbroić się! I zbroić się!

Świsnęły kościane piszczałki. Mimo to przez ich wysoki przenikliwy dźwięk przebił się odgłos dalekiego grzmotu. Dębina wstała gwałtownie od ognia.

— Zbierać się — powiedziała do kobiet w zielonych sukniach.

One jednak nie drgnęły, jedna z drugą wpatrywały się w kapłanów Trzygłowa.

Twarze starców pokryte były cienką warstwą lodu.

JAKUB ŚWINKA, arcybiskup gnieźnieński, słabym głosem poprosił o wodę. Kanclerz Andrzej Zaremba, który jeszcze przed chwilą poczerwieniały od gniewu grzmiał na Jana Gerbicza, biskupa poznańskiego, opadł na podsunięte mu przez sługę krzesło i wyjęczał:

— Dla mnie wino...

— Jest Wielki Post — skonstatował Gerbicz i złapał wściekłe spojrzenie przekrwionych oczu kanclerza.

— Więc wody! Wody dajcie!

Przez chwilę słychać było przełykanie. Choć każdy z obecnych tu mężczyzn po oświadczeniu królowej Małgorzaty mógłby raczej lać sobie tę wodę na łeb. Potrzebowali otrzeźwieć. Pierwszy uspokoił się Jakub Świnka. A przynajmniej bardzo pragnął się uspokoić.

— Królowo — zaczął oficjalnie, tłumiąc poruszenie i panując nad każdym słowem — owszem, pięć lat temu, gdy królewna Rikissa była trzyletnią dziewczynką i gdy żyła jeszcze jej nieodżałowana matka, księżna nasza Rikissa Valdemarsdotter, był projekt połączenia rodu askańskiego z piastowskim poprzez takowy mariaż. Ale gdy dobry Bóg zabrał nam umiłowaną księżnę Rikissę matkę i ty, pani, zajęłaś jej miejsce u boku Przemysła, nikt do tamtej sprawy nie wracał, bowiem dynastyczny plan złączenia Askańczyków i Piastów dokonał się poprzez wasze małżeństwo. Jakżeby nagle sprawa ta miała wypłynąć? Z jakiego to powodu? I wreszcie najważniejsze: czy masz jakikolwiek dowód na to, coś nam przed chwilą wyjawiła?

— Mam świadków... — słabym głosem powiedziała Małgorzata. — Król swą wolę oznajmił w obecności... — oddychała ciężko, z wyraźnym trudem — ...świadków.

— Jakich świadków? — przerwał jej niegrzecznie kanclerz.

Małgorzata nie podniosła oczu.

— Jego przybocznych druhów, panów Lasoty, Boguszy i Nałęcza...

— Zatem nie masz świadków, królowo! — gwałtownie krzyknął kanclerz. — Wszyscy oni nie żyją. Zginęli wraz z królem w Rogoźnie.

— Dlaczego mój syn, czwarty z przybocznych, nie był świadkiem tego wydarzenia? — trzeźwo zapytał Beniamin.

— Nie wiem, wojewodo... Przemysł zdaje się wysłał pańskiego syna po kanclerza, po pana Andrzeja Zarembę... Nie pytałam, ale... To było przed samym wyjazdem... Wszyscy Zarembowie poza Michałem wyjechali z Poznania... nawet moja dwórka Zbysława Zarembówna... Król chciał, by kanclerz obecny był przy tym oświadczeniu, ale nie mógł go znaleźć, posłał Michała... — Królowa mówiła cicho, każde słowo sprawiało jej wyraźny ból. — Ja rozumiem, że przyboczni nie żyją, nie mogą potwierdzić, ale było z nami przecież poselstwo zaręczynowe od mego ojca.

— Poselstwo? — nie wytrzymał już nawet Jakub Świnka. — Na Boga w niebiosach, królowo! W Poznaniu było poselstwo obcego władcy, a my nic o tym nie wiemy?

Małgorzata uniosła zaczerwienione oczy na Jakuba i powiedziała nieco mocniejszym głosem:

— To było dzień przed wyjazdem mego męża do Rogoźna.

— Ach, tak. Ja byłem w Gnieźnie — oprzytomniał Jakub Świnka. — Wojewoda Mikołaj też.

— Prawda — przypomniał sobie Mikołaj Łodzia — spotkaliśmy się przed radą kapituły katedralnej.

— Ja? Tak, ja byłem w Jarocinie u Sędziwoja Zaremby — niechętnie przyznał Andrzej Zaremba. — Król w związku ze swym wyjazdem na zapusty do Rogoźna ogłosił świąteczną przerwę w pracach kancelarii...

— Ja spotkałem się z kanonikami kolegiaty w Głuszynie — oświadczył biskup poznański Gerbicz. — A ty, wojewodo poznański, gdzieś wtedy był?

— W drodze do Jarocina — cicho odpowiedział Beniamin Zaremba.

— Czyli odbywał się zjazd rodzinny Zarembów? — chciał uściślić Jakub, lecz przerwał mu Andrzej Zaremba, nacierając na rodowca:

— Aleś do nas nie dotarł, wojewodo.

— Koń mi się poślizgnął na lodzie — odpowiedział Beniamin, ponuro patrząc na Andrzeja. Ten spuścił wzrok.

Jakub Świnka odnotował to wszystko w swej przepastnej pamięci i natychmiast przerwał rozmowę, która niepotrzebnie odbiegała od meritum problemu. Wielkiego problemu.

— Dobrze, królowo. Masz rację, iż żadnego z nas nie mogło przy tym być. Ale to wciąż nie wyjaśnia problematycznej kwestii: dlaczego król podjął tak ważną decyzję w, nazwijmy rzecz po imieniu, pośpiechu?

— Mój ojciec, margrabia Albrecht III, jest niezdrów, bardzo poważnie choruje. Chciał ostatecznie uregulować sprawy małżeńskie syna na wypadek, gdyby dobry Bóg raczył wezwać go ku sobie... —

Małgorzata mówiła szybko, cicho, lecz coraz pewniej. — Nie zdążyłam dodać, że prócz poselstwa, które wróciło do Brandenburgii z radosną wiadomością, świadkiem tego była sama mała królewna, Rikissa.

Zapanowała cisza. Małgorzata wyciągnęła rękę po kielich z wodą, ale cofnęła ją, jakby się bała w tej ciszy coś przełknąć. I miała rację. Pierwszy wybuchnął dotychczas raczej opanowany wojewoda gnieźnieński.

— Chryste Panie! — krzyknął. — Więc to poselstwo od razu poszło w świat?

Małgorzata pokiwała głową i jednak poprosiła o wodę. Upiła drobny łyk z kielicha.

— Pani! — zawołał kanclerz. — Czy jest jakiś powód, o którym ty wiesz, a my nie wiemy, by Przemysł, by król, którego znaliśmy z roztropnych i wyważonych decyzji, podjął tę bez naszej rady?!

Królowa Małgorzata przez chwilę odważyła się na nich popatrzeć. Jej zaczerwienione od łez oczy na krótko spoczęły na każdym z nich, może na arcybiskupie Jakubie na dłużej. Wszyscy wstrzymali oddech. Nabrała powietrza i powiedziała:

— Nie.

Najpierw słychać było, jak odetchnęli głośno. Potem arcybiskup przesunął kilka razy po stole kielichem, aż w końcu powiedział powoli, zaciskając drobne palce na blacie masywnego stołu.

— Zatem, królowo, powiadasz, że król Polski, małżonek twój, przed wyjazdem do Rogóźna poświadczył zaręczyny swej jedynej córki, królewny Rikissy, z twym młodszym bratem, margrabią brandenburskim Ottonem...

— Tak — cicho potwierdziła Małgorzata.

— ...kandydatem do współrządzenia Marchią wraz z licznymi kuzynami i braćmi z askańskiej linii na Salzwedel w konkurencji do waszej drugiej linii, Askańczyków ze Stendal?

— Tak — jeszcze ciszej powiedziała królowa.

— Jaki jest jego dynastyczny numer? — dopytywał arcybiskup. — Przypomnij nam, królowo, bo owszem, bardzo dobrze pamiętamy Ottona V, zwanego Długim, głowę rodu na Salzwedel, tego, z którego ty, pani, masz zaszczyt pochodzić. I świetnie pamiętamy Ottona IV, zwanego Ottonem ze Strzałą, głowę rodu na Stendal. I jeszcze jest ten drapieżny siedemnastolatek, syn twej ciotki Mechtyldy i świętej pamięci księcia Barnima, przyszły dziedzic Zachodniego Pomorza, wraz z braćmi oczywiście. Ale wiemy także, iż imię Otto znaczy dla was, Askańczyków, tyle, co dla Piastów Bolesław. I wiemy również, iż synów w każdym rodzie u was pod dostatkiem, więc jaki, za wybaczeniem królowej, numer jej brata?

— Otto VIII.

— Aha. Otto VIII, margrabia brandenburski na Salzwedel, w kolejce rzecz jasna do tronu, ma być kandydatem na męża dla córki króla polskiego. Dobrze wszystko zrozumiałem? — powtórzył arcybiskup.

Małgorzata sprawiała wrażenie osoby, która może zemdleć. Cienie pod jej podpuchniętymi od płaczu oczami wydłużyły się, nadając dwudziestopięcioletniej królowej wygląd ciężko chorej kobiety. Nie miała siły unieść głowy, zresztą może i nie chciała odpowiadać na spojrzenia obecnych na posiedzeniu Rady mężczyzn. Wojewoda poznański Beniamin Zaremba, wojewoda gnieźnieński Mikołaj Łodzia, kanclerz Andrzej Zaremba, biskup poznański Jan Gerbicz i arcybiskup gnieźnieński Jakub Świnka wpatrywali się w nią, chcąc zrozumieć, dlaczego. Dlaczego król, nie konsultując się z nimi, zgodził się na ten mariaż dla ukochanej, by nie powiedzieć, ubóstwianej córki z poprzedniego małżeństwa. Dla swej jedynej dziedziczki. Jedynego dziecięcia, jakie miał szczęście w życiu się doczekać.

Pierwszy odezwał się kanclerz, mówiąc głośno to, o czym oni wszyscy myśleli.

— Wybacz, królowo, ale to co najmniej podejrzana decyzja.

— Nieracjonalna i wbrew racjom stanu — szybko dodał Beniamin — bo i po cóż król miałby się wiązać podwójnie z twoim rodem, królowo, mając przy boku ciebie? Czyżby podejrzewał, iż sojusz, jakim było małżeństwo z tobą, straci sens? Czyżby, wybacz, królowo, ale to Rada i musimy pewne rzeczy powiedzieć wprost: czyżby przewidywał swą śmierć i na jej wypadek chciał osłonić Królestwo kolejnym zabezpieczeniem układu z Brandenburgią?

— Słyszysz, królowo? — upewnił się Jakub Świnka. — I rozumiesz, jak to brzmi?

— Tak... — zbielałymi wargami potwierdziła Małgorzata.

— I wiesz o tym, iż takie posunięcie, podwójnie wywyższające margrabiów z linii na Salzwedel spowodowałoby nieuchronny konflikt z waszymi kuzynami, margrabiami na Stendal?

Pokiwała głową.

— Margrabiami na Stendal, którzy jakby tego wszystkiego było mało, są rodzonymi siostrzeńcami nieżyjącego króla Przemysła — ostro dobił Beniamin Zaremba. — Najbliższymi, męskimi krewnymi króla!

— Jezu Chryste, miej w opiece Królestwo! — jęknął arcybiskup Jakub Świnka.

OTTO ZE STRZAŁĄ, margrabia brandenburski na Stendal, mimo iż miał niemal sześćdziesiątkę na karku, trzymał się w siodle prosto. I kiedy tylko dobry Bóg pozwalał, sam prowadził wojsko.

— *Gott mit uns!* — krzyknął i okutą w rękawicę dłonią wskazał kierunek na wchód.

— *Gott mit uns!* — zawtórowali mu bratankowie, a za nim całe brandenburskie wojsko.

— Na Santok! — rozkazał margrabia i ruszyli traktem, na kraju którego czernił się przygraniczny bór. On przodem, po ubitym śniegu, dopiero za nim askańscy rodowcy. Trzydziestoletni flegmatyczny Jan i popędliwy piętnastolatek Waldemar. Wódz przed swym stadem! Ha!

Otto nie znosił oznak starości. Nienawidził tego posmaku butwiejących liści, który kojarzył mu się z kresem dni; suchy i nierówny zarost na krzywych szczękach mężczyzn, którzy już złożyli broń; przerzedzone włosy, przez które plackowato przebija pokryta brązowymi plamami skóra czaszek. Nigdy. *Nein.* Gdy zobaczył na grzebieniu siwe włosy, po prostu wezwał pokojowca i kazał sobie ogolić głowę. Na łyso. Równie gładko golił twarz, a już przeszło mu przez myśl, czy nie przyłożyć brzytwy do pach i wciąż jeszcze muskularnej piersi.

Wciągnął w nozdrza mroźne powietrze. Jak pięknie brzmiał galop kopyt po twardym śniegu. Zdobywać — to właściwy cel życia mężczyzny. Ach, jak żałuje, iż nie może syna ze swej krwi prowadzić na ten bój. Uczyć go, jak brać grody, jak rzucać haki na mury, a wreszcie, jak słodkim jest dźwięk bramy rozbijanej przez taran! Ale nie, to jeszcze nie czas, by świat poznał prawdę. Dzisiaj jest czas dla jego bratanków i to ich prowadzi po to, co i tak w przyszłości wzbogaci cały ród.

Poprawił skórzaną przepaskę na pustym oczodole. Gdy przechodził w galop, opaska opadała, zwłaszcza teraz, gdy miał tak gładko wygoloną czaszkę.

23

— Stryju! — tuż za sobą usłyszał głos Jana, starszego bratanka. — Czy przegrupować wojsko? Wjeżdżamy w las...

— Bzdura! — odkrzyknął, nie odwracając głowy. — Zabobonna bzdura!

— Jak uważasz, stryju — wycofał się bratanek.

Otto nawet nie zwolnił, gdy wpadali między pierwsze drzewa. Po chwili galopu odwrócił się jedynie, by sprawdzić, czy wojsko jedzie za nim. Jechali, tylko Jan gdzieś zniknął. Za to sylwetka młodszego z bratanków, Waldemara, rysowała się na czele jeźdźców.

— *Nach Osten!* — krzyknął, by dodać im ducha.

— ...*sten!* — odpowiedzieli mu i niestety wyczuł, że gdzieś w ich sercach zalągł się lęk.

Głupcy — pomyślał o swoich ludziach — małoduszni głupcy! Boją się bujd o Starej Krwi, o Trzygłowie, wojowniczym bogu i jego wyznawcach. Co raz zamordowane, nie ożyje. A drewniany posąg bożka o trzech twarzach porąbał siekierą jego dziad Albrecht Niedźwiedź. Dostał za to od cesarza Marchię Północną w prezencie! Ach, minęły piękne czasy rzezi Słowian, czasy, w których zdobywało się wielki kraj na jednej wojnie! Otto nie zaprzątał sobie głowy bzdurami o leśnych wojownikach. Był głową rodu starszej linii Askańczyków i miał o czym myśleć. Piękna Mechtylda będzie wściekła. Sprawy nieco wymknęły się spod kontroli. Nieco. Z zaplanowanego i zleconego sekretnym ludziom porwania zrobiło się królobójstwo. Oczywiście, oni ręce mieli czyste, nikt ich w Rogoźnie nie widział, bo też i tam ich nie było. Ale co z tego, skoro ich imiona i twarze zna zabójca? Najlepszy ze znanych najemników. Jakub de Guntersberg. Do tego ceni się jak, nie przymierzając, papieska kuria. A co będzie, jeśli uzna, iż zapłacili mu za mało? Albo jeśli Polacy zapłacą mu więcej za ujawnienie zleceniodawców porwania?

Tfu! — Otto splunął i na chwilę rozbawiła go myśl, że jego ślinę poniesie wiatr wprost na któregoś z jadących za nim ludzi. Może na tchórzliwego Jana? Irytował go bratanek. Irytowali go wszyscy synowie braci, których uczył życia, niczym mędrzec stojący na czele rodu. Bo co? Bo oficjalnie nie miał własnych synów? Jeszcze się zdziwią.

Plan był świetny, jak większość pomysłów rodzących się w głowie pięknej Mechtyldy. Porwanie króla Przemysła wraz z królową Małgorzatą. Przyłożenie noża do brzemiennego brzucha jego żony. I podłożenie mu drugą ręką dokumentu, w którym zrzeka się Wschodniego Pomorza na rzecz margrabiów brandenburskich. Och, Przemysł tak pragnął męskiego dziedzica, że nadzieja ukryta w brzuchu Małgorzaty byłaby dla niego warta więcej niż pieczęć pod aktem.

Ale coś poszło nie tak. Królowa Małgorzata nie pojechała z Przemysłem do Rogoźna, zamiast eleganckiego porwania wyszły krwawe zapusty z królobójstwem na końcu. I w dodatku de Guntersberg zapadł się pod ziemię. Psiakrew!

Nieoczekiwanie koń Ottona rzucił się w bok. Margrabia błyskawicznie wysunął stopy ze strzemion i spadł z siodła, koziołkując. Usłyszał kwik przerażonego zwierzęcia. Psiakrew! — pomyślał. — Co, u licha? Kiedy zdążył zapaść zmierzch?

Zerwał się na równe nogi, sięgając równocześnie do saksońskiego noża na plecach. Gwałtownie się odwrócił. Jego ludzie już dojeżdżali do niego. Koń? Pobiegł w las, słychać jego rżenie. Czy mu się zdaje, czy pomiędzy drzewami czają się jakieś sylwetki?

— Kto tam? — zawołał, poprawiając opaskę na oku.

— Stryju! — za plecami usłyszał głos Waldemara. — Stryju, nic ci nie jest?

— Nie! — warknął Otto. — Koń mi się znarowił. Pobiegł w las.

— Przyprowadzić konia margrabiego! — krzyknął do giermków Waldemar. — Ale już!

Trzech chłopaków pobiegło w las. Otto otrzepał kolana i płaszcz ze śniegu, mówiąc:

— Za chwilę dojedziemy do rzeki. Nie będziemy czekać na świt, przejedziemy po lodzie. Mam umówionych miejscowych przewodników...

— Jezusie Nazareński, módl się za nami! — jęknął ktoś z pierwszego szeregu, wskazując na las.

Otto podążył wzrokiem za jego ręką. Najpierw zobaczył giermków, co poszli szukać konia, potem powrozy na ich szyjach i ramiona wykręcone w tył. Mieli oczy okrągłe jak spodki, oczy śmiertelnie przerażonych tchórzy. Za nimi szli mężczyźni. Przez głowę przemknęło mu błyskawicznie, że to nie są ludzie; w tej samej chwili usłyszał szemranie ze swych szeregów:

— Leśni wojownicy...

I opanował się natychmiast. To byli ludzie. Mężczyźni mieli długie rozpuszczone włosy, skórzane pancerze nabijane... tak, to mogły być ptasie kości. Więc, jakkolwiek było to głupie, mieli pancerze ozdobione ptasimi kośćmi. Kołczany, łuki, krótkie oszczepy. Dzikusy — pomyślał szybko Otto. — Powiem: „Brać ich!" i nie zdążą sięgnąć po strzały. Już otwierał usta, by wydać rozkaz, gdy za dzikusami wyszła z lasu dziewczyna, prowadząca jego konia. A za nią trzech siwobrodych starców. Psiakrew! Czy musi ich być trzech? Zaraz usłyszy, jak jego ludzie...

— Wojownicy Trzygłowa! Chryste na niebiosach, uchowaj nas, Panie!...

No właśnie. Już jęczą. Młyn na wodę zabobonnych tchórzy i maminsynków.

— Kim jesteście? — zapytał Otto i zdumiał się, że jego głos brzmi cicho, jakby szeptał.

Za to głos dziewczyny wiodącej konia zabrzmiał donośnie:

— Ojcowie, czy to oni?

— Czy ich konie są okute żelazem? Czy na płaszczach noszą krzyż Umarłego? Czy w dłoniach mają nagie miecze? — melodyjnym głosem odpowiedzieli starcy.

— Nie — niemal lekceważąco odrzekła dziewczyna, patrząc na Ottona i jego wojsko. — Ich konie płoszą się byle czym, na płaszczach mają czerwone orły, a ich dowódca ma w ręku tylko długi nóż.

— To nie oni — orzekli starcy jednym głosem.

Otto czuł, jak wściekłość gorącą falą uderza mu w twarz. Głupia leśna dziewka naigrawa się z niego i jego wojska! Chciał krzyknąć, wydać rozkaz: „Rozsiekać ich!", ale nie mógł. Jakby ktoś zasznurował mu usta. Dzikusy szły ku nim, nie przystając ani na chwilę. Słyszał nerwowe rżenie koni swych ludzi. A tamci przechodzili z jednej strony lasu na drugą. Przechodzili pomiędzy wojskiem margrabiów brandenburskich, nic sobie z nich nie robiąc. Długowłosi wojownicy przyglądali im się lekceważąco, starcy nawet na nich nie patrzyli, jedynie dziewka zerkała ciekawie. Mijając Ottona, wsadziła mu bez słowa w dłoń uzdę jego konia. Odwrócił się za nią gwałtownie, ale zielona suknia dziewczyny już zlała się w jedno z lasem. Nic, pusto, lutowy zmierzch. Jakby ich tu nigdy nie było. Tylko trzej giermkowie z powrozami na szyi i oczyma okrągłymi jak spodki świadczyli nazbyt dobitnie, że to się jednak działo naprawdę.

— Bogu niech będą dzięki! — gromkim głosem zawołał Jan.

Otto zmierzył go surowym wzrokiem i podciągnął się na siodło. Z wysokości końskiego grzbietu krzyknął:

— Za mną! — i ruszył w stronę rzeki. Nie będę myślał, co tu się stało — powiedział sobie w duchu raz i kategorycznie. Nikt nie zastanawia się nad snem strzepniętym z powieki. Dojrzały mężczyzna tworzy rzeczywistość i nie ulega ułudzie. Zwłaszcza jeśli ten mężczyzna jest głową rodu. I po nieudanym planie porwania króla musi bez chwili zwłoki wdrożyć w życie plan zastępczy. Plan zaboru.

— Szybciej! — krzyknął do swych ludzi. — Musimy nadrobić stracony czas!

Poszło sprawnie. Przewodnicy czekali w umówionym miejscu, późnym wieczorem przekroczyli zamarzniętą Wartę i blisko północy stanęli pod Santokiem.

— Otwierać bramy! — krzyknął herold. — W imieniu siostrzeńców króla Przemysła II, margrabiów brandenburskich Jana i Waldemara, żądam otwarcia bram!

— No, bratankowie — powiedział Otto do stojących po obu jego bokach Waldemara i Jana — jak wam się podoba Santok, „klucz i brama Królestwa Polskiego"? Piękny piastowski gród, w którym wasza świętej pamięci pani matka Konstancja brała za męża mego brata Konrada? Kto wie, Janie, może tu cię spłodzili?

Jan się skrzywił, jakby nie podobała mu się ta wizja. Ale młodszy, Waldemar, chłonął wszystko, co się działo wokół. Giermkowie trzymali przed rycerzami płonące pochodnie. Otto potoczył wzrokiem po swym wojsku. Tak, wyglądało godnie. Skinął głową heroldowi, że ma wołać dalej.

— Jeśli po trzykrotnym wezwaniu nie rozewrzecie przed margrabiami bram, przystąpimy do szturmu. Macie ostatnią szansę, by się zastanowić. Przybyliśmy tu w celach pokojowych i nie chcemy wyrzynać w pień ludności!

Okienko strzelnicze ponad bramą otworzyło się i wychynęła z niego głowa zakuta w hełm.

— Jeśli przybyliście w celach pokojowych, to dlaczego straszycie nas szturmem?

— Kim jesteś, człowieku? — zawołał herold.

— Piotr, kasztelan Santoka z mianowania króla Przemysła II — butnie odpowiedział łeb w hełmie.

— Król Przemysł II nie żyje — spokojnie odkrzyknął herold.

— Wiem. W Królestwie żałoba. Czekamy na wybór nowego władcy. Odejdźcie w pokoju, a jeśli trzeba wam jedzenia czy wody, powiedzcie, moi ludzie wyniosą wam coś za bramy.

— Nie odejdziemy. Otwórz bramy. Margrabiowie Brandenburgii obejmują gród.

Łeb w hełmie zaśmiał się nerwowo i odkrzyknął:

— Po moim trupie!

Otto dał znak łucznikom. Łeb w hełmie przestał się śmiać, widząc wycelowane w siebie strzały. Margrabia konno wyjechał przed szereg.

— Naprawdę chcesz zginąć, kasztelanie?

— Jestem tu, by strzec granic Królestwa. Santok to klucz i brama...

— Wiem, wiem — przerwał mu Otto i dodał spokojnym, metalicznym głosem: — Więc bądź rozsądny i oddaj mi i bramę, i klucz. Bandy uzbrojonych raubritterów włóczą się po gościńcach, rabują i palą wsie, podchodzą pod grody. Nie mów, że o tym nie słyszałeś. Bezkrólewie to niespokojny czas.

— Kim jesteś, panie? — zakrzyknął kasztelan. — Z kim rozmawiam?

— Margrabia brandenburski Otto ze Strzałą. Głowa rodu ze Stendal, stryj Jana i Waldemara, siostrzeńców świętej pamięci króla Przemysła II — dźwięcznym głosem anonsował herold.

— Dlaczego nie przybył tu ich ojciec, margrabia Konrad? — dopytywał wciąż butnie kasztelan.

— A chciałbyś, żeby nas było więcej? — powiedział pod nosem Otto, a Waldemar zarechotał cicho.

— Margrabia Konrad boleje nad stratą umiłowanego szwagra, Przemysła — krzyczał herold, modulując głos zwłaszcza na słowie „umiłowanego". — Jest na łożu żałobnej boleści, z którego wyruszy na pogrzeb waszego króla. Szanując was, mieszkańców grodu Santok, przysłał więc głowę rodu na Stendal, samego szlachetnego margrabiego Ottona, by ten dopilnował przekazania Santoka w ręce synów, Waldemara i Jana! Otwórzcie bramy!

Po drugiej stronie zapanowała cisza.

— Naradzają się — mruknął Jan. — Ciekawe, co powiedzą, ale nie sądzę, stryju, by dali się na to nabrać. Musieliby być głupcami...

— Milcz — warknął do niego Otto. — Masz trzydzieści lat z okładem, a muszę się hamować, by ciebie nie nazwać głupcem. Właśnie dlatego, że są rozsądni, otworzą nam prędzej czy później.

— Trupy będą? — dopytał chciwie Waldemar. — Trebusze łupną w wał, tarany w bramę?

Otto tryumfująco spojrzał na Jana.

— Piętnaście lat! Przemysł II był dokładnie w jego wieku, gdy urządził tu naszym ludziom krwawą rzeź. Drezdenko i Strzelce Krajeńskie wyciął w pień.

— Wiem! — mlasnął Waldemar. — Matka nam opowiadała...

— Hamuj się, bracie, wycinał naszych ludzi — zaoponował poważnie Jan.

— Ale wycinał! A nie negocjował... — rzucił się Waldemar.

— Cicho! — syknął bratankom Otto, bo okienko nad bramą znów się otwarło.

— Młodzi margrabiowie nie mają praw do Santoka. To kasztelania graniczna Królestwa Polskiego! — krzyknął kasztelan.

Otto ze Strzałą dał dyskretnie znak swemu przybocznemu.

— Margrabiowie uważają, iż mają twarde i mocne prawa do Santoka! — krzyknął herold i Brandenburczycy usłyszeli za plecami miły uchu skrzyp kół wielkich trebuszy. Kasztelan z wysokości bramy powinien już je widzieć. Otto nie chciał sprawdzać, oglądać się za siebie, by nie psuć widowiska. Zakuty łeb krzyknął wściekle:

— Trebusze? To ma być pokojowa wizyta? A jeśli powiem „nie", to zaczniecie walić do bram kamieniami?

— Owszem, skoro nas do tego zmusisz — z wyrafinowaną obojętnością odpowiedział Otto i dał znak łucznikom, by ponownie napięli cięciwy. — Wieleń, Wronki i Drezdenko już oddały się pod naszą opiekę. To ludność prosiła nas, abyśmy przybyli. Margrabiowie Jan i Waldemar, jako najbliżsi męscy krewniacy Przemysła, zajmą się ochroną granic, póki nie wybierzecie nowego króla.

Kasztelan znów zniknął w okienku strzelniczym, by rozmawiać ze swoimi.

Margrabia miał wszystko przemyślane. Jeśli porwanie króla zakończone przypadkowym zabójstwem wymknęło się spod kontroli, to była to wina tego, iż nie jemu powierzono dowództwo nad akcją. Tym razem jednak nie pozwoli, by cokolwiek poszło inaczej, niż on sam to zaplanował. Niejeden gród oblegał i niejeden zdobył. Po prostu wie, jak budzić trwogę w zamkniętych wewnątrz mieszkańcach. Jak sprawiać, by poczuli się niczym owce trzymane w zagrodzie, u której bram stoją wilki. Skinął, by wojsko zrobiło krok w przód. I jeszcze raz, by zabrzmiały bojowe bębny. Raz-dwa-raz-dwa-trzy. Skinął, by umilkły. I nie czekając, aż kasztelan wychyli się z odpowiedzią, krzyknął:

— Jeśli wasz nowy władca, kimkolwiek będzie, nie uzna praw margrabiów Waldemara i Jana do Santoka, opuścimy gród. Ale na czas bezkrólewia, póki tu będziemy, obiecuję wam, że nikogo nie zdejmę z urzędu. Będę zatwierdzał wasz stan posiadania i żaden z waszych osobistych majątków nie ucierpi. O ile będziecie równie rozsądni jak mieszkańcy innych kasztelanii.

Herold zaś natychmiast po tym, jak Otto zamilknął, zawołał uroczyście:

— To było trzecie wezwanie do otwarcia bram! Trzecie i ostatnie!

I znów zagrały bębny.

Jan nerwowo zapytał:

— Dlaczego stryj powiedział, że tamte kasztelanie się poddały?

Otto spojrzał na niego wyniośle.

— By ułatwić im podjęcie decyzji. Jak wpuści nas Santok, wejdziemy do każdego z granicznych grodów, więc co za różnica? Mówię prawdę, która jest oczywista, choć dopiero stanie się faktem.

— Bez walki? — szepnął rozczarowany Waldemar. — Zupełnie bez walki? Jakże to tak? Zabierał mnie stryj na wojnę, obiecywał pożogę i krew...

— Zuch. — Rozciągnął usta w płaskim uśmiechu Otto. — Nasz zuch. Jutro rano puścisz sobie z dymem niejedną wieś.

Rozgorączkowane oczy Waldemara sprawiły mu przyjemność. A skrzyp otwieranych bram Santoka radość. Gdy przejeżdżał przez bramę, poczuł podniecenie. I wreszcie rozkosz, kiedy odbierał kasztelanowi miecz. Potem zaś kazał wytoczyć beczki z piwnic swego, od tej chwili, grodu. I wzniósł toast za początek Nowej Marchii Brandenburskiej.

TYLON notował wszystko. Pisał szybko, zupełnie nie zwracając uwagi na drażniący ucho dźwięk gęsiego pióra skrobiącego po pergaminie. Nie chciał zgubić ani jednego słowa joannitów. Pecold, ten niższy, pochylał się nad ramionami Przemysła. Czubkami palców dotykał zsiniałej skóry króla. Wolfram przyświecał mu, podsuwając lampę oliwną.

— Sińce pod pachami — wymamrotał Wolfram — symetryczne.

— Nie do końca — pokręcił głową Pecold — spójrz na to. Duży okrągły odcisk palca.

— Rękawica?

— Tak mniemam. Musiał być niższy od króla...

Tylon odchrząknął i spytał sucho:

— Kto?

— Ten, kto go ciągnął.

Notariusz raz jeszcze chrząknął i dopytał:

— Króla ciągnięto?

— Tak — odparł Wolfram. — Ciągnięto, był nagi, bo odcisk rękawicy jest wyraźny. O tutaj — wskazał palcem na fragment sińca — tutaj widać najlepiej, rękawica była okuta.

— Uhm. Wybroczyny, skóra przecięta, odcisk palca, wszystko jasne. — Pecold szybko wyrzucał z siebie słowo po słowie.

Notariusz z trudem panował nad zdenerwowaniem. Zaprzeczył:

— Nic nie jest jasne. Po kolei, panowie.

— Bracia — poprawili go surowo joannici.

— Bracia. Proszę po kolei. Co to znaczy, że króla ciągnięto? Jak? Czy żył wtedy?

Joannici wymienili się spojrzeniami i westchnęli. Pecold zawołał:

— Sługa!

Z ciemności wychynął posługacz.

— Rozbierz się, dobry człowieku — rozkazał mu Pecold.

Sługa gwałtownie pokręcił głową.

— Nie mogę, składałem śluby. Panowie, ja nie mogę się obnażać przed nikim... — wymamrotał zlękniony.

Tylon zamachał ręką.

— Nie trzeba, o tak, na ubranym mi pokażcie. Więc jak ciągnięto króla?

— O tak — powiedział Pecold, zręcznym kopniakiem podcinając nogi posługacza. Ten upadł na plecy, a wtedy Wolfram chwycił go od tyłu pod ramiona i pociągnął po kamiennej posadzce.

— Aj! — jęknął posługacz, podkulając brodę do piersi.

— Puść! — krzyknął Pecold i rzucił się do leżącego na ławie ciała Przemysła.

Wolfram za nim. Zgodnie, niczym według wyuczonego wzoru, podnieśli ciało i delikatnie przewrócili je na bok.

— Poświeć! — krzyknął Pecold do sługi.

Ten podniósł się z posadzki, kuśtykając po lampę. Zabrał ją z pulpitu Tylona, notariusz poczłapał za nim.

— Oświeć tył głowy króla — poinstruował Wolfram.

Sługa wyciągnął przed siebie rękę z lampą, ale sam odwrócił twarz w cień, jakby się bał zwłok. Tylon zza pleców joannitów patrzył w stronę martwego króla, ale widział tylko jaśniejszy zarys ciała na ciemnej plamie ławy. Dwadzieścia lat ślęczenia nad dokumentami w kancelarii Przemysła zniszczyło mu wzrok. Widział dobrze tylko w jasnym świetle i tylko z bliska. Musiał polegać na oczach i doświadczeniu braci szpitalników od Świętego Jana. Pecold, ten o sylwetce zapaśnika, przesunął palcami po potylicy Przemysła.

— Jest — oświadczył, wykręcając głowę w stronę Tylona. — Jest strup. Wszystko jasne.

Notariusz chrząknął:

— Nie dla mnie... bracia.

Joannici westchnęli i Wolfram, który najwyraźniej miał więcej cierpliwości, wyjaśnił:

— Nieprzytomnego króla chwycił pod ramiona osobnik o znacznej sile i ciągnął spory kawał. Gdybyśmy zgolili mu włosy, moglibyśmy oszacować, jak duży.

— Nie! — zaprotestował gwałtownie Tylon. — Golić nie można! Królewskie ciało nie należy do nas, tylko do Królestwa, to świętość...

— Najwyraźniej nie było nią dla morderców — mruknął Pecold.

Tylon zagryzł wargi i dopytał:

— A skąd pewność, że król był nieprzytomny? Może bronił się, wyrywał?

— Bronił się ten sługa — przerwał Tylonowi Pecold, wskazując ruchem barku w ciemność, w której stał posługacz. — I co zrobił? Podciągnął głowę do piersi, żeby nie uderzała o posadzkę. To odruch, każdy chroni głowę. A król ma na potylicy ślady otarć, więc jego głowa bezwładnie opadła do tyłu.

— Racja — przyznał zaaferowany Tylon. — Król musiał być nieprzytomny... A dlaczego nie ciągnęli go, za wybaczeniem boskim, za nogi? Znacznie wygodniej ciągnie się nieprzytomnego za nogi... Jak mogę się domyślić, rzecz jasna, przy braku doświadczenia...

— Celna uwaga — pochwalił notariusza Wolfram. — Ale o tym później. Proszę zapisać, że gdy ciągnięto nagiego króla, był nieprzytomny.

Joannici ostrożnie ułożyli ciało z powrotem na plecach, a Tylon odebrał lampę z ręki sługi, szurając, podszedł do pulpitu i w zamyśleniu zanotował.

W tym czasie Pecold i Wolfram uważnie przebiegali palcami po ciele króla. Notariusz zerknął w stronę jaśniejącego w mroku zarysu zwłok. Przełknął ślinę i łzy, które dławiły mu gardło. Dla niego, jako dla człowieka, to lepiej, że nie dość wyraźnie je widział. Nagi i martwy król za życia był mu tak bliski. Ale teraz jako królewski urzędnik musiał stanąć na wysokości zadania. I odnieść się do pokrytego ranami ciała niczym do mapy, która musi doprowadzić go do zabójcy.

— Wody? — nieśmiałym głosem zaproponował sługa.

— Nie. Jeszcze nie — zdecydowanie odmówił Pecold.

— Ja... ja poproszę. Zaschło mi w ustach, bracia rozumieją... — przepraszająco powiedział notariusz.

Joannici nie odezwali się pochłonięci oględzinami.

— Ale ja... ja miałem na myśli wodę do mycia — wyjaśnił posługacz.

— Ach, tak — uciął Tylon.

— Potem ocknął się, wyrwał i padł na kolana — oznajmił Pecold.

— Albo kazali królowi klęknąć? Albo prosił o życie na klęczkach? — domniemywał Wolfram, badając kolana Przemysła.

— Tak czy owak, król klęczał na potłuczonym szkle, więc musiało to być już po napaści na niego, po walce, jaką stoczono z jego ludźmi w komnacie. Spójrz, rozorana skóra, przecięcia, moim zdaniem walczył na kolanach. Nóż! — Pecold, nie odrywając się od kolan martwego władcy, wyciągnął rękę. — No podaj nóż!

Posługacz nerwowo przerzucał narzędzia umieszczone na małym stoliku pod ścianą. Biedak — pomyślał Tylon — tam wcale nie ma światła. Uzbroił swój głos w powagę i powiedział:

— Przypominam, iż nie wolno nacinać ciała króla.

— Wiem — odwarknął Pecold, a Tylon uniósł oczy ku górze.

Na ścianach kaplicy poruszały się chwiejne cienie. Sześć nisko zatkniętych pochodni i blask lampy oliwnej Tylona ożywiały kamienne wnętrze ponurym widowiskiem krzyżujących się, wydłużonych i zniekształconych cieni. Nawet jego słaby wzrok pozwalał mu je widzieć. A może odwrotnie? Może właśnie słabość oczu notariusza sprawiała, iż te cienie widział tak wyraźnie? Z dwóch pochylonych nad ciałem joannitów powstało sześć cieni złowieszczo poruszających się nad królem. Jeszcze żył... — powtórzył w myślach Tylon — jeszcze żył, kiedy go ciągnięto... a potem walczył, bronił się na kolanach... Ach! Ciemne, nienaturalnie długie ramię z nożem kieruje się w stronę króla, z kłębiących się nad ciałem cieni wysuwa się wielka dłoń o palcach niczym macki pająka i chwyta ten nóż i ostrze wędruje ku piersi króla!...

— Chryste w niebiosach... — wyrwało się na głos Tylonowi.

— Mam! — odkrzyknął Pecold i ruszył z wyciągniętą dłonią ku niemu. — Mam! Proszę spojrzeć. I niech królewski notariusz odnotuje, że w komnacie, w której walczył król, pito wcześniej wino z kielichów z niebieskiego szkła! Oto dowód.

Szpitalnik położył coś na pulpicie przed Tylonem. Notariusz chrząknął nerwowo i podniósł to coś, przybliżając do płomienia oliwnej lampy. Drobinka była nie większa niż szmaragd w naszyjniku świętej pamięci księżnej, tym, który miała na sobie w dniu, gdy rodziła królewnę Rikissę. Och, Tylon tego dnia nigdy nie zapomni. Niósł księżną na ramionach, schodami w górę, ku jej komnacie, a ona śmiała się... Pod palcami wyczuwał ostre krawędzie oblepione czarną, gęstą mazią zaschniętej krwi. I choć wiedział, że to krew króla, odważył się ją zdrapać. Drobinka szkła zajaśniała w płomieniu lampy.

— No tak... — Potarł w zamyśleniu czoło. — Lecz cóż z tego wynika? Na dworze królewskim w Poznaniu używa się kielichów ze szkła barwionego na zielono, z przejrzystego jak górski kryształ... W Rogoźnie, gdzie dokonało się życie króla, kasztelan mógł używać kielichów z niebieskiego szkła... Chociaż... czy stać by go było na nie? A może kielichy przyjechały wraz z królewskim taborem?... Lecz kto nam to dzisiaj wyjaśni, skoro wszyscy towarzysze króla nie żyją, pomordowani jak i on?

— Wszyscy? — w głosie Wolframa zabrzmiała ledwie wyczuwalna nuta ironii. — Wiadomo, że żyje Michał Zaremba. A w karczmie „Dwie Pieczenie" tu, przy poznańskim rynku, gadają też, że ciała giermka króla Przemysła nie odnaleziono.

Tylon odchrząknął nerwowo. Wiedział o tym. Wiedział i o wielu innych ponurych zagadkach, które wokół mordu w Rogoźnie krążą niczym te zwielokrotnione cienie na sklepieniu kaplicy.

— Ludzie gadają różne rzeczy — nadał swemu głosowi barwę niefrasobliwą, mimo iż poczuł zimno w żołądku. — Nieszczęście to zdarzyło się ledwie dwa dni temu, a cała Starsza Polska huczy. Co się dziwić? Zamordowano króla...

Tok jego upozorowanej na zupełnie spokojną mowę przerwał ciężki odgłos kroków. Ktoś schodził do podziemnej kaplicy po schodach. Szczęknęła metalowa sztaba w drzwiach. Najpierw usłyszeli sapanie przechodzące w świst powietrza w czyichś starych i zniszczonych płucach. Potem skrzekliwy głos. Nim się odezwał, Tylon wiedział, do kogo należy. Sędzia poznański Gniew z rodu Doliwów.

— Notariuszu Tylonie... — wysapał. — Notariuszu Tylonie... czyście już skończyli swe dzieło?

— Nie, sędzio. Jeszcze nie.

Zaszurały kroki zmęczonych ciężkich nóg i w kręgu światła pojawiła się zwalista sylwetka otyłego mężczyzny. Obrzękłą dłoń przyciskał do piersi, jakby serce chciało mu wyskoczyć z piersi.

— To... źle... — powiedział, łapiąc oddech ze świstem — bo czasu macie już niewiele... obrzęd pogrzebowy musi... być... przyspieszony.

— Przyspieszony? Dlaczego, sędzio?

Pecold i Wolfram, pochyleni dotąd nad ciałem króla, wyprostowali się, z mroku wychynął nawet posługacz ze sterczącą, szarą czupryną. Ich cienie na suficie zatańczyły niespokojny, złowieszczy taniec. Sędzia z szurnięciem odwrócił się w stronę dębowej ławy. Spojrzał na leżące na niej ciało. W przeciwieństwie do Tylona, stary Gniew miał dobry wzrok. Utkwił oczy w ciele Przemysła II. Przeżegnał się i otworzył usta. Widział to, co wciąż ukryte było przed zawodnymi oczyma Tylona: jasne z góry, a zsiniałe od pleców zwłoki, na których czernią odbijały się kolana i przerażająca wielka rana na brzuchu, od piersi po pachwiny. Sędzia utkwił jednak wzrok wyżej, w białej twarzy króla okolonej przez mokre kasztanowe włosy. Otwarte oczy zmarłego patrzyły matowymi źrenicami wprost w sklepienie kaplicy. A na jego ustach widniał uśmiech.

— Chryste Panie — powiedział sędzia Gniew — król nasz uśmiechał się do swego zabójcy.

„W komnacie, w której walczył król, pito wcześniej wino z kielichów z niebieskiego szkła" — zanotował notariusz Tylon i odkładając pióro, zapytał:

— Dlaczego ceremonia pogrzebu władcy ma być przyspieszona, sędzio?

— Bo nieprzyjacielskie wojska wtargnęły w granice Starszej Polski — wysapał Gniew.

WŁADYSŁAW, książę kujawski, uciekł wraz z druhami na polowanie. Uciekł w zapusty i choć rozpoczął się już Wielki Post, jeszcze się nie odnalazł. Bory w księstwie łęczyckim były przepastne. Mokradła i bagna wreszcie ścięte lodem sprawiały, iż gnali za żubrami wciąż dalej i dalej. Każdy ustrzelony byk sprawiał, iż książę Władysław pragnął kolejnego.

— Pawełek Ogończyk do mnie! — krzyknął z końskiego grzbietu Władysław, przekładając pod pachę kołczan. — Pawełek!

Na kasztanowym wałachu podjechał do niego rudy młodzieniec w bobrowym kożuszku.

— Mój książę?

Władysław zdjął rękawice i kołpak, przeczesał palcami mokre od potu włosy.

— Pawełek. Pojedziesz do Łęczycy, do księżnej pani...

Młodzian przewrócił oczami i zajęczał:

— Książę... nie!... Jeśli mogę o coś błagać, to błagam, tylko nie to... Ja już byłem u księżnej pani... Niech teraz naraża się ktoś inny...

— Ale kto? — zafrasował się Władysław. — Wszyscy już byli po jednym razie. Szyrzyk był, Chwał był, Polubion był. — Książę podjechał do Ogończyka i poważnie spojrzał mu w oczy. — Czas na drugą rundę, synu.

— Książę... pani nasza mnie zabije...

— Właśnie, że nie. Kogo jak kogo, ale ciebie, Pawełku, nie zabije. Pojedziesz, zawieziesz żuberka i powiesz, że pozdrawiam, miłuję, o zdrowie pytam i jak tylko będę mógł, to wrócę. Zapamiętałeś? — Klepnął młodego w ramię tak mocno, że Pawełek się zakrztusił. — No to w drogę, Ogończyku! Księżna pani nie może dłużej czekać! I my też w drogę! Grać!

Błyskawicznie nałożył rękawice, nacisnął na czoło kołpak i gdy tylko zagrzmiał basowy dźwięk myśliwskich rogów, ruszył.

Widział niebo, które zaciągnęło się siniejącym granatem chmur. Jednak czuł w kościach, że śnieżyca przejdzie bokiem. I czuł, że dzisiaj czeka na niego wielki, stary żubr. Miał go upatrzonego, stary byk z soplami lodu na brodzie. Pragnął go dorwać. Rulka, jego klacz, wstrząsnęła łbem i machnęła ogonem, jakby chciała powiedzieć: „Nie podoba mi się to". Władek nisko pochylił się nad jej grzbietem i położył brodę na szyi Rulki. Klacz zmiękła i ruszyła przed siebie. Książę, słysząc w oddali pohukiwania swoich tropicieli, a za sobą tętent koni trzech braci Doliwów i reszty swej świty, pognał w bór.

Przez chwilę pomyślał o Jadwidze. O Jadwini. Jego żona była kobietą, która najchętniej nie odstępowałaby go na krok. Czy wszystkie takie są? Nie wiedział. Nie miał żadnego, poza księżną żoną, doświadczenia z kobietami i raczej mu tego nie brakowało. I jeszcze teraz, kiedy Jadwiga była ciężarna, kiedy rozwiązanie miało nastąpić lada dzień, po co on jej? No przecież w rodzeniu nie pomoże. A te kaprysy, te humory, te płacze na zawołanie, to nie na jego nerwy. No po prostu nie miał pojęcia, jak sobie z tym poradzić. Nie chciał uchodzić za nieczułego męża, za jakiegoś dzikusa, więc wolał dla dobra Jadwini wyjechać. Czyż tak nie lepiej dla wszystkich? Ona urodzi, on wróci. Oczywiście urodzi syna. Miał już dla niego upatrzone ładne imię — Bolesław. Po ojcu Jadwini, księciu Starszej Polski, po ukochanym stryju Władysława, księciu krakowskim, i po rzecz jasna Pierwszym Królu. A co! Jak pierworodny, to niech wie od dzieciaka, jaka przyszłość mu przeznaczona!

Tuż nad jego głową gruchnęło.

— Jasna cholera, piorun! — wrzasnął. — Burza?

— Burza śnieżna, książę! — wydarł się Szyrzyk.

W tej samej chwili ołowiane niebo rozświetliła błyskawica, a w jej blasku zobaczył tuż przed sobą lecącą w poprzek drogi sosnę. Zdał się już tylko na Rulkę. I się nie zawiódł. Rulka zamiast gwałtownie skręcać, odskakiwać w bok, jak uczyniłaby to większość szkolonych koni, przeskoczyła przez pień. Jakimś sobie tylko znanym końskim zmysłem znalazła przerwę między gałęziami i po prostu przesadziła przeszkodę. Zrobiła jeszcze kilkadziesiąt kroków, nim wyhamowała.

— Ty to masz szczęście, dziewczyno! — Poklepał ją po szyi i natychmiast zawrócił sprawdzić, co z jego ludźmi.

Grzmoty odeszły gdzieś dalej, ale z nieba zaczął walić śnieg. Niewiele było widać. Dojechał do zwalonej sosny, słyszał ich nawoływania po drugiej stronie.

— No, Rulka, musimy tam wrócić — namawiał klacz do powtórzenia skoku, ale ona zacięła się. Wstrząsała głową i stanowczo odmawiała współpracy. Zresztą nie pierwszy raz. Geniusz Rulki mieścił niestety w sobie i jej paskudny charakter.

— Szyrzyk?! — krzyknął, krążąc wokół rozcapierzonych gałęzi zwalonej sosny i próbując coś wypatrzyć w tnącym w twarz gęstym śniegu. — Chwał? Polubion?

— Książę? — usłyszał zza gęstych gałęzi głos. — Książę żyje?

— Ja tak! A wy?

— My też, tylko Szyrzyka nie możemy znaleźć. Jechał pierwszy...

— A koń?

— Co?

— Koń! Czy jest gdzieś jego koń?!

— Nie, nic nie widać!

— Rulka! — Jeszcze raz ścisnął jej boki kolanami pytająco. — Nie to nie. Ty to byś własne źrebię zostawiła, a ja nie mogę porzucić druhów. Więc stój tu i czekaj na Władka. Rozumiesz?

Klacz mieliła pyskiem, jakby żuła. Zeskoczył. Uwiązywanie Rulki nie miało sensu. Ona tego nie znosiła.

— Tu. Tu stój. — Pokazał jej zaciszne miejsce między konarami, a sam padł na kolana i przeczołgał się pod pniem.

— Książę Władysław! — Po drugiej stronie wpadł wprost w objęcia Chwała.

— We własnej osobie — potwierdził, przecierając zasypane śniegiem oczy. — Pod pniem go nie ma.

— Skąd książę...

— Przelazłem, to sprawdziłem. Musiał go koń ponieść w las... Trzeba rozpalić pochodnie i szukać...

W tej samej chwili usłyszeli nawoływanie z głębi boru po prawej stronie.

— Doliwa!

— Liwić! — odkrzyknął na zawołanie Chwał i po chwili dostrzegli zaginionego. Szedł, prowadząc konia za uzdę. Ale nie wyszedł z boru sam. Obok niego było trzech pieszych, w płaszczach i z bronią, bez koni.

— Szyrzyk! — zawołał Władysław. — Napędziłeś nam strachu! Kogo do nas prowadzisz?

— Rycerzy — roześmiał się najstarszy z braci Doliwów — ale jak się sobie przedstawialiśmy, to grzmiało, więc może powtórzą.

Polubion i Chwał jak na zawołanie położyli dłonie na rękojeściach puginałów. Trzech obcych rycerzy w książęcym lesie to jest powód do zastanowienia. Władysław poprawił kołpak i osłonił dłonią oczy przed ostro zacinającym śniegiem. Dwaj z przodu byli rośli, nie pierwszej młodości, ale i nie starzy, tyle że ich twarze były nieogolone, przez co wyglądali na zaniedbanych. Trzeciego nie było dobrze widać, trzymał się z tyłu. Jednak gdy podeszli bliżej, ci dwaj rozstąpili się, robiąc miejsce tamtemu. Władysław zamarł. Naprzeciw niego stanął mężczyzna jego wzrostu.

— Grunhagen — przedstawił się, patrząc księciu prosto w oczy.

— Niemiec? — zapytał Polubion.

— Bawarczyk — odpowiedział z łamanym akcentem przybysz. — Wracamy z towarzyszami z zimowej rejzy.

— Przyjaciele zakonu? — chciał uściślić Chwał.

— Wędrowni rycerze. Byliśmy z krzyżowcami na rejzie na Litwinów.

— To nie są krzyżowcy. To Krzyżacy — poprawił go Polubion.

— Wybacz, rycerzu. Słabo mówię po polsku — powiedział Grunhagen.

Władysław nie mógł przestać patrzeć na przybysza. Po raz pierwszy w życiu widział rycerza, któremu patrzył prosto w oczy bez unoszenia głowy. To go tak przykuło, iż nawet nie bardzo interesował się tym, co ten Grunhagen ma do powiedzenia. Chłonął jego muskularną sylwetkę, brudny zarost na policzkach, żylastą dłoń, którą przytrzymywał płaszcz na piersi. Oczywiście, Władysław żył tak, jakby wszystko było w porządku. Odkąd skończył szesnaście lat, zaczął oswajać się z tym, że już raczej nie urośnie, że większość dorosłych mężczyzn będzie patrzyła na niego z góry. Miał więc prawie dwadzieścia lat, by to do niego nazbyt dobitnie dotarło.

Nie, żeby się z tym godził, ale jakoś z tym żył. I oto teraz, w środku boru, w śnieżnej burzy spotyka rycerza, który jest tak samo niski jak on.

— A dokąd teraz zmierzacie? I gdzie wasze konie? — Chwał w przeciwieństwie do swego księcia nie tracił głowy z powodu spotkania małego rycerza.

— Chcieliśmy dotrzeć do Łęczycy, do kolegiaty w Tumie — powiedział Grunhagen, patrząc księciu prosto w oczy. — Burza zastała nas na popasie, konie zerwały się, słudzy pobiegli za nimi w las. Ale za to złapaliśmy konia waszego towarzysza, pana Szyszka.

— Szyrzyka — poprawił Chwał.

Grunhagen rozciągnął usta w czymś w rodzaju uśmiechu i powiedział:

— To imię czy przezwisko? Bo pierwsze słyszę. Świętego Szyszka też chyba nie ma, albo coś przeoczyłem w Litanii do Wszystkich Świętych...

— Daj mu spokój, bracie — wziął przybyszów w obronę Szyrzyk. — Konia mi znaleźli i oddali.

— Tak było — potwierdził Grunhagen. — My się przedstawiliśmy grzecznie, a z kim mamy przyjemność?

Chwał spojrzał pytająco na brata. Ten rozłożył ramiona przepraszająco.

— No, nie zdążyłem powiedzieć... panie Grunhagen, towarzysze, zegnijcie kolano przed księciem kujawskim Władysławem.

Grunhagen gwizdnął z podziwem i klęknął, schylając głowę. Klęknął przed Władkiem. A ten pomyślał, że przybysz musiał o nim słyszeć, bo w przeciwnym razie zgiąłby kolano przed którymś z jego druhów, co się zresztą nie raz zdarzało.

— ...zaszczycenie wielkie... — mówił Grunhagen do śniegu.

— Wstańcie — powiedział książę. — Ja wprawdzie jeszcze nie jadę do Łęczycy, ale zapraszam was do myśliwskiego dworu, tu nieopodal. Bądźcie dziś moimi gośćmi, bo polowanie i tak już przepadło.

Wstydził się przyznać, że chce napatrzeć się jeszcze na tego człowieka i żal mu stracić taką okazję. Poza tym ostro zacinała śnieżyca, stary żubr pewnie już dawno zaszył się w jakimś mateczniku czy też innym miejscu, gdzie chowają się żubry, a Władysław zmarzł.

— Grzane piwo! — przywitał gości Maciej pełniący rolę stolnika i cześnika jednocześnie, gdy po krótkim czasie dotarli do dworu, a w ich nozdrza wdarł się zapach pieczonego mięsa.

Modrzewiowe ściany dworzyska obwieszone były trofeami. Łopaty danieli, potężne wieńce jeleni, skóry dzików i niedźwiedzi. Środkiem dużej izby biegło palenisko z rusztem, na którym kończyły się piec dwa potężne żubrze combry. Po obu jego stronach stały zarzucone błamami futer ławy. Tu książę i jego kompani odpoczywali po łowach.

Władysław zasiadł wygodnie, wypił duszkiem pierwszy kubek piwa i powiedział:

— Zatem zmierzacie do kolegiaty w Tumie. To pech, bo kolegiata jeszcze nie odbudowana po pożarze. Nie wspomnieli wam Krzyżacy o napadzie Litwinów na Tum?

— My właśnie w tej sprawie — odparł Grunhagen.

Władysław przypatrywał mu się chciwie. Rycerz miał jasne, teraz brudne włosy odgarnięte do tyłu. Odsłonięte wysokie czoło przecięte kilkoma głębokim zmarszczkami, nieduży i niezbyt kształtny nos, policzki i brodę pokryte nierównym zarostem i coś, co przykuwało wzrok — intensywnie zielone oczy pod jasnymi, krzaczastymi brwiami. Na jego towarzyszy książę nie zwracał uwagi, odnotował jedynie, że siedzą obok. Piją jego piwo, jedzą jego chleb i mięso upolowanych parę dni temu żubrów. Niech sobie jedzą, na zdrowie.

— Zaciekawiam się — odparł książę — choć ostrzegam, iż ten napad to nie jest sprawa dla nas miła. Nie było mnie wtedy w księstwie. Walczyłem o Kraków. — Wyprostował się, mimowolnie kładąc dłoń na podwójnym łbie herbowej bestii na piersiach.

Gość wyciągnął spod kaftana coś niedużégo, owiniętego w kiepskiej czystości materię. Ucałował z uszanowaniem i położył przed Władysławem. Książę czubkiem palca odsunął materiał i zamarł. Uniósł na Grunhagena oczy.

— Skąd to masz? — zapytał gwałtownie.

Bracia Doliwowie: Chwał, Polubion i Szyrzyk pochylili się, by zobaczyć, co to takiego. Szyrzyk przeżegnał się szybko.

— Znalazłem u jednego Litwina — spokojnie odpowiedział rycerz. — Pytam go, jak ty mnie, książę: „Skąd to masz?", bo dzikus był poganinem pełną gębą, cztery żony w komorze. A on, że z wyprawy, zdobyczne. To pytam go: „Z jakiej wyprawy?", bo ja, choć na kosztownościach się nie znam dokładnie, mam w oku zmysł, by wiedzieć, że coś jest drogie albo tanie. Stare albo nowe. Pańskie albo chłopskie. I jak zobaczyłem ten krzyż, od razu wiedziałem, że stare, drogie i pańskie. A jeszcze w dodatku coś mi mówiło, że to może być i święte. Albo nieco święte...

— Ten Litwin tu był? Osobiście? — Władysław poderwał się z ławy i zaczął chodzić jak zwierz po klatce. — Przyznał ci się? Powiedział: to ja podkładałem ogień pod kościół Najświętszej Marii Panny i Świętego Aleksego? Pod kościół, w którym schroniły się kobiety z dziećmi u piersi? — Książę nagle dopadł do Grunhagena i złapał go za kaftan, niemal unosząc. — Powiedział ci to?

— Tak — zupełnie spokojnie potwierdził gość i Władysław puścił go równie gwałtownie, jak chwycił. — Rabowali po omacku. Za późno zorientowali się, że podpalając kościół z ludźmi w środku, podpalają skarby. Więc zdzierali ze ścian i ołtarzy jak popadło, przy

41

wtórze płaczu tych niewiast i dzieci — mówił Grunhagen bez większych emocji.

Książę Władysław oddychał szybko, niemal sapał. Znał tę opowieść z relacji nielicznych ocalonych. Księstwo było wtedy pod rządami jego brata Kazimierza. Sam Kazimierz, ścigając Litwinów po napadzie, zginął. Rzucił się za nimi z małym oddziałem, brał wszystkich, którzy byli pod ręką. Nie patrzył, że siły najeźdźców były po wielokroć większe. Dopadł ich nad brzegiem rozlanej po roztopach Bzury, wjechał konno w wodę, pierwszy. I pierwszy zginął. Jego Kazimierz! Jego wierny, kochany brat!

— Powiedział ci to wszystko tak, po prostu? — spytał Władysław, wyciągając rękę po krzyż. Srebrny niewielki krzyżyk z czterema rubinami osadzonymi w ramionach. Wisiał przy głównym ołtarzu. Ich ojciec mówił, że to dar księcia Kazimierza Odnowiciela i za każdym razem, kiedy to słyszeli, jego młodszy brat prężył się. W głębi ducha marzył, że on też będzie takim „Odnowicielem".

— Tak po prostu to kręcił i łgał. Ale jak go przypaliłem, to powiedział, jak było.

— Przypaliłeś go? — powtórzył w zadumie Władysław.

— Tak. Jak bym zabił, to by mi raczej nic nie powiedział. I skąd wówczas miałbym wiedzieć, gdzie krzyż zwrócić?

— Gdzie on teraz jest?

— Nie wiem. — Wzruszył ramionami Grunhagen. — Uznałem, że od nawracania są bracia krzyżowcy...

— Krzyżacy — poprawił go twardo Chwał.

— ...ja tam byłem na rejzie na pogan, ale nie żeby ich nawracać, tylko żeby ich bić. Więc odebrałem mu znak przenajświętszej męki Chrystusowej, odebrałem od niego zeznanie i zostawiłem. Ale przy mnie palił się już od kolan w górę, więc nawet jeśli go tam miał kto zagasić, to nie wiem, czy będzie jeszcze z niego pożytek.

Władysław ucałował krzyż i zacisnął na nim palce.

— Jakiej nagrody żądasz? — spytał.

— Zbawienia — odpowiedział Grunhagen. — Ale zgodnie z regułą wypraw krzyżowych mam je już raczej zapewnione. Od ciebie, książę, nie żądam nic. Wypełniałem swój chrześcijański obowiązek.

— Odwdzięczę ci się, rycerzu Grunhagen — poważnie odpowiedział Władysław.

— Skoro to dla ciebie tak ważne, książę. — Grunhagen wstał. Trudno było wyczuć z jego głosu intencję, bo mówił zawsze tym samym tonem.

— Ważne. Bardzo ważne. — Władysław chwycił go za ramiona i potrząsnął nimi. — Macieju! Znajdź beczkę najlepszego wina dla mych gości. — Ściskając w dłoni krzyż, usiadł z powrotem na ławie.

— Jest Wielki Post, książę... — niepewnie powiedział stolnik i cześnik w jednym.

— No i trudno!...

Drzwi dworzyska otworzyły się nagle i do izby wraz z wściekłym podmuchem śniegu wbiegł jakiś człowiek. Zdjął futrzaną czapę, i otrzepując się ze śniegu, wzrokiem potoczył po izbie.

— Książę! — zawołał, przecierając mokrą twarz i mrużąc oczy przed światłem. — Wieści z Poznania! Pilne!

— Ktoś ty? — zapytał Chwał, bo nie rozpoznawał przybysza.

— Kanonik Piotr, poseł od arcybiskupa Jakuba Świnki. Od rana błądzę po puszczy, szukając księcia Władysława. — Gość ruszył od drzwi na środek, popatrzył po obecnych i skłonił się przed stojącym u szczytu ławy Grunhagenem. — Książę...

Grunhagen zamrugał i wskazując głową na siedzącego Władysława, powiedział:

— Tam jest twój książę.

Poseł przez chwilę był skonsternowany. Władysław skinął, by się przybliżył. Piotr skłonił się nisko.

— Wybacz mi, książę...

— Mów.

— Król Przemysł zamordowany. Arcybiskup wzywa cię, byś niezwłocznie przybył do Poznania. Na pogrzeb i na elekcję nowego władcy Królestwa.

TYLON sięgnął po drugie pióro. Poprzednie już się stępiło, a szkoda mu było czasu, by je ostrzyć. Sędzia Gniew wrócił na górę do siebie, lecz nim zamknęły się drzwi podziemnej kaplicy za jego zwalistą sylwetką, kategorycznie poprosił notariusza o przyspieszenie tempa oględzin królewskich zwłok. Tylon zaś, jako człowiek doświadczony i posunięty w latach, nie ufał swej pamięci. Wolał notować wszystko, co mówią joannici, niż później żałować, że czegoś nie zapamiętał.

— Co ogłuszyło króla? Co sprawiło, że był nieprzytomny? — mamrotał pod nosem Wolfram, podczas gdy Pecold pasmo po paśmie przekładał włosy Przemysła, poszukując czegoś na jego czaszce.

— Czego szukasz, bracie Pecoldzie? — niecierpliwie dopytywał Tylon, wychylając się zza pulpitu.

— Odpowiedzi na pytanie Wolframa — mruknął joannita. — I oświadczam, iż tu jej nie ma.

— Króla nie ogłuszono uderzeniem w głowę — wytłumaczył notariuszowi wyższy z braci.

— Sługa! — syknął Pecold w mrok, z którego natychmiast wychynął służący. — Pomóż nam przełożyć ciało na brzuch.

— Ostrożnie, bracia! — upomniał ich Tylon, słysząc sapanie i widząc jedynie, iż jasna plama zwłok porusza się. — Przypominam, iż dotykacie królewskiego ciała!

Oni nie odpowiedzieli, więc wziął lampę w dłoń i ruszył do ławy. Sługa pokornie usunął się w cień, robiąc mu miejsce. Tylon poświecił sobie i zobaczył ciemną niczym śliwka plamę pleców.

— No i mamy! — krzyknął Pecold, pochylając się nad tymi plecami.

— Ciemnosina wyraźna plama wielkości dłoni dziecka pomiędzy łopatkami — powiedział Wolfram, uważnie zerkając na Tylona, a ten zrozumiał, iż joannita odgadł sekret jego wzroku.

— Co to może być? — zapytał notariusz, udając, iż nic się nie zmieniło. Że nie ma niczego dziwnego w tym, że półślepy urzędnik odpowiada za oględziny, i jednocześnie gorączkowo myśląc, czy joannici nie oszukają go, skoro już się zorientowali.

— Ślad po uderzeniu tępym narzędziem między łopatki. Tak silny, iż król po nim stracił przytomność.

Nieprawdą było, iż Tylon nie widział nic. W dobrym, dziennym świetle bez problemu rozróżniał twarze i wyraźniejsze niuanse barw. Problem zaczynał się w półmroku. Wtedy widział jedynie sylwetki, cienie, plamy jasne i ciemne. Ale było coś, co Tylon widział świetnie, jeśli tylko przybliżył łagodny płomień świecy lub lampy do oczu — tym czymś były litery. Notariusz, człowiek słów. I teraz zaryzykował, postawił wszystko na jedną kartę.

— Przepuśćcie mnie, bracia — poprosił i przeszedłszy na bok królewskiego ciała, pochylił się nad nim wraz z trzymaną w dłoni lampką oliwną. W jego nozdrza wdarła się woń zwłok. Zimna i mokra woń martwego ciała, które długi czas leżało na śniegu, a teraz rozmarzało w cieple wielkich pochodni. Opanował odruch ucieczki, który szarpnął nim, gdy wciągnął w nozdrza ten zapach. Na przeraźliwie czerwonej, niemal śliwkowej skórze pleców Przemysła zobaczył ołowianoczarny, okrągły ślad.

— Jak wam podpowiada rozum i doświadczenie, czym mogło być to narzędzie? — wyszeptał, z przerażeniem konstatując, iż gdy otworzył usta, wciągnął w nie tę śmiertelną woń.

— Coś, co nie przecięło skóry — powiedział Wolfram. — Uwagę zwrócić należy na ciemny, owalny kształt wewnątrz sińca. Siniec jest tylko efektem uderzenia.

— Rękojeść noża, miecza... — ciągnął Wolfram.

Tylon pochylił się jeszcze niżej i zobaczył, iż w samym środku sińca jest krwawa falista wybroczyna o linii zbyt regularnej, by mogła być dziełem przypadku.

— Miecza? Nie! — zaprzeczył Pecold. — To niewygodne trzymać miecz odwrotnie. Sprawca ryzykowałby, że nabije się na własny oręż. Ale trzonek toporka albo, jak powiedziałeś, rękojeść noża. Albo długiego noża. Tak, jak najbardziej tak.

— Czy posiadacze wymienionej przez was broni mają w zwyczaju zdobić tę część, którą zadano cios? — spytał Tylon, wpatrując się w maleńkie znaczki. Rozwarty dziób? Paszcza z zębami?

— Toporka nie. Ale noża tak, o ile właściciel jest wystarczająco majętny — odpowiedział Pecold, a Wolfram pochylił się nad ramieniem Tylona.

— Notariuszu! Na to nie zwróciliśmy uwagi! — niemal krzyknął. — Nie wierzę...

Tylon wyprostował się, wciąż trzymając lampkę na wysokości swych oczu. W jej świetle zobaczył nieskrywany podziw na twarzy Wolframa.

— Tak — powiedział, kiwając głową. — Sprawca zostawił nam odcisk rękojeści, jakby stawiał na ciele króla swą pieczęć.

— Sprawca owszem. Ale nie wiemy, czy zabójca — przerwał im ostro Pecold. — Uderzenie między łopatki było tak silne, że pozbawiło króla przytomności na jakiś czas. Ale z pewnością nie odebrało mu życia. Brzuch króla jest pełen powierzchownych, płytkich ran, które choć wyglądają okropnie... — Pecold zatrzymał na chwilę pospieszny tok mowy i spytał: — Pan Tylon chce je zobaczyć?

— Nie — wzbraniał się notariusz. — Kontynuuj, bracie. Ufam waszemu doświadczeniu.

— Wyglądają okropnie, ale cechuje je pewna chaotyczna powtarzalność. Ślady długich zadrapań, otarć, pojedynczych nakłuć. Jak wspomniałem, wygląda to paskudnie, ale podobnie jak uderzenie w plecy, nie było przyczyną śmierci.

— A czym?

— Może być śladem wrzucania bezwładnego nagiego ciała na końskie siodło. Był mróz. Zamarznięta skóra siodła i jej żelazne okucia mogły w ten sposób uszkodzić ciało.

— Tych ran jest dużo — wtrącił Wolfram. — Może jednak notariusz chce je zobaczyć? — powtórzył.

— Nie. — Tylon w blasku lampki raz jeszcze popatrzył mu w oczy. — Naprawdę wam ufam.

Wolfram skinął głową i przygryzł wargi. Kontynuował:

— Tych ran jest dużo. Gdyby ciało króla raz przerzucono przez siodło i jechano z nim, byłoby ich mniej. Przypuszczamy, iż król mógł się zsunąć z siodła i zostać na nie ponownie wrzucony.

— Albo — przerwał mu Pecold — nie zsunąć, lecz zostać brutalnie, z całych sił z tego siodła ściągnięty. I dopiero później znów wrzucony. Albo też sprawcy mogli... — zawahał się na krótką chwilę, jakby tak bliska obecność notariusza sprawiała, iż uważniej dobierał słowa — ...mogli przeciągać między sobą ciało króla.

— Wyrywać je sobie? — spytał Tylon łamiącym się głosem. — Walczyć o nie?

— Coś w tym rodzaju — potwierdził Pecold z ulgą, iż to nie on musiał to nazwać.

— A zatem, bracia joannici, co zabiło króla?

— To. — Pecold wskazał w stronę głowy Przemysła. Odsunął włosy zakrywające szyję króla i odsunął się, by notariusz mógł podejść bliżej. Tylon wraz z lampką pochylił się i zobaczył czarną zakrzepłą krew na szyi króla. I zobaczył, iż to, co wcześniej wziął za wodę kapiącą z rozmarzających włosów, w istocie było wodą z krwią. Posoką.

— Na rany Chrystusa — szepnął.

— Sztylet wbity w szyję — powiedział Wolfram. — Trafnie, prosto w tętnicę. Zabójca wiedział, co robi. Był pewien, że ta rana będzie śmiertelna. Uderzył z bardzo bliska.

— Miał króla przed sobą na siodle — powiedział Tylon. — Jak matka dziecię na kolanach... Król leżał, nie siedział...

— Słusznie — w głosie Pecolda zabrzmiała pochwała. — Z czego to wnosisz?

— Bo gdyby stał lub siedział, krew z rany płynęłaby w dół. A tu jest ślad od rany do czubków włosów. Tędy płynęła krew — spokojnie powiedział Tylon, a w jego głowie pojawił się obraz baranka wiszącego głową ku dołowi. Paschalnego baranka, którego kiedyś zabił jego dziad.

Tylon zrobił krok w stronę ciała i raz jeszcze pochylił się nad odciskiem rękojeści na plecach. Dziób? Pysk? Otwarta paszcza? A to wokół to ogon? Być może... musi czym prędzej narysować sobie ten znak. Pieczęć sprawcy. Uniósł oczy na joannitów, pytając:

— To wszystko?

— A ile jeszcze mamy czasu? — zapytał Pecold.

— Już jesteśmy po czasie — ze smutkiem oznajmił Tylon.

— Wobec tego to wszystko, co możemy powiedzieć — odrzekł Wolfram.

W mroku zaszurało i dobiegł ich głos sługi:

— Czy mogę już myć?

— Tak — potwierdził Tylon. — Proszę myć, pamiętając, iż doświadczasz łaski, człowieku. Łaski dotykania królewskiego ciała.

— Dziękuję — burknął sługa i zbliżył się ku nim nieśmiało, w jednej ręce trzymając szmatę, w drugiej cebrzyk z wodą.

Tylon wrócił do pulpitu. Pióro zdążyło wyschnąć, nabrał inkaustu. Pisał. Pisał wszystko. O siodle, o uderzeniu w plecy, o ranie od sztyletu.

Joannici w tym czasie siedzieli na ławie pod ścianą, zapewne zmęczeni pracą. Sługa krzątał się i trzeba mu przyznać, starał się robić swoje jak najciszej. Jego zadaniem było wyłącznie oczyszczenie ciała z krwi, by przygotować je do uroczystego obmycia przez biskupów. Po chwili skończył i zniknął w mroku.

Tylon skupił się na odwzorowaniu odcisku rękojeści. Wstał. Wziął kaganek i wrócił do ciała. Przemysł z powrotem ułożony był na wznak. Tylon rozejrzał się za sługą, chciał jeszcze raz zobaczyć ranę na królewskich plecach.

— Człowieku? — rzucił w mrok.

— O co chodzi, notariuszu? — Wolfram ocknął się z płytkiego snu.

47

— Szukam waszego sługi... Chciałem zerknąć na ten odcisk...

— Naszego? — zdziwił się Pecold. — To nie był nasz sługa.

— A czyj? — struchlał Tylon.

— Wasz — odpowiedział Wolfram, wstając z ławy.

— Nasz? Stanowczo przeczę. Byłem pewien, że przybył z wami z komandorii.

— Nie. Kiedy weszliśmy do kaplicy, już w niej był.

— Z wodą, szmatami i tą całą resztą...

— Chrystusie! — jęknął Tylon.

Pecold zerwał się z ławy.

— Kimkolwiek jest, nie rozwiał się w powietrzu, a drzwi od kaplicy nikt nie rozwierał. Musi tu nadal być!

Pecold wyjął z uchwytu pochodnię i podbiegł w stronę, gdzie stały cebry. Oświetlił je, ustawione równiutko, jeden obok drugiego, ze szmatką przewieszoną przez rant. Zrobił jeszcze dwa kroki, wyciągając przed siebie pochodnię i oczom idących za nim Tylona i Wolframa ukazały się niewielkie drewniane drzwiczki.

— To boczne wyjście z kaplicy — grobowym głosem oznajmił Tylon.

BENIAMIN ZAREMBA, wojewoda poznański, miał wrażenie, że się za chwilę udusi. Siedział wraz z arcybiskupem, królową i resztą Rady w Okrągłej Sali, słuchał kłótni swego rodowca, kanclerza Andrzeja, z biskupem poznańskim, i nie mógł nie pamiętać, iż Andrzej, prepozyt poznańskiej kapituły, w przeszłości otwarcie mówił, iż marzy, by zastąpić Jana Gerbicza na biskupim stolcu. W takiej chwili? — myślał. — Królestwo nam się wali, a Andrzej urządza sobie pojedynek słowny z biskupem? Do tego patrzeć już nie mógł na królową. Jej omdlałe gesty mierziły go. Nie, nie wątpił w to, że wdowa cierpi. Irytowało go jednak to boleściwe zachowanie. Taka słaba, taka biedna, nic nie wie, nic nie rozumie, a przywaliła im między oczy.

Musiał tu tkwić, był pierwszym wojewodą Królestwa. Musiał radzić. Ale wolałby, na Boga Ojca, na czele swego oddziału walczyć z raubritterami, którzy jak powiedzieli gońcy, napadli na zachodnie rubieże Królestwa. Wysłał poznańskie oddziały pod wodzą swego zaufanego Piotra, zwanego Piotrunem. Mieli za sobą niejedną kampanię, razem zdobywali grody i razem ich bronili. Piotrun w dodatku urodził się nad Notecią, po pomorskiej stronie, i znał tamte tereny niczym własne podwórze. Beniamin był pewien, że jeśli wieści posłańców nie są jedynie wyolbrzymieniem lęku o najeździe na granice Królestwa, że jeśli ktokolwiek rzeczywiście się nań odważył, to Piotrun zrobi z tym porządek. Wojewodę pomorskiego, Święcę, powiadomili o zgonie króla niezwłocznie. Zatem on powinien zabezpieczyć granicę z Brandenburgią. Beniamin nie miał powodów do obaw. Święca dobry, wojenny pan. Jego ludzie nic innego nie robią od lat, tylko strzegą granic przed Brandenburczykami. Mają w tym wprawę. A co z południem? Południe teoretycznie zabezpieczał książę głogowski, którego ziemie sąsiadowały ze Starszą Polską. Ale jak długo będzie to granica bezpieczna, skoro panowie właśnie radzą, by odebrać Głogowczykowi prawo do dziedziczenia tronu po Przemyśle, a przekazać je karłowi? Beniamin znał księcia Głogowa, wiedział, że jest to człowiek w swej istocie prawy. Ale wiedział także, że jest nad wyraz pamiętliwy, żeby nie powiedzieć mściwy. Głogowczyk nie wybaczy, jeśli wykluczą jego kandydaturę. Ponieważ w Okrągłej Sali zapanowała chwila ciszy, powiedział to głośno i wyraźnie:

— Głogowczyk nie wybaczy. Nie wybaczy podwójnie — raz, że odbierzemy mu prawo do tronu, którego na mocy dawnych ustaleń jest pewien, a dwa, nie daruje, jeśli na jego miejsce powołamy księcia Władysława. Oni mają ze sobą na pieńku.

— To nie my mu odbierzemy prawo do tronu, tylko wiec. Nie dostanie elekcji i będzie musiał się pogodzić z wolą rycerzy i baronów księstwa — westchnął wojewoda gnieźnieński Mikołaj Łodzia.

— Bądźmy szczerzy, książę Władysław będzie dla rycerstwa Starszej Polski wymarzonym kandydatem: z ubogiego księstwa, z pustym skarbem i niewielkim... — Łodzia mrugnął do zebranych — ...autorytetem. Baronowie lubią słabych książąt, bo wtedy sami trzymają władzę w rękach.

Jakub Świnka zmarszczył czoło i powiedział karcąco:

— Wolałbym, byśmy mówili o dobrych stronach kandydata! Powinowactwo z nieżyjącym królem poprzez małżeństwo z Jadwigą to raz, a dwa, Władysław jest iście polskim księciem, czego o Henryku z Głogowa nie można powiedzieć. Niby Piast, ale zniemczony do reszty. Kim się otacza? Niemcami. Kto mu doradza? Niemcy. Nadto

Śląsk porozbijany od dawna na małe dzielnice, a my tu Starsza Polska, kolebka, niepodzielni!

Beniamin dostrzegł, że biskup Jan Gerbicz potakuje Śwince równie mocno, jak Andrzej Zaremba kontestuje słowa arcybiskupa.

— W dodatku miejmy w pamięci, jak Głogowczyk zachował się wobec Henryka Brzuchatego, królewskiego szwagra. Coś okropnego! Czy chcemy władcę, który okazał się tak okrutny i nierycerski? — dorwał się do głosu Gerbicz.

— Książę Głogowa jest nam potrzebny na Śląsku — pokiwał głową arcybiskup. — Póki siedzi u siebie, zabezpiecza nas przed ruchami Václava. Czeski władca trzyma w garści Małą Polskę i jej nie puści, ale trzyma też w garści kawał Śląska, bo podporządkowuje sobie książąt śląskich, jak mu się żywnie podoba. Tylko Głogowczyk mu się stawia, jakby tak uczciwie spojrzeć. Dlatego w naszym interesie jest, by Głogowczyk został na Śląsku.

— Oponuję — spokojnie powiedział Beniamin. — Głogowczyk nie stawia się Václavovi. On raczej stara się mu nie podpaść. Już kilka razy, jeszcze za życia króla, zwracałem uwagę Rady na to, co robią śląscy bracia, wspomniany przez was Henryk Brzuchaty i Bolke Surowy, a zwłaszcza ten ostatni. To on wystawił na granicy z Czechami potężne twierdze obronne. Więc, jeśli chodzi o ścisłość, przywołuję ten fakt, by nie zakładać z góry, że Głogowczyk nie jest ukrytym stronnikiem Czechów.

— Nie rozmawiamy teraz o śląskich braciach, tylko o kandydatach do naszego pustego tronu! I z tych dwóch, Głogowczyka i Karła, to pierwszy ma więcej rozumu, doświadczenia i umiejętności, by zarządzać Królestwem! — Kanclerz postawił sprawę ostro.

Andrzej nie znosi Karła — skonstatował Beniamin. — Ciekawe, czy to coś osobistego, czy zwykła pogarda dla wiadomo czego. A może Andrzej już to ustalił z Zarembami? Może siedzieli w jarocińskiej wieży i pod dyktando furiata Sędziwoja knuli? Ale gdyby tak było, Sędziwój z całą pewnością wskazałby na Władysława, nie księcia Henryka. Bo to Sędziwój od lat był przeciwny wzmacnianiu władzy książąt. On pierwszy opowiedziałby się za słabym Karłem przeciw mocnemu Henrykowi. Najwyraźniej kanclerz Andrzej Zaremba, optując za Głogowczykiem, nie mówił głosem rodu.

Beniamin potarł w zadumie łeb herbowej bestii wyszyty złotą nicią na rękawie kaftana. Był Zarembą. Był nim z dziada pradziada, z krwi, kości i każdej myśli. Ale wszystko to, co zdarzyło się w ostatnich tygodniach, głęboki rozdźwięk, który zaszedł w niepodzielnym i strzegącym jedności rodzie, powodowało, że z goryczą myślał o rodowcach, coraz częściej używając słowa „oni". To przez „nich" jego syn, Michał, przyboczny króla siedział teraz wprawdzie nie w lochu, ale w równie upokarzającym odosobnieniu. To przez nich Michał miał krew na rękach. Chryste Panie, jak to się wszystko skomplikowało!...

— Proszę o niezwłoczne zwołanie baronów Starszej Polski — przerwał toczącą się w Okrągłej Sali dyskusję arcybiskup. — Musimy ustalić jedną linię i nie powinniśmy z tym zwlekać do pogrzebu króla.

— Ale kiedy mamy się spotkać z baronami księstwa? — zaoponował rozwlekle biskup poznański. — Przecież w kaplicy na Ostrowie Tumskim ciało króla czeka na obrzędowe obmycie... Arcybiskupie, powinniśmy już tam iść.

— Zwołujcie baronów — nie dał się wyprowadzić z równowagi Jakub Świnka — nim przybędą, zdążymy spełnić przy królu posługę.

— Czy ja mogłabym... — odezwała się cicho Małgorzata, a Beniamin od razu poczuł, że wzbiera w nim furia. — Czy ja mogłabym uczestniczyć?...

— Królowo... — zaczął Jakub Świnka, ale przerwało mu gwałtowne rozwarcie się drzwi.

Stanął w nich Piotrun, a Beniamin widząc go, poderwał się z miejsca. Przybysz potoczył wzrokiem po obecnych. Skłonił się pospiesznie.

— Królowo. Arcybiskupie. Panowie — zaczął — granice Królestwa zostały naruszone. Santok, Drezdenko i dalej, ziemie między Notecią a Drawą, wzięte siłą przez margrabiów brandenburskich.

Oczy wszystkich skierowały się na Małgorzatę, a królowa pod tymi spojrzeniami skuliła się niemal i skurczyła. Piotrun dokończył:

— Przez margrabiów z linii starszej, ze Stendal.

— Jesteś pewien, że nie przez ojca królowej? — zapytał kanclerz.

— Tam, gdzie wymieniłem, stacjonują wojska Ottona ze Strzałą i siostrzeńców króla.

Małgorzata wzięła głęboki oddech i wyprostowała się. Powoli uniosła głowę.

— Jest dla mnie coraz trudniejszym znoszenie tej sytuacji — powiedziała może nie głośno, ale po raz pierwszy dobitnie. — Jestem zmęczona ciągłym znoszeniem waszych podejrzeń.

Wojewoda widział, że Piotrun nie powiedział jeszcze wszystkiego, że przygryza wargi.

— Pani, pozwól memu dowódcy dokończyć relację — oświadczył w miarę spokojnie Beniamin, a Małgorzata zachowała się jak królowa.

Skinęła głową i powiedziała:

— Mów.

— Nie spotkaliśmy oko w oko żadnych wojsk. Margrabiowie zajęli grody i w nich siedzą. Nie przystąpiliśmy do oblężenia, bo nasza wyprawa miała cel rozpoznawczy, nie ciągnęliśmy machin. Złapaliśmy sporo informatorów i od nich wiemy, że margrabia uzasadnia zabór zabezpieczaniem praw siostrzeńców króla...

— To bzdura! — prychnął kanclerz. — Nie mają żadnych praw. Owszem, są najbliższymi męskimi krewnymi Przemysła, synami jego siostry, ale to tak samo bezsensowny argument jak, nie przymierzając, darowizna Gryfiny na rzecz Václava!

— Obyś nie powiedział tego w złą godzinę — zaoponował Jakub Świnka. — Księżna Gryfina nie miała prawa przekazywać Krakowa swemu siostrzeńcowi Václavowi, wszyscy się z tego śmiali, ale fakty są takie, że Václav siedzi w Krakowie i już.

— Zgadzam się z arcybiskupem — głośno powiedział Beniamin — margrabiowie brandenburscy są mistrzami w tworzeniu faktów dokonanych nawet za cenę prawdy. I mam tu na myśli margrabiów obu linii.

— Sprawiło mu przyjemność, że Małgorzata zacisnęła usta. Nigdy nie dręczył niewiast, ale teraz miał ochotę sprawić tej kobiecie ból, nawet jeśli ślubował jej wierność jako swej królowej. A może właśnie dlatego.

— Chcę jeszcze powiedzieć, iż margrabiowie rozpowiadają nie tylko to, że mają prawa do ziem po nieżyjącej siostrze króla, ich matce. Rozpowiadają, iż jako najbliżsi męscy krewni chcą otoczyć opieką swą kuzynkę, królewnę Rikissę.

— No i się narobiło! — jęknął arcybiskup.

Małgorzata wstała.

— Chcę coś powiedzieć. Teraz — oświadczyła głośno i dobitnie. — Arcybiskupie, panowie. Jakkolwiek ciężko mi znosić wasze mniej lub bardziej wprost wypowiadane podejrzenia, to muszę zwrócić waszą uwagę, iż dynastia askańska, z której pochodzę, bardzo wyraźnie dzieli się na dwie linie. Starszą i młodszą. Każda z nich prowadzi odrębną i niemal wrogą sobie politykę. Linia młodsza, moja linia, sprzymierzyła się z Królestwem Polskim wbrew interesom linii starszej. Mój ojciec, wydając mnie za Przemysła, liczył się z gniewem Ottona ze Strzałą i jego krewnych...

— Wybacz, królowo — przerwał jej kanclerz, choć nie powinien. — Ale my to wszystko wiemy, pamiętamy. Jesteśmy starsi od ciebie — w jego głosie zabrzmiała nieskrywana wyższość i Beniamin po raz pierwszy w duchu przyklasnął rodowcowi — i w związku z tym nie wypada, byś nas pani uczyła historii. I nie wypada, byś nam tłumaczyła, czym jeden brandenburski ród różni się od drugiego, bo to dla nas w chwili, gdy straciliśmy króla...

— Ja straciłam męża! — krzyknęła nieoczekiwanie Małgorzata. — „My", „my" i „my" powtarzacie w kółko, a ja? A co do różnic, to spójrzcie na siebie, zamiast mnie pouczać! Czyż Piastowie nie rozrodzili się na wrogie sobie rody? Wasi książęta truli się, wyrzynali, a w najlepszym razie porywali! I wy chcecie mnie uczyć?

Gówniara! — przeklął ją w duchu Beniamin, a sądząc po minach obecnych, zrobili to wszyscy, łącznie ze świątobliwym arcybiskupem. — Gra słabą gąskę, a wyuczyła się polityki jak złoto!...

Małgorzacie drżały nozdrza, zaciskała drobne pięści. Mówiła dalej, już nie krzycząc, już zmieniając ton na coraz łagodniejszy.

— Więc spójrzcie teraz na małżeństwo małej Rikissy raz jeszcze. Czyż wydając ją za mego brata, nie odbieracie argumentów mym kuzynom, których słusznie oskarżacie o zabór ziem Królestwa? Czyż nie najlepszą strażą i gwarancją granic Królestwa będzie związek Rikissy z Ottonem?

— Równie dobrze może być początkiem nowej wojny — powiedział arcybiskup — wojny, w którą uwikła się Królestwo. Ale masz rację, królowo, że w tej odsłonie losu należy ponownie i spokojnie rozważyć ten mariaż. Tak czy inaczej, margrabiowie z linii starszej — to ostatnie podkreślił mocno — dokonując zaboru ziem, skierowali na siebie nasze podejrzenia o udział w morderstwie króla.

— Przywiozłem do Poznania świadków — wtrącił Piotrun — którzy widzieli margrabiów Ottona ze Strzałą, jego brata Konrada i synów Konrada, Waldemara i Jana, w Brzezinie, o dzień drogi od miejsca zbrodni.

— To po brandenburskiej stronie — wtrącił Beniamin.

— Tak, ale Noteć nadal jest zamarznięta. Żadna to przeszkoda. Jaki powód mieli, by stać nad granicą Królestwa o dzień drogi od miejsca zamordowania króla?

— Byli głównymi podejrzanymi od początku — oznajmił wojewoda poznański. — Teraz to się potwierdza.

— Spokojnie, wojewodo — przerwał mu biskup poznański. — To ważny argument, ale na razie nie mamy innych dowodów na ich winę i nie możemy pozwać ich ani ruszyć na nich ze zbrojnym odwetem...

— Biskupie! Mamy wiele powodów, by ruszyć i ich pozabijać! W cztery dni od morderstwa króla wdarli się w nasze ziemie głęboko, zajęli strategiczne grody, a ty mówisz, że nic na nich nie mamy i nic nie możemy?! — Beniaminem aż zatrzęsło.

— Opanuj się, wojewodo! — Zmrużył oczy biskup poznański Jan Gerbicz. — Nie chciałem z racji na szacunek do ciebie, ale skoro mnie zmusiłeś, to przypomnę. — Zrobił dramatyczną przerwę. — To twojego syna, Michała Zarembę, odnalazła pogoń na miejscu zbrodni. Z ciałem króla na kolanach i mieczem w dłoni! Jedyny świadek. Przyznasz, że to dwuznaczna sytuacja?

Beniamin zacisnął szczęki, aż zgrzytnęło.

— Pozwólcie mu w końcu zabrać głos. Niech mój syn przemówi, a pewien jestem, że wyjaśni wam, co widział.

— To się okaże — powątpiewająco powiedział Andrzej Zaremba.

Beniamin siłą woli opanował się, by zamilczeć. I z tego milczenia wyswobodził go Piotrun, mówiąc:

— Znaleźliśmy też giermka króla Przemysła.

— Płatka? — dopytał Jakub Świnka. — To Bogu niech będą dzięki, mamy jeszcze jednego świadka!

— Obawiam się, że nie — ponuro skwitował Piotrun. — Giermek wisiał na drzewie. Odcięliśmy go, ale nie żył już od co najmniej dwóch dni. Wrony wydziobały mu oczy.

HENRYK, książę głogowski, wyobrażał sobie ten nagrobek setki razy. W myślach polerował i barwił kamień tak, by ten potrafił oddać ziemską urodę Przemka. Jego umiłowany brat poległ w dwudziestym roku życia, w kwiecie młodzieńczego wieku i sam był piękny jak kwiat. Miał ciemnoniebieskie oczy Piastów śląskich po ojcu, a po matce złote włosy władców Starszej Polski. Henryk rozczulił się. Rozczulał się za każdym razem, gdy wspominał Przemka. Było ich tylko trzech, trzech braci, a Przemek najmłodszy. Żywe światło! Radość, religijność, męstwo! Wszystko, co Bóg miał najpiękniejszego, dał Przemkowi. On, Henryk, z czułością to dostrzegał i z pietyzmem hołubił. Bez Przemka świat jest jesienią, wilgotnym zmrokiem, mgłą nad wysychającym mokradłem.

— Zamiast pięknego brata rycerza został mi brat garbus i klecha — powiedział sam do siebie na głos. Bo Henryk, choć z usposobienia skryty, lubił fakty stwierdzać głośno.

Konrad Garbaty, najstarszy z głogowskich braci, z racji swej ułomności wybrał karierę duchowną. Zresztą, może i po ich ojcu, też Konradzie, odziedziczył miłość do sutanny i ksiąg. Nim ojciec został ojcem, był duchownym, studiował w Paryżu. Ale później sytuacja w rodzinie tak się spiętrzyła, jak to możliwe tylko na Śląsku. Ojciec rzucił Paryż, stan duchowny i wziął w rękę miecz, by ratować księstwo. Przed kim? Przed bratem, to oczywiste. Henryk w swej własnej rodzinie nie uznawał walki o władzę. Dziedzictwo ojca dzielił sprawiedliwie.

Póki żył Przemek, to i ostatnią koszulę oddałby bratu. Do Garbatego nie czuł takiej miłości, to jasne, ale też nie nastawał na niego.

— Henryku — z ponurej zadumy wyrwał go głos Matyldy.

Jego żona była kobietą silną. Silną, a jednocześnie w swej urodzie niemal przezroczystą. Pojawiała się u jego boku w chwilach oficjalnych, zawsze pięknie spowita adamaszkiem płaszcza, misternie zwieńczona diademem, z bladą twarzą okoloną podwiką. W pięć lat pożycia dała mu czworo dzieci. Trzech synów i teraz pierwszą córkę. Z racji na jej stan, na to, że albo była w ciąży, albo w połogu, wiedli życie niemal odrębne. Przywiozła do Głogowa własne dworskie panny, pierwsze córy Brunszwiku, i otaczała się nimi w swych komnatach. Jedli osobno, spali osobno, aż nadchodził dzień, zwykle dwa, trzy tygodnie po chrzcie kolejnego z dzieci, kiedy księżna Matylda zjawiała się w sali jadalnej wraz z całym fraucymerem. Wtedy on wzywał kapelę dworską, służba rozjaśniała salę dziesiątkami świec, na stół wjeżdżały bażanty w wianuszkach pieczonych gruszek, ulubione danie księżnej. Lekkie mozelskie wino przysyłane co roku przez jej rodzinę lano im do kielichów i z każdym łykiem stawali się sobie bliżsi. Oczy Matyldy zaczynały lśnić, uśmiechała się do niego i mówiła: *„Mein Heinrich"*, a on za każdym razem całował czubki jej palców. Potem szli wspólnie do łożnicy i po krótkim czasie księżna oznajmiała, iż spodziewa się dziecka.

— Henryku — powtórzyła — mój brat Luther przyjechał. Przywiózł mistrza kamieniarskiego, o którego prosiłeś.

Głogowczyk odwrócił się od okna gwałtownie.

— Luther! Umiłowany szwagrze! Głogów wita najmłodszego z książąt Brunszwiku!

Henryk, zwykle tak powściągliwy w okazywaniu uczuć, darzył Luthera wyjątkową atencją. Może dlatego, że Luther był młodzieńcem, który przypominał mu Przemka? Niemal dwudziestoletni, młodszy brat Matyldy odziedziczył po Welfach ciemną barwę włosów i smukłą, niemal dziewczęcą budowę.

Uścisnęli sobie dłonie.

— Zostawię was samych, jeszcze nie czuję się najlepiej — powiedziała Matylda, wymownie patrząc na męża i całując brata w gładki, miękki policzek.

— Pierwsza córka — odezwał się Luther, kiedy wyszła. — Winszuję, Henryku. Bardzo lubię dzieci i, niestety, jak wiesz, nie będę ich miał.

— Już postanowione? — Henryk gestem zaprosił Luthra, by siedli.

— Tak. Jeszcze za życia ojciec podjął decyzję. Dziedziczą tylko moi starsi bracia. Mnie nawet nie wzięto pod uwagę przy podziale księstwa. — Luther mówił to całkiem spokojnie; jak na dziewiętnastolatka miał zaskakująco wiele rozumu. — A teraz Heinrich, najstarszy z nich, jest już głową rodu i podtrzymał życzenie naszego ojca.

— Wybrałeś już zakon?

— Rozważam templariuszy. Ale mój pan brat skłania się ku Krzyżakom. Jest pragmatykiem i uważa, że lepiej walczyć z poganami blisko domu niż daleko na Ziemi Świętej.

— Koszty są zupełnie inne. — Henryk pokiwał głową ze zrozumieniem. — I karierę u rycerzy Najświętszej Marii Panny zrobisz szybciej.

— U nas w Dolnej Saksonii jest niepisany zwyczaj, że całe miasta wspierają poszczególne zgromadzenia i w zamian za to lokują swych synów w określonych komturiach. Tak więc sądzę, iż choć moje serce skłania się ku Wojownikom Chrystusa, przyjdzie mi pogodzić się z wolą rodu i wstąpić do rycerzy Najświętszej Marii Panny — uśmiechnął się Luther. — Ale, Henryku! Moja siostra też nie wybierała sobie ciebie za męża, a proszę, jakie piękne tworzycie stadło! Trzech synów i nowo narodzona córeczka! Pan wam błogosławi.

Może więc pójście za wolą ojca jest jedyną drogą, po której powinny kroczyć dzieci?

— Masz dla mnie mistrza? — Głogowczyk zmienił temat na bardziej go interesujący.

— Naturalnie — z łagodnym uśmiechem potwierdził Luther.

Henryk od razu zapalił się do rozmowy.

— Widzisz, za kilka dni mija siedem... siedem lat od śmierci mego brata Przemka. Już nie mogę dłużej czekać. Jego piękna dusza wymaga pięknej nagrobnej płyty.

Luther zerkał na Henryka niepewnie, aż w końcu zadał pytanie:

— Chcesz, by na pośmiertnym wizerunku miał miecz pod stopami czy w dłoni?

Henrykowi zapłonęły policzki. Zerwał się z miejsca i uderzając pięścią w otwartą dłoń, podszedł do okna.

— Przemko zginął w walce — odpowiedział, cedząc słowa przez zęby.

— Ale te pogłoski... — niepewnie odezwał się Luther.

— Znam! Znam wszystkie nazbyt dobrze! Nicowałem każde ze słów świadków, powtarzałem je sobie w myślach i wierz mi, po stokroć zadawałem sobie pytanie, jak to się mogło stać. Jak to możliwe, że Mały Książę zabił mego brata, wbijając mu miecz prosto w usta! Słuchaj mnie teraz uważnie, Lutherze z Brunszwiku! Nie dopuszczam do siebie myśli, że to było inaczej niż w walce. Przemko jechał konno na czele oddziału. Mały Książę prowadził swoje wojska. Mieli za sobą dwa starcia na broń długą. Przemek chciał zewrzeć się po raz trzeci, ale Mały Książę odrzucił kopię i chwycił za miecz. Być może Przemek za późno zobaczył ten manewr? Może nie zdążył zmienić broni?...

— Gdyby tak było, miałby nad nim przewagę... Właśnie, wybacz, ale zwróciłem uwagę, iż ty jeden, Henryku, nie nazywasz księcia Władysława Karłem...

Głogowczyk doskoczył do Luthera i potrząsnął nim.

— Bo karzeł nie mógł zabić mego brata, rozumiesz? Przemka nie mógł zabić jakiś karzeł! Mógł to zrobić tylko prawdziwy książę! Nawet jeśli ta śmierć była okrutna, była śmiercią w walce. Nie wierzę w te bzdury o dorzynaniu jeńców. Nie wierzę! A wiesz dlaczego? Bo mój Przemek nie mógł być jeńcem!

— Rozumiem — spokojnie odrzekł Luther. — Zatem na nagrobku przedstawisz go z mieczem w dłoni.

— Tak! I z czarnym śląskim orłem na piersiach. — Henryk obiema dłońmi pogładził wielkiego orła rozpościerającego skrzydła na jego książęcej tunice. — W książęcym diademie! Niczym archanioła wojska niebieskiego... I wiersz! Lutherze, czy nadal ćwiczysz się w poezji? Może ty ułożysz strofy elegii?...

— To będzie zaszczyt dla mnie. — Luther skinął głową.

Głogowczyk rozpromienił się na chwilę.

— Zatem, Henryku, skoro uznajesz, iż śmierć twego brata była śmiercią chwalebną w równej walce, nie ma w tobie nienawiści do księcia Władysława — raczej stwierdził, niż spytał młodzieniec. — Minęło już siedem lat.

Głogowczyk wolnym krokiem wrócił do okna. Patrząc gdzieś daleko, powiedział, nie odwracając się do szwagra:

— Przeciwnie, Lutherze, przeciwnie. Pamięć o umiłowanym bracie na zawsze łączy się we mnie z gniewem wobec jego zabójcy. Miłość do brata zamieniła się w nienawiść do sprawcy jego śmierci. Ja, mój drogi Lutherze, mam dobrą pamięć. Potrafię wybaczać, ale tylko wtedy, gdy druga strona okaże chrześcijańską, ze wszech miar pokorną skruchę. Jeżeli zaś spotykam się z butą, to niestety, Stary Testament jest mi pierwszym prawem.

— Właśnie, Henryku! Mój pan brat przysyła mnie i w tej sprawie. — Głos Luthera był spokojny, grzeczny i, co po raz pierwszy usłyszał w tej chwili Henryk, stanowczy. — Mój brat niepokoi się tym, iż do ciebie, jako jego sprzymierzeńca, męża jego umiłowanej siostry Matyldy, zaczyna przylegać miano księcia okrutnego. Także i nasi wspólni wierni sojusznicy, margrabiowie brandenburscy, zwłaszcza szlachetny Otto ze Strzałą, wyrażają coraz większe obiekcje wobec metod twego postępowania.

— O co konkretnie im chodzi? — Henryk wreszcie odwrócił się od okna.

— O twego kuzyna, Henryka Brzuchatego.

Głogowczyk zaniósł się krótkim, urywanym śmiechem, jak kaszlem.

— Zapewniam cię, Lutherze, że on już nie jest gruby! Wszystkie przydomki księcia Wrocławia stały się nieaktualne. Jak o nim będą mówić, skoro nie Otyły, Tłusty, Gruby, Brzuchaty? Imię Henryk to na Śląsku za mało, by wiedzieć, którego z nas ma się na myśli.

— Właśnie. To, co z nim zrobiłeś, przekroczyło miarę dobrego smaku i odbiło się echem i w Brunszwiku, i w Stendal.

— Przesada — wzruszył ramionami Głogowczyk.

Luther przygładził palcami pukle ciemnych loków.

— Pozwól, że ustalimy fakty. Mój brat będzie zadowolony, mogąc oddzielić słowa prawdy od plew pomówień.

— Proszę. — Głogowczyk skinął głową, dając szwagrowi do zrozumienia, iż sam nic nie będzie mu opowiadał.

Luther zrozumiał i przyjął rolę, którą wyznaczył mu Henryk.

— Czy prawdą jest, iż twoi ludzie uprowadzili księcia wrocławskiego z łaźni?

— Nieprawdą jest, iż Brzuchaty jest księciem wrocławskim. Ja nim powinienem być. Księstwo wrocławskie mnie przypadło w testamencie, a Brzuchaty podstępnie mi je wydarł przy pomocy zdradzieckich mieszczan Wrocławia — stanowczo przedstawił swą wersję Głogowczyk. — I nie zrobili tego moi poddani, tylko człowiek, któremu Brzuchaty kiedyś zamordował ojca. Kierowali się więc motywem osobistej zemsty. Dopiero gdy dotarło do nich, że nie mogą więzić księcia krwi, oddali mi swego jeńca.

Luther chrząknął cicho i powtórzył pytanie:

— Czy prawdą jest, iż uprowadzono go z łaźni, nagiego i bezbronnego?

— Tak mówił.

— Czy prawdą jest, iż zakułeś go w metalowej klatce?

— Skrzyni — uściślił Henryk.

— Że skrzynia ta miała jedynie dwa otwory?

— Tak jak człowiek. Jeden, by oddychać i jeść, drugi, by się wypróżniać — spokojnie objaśnił Głogowczyk, oglądając pierścień na swym palcu.

— Czy prawdą jest, iż Brzuchaty nie mógł w niej ani leżeć, ani siedzieć?

— Ale i nie przewracał się. Skrzynia trzymała go w pionie.

Luther głośno przełknął ślinę.

— I trzymałeś go w niej sześć miesięcy?

— Fałsz. Pełne trzy. Tyle czasu zajęło mu przemyślenie układu zaproponowanego przeze mnie. Gdyby oddał mi Wrocław, nie siedziałby w skrzyni ani dnia.

— Zmusiłeś go do przekazania ci większości ziem księstwa wrocławskiego.

— Ale bez miasta. Wrocław pozostał przy nim.

— A okup?

— Trzydzieści tysięcy grzywien — zgodnie z prawdą wyliczył Henryk.

— Mówią, że gdy go wypuściłeś z klatki, przepraszam, ze skrzyni, był strzępem człowieka.

— Schudł. Ale nie pozwoliłem go głodzić. Służba karmiła go dwa razy dziennie.

— Ponoć w jego ciele zalęgły się larwy?

— Wybacz, nie oglądałem jego ciała. Wystarczył mi dokument oddający mi ziemie.

— A... — zaczął Luther, ale Henryk tym razem przerwał mu.

— Ale przypomnij twemu szlachetnemu bratu i naszym sojusznikom margrabiom brandenburskim, iż w chwili, gdy Brzuchaty odbierał mi Wrocław, wsparli mnie słabo. Obiecywali, obiecywali, ale na placu boju zostałem sam. A przecież gdyby wykazali się wtedy szybkością, wasza Matylda byłaby dzisiaj księżną nie tylko Głogowa, ale i Wrocławia. Więc niech nie będą zbyt okrutni w swych opiniach o mnie. Jeśli zaś chodzi o Brzuchatego, to przekaż bratu, że jego żona jest brzemienna. Tak, tak — pokiwał palcem przed oczyma zdumionego Luthera. — Elżbieta spodziewa się dziecka. A to oznacza, iż odchudziłem jej męża, ale nie uszkodziłem go.

Nim Luther zdążył odpowiedzieć, do komnaty pospiesznym krokiem wszedł kanclerz księcia, Otto von Dier. A za nim Bogusz Wezenborg, zaufany rycerz głogowskiego księcia. Z ich twarzy, z podróżnego, uwalanego śnieżnym błotem płaszcza Bogusza, Henryk zorientował się, iż stało się coś, co nie może czekać.

— Panie — skłonił się kanclerz. — Mamy dramatyczne wieści ze Starszej Polski.

— Od króla? — spytał Henryk i zrozumiał, że stać się musiało coś w istocie niezwykłego, bo Przemysł II ostatnimi laty ochłodził z nim stosunki.

— Nie, książę. Nie od króla, ale o królu. Przemysł II, król Polski, nie żyje.

— Został zamordowany w czasie zapustów w Rogoźnie — ponuro dodał Wezenborg. — Podejrzenia o zlecenie morderstwa kierują się ku naszym sojusznikom, margrabiom brandenburskim ze Stendal.

Henryk zbladł. Wstał z krzesła. Za nim poderwał się Luther. Głogowczyk wyszedł na środek komnaty wolnym, statecznym krokiem.

Zwrócił się ku wschodniej ścianie, na której wisiał krzyż z wizerunkiem Umęczonego. Padł na kolana. Wezenborg, von Dier i Luther zrobili to samo.

— W imię Ojca, Syna, Ducha Przenajświętszego, Bogu polecam duszę mego kuzyna Przemysła. Ufam, iż odszedł do Pana w stanie łaski. Iż dusza jego nie będzie wydana na męki czarnego piekła. — Głos zadrżał mu, ale nie załamał się. W modlitewnym uniesieniu szeptał dalej: — I wierzę, że dobry Bóg dosięgnie jego zabójcy swą karzącą, sprawiedliwą ręką. Módlmy się, bracia, bo każdy dzień pokazuje nam, iż niezbadane są wyroki boskie. Amen.

Jeszcze chwilę trwał w milczeniu, szeptał słowa modlitwy, którą powierzał tylko Panu. Potem wstał, a za nim pozostali.

— Kiedy elekcja nowego władcy? — spytał opanowanym głosem.

— Nie ma żadnych wieści — pokręcił głową von Dier.

— Panowie Starszej Polski przesyłają mi zaproszenie do Poznania?

— Jeszcze nie. Są zdjęci bólem. I na razie myślą o obronie granic. Margrabia Otto ze Strzałą wraz z siostrzeńcami Przemysła wtargnął im na ziemie nadnoteckie. Zajmuje grody.

— Będzie musiał się cofnąć — spokojnie oświadczył Henryk. — Nie zgadzam się na żadne zabory. A margrabiowie są wciąż naszymi sojusznikami, prawda? — nieco złośliwie zwrócił się do Luthera.

— Naszymi prawymi, wrażliwymi na wszelkie okrucieństwa sojusznikami. — Strzepnął palcami, jakby osiadł mu na nich włos. — Czy ich udział w morderstwie króla jest potwierdzony, czy to tylko plotki?

— Nikt ich za rękę nie złapał — metalicznym głosem powiedział Wezenborg. — Lecz wszystko wskazuje, że to oni zlecili zabójstwo.

Henryk odwrócił się ku szwagrowi. Położył mu dłonie na ramionach. Popatrzył w jego niebieskie tęczówki.

— Jeśli tak było, jako władca Starszej Polski osądzę ich — powiedział brunszwickiemu księciu.

— Panie — wtrącił się Wezenborg. — Powinniśmy niezwłocznie zebrać wojsko i ruszyć do Poznania. Moi cisi ludzie donoszą, iż na zamku Przemysła padło imię przyszłego władcy.

Henryk odwrócił się ku Wezenborgowi.

— Sugerujesz, że panowie Starszej Polski mogą nie uznać moich praw do dziedziczenia po Przemyśle? Moich praw do Starszej Polski i Wschodniego Pomorza? — Głos Henryka brzmiał sucho, gdy wypowiadał na głos to, co sam uważał za fakt niepodważalny.

Wtrącił się kanclerz Otto von Dier.

— Nie mamy pewności, iż w czasie, gdy stosunki między tobą, książę, a Przemysłem popsuły się, nie zmienił on zapisu o dziedziczeniu.

— Nie mógł tego uczynić, nie wypowiedziawszy dziedziczenia mnie.

Czarny lśniący orzeł na herbowej tunice Henryka poruszył złotymi szponami.

W komnacie panowała cisza. Głogowczyk zmarszczył czoło i zwrócił się do kanclerza:

— Czyje imię padło w Poznaniu?

Otto von Dier nabrał w płuca powietrza i wypuścił je ze świstem, mówiąc:

— Władysława, Małego Księcia Kujaw.

Głogowczyk usłyszał wrzask herbowego, czarnego niczym węgiel orła i upewnił się, czy dobrze zrozumiał:

— Zabójcy mego brata, Przemka?

— Tak, panie. Właśnie tak.

RIKISSA wysoko unosiła suknie, stopień po stopniu schodząc w czeluść kaplicy.

— Królewno, ostrożnie! — jęknęła Anna, dwórka królowej, a niegdyś matki Rikissy.

Owionął je chłodny zapach mroku i kamieni. Dziewczynka przytrzymała się ściany. Pod palcami poczuła zimną wiekuistą wilgoć. Na murze niczym strup rozwijała się szara skroplona plama wapiennego wykwitu.

— Zostało tylko kilka schodków — uspokajała ją Anna głosem, który wskazywał, iż wolałaby być gdzie indziej.

Rikissa zeszła jeszcze stopień niżej; znów się zatrzymała. Z dołu dochodziło metaliczne stukanie sprzączek o pochwy mieczy oraz równych, wolnych kroków warty. Na murach korytarza odbijał się chybotliwy, słaby blask pochodni. W świetle tym królewna dostrzegła suchy odwłok zeszłorocznego pająka. Odnóża bezbronnie podkurczone pod brzuch. Kiwał się na zakurzonej nici pajęczyny, jakby podziemnym korytarzem snuł się ledwie wyczuwalny podmuch powietrza. Czy on wpadł we własne sidła? — zastanowiła się poważnie Rikissa.

— ...kilka schodków, królewno. Ale musimy iść, nie stać, iść.

— Mój ojciec już nigdzie się nie spieszy — odpowiedziała Rikissa, odwracając się ku Annie, i zobaczyła, że dwórka podnosi suknie tak wysoko, aż widać jej kościste kolana obleczone w jasne nogawiczki. Zawstydzona Anna szybko opuściła suknie.

— Ale inni czekają, by też mu złożyć hołd — odpowiedziała ze zniecierpliwieniem. — Idź już, królewno, proszę cię, idź.

Rikissa ani drgnęła. Wpatrywała się w odwłok pająka.

— Niech poczekają. To mój ojciec, nie ich.

— Rikisso Przemysławówno — skarciła ją poirytowana dwórka — bywasz nieznośna jak dziecko.

— Jestem dzieckiem — zaparła się królewna.

— Jesteś królewskim dzieckiem, a to oznacza, iż masz wyjątkowe prawa i wyjątkowe obowiązki.

— Daj spokój, szlachetna Anno — odezwał się z tyłu jeszcze jeden kobiecy głos. — Królewna straciła ojca i ma prawo zachowywać się jak zwykłe dziecko. Ja pomogę...

Z mroku za plecami Anny wychynęła młoda dziewczyna w prostym wełnianym płaszczu na zielonej sukni. Lekko zbiegła po schodach poniżej Rikissy i podała dziewczynce rękę.

— Chodź, Rikisso, poprowadzę cię.

Mała wczepiła się w jej dłoń i oderwała wzrok od pająka.

— Kalino, czy ten pająk wisi tu od jesieni?

— Tak, królewno.

Piastunka łagodnie sprowadziła małą o dwa stopnie w dół i królewna znów stanęła, jakby ten jeden, ostatni stopień był przeszkodą, przed którą chciała zawrócić.

— Jeśli nie chcesz, nie musisz tam iść. — Kalina pochyliła się nad nią i objęła ramieniem. — Możesz pożegnać się z ojcem, gdy przeniosą ciało do katedry i ustawią przed wielkim ołtarzem.

— Tak, nie musimy tam iść — z ulgą podjęła Anna — ja od początku mówiłam, że to zły pomysł.

— Więc pójdę — cicho powiedziała Rikissa.

Kalina szepnęła jej do ucha:

— Jeśli chcesz iść tylko po to, by zrobić na złość Annie, nie musisz...

Rikissa podniosła oczy na swą piastunkę i nagle zarzuciła jej ramiona na szyję.

— Chcę! Chcę do taty!...

Kalina uniosła ją w górę i ostrożnie zeszła z Rikissą.

Straż, widząc je, otworzyła drzwi kaplicy.

Na zasłanym czarną materią katafalku spoczywało ciało Przemysła. Za głową króla płonęły trzy czarne grube świece. Jego kasztanowe włosy ułożone były w kunsztowne fale, odcinając się ostro od bladej twarzy. Skronie obejmował diadem strojny w białe i czarne grube oka pereł. Szyję króla otaczał nieskazitelnie biały jedwab. Przemysł ubrany był w paradną zbroję, jego ramiona okrywał purpurowy płaszcz podbijany futrem białych popielic. Pas rycerski na biodrach. Na dłoniach rękawice z tłoczonej na złoto skóry. Na piersi króla, obok złotego łańcucha o grubych, lśniących ogniwach zwieńczonych rubinowym krzyżem, leżał herbowy biały orzeł Królestwa.

Kalina postawiła Rikissę na kamiennej posadzce i szepnęła:

— Jesteśmy na miejscu. Jeśli chcesz, królewno, możesz podejść do ojca.

Rikissa spojrzała na piastunkę, potem na stojącą za jej plecami Annę i powolutku odwróciła się w stronę katafalku. Teraz, gdy nikt już nie patrzył jej w twarz, z całych sił zacisnęła powieki i wyciągając przed siebie ramiona, ruszyła do przodu, w kierunku, gdzie leżał król. Jej dłonie dotknęły zimnej blachy zbroi. Zrobiła krok w przód. Pod palcami wyczuła nachodzące jedna na drugą płytki nakolanników. Zadrżała z zimna i podniosła dłoń. Poszła dalej. Usłyszała swoje kroki, piasek spod podeszwy bucika skrzypiący na kamiennej posadzce. I ciche bicie serca. Zamarła. Nie miała odwagi otworzyć oczu. Przebiegła palcami wzwyż, przeskakując szerokie ogniwa rycerskiego pasa. Paznokieć stuknął o blachę napierśnika i jej dłoń wylądowała w czymś miękkim i ciepłym. Herbowy orzeł, królewski biały ptak Przemysła. To jego serce biło złożone na martwym sercu ojca. Zagryzła usta, żeby zabolało. Jak mogła być tak dziecinna? Uwierzyć, przez chwilę uwierzyć, że żyje? Podkurczyła palce u stóp i jeszcze mocniej zacisnęła powieki. I wtedy jej dłoń wpadła między palce sztywnej rękawicy ojca. Gwałtownie otworzyła oczy. Zobaczyła, że on też ma rozwarte powieki, jakby wpatrywał się w coś na sklepieniu kaplicy. Uniosła głowę i zobaczyła czerwoną grę drżących świateł odbitych od rubinów krzyża na jego piersi. Pięć ruchomych kropli. Opuściła wzrok, wbijając go odważnie w jego twarz. I zrozumiała natychmiast.

To, co widzi, nie jest jej ojcem. Białe usta, zapadnięte policzki, wąski nos o nieruchomych nozdrzach, ostra linia podbródka. Sztywna i zimna wydmuszka ciała tak dobrze udająca Przemysła.

— Możesz ucałować ojca, królewno — odezwała się spod drzwi sztywnym głosem Anna.

— To nie jest mój ojciec — oświadczyła Rikissa. — To jego ciało. Nieżywe.

Wysunęła rękę spomiędzy zimnych palców rękawicy króla i szybkim ruchem zamknęła mu powieki. Zaskoczyła ją woskowa miękkość skóry, chłodne muśnięcie rzęs. Spojrzała w górę. Z sufitu zniknęło pięć rubinowych kropli. Jeszcze mocniej przygryzła wargi i szybko zerknęła na pierś króla. Biały królewski orzeł rozłożył skrzydło, osłaniając drogocenny krzyż; kończąc czerwoną grę na sklepieniu. Musnęła go palcami po łbie, odwróciła się i nie patrząc na Annę, Kalinę i strażników, wyszła.

Na trzecim stopniu od dołu odnalazła pająka i rozpaczliwie uderzyła w kiwający się odwłok otwartą dłonią.

A potem podciągnęła suknie wysoko i biegiem ruszyła na górę, krzycząc:

— Chcę do taty!

Usłyszała za sobą długie kroki Kaliny i gdzieś w dali sapanie Anny.

— Chcę do taty! — powtórzyła, wychodząc na światło dnia. Wtedy zachłysnęła się płaczem.

— Chodź, zaprowadzę cię do niego — cicho powiedziała Kalina.

Otoczone szczelną asystą królewskiej straży szły od kaplicy na Ostrowie Tumskim na zamkowe wzgórze. Ludzie przyklękali po obu stronach drogi na widok królewny. Z każdej strony unosiły się szlochy i szepty, których Rikissa nie chciała słyszeć.

— ...biedna...

— ...co za tragedia...

— ...sierota...

— Kto by pomyślał!...

Była wdzięczna wartownikom, że bez słowa, z metalicznym szczęknięciem otwierali przed nimi kolejne drzwi. Już wspinały się schodami zamku na górę. Przez wąskie okienko mignęła im sina wstęga rozmarzającej Warty. Dotarły na samą górę zamku, do prywatnych komnat Przemysła. Wartownik pilnujący obitych czarnym kirem drzwi otworzył usta, by coś powiedzieć, a potem zamknął je i przyklęknął na jedno kolano przed królewską córką. Miękko otworzył drzwi alkowy.

— Zamknij za nami — szepnęła do niego Kalina.

Pociągnęła Rikissę w stronę osłoniętego brokatową zasłoną łoża. Odchyliła narzutę.

— Wskakuj — powiedziała.

Rikissa rzuciła się na poduszki, a piastunka zakryła jej głowę kołdrą, otuliła plecy. Rikissa zamknęła oczy i poczuła, jak ojciec ją obejmuje. Jego zapach, woń potu, a w nim soli, żywicy, ciepłej skóry owionął ją i przeniknął. Zasypiając, czuła, jak Przemysł głaszcze jej włosy i śmieje się cichnącym, dalekim śmiechem. We śnie byli wszyscy — ona, ojciec i matka, księżna Rikissa. I we śnie wróciły do niej trzy herbowe lwy matki. Trzy złote lwy z dalekiego królestwa po drugiej stronie morza. Z królestwa, w którym zima trwa dłużej, a lato krócej. U kresu snu została jej tylko zima. Brudny ubity śnieg. Końskie kopyta na śniegu. Ona bez płaszcza, w samej sukni, ojciec wyjeżdżający przez zamkową bramę. I ktoś jeszcze. Obudziła się, wyskakując z łóżka.

— Gdzie mój rycerz? — krzyknęła do Kaliny.

— Kto, królewno? — Piastunka przetarła zaspane oczy.

W komnacie było już ciemno.

— Mój rycerz, Michał Zaremba. Południowy Wicher.

MICHAŁ ZAREMBA, chorąży zamordowanego króla, leżał na plecach i wpatrywał się w brudny strop. Odosobnili go. Tak. Mówiąc wprost, zamknęli go w niskiej izbie To jeszcze nie loch, ale już nie areszt domowy. Miał piekielnie dużo czasu, by rozmyślać. I jeszcze więcej, by na zmianę z otępieniem odchodzić od zmysłów. Zrywał się z ławy, walił do drzwi i potępieńczo wył, żeby go wypuścili, bo musi bronić Królestwa. Potem uspokajał się i znów zapadał w rozpacz.

Znał każdego ze strażników pilnujących drzwi. Nawet jeśli nie po imieniu, to z widzenia. A oni, podając mu jedzenie, kłaniali się nisko, z szacunkiem i odrobiną zabobonnej bojaźni. Chorąży i najbliższy druh zamordowanego króla. Syn pana wojewody Zaremby. Ho, ho, jeśli ktoś tak ważny może być pod kluczem, to dokąd zmierza Królestwo?

Było ich czterech i Przemysł piąty. Od dziecka wychowywani razem. Czterech synów najważniejszych rodów Starszej Polski i jej dziedzic. Razem z nim czekali, aż przejmie książęcą władzę. Przy jego boku walczyli o koronę. I szli do katedry w najświętszym dniu królewskiej koronacji. Pili z nim, bili się dla niego, strzegli jego kolejnych żon, zjednywali baronów, nadstawiali karku i kochali go niczym brata, przyjaciela, króla. Nazywano ich Czterema Wichrami, od stron świata, w których się narodzili. Nawoj Nałęcz, północ. Lasota Łodzia, wschód, Bogusza Grzymała, zachód, i Michał Zaremba, południe. Południowy Wicher. Do Rogoźna Przemysł zabrał tamtych trzech; więc przy życiu z nich wszystkich został tylko czwarty.

Jak mogło do tego dojść? Dlaczego Rogoźno nie było strzeżone? W jaki sposób najemnicy dostali się do kasztelanii? Jak to możliwe, że wycięli całą załogę w pień? Powtarzał sobie te pytania w kółko, jedno po drugim, i wciąż znajdował tylko poszlaki, żadnych odpowiedzi.

Szczęknęła sztaba w drzwiach. I żelazny klucz w zamku kłódki. Michał zerwał się, wiedząc, iż na posiłek za wcześnie. Do tej pory, odkąd trzy dni temu przywiózł do Poznania martwe ciało Przemysła, nikt z nim nie rozmawiał. Dwa razy spotkał się z królewną Rikissą, raz z ojcem i wkrótce potem zatrzymała go straż kasztelańska i zamknęła. Nie rozumiał, dlaczego nikt nie chce go przesłuchać, dowiedzieć się, co ma do powiedzenia. Nie dopuszczano do niego ojca, wojewody poznańskiego, Beniamina Zaremby. Pierwszego dnia sądził, iż to dlatego, że najwyższych urzędników Królestwa sparaliżowała żałoba. Drugiego, że każdy, kto nosi broń, ruszył strzec granic. A tej trzeciej nocy dotarło do niego, że to nie jest przypadek, że tkwi tutaj, bo stał się obiektem gry. I tylko czekał, aż zobaczy, czyja ręka wykona na tej szachownicy pierwszy ruch.

W niskiej izbie panował półmrok, więc nie poznał gościa, póki ten nie zsunął z głowy kaptura.

— Nie zaprosisz mnie, chłopcze, bym usiadł? — spytał kanclerz Andrzej Zaremba, rozglądając się po izbie. Na chwilę zatrzymał wzrok na plamie sinej pleśni.

— To nie jest mój dom, bym pełnił honory gospodarza — odburknął Michał.

Kanclerz wyciągnął na środek stołek i przetarł go rękawicą. Siadł na wprost Michała. Westchnął.

— I coś ty zrobił, synu!

— Nie jestem twoim synem, Andrzeju.

— W istocie, duchowni nie miewają dzieci. Ale jesteś Zarembą.

— To groźba? — kwaśno spytał chorąży.

— Jeszcze nie wiem — odpowiedział Andrzej. — Przysyła mnie złoty smok.

Michał parsknął gniewnie.

— Złoty smok? To dlaczego na piersi nosisz herbowego półlwa za murem?

— Bo są rzeczy widzialne dla oczu i te, które widzą tylko wybrani — sentencjonalnie westchnął Andrzej i od razu zmienił ton. — Przestań błaznować. Żarty się skończyły. Jesteś Zarembą jak my. A to znaczy, że w twoich żyłach płynie krew angielskich królów, że twą powinnością jest strzec świętej pamięci naszych przodków, szanować złotego smoka, którego nosili na chorągwiach, i kryć tę pamięć w sercu. W Starszej Polsce naszym herbem jest półlew za murem...

— Półlew, co niczym wąż skrywa smoczy ogon jak wszystkie swoje wstydliwe tajemnice! Ród, co dwieście lat temu podniósł rękę na króla i znów chciał dołączyć do przeklętego plemienia królobójców!

— Milcz! — syknął Andrzej, aż z ust poleciały mu krople śliny. — Milcz. Zarembowie strzegą swej pamięci, milcząc — dokończył szeptem.

Michał spojrzał na Andrzeja wściekle. Zarembowie strzegą i milczą. Nie od razu wyjawiają swe mroczne sekrety synom, jakby czekali, aż każdy z nich dorośnie i będzie gotów unieść to pochodzenie, jak brzemię. Jemu Beniamin powiedział rok temu, na krótko przed królewską koronacją Przemysła. Trzymał to do ostatniej chwili, bo nie wiedział, czy w Michale silniejszy jest przyjaciel króla czy Zaremba. I Michał przeklinał dzień, w którym się dowiedział, bo od tamtej pory stał się kłębowiskiem sprzeczności. Co zrobić z wiedzą o swym pochodzeniu? O Edmundzie, synu króla Anglii z dynastii Cedryka, co miał w herbie złotego smoka. Wypędzonym przez najeźdźcę z własnego królestwa. Edmundzie, któremu życie zamiast odebrać, ocalił Bolesław Chrobry i z wygnańca uczynił pierwszego ze strażników własnego tronu. Wiedzą o mieczu, który Edmundowi podarował król. Boże! To od wieków wciąż ten sam miecz. Miecz Chrobrego, Edmunda, Zarembów, a potem... Przemysła. Miecz, który już raz przelał królewską krew, wolą możnych usuwając z tego świata syna Chrobrego; króla, którego imienia wymieniać nie można, bo dopuścił się najwyższego świętokradztwa — podeptał wiarę w Boga i zaczął czcić pogańskich bożków! Tak, Michał mógł zrozumieć, że tamten akt z początków dziejów chronił Królestwo. Że Edmund działał z woli wszystkich strażników korony i choć popełniał królobójstwo, to po to, by ocalić Królestwo. Ale dzisiaj? Wawrzyniec wysłany przez rodowców, by zabić Przemysła, w oczach Michała nie był strażnikiem Królestwa, lecz przedstawicielem pychy Zarembów. Ich królewskich, chorych ambicji, które otwierały piekło. Które i jego samego zepchnęły w otchłań i splamiły zbrodnią. Przez chwilę oddychali głośno, jeden i drugi. Kanclerz odezwał się pierwszy:

— Co się wydarzyło w Rogoźnie?

— Zginął król — butnie odpowiedział Michał.

— Nie pytam o to, co wiem. Pytam w imieniu rodu, a zwłaszcza Sędziwoja Zaremby, jak zginął jego syn Wawrzyniec.

— Zginął lepiej, niż na to zasługiwał. — Michał spojrzał prosto w oczy kanclerza.

— Odrąbano mu głowę! — Andrzej zagotował się. — I ty to nazywasz śmiercią chwalebną?

— Nie odrąbano, tylko odcięto. Jednym ciosem miecza. Tak giną szlachetnie urodzeni.

Andrzej Zaremba na chwilę schował własną głowę w dłoniach. Zaciskał palce na skroniach, jakby bał się, że rozsadzi mu kości czaszki.

— Kto to zrobił? — wycedził wreszcie słowo po słowie.

— A jak myślisz? — zapytał twardo Michał.

— Ja nie chcę myśleć. Chcę wiedzieć. I Sędziwój chce wiedzieć. I każdy z naszych rodowców musi poznać imię zabójcy Wawrzyńca.

— Znasz je. Tylko strach nie pozwala ci go wypowiedzieć na głos.

— Michale — wolno, z wyraźnym trudem, przeciągając głoskę po głosce, wycedził kanclerz. — Michale, nie igraj ze mną. Jeśli wiesz, kto to zrobił, mów!

— Odkąd ojciec wyjawił mi wszystkie tajemnice Zarembów, odkąd pokazał mi tryumfalnego złotego smoka w herbie, zastanawiałem się, jakim cudem w całym rodzie imię Michał nadano właśnie mnie. Jakim cudem ja jeden noszę imię rycerza smokobójcy?

I to w rodzie, który kryje swe smocze korzenie, niczym ten półlew za murem...

— Michale! — Głos kanclerza był jak podziemny grzmot.

— ...i nie dane mi było tą wiedzą się uradować, ale w moim przypadku wiedza zawsze wiązała się z bólem. Zawsze kazaliście mi wybierać, wobec kogo mam być wiernym. Wobec Zarembów czy wobec króla.

— Michale! Mów!

— Ja — spokojnie oświadczył Michał. — Ja chroniłem króla i ja zabiłem Wawrzyńca Zarembę.

— Jezus Maria! Krew z krwi!

Michał patrzył na przerażenie Andrzeja w skupieniu. Sam przeszedł już wszystkie szczeble cierpienia, bólu i rozpaczy. Zatrzymał się na tej ostatniej i w niej tkwił. Nie widział powodu, dla którego miałby wspaniałomyślnie darować rodowcom przejście tej samej drogi. Nie chciał im niczego ułatwiać, bo to ich szaleństwo pchnęło ród do miejsca, w którym dzisiaj tkwią.

— Krew z krwi... — szeptał Andrzej, nie mogąc zdobyć się na inne słowa.

— Wiesz, dlaczego musiałem to zrobić.

— Zabójstwo rodowca... Tego nie można odkupić...

— A królobójstwo można? — syknął mu wprost do ucha Michał.

Andrzej nieoczekiwanie przytrzymał go za ramiona i oko w oko, usta w usta, powiedział:

— Co jest silniejsze? Przysięga czy krew? Co płynie w twoich żyłach, Michale Zarembo?!

— Zmusiliście mnie i dokonałem wyboru — odszepnął Michał.

— Sędziwój ci tego nie daruje.

— Nie oczekuję darowania win. Biorę krew Wawrzyńca na siebie, bo ja ją przelałem. Zabrnęliśmy tak daleko, Andrzeju, że ja już chcę tylko prawdy.

— Kto zabił króla? — nieoczekiwanie zapytał kanclerz.

— Najemnik.

— Czyj?

Teraz Michał z całą mocą wpatrywał się w oczy Andrzeja, szukając w nich wskazówek. Niczego nie dostrzegł i odpowiedział:

— Nie wiem. Był bez znaków. Sekretny człowiek, taki, za którego usługi płaci się srebrem, a może i złotem.

Kanclerz koronny pokiwał głową.

— Bez znaków... — westchnął. — Bezimienny najemnik nieznanych mocodawców. Dorwiemy ich. Nie popuścimy targnięcia
się na życie króla i pohańbienia Królestwa — dodał całkowicie poważnie.

Michał zmarszczył brwi zaskoczony słowami kanclerza.

— Chcesz powiedzieć, Andrzeju, że chroniąc Wawrzyńca, będziesz stał na przeszkodzie prawdy?

Andrzej Zaremba wstał i bez cienia ironii powiedział:

— Prawdy? Jakiej prawdy? Kto zabił Wawrzyńca? Ty. A kto zabił
króla? Najemnik. I oto jest prawda.

Ponuro, lecz bez gniewu spojrzał na Michała i ruszył do drzwi.
Uderzył w nie trzy razy i strażnicy odsunęli żelazną sztabę, wypuszczając kanclerza z niskiej izby.

I oto jest cała prawda — powtórzył w myślach Michał. — Jakim
diabelskim zbiegiem okoliczności najemnicy napadli na króla w dniu,
w którym planował zamach Wawrzyniec? Może zło przyciąga zło?
Zjednoczenie ciemnych mocy... Znad muru widać półlwa, za nim
kryje się złoty smok.

Gdy tylko przez jego głowę przemknęła myśl o smoku, zaraz do-
goniła ją następna, z taką siłą, jakiej Michał nie znał. I brzmiała: „Zarembowie strzegą". Nagle dotarło do niego, że choć był przeciwny
misji Wawrzyńca, choć potępia ambicje Zarembów, to jest jednym
z nich. I teraz w jego rękach honor rodu. Jednym wyznaniem może
go pogrążyć na wieki. Albo pogrążyć tylko siebie.

Usłyszał na zewnątrz poruszenie. Odgłos kroków nie jednego
człowieka, lecz wielu ludzi.

Idą po mnie — pomyślał. Lecz się mylił. Szli do niego.

Przez szeroko rozwarte drzwi izby zobaczył królową Małgorzatę
w otoczeniu kilku dam i straży. Wśród jej towarzyszek nie dostrzegł
siostry Wawrzyńca, Zbysławy Zarembówny.

— Zostawcie nas samych — oznajmiła wartownikom Małgorzata, a ruchem głowy wskazała swym damom, że ich miejsce również
jest za drzwiami. Szczęknęła zasuwa.

Patrzyli na siebie przez chwilę. Michał zdał sobie sprawę, iż od
pięciu dni się nie mył, nie golił. Królowa też musiała to dostrzec, bo
powiedziała cicho:

— Źle wyglądasz, Południowy Wichrze.

71

— Ty też nie najlepiej, pani — stwierdził ze współczuciem i omal nie rozkleił się. — Wybacz mi, królowo, nie zdążyłem... Zabrakło mi kilku chwil, to stało się niemal na moich oczach...

Małgorzata z przerażeniem zakryła dłonią usta. Spod zaczerwienionych, pewnie od ciągłego płaczu, powiek pociekły jej łzy.

— Michale... — załkała. — To ledwie cztery dni...

Za drzwiami znów zrobiło się poruszenie i Małgorzata gwałtownie się odwróciła.

— Jakim prawem?! — sapał na zewnątrz gniewny głos. — Mieliście przykazane, by nikogo do zatrzymanego nie wpuszczać! Nikogo!

Królowa spojrzała na Michała bezradnie i pokręciła głową, jakby chciała przeprosić. Ciężkie drzwi rozwarły się i do środka wtoczył się sędzia poznański Gniew.

— Królowo! — powiedział, ze świstem łapiąc oddech. — Nie wolno odwiedzać zatrzymanego, zanim nie zaprzysięgnie swoich zeznań!

— Jakich zeznań? — spytała Małgorzata. — Czy pan Michał Zaremba jest o coś oskarżony?

— To się okaże — wysapał Gniew. — Na razie jest naszym jedynym świadkiem.

— Długo kazaliście czekać jedynemu świadkowi — nie mógł się oprzeć ironii Michał. — Sądziłem, że w tak ważnej sprawie, jaką jest zabójstwo króla, przesłuchacie mnie od razu. Mój miecz przydałby się teraz Królestwu.

— To się okaże — powtórzył Gniew i zwracając się do Małgorzaty, poprosił: — Czy mogłabyś nas, królowo, zostawić samych?

— Nie — oświadczyła Małgorzata. — Przybyłam tu w tym samym celu, co ty, sędzio. Ledwie weszłam i nie zdążyłam usłyszeć, jak zginął mój mąż. Chcę to wiedzieć, bo to ja wysłałam pana Michała Zarembę do Rogoźna.

— Pani, królowo?

— Tak — oświadczyła. — Mój mąż zamiast pana Michała zabrał do Rogoźna Wawrzyńca Zarembę, a panu Michałowi powierzył pieczę nade mną i swą córką. Ale ja wolałam, by przy królu był jego chorąży.

Sędzia Gniew uniósł w górę palec.

— Wybacz, najjaśniejsza pani, lecz chcę zrozumieć. Skoro król na zapusty zaprosił Wawrzyńca, to znaczy, że wiedział, iż będzie się dobrze bawił w jego towarzystwie. Król wybrał sobie rycerzy, z którymi chciał spędzić czas. Panie Zarembo, po co pan gnał do króla?

— Chciałem być przy Przemyśle — odpowiedział Michał.

— A może nie mógł pan znieść myśli, iż stracił względy króla? Iż miejsce przeznaczone dla Zarembów przy boku władcy zajął inny? Młodszy, dowcipniejszy, sprawniejszy w boju?

Michał zagryzł zęby, by nie powiedzieć, kim był ten „sprawniejszy w boju". Małgorzata odezwała się z mocą:

— To ja złamałam rozkaz króla i poprosiłam, by chorąży pojechał do niego.

— A to dlaczego? — sapnął, przestępując z nogi na nogę, sędzia Gniew. Najwyraźniej nie lubił stać. — Czy były jakieś powody do obaw o bezpieczeństwo króla?

Królowa i Michał odpowiedzieli pospiesznie i jednocześnie:

— Nie.

Sędzia mruknął:

— Skoro król wolał towarzystwo Wawrzyńca, to dlaczego pani mu wysłała Michała?

— Wawrzyniec od niedawna cieszył się względami na dworze. Był młody, niedoświadczony.

— Ale, jak mówią pani dwórki, bardzo lubiany. Ponoć król za nim przepadał i, sama pani powiedziałaś, cieszył się względami na dworze.

Michał zagryzł zęby; wciąż bił się z sobą. Małgorzata wzruszyła ramionami.

— Lecz nie on powinien być przy moim mężu. Zależało mi, by to chorąży strzegł króla. Oboje mieliśmy do niego zaufanie. Dlatego chcę zostać i wysłuchać.

— Ależ pani... — sędzia nieco stracił rezon — to przesłuchanie z urzędu.

— Jestem królową. Więc także jestem tu z urzędu.

— Tak, no tak...

Michał patrzył, jak sędzia Gniew drobi w miejscu, nie wiedząc, co ma począć z Małgorzatą.

— Przynieście tu jakieś ławy i krzesło dla królowej — sapnął.

Ona skinęła mu w podzięce głową i dodała:

— Chorąży nie może być oskarżony o złamanie rozkazu mego męża, bo to ja go złamałam.

— Pani, wybacz, chcę uszanować twój majestat, lecz to ja prowadzę przesłuchanie.

— Rozumiem. — Skinęła mu głową. — Czy będą jacyś świadkowie?

— Na razie nie ma takiej potrzeby — odpowiedział sędzia i zwrócił się do Michała: — W jakim celu był tu wcześniej Andrzej Zaremba?

— Chciał ze mną pomówić.

— A nie powinien. Wiedział, że nikomu nie wolno do ciebie wchodzić. Ale skoro wojewoda, kanclerz i zatrzymany są jednego rodu... I nie oni jedni. Pół urzędów Królestwa w rękach Zarembów — kąśliwie powiedział sędzia.

W tej samej chwili wniesiono ławę i krzesło dla królowej. Małgorzata usiadła. Gniew opadł ciężko całym swym zwalistym ciężarem na ławę i wyciągając ramię, kiwnął do Michała, niczym do chłopca.

— Podejdź, proszę, panie chorąży, bliżej. Jako przesłuchiwany musisz stać.

Michał usłyszał w jego głosie cień bliżej nieokreślonej satysfakcji.

— No więc, panie chorąży, Andrzej Zaremba był u ciebie jako twój krewny czy jako kanclerz?

— Jako duchowny — odparował Michał.

— Potrzebowałeś pociechy?

Gniew jest z rodu Doliwów — szybko zrozumiał intencje sędziego Michał. — Zarembowie zepchnęli ich przed laty na peryferie, z dala od władzy, od księcia. Gdy Przemysł został królem, już się do niego nie dopchali.

— Czy możemy zacząć? — zapytał, zamiast odpowiedzieć sędziemu.

— Już zaczęliśmy. — Łypnął na niego przekrwionym okiem Gniew. — Opowiedz mi tę historię od końca.

— Nie wiem, co rozumiesz przez koniec, sędzio.

— Chwilę, w której pościg zastał cię z martwym ciałem króla na ręku i jego mieczem w dłoni.

Małgorzata przysłoniła usta. Jej oczy zamarły.

— Nie trzymałem miecza w swojej dłoni. Zaciskałem palce króla na jego rękojeści.

— Dlaczego?

Michał nie zrozumiał, zamrugał. Powtórzył za sędzią:

74

— Dlaczego? To oczywiste — by król skonał z mieczem w dłoni, jak władca, jak rycerz.

— Król był nagi, tak?

— Tak.

Królowa zagryzła własne palce.

— Więc skąd nagi król miał miecz? I to w dodatku swój miecz?

— Zabrałem go z Rogoźna...

— Po co?

— Bo to królewski miecz.

Małgorzata poruszyła się, nabrała głośno powietrza i spytała, mierząc się z każdym słowem:

— Czy pan Michał nie mógłby nam tego opowiedzieć w kolejności zdarzeń? Nie rozumiem, po co ma mówić od końca?

— Wybacz, królowo, ale to ja prowadzę przesłuchanie — uprzejmie, lecz kategorycznie odpowiedział Gniew. Zwrócił się do Michała i powtórzył: — Włożył pan miecz króla, przywieziony przez siebie z Rogoźna, w jego dłoń i zacisnął palce na rękojeści, by król mógł skonać jak rycerz. Czy król coś do pana powiedział, konając?

— „Chroń Królestwo i ją" — powtórzył Michał i po raz setny przypomniał sobie zachodzące mgłą oczy Przemysła.

Małgorzata załkała.

— Coś jeszcze?

— Nie. To było wszystko.

— Co zdarzyło się wcześniej?

— Król został zrzucony z konia przez tego, który go porwał. Potoczył się po śniegu. Ja dojeżdżałem do nich, zeskoczyłem z konia i podbiegłem do króla. Wziąłem go na ręce, krwawił, jeszcze żył. Powiedział... nie, wycharczał, bo miał ranę tu, na szyi. „Chroń Królestwo i ją".

— Więc jednak wycharczał, nie powiedział — pokiwał głową sędzia, a Małgorzatą znów wstrząsnął szloch, który starała się powstrzymać, zagryzając zęby na jedwabnej chusteczce.

— Co zdarzyło się wcześniej? — znów zadał to irytujące pytanie sędzia Gniew.

Michał niepewnie spojrzał na Małgorzatę. Jak ona to zniesie?

— Porywacz krzyknął: „Giń jak król!" i wbił Przemysłowi sztylet w szyję. Potem zrzucił króla z konia i... nastąpiła reszta tak, jak powiedziałem.

— Dlaczego pan, panie chorąży, nie zdążył ochronić króla?

— Mówiłem już. Dojeżdżałem do nich w pędzie, spieszyłem się i nie zdążyłem.

— Był pan tak blisko, że widział sztylet wbijany w szyję króla, ale nie zdążył...

— Nie widziałem sztyletu, widziałem ranę po nim, chwilę później, więc wiem, że to nie mógł być nóż ani miecz, tylko wąskie ostrze. Widziałem, że nie brał zamachu, więc nie puginał. Po prostu uniósł rękę i wbił, więc, na Boga, cóż to mogło być?

— Powiada pan „porywacz". A dlaczego „porywacz"?

Michał poczuł, jak wzbiera w nim wściekłość. Przesłuchuje go stary, spocony grubas, który być może nigdy nie miał broni w ręku, nigdy nie walczył i zadaje pytania jak dziecko.

— Bo goniłem za nimi. Widziałem grupę ludzi i tego jednego, który miał przed sobą przez siodło przewieszone ciało Przemysła. A zabił go potem, więc gdy uciekali, król jeszcze żył. To skoro ktoś ucieka z żywym królem, to kim według sędziego jest? Według mnie porywaczem. Zabójcą stał się dopiero później! — wykrzyczał Michał.

Kątem oka zobaczył, że królową wstrząsają torsje i że sędzia udaje, iż tego nie widzi. Uspokoił głos i póki Gniew nie zadawał niemądrych pytań, wyjaśnił coś jeszcze, uprzedzając zapewne kolejne.

— Uważam również, że porywacz był najemnikiem. Bo nie widziałem na jego odzieniu żadnych znaków rodowych. Na takich jak on mówi się „sekretni ludzie", ale to nie znaczy, że są nieuchwytni. Można ich wyśledzić i złapać.

— Tak — pokiwał głową bez emocji Gniew. — Bardzo ciekawe. Sekretni ludzie. — Odchrząknął. — Tak. Więc gonił ich pan, najpierw widział z daleka, potem zbliżał się ku nim, dostrzegł, że mają króla. A potem na pana oczach go zasztyletowali. Więc jak?

— Już mówiłem. — Michał zacisnął szczęki.

— Nie pytam, jak zasztyletowali. Pytam: czy oni się zatrzymali? No bo przecież, by pan mógł to zobaczyć z bliska, to nie mogło się to odbyć w biegu. Zresztą wcześniej pan nie wspominał, że w biegu.

— Tak — przyznał nagle spokorniały Michał. — Zatrzymali się.

— A dlaczego? Skoro jak pan mówi, uciekali.

— Zatrzymał ich Wawrzyniec Zaremba. Dogonił ich.

— Jechał przed panem?

— Tak.

— W jakiej odległości?

— Daleko.

— Jak pan poznał, że to Wawrzyniec z tak daleka?

— Po herbie. Miał na sobie herbowy płaszcz.

— Taki paradny? — upewnił się sędzia.

— Tak.

Michał poczuł, że staje przed ścianą. Za chwilę powie prawdę.

— Co zrobił Wawrzyniec, jak dogonił porywaczy?

— Ściągnął... — zerknął na Małgorzatę i przez litość dla jej bladej twarzy użył innego słowa — ...odebrał im ciało króla.

— Widział pan to z tej, jak powiedział, dalekiej odległości?

— Dojeżdżałem do nich. — Michał poczuł suchość w gardle.

— A, czyli drugi raz pan do nich dojeżdżał. Bo wcześniej wspominał pan, iż dojeżdżał przed zasztyletowaniem króla. Oczywiście, cały czas pamiętamy o odwrotnej kolejności. Zatem Wawrzyniec Zaremba odebrał im ciało króla. A pan? Co zrobił pan?

— Odebrał, ale tylko na chwilę. Porywacz znów wciągnął króla na siodło.

— Rozumiem. I pytam: co zrobił pan?

— Ściąłem głowę Wawrzyńca Zaremby — głośno odpowiedział Michał.

W niskiej izbie zaległa cisza. Małgorzata patrzyła na Michała, niczego nie rozumiejąc. Za to sędzia Gniew sprawiał wrażenie człowieka, którego żadne wyznanie nie wyprowadza z równowagi.

— Tak — powiedział cicho. — Więc tajemnica odrąbanej głowy została wyjaśniona. — Sędzia otarł pot z czoła i spojrzał na Michała z pogardą. — Jak się Zarembowie biją o miłość króla, to lecą łby. A co było wcześniej?

— Pościg — spokojnie powiedział Michał, czując, jak wielką ulgę sprawiło mu wyznanie, które dokonało się przed chwilą. Miałkie i małostkowe poglądy sędziego czynią z Michała zazdrosnego głupca, ale niechaj tak będzie. Niech to ustrzeże ród. I niechaj wreszcie ktoś zajmie się odnalezieniem i ukaraniem sekretnego zabójcy, odkryciem, kim był mocodawca zamachu na króla.

— Pościg za kim?

— Za porywaczami króla. Gdy dojechałem do Rogoźna, była późna noc. Już z daleka widziałem łunę pożaru. Wpadliśmy do kasztelanii...

— Wpadliśmy? — przerwał mu Gniew. — A mnie się wydawało, że pan chorąży nie wspominał, iż nie był sam.

— Byłem z oddziałem. Z oddziałem ludzi, których zabrałem z Poznania. Wpadliśmy do kasztelanii. Wszędzie były trupy, kazałem ludziom szukać żywych, pobiegłem do sypialni króla na piętrze dworzyska. Króla nie znalazłem, ale znalazłem jego miecz. Zabrałem go ze sobą, widziałem, że Przemysł się bronił...

— Jak pan to widział?

— Na zbroczu była zastygła krew. Na podwórzu znaleźliśmy rannego Boguszę. Powiedział: „Uprowadzili króla" i dodał: „Na południe", więc krzyknąłem na swoich, że gonimy. Pojechaliśmy. Ja mam najlepszego konia, więc wyprzedziłem ich. I dalej było tak, jak mówiłem.

— Czyli dalej było tak, iż pan dostrzegł, że przed wami jedzie Wawrzyniec Zaremba, że to on ratuje króla z rąk porywaczy, i zamiast pochwycić napastników, pan zajął się najpierw obcięciem głowy Wawrzyńcowi. Czyli uśmiercił pan najpierw obrońcę króla. A potem dopiero porywacz zabił króla. Zatem gdyby pan nie stracił czasu na pozbycie się Wawrzyńca, swego konkurenta, młodzieńca, który wyprzedził pana we względach, miłości i uznaniu w oczach Przemysła, mógłby pan ocalić króla. Dobrze wszystko zrozumiałem? Ma pan coś jeszcze do dodania?

— Nie — powiedział Michał i choć to było nieprawdą, po raz pierwszy od wielu dni poczuł głęboką ulgę.

— Królowo — zwrócił się do Małgorzaty sędzia Gniew z miną tak wyniosłą i obojętną, jakby Michała nie było — odpowiadając na twoje pytanie z początku przesłuchania, czy pan Michał Zaremba, chorąży króla, jest o coś oskarżony, oznajmiam, iż tak. Stawiam mu zarzut zabójstwa Wawrzyńca Zaremby motywowanego zazdrością oskarżonego o względy króla. — Machnął z wyższością dłonią, jakby przeganiał muchę. — To niestety dość typowe wśród tych, którzy raz doświadczyli łaski królewskiej, że z powodu jej utraty zdolni są do największych, nieadekwatnych do sytuacji, zbrodni.

VÁCLAV II był tak zmęczony ostatnią ciążą swej małżonki Guty, że ledwie się trzymał na nogach. Sługa zdjął mu z ramion płaszcz, potem zdobione blaszkami trzewiki, na koniec jedwabną czapkę i podał rękę, pomagając Václavowi wejść do skrzyni.

— Och, jak dobrze! — Wyciągnął znużone członki. — Wieka nie zamykaj! Idź sobie, ale nie wychodź, bo będę cię potrzebował.

Oczywiście, Václav powinien był przywyknąć, w końcu to dziewiąty celny strzał w dziewiątym roku małżeństwa, ale jak miał przywyknąć, skoro wszystko musiał robić podwójnie? Wyciągnął w górę obie dłonie. Proszę bardzo, może policzyć na palcach! Guta urodziła mu ośmioro dzieci, z których czworo przeżyło — cztery palce prawicy. Z tych czterech dwaj to chłopcy — kciuk i wskazujący. Wyprostował je. Dwie to dziewczynki — zgiął.

— Kciuk to oczywiście mój imiennik, Václav III. Mężczyzna musi pilnować takich drobiazgów, jak właściwy syn na właściwym miejscu — szepnął i wyciągnął drugą dłoń, rozczapierzając palce. Odliczył kolejne cztery za nieżyjące dzieci, wyprostował dwa za chłopców i dwa zgiął za dziewczynki. Przyjrzał się dłoniom i westchnął.

— Tak, jak mówię, wszystko muszę robić podwójnie! Skoro tyle samo dzieci rodzi się i umiera, to znak, że za to, które dziś Guta dźwiga w brzuchu, też będę musiał dorobić kolejne!

Uniósł nogi i oparł na ścianie skrzyni. Zachichotał. Znów wyciągnął ręce.

— Skoro to moje dzieci prawe, w życiu i zgonie, to te — poruszył palcami u stóp — moje dzieci są lewe?

Rozbawiło go to niepomiernie i na zmianę poruszał palcami to stóp, to dłoni. Prawda, dzieci naturalnych, z różnych matek, miał wiele. Nie wszystkie z ich imion pamiętał, bo… bo nie pamiętał i już. Dopiero gdy wyrosną, okaże się, co z nich się ostanie. Ale błędem by było zapominanie o nich. Co to, to nie. W rodzie Przemyślidów szanowano naturalnych synów. Václav miał kilku przyrodnich braci z ojca, jednego z matki i wszystkich ich darzył uwagą. Mikołaj na przykład, starszy od niego o piętnaście lat, z woli ich ojca książę opawski. Teraz, z woli samego Václava, starosta krakowski! Piękna kariera jak na bękarta. I nawet nie wypada mu tego bękarctwa wypominać, bo ojciec jeszcze za życia uznał syna i papież to zalegalizował, ot co! A Václav był dobrym obserwatorem, ba, nawet bardzo dobrym. I wiedział, że nie jest źle, gdy ma się przy sobie armię zaopatrzonych własną ręką bękartów, nawet jeśli nie wolno tak na nich mówić. Przyuczonych od dziecka do służby na rzecz rodziny, zacnego rodu Przemyślidów, do którego tak aspirują, nosząc ich dziką krew w sobie.

— Bękart może być lepszym bratem niż rodzony — oświadczył Václav na głos. — A na pewno wierniejszym, bo przez myśl mu nie przejdzie skok na tron.

Schował stopy z powrotem do skrzyni, konstatując, iż to jednak niegłupie, że on był jedynym prawowitym synem swego ojca.

Przeciągnął się i rozmasował lędźwie. Spółkował już dzisiaj, więc obowiązek wobec własnych przyszłych bękartów ma wypełniony; może odpocząć w spokoju i zająć się sprawami państwa. Mógłby, gdyby właśnie nie przeszkodziła mu Guta.

— Małżonka królewska, Guta von Habsburg! — zaanonsował odźwierny i Václav skrzywił się.

— Tyle razy obiecywałaś, że nie będziesz mi przeszkadzać — jęknął z głębi skrzyni. Najchętniej szybko nakryłby się wiekiem, ale zmienił zdanie. — Nie potrafisz dotrzymać słowa, całkiem jak twój ojciec! — zastosował ton kategoryczny, bo żadna okazja nie była zła, by dokuczyć Gucie w słusznej sprawie.

Słyszał, że człapie w jego kierunku, ciężka i obrzmiała jak zwykle. Odczekał, aż będzie blisko, i szybko wychylił się ze skrzyni.

— Czy twój ojciec cierpi męki piekielne? — krzyknął.

— Ach! — Wystraszona Guta odskoczyła, łapiąc się za brzemienny brzuch. — Dlaczego mi to robisz, Václavie?

— Ja? Dlaczego twój ojciec mi to zrobił! Tyle razy obiecywał mi koronę i nie dał! I jeszcze na złość mi zmarł! Co mi odpowiesz, Guto von Habsburg, niegdyś ukochana córeczko tatusia? — Václav obrócił się i usiadł w skrzyni wygodnie, patrząc wprost na stojącą przed nim małżonkę.

Guta von Habsburg miała dwadzieścia pięć lat, ale dziewiąta ciąża sprawiała, iż wyglądała na dużo więcej. Václav też miał dwadzieścia pięć lat i też wyglądał na znacznie starszego. Od dziecka nie wróżono mu długiego życia. Blady i wątły, z dziedziczną słabością płuc, z dzieciństwem w brandenburskiej niewoli zwanej szumnie regencją, ze skłonnością do zaziębień i wzburzeń humorów. A jednak wyrósł na mężczyznę. I tym wszystkim, którzy liczyli na to, iż po jego rychłej śmierci chapną złotą Pragę, połkną wiekowe królestwo Czech, śmiał się w nos. Jednak niektóre rzeczy już przestały go śmieszyć. Na przykład ta, iż teść nie żyje, Albrecht Habsburg, brat Guty, nie został królem Niemiec i o koronie dla niego teraz decyduje Adolf z Nassau.

Guta popatrzyła na męża spod spuchniętych powiek i usiadła ciężko na rozłożystym fotelu podsuniętym przez sługę.

— Václavie, nie zaczynaj — stęknęła, wygodniej rozstawiając nogi. — Sprawa korony jest otwarta...

— Od dziesięciu z górą lat! Twój ojciec jest wszystkiemu winien, bo mógł dać to, co mi się prawnie należy. I co? I powiedziałbym „gówno", gdybym nie wiedział, że to słowo cię brzydzi i że przy tobie nie wolno mówić „gówno", bo możesz zwymiotować!

Ciałem Guty wstrząsnęły torsje. Václav odczekał, aż obetrze usta jedwabną chustką, aż dwórka poda jej wodę, aż Guta się napije...

— To dlatego teraz spiskujesz z konkurentem Habsburgów, Adolfem z Nassau? — spytała Guta.

— Nie spiskuję, tylko współpracuję, Guto — spokojnie oznajmił Václav, wyciągając przed siebie dłonie i oglądając palce. Odliczył osiem. Po dwa u każdej dłoni zgiął. Od razu przypomniał sobie o swych bękartach. Poruszył palcami u stóp i zachichotał, bo Guta przecież tego nie mogła wiedzieć. Wrócił do prawej dłoni, wybrał zagięty palec środkowy i pokazał go Gucie.

— I oświadczam ci, iż wydam naszą córkę Agnieszkę za syna Adolfa. Czy to się Habsburgom podoba, czy nie.

— Mój brat będzie niezadowolony — wzruszyła ramionami Guta. Skinęła na damę dworu, by ta rozmasowała jej kark. — Ale jeśli to ma przynieść tobie i mnie koronę...

— Nie „ma", lecz „musi" — oznajmił Václav. — Jestem jedynym dziedzicem tej korony i to, iż czekam na nią tyle lat, przestało mnie już bawić. Sprzymierzę się z każdym, powtarzam, każdym królem Niemiec, który mi ją da. Choć, oczywiście, żałuję, iż to nie będzie twój brat, i wciąż nie mogę darować, iż nie zrobił tego twój ojciec.

— Skończyłeś? — spytała Guta.

— Skończyłem — oświadczył Przemyślida.

— To idę. — Wyciągnęła ramiona, by damy dworu pomogły jej wstać.

— Rodzić? — zażartował Václav, bo przecież wiedział, że to jeszcze nie czas.

— Nie, idę jeść — odparła Guta i ciężkim, chwiejnym krokiem ruszyła do wyjścia.

Václav zdążył jeszcze puścić oko do Anuszki, blondynki z dołkami w policzkach, najmłodszej z dwórek żony i swej nowej kochanki.

Klepnął dłońmi w kolana, bo w gruncie rzeczy rozmowa przebiegła pomyślnie. Znał Gutę i wiedział, że żona jeszcze dzisiaj pośle kogoś zaufanego na dwór Habsburgów, do swego brata Albrechta. W roli donosicielki była równie ambitna jak w roli rodzicielki, ale przecież o to mu właśnie chodziło. Chciał, aby szwagier od Guty dowiedział się o jego planach. Aby to na jej posłańca się wściekł i od niej usłyszał, iż w gruncie rzeczy Habsburgowie sami sobie są winni, iż Václav musi teraz iść ramię w ramię z ich wrogiem. Dzięki temu łatwiej mu wybaczą, gdy zechce zmienić kierunek marszu i znów wrócić w krąg ich interesów. Oczywiście, jeśli te będą po jego myśli.

Zaburczało mu w brzuchu. Był głodny. Wielki Post wyciskał na jego ciele swą kościstą pieczęć. Václav uwielbiał dwie rzeczy — post i rozpustę. Jednej i drugiej oddawał się bez reszty. Lubił też politykę, bo była niczym księga o setkach ilustracji. Przekładając jej karty, tworzył świat barw i obrazów o dziesiątkach odcieni. Václav nie umiał pisać ani czytać. Ale potrafił składać wiersze i kochał, więcej, wręcz ekstatycznym uwielbieniem darzył księgi. W mrocznych czasach brandenburskiej niewoli tylko dzięki nim przetrwał. W obrazach na ich kartach odnajdował wspomnienia złotego dzieciństwa i szukał w nich wskazówek co do swej przyszłości. Wizerunki królów i opowieści o dawnych królestwach były jego żywiołem. W swej niczym nieograniczonej wyobraźni stworzył świat, którym niepodzielnie władał, świat, którego granice nieustannie poszerzał. Owszem, w prawdziwym życiu nie raz napotykał trudności, ale od tego miał swych doradców, kanclerzy, starostów i sztaby pomniejszych urzędników, by zamieniali jego wizje w fakty. Drażnili go ludzie ograniczeni i ci, którzy nie rozumieli rozmachu jego myśli. Wrogów potrafił szanować, zwłaszcza tych nieprzewidywalnych, bo stanowili dla jego żywego umysłu nieustające wyzwanie.

— Kogo ja aktualnie szanuję? — rozpoczął z sobą dysputę, by skrócić oczekiwanie na kolejnego, tym razem miłego gościa. — Szanuję Przemysła II, choć ukradł mi koronę Polski. Szanuję tego małego, jak mu tam? Władysława, Karła. — Zachichotał, przypominając sobie niską sylwetkę kujawskiego księcia. — Przegrał ze mną tyle razy, zhołdowałem go, a on mimo to wciąż myśli, że mi odbierze Kraków. Zawzięta bestia. I... — zastanowił się, drapiąc po pustym brzuchu — ...i księcia świdnickiego, Bolke. Jak on śmiał stanąć mi na drodze, gdy szedłem po Śląsk? Zaskoczył mnie — z podziwem cmoknął Václav. — Twierdze obronne postawił, sprzeciwił się jawnie, wielkie przestępstwo wykombinował i wypowiedział mi wojnę. Bolke Surowy. Niby takie tam śląskie książątko, a proszę, jak pan!

— Biskup krakowski Muskata czeka na audiencję — oznajmił sługa przy drzwiach.

— Jeszcze chwilę. Ja czekam na niego już od dwóch dni! — odpowiedział Václav i wyciągnął ramiona, by pomogli mu wyjść ze skrzyni. Potem sługa nałożył mu buty i tunikę herbową, na której pyszniła się orlica Przemyślidów z migotliwymi płomieniami wokół skrzydeł. Na ramionach upięto mu płaszcz a sługa pieszczotliwym i trwożliwym jednocześnie gestem poprawił mu włosy. Václav przeciągnął się, okrążył kilka razy komnatę, wyjrzał oknem na topniejący na dziedzińcu śnieg, napił się wody, znów przespacerował i kazał prosić biskupa. A gdy tylko sylwetka Muskaty zamajaczyła w drzwiach, wyciągnął ku niemu ramiona i przywitał serdecznie:

— Nasz książę, Jan Muskata!

JAN MUSKATA, biskup krakowski, lubił przyjeżdżać do Pragi. Blask złotej stolicy Przemyślidów urzekał go, choć rzecz jasna to nie Wenecja czy Rzym. Doceniał jednak piękne, mocarne mury obronne wzmocnione czternastoma przyporami, dzięki którym przypominały obwarowania dawnych italskich miast. Tu, niespełna rok temu, przyjął biskupią sakrę, bo arcybiskup Jakub Świnka nie raczył mu jej dać, licząc pewnie, iż to dla Muskaty będzie jakąś przeszkodą. Naiwny starzec! Z Krakowa do Pragi bliżej, a dla Jana Muskaty nie istnieją rzeczy nie do załatwienia. Świetną karierę zrobił u boku Tomasza, poprzedniego biskupa wrocławskiego, w czasach jego legendarnego sporu z także dziś nieżyjącym księciem. Biskup Tomasz procesował się, apelując raz po raz u papieża, a on, Jan Muskata, znany legista, był jego prokuratorem w Rzymie. Dobrze sobie wtedy żył na koszt wrocławskiego biskupa, lecz bynajmniej całego srebra nie zostawiał w tawernach i domach rozpusty. To nie były rzymskie wakacje, nie! Muskata ten czas wykorzystał od pierwszej do ostatniej chwili skrupulatnie. Za pieniądze biskupa zbudował sobie w papieskiej kurii sieć wpływów, niczym pająk tkający pajęczynę rozpiętą między wieloma drzewami. Kardynałowie Witalis, Latin, Jakub de Sabello, Benterengo, Jeromin, Jakub Sancte Marie in Via Lata, Benedykt Sancti Nicolai i Mateusz Rudy nie byli mu obcy, a skromnie mówiąc, stali się nadzwyczaj życzliwi, odkąd Muskata został osobistym kapelanem biskupa Ostii i Velletrii, Latina Frangipaniego.

W dodatku Jan Muskata szybko się uczył delikatnej, dyskretnej i śliskiej sztuki dyplomacji. Kto z kim, dla kogo, przeciw komu. Swą wiedzę nieustannie poszerzał, pomagając rzymskim kolegom prowadzić zawiłe sądowe procesy. Po powrocie z Rzymu dbał, by żadna nowa wiadomość nie ominęła jego ucha i oka, opłacając na wielu dworach swych informatorów. Był czujny. Nie płacił za przyjaźń, płacił za konkrety. I stać go było, bo nim opuścił Rzym, przyzywany histerycznie przez biskupa Tomasza, zdążył sobie załatwić najlepsze z możliwych stanowisk — papieskiego kolektora świętopietrza. I po powrocie mógł bez skrupułów porzucić dawnego protektora. Cóż to była za scena! Godna pędzla italskiego mistrza! Tomasz zaklinał go, płakał, odwoływał się do uczuć, a Muskata łagodnie rozkładał ręce, mówiąc: „Ojcze drogi, nie wypada, aby papieski kolektor nadal pracował dla biskupa. Nawet jeśli to biskup bogatego Wrocławia".

Muskata cenił sobie luksus. Lubił podbijane delikatnym futrem płaszcze z samitu, lubił trzewiczki z cienkiej, barwionej skóry tak modne w Italii. Lubił mocne, słodkie wina i pierścienie o wyrazistych okach szafirów, rubinów i polerowanych niczym zwierciadła topazów. Ale bogactwo nie było dla niego celem samym w sobie. Było środkiem do celu. Ten zaś jawił mu się coraz wyraźniej, od czasu, gdy Václav II zajął Kraków i wziął pod swe panowanie Małą Polskę. I jeszcze jaśniej, odkąd wolą Václava on został biskupem tegoż Krakowa. I coraz promienniej, kiedy ten sam Václav tu, w Pradze, zaczął go tytułować „księciem".

Nie, nie! Jan Muskata nie był naiwny. Nikomu się nie zwierzał. Wiedział, iż wielkie cele wymagają czasu i lubią dojrzewać w sekrecie, są jak rośliny, które trzeba chronić, ogrzewać i często podlewać.

I otóż jest znów w Pradze! Przybył podlać swą roślinkę.

— Nasz książę! — przywitał go pogodnie Václav II.

Muskata z godnością i powagą odrzekł:

— Mój królu! — Pilnował, by nuta radości z powitania władcy była w jego głosie dostatecznie przyćmiona intrygującą powagą tajemnicy.

— Jakie przywozisz wieści ze Śląska, Muskato?

— Bulwersujące, mój królu. — Teraz zadbał, by jego głos wyrażał niepokój, ale nie panikę.

Václav poruszył się niespokojnie, opierając ramiona na podłokietnikach pysznego, wybitego złotym adamaszkiem krzesła.

— Książę świdnicki Bolke Surowy wraz ze swym bratem Henrykiem Brzuchatym...

— Brzuchaty to ten, którego trzymał w klatce Głogowczyk? — przerwał mu Václav z niezdrowym błyskiem w oku.

— Ten sam, panie — potwierdził Muskata, nie pokazując nawet drgnieniem powieki, że irytuje go dziwaczna ciekawość Václava.

— Ten, w którego lędźwiach zalęgły się robaki? Larwy czerwi, much i czegoś tam jeszcze?

— Tak, panie.

— Ten, który jest żonaty z siostrą polskiego króla?

— Masz perfekcyjną pamięć, panie. Z siostrą stryjeczną Elżbietą — potwierdził Muskata, zaciskając szczęki ze złości, bo Václav psuł mu dramaturgię przemówienia.

— Ona jest bardzo ładna — pokiwał głową Václav. — Ma srebrne włosy i ani trochę się nie rozeszła w pośladkach po ciążach.

— Jest w kolejnej! — wdarł się przemocą Muskata w niepotrzebny mu tok rozumowania Václava. — I wyobraź sobie, mój królu, że jej mąż, Henryk Brzuchaty oraz jego brat, Bolke Surowy, oddali się właśnie pod opiekę papieża.

— Skurwysyny! — zakrzyknął Václav, a Muskata dyplomatycznie nie przypomniał, iż to prawnuki świętej Jadwigi z Meranu. — Dlaczego mi to zrobili?

— Tak jak powiedziałeś, panie, to chytrzy książęta. — Zrobił przerwę, dał Václavovi chwilę, by ten się skupił i poczuł dotknięty. — Ojciec Święty, Bonifacy VIII, rzecz jasna ten prezent przyjął.

— Papież weźmie wszystko, co osłabia mnie — żachnął się rozżalony Václav.

— Tak, rzecz jest nieprzyjemna, jawnie tobie wroga, ale nie beznadziejna, mój królu.

— Bonifacy daleko? — domyślnie spytał Václav.

— Z Rzymu będzie ich bronił głównie pismami, wspierał radami legata i grzmiał w ich obronie po chrześcijańskich władcach. Lecz gdy dostrzeże, iż nie są tak prawymi synami Kościoła, jakimi mu się przedstawili, to zastanowi się, czy papieskiej kurateli nie cofnąć. A ja pozwoliłem sobie zadziałać blisko, dyplomatycznie uderzyć w mury tych twierdz, które ci na drodze pobudowali...

— Kamienna Góra, Świdnica, Wleń i Strzegom — wyliczył Václav.

— Twoja pamięć jest bez zarzutu — pierwszy raz szczerze pochwalił króla Muskata. — Jednak uderzyłem w mury grodów należących do biskupa wrocławskiego: Nysę, Otmuchów, Grodków, wszak Bolke Surowy bezprawnie okupuje włości biskupa...

— To wiem — przerwał mu nieoczekiwanie Václav.

Muskata zrozumiał, że cierpliwość Przemyślidy wyczerpuje się. Przeszedł więc do wielkiego finału szybciej, niż chciał, z mniejszą dozą stopniowanej maestrii.

— Ale jeszcze nie wiesz, panie, kto będzie sędzią w tej sprawie. Kto będzie wydawał wyroki w procesie między biskupem wrocławskim a Bolkiem Surowym, te wyroki, które przedstawione będą papieżowi.

— Wiem, Muskato — powiedział Václav, uśmiechając się przyjemnie. — Ty.

— Jak dotarła do ciebie ta radosna nowina? — spytał spokojnie Muskata, choć w głębi duszy się wściekł.

— Domyśliłem się, biskupie krakowski, że nie przyjechałeś do mnie z pustymi rękami!

Jan Muskata ukłonił się królowi, udając rozpromienionego.

— Zechciej spożyć ze mną wieczerzę! Bądź mym drogim gościem i cieszmy się obaj. — Václav już wstał i objął Muskatę ramieniem.

— Z rozkoszą, bo jestem po podróży, znużony i nie ukrywam, głodny.

— Podzielę się z tobą chlebem i wodą, bo jak wiesz, kocham post. — Poklepał go po ramieniu Václav. — Wielki Post!

A by to wszyscy diabli! — zaklął w duchu Muskata. I odwdzięczył się królowi, mówiąc:

— Zatem, mój królu. Papież Bonifacy VIII będzie się starał zniszczyć ci opinię wśród chrześcijańskich władców, jeśli tylko podejmiesz działania zbrojne przeciw jego podopiecznym.

— Mam nadzieję, że to nie potrwa zbyt długo? — pytaniem zdradził swój niepokój Václav, gdy podchodzili do stołu.

Muskata milczał, niczym zafrasowany mędrzec. Zastanawiał się, jak długo musi tu siedzieć o chlebie i wodzie i czy gdy opuści gościnne progi króla, jakakolwiek gospoda w Pradze będzie jeszcze dawać jeść.

— Muskato — przytrzymał go za ramię Václav — jak szerokie są twoje kompetencje w tym sporze?

Biskup chwilę napawał się jego lękiem, odliczając w myśli do trzech.

— Nie martw się o to, królu. Jeżeli jakąś prośbę powierzasz mi, to czuj, jakby już była spełniona — powiedział i choć tego nie zaplanował, zaburczało mu w brzuchu.

— Jesteś naprawdę głodny! — ucieszył się Václav. — Siadajmy do stołu, proszę!

Służba wniosła niewielkie chlebki przykryte skromną, płócienną serwetą, ale za to na srebrnych tacach. Polała do kielichów wodę. Muskata wymamrotał do niej modlitwę i skinął głową królowi.

— Twoje zdrowie, sędzio Muskato! — wzniósł toast król.

— Za sprawiedliwy wynik! — postraszył go biskup i wypił. — Wspaniała woda! — znów pochwalił szczerze, choć nie dodał, że już nie pamięta, kiedy ostatnio coś takiego pił.

Wymieniali się uśmiechami i drobnymi kurtuazyjnymi gestami, niewiele mówiąc, łamiąc suchy chleb. W pewnej chwili Muskata zauważył, iż na ścianie porusza się gobelin wyobrażający świętego Wacława.

— Królu? — zapytał, wskazując wzrokiem ten dziw.

— Wielkopostne cuda świętego Wacława! — Parsknął wodą król i zaczął się śmiać, jakby to był jakiś żart.

Muskata uśmiechnął się leciutko, jak wyrozumiała matka.

— Sekretne przejście. — Mrugnął do niego Václav. — Znak, iż moi cisi ludzie weszli w posiadanie wiadomości, które nie mogą czekać. Jesteś ciekaw, biskupie?

Zza gobelinu wysunął się smukły i niewysoki mężczyzna. Stanął w pewnej odległości, czekając, aż król go przyzwie.

— Wybacz, Muskato, że nie przedstawię ci dowódcy mych wywiadowców, ale sam rozumiesz, reguły sztuki.

— Życzysz sobie, bym wyszedł? — spytał biskup.

— Nie, dlaczego? Przecież jesteś mi jak najbliższy powiernik, jak... przyrodni brat.

— Nie śmiałbym, panie. — Muskata umiał nawet rumieniec przywoływać na swe jasne, gładko wygolone policzki.

— Mów! — rozkazał przybyszowi Václav.

— Przemysł II nie żyje. Zamordowany przez najemników wraz z całym swoim dworem podczas zapustów w Rogoźnie — beznamiętnie zrelacjonował dowódca.

Muskata niemal się zachłysnął. Toż to cud! Natychmiast wzniósł kielich z wodą w stronę Václava, skromnie pokiwał głową i zrobił minę zbliżoną do tej: „Jeżeli jakąś prośbę powierzasz mi, to czuj, jakby już była spełniona".

— Kogo oskarżają o morderstwo? — zapytał Václav.

I w tej samej chwili Muskata zrozumiał, że się zbłaźnił. Zrozumiał, że Václav czekał na tę wiadomość, że wiedział. Biskupa oblał zimny pot.

— Margrabiów brandenburskich z linii starszej, panów na Stendal. Wymienia się imię głowy rodu, Ottona ze Strzałą, oraz jego bratanków, Jana i Waldemara. Przeciw nim świadczy, że wtargnęli w granice Królestwa Polskiego i zajęli nadgraniczne grody — przekazał dowódca.

Muskata miał czas, by powolnym, niemal niezauważalnym ruchem cofnąć ramię z kielichem, by błyskawicznie przemyśleć nową strategię.

— Co z dziedziczką korony? — kontynuował Václav.

Tak! Biskup już składał wszystkie elementy w całość, jeszcze maleńka chwila i będzie miał gotowy plan.

— W Królestwie Polskim kobieta nie ma praw do tronu, mój królu, ale mieć je może jej małżonek... — wyszeptał do Václava, nie dodając, iż byłby to precedens i musieliby opłacić sztab legistów.

— Królewnę Rikissę Przemysł II przed śmiercią przyrzekł margrabiom brandenburskim — oznajmił wywiadowca. — Tym drugim, tym z Salzwedel.

— Otto Długi — kwaśno powiedział Václav i Muskata wiedział dlaczego.

Znał kilka upiornych szczegółów z lat, gdy Otto Długi sprawował nad Václavem regencję.

— Coś jeszcze? — dopytał Przemyślida.

— Nie, panie. — Wywiadowca ukłonił się i wszedł pod świętego Wacława, znikając tą samą drogą, którą się tu dostał.

— Cieszę się, Václavie, że mogę być przy tobie akurat w tej chwili. Ja, biskup krakowski. Czyż to nie boży znak, królu?

— Jaki znak? — zapytał Václav, żując skórkę od chleba.

— Panie! Wszak marzyłeś o polskiej koronie. Gdyby nie ten partacz Aleksy, który obiecał ci, że załatwi ją u papieża...

— Nie przypominaj mi go! — Uderzył pięścią w stół Václav. — Zresztą on już nie żyje. Wiesz, jak zginął? W rzymskim kanale ściekowym, jak szczur...

— Tak, obiło mi się o uszy — skłamał Muskata i wrócił do sedna, pomijając Aleksego. — Pierwszy wyścig do polskiej korony wygrał Przemysł II. Ale wraz z jego śmiercią los znów rozdaje karty, czyż nie?

— A karty nie są przez Kościół zakazane? — znów popadł w natręctwo odchodzenia od tematu Václav.

Muskata w jednej chwili uświadomił sobie, że król robi to za każdym razem, kiedy jest zmieszany. Nacisnął.

— Okazja sama wchodzi ci w ręce. Masz Václava III, syna w wieku dziedziczki tronu. I masz prywatne rachunki do wyrównania z margrabiami brandenburskimi.

Václav, nie wiedzieć czemu, wyciągnął w górę prawy kciuk i przyjrzał mu się.

— Mam. Ale nigdy nie mówiłem, że chcę polskiej korony dla syna. Chcę jej dla siebie.

SĘDZIWÓJ ZAREMBA znał tylko jeden sposób, by ukoić ból: zadać następny. Wolał, po stokroć wolałaby zadawać go Michałowi, temu, który odebrał mu syna, ale Michała trzymali pod strażą i nikt nie miał do niego dostępu.

— Szczyny, gówna, słoma i szczury — strzyknął śliną Sędziwój, wspominając poznański loch.

Siedział w nim, choć nie kto inny, jak jego własny ojciec, słynny Janek Zaremba, ten loch budował.

— Mam nadzieję, że szczury nie odgryzą mu jaj — wbił ostrogi w boki konia zmuszając, wierzchowca do galopu — bo ja mu je obetnę, gdy wyjdzie. Wytrzebię jak wałacha! Jeśli wyjdzie!

Pędził przez rozmarzające łąki wokół wielkich rodowych włości Zarembów pod Brzostkowem. Bezlistne drzewa, ciemne grudy ziemi wybijające się spod śniegu, przejrzyste niebo i stada wron. Ostre, wieszczące rychłą wiosnę, słońce.

Pastwisko na wzgórzu opodal Lutyni było już wolne od śniegu. Koniuszy kilka dni temu wyprowadził zgnuśniałe zimą stada. Sędziwój ruszył w ich stronę, płosząc chmary ptaków z zeszłorocznych ściernisk. Jechał wzdłuż ogrodzenia. Naprawili po zimie — zauważył i zwolnił do stępa. W głębi pastwiska dostrzegł gniadą klacz raz po raz potrząsającą łbem w stronę wroniego ogiera. Przystanął i rozejrzał się. Gdzie, do diabła, jest koniuszy? — pomyślał. — Dlaczego nikt nie pilnuje mojego stada?

Dalej było jeszcze gorzej. Zobaczył otwartą, uchyloną furtkę w ogrodzeniu, przewrócone cebry, z których wylała się woda, i rozrzucony wiatrem snopek siana.

— Partacze! — wściekł się i splunął, jadąc w kierunku otwartej furtki.

Snopek poruszał się, ale Sędziwój potrzebował chwili, by zrozumieć, że to nie wiatr. Cicho podjechał z drugiej strony. Usłyszał zduszony dziewczęcy jęk:

— ...ach!...

I zobaczył nagie pośladki, nad nimi plecy ukryte pod krótkim kożuszkiem, jasne warkocze podskakujące na tych plecach, rozplatające się w ruchu. Nogi pod dziewczyną musiały należeć do jego koniuszego, który zamiast pilnować stad, grzał się z dziewuchą. Sędziwojowi uderzyła krew do głowy. Sięgnął po bat. Już ja im pokażę! — Zagryzł zęby. W tej samej chwili usłyszał za plecami krzyk:

— Sędziwoju!

Odwrócił się gwałtownie i zadrżał. Biegła ku niemu Ochna, gospodyni brzostkowskiego dworu. Błysnęły kolana, bo wysoko unosiła pasiastą suknię, której czepiały się suche pazury zeszłorocznych traw. Chusta spadła jej z głowy na plecy i w słońcu zalśniły płomiennorude włosy.

— Ach!... — krzyknęła wysoko dziewczyna w kożuszku, jakby jednocześnie szczytowała i zlękła się, że on tu jest i ją widzi.

Koniuszy zerwał się spod niej. Ona nie mogła ustać, zataczała się opuszczając spódnicę.

— Czym usłużyć, panie Sędziwoju? — Koniuszy pospiesznie poprawiał nogawice.

— Pilnuj koni, a nie tylko klaczy, głupcze! — warknął Sędziwój.

Dziewczyna zerwała się do biegu, zakrywając twarz. Koniuszy, wbrew temu, co nakazał mu Sędziwój, ruszył za nią.

— Sędziwoju! — krzyknęła Ochna, dobiegając i ledwo łapiąc oddech.

Zeskoczył z siodła. Nie pytał, co tu robi, czemu nie pilnuje pieca w kuchni. Po prostu chwycił ją za ramiona, odwrócił tyłem i pchnął na belkę ogrodzenia. Rude włosy rozsypały się po plecach. Zadarł jej suknie. Ochna wykręciła głowę. Zobaczył pot i posklejane kosmyki na różowym, pokrytym piegami czole. Jasne, przezroczyste rzęsy, usta, którymi chciała sięgnąć jego ust. Ugryzł ją, chciał być tym, który zadaje ból. Roześmiała się przeciągle.

— Tak!...

I krew uderzyła mu do głowy, tyle że zamiast wściekłości poczuł pożądanie. Pragnienie tak silne, że przesłoniło mu oczy. Ochna wbijała palce w belki ogrodzenia.

— Tak... mój panie, tak!

On utkwił wzrok w jej rudych włosach i brał Ochnę gwałtowniej niż ogier klacz. Zębami ściągał swoje rękawice; szarpał je, bo chciał natychmiast dotknąć jej miękkiej, białej skóry; pośladków, które pokrywały się czerwonymi plamami. Ugryzł się w palec i nie poczuł bólu, skóra rękawic smakowała słono, jak własny pot. Wypluł je. Zatopił palce w biodrach Ochny.

— Ach! — krzyczała jego gospodyni.

Wrzeszczała, odchylając głowę do tyłu, tak że mógł jedną ręką złapać jej rozsypane po plecach włosy. Owinął je wokół dłoni, jak bat, i pchał ją coraz mocniej.

— Tak! Tak!

Jeszcze, jeszcze. Ogrodzenie trzeszczało, uginało się pod ich naporem, z głębi pastwiska biegł zaniepokojony wyrostek, pomocnik koniuszego. Jeszcze, jeszcze. Chłopak stanął, zdjął czapkę i patrzył. A gdy zrozumiał, co widzi, ukłonił się w pas, odwrócił na pięcie i uciekł. Ochna wrzeszczała. Sędziwój z całych sił wbił palce w jej miękkie biodra, jakby chciał chwycić ukryte pod ciałem kości, złapać za nie i mieć pewność, że Ochna należy do niego cała. Jeszcze, jeszcze. Przyparł ją do belki i w trzech pchnięciach skończył. Jęknęła. Opadł na jej plecy, z twarzą w rudych, pachnących potem włosach. Puścił jej biodra. Ochna poprawiła suknie i odwróciła się do niego, mrucząc:

— Mój jary pan...

Opuścił kaftan, podciągnął pas.

— Po coś przyszła? — spytał, szukając przy siodle bukłaka.

Ochna zmrużyła oczy i zaśmiała się.

— Myślałam, że po to.

Prychnął, wypił duszkiem. Ona, zaciągając sznurowania sukni, powiedziała:

— Beniamin Zaremba przyjechał do Brzostkowa. Chce z tobą mówić, panie.

— Ach, tak — powiedział i wsiadł na koński grzbiet. Poruszył głową, barkami. I podjeżdżając do zerkającej z ukosa Ochny, pochylił się i wciągnął ją na siodło. Szelma zaśmiała się tak, jakby wiedziała, że to zrobi. Jak kiedyś. Wolno ruszyli w stronę Brzostkowa.

To Jarocin był widomym z daleka znakiem potęgi Zarembów. Obronna wieża, której nie miał żaden inny ród w Starszej Polsce, tylko oni. Sala z malowidłem przedstawiającym oba ich herby — ukryty i jawny. Złotego smoka i lwa za murem. W tej sali zapadały decyzje i wyroki. To tam Sędziwój naznaczył Wawrzyńca. O ile Jarocin był symbolem, o tyle Brzostków był gniazdem. Ich siedzibą obwarowaną tak, iż nikt obcy bez ich wiedzy nie mógł dostać się na teren posiadłości. Obszerne wnętrze brzostkowskiego dworzyska mogło pomieścić wszystkich radzących Zarembów naraz. Tu Zarembowie przywozili swe żony, gdy nadchodził czas rozwiązania, by to Ochna sprowadzała je na świat. Tu spotykali się na rodowych wiecach i naradach. Wreszcie, gdyby zaszła kiedyś taka potrzeba, tu mogliby się bronić nawet z miesiąc.

Dwa tygodnie temu Brzostków był pełen. Spotkali się wszyscy, by nim pojadą na elekcję do Poznania, ustalić, kogo poprą Zarembowie w drodze do książęcego tronu. Decyzja zapadła, rozjechali się. Opustoszały stajnie, podwórza, dwór. Zresztą przez większość roku było tu zwykle pusto. W Brzostkowie gospodarował Sędziwój; miał pod ręką niewielką drużynę zbrojnych, zastęp służby. Ochnę, jej pomocnice. Synowie na urzędach, córki po mężach, jedynie Dorota, najmłodsza, w Jarocinie. Nim podjechali do dworzyska, pocałował Ochnę w usta. Sama zeskoczyła z siodła.

Sędziwój czuł, że Beniamin przyjedzie. Spodziewał się go każdego dnia.

— Tam jest. — Ochna wskazała główną, jadalną salę dworu, gdy oboje podeszli do jego drzwi. Tę salę, w której przy dębowych ławach mogła siąść setka Zarembów.

Sędziwój wszedł. Półmrok pomniejszał pustą jadalnię. Wojewoda poznański Beniamin stał przy palenisku. Płonęło ledwie kilka szczap. Odwrócił się ku niemu. Sędziwój rzucił rękawicami na stół. Zdawało mu się, że w powietrzu wciąż czuje woń rudych włosów Ochny.

— Wyrok zapadł? — spytał zamiast powitania.

— Nie — odrzekł Beniamin, unosząc głowę.

— To po coś przyjechał? — warknął Sędziwój.

— Michał przyznał się do zabójstwa Wawrzyńca...

— Wiem.

— Daj mi dokończyć — równie stanowczo odpowiedział Beniamin. — Mój syn przyznał się do zabójstwa twojego, ale w tamtej sprawie milczy. Nie wyznał sędziemu, co Wawrzyniec robił przy królu.

— Kto go sądzi?

— Gniew.

— Gniew to ja czuję, gdy myślę o twoim synu! — wrzasnął Sędziwój.

— Mylisz się. Ty czujesz nienawiść. To ja czuję gniew, gdy myślę o tobie.

Sędziwój opanował się. Wrócił do sprawy.

— Gniew. Stary Doliwa.

— Tak. — Westchnął ciężko Beniamin. — Królowa Małgorzata pogrążyła mojego syna, biorąc go w obronę. Powiedziała, że to ona wysłała go do Rogoźna wbrew rozkazom króla. Że Brandenburczycy maczali palce w napadzie, porwaniu i zabójstwie to już pewne. Więc fakt, iż Brandenburka broni Michała, zaczyna go obciążać. Gniew postawił zarzut, iż mój syn zabił Wawrzyńca z zazdrości o względy króla.

Sędziwój prychnął lekceważąco.

— Stary dureń!

Przeszedł się wzdłuż pustych, rozstawionych ław i zatrzymał nagle, pytając:

— Czego chcesz, Beniaminie?

— To się nie odstanie, Sędziwoju. To nie ponury sen, z którego obudzimy się któregoś ranka. Chcę, by to był już koniec. Zawrzyjmy pakt.

— Nie paktuję z ojcem mordercy.

— Zastanów się przez chwilę! — podniósł głos Beniamin. — Gdyby Michał dotarł do Rogoźna wcześniej, jak byśmy dzisiaj wyglądali? Może to ty byś był ojcem zabójcy, a ja ofiary? Albo jeszcze inaczej, ty byś był ojcem królobójcy, a ja tylko zabójcy? Sędziwoju! Ta historia nie mogła się skończyć dobrze!...

— Mogła — odpowiedział bez namysłu Sędziwój — gdybyście nie koronowali Przemysła.

Beniamin skoczył ku niemu i zatrzymując się o dwa kroki od Sędziwoja, ryknął:

— Jaki miałeś plan? Co by było, gdyby zgodnie z twym rozkazem Wawrzyniec zabił króla?

Sędziwój milczał. Beniamin powtórzył:

— Jaki miałeś plan? Co po śmierci króla?

— Nic — odpowiedział. — Nic.

— Nie wierzę. Kazałeś synowi zabić króla i nie myślałeś, co będzie, jeśli wykona zadanie?! Nie rozumiem tego, Sędziwoju. Dlaczego?

— Gniew — odpowiedział zgodnie z prawdą Sędziwój.

— Co gniew?! — jęknął Beniamin.

Sędziwój wolno podszedł do paleniska. Spojrzał na wypalające się szczapy. Splunął na nie.

— Powodował mną gniew — powtórzył.

Jego ślina syknęła i wyparowała w ogniu. Usiadł.

— Gniew, nienawiść, sprzeciw, Beniaminie. To odczuwam mocno, tak mocno, aż boli. Byłem wściekły na Przemysła, że ledwie doszedł do książęcej władzy, ograniczył nasze wpływy. Potem, jak postanowił koronować się i nie zapytał o zgodę, tylko poinformował o tym, zawrzała we mnie nienawiść. Ja, Beniaminie, naprawdę strzegę najgłębszej pamięci rodu Zarembów, rodu, w którego żyłach płynie krew angielskich królów. Na myśl o tym, że Przemysł nagiął naszą wolę, ponad nią stawiając własną, poczułem gniew. Tak nie buduje się Królestwa. — Sędziwój przejechał dłonią po ławie. Zrzucił okruszyny chleba i kurz.

Gniew, nienawiść, sprzeciw, to wszystko prawda. I, prawdą jest, że w tej chwili te uczucia wyparowały z niego. Wbrew temu, co myślał o nim wojewoda poznański, nie uważał się za popędliwego szaleńca. To, co robił, robił z myślą o rodzie. O honorze Zarembów. Miało być inaczej, ale stało się. Stracił syna. Płakał po nim i wył. Ale w głębi duszy był dumny, bo Wawrzyniec przynajmniej spróbował. Jego syn!

— Gniew — powtórzył za nim Beniamin. — Więc nie myślałeś o…?

— O tronie? — Sędziwój zaśmiał się krótko. — Nie. Nie nam siadać na tron. My jesteśmy strażnikami pamięci, rodu i Królestwa. I ten, który chce zajmować tron, musi się z nami liczyć. O to mi chodziło, Beniaminie. O zasady i honor Zarembów. Przemysł nimi pogardził i ja, Sędziwój, głowa rodu, nie mogłem się na to zgodzić. Nie myślałem, co będzie potem, przyznaję. Wrzał we mnie gniew.

Beniamin, który chwilę wcześniej skoczył ku niemu jak żbik, opadł na ławę ciężko i powiedział:

— Co się stało, to się nie odstanie. Ta śmierć na zawsze będzie stała między nami. — Cedził słowa powoli. — Chcę cię prosić o życie dla Michała. Chcę, byś obiecał, że nie będziesz na niego nastawał.

Sędziwój poruszył się.

— To Michał nie położy głowy? Wypuszczą go z lochu cało? Za morderstwo?!

— Tego nie wiem — przerwał Beniamin. — Nie ja wydaję wyrok, ale sędzia Doliwa Gniew. Tylko pamiętaj o tym, że teraz to Michał broni honoru rodu, bo kryje przed światem zamiary twego syna. Biorąc na siebie głupie i poniżające oskarżenie o zabójstwo z zazdrości, zmywa z Zarembów hańbę podejrzenia o zamiar królobójstwa.

Sędziwój wciągnął powietrze głośno. Racja, stało się. Gdyby cel Wawrzyńca wyszedł na jaw... Dlaczego myśli o tym dopiero teraz?

Beniamin spojrzał na niego krzywo, mówiąc:

— Znam cię, Sędziwoju Zarembo, i ta wiedza podpowiada mi, że jesteś zdolny wedrzeć się do lochu, by uprzedzić kata i własną ręką wziąć odwet na mym synu.

— Nie jestem skrytobójcą — warknął Sędziwój.

W głębi duszy miał taki plan, krew syna wołała w jego duszy o pomstę. Ale gdy Beniamin wypowiedział go na głos, zrozumiał, że to nie jest plan godny Zaremby.

— Dajesz słowo? — naparł na niego Beniamin.

— Daję.

Musieli sobie podać dłonie, by to miało jakąkolwiek wartość. Jednak Sędziwój jeszcze nie był w stanie tego zrobić. Jeszcze nie.

— Gdy wyrok zapadnie — powiedział spokojnie Beniamin — złożę urząd wojewody poznańskiego.

— Nie oczekuję tego od ciebie — wzruszył ramionami Sędziwój.

— Nie przerywaj mi. Oddam urząd i zrobię, co w mojej mocy, by trafił w twoje ręce.

Sędziwój zagryzł wargi. Odkąd dostał do ręki pierwszy miecz, marzył, że zostanie wojewodą, jak Janek, jego wielki ojciec. Ale nie, Przemysł II dbał o to, by tak się nie stało. A później, gdy Sędziwój otwarcie wypowiedział posłuszeństwo księciu, bo przecież jeszcze nie królowi, to już było niemożliwe. Na zawsze dla niego niedostępne. I teraz, po trupie syna... Opanował się i powiedział:

— Nie rozdawaj urzędów, boś nie książę, Beniaminie. — Lecz głos mu drżał, wiedział, co może wola kogoś takiego jak Beniamin, jego wpływ na nowego władcę, autorytet. Wiedział, że ten nie rzuca słów na wiatr. Ale nie mógł się do tego przyznać, bo to by było, jakby kupczył głową Wawrzyńca. Więc zebrał się w sobie i zadał Beniaminowi ostateczne pytanie.

— Gdzie teraz jest nasz święty miecz? Ponoć Michał odebrał go królowi. Miecz musi wrócić do nas i to szybko, nim baronowie wybiorą nowego władcę.

— To żelazo jest przeklęte.

— Jak dla kogo. Dla mnie to święta pamięć.

— Mylisz się, Sędziwoju.

— Ty mi nie mów, kto ma rację, a kto nie!

— Więc powiem ci. Miecz ma córka Przemysła.

— Odbierz go i przywieź mnie!

— Wysłuchaj do końca, a nie będziesz chciał więcej widzieć tego ostrza. To nim Michał obciął głowę Wawrzyńca.

WŁADYSŁAW, książę kujawski, czekał w obozie pod Poznaniem. Bezruch. Najgorsze, co może spotkać mężczyznę, to czekanie. Na wynik, werdykt i cud. A on czekał podwójnie. Na wynik narad baronów i rycerstwa, i na wiadomość z Łęczycy. Pierwsza mogła go uczynić księciem Starszej Polski i Pomorza i, zaraz po tym, królem. A druga ojcem. Lecz w obu tych sprawach chwilowo nic nie zależało od niego. Ani nie mógł za Jadwigę urodzić sobie syna, ani za baronów obwołać się władcą. Wprawdzie Jadzia powiedziała, że kobiety dają sobie radę same, a arcybiskup Świnka dał mu do zrozumienia aż nazbyt jasno, iż to jego imię padnie podczas elekcji i że za nim staną baronowie, ale to w niczym nie odejmowało Władysławowi lęku.

— Książę! — uśmiechnął się do niego Szyrzyk. — Nie martw się. Jeszcze niedawno polowałeś, kłóciłeś się z bratem i bratankami, nie wiedząc nawet, że taka chwała może spotkać właśnie ciebie.

— Otóż to, mój druhu. W tym rzecz. Byłem najmniejszym spośród dzielnicowych książąt. „Pan na dwóch zagonach", tak mówili złośliwi. A teraz? Jezu Przenajświętszy, jak pomyślę, co teraz, to aż mi zapiera dech.

— A jak cię nie wybiorą, książę, to wrócimy do lasu polować — pocieszył go Pawełek Ogończyk.

— Za późno na zimowe łowy, za wcześnie na wiosenne.

— Księżna Jadwiga się ucieszy, męża w domu zobaczy — podpuszczał go Chwał.

— Cicho! — zagrzmiał Władysław. — Czy wśród was nie ma ani jednego, który wierzy, że dostanę tron?

Zapadło milczenie. Nikt się nie odezwał.

— No ładnie. — Pokiwał głową z goryczą.

— Ja wierzę — odezwał się Grunhagen, który przyciągnął tu z nimi, ku zadowoleniu księcia.

— My też wierzymy, ale książę pan kazał być cicho, to się nie odzywaliśmy — obraził się Ogończyk. Nie lubił tego niskiego rycerza, który pałętał się przy księciu.

Władek przestał z nimi gadać. Odszedł od ognia i bez celu ruszył przez obozowisko. Powinien się pomodlić za wynik. Takie szczęście zdarza się komuś takiemu jak on raz na tysiąc lat. Chłopak z Kujaw, co to zaczynał od niedzielnych rządów z braćmi, w księstwie jeszcze po ojcu niepodzielonym. W niedziale i nie raz o głodzie. Pierwszy raz wywyższył go przypadek i spryt matki, która podesłała nieletniego Władka bezdzietnym książętom krakowskim na wychowanie, licząc, iż usynowią go, jak wcześniej jego przyrodniego brata Leszka Czarnego. Tak się nie stało, ale Kinga z Arpadów, księżna krakowska, świątobliwa już za ziemskiego żywota, wzięła go pod swe skrzydła. I pod jej ręką wyrósł. Dosłownie. Prawie o łokieć. A potem pilnowała, by jej małżonek, książę krakowski, wszędzie go ze sobą zabierał. Zjazdy książąt dzielnicowych, najważniejszych, wielcy zagraniczni goście i posłowie, nawet do Czech go wziął, w czasach, gdy żył stary czeski król. Václav Przemyślida był wtedy jeszcze wyblakłym wymoczkiem schowanym w złotych spódnicach matki. I skoro jego brat, Leszek Czarny, odziedziczył po stryju Kraków, to Władek po nieszczęsnej śmierci Leszka na ten Kraków ruszył i zdobył go. Na chwilę wprawdzie, ale zdobył. I Sandomierz. I był taki czas, gdy tytułował się krakowskim i sandomierskim księciem! Wtedy mu dali Jadwinię za żonę. Więc miał kawał ziemi i ją. A potem... potem nadszedł Václav Przemyślida, już nie dzieciak, choć chyba wciąż wymoczek; rzucił na Kraków swą zaciężną, opłacaną czystym srebrem z czeskich kopalń armię i trzeba było wiać. Aż pod Sieradz. A później i z Sieradza. Był księciem, co mieczem sobie wyrąbywał księstwa, ale do tej pory szybciej je tracił, niż zdobywał.

Niespełna rok temu widział, jak wkładają Przemysłowi na skronie odzyskaną po dwustu latach koronę polskiego królestwa. Jadwiga przy nim była, razem stali w gnieźnieńskiej katedrze, razem siedzieli blisko króla na uczcie. I Władysław może na każdą świętość przysiąc, że nie myślał wtedy o koronie dla siebie. Rozpierała go duma i takie wzruszenie, że pod stołem wbijał sobie palce w kolano i nic nie mógł wykrztusić. Korona Królestwa. Toż to było poza jego marzeniami! Był szczęśliwy z tego tylko powodu, że tam był i widział, jak na jego oczach odradza się po dwóch setkach lat Królestwo. I teraz, śmiertelnym zbiegiem okoliczności, tym mordem koszmarnym, którym wrogowie dopadli Przemysła, to wszystko może trafić w jego ręce! Jezusie z Nazaretu!...

„Władek, nie pamiętasz, czego cię uczyłam?" — dźwięczny głos księżnej krakowskiej Kingi zakłuł go w ucho.

— Pamiętam! Wybacz, ciotko, że znów wezwałem imienia najświętszego. Ale może nie nadaremno?

„Nie o tym mówię. Wspomnij lekcje o dziedziczeniu księstwa, korony i tronu. Przypomnij sobie kolejność".

— Wiem, ciotko, ja wiem, że teraz wzywają mnie tylko na księcia... no, ale zaraz po elekcji koronacja będzie, jak nic!... Kingo — odważył się zapytać, skoro i tak mu się objawiła — jak sądzisz, wybiorą mnie? Właśnie mnie?

„A jesteś godzien?" — zaśmiała się w jego uchu świątobliwa, nieżyjąca już Kinga.

— Książę! Książę! Jadą! Jadą! — darł się, biegnąc ku niemu, Ogończyk.

Władek odwrócił się gwałtownie.

— Pawełek, płaszcz mi podaj! I kołpak!

— Zostały w namiocie — wysapał zdyszany druh.

— To biegniemy. — Książę grzmotnął go w plecy, ruszając w stronę swego namiotu.

— Nie zdążymy, już wjechali!

— To biegniemy od tyłu! Przecież muszę przyjąć ich z godnością!

Ruszyli pędem, klucząc między namiotami kujawskiego rycerstwa. Słyszeli granie trąb, rżenie koni przed stojącym w środku obozu namiotem. Pochylali się nisko, by panowie Starszej Polski nie do-

98

strzegli ich. Władek, sadząc susami, wpadł nogą w ognisko, Pawełek poślizgnął się na końskim łajnie. Dopadli tyłu książęcego namiotu. Ogończyk sięgnął po nóż, chcąc ciąć płachtę. Władek wstrzymał go.

— Szkoda. Dołem!

I wczołgali się pod spodem. W namiocie czekał na nich Wojsław, podkomorzy i druh księcia, i giermek Fryczko. Ten drugi rzucił się do nóg księcia czyścić uwalane popiołem buty.

— Gdzie bracia Doliwowie? — spytał Władek, pomagając Pawełkowi zzuć z siebie brudny kaftan.

— Witają panów Starszej Polski. — Wojsław już podawał czysty.

— Gdzie Ruder?

— Wyszedł z nimi jako twój kanclerz.

— Dobrze, w razie czego awansuję go, iż by nie wyszedł, na kłamcę.

— Jeszcze kołpak — przytrzymał go Wojsław, bo Władek już robił krok ku wyjściu.

— I pas z mieczem! — jęknął Fryczko.

— No, już, dalej, guzdrzecie się, a nie wypada, by baronowie czekali.

— Jeszcze płaszcz! — Pawełek skoczył ku niemu z najcenniejszym, co w skrzyni mieli; książęcym płaszczem, na którego prawym boku pysznił się bielą piastowski orzeł na czerwieni, a na lewym — rodowy półorzeł, półlew kujawskich dziedziców.

Władek zdążył ruszyć ku wyjściu; na wołanie Pawełka odwrócił się i złapał rzucony sobie płaszcz w locie. Gdy wychodził przed namiot, poły płaszcza jeszcze nie zdążyły opaść, lecąc za nim jak skrzydła.

— Książę! — Powitał go głębokim jak nigdy ukłonem Ruder, za nim bracia Doliwowie.

— Kanclerzu — przypomniał sobie Władek w porę. — Panowie moi.

— Oto witamy delegację baronów Starszej Polski — zaanonsował Ruder.

Władysław skinął mu głową, jakby witał takie delegacje każdego dnia, i dopiero wtedy na nich spojrzał. I o mało nie ugięły się pod nim kolana.

Zobaczył ponad setkę ludzi. Stali przed nim najmożniejsi z możnych. Zarembowie, Grzymalici, Nałęczowie, Łodzie. W głębi Leszczyce, Pałuki, Godziembowie, Odrowążowie, Korabici, Oksze, wielkopolscy Doliwowie, rodowcy jego wiernych Doliwów. Stali strojni w samity, brokaty i jedwabie. W kunie kołnierze, płaszcze podbijane bobrami, popielicowe pelisy. Andrzej Zaremba, kanclerz Królestwa. Mikołaj Przedpełkowic Łodzia, wojewoda gnieźnieński. Beniamin Zaremba, wojewoda poznański. Kasztelanowie, włodarze i wojscy. Stali przed nim, Władkiem, i patrzyli na niego.

— Przyszliśmy oznajmić ci, książę, nasz wybór — suchym głosem powiedział kanclerz Andrzej Zaremba i jego ciemne oczy przeszyły Władysława.

— Uszanuję, jakikolwiek będzie.

— Rycerstwo Starszej Polski wzywa cię na tron. Tron książęcy. — Głos kanclerza był zimny. — Czy przyjmujesz? — kontynuował Zaremba.

— Przyjmuję.

— Czy przysięgasz zachować i potwierdzić wszystkie prawa, które otrzymaliśmy od Przemysła II? Zachować nas w ziemiach naszych i urzędach?

— Przysięgam.

— Czy przysięgasz odebrać nieprzyjaciołom naszym ziemie bezprawnie przez nich zagarnięte?

— Przysięgam.

— Zatem, wolą naszą, zostań księciem Królestwa Polskiego i panem Pomorza! — zawołał Andrzej Zaremba.

W tej samej chwili na spienionym koniu wjechał goniec z Łęczycy.

— Księżna Jadwiga urodziła! — krzyczał. — Księżna Jadwiga urodziła córkę!

JAKUB ŚWINKA, arcybiskup gnieźnieński, szedł wolnym krokiem wzdłuż nawy poznańskiej katedry. Jeszcze dzień, dwa wyjedzie stąd, wróci do Gniezna, choć jak przypomni sobie, co się ostatnio stało, kiedy wracał z Poznania do Gniezna! Skóra cierpnie. Ale nie może siedzieć tu wiecznie. Biskup poznański już czuje się nieswojo w obecności arcypasterza. Jednak wciąż coś go wstrzymywało, chciał być blisko ciała Przemysła, blisko grobu, który otwierali, by złożyć do niego ciało króla. I pomyśleć, co za pech, Przemysł sam sobie wybudował grobową kaplicę. Piękną, przy południowej wieży.

A kto miał mu wybudować? — ofuknął się w duchu. — Przecież król wiedział, co buduje, i się na to cieszył. Umiłowaną żonę Rikissę kazał do siebie przełożyć, to przełożyli.

Oj, wiedział, co buduje, wiedział, ale nie miał pojęcia, że już mu przyjdzie z tego skorzystać, ledwie siedem miesięcy po koronacji, ledwie siedem miesięcy odzyskanego Królestwa... — jęczał w duchu Jakub Świnka.

Usłyszał jakiś głos przed sobą z boku i natychmiast przestał się nad sobą rozczulać. Wyprostował plecy, przyjął godną arcybiskupa postawę. Skąd to idzie? Intrygowało go. No jak to skąd? Z kaplicy Przemysła. Zadrżał, bo głosy słyszał coraz wyraźniej i już wiedział, że są anielskie. Dyskretne i dźwięczne, jakby cherubiny trącały struny, nie, nie struny! Jakby śpiewały na głosy.

Cherubiny śpiewają nad grobem Rikissy i Przemysła! — Rozczulił się i stanął, wstrzymując nawet oddech, bo bał się spłoszyć niebiańskie zjawisko, cud słyszalny dla jego niegodnego ucha. Psalm! Rozpoznał słowa psalmu.

Panie, jakże wielu jest tych, którzy mnie trapią, jak wielu przeciw mnie powstaje! Wielu jest tych, co mówią o mnie: nie ma dla niego zbawienia w Bogu.

Nie wytrzyma, trzeci Psalm Dawidowy, musi, pragnie to zobaczyć!

Kładę się, zasypiam i znowu się budzę, bo Pan mnie podtrzymuje.

Postąpił jak umiał najciszej kilka drobnych kroczków i wyciągnął głowę, kierując ją za filar kaplicy. Ach!

Od Pana pochodzi zbawienie. Błogosławieństwo Twoje nad narodem Twoim.

— Ojczulek! — powiedziała królewna Rikissa, zamykając psałterz.

— Arcybiskupie — zawtórowała jej królowa Małgorzata, wstając z klęcznika.

— Uhm — odchrząknął speszony. — Nie chciałem przeszkodzić.

— Już skończyłyśmy.

— Tak, tak słyszałem: *Od Pana pochodzi zbawienie. Błogosławieństwo Twoje nad narodem Twoim.* Piękny psalm wybrałaś, królowo. — Skinął Małgorzacie głową.

— To Rikissa wybrała.

— Rikissa? Dziecko nasze ukochane — rozczulił się, podchodząc do klęcznika królewny i przygarniając jej główkę. — Ledwie się narodziłaś, tu w tej katedrze cię chrzciliśmy. Niedawno się nauczyłaś chodzić, a już tak pięknie czytasz i śpiewasz, jak cherubin, dziecko nasze ukochane...

Rikissa uniosła na niego oczy i powiedziała poważnie:

— Idę za mąż.

Jakub jęknął w duszy.

— Jeszcze nie za mąż, jedziesz poznać narzeczonego, masz czas... — Sam najchętniej odpędziłby tę myśl i konieczność dla dziedziczki Przemysła.

— Przyszłyśmy do kaplicy się pożegnać — po chwili ciszy spokojnie powiedziała Małgorzata. — Jutro wyjeżdżamy z Poznania. Królewna i ja.

Świnka spojrzał uważnie na królową. Małgorzata stała u ołtarza. Miała na sobie czarną, zdobioną perłami suknię. Szczupłą twarz okalała biała podwika, na niej czarny welon, jak u zakonnicy.

Powinien coś powiedzieć, coś dobrego, co pasuje do rozstania z królewną i królową, lecz miał świadomość, iż sprawy zaszły tak daleko, że cokolwiek powie...

— Rikisso — westchnęła po dłuższej chwili Małgorzata — chodźmy już.

— Chcę zamienić z królewną parę słów, na osobności, jeśli łaska... — poprosił.

— Naturalnie. — Małgorzata przeżegnała się i wyszła.

Odczekał, aż usłyszy stęknięcie zamykanych za nią wrót katedry.

— Królewno — zaczął łagodnie Jakub — jesteś pewna, iż król chciał, byś została narzeczoną Ottona z Salzwedel?

— Tak, ojczulku. Już mówiłam panu kanclerzowi. Tak było.

Jej mateczka, księżna nasza Rikissa, też mówiła do mnie „ojczulku" — momentalnie rozczulił się Świnka.

— Jeśli nie chcesz wyjeżdżać z macochą, to powiedz, a...

— Chcę, ojczulku.

Jakub Świnka rozejrzał się. W pośpiesznie kończonej kaplicy wciąż stały wysokie świeczniki, w nich czarne żałobne świece. Na płycie nagrobnej w posadzce leżał jałowcowy wieniec owinięty wstęgą. Pod murem, z boku ołtarza kilka kamiennych płyt przygotowanych do rzeźbienia, wiadro z zaprawą. Ławy już wyniesiono, więc nie mając nic innego, ciężko usiadł na klęczniku Małgorzaty. Teraz patrzył na ośmioletnią Rikissę wprost, nie z góry. To dziecko — pomyślał. Inne dzieci w jej wieku bawią się, łapią ptaszki w sidła, biegają po łąkach albo wiją wianki. A ta mała jest jedyną dziedziczką Królestwa. Za jakieś pięć lat stanie się zdolna do małżeństwa. Mój Boże, gdyby książę Władysław nie był żonaty, połączylibyśmy ich małżeńskim węzłem i przetrwałaby na tronie święta krew Przemysła. Nie, nie miał nic przeciwko Jadwini, Władysławowej żonie, broń Boże! Była córką poprzedniego władcy Starszej Polski, księcia Bolesława, i świątobliwej Jolenty z Arpadów. Wspaniała rodzina i pobożny charakter. Rzecz w tym, że Jakub tyle lat poświęcił na badanie przeszłości i korzeni dynastii, tyle lat towarzyszył Przemysłowi w drodze ku najświętszej koronie Królestwa, że nie potrafił się rozstać z myślą, iż krew ukochanego króla nie popłynie w żyłach Królestwa. Och! — westchnął jeszcze głębiej. — Czy ktokolwiek powiedział królewnie, iż może już nigdy nie wrócić do domu?...

— Moja matka mówiła, że kobieta porzuca dom rodziców, by wejść w progi męża — powiedziała Rikissa.

Jakub struchlał. Czy znów mówił, nie myślał? Wypalił szybko, by pokryć zmieszanie:

— Królowa Małgorzata jednak wraca do domu swego ojca.

— Chciałbyś, ojczulku, by panicz Otto mi zmarł?

— Nie, nie! Tak tylko powiedziałem, że niezbadane są wyroki boskie. — Jakub aż się spocił i postanowił trzymać się tematu, nie zaś rzucać, co mu serce podpowie, a ślina na język przyniesie. — Zatem królewno, możemy się już nigdy nie zobaczyć. Będę za tobą tęsknił.

Wstała z klęcznika, podbiegła i objęła go za szyję.

— Ja za ojczulkiem też!

— Pamiętaj zawsze, skąd twój ród. Pamiętaj matkę, ojca...

— I ojczulka! — Uścisnęła go jeszcze mocniej.

Jakubowi Śwince zakręciły się łzy w oczach, a przecież arcybiskupi nie płaczą.

— Lecz jakby tam, w domu męża, działa ci się jakaś krzywda, to wiedz, że zawsze możesz się do nas zwrócić. Dostaniesz od nas służbę, zaufanych ludzi...

— Mojego rycerza? — z radością zapytała Rikissa.

— Nie... Dostaniesz innych rycerzy... — wyjąkał zaskoczony Jakub.

— Dlaczego nie Michała Zarembę? Ślubował mi. Że będzie mnie bronił i umrze z mym imieniem na ustach.

Arcybiskup zaniemówił. To był drugi temat, zaraz po dywagacjach o zabójstwie króla. O tym, jak Michał ślubował być rycerzem królewny, na poznańskim dworze gadano od zmierzchu do świtu. Dwórki prawie mdlały, powtarzając to służebnym, służebne posługaczkom, posługaczki kuchennym. Giermkowie mówili chłopcom stajennym, ci psiarczykom. Kupcowe nie sprzedały rogala, by ze łzą w oku nie opowiedzieć tego szewcowej czy praczce. A rzecz przecież stała się w tym samym czasie, co nieszczęsne poselstwo o rękę królewny, tyle że o tym drugim nie wspominał nikt.

— Michał Zaremba jest oskarżony o ciężką zbrodnię, królewno. Musi zostać w odosobnieniu, nim zapadnie wyrok, a potem, kto wie... Prawo jest surowe. Lepiej zapomnij o swym rycerzu.

— Nie mogę — poważnie odpowiedziała dziewczynka. — Powiedziałam mu wtedy: „I ja ciebie nie opuszczę aż do śmierci". Przyjęłam jego śluby. A sam uczyłeś, ojczulku, że śluby są święte.

— Rikisso — rzekł Świnka — czasami ludzie, którzy są nam bliscy, okazują się kimś innym, niż nam się wydawało.

— Nie Michał.

— Nawet tacy ważni jak Michał...

— Nie, ojczulku. Ty nie znasz go tak dobrze jak ja i mój ojciec. Michał nie mógł zrobić nic złego.

— Zrobił, królewno.

— Aha. — Zastanowiła się chwilę i powiedziała z uporem dziecka: — Jeśli coś zrobił, to znaczy, że to nie było złe. Chcę go zobaczyć, nim wyjadę.

— Nie wolno...

— Chcę.

— Nie można, królewno.

— Odmówisz mi? — Przekrzywiła główkę.

— Nie... — przyznał Jakub Świnka.

— To dobrze, więc chodźmy do niego, ojczulku. — Podała mu rękę i pociągnęła, by wstał.

Już byli przy wyjściu z kaplicy, gdy Rikissa uderzyła się rączką w czoło.

— Najważniejsze!

Odwróciła się ku ołtarzowi świętego Jana Chrzciciela, który był patronem kaplicy. Z racji na tempo prac wywołane niespodziewaną śmiercią Przemysła, ołtarz nie był skończony. Na ścianie ponad mensą, w miejscu centralnym, widniała surowa w swym pięknie płaskorzeźba wyobrażająca świętego Jana z wodą Jordanu w misie i ramieniem wzniesionym w błogosławieństwie. Ołtarz zaplanowano jako tryptyk. Po obu bokach postaci były wolne miejsca, w których z czasem kamieniarz umieścić miał dwie pozostałe figury. Rikissa pobożnie zgięła kolanko przed ołtarzem i okrążając go, pobiegła na drugą stronę, tam, gdzie stała zaprawa murarska i płyty. Odwróciła się, przywołując go gestem ręki.

— Chodź, ojczulku, chodź!

W bocznej, trudno dostępnej dla odwiedzających stronie ołtarza, pod mensą, były zamknięte na kłódkę drzwiczki. Przygotowano je zawczasu, by po skończeniu prac budowlanych umieścić w schowku relikwie. Rikissa wślizgnęła się tam zręcznie. Jakubowi przyszło to z trudem. Dziewczynka wyjęła z zawieszonej u pasa sakiewki kluczyk i przekręciła w zamku. Zdjęła kłódkę. Uchyliła drzwiczki i zajrzała do środka.

— Jest na miejscu — szepnęła, odwracając do Jakuba głowę. — Zamknę go i zostawię ci klucz, ojczulku.

Przytrzymując się ołtarza, zwinnie wyślizgnęła się, stanęła przy Jakubie i otrzepała ubrudzoną od pyłu sukienkę.

— Proszę — podała mu klucz. — Pilnuj go.

— Co tam schowałaś, królewno?

— Nie sama. — Pokręciła głową. — Z Michałem. Sama nie dałabym rady.

— Ale co?

Zamrugała, patrząc mu w oczy i ponownie przekrzywiając główkę.

— Miecz króla, ojczulku. Zapomnieliście o nim?

ELŻBIETA, księżna wrocławska, stanęła przed furtą klasztoru klarysek. Jej ramiona i srebrne włosy okrywał wdowi welon kontrastujący z brzuchem. Była w siódmym miesiącu ciąży. Patrząc na nią od tyłu, nikt by się nie domyślił. Wysoka i smukła trzydziestopięcioletnia księżna mimo ósmej ciąży wciąż wyglądała niczym posąg Najświętszej Maryi Panny.

— Kogo Bóg prowadzi? — przez klapkę w drzwiach zapytała furtianka.

— Najjaśniejsza księżna wrocławska Elżbieta — zaanonsował dowódca jej straży.

Jeden po drugim zaczęły dzwonić klucze przy pasie i szczękać zamki. Furtianka szarpnęła drzwi, które oparły się jej z głuchym westchnięciem. Elżbieta naliczyła trzy klucze i wiedziała, że to za mało.

— Jeszcze dwa, siostro Judyto — podpowiedziała klarysce.

— Ojejku, a niech je!... — stęknęła tamta i po chwili drzwi ustąpiły.

— Poczekajcie na mnie — rozkazała Elżbieta książęcej straży i przekroczyła progi klasztoru.

— Do grobu? — spytała furtianka, gdy znalazły się w sieni.

— Nie. Do opatki.

— Wielebna Jadwiga jest z siostrami w... — zaczęła siostra Judyta, złapała się za usta, odwróciła i ruszyła korytarzem, dając księżnej znak, by podążała za nią.

Elżbieta wiedziała, że furtianka wciąż jest upominana za nadmierne gadulstwo, choć przecież w tym szczególnym klasztorze śluby milczenia traktowano doprawdy umownie. Jak mogło być inaczej, skoro wszystkie zakonnice, co do jednej, to córy najwyższych rodów? Księżniczki krwi, córki, siostry i wnuczki panujących; niejedna, której ojciec nosił koronę. Wśród nich trzon zgromadzenia stanowiły Piastówny śląskie. Jakżeby inaczej, skoro fundatorką zgromadzenia była świętej pamięci księżna Anna, żona legendarnego, poległego z ręki Dzikich pod Legnicą, Henryka. Tak, ta sama, która na pobojowisku szukała zwłok męża bez głowy. I która rozpoznała je po sześciu palcach u lewej stopy. Annę jako pierwszą pochowano w przylegającej do tutejszego kościoła kaplicy pod wezwaniem Świętej Jadwigi z Meranu, jej teściowej zresztą. W kilkadziesiąt lat powstała śląska nekropolia. Do Anny dołączyli synowie, kuzyni jej synów i teraz mąż Elżbiety, Henryk, jeszcze miesiąc temu zwany Brzuchatym. Na wspomnienie tego przydomka Elżbieta sama chwyciła się za ciężarny brzuch. Nie, nie pójdzie dzisiaj klęczeć przed jego płytą. Nie czuje się dość dobrze. Dziecko kopie ją boleśnie jak żadne dotąd, a wynosiła ich pod sercem siedmioro.

Doszły do celi opatki, tak zresztą, jak się Elżbieta spodziewała. Klaryski z rodu Piastów ustanowiły dla siebie osobną godzinę rozważań modlitewnych, gdy same, bez innych sióstr, spotykały się i pogrążały w modłach za dynastię. Zwały to „piastowskie godzinki". No, w każdym razie zdążyły zmówić „Ojcze nasz", a przez resztę godziny plotkowały o sprawach, którymi nie chciały dzielić się z siostrami wywodzącymi się z rodów brandenburskich, halickich, węgierskich czy czeskich. Choć, trzeba oddać sprawiedliwość im wszystkim, że jeśli racja stanu tego wymagała, klaryski miały zdolności koalicyjne. Dla wtajemniczonych, jak Elżbieta, nie było sekretem, że najważniejsze wiadomości ze wszystkich śląskich dworów i dalej od Budy przez Pragę, Starszą Polskę i Brandenburgię trafiają do celi opatki szybciej niż na książęce pokoje. Powód tego był prosty, rodziny wysoko urodzonych zakonnic powierzały im modły w intencji swych spraw, często zanim wprowadziły je w życie. Narzeczeństwa, wojny, narodziny, choroby, sojusze i dalekosiężne plany — wszystko zbiegało się u wrocławskich klarysek, zwanych na mieście klasztorem księżniczek.

Elżbieta sama zapukała do drzwi. Trzy razy szybko, cztery razy w odstępach. Opatka, Jadwiga głogowska, wprowadziła dla każdej ze szlachetnych dam odwiedzających siostry osobny sposób anonsowania swej osoby.

— Proszę! — odezwał się z wnętrza głos i furtianka mogła otworzyć dla Elżbiety drzwi.

Zrobiła przy tym minę wymownie wyrażającą jej całodniowe milczenie. Elżbieta weszła i drzwi za nią zamknięto.

— Tobie jest jednak do twarzy w czerni! — powitała ją Jadwiga, zwana Pierwszą. — Siadaj, dziecko! A nie myślałaś, by teraz, skoro mąż cię od swej obecności uwolnił, przyjąć habit i zamieszkać tu z nami w spokoju?

— Cioteczka to jednak lubi przesadzić — odezwała się Eufemia, zwana Ofką. — Przecież Elżbietka jest w ciąży. Widział kto brzemienną zakonnicę?

— Spytaj siostrę Adelajdę, ona jest tu najstarsza — odcięła się błyskawicznie Jadwiga Pierwsza — tylko potem nie gadaj, że Adelajda zmyśla ze starości. Ona ci nie takie rzeczy opowie.

— Oczywiście nie o naszym klasztorze! — ucięła ostro druga Jadwiga, opatka. — Proszę, nie gorszcie Elżbiety! Byłaś na grobie małżonka?

— Nie. Nie czuję się dzisiaj na siłach. — odpowiedziała Elżbieta, siadając obok Ofki.

— No i dobrze. Przykażę nowicjuszkom, by tam poklęczały za ciebie — obiecała opatka.

— Kopie? — Ofka położyła dłoń na jej brzuchu i aż podskoczyła. — Kopie!

— Ja też chcę pomacać! — zerwała się opatka i sprawdziła. —
Kopie...

— A ja nie chcę — oświadczyła Jadwiga Pierwsza. — Nie muszę
sprawdzać, jak Elżbieta cierpi, żeby dziękować Panu i świętej Klarze
za te męki, co mnie ominęły.

Jadwiga Pierwsza była córką fundatorki i zgodnie ze swym przydomkiem pierwszą Piastówną opatką zgromadzenia. Swych powinności uczyła się od świątobliwej Vriderunis, przybyłej z Pragi założyciel-
ki, po dziś dzień wspominanej przez siostry w pełnych żaru modłach.
Szesnaście lat temu uznała, iż dość już się narządziła, i przekazała
zaszczytny tytuł opatki swej bratanicy, także Jadwidze. Ile miała lat
Jadwiga Pierwsza, nikt nie wiedział. I właśnie na tyle wyglądała. Jej
imienniczka, Jadwiga głogowska, dzisiejsza opatka, choć starała się
kierować klasztorem według własnej, wypracowanej w mozole reguły,
nie raz uciekała się do rady i pomocy Jadwigi Pierwszej. Sprzeczały
się, na wszystko miały odmienne zdanie, ale koniec końców dochodziły do zgody. Trzecia z nich, Ofka, była najspokojniejsza. I najbliższa Elżbiecie rodem. Były stryjecznymi siostrami, księżniczkami
Starszej Polski, do czego Elżbieta dołączyła po mężu zaszczytny tytuł
księżnej wrocławskiej.

Nie spędziły wspólnie dzieciństwa, bo Ofka osiem lat starsza od
Elżbiety, szybko przywdziała habit. Ale poza tym łączyło je wszystko.
A najmocniej największa tajemnica Elżbiety — król Przemysł. Dla
niej był stryjecznym bratem, dla Ofki rodzonym. Obie modliły się
żarliwie na wieść o jego śmierci, trzy noce bez ustanku szeptały
w intencji duszy króla, o wodzie, bez chleba, bez przerwy. Aż ciężarna Elżbieta zasłabła i opadła na zimne płyty posadzki. Gdy docuco-
no ją, z zamku wrocławskiego przybiegł goniec z wiadomością o apo-
geum agonii jej męża. Nim dojechała, nie żył. Wyprawiła mu godny
pogrzeb, jak przystało wiernej żonie i wrocławskiej księżnej. O tu,
w klasztorze, w kaplicy świętej Jadwigi spoczęły umęczone ziemskie
członki Henryka. Potem przez tydzień przychodziła modlić się u jego
krypty, chcąc oczyścić swą duszę z wyrzutów sumienia, że gdy umierał, ona modliła się za innego. Dwie śmierci w krótkim czasie. Ale
o ile śmierć Przemysła była nagła, nie do przewidzenia, o tyle zgon jej
męża był tylko kwestią czasu, leżał na śmiertelnym łożu trzy tygodnie.
Odkąd wrócił z niewoli w żelaznej klatce Głogowczyka, był wrakiem
człowieka. Strzępkiem życia.

— Kopie jak prawdziwy książę śląski — oświadczyła opatka, zdejmując dłoń z jej brzucha.

— Aż dziw, że taki silny. Przecież twój małżonek w czasie aktu poczęcia pewnie ledwie zipał — pokiwała głową stara Jadwiga Pierwsza.

— Chyba nie było z nim tak źle, skoro dziecko waleczne — zaprzeczyła opatka.

— Siostra Salomea, która chodziła opatrywać mu rany, mówiła, że były koszmarne — wtrąciła Ofka.

— Koniecznie chcecie mi dokuczyć? Do grobu wpędzić? — żachnęła się rozżalona opatka. — Wyrzuty sumienia mam zapewnione do końca życia. A umawiałyśmy się inaczej, że przypomnę regułę pierwszą: „Grzechy naszych braci i ojców nigdy nie staną się kością niezgody między nami, bowiem my, siostry w Świętej Klarze, zamknęłyśmy za sobą bramy świata doczesnego. Amen".

— Amen — powtórzyły Jadwiga Pierwsza i Ofka.

— Ja ani razu ci nic nie wypomniałam. — Elżbieta pogłaskała opatkę po dłoni.

— Ty nie, ty jesteś kochana. Ale one?

Opatka była rodzoną siostrą Głogowczyka, który porwał męża Elżbiety i trzy miesiące więził w żelaznej klatce. Ale prawda, Elżbieta nigdy nie miała do niej o to pretensji. Reguła pierwsza, niepisana rzecz jasna, ale obowiązująca między siostrami zgromadzenia była nieodzowna, by Piastówny w tych szalonych czasach mogły egzystować ze sobą. I sprawdzała się bezwzględnie, w pokoju i żałobie. Także dla gości, jak Elżbieta.

— Jesteś przewrażliwiona — orzekła Pierwsza. — Powiedz, Elżbieto, jak to było?

— Co? — nie zrozumiała pytania.

— Akt poczęcia — uściśliła najstarsza z obecnych.

— Ach, to. Jesteście pewne, że chcecie tego słuchać? — Skrzywiła się na samo wspomnienie.

— Jest Wielki Post. Nosimy włosiennice, Ofka się biczuje, ja nie, bo jestem za stara, ale musimy się umartwiać. Opowiadaj!

— Zmusił mnie — wyznała bez zażenowania Elżbieta. Wyzbyła się wstydu, odkąd siostry uświadomiły jej, że nie ona ponosi winę za chutliwość męża, lecz jego śląski rodowód. — Wezwał do swej alkowy. Pił wcześniej wino ze swym bratem Bolke...

— Bolke Surowy — kiwnęła głową opatka — miałyśmy się tu z nim nie raz.

— Kazał służbie wyjść, a mnie wejść do łoża. Rany już wtedy nie były tak dotkliwe, siostra Salomea zaleczyła go jakimś balsamem...

— Balsam „Siedem ziół Klary". Biorę go na podagrę. Szczypie, śmierdzi, ale działa — potwierdziła Jadwiga Pierwsza.

— Powiedział: „Dwóch synów to za mało, by ustrzec księstwo. Elżbieto, daj mi jeszcze jednego".

— Jakby to była jadłodajnia, słowo daję! — poprawiła welon Pierwsza. — I co? Rzucił cię na łoże i zniewolił?

— Nie, Jadwigo, są znacznie gorsze rzeczy dla mężatki niż „rzucić i zniewolić" — westchnęła Elżbieta.

— Jakie? — pisnęły jednocześnie Ofka i opatka.

— Kazać współuczestniczyć, drogie siostry. Mężczyźni, gdy wypiją za dużo wina, mają chuć wielką, a możliwości małe. Dosłownie małe.

— Ja nie rozumiem — rozłożyła ręce opatka.

— Ja też — przyznała się Ofka.

— Ja się domyślam — powiedziała Pierwsza — ale ty mów, dziecko, mów, bo mi nie wypada.

— A mi wypada? — zdenerwowała się Elżbieta.

— Tobie tak — orzekły wszystkie trzy jednocześnie. — No mów, bo zaraz nieszpory!

— Należy mężowskie przyrodzenie ująć w dłoń i poprowadzić do właściwego miejsca.

— Fu! Paskudztwo! Pomódlmy się, dziękując rodzicom, że nas od tego wybawili! — jęknęła Jadwiga Pierwsza i runęła na kolana. — Biorąc sobie Oblubieńca szlachetniejszego rodu, Pana Jezusa Chrystusa, który nasze dziewictwo zachowa zawsze nieskalane i nienaruszone...

— To nie modlitwa, Jadwigo, to fragment listu świętej Klary do świętej Agnieszki — zaprotestowała opatka.

— No i co — wzruszyła ramionami najstarsza, podnosząc się z klęczek — ale pasuje jak ulał. Nie bądź taką formalistką, moja droga następczyni, bo psałterzem całego życia nie opędzisz.

— Poczekajcie! — przerwała ich kłótnię Elżbieta. — Ja przyszłam do was po radę.

— Tylko szybko, kochana, bo my musimy na nieszpory — ponagliła opatka.

— Mój mąż, niech będzie świętej pamięci, przed śmiercią uzgodnił ze swym bratem Bolke, że to on zostanie regentem księstwa i opiekunem prawnym naszych synów. Bolke zachował się okrutnie i wytargował od mego męża gród w Sobótce jako wynagrodzenie za tę regencję.

— Od konającego? Wstyd! — potępiła Pierwsza, choć jeszcze przed chwilą pogardzała „konającym".

— To nie wszystko, przywilejów dał mu znacznie więcej. Ale, siostry drogie, nie w tym rzecz. Dostałam poufną wiadomość, iż baronowie wrocławscy stawią opór rządom mego szwagra.

— Kolejna wojna o Wrocław — pokiwała głową Ofka. — Co się dziwisz, moja droga? Twój świętej pamięci Henryk wziął Wrocław siłą wbrew testamentowi zmarłego księcia. Wydarł bratu Jadwigi, nie wypominając.

— Nie wypominając — przytaknęła opatka.

— A możni się boją, bo jak podliczyć posiadłości twego szwagra na Śląsku, to choć Głogowczyk, nie wypominając, posiada więcej, to Bolke Surowy będzie miał najbogatszą część w swym ręku. Baronowie nie lubią silnych książąt. Jeśli twój szwagier będzie tak surowy, jak do tej pory, to przełamie opór miejscowych.

— Ale raczej krwawo — mruknęła zafrasowana Ofka.

— To znany gwałtownik, ten Bolke — ocknęła się z krótkiej drzemki najstarsza. — Ty uważaj, Elżbieto, żeby on tobie krzywdy nie zrobił. Jak się poczuje panem, jak rzuci cię na łoże i zniewoli!...

— On ma żonę, zapomniałaś, Jadwigo?

— No i co, a bo to dla Ślązaka przeszkoda? Mieć żonę i rzucać na łoże i niewolić inne? Zwłaszcza że nasza Elżbieta piękna jak malowanie.

— Nie, Jadwigo, nie boję się osobistej zniewagi ze strony szwagra. On ma w tym względzie, jak sądzę, charakter prawy. Boję się jego brutalności w rozgrywce z baronami Wrocławia. Czas regencji się skończy, a ja zostanę z synami na sponiewieranej kłótniami i, nie daj Boże, krwią ziemi. W dodatku zaszła rzecz inna, tak sekretna, że mówić o tym mogę tylko z wami i tylko tutaj, gdzie jesteśmy same.

— Mów!

— Przysłał do mnie posła Václav II Przemyślida.

— Oho! Kroi się grubsza rozgrywka. Król Czech lubi mieszać w śląskich sprawach.

— Wiem. I dlatego zachowałam jego poselstwo w sekrecie przed szwagrem. Proponuje mi, powołując się na dawne zapisy, testamenty, pokrewieństwa...

— To pomiń — weszła jej w zdanie opatka. — On się potrafi powołać na wszystko. Przejdź do faktów, bo czas na nieszpory.

— Proponuje osobistą opiekę nade mną i synami.

— A to spryciarz! Zacznie od regencji, a potem rzuci cię na łoże i zniewoli! — zawyrokowała Jadwiga Pierwsza. — Wiem, jak będzie, bo ja jestem po matce Przemyślidka, a po ojcu Ślązaczka. Ten Václav to by był mój stryjeczny wnuk od strony matki. Ja ci odradzam!

— Ja też — szepnęła Ofka. — Bo wiążąc się z Przemyślidami, oddalasz się od rodziny, z której wyszłaś. I to teraz, gdy twoja siostra Jadwinia i Władek będą książętami Starszej Polski.

— A ja cię, kochana, przestrzegam — objęła ją opatka. — Bo coś czuję, że mój brat, książę głogowski, nie powiedział jeszcze ostatniego słowa. Rozum mi podpowiada, że on na śmierci twego małżonka będzie chciał skorzystać.

— To się narobiło — westchnęła Jadwiga Pierwsza. — Możesz mieć naciski z Czech, z Głogowa, baronów Wrocławia na głowie i jeszcze popędliwego szwagra. Ty się jednak, dziecko, zawiń do nas, do klarysek.

— Ciociu, przecież ona jest w ciąży — przypomniała opatka.

— Ano tak, zapomniałam. Ale to jej wina, bo w ciąży, a się nie roztyła. Chuda jak zawsze, tylko z tym brzuchem.

— Widzisz, Elżbieto — podjęła opatka — ty masz szwagra regenta na głowie, a my minorytów...

— Wiesz, co oni nawygadywali? — ożywiła się natychmiast Jadwiga Pierwsza. — Oczerniają nas na mieście i po plebaniach, że jesteśmy intrygantki, żeśmy się nieboszczykami książąt obłożyły i obłowiły jak relikwiami!

— To oburzające. Minoryci tak was oczerniają?

— Tak — spokojnie przytaknęła opatka. — Straszą nas, że posługi duchowej zaniechają, jak im gruntów nie odstąpię. A jak ja mogę odstąpić, jak to nasze? Moja wina, że siostry w wianie wnoszą? Do nas idą księżniczki, do nich biedota, co ja mogę... A w kwestii nekropolii, w której i twego Henryka żeśmy ułożyły, to przecież nie ja zdecydowałam, ale nasza fundatorka.

— Zawistne dziady — syknęła Jadwiga Pierwsza. — Na moją mateczkę tak psioczyć!

— Naprawdę szantażują was posługą kapłańską? — dopytała opatkę Elżbieta, bo popędliwość i niewyparzony język starszej Jadwigi były powszechnie znane.

— Naprawdę. Strach pomyśleć, bo Wielki Post i jak my ku Zmartwychwstaniu podążymy, jeśli nam odmówią spowiedzi?

— Biskup wrocławski wie? — spytała Elżbieta.

— Nie chcemy skarżyć, jak dzieci... — spuściła oczy opatka.

— To ja mu powiem. I dla pewności do arcybiskupa puszczę gońca.

— Jakuba Świnkę zawiadomiłam, oczywiście, mimochodem — skromnie bąknęła Ofka. — On mojemu bratu był tak bliski. Panie, świeć nad duszą króla Przemysła...

Oczy Elżbiety napełniły się łzami, jak tylko usłyszała imię stryjecznego brata.

Zakonnice wymieniły między sobą porozumiewawcze spojrzenia, a Ofce coś się przypomniało.

— Wiesz, Elżbieto, że za jego śmiercią stoją Brandenburczycy? I że wdowa po nim nie zostanie w Poznaniu, tylko wraca do swoich w ponurej sławie zdrajczyni?

Elżbieta otarła łzy. Od początku nie ufała Małgorzacie. Mówiła Przemysłowi: „Uważaj na nią". Nie znosiła też jego dwóch poprzednich żon, meklemburskiej Lukardis i szwedzkiej Rikissy. Po co szukał daleko, jak szczęście mógł mieć blisko? Nie na takie pokrewieństwa papież dyspensy dawał.

— Nie, Małgorzatę oskarżają akurat niesłusznie — wtrąciła opatka. — Mamy tę nowicjuszkę, jej kuzynkę. Brandenburczycy owszem, ale ci drudzy. Zresztą niebawem dowiesz się więcej, bo twój szwagier, za przeproszeniem regent, jest spowinowacony z rodem Małgorzaty. Już tam będą gadać.

— A jakbyś się coś szybciej niż my dowiedziała, to powiedz! — upomniała ją Jadwiga Pierwsza.

— Nie sądzę, siostry, jak znam życie, to wy pierwsze o wszystkim wiecie — uśmiechnęła się blado Elżbieta. — Myślcie, proszę, o chrzestnych dla mego dziecka, nim mnie szwagier wpakuje w jakieś nowe koligacje. A ja będę pamiętała o wizycie u biskupa wrocławskiego Jana Romki.

— Elżuniu, przemyślałam raz jeszcze twe zmartwienie — odezwała się opatka — i powiem ci tak: Václav chciałby tą regencją nie tyle odebrać ci Wrocław, ile uderzyć w twego szwagra. Bolke Surowy zalazł mu za skórę bardziej niż głęboko. Ale to on broni Śląsk przed Václavem, on jeden. Mój kochany brat, książę głogowski, potrzebuje gotówki na walkę z twoim szwagrem, Władysławem, więc umocnijcie granice księstwa, bo zrobi wszystko, by was skubnąć.

— Jaką walkę z Władysławem? O czym ty mówisz, Jadwigo? — struchlała Elżbieta, myśląc od razu o Jadwini, swej rodzonej siostrze, żonie Małego Księcia.

Jadwiga westchnęła.

— Skoro to Władysława możni wezwali na tron Starszej Polski, mój brat weźmie w rękę zapis Przemysła i pójdzie siłą dochodzić, co mu się z niego należy. Znam go i ty też miałaś nieszczęście poznać. Głogowczyk niczego nie zapomina i niczego nie odpuszcza.

Ofka przeżegnała się i cicho rzekła:

— Wojenka śląska niczym będzie wobec wojny, która wstrząśnie Królestwem. Boże, miej w opiece Poznań, w którym się narodziłam.

LESZEK, książę inowrocławski, ubierał się w pośpiechu. Patko, jego giermek i sługa jednocześnie, był tak zaspany, że niewiele mógł mu pomóc.

— Czarna noc — ziewał — a księżna pani pewnie znów spać nie może i nas dręczy...

— Pas! — pogonił go Leszek. — I płaszcz. Rusz się, prosić cię mam?

— Przydałoby się — wyrwało się wraz z kolejnym ziewnięciem giermkowi. — Czy ja muszę z księciem iść? Ja się za każdym razem boję, jak nas stara księżna wzywa po nocy...

— Płaszcz! — powtórzył Leszek. — Przesadzasz, księżna matka cię lubi. Płaszcz!

— Co trzecią noc to samo... Ledwie się położymy, ja i mój książę, a stara pani każe się zrywać i przyjść. A jak nam znów będzie o Czarnej Grecie opowiadać? Jak Greta siedziała w mokrym lochu w Holsztynie albo jak Greta ścigała morderców swego syna, albo...

— Idziemy! — Leszek stał już w drzwiach i musiał wrócić, by popchnąć Patka. — Marudzisz, marudzisz, a uwielbiasz te opowieści. Historię siostry mojej matki znasz na pamięć, co?

— Ależ ziąb! — Patko się zatrząsł. — Mogę wrócić po kaptur?

— Nie.

— Ale znów mi uszy zawieje...

Leszek ściągnął własny kaptur i oddał giermkowi.

— Masz. Tylko się nikomu nie chwal.

Chłopak wciąż ospale naciągnął książęcy kaptur na głowę.

— Tu jest dziura — mruknął.

— Każdy kaptur ma dwie dziury.

— Ale ten ma trzy. Chyba mysz wyżarła.

Leszek westchnął. Wciąż mają dług u handlarza suknem, więc niby skąd ma wziąć nowy kaptur? Mocniej naciągnął płaszcz. Wiało. Matka mieszkała w drugim skrzydle zamku. Na dziedzińcu dostrzegł ruch przy stajni. Ktoś przyjechał? W nocy?

— Patko, idź zobacz, co tam się dzieje. Dogonisz mnie.

Po chwili był już u matki. Jej dwórki, przywykłe do nocnego trybu życia księżnej, zachowywały się, jakby to był jasny dzień. Leszek wiedział, iż pełnią dyżury na zmianę, niczym wartownicy i jedna czy dwie przez całą noc są gotowe, bo nigdy nie wiadomo, co tym razem księżna Salomea wymyśli i o jakiej to będzie porze.

— Matko. — Skłonił się, wchodząc.

Księżna Salomea siedziała przy ogniu. W czarnej sukni i wdowim welonie, od dziewięciu lat tak samo. Wiedział, że to nie jest jedna i ta sama suknia, że ma ich kilka, odróżniał je nawet po odcieniach czerni, choć krojem wszystkie były do siebie podobne. Każda na piersiach miała wyhaftowanego czarną lśniącą nicią herbowego gryfa Pomorza. Salomea nawet jako żona księcia inowrocławskiego nie przestała czuć się pomorską księżną.

— Synu! — Wyciągnęła do niego długie, szczupłe dłonie. — Synu, chodź do mnie. Nieszczęście dosięgło nasz dom! Łzy i żałoba!

W pierwszej chwili pomyślał, że to zwykły napad lęku; matka doświadczała ich dość często, potrafiła tygodniami rozpamiętywać śmierć ojca, jakby to się stało wczoraj. Lecz gdy przybliżył się do niej, gdy usiadł blisko, zobaczył, że naprawdę twarz ma mokrą od łez.

— Nasza królowa nie żyje! Nasza mała, piękna królowa!... — zaniosła się szlochem Salomea.

— Fenenna? Skąd wiesz? Gońcy z Węgier przyjechali... — Przypomniał sobie ruch przy stajni.

— Tak, król Andrzej posłał ich, ale — Salomea nagle chwyciła Leszka za rękaw — nie spieszył się! Zmarła w Boże Narodzenie!

— Matko, z Węgier do Inowrocławia kawał drogi. Zimą, przez góry... Wieczny odpoczynek duszy mej siostry — przeżegnał się nabożnie. — Dlaczego zmarła?

Od razu pożałował pytania. Matka wbiła mu kościste palce w ramię i spojrzała w oczy niemal dziko.

— Może ją otruł... może mu się znudziła i ją otruł... Nie ufam Węgrom... Nigdy im nie ufałam... Byłam przeciwna od początku i gdyby twój stryj mnie nie zmusił, nie puściłabym mojej małej Fenenny na Węgry...

— Matko, wyolbrzymiasz — łagodnie powiedział Leszek. Pogłaskał zimne palce księżnej. — Cieszyłaś się, że masz córkę królową, pamiętasz, jak się cieszyłaś?

To była prawda, Leszek pamiętał radość i dumę, która ich rozpierała, kiedy pięć lat temu stryj Władysław, zwany Małym Księciem, wyswatał Fenennę Andrzejowi III, królowi Węgier. Od śmierci ich ojca, księcia Siemaszki, stryj zgodnie z prawem sprawował regencję w księstwie. Ledwie dwa lata temu Leszek został uznany samodzielnym księciem, lecz jego dwaj młodsi bracia wciąż nominalnie są pod władzą matki i stryja. Jakim cudem Władysław zdobył tak dobrą partię dla ich siostry? Coś tam się Leszkowi obiło o uszy, ale niewiele, gdy ją wydawano, był w wieku, w którym chłopców nie dopuszcza się do takich rozmów. Ale prawdą było, iż matka cieszyła się wówczas, a teraz przemawia przez nią gorycz z powodu utraconego dziecka. Powinien powiedzieć księżnej, że nikt nikogo nie zmuszał; że nawet gdyby Fenenna nie zmarła teraz młodo, to i tak matka by jej więcej w życiu nie widziała; że trzeba się radować, iż udziałem siostry był los lepszy niż pisany każdemu z jej synów. Ale wiedział, że z matką nie można tak rozmawiać. Właściwie żaden z nich tego nie potrafił. Więc milczał. Salomea też milczała, wpatrując się w płomienie. Po długiej chwili zapytał:

— Pomodlimy się za duszę Fenenny, matko?

Nie odezwała się. Zerknął na nią w nadziei, że może zasnęła znużona płaczem i ciężką nocą. Nie. Siedziała z dłońmi zaplecionymi na piersiach, na głowie czarnego gryfa, w zamyśleniu przygryzając wargę.

— Matko? — zapytał głośniej.

Salomea milczała. Nie zwracała na niego uwagi. Westchnął. Kolejna noc spędzona z nią na czuwaniu. Nie pierwsza i wszystko wskazuje na to, że nie ostatnia. Był najstarszy z braci, dwa lata młodszy od niego Przemysł miał już prawie osiemnaście, ale matka wciąż nie chciała uznać go za pełnoletniego; Kaziu nie miał dziesięciu. Na nocne posiedzenia księżna matka wzywała tylko jego. Może to i dobrze, był z całej trójki najcierpliwszy, najbardziej wytrzymały. Właściwie nie potrzebował wiele snu. Kto wie, może to jakaś rodzinna choroba? Tyle że Leszek wolał tę swoją cechę wykorzystywać w inny sposób. Wstawał zwykle na długo przed świtem, i nie budząc nieprzytomnego giermka, szedł na dziedziniec. Brał łuk i ćwiczył strzelanie w ciemności. Po omacku szedł potem do słomianej tarczy i sprawdzał. Jedna, dwie strzały z dziesięciu poza tarczą. To już był dobry wynik, a wciąż chciał doprowadzić rękę do doskonałości, do tego, by była niezależna od oka.

Czasami, gdy matka zwalniała go od siebie nad ranem, siodłał konia i wypuszczał się na przejażdżki. Lubił patrzeć, jak słońce przedziera się przez najniższe warstwy lasu, jak unosi się w górę kierowane niewidzialną siłą i gdy miał je na wprost oczu, wracał do zamku.

— Weźmiesz zbrojnych i ruszysz jak najszybciej — wyrwała go z zamyślenia matka.

— Dokąd? — spytał spokojnie.

— Na Pomorze. Po moje dziedzictwo.

— Mamo — spróbował łagodnie, bo sprawa „ruszania na Pomorze" odżywała w wyobraźni Salomei raz na każdą porę roku. — Rozmawialiśmy już o tym.

Salomea była córką księcia pomorskiego Sambora. Księcia nieszczęśliwego, co przegrał rodzinną wojnę o dziedzictwo. Z braćmi i synami braci. Wschodnie Pomorze trafiło pod twardą rękę jego bratanka Mściwoja. I co z tego, że nieszczęśliwy Sambor zapisał w testamencie Pomorze Salomei, skoro nigdy go nie odzyskał? A Mściwoj jako niepodzielny władca przekazał je Przemysłowi II na rzecz ponownego zjednoczenia Królestwa.

— Mocą prawa Pomorze podlega królowi — powtórzył to, co już nie raz mówił matce.

— Ale król nie żyje! — syknęła. — Król nie żyje...

— Matko, panowie Starszej Polski obwołali nowym władcą księcia Władysława. Jak ty to sobie wyobrażasz? Mam ruszyć na Pomorze, by wydrzeć je własnemu stryjowi?

— Tak! Właśnie tak to widzę! Nim Władysław objedzie kraj, by przyjąć hołdy rycerstwa, Pomorze będzie znów moje...

— Mamo, nie chcę cię urazić, ale Pomorze nigdy naprawdę nie było twoje.

Gryf na piersi Salomei krzyknął, a ona otarła ślinę z jego zakrzywionego dzioba. Zwróciła oczy na Leszka i zobaczył całą latami zbieraną nienawiść, która się w nich kryła.

— Pomorze odebrano memu ojcu siłą! Mściwój nie miał prawa oddawać go Królestwu! Nie miał prawa! Był opasłym pijakiem, był zbójem, który nie liczył się z nikim! Leszku! Jesteś moim najstarszym synem. Jedyną podporą mej zimnej i czarnej starości. Leszku! Twoja matka urodziła się jako pomorska księżniczka, jako córka czarnego gryfa!

Chwyciła go za dłoń, nadspodziewanie miękko i łagodnie.

— Synku... nadszedł twój czas. Tak jak czas Fenenny nadszedł, gdy nakładano na jej skronie świętą koronę Arpadów. To jest ta chwila w twoim życiu, gdy poczujesz, że w twoich żyłach prócz krwi płynie sól morska... Gdy staniesz nad brzegiem Bałtyku, zrozumiesz, co mam na myśli. Zrozumiesz, że tego dziedzictwa, które nosisz po mnie, nie da się wydrzeć z duszy ani zapomnieć, ani oddać komukolwiek jakimś zapisem... Leszku... Leszku... Leszku...

Poczuł, jakby uderzała go fala. Poczuł się nagle jak żagiel, w który wpadł wiatr. To trwało chwilę, otrzeźwiał.

— Matko, nie mogę odebrać Pomorza stryjowi. On nadal jest prawnym opiekunem mych braci.

— Możesz. Władysław dostał tak wiele... Mały Książę kujawski, który się nagle wzbogacił i stał się władcą wielkiej Starszej Polski. Co mu tam Pomorze! Nawet nie zauważy. A jak zauważy, już ty będziesz panem Gdańska, Tczewa i Świecia. Myślisz, że baronowie Pomorza nie przyjmą cię z otwartymi ramionami? Przyjmą! Kim dla nich jest książę kujawski? Nikim. A ty jesteś krew Sambora, krew dawnych panów pomorskich. Klękną przed tobą, Leszku. Zdobędziesz wielkie, wielkie księstwo. Bogactwa Pomorza są niezmierzone... Przestaniemy się martwić... przestaniemy z lękiem patrzeć w przyszłość... Bo myślałeś już, synu, co dalej? Co będzie, gdy twoi młodsi bracia dorosną i przyjdzie czas dzielić księstwo? Obliczałeś to w myślach nie raz, przyznaj? Ile piędzi ziemi na każdego z was przypadnie, no, ile? A potem, gdy ty będziesz miał synów i oni spłodzą swoich, co dalej? Przyznaj, myślałeś o tym?

— Myślałem, matko.

— Kiedyś to były jedne Kujawy, jedno duże księstwo. Ale podzielili je między siebie twój ojciec i stryj. Ty będziesz musiał je pokroić między siebie i braci. A wiesz, ile takich Kujaw zmieści się na Pomorzu?

— Wiem — odpowiedział ponuro i już miał zaprotestować, kiedy matka zdjęła ze swej piersi gryfa, pocałowała czule w orli łeb i delikatnie położyła mu na kolanach. Poczuł ostre, lwie pazury tylnych łap bestii herbowej.

— Jedź po Pomorze jak po swoje. Z gryfem na piersi. Gdy takim cię zobaczą baronowie Bałtyku, klękną przed tobą, Leszku.

Wstał, jakby głos matki był siłą, która kierowała nim niczym sternik łodzią. Gryf natychmiast rozparł się na jego kaftanie, wbił pazury w piersi. Leszek poczuł jego ciężar, lecz matka już błogosławiła go suchą, kościstą dłonią.

— W imię Ojca, jedź po dziedzictwo Sambora. W imię Syna, po swoją dziedzinę. W imię Świętego Ducha, zrób to dla mnie, Leszku! Mój Leszku...

WŁADYSŁAW, książę Królestwa Polskiego, pan Pomorza, Łęczycy, Sieradza i Kujaw, ale przede wszystkim nowy książę Starszej Polski, nie zdążył postawić stopy na poznańskim zamku. A tak na to liczył! Taki miał piękny plan, że na Wielkanoc to on i Jadwiga w radosnym orszaku pojadą do Gniezna, do katedry. Czyż jest lepszy czas na koronację królewską niż święto Zmartwychwstania? Po co czekać z czymś, co można zrobić szybko? Nie wspomnieli jeszcze o koronacji ani razu, ale on by się upomniał, potrzebował tylko, jak książę Starszej Polski, zasiąść na jedną chwilę na tronie Przemysła. Stało się jednak inaczej i zupełnie nie po jego myśli.

Ledwie baronowie obwieścili mu radosną wieść, że go chcą, że to jego wybrali sobie na księcia; ledwie wjechał na czele orszaku do królewskiego grodu Przemysła i pobożnie udał się do katedry, by w dłu-

119

gich laudacjach wysłuchać, jaki to dla niego zaszczyt, a jaki obowiązek, jak z tego strumienia zaszczytów i łask skapnął palący jad.

Oto bowiem wyszli wreszcie z kościoła umęczeni przemowami biskupa Jana i każdego z tutejszych kanoników, oto Władysław stanął u wrót katedry w otoczeniu panów poznańskich i usłyszał, jak ciżba ludzka skanduje:

— Niech żyje książę Władysław!

I napawając się tym krzepiącym okrzykiem, uniósł dłoń, by pozdrowić tłumy, kiedy na spienionym koniu wpadł zwiadowca kasztelana poznańskiego i krzyknął:

— Wojska księcia Głogowa idą na Poznań!

Zapanowała grobowa cisza, tak głęboka, że łopot chorągwi w porywistym marcowym wietrze wydawał się jak grzmot burzy. Lecz to nie ten dźwięk wywołał skurcz serca Władysława, ale cisza. Okrzyk powitalny urwany jak kopniakiem w żołądek. Milczenie tłumu naprzeciw nowego księcia. Wbite w niego spojrzenia setek ludzi, tych samych, którzy przed chwilą krzyczeli: „Niech żyje!", było jak nieme wyzwanie, jak rzucona mu w twarz rękawica. Wolałby po stokroć, by lamentowali, by uderzyli w płacz i trwogę. Wtedy mógłby ich uciszyć i powiedzieć: „Nie bójcie się, ja, wasz książę, obronię was i kraj!". Ale oni milczeli tak okropnie, że czuł, iż za tą ciszą kryje się coś, jakiś niemy zarzut, którego nie pojmuje. Co, u licha? Przecież ledwie został księciem, ledwie go obrali, czy to jego wina?

— To wasza wina! — krzyknął wreszcie ktoś z głębi ciżby. — Nie trzeba było deptać woli zmarłego króla!

Ach, więc o to im chodzi! No, mógł się od razu domyśleć, a przecież zamiast tego pierwsze, co przyszło mu do głowy, to że lud go nie chce, bo jest niski. Odetchnął. Kiwnął na Fryczka, by podprowadził mu klacz. Szybko wskoczył na grzbiet Rulki i z jej wysokości krzyknął:

— Ludu! Nie lękaj się! Przybyłem tu nie po to, by gościć się na zamku, lecz by podjąć książęce obowiązki, jak mi nakazuje prawo! Jeśli wróg idzie na Poznań, to ja, wasz książę, jadę mu naprzeciw! Jadę stawić czoła każdemu, kto łamie granice Królestwa! Zostańcie w pokoju!

I zrobił gest, który mógł wyglądać jak pozdrowienie albo jak błogosławieństwo. Widział, jak Przemysł coś takiego robił po koronacji i wydało mu się, że dobrze to powtórzył. Już z ciżby uniosły się westchnienia i szlochy, już gdzieniegdzie nieśmiało ktoś bąknął:

— Niech żyje książę...

— ...Władysław!...

Rulka ruszyła wolno i majestatycznie, jakby nic innego nie robiła w życiu, tylko chodziła z księciem na grzbiecie przez tłum. Parsknęła, on nie zwrócił na nią uwagi zajęty pozdrawianiem ludzi. Parsknęła drugi raz i już wiedział, w czym rzecz: znów zapomniał chwycić wodze, i jechał trzymając się jedną ręką grzywy. O rany, nawet stóp w strzemiona nie włożył. Przecież tak nie może jeździć książę w majestacie! Nawet jeśli najczęściej tak właśnie jeździł. Z Rulką łączyła go szczególna więź; klacz i on dogadywali się bez kłucia ostrogami w boki i bez wędzidła. Oczywiście, miała uprząż, najładniejszy rząd, na jaki stać było Władka; posrebrzane kółka przy pysku, naczółek nabity srebrnymi guzami, wodze zdobione ćwiekami. Ale wszystko to było tylko na pokaz, by klacz księcia wyglądała jak inne. Gdy tylko nie musiał, to z całego tego oprzyrządowania nie korzystał, bo ani jemu, ani Rulce do niczego nie było potrzebne. Teraz jednak natychmiast się poprawił. Chwycił wodze, nogi umieścił w strzemionach. Uniósł się nawet lekko.

— Niech żyje...

— ...książę! — pokrzykiwał tłum.

Ale pokrzykiwał z rzadka, nie na całe gardło i chyba bez przekonania.

Jak mam ich do siebie przekonać? — jęknął w duszy Władysław, a głośno raz jeszcze zawołał:

— Zostańcie w pokoju!

— My tak! Ale czy pokój zostanie w Królestwie? — krzyknął jakiś gruby mieszczanin ukryty pod bobrową szubą.

— Nie lękajcie się! — odpowiedział, unosząc się w strzemionach Władysław.

— My się nie lękamy! My czekamy! — zakrzyknął niski mężczyzna w fartuchu rzeźnika.

Książę dał znak Rulce, by jechała szybciej. Za wszelką cenę pragnął się stąd wydostać. Klacz ruszyła, tłum rozstępował się przed nim chętnie, jakby wypuszczał go z miasta wprost w ramiona Głogowczyka. A Władek tak miał dość tego tłumu, że w tamtej chwili wolałby i dwóch Głogowczyków, byleby już nie być wystawionym na te posępne, milczące i chyba nieprzychylne mu twarze.

W tej sytuacji nie miał wyboru. Powiedział, że nie przyjechał się gościć, więc na zamek nie mógł ruszyć, choć był głodny, bo od świtu nic w ustach nie miał. Za nim podążał orszak paradny panów Starszej Polski, niemal wszystkich, tak jak po niego przyjechali. Dalej jego rycerstwo kujawskie. Ale tylko garstka. Wyjechali Wielką Bramą z miasta. Stanął.

— Ruszę z moimi naprzeciw Głogowczyka — oświadczył wojewodzie poznańskiemu. — A ty, Beniaminie Zarembo, zwołaj rycerstwo poznańskie i dołącz do nas jak najszybciej.

— Nie mam całego rycerstwa na zawołanie — odpowiedział mu Zaremba. — Część musiałem pchnąć za Noteć, by odparli Brandenburczyków.

— A siły gnieźnieńsko-kaliskie? — spytał wojewodę kaliskiego.

— Wspierają rycerstwo poznańskie.

— Zatem, kanclerzu — zwrócił się do Andrzeja Zaremby i nie po raz pierwszy zauważył, że ten ma twarz zaciętą i niemal wrogą. — Wezwij w moim imieniu wojska pomorskie. A was, wojewodowie, proszę o przysłanie mi posiłków.

— Zbierzemy, ale to potrwa — powiedział Beniamin.

Władek miał na końcu języka: „To sam sobie poradzę", ale nie powiedział tego. Przecież to ich ziemia, ich obowiązek. No, teraz także jego. Dał im jeszcze chwilę, wyczekał, czy powiedzą coś. Nie. Ani słowa o koronacji.

— Zatem, żeby nie trwało to jeszcze dłużej, jedźcie już, wojewodowie — powiedział tonem może szorstkim, ale i nie było czasu na roztkliwianie się. Jak tylko skinęli mu głowami i zawrócili do Poznania, zawołał braci Doliwów.

— Szyrzyk, jedziesz na Mazowsze, do księcia Bolesława. Powiesz mu...

— To co zawsze? — domyślił się druh.

— Tak. Że on i ja to jak...

— ...drzewiec i szpica — wyrecytował Szyrzyk.

— Wypróbowani w boju...

— ...w niejednej walce — dokończył Szyrzyk, bo też lubił księcia Mazowsza, od czasu jak wspólnie bili się ze Ślązakami o Kraków.

— I że nasze rachunki z Głogowczykiem znów zostają otwarte. Że będzie mógł je wyrównać...

— ...u twego boku — dopowiedział Doliwa.

— Tak jest. I że...

— ...w łupach wojennych mu wynagrodzisz, książę.

— Wszystko wiesz! Dodaj tylko, że się spieszy.

— Do zobaczenia, mój książę! — krzyknął Szyrzyk.

— Całe życie w siodle! — uśmiechnął się Pawełek Ogończyk i obejrzał za siebie, na swoją drużynę. Było ich dwóch Powałów przy księciu — Wojsław i Pawełek. Jeden herb, już niemal dwa osobne rody. Kochali się i żarli, jak to między krewnymi.

— Pawełek! Trzeba wysłać gońców na Kujawy.

— Ja nie! Ja już byłem!

— Cicho, ty przy mnie. Zobacz, jest nas trzy dziesiątki, to za mało. Musimy ściągnąć Leszczyców, Godziembów i kogo tam jeszcze? — zastanawiał się gorączkowo Władysław.

— Jeszcze wyciśniemy z piętnastkę Powałów, prawda, Wojsław? Z pocztami.

Podkomorzy Władysława, Wojsław, skrzywił się, bo Pawełek go prowokował.

— Dawaj, Ogończyku, swoją piętnastkę, ja dla księcia wystawię dwie!

— Nie przechwalaj się, zanim nie przyjadą. Zresztą książę wie, że piętnastka Powałów od Ogończyka to jak setka Powałów od Wojsława, prawda, książę?

Władysław nie miał nastroju na żarty. W ogóle nie miał nastroju.

— Puśćcie wici do kasztelanów! Ciągniemy naprzeciw Głogowczyka! W drogę!

I jak zawsze nie oglądając się za siebie, ruszył.

Jednak już wieczorem, kiedy stanęli na odpoczynek, musiał zrewidować plany. Z doniesień zwiadowców wynikało, iż Głogowczyk nie kieruje się wprost na północ. Jego siły ominęły łukiem bagniste dorzecza Obry położone ponad kasztelanią Przemętu.

— Idą w stronę przeprawy na Warcie — splunął Władek zmęczony i głodny.

— Książę, jeśli Głogowczyk dojdzie do Warty, to wybacz, ale ty już nie będziesz władcą Starszej Polski. Bo to tak, jakby ci wszedł do zamku i usiadł w jadalnej komnacie — uświadomił go Ruder, od przedwczoraj osobisty kanclerz.

— I poprosił, żebyś mu kolację podał — dodał ponuro Polubion Doliwa.

— Jakie ma siły? — spytał Władek zwiadowców.

Młody chłopak niemal od stóp do czoła pokryty błotem spod końskich kopyt wyszeptał:

— Duże. Wśród konnicy prócz czarnych orłów Głogowczyka widziano złote orły na błękicie.

— A niech to! — Władysław kopnął kamień. — Bolko opolski!

— Uuu... będzie bolało... — stęknął Chwał Doliwa. — Bolka opolskiego trzymaliśmy w loszku przez rok po naszej pięknej wojnie o Kraków.

— Łupiliśmy mu księstwo w tym czasie. — Potarł czoło Polubion. — A książę ładny okup od niego wynegocjował. I było go wypuszczać? Siedziałby w loszku do tej pory, to by Głogowczyka nie wspierał.

— Jednym słowem — podsumował Ruder — masz naprzeciw siebie dwóch zajadłych wrogów. Obaj czują osobistą krzywdę, obaj mają za co się na nas odgryzać i jeden z nich ma w ręku pergamin.

— Czyście poszaleli z tym pergaminem! — wściekł się Władek. — Jaką moc ma pergamin, skoro wolą panów ja jestem księciem Starszej Polski, a za chwilę i królem?! A w ogóle jaką moc ma pergamin? Moc to miecz.

— Tych też nie mamy za wiele — wtrącił Chwał. — Mam nadzieję, że wojewodowie dotrzymają słowa i szybko rzucą nam posiłki.

Władek odesłał ich i rzucił się na przygotowane przez Fryczka posłanie. Zbudził się przed świtem i ruszyli. Kopyta Rulki rozgniatały przymarznięte nocą błoto. Koło południa dogonił ich wysłannik od kasztelana Przemętu.

— Brandenburczycy, panie!

— Gdzie?

— Zajęli gród w Międzyrzeczu... przedwczoraj, nocą... margrabia Otto ze Strzałą i jego bratankowie. Młody Waldemar osobiście prowadził natarcie...

— Waldemar? A to ja źle zapamiętałem, że to jest dzieciak?

— Piętnaście lat, książę. To dzikie wilcze szczenię... Podpalił wsie dookoła Międzyrzecza, żeby zmusić kasztelana do poddania grodu. Kasztelan Przemętu prosi o posiłki. Obawia się, że jego gród będzie kolejny...

— Nie mam posiłków, synu — wprost odpowiedział Władysław. — Sam czekam na wsparcie z Pomorza, Gniezna, Kalisza, Poznania. Powiedz kasztelanowi, że musi się obronić. Poślę mu oddział, jak tylko będę mógł. Najszybciej, jak będę mógł, rozumiesz?

— Rozumiem, książę. — Ukłonił się i odjechał.

— W drogę! — krzyknął Władysław.

Ruszyli. A z nieba lunęło.

Wieczorem w obozowisku ogniska dawały więcej dymu niż ciepła. Mokra odzież nie chciała schnąć. Konie z trudem odnajdowały coś, co dawało się przeżuć na pokrytym zeszłoroczną, suchą trawą pastwisku. Zwiadowcy potwierdzali, że połączone siły Głogowczyka i Opolczyka idą równo, w stronę Warty.

— Nie grabią, nie palą, bez pośpiechu, ale z tempem. Chorągwie, szyk i na bogato. Jeść co mają, bo ciągną wozy. Książę głogowski rekwiruje chłopom żywność, mówiąc, iż to w ramach ich powinności względem dziedzica.

— Jakiego dziedzica? — wściekł się Władek.

— Dziedzica Królestwa.

Rankiem ledwie ruszyli, usłyszał sygnał posłańca. Już siedział w siodle, więc zawrócił i nie czekając na niego, sam podjechał na skraj obozowiska. W głębi duszy liczył, że to będą dobre wieści. Rulka jednak wstrząsała łbem raz za razem i już to powinno dać mu do myślenia. Tyle że nie chciał myśleć. Chciał usłyszeć coś krzepiącego.

— Książę! — Z konia zeskoczył posłaniec w barwach Zarembów, z tym ich paskudnym półlwem za murem. — Książę! Wojewoda poznański ma złe wiadomości. Brandenburczycy od północy natarli mocno. Oddziały wojewody starły się z nimi nad Notecią, ale zostały odparte i odrzucone za Drawę.

Mam kraj gryziony od północy i zachodu przez margrabiów. Od południa idzie na mnie Głogowczyk — przemielił w głowie wiadomości Władysław, a głośno spytał:

— I coś jeszcze?

— Wojewoda kazał mówić, że przekaże dowództwo nad Notecią panu Piotrunowi, a sam w dwa dni dogoni księcia.

— Więc jednak dobre wiadomości! — Poklepał Rulkę po łbie. Otrząsnęła się. Nie znosiła tych jego czułości. — Jedziemy!

Pół dnia lało, drogi rozmiękły, posuwali się w błocie. Wieczorem z ulgą stanęli w Kościanie. Rulka dostała ciepłą stajnię, konie obrok, a książę i jego rycerze spędzili noc pod dachem. Rankiem nie spieszył się z wyjściem. Rozesłał zwiadowców po okolicy, bo nos mu podpowiadał, że Głogowczyk jest blisko. Dręczył go niepokój. Wolałby już wyjść, stanąć naprzeciw księcia Głogowa i w szybkiej bitwie rozstrzygnąć sprawę. Z nim i z Opolczykiem. A niech ich! Spotkali się już raz pod Krakowem, bili o Sandomierz. Władek nie bał się bitwy. Wiedział, że żelazo jest sprawiedliwe i rozsądza spory o zapisach, testamentach, pergaminach i innych takich rzeczach, którymi bawić się mogą mnisi i legiści, a nie muszą mężczyźni. Ale sprawiedliwość żelaza była i w jego sile. A tej wciąż nie miał. Rycerze z Pomorza potrzebowali według jego obliczeń jeszcze dwóch dni. Wojewoda poznański też dwóch. Bolesław mazowiecki, jeśli uwinął się szybko, to może być lada dzień. Bez nich nie miał co ruszać na śląskie orły. Co to za porządki? Brandenburczycy mu ziemie nachodzą, powinien na nich ruszyć, jak „pogromca Niemców", jego świętej pamięci teść, ojciec Jadwini. Jadwinia! Przypomniał sobie o żonie. Córkę mu urodziła. No szkoda, pewien był, że jak już zajdzie w ciążę, to powije syna. Dręczyły go trochę te plotki, takie babskie gadanie, bo ojciec Jadwini nie miał syna, same dziewczyny. I słyszał, jak baby mówią, że to u Piastów Starszej Polski rodzinne. A on teraz książę Starszej Polski i po Jadzi, i po wyborze baronów.

E, bzdura! — pocieszył sam siebie, pociągając łyk grzanego piwa. — Bzdura, babskie gadanie. Mój ojciec miał synów, to i ja będę miał synów. Wystarczy znów z Jadwigą spróbować.

— Fryczko! — wywołał giermka. — Znajdź mi kogoś, kto pojedzie do księżnej pani!

— Każdy już był... i to po dwa razy... — niepewnie zastrzegł Fryczko.

— Jak nie znajdziesz, to ciebie wyślę — postraszył go książę.

— Lecę! — zawinął się giermek.

Wybiegając, zderzył się w drzwiach ze zwiadowcą.

— Książę! Wojska głogowskie stoją o dzień drogi stąd, pod wsią Osieczna.

Osieczna obosieczna — zrymowało się w myślach Władkowi.

— Co robią? Rozbili obóz czy tylko przycupnęli?

— Obozowisko jak się patrzy! Osobne namioty księcia opolskiego i głogowskiego, chorągwie łopoczą przed nimi. Chłop, co im siano zawoził, mówił, że koni są ze cztery setki.

Cztery setki — pomyślał Władysław — miałbym trzy i poszedłbym na nich. Ale mam mniej niż jedną.

— Ruder — wezwał kanclerza. — Ruder, co robimy?

— Ja bym czekał, książę. Wdasz się w rozmowy, nim przyjdą posiłki, to stracisz argumenty.

— Czekał... — w zadumie powtórzył Władysław i zdecydował.
— Poczekam.

— Dobrze robisz, panie. — Ruder ukłonił się i chciał wyjść, ale Władek go zatrzymał.

— Ruder — zaczął, bo nie wiedział, jak zadać pytanie, które cisnęło mu się na usta, odkąd przyszli po niego baronowie Starszej Polski. Wyrzucił je z siebie: — Dlaczego oni wezwali mnie na tron książęcy, a nie zapowiedzieli korony?

Kanclerz, mężczyzna pięćdziesięcioletni, o twarzy szczupłej, lecz znaczonej zmarszczkami tylko na czole, jakby się wiecznie martwił albo zastanawiał, spojrzał księciu prosto w oczy.

— Nie wiem, panie.

— Jak to nie wiesz! Kanclerze są od tego, żeby wiedzieć wszystko!

— Jeśli sobie życzysz, mogę być z powrotem podkanclerzem.

— Nie życzę. Chcę odpowiedzi na pytanie. No co? Myślisz, że uznali, iż nie jestem godzien?

Ruder milczał.

— Powiedz coś! — wściekł się Władek. — Powiedz, co myślisz!

— Myślę, że chcieli cię sprawdzić, panie.

— Sprawdzić?... A co ja jestem? Nowy koń, którego trzeba sobie ułożyć pod siodłem?

— Jesteś księciem, który nigdy nie władał tak wielkimi ziemiami, który wyszedł z małego księstwa i nie ma doświadczenia w sprawowaniu władzy nad połączonymi ziemiami.

— Idź już, kanclerzu — obraził się Władysław. — Chcę zostać sam.

— Nie, panie. Ty teraz nie możesz zostać sam. Potrzebujesz sojuszników i doradców. Nie możesz działać pochopnie jak wcześniej...

— Wyjdź! — tym razem krzyknął książę i kanclerz nie mógł mieć wątpliwości, że jego cierpliwość się skończyła.

Mają mnie za chłystka — pomyślał z goryczą, gdy Ruder wyszedł. — A ja mam Brandenburczyków na głowie i wojska śląskie o dzień drogi stąd. Gdyby tylko nadciągnął Bolesław, już ja bym im pokazał, co potrafię.

Wieczorem miał jeszcze gorszy humor, bo wieści były paskudne. Brandenburczycy posuwali się coraz dalej, kolejne kawały Królestwa brali w łapy, jak swoje. Jednakże w południe następnego dnia pod Kościanem załopotały sztandary Bolesława mazowieckiego z Madonną na purpurze.

127

Ogorzała twarz Bolesława nosiła ślady zmęczenia szybką i uciążliwą drogą.

— Zestarzałeś się, przyjacielu, czy to tylko złośliwe pogłoski? — Władysław uścisnął go serdecznie.

— A ty znów w potrzebie? Znów ci się flanki palą?

— Wiesz, czy zgadłeś? — spytał Władek, gdy szli do dworu. — Mam Brandenburczyków w granicach i dwóch książąt śląskich o pół dnia drogi stąd.

— Szyrzyk mówił o jednym — zaniepokoił się Bolesław.

— Z Głogowczykiem przyciągnął Opolczyk.

— Złoty orzeł na błękicie — strzyknął śliną Bolesław. — Czy oni żyć bez siebie nie mogą?

— Żyć mogą, ale walczyć lubią ramię w ramię. Jak my! Twoja Madonna na purpurze i mój półorzeł, półlew! — Klepnął Bolesława mazowieckiego w plecy. — Dziękuję ci, druhu. Nie zawiodłeś mnie, choć masz czeską żonę.

— Daj spokój — szepnął mu na ucho Bolesław. — To pomyłka. Całkowita pomyłka. Ale! Gratuluję ci córki!

— Będzie i syn! Wiesz, że jak ja coś obiecam, to spełnię.

— Ale mówili ci starsi, że do tego trzeba z żoną sypiać?

— Gadasz, jakby cię Jadwiga nasłała.

— Jestem starszy i mądrzejszy, druhu. Od kiedy jesteś w siodle?

— Po Bożym Narodzeniu ruszyłem — przyznał szczerze Władek.

— A za dwa tygodnie Wielkanoc! W siodle...

— Za dwa tygodnie zapraszam cię na Wielkanoc na poznańskim zamku!

Ugościł Bolesława, wspominali stare czasy, humor się księciu poprawił. Wypróbowany sojusznik przy boku to połowa zwycięstwa. Późnym wieczorem już obaj byli go pewni.

— Głogowczyk stoi nad Obrą, ale rzeki jeszcze nie przekroczył.

— Obra zdradliwa. Wije się jak piskorz, rozlewa. Będziemy czekać po tej stronie — zdecydował Władysław. — Niech się Głogowczyk przeprawi do nas, a nie my do niego.

— Rozdzielmy się — poradził Bolesław. — Póki nie wie, że masz połączone siły.

— Bardzo dobrze! W kleszcze, w dwa ognie, z lasu, znienacka!

— Z zasadzki i zaskoczenia! — Bolesław uderzył kielichem o stół.

To była ich ulubiona zasada. Z nią zawsze wygrywali. O przegranych woleli nie pamiętać.

Nazajutrz Bolesław zgarnął rycerstwo mazowieckie i ruszył „zakładać sidła nad Obrą". Dzień wstał bezchmurny. Władysław po raz pierwszy od kilku dni też. Już dłoń go swędziała, już czuł, że lada chwila skończy się czekanie i zacznie bój. Zwiadowcy ruszyli pilnować przepraw. Rycerze kujawscy czyścili broń. Konie rżały w stajniach. I nim zdążył się tą poranną krzątaniną nacieszyć, wpadł do Kościana posłaniec od Bolesława.

— Książę mazowiecki przypuszcza, że część sił głogowskich nocą przekroczyła Obrę! — zameldował. — Chłopi mówili o dwudziestu, może trzydziestu zbrojnych.

— To zwiad — wzruszył ramionami Władek.

— Jakim cudem prześlizgnęli się pomiędzy naszymi strażami? — zapytał Chwał o to, co chodziło po głowie księciu.

— Z zasadzki i zaskoczenia — jak na drwinę, ponuro powtórzył Ruder.

— Przekaż księciu, że ma ich bić i brać w niewolę. — Władek odprawił posłańca.

— Wojewoda poznański nadciąga! — krzyknął tryumfalnie Fryczko z bramy.

— Ilu ma ludzi? — zawołał do góry książę.

— Niewielu! Ale to pewnie tylko przednia straż!...

Po krótkiej chwili wojewoda Beniamin stanął przed Władysławem. Skłonił się sztywno i oznajmił z twarzą bez wyrazu:

— Pięćdziesięciu, licząc z pocztami, i więcej nie będzie. Musiałem osłonić Poznań i więcej zbrojnych pchnąć na Brandenburczyków za Noteć.

— Nie pokonaliście ich? — z niepokojem zapytał Władysław.

— Nie. Mają dużo większe siły.

— Rozprawię się z Głogowczykiem i ruszę na nich. — Zacisnął pięści Mały Książę.

— Nie wiem, panie, gdzie ruszysz najpierw — powiedział Beniamin. — Mam jeszcze gorsze wieści.

Władek poczuł zimno w przełyku. Wycedził:

— Mów!

Zaremba chwilę milczał, ale trzeba mu przyznać, niedługą.

— Straciłeś Pomorze, książę.

Zimno z gardła zeszło niżej, jakby połykał lód.

— Kto?

— Leszek inowrocławski. Twój bratanek.

— Leszek? — prychnął z ulgą Władysław. — A to jakim prawem?

— Prawem dziedzictwa po matce i swym dziadku Samborze.

— Bzdura! To dzieciak...

— Ten dzieciak w niespełna tydzień zajął Gdańsk, Tczew i Świecie.

— Żarty! To żarty... — Władysław rzucił się po kielich. — Jakie tam prawa... — Splunął. — Piekielne stare zapisy, cud, że ich myszy nie zżarły...

— Powołuje się na nie i na Sambora, a oni otwierają mu bramy grodów, mówiąc, że on to ich krew.

Zimno dotknęło go w serce. Żachnął się.

— Leszek to moja krew! Zaraz wyślę do niego Rudera albo lepiej Chwała, opamięta się. Jestem jego stryjem...

Czuł, że jeśli za chwilę nie zostanie sam, to nie opamięta się i zacznie miotać obelgi. A przecież nie mógł. Beniamin Zaremba stał przed nim, wysoki, potężny i opanowany jak skała. Chciał wyjść. Wybiec, odetchnąć, uderzyć głową w mur, żeby rozbić to piekielne zimno, które otoczyło mu serce jak lodowe okowy. Dusił się.

— Wrócę do ciebie, wojewodo... — rzucił przez zęby i siłą się pohamował, by nie wybiec, tylko wyjść z godnością.

Późnym wieczorem miał już ich niemal wszystkich. Wojewoda gnieźnieński Mikołaj. Biskup poznański Jan, kasztelan poznański Piotr, kasztelan gnieźnieński Zybult. Do tego trzech innych kasztelanów Starszej Polski i jeszcze kupa urzędników, których w życiu na oczy nie widział.

— Tylko arcybiskupa brakuje — szepnął do Chwała, kiedy do nich szli.

— Nie, jeszcze kanclerza — równie cicho odpowiedział mu Chwał.

— Co zamierzasz, książę? — spytał z troską biskup poznański Jan.

— Ocenić wraz z wami sytuację — najspokojniej, jak potrafił, odezwał się Władysław. — Mój sojusznik, książę mazowiecki, poniósł w nocy straty ze strony wojsk głogowskich. — Głos mu nie drżał, choć on sam był wściekły. — Nie są wielkie, ale... dotkliwe.

— Posiłków z Pomorza nie będzie. Mają tam na głowie Leszka, twego bratanka, książę — wypomniał mu Zaremba. — Jesteśmy atakowani ze wszystkich stron. Jedność ziem zachwiana.

— W Starszej Polsce narasta lęk — dodał biskup.

— Jest źle — odpowiedział mu Władysław — ale nie beznadziejnie. Nie z takich tarapatów wychodziłem cało. Powiedzcie mi, panowie, dlaczego?

Jak na komendę unieśli głowy i patrzyli na niego, ale żaden się nie odezwał.

— Dlaczego ani słowem nie wspomnieliście o terminie mej koronacji? — natarł na nich Władysław, bo chciał znać tę odpowiedź teraz, przestać ginąć w domysłach.

— Taka jest kolej rzeczy, że najpierw obejmujesz tron książęcy, a dopiero potem...

I znów nie padło słowo „korona".

Biskup Jan umęczonym głosem starca wystękał:

— Ludzie boją się, że wraz ze śmiercią króla tracimy Królestwo.

„Jadę stawić czoła każdemu, kto łamie granice Królestwa!" — w głowie Władka zabrzmiały jego własne słowa sprzed poznańskiej katedry.

— Nie czas myśleć o koronacji, książę, gdy palą nam się granice — powiedział ostro Beniamin Zaremba.

Władysław zagryzł wargi. Ugaszę — pomyślał — ugaszę. A głośno spytał:

— Ile mamy razem wojska, wojewodo?

— Dwustu konnych — odpowiedział Zaremba.

— Głogowczyk ma czterystu.

— Musimy paktować — orzekł biskup Jan i choć Władek zrobiłby wszystko, by nie paktować z Głogowczykiem, wiedział, iż starzec ma rację.

HENRYK, książę głogowski, czekał na ten dzień siedem lat. Od śmierci młodszego brata, Przemka. Nawet okoliczności znów były podobne, wtedy też stał przy nim opolski sojusznik.

— Przyprowadź mojego syna, Lutku.

— Tak, panie.

Matylda protestowała, gdy oświadczył, że zabiera ze sobą małego Henryka. „On ma pięć lat! — lamentowała. — Nie możesz go brać na wojnę...". „To Ślązak, Matyldo — tłumaczył żonie — będzie walczył całe życie". Kazał dziecku sprawić piękną, herbową tunikę, z czarnym orłem na piersi i taki sam płaszcz. Pojechały z nimi dwie piastunki. To opóźniało pochód, ale książę wiedział, że się opłaci. W jego głowie był plan. A przy boku niezawodny kanclerz, Otto von Dier. Władysław naznaczył spotkanie w Krzywiniu. Tak mu się zdawało, że to on wybiera miejsce. W istocie wymyślił to Henryk. Od kilku dni czekał z obozem pod Osieczną, wiedząc, iż książę kujawski będzie szukał neutralnego miejsca w pobliżu. Do wyboru miał klasztor benedyktynów w Lubiniu i Krzywiń, lecz Henryk wiedział, że wybór padnie na ten drugi.

— Synu — przywitał małego Henryka — dzisiaj twój wielki dzień.

— Tak, ojcze. — Dzieciak popatrzył na niego niepewnie.

Ukucnął, by spojrzeć mu w oczy.

— Będziesz świadkiem zawarcia ważnego traktatu.

— Tak, ojcze.

— Poznasz wielu ludzi i nawet jeśli nie zapamiętasz ich imion, to staraj się zapamiętać ich twarze.

Mały uważnie wpatrywał się w ojca.

— Będziemy mówić i o tobie. Nie zadawaj wtedy pytań. Słuchaj i rób, co ja każę. Nawet jeśli wyda ci się to dziwne. Rozumiesz?

Nie rozumiał, ale kiwnął głową.

— Jeśli będziesz grzeczny i zachowasz się tak, jak mówię, w przyszłości będziesz królem.

— Tak ojcze! — Oczy mu zalśniły i Henryk wiedział, że syn jest gotów.

Do namiotu obrad rozpostartego na błoniach pod Krzywiniem szli z dwóch stron. Henryk prowadził za rękę syna, przy nim szedł książę opolski Bolko i kanclerz von Dier. Za kanclerzem jego bracia: Teodoryk, Syban i Werner. Dalej Lutek Pakosławic z rogiem przewieszonym przez plecy, Gunter Biberstein, Sobieżyr, stary Piotr z Wierzbna herbu Lis, Sułek z Lasocina. Przed nimi chorążowie nieśli czarne orły i złote orły na błękicie. Chorągwie Głogowczyka były dwie, Opolczyka jedna. Za ich plecami, o stajanie za namiotem, stały rozwinięte w długą linię wojska Henryka.

Z naprzeciwka szedł ku nim orszak panów Starszej Polski. Henryk rozpoznawał wysokiego wojewodę Zarembę, starego biskupa Jana, Mikołaja z rodu Łodziów, wojewodę kalisko-gnieźnieńskiego. Widział kasztelanów Poznania i Kalisza, szczególnie na tym pierwszym mu zależało. Dobrze, że był. Wreszcie zobaczył braci Doliwów,

ale tylko dwóch. Gdzie trzeci? Ten ponury to pewnie Ruder, doradca kujawskiego księcia. A gdzie on sam? Jest. Serce w piersi Henryka
uderzyło mocnym, przyspieszonym rytmem, jakby nieżyjący Przemek zapukał w nie z zaświatów, szepcąc: *To on*.

— Czy to on, ten niski książę, który zabił ci brata, ojcze?

— To on. *To on*.

O stajanie za plecami dochodzącego do namiotu orszaku Starszej
Polski, długą, lecz wąską linię znaczyło ich rycerstwo.

— Dlaczego ten książę ma w herbie tylko pół lwa i pół orła? —
zapytał mały Henryk.

— Bo tylko tyle znaczy — odpowiedział półgębkiem Lutek Pakosławic.

— A dlaczego nie ma z nami szlachetnego Ottona von Seidlitz?
— znów zapytał chłopiec.

— Jest, synku, obiecuję ci, że wódz wojsk głogowskich jest
z nami. A teraz przypomnij sobie, co ci mówiłem przed wyjściem.
I ani jednego pytania więcej. Rozumiesz? Choćbyś nie wiem jak bardzo chciał o coś spytać, nie możesz. Wyobraź sobie, synu, że od tego
zależy twój los. Twoje życie.

— Nie jestem wrogiem, który idzie na Poznań, lecz jego prawnym dziedzicem. Wolą nieżyjącego króla Przemysła mam pełne prawa, by objąć schedę po nim. Kanclerzu — Henryk zwrócił się do von
Diera — odczytaj książętom Kujaw i Mazowsza oraz Panom Starszej
Polski dokument.

Otto czytał. Henryk nie patrzył na Władysława, lecz ponad nim,
w to miejsce, gdzie zwykłego wzrostu mężczyzna ma oczy. Widział
jednocześnie zmieszane oblicze starego biskupa poznańskiego Jana;
skrywane pod maską chłodu zdenerwowanie Beniamina Zaremby.

— ...układ ten nigdy nie został przez Przemysła II wypowiedzia-
ny i w mocy prawa niniejszym pozostaje — skończył von Dier. —
Pan mój, książę Głogowa, jest od dnia zbrodni rogozińskiej prawnym dziedzicem Królestwa. I dziwi nas, że znane z honoru rycerstwo
Starszej Polski zamiast ścigać brandenburskich zbrodniarzy, staje tu,
obok rzeczonego Władysława, księcia Kujaw, na drodze idącego po
swe dziedzictwo księcia Głogowa.

— Wola ogółu panów Starszej Polski — zaczął biskup Jan —
przechyliła się na korzyść księcia Władysława. Jest on bowiem poprzez małżeństwo z Jadwigą kaliską najbliższy pokrewieństwem wład-

com naszym. Chcąc przeciwstawić się woli rycerstwa, musicie liczyć się ze starciem zbrojnym.

— Liczymy się — po raz drugi odezwał się Henryk, tym razem patrząc w oczy Beniamina Zaremby.

Lutek Pakosławic i Gunter Biberstein cofnęli się do wyjścia z namiotu i unieśli jego poły. Pakosławic zdjął z pleców róg i zadął w niego. Szereg rycerstwa głogowskiego rozstąpił się i z tyłów czwórkami wyjechały główne siły Henryka z Ottonem von Seidlitz na czele.

— Szlachetny Otto! — wyrwało się małemu Henrykowi i natychmiast zakrył usta dłonią.

Henryk patrzył na wojewodów Starszej Polski i w ich krzepnących obliczach widział lepiej niż na własne oczy, jak jego niezawodny von Seidlitz wykonuje piękny manewr, na który się umówili. Oto dwójkami rozjeżdżają się na obie strony, tak że ukryte wcześniej przed oczyma nieprzyjaciół siły pokrywają podwójnie dotychczas widoczny szereg wojsk. Po ich twarzach widział, że czarne orły łopocą na wietrze, że rozpościerają skrzydła i złotymi dziobami kłują ich dumę.

— Liczymy się — powtórzył tym samym pewnym siebie tonem Henryk — a teraz proszę, i wy możecie nas policzyć. Mam nadzieję, że czujecie się docenieni dostojeństwem wojska, z jakim idę po me dziedzictwo.

Ileż by dał za to, by stać go było na prawdziwą wojnę, a nie tylko demonstrację siły! Ale zna swoje miejsce. Zna swoje możliwości. I od zawsze porusza się wyłącznie w sferze faktów. Więc mówił dalej:

— A że nie ma we mnie źdźbła złej woli, niech świadczy to, że żaden mieszkaniec tych ziem od moich wojsk nie ucierpiał. Nie idę jako najeźdźca. Idę jak ojciec do czekającego w kolebce dziecka. Pokazuję, że mam siłę, by odeprzeć wrogów, którzy wdarli się w te granice.

— Nie jestem najeźdźcą! — nie wytrzymał książę kujawski. — Jestem wybranym przez panów księciem!

Henryk patrzył w to samo miejsce nad jego głową. I milczał. W ciszy, jaka zapanowała, dał się słyszeć głos Lutka Pakosławica, może tylko o dwa westchnienia za późno.

— Zobacz, Henryku, to jest książę Kujaw, który chce siłą i wojskiem wydrzeć twemu ojcu i tobie należne prawem dziedzictwo.

— To jest ten, co zabił Przemka? — zapytał mały.

— To ten — odpowiedział Lutek.

To ten.

WŁADYSŁAW był doprowadzony do wrzenia.

— ...jestem wybranym przez panów księciem! — krzyknął.

Dlaczego wydaje mu się, że jest tu sam? Dlaczego ci panowie, którzy wspaniałomyślnie wezwali go na poznański tron, teraz milczą? Ponury Głogowczyk niczym czarny kruk dziobie go zdanie po zdaniu, na
gwizdnięcie pokazuje, że ma wojska trzy razy tyle, ile zakładali, a oni
milczą! Jeszcze raz machnie tym pergaminem, jeszcze raz powie o sobie „dziedzic" i co? Padną tu może na kolana i będą prosić o przebaczenie, że go ukrzywdzili? Palce same zaciskały mu się na rękojeści miecza,
a pod sercem wciąż czuł ten piekielny lód. Leszek zajął Pomorze. Brandenburczycy kresy nadnoteckie. Przekroczyli Wartę. Palą wsie. W głowie dudniła mu głucha nawałnica. Co robić? Potrzebuje czasu, czasu, by
wygonić Leszka z Pomorza, by skrzyknąć wojsko, by pogonić Głogowczyka na jego czarną, śląską ziemię. Jak zyskać ten czas? Jak? Jak?

— ...rozumiemy, że z praw po małżonce swej, Jadwidze kaliskiej,
książę kujawski rości żądania do ziemi kalisko-gnieźnieńskiej. I choć
z bólem serca, gotowi jesteśmy w imię pokoju w Królestwie przekazać mu tę dzielnicę, prawowitemu dziedzicowi zostawiając resztę
ziem. Lecz praw do Poznania nie zrzekniemy się, stanowią one bowiem w przyszłości zabezpieczenie dla małoletniego Henryka, syna
i następcy księcia Głogowa. Wnosimy pod rozwagę również i to, że
książę Władysław nie ma syna...

— Ale mogę mieć! — Władek przerwał monotonny wykład głogowskiego kanclerza.

Dlaczego oni nadal milczą?! Odwrócił się gwałtownie. Twarz Beniamina Zaremby była jak zawsze kamienna, lecz blada. Wojewoda
gnieźnieński przygryzał wargę. Biskup Jan wyglądał, jakby miał zemdleć. Bolesław mazowiecki wbijał wzrok w szeregi głogowsko-opol-
skie na skraju błonia.

— Aby zapewnić księciu sukcesję i dać dowód pełni naszej dobrej woli, proponujemy, by książę kujawski usynowił obecnego tu
małoletniego Henryka.

We Władku zagotowało się.

— Powtórz, kanclerzu, bo nie zrozumiałem! — rozkazał.

— Proponujemy, abyś usynowił małoletniego Henryka i uznał
jego prawa do ziem poznańskich — bezczelnie powtórzył kanclerz
Głogowczyka. — Tym samym zgadzamy się, byś zarządzał ziemią
poznańską aż do pełnoletności Henryka. Gdyby zaś ten nie dożył

swych lat dojrzałych, tak jak i nagła śmierć z rąk twoich zabrała umiłowanego brata naszego księcia, prawo adopcyjne i dziedziczne przejdzie na kolejnego z synów księcia Głogowa. Ma ich trzech.

— Życie za życie — potwierdził suchym głosem Głogowczyk, patrząc gdzieś ponad głową Władka.

To mi się śni — przebiegło mu przez myśl — to koszmar, z którego się zaraz obudzę.

— Oto nasze warunki spisane w jednym dokumencie. — Kanclerz Głogowczyka wyciągnął rękę z pergaminem.

Nie dotknę tego — pomyślał Władek. Ale rękę po dokument wysunął Ruder.

JAKUB ŚWINKA pochylał się nad łożem biskupa poznańskiego Jana, bo ten był tak słaby, że mówił coraz ciszej.

— ...i usynowił pierworodnego Henryka.

— Nie! — krzyknął arcybiskup.

— Tak — szepnął Jan. — Tak, Jakubie, stało się i ja też jestem temu winny... Byłem tam...

— Nie...

— Jedyne, cośmy mogli zrobić, to nie przywiesić do tego swych pieczęci, ale słowo się rzekło...

Jakub Świnka nie wierzył. Czy wszyscy tutaj oślepli? Rozumiał, że sprawy poszły w złym kierunku i to bardzo szybko. Rozumiał przymus Brandenburczyków w granicach, Leszka na Pomorzu, Głogowczyka z Opolczykiem... Ale na litość boską, jak można było jednym aktem zaprzepaścić całe dzieło Przemysła? Całą ideę odrodzonego, jednoczącego się po dwustu latach Królestwa przeciąć na pół?

— ...umrę, Jakubie — zaszeleścił blady biskup poznański. — Umarłem już, jak to się stało. Nie powinniśmy byli łamać woli króla, wzywać Władysława...

— A może powinniście przy nim wytrwać, skoroście go wezwali? Okazać mu wierność w złej godzinie. Gdyby miał w was, panach Starszej Polski, oparcie, zgodziłby się na to?

— Jemu się ziemia pali pod stopami, Jakubie. To był zły wybór. W złą chwilę...

— Przestań, Janie! Robisz się zabobonny jak pleban, nie biskup!

— Ale Władysław nie zamierza dotrzymać układu... On potrzebuje czasu, wojska zebrać... To było jak kupienie sobie tego czasu, którego mu zabrakło, by być gotowym...

— Pamiętasz dzień koronacji? — zawołał Jakub, nie przejmując się stanem chorego. — Pamiętasz?

— Tak...

— Namaszczając Przemysła, budziliśmy uśpionego przez dwieście lat ducha Królestwa. Ślubowaliśmy wierność nie tylko jemu, nie tylko koronie, ale przede wszystkim Królestwu! Dwieście pięćdziesiąt dni była ważna ta przysięga? Nie wytrzymaliście ani dnia dłużej?

— Jakubie!... On się nie sprawdził... — załkał boleśnie Jan, zasłaniając dłońmi twarz.

Ale to była jedna z tych chwil, kiedy Jakub Świnka przestawał być dobrotliwym ojcem o sercu miękkim jak wosk. Teraz był Jakubem II. Arcybiskupem.

— Zgodziliście się na rozcięcie tego, co było dotąd niepodzielne! Starsza Polska na pół przekrojona! Ja was z tego grzechu nie rozgrzeszę!

— Jakubie...

— Od dzisiaj jestem arcybiskupem podzielonego Królestwa!

JAKUB DE GUNTERSBERG musiał wykończyć rozpoczęte dzieło. W jego fachu są rzeczy, których wolałby uniknąć, i w pierwszym rzędzie należą do nich zlecenia wykonane niedokładnie. Rzadko, ale się zdarza. Jednak nie po to pracował na swą nieposzlakowaną opinię tyle lat, by teraz zaszyć się w jakiejś karczmie i nie rozliczyć przed mocodawcą. Mocodawczynią, uściślając rzecz. Mechtylda Askańska wyznaczyła mu spotkanie w najdziwniejszym z miejsc. Klasztor cystersów w Kołbaczu. Może gdyby miał do czynienia z jakąś zwykłą księżną, klasztor byłby jak znalazł. Ale cokolwiek można by powiedzieć o księżnej szczecińskiej, a Jakub akurat mógł dużo, to nie to, że była zwykłą księżną. Jechał dobrym gościńcem i to był znak, że jest już na terenie dóbr klasztornych. Dobrym, jak na tę porę roku. Owszem, błoto, ale na poboczu, a dziur niewiele. Po obu stronach drogi jak okiem sięgnąć ciągnęły się pola w połowie już zaorane. Na nich w oddali grupka chłopów zajęta pracą. Gdzieniegdzie kępy jesz-

cze nagiej brzeziny. Jakub nie lubił odkrytych dróg. Wolał las, wąwóz, nawet zagajnik. Wszystko to, co człowiekowi jego profesji dawało schronienie. Rzadkie krzaki na poboczu poruszyły się przy samej
ziemi i usłyszał z nich kwilenie.

— Co, u diabła? — syknął.

Podjechał bliżej. Pod krzewem głogu, na kępie trawy leżało coś,
co zrazu wziął za kłąb brudnych szmat. Ale gdy podjechał, zobaczył,
że gałgany poruszają się chaotycznym i gwałtownym ruchem.

— Dzieciak? — domyślił się Jakub i zeskoczył z konia, podchodząc do krzaka.

Niemowlę owinięte w szmaty usiłowało odsunąć z twarzy duszą-
cy je gałgan. Jakub przeskoczył przydrożne błoto i nie zważając na
kolczaste pazury głogu, pochylił się nisko i przyjrzał dziecku. Widy-
wał niemowlęta, ale nigdy jeszcze nie widział tak walecznego. Zacie-
kle usiłowało zedrzeć z ust i nosa tamującą oddech szmatę. Darło ją
drobnymi piąstkami i nie wiedząc, że jest skazane na niepowodzenie,
nie ustawało w trudzie. Zrobił krok i ostrożnie wyjął dziecko spod
krzewu. Było wychłodzone, sine. Rozluźnił szmatę powijaków, która
zsunęła się, dusząc dziecko. Ledwie nabrało powietrza w małe płuca,
ledwie raz, drugi zaczerpnęło chudą piersią powietrza, a już rozdarło
się wniebogłosy. Nie rozpłakało, lecz wrzasnęło wściekle.

— No już, cicho, już dobrze — próbował je uspokoić. — Jesteś
głodny, co?

Dziecko w odpowiedzi zamachało rączkami i niespodziewanie
chwyciło Jakuba za szare, sterczące włosy.

— Ej, silny jesteś! — roześmiał się. — Albo silna?

— Panie! To moje dziecko! Moje... — Od strony pola biegła kobieta okutana w chusty i krzyczała do niego.

— Jak twoje, to czego je tu zostawiasz same? Płakało, to się musiałem zatrzymać.

Już dobiegała do niego, już mógł rozpoznać, że naprawdę dzieciak jest jej, bo był owinięty w takie same szmaty, jakie miała na sobie
kobieta. Jakub nawet widział krzywo urżnięty kraj ubłoconej spód-
nicy.

— A bo to coś dziwnego, że płacze? — odpowiedziała, wyciągając ręce po dziecko. — Odda pan...

— Oddam — uśmiechnął się do niej. — Przecież ci nie zabiorę.
Chociaż?... Przydałby mi się pomocnik...

— To dziewczynka — odpowiedziała, odgarniając z twarzy kosmyk ciemnych włosów.

Jakub przez chwilę zapatrzył się na kobietę.

— Co? — spytała niepewnie. — Co?

Była doskonała. Taka jak trzeba. Podobna dokładnie do nikogo.

— Ile chcesz, za dzieciaka? — zapytał bez chwili wahania. W jego fachu decyzje trzeba było podejmować szybko.

Kobieta spojrzała na Jakuba uważnie, jakby oceniała, ile może jej zapłacić.

— To moje dziecko — odezwała się — nie sprzedaje się własnych dzieci...

— Nie wiedziałem. W takim razie bierz je, oddaję — podał niemowlę kobiecie.

Ona nie wyciągnęła po nie rąk, tak jak przewidział.

— Nie powiedziałam, że nie...

— To się zastanów — krótko odpowiedział Jakub de Guntersberg. — Jeśli chcesz mi je sprzedać, bądź w tym miejscu o zmierzchu. Sama. Zapłacę uczciwie, możesz być pewna.

Przyjrzał się raz jeszcze twarzy niemowlęcia i kobiecie. Tak, to musiało być jej dziecko. I wcisnął owinięty w szmatę tłumok w jej ręce. Nie oglądając się na zdumioną chłopkę, przeskoczył rów i wsiadł na konia. Księżna szczecińska nie powinna czekać.

MECHTYLDA ASKAŃSKA w towarzystwie opata kołbackiego klasztoru zwiedzała zabudowania. Czerwony brandenburski orzeł z jej piersi łypał na zakonnika czarnym okiem. A opat chętnie i bez zażenowania łypał na piersi Mechtyldy ledwie skryte pod luźnym wiązaniem płaszcza.

— Doprawdy, jestem zaszczycony, że księżną interesuje nasza grangia!

— Mów „folwark", ojcze Kleosie, bo jesteśmy w Brandenburgii! — skarciła go z frywolnym uderzeniem czubkami palców w plecy.

Oczywiście zadrżał.

— Od czego jaśnie księżna pani dobrodziejka skromnych braci chce zacząć? Od spichlerza, tłoczni wina, stodół, piekarni, rzeźni, browaru, mleczarni, warsztatów? Czy może cegielni, młyna, karczmy? Czy raczej stajni, owczarni, domów mieszkalnych dla klasztornej czeladzi? Dnia nam nie starczy, może i nocy?...

Co za bezczelny idiota — pomyślała rozbawiona Mechtylda i oblizując usta, odpowiedziała pytaniem:

— A nie zaprowadzi mnie ojciec najpierw do kościoła?

Zaczerwienił się jak wyrostek na widok nagiego łona. I jąkając się, odpowiedział:

— Oczywiście, jak życzenie najjaśniejszej dobrodziejki naszej...

— Nie. Najpierw mi pokaż nową kaplicę — rozkazała, a orzeł na jej piersi poruszył zakrzywionym dziobem, jakby chciał skubnąć opata w spoconą dłoń.

— Jeszcze nie skończona. Ledwie kamieniarz ołtarz zaczął ciosać...

— Dobrze. Prowadź.

Szli przez klasztorny dziedziniec. Mechtylda z zaciekawieniem szacowała majątek cystersów.

Chyba sam diabeł im pomaga go mnożyć — pomyślała, przeliczając w myślach, jak zręcznie zakonnicy zamieniają każdą włókę darowanej ziemi na brzęczącą monetę ze sprzedaży jej płodów. Czyż to nie bardziej opłacalne niż wojenna grabież?

— Tutaj, to tutaj, tylko może ja podam rękę, bo stopnie jeszcze niezrobione...

Pozwoliła mu; musnęła nawet tę jego wilgotną dłoń wonnym rękawem swej sukni. A niech ma, niech mu się przyśni.

Wnętrze nie było tak mroczne, jak można się było spodziewać, patrząc po niewyszukanej bryle kaplicy. Rozjaśniały je wysoko położone, wąskie okna. W tej chwili właściwie tylko otwory. Proste i równe kamienne bloki posadzki. Duży cios piaskowca, przy którym pracował zgięty wpół kamieniarz. Uśmiechnęła się do opata.

— Zostaw mnie samą, ojcze. Chcę w milczeniu oddać się modlitwie.

— Ależ pani! Kaplica jeszcze niewyświęcona, może zaproszę do kościoła — zaprotestował opat.

— Ale kamień węgielny święciłeś — przypomniała mu Mechtylda. — Chcę tutaj. Chcę powierzyć swe myśli Najwyższemu w tym surowym miejscu, nim rozkwitnie urodą ołtarza.

— Jak sobie życzysz, księżno. Człowieku! — krzyknął opat do kamieniarza. — Wyjdź no, nie przeszkadzaj pani.

— Nic mi nie przeszkadza, gdy chcę się oddać modlitwie. — Uśmiechnęła się do opata Mechtylda i popchnęła go lekko ku wyjściu. — Znajdę cię, ojcze, gdy skończę. Do zobaczenia.

Wymamrotał coś na pożegnanie i zamknął za sobą drzwi. A Mechtylda postąpiła w stronę kamieniarza. Ten wyprostował się, rzucił na posadzkę dłuto i ukłonił nisko.

— Jakubie de Guntersberg! — Wyciągnęła do niego rękę.

— Księżno! — Chwycił jej dłoń palcami oprószonymi białym pyłem i pocałował paznokcie Mechtyldy.

— Zastanawiałam się, jak się sprawdzisz tym razem — powiedziała, uśmiechając się do niego. — Za kogo się przebierzesz? Stawiałam na mnisi habit. Nie doceniłam cię, Jakubie de Guntersberg, ale... — Przestała się uśmiechać w jednej chwili. — Ale rozumiesz chyba, że miałam powody, by zwątpić w twe umiejętności?

— Zdarza się nawet najlepszym — burknął de Guntersberg.

— Ale nie tobie, do diabła, nie tobie! — syknęła Mechtylda. — Najlepszy sekretny człowiek, jakiego znam. Jedyny, którego imię powtarza się na najważniejszych dworach w tajemnicy. Ten, któremu płaci się czystym srebrem! Spartaczyłeś robotę! — Uderzyła go w policzek z całej siły.

— Wybacz, pani — powiedział, unosząc na nią szare oczy. — Zaszły nieprzewidziane okoliczności.

— Jakie? — spytała, drugą ręką uwalniając orła ze stanika sukni. Puściła go wolno. Czerwone skrzydła zamajaczyły pod sklepieniem kaplicy.

— Nie byłem sam. Na króla polował ktoś jeszcze.

— Kto? — zaciekawiła się Mechtylda.

— Młody rycerz. Ród Zarembów. Półlew na płaszczu.

— Więc zabili go swoi?

— Nie, pani. Ja go zabiłem.

Jej pierś uniosła się od uderzeń serca.

— Mów!

— Nie ma co opowiadać, pani. Trzymam w sekrecie szczegóły swej pracy — skromnie odpowiedział Jakub.

Chwyciła go za brodę, przyciągnęła do siebie i pocałowała w usta. Smakowały pyłem piaskowca. Więc usta sekretnego człowieka, tego, który wygląda jak nikt, smakują jak coś? To ją zaskoczyło. Pocałowała raz jeszcze, zębami rozgniatając jego wargi. Zapragnęła poczuć na języku drobinki kamienia. Jakub de Guntersberg pod jej ustami wzbraniał się od pocałunku chłodnym bezwładem warg. A to ciekawe? Co? Czyżby nie czekał na taką łaskę od lat? Przecież był jej wiernym łowczym, wykonawcą jej cichych zleceń i pożądał Mechtyldy od dawna.

Droczy się — pomyślała i wsunęła czubki palców do jego ust, rozwierając je.

Gładkie zęby Jakuba zacisnęły się na jej palcu nie na tyle mocno, by ból był silniejszy niż dreszcz. Rozchyliła usta, kończąc pocałunek uśmiechem i w chwili, gdy już miała odsunąć od siebie sekretnego, on niespodziewanie oblizał jej wargi.

Roześmiała się. Więc jednak! Ale ta chwila, gdy sprawił, iż Mechtylda zwątpiła, że jej pragnie, wymagała większej rekompensaty niż liźnięcie języka po ustach. Zrobiła szybki krok, piersią napierając na Jakuba. Zesztywniał. Tu cię mam sekretny człowieku! — pomyślała, stawiając stopę obutą w obcisły czerwony trzewik na jego stopie. Jakub nie cofnął się, ale nie zrobił nic. Znała to. Znała to nazbyt dobrze. Dziesiątki mężczyzn pragnących wielkiej księżnej i niemających odwagi, by uczynić krok. Słusznie. Mechtylda nienawidziła dotyku, którego sama nie chciała. Za głupkowate, przypadkowe dotknięcie mogłaby zabić. Ale teraz chciała. Zręcznie wsunęła rękę pod luźny kaftan kamieniarza. Jakub de Guntersberg miał całkowicie gładki brzuch. Pozbawiony włosów. Zaskoczyło to ją. Przesunęła dłoń niżej, rozsuwając nogawice. Skórę między udami również miał gładką. Wygolił ją? Jej palce zamarły, gdy dotknęły...

— Co to? — szepnęła.

— To, co myślisz — zupełnie spokojnie odpowiedział Guntersberg.

— Muszę zobaczyć — powiedziała, przesuwając palcami; mierząc obwód, który wydał się jej nienaturalnie duży, niemożliwie duży.

— Być może, pani. Ale sekretni ludzie pewne sprawy zostawiają dla siebie. Nie chcę, by ktokolwiek zobaczył moją broń.

Nie obchodzi mnie to — pomyślała Mechtylda. — Chcę zobaczyć! I zrobiła coś, co jeszcze się nie zdarzyło. Przyklęknęła przed Jakubem i podciągnęła jego kaftan w górę. Nie wzbraniał się. Stał. Nie robił nic.

— Ach! — wyrwał się Mechtyldzie jęk, komplement, hymn pochwalny.

A jej oczom okazało się przyrodzenie Jakuba de Guntersberga. Zamrugała, przełykając ślinę.

— Dzieło sztuki — owinęła palcami najgrubszego kutasa, jakiego widziały jej oczy. Nie mogła domknąć dłoni. Był krótki, fakt. Ale idealnie ukształtowany. I gotów. Był jak pięść mierząca wprost w jej usta. Usta, które na widok tego cudu natury rozwarły się mimowolnie. Mechtylda Askańska zbliżyła czubek języka. Zatrzymała go na napiętej skórze. Jakub ani drgnął. A ona, nim zorientowała się, co robi, złożyła na jego czubku niemal bałwochwalczy pocałunek. Zwykła kobieta, jaka w niej tkwiła, darła się teraz wniebogłosy: „Bierz mnie, Jakubie, bierz mnie!". Ale to Mechtylda wzięła tę zwykłą, nieopanowaną sukę w garść i wymierzyła jej kopniaka w tyłek. Księżna Askańska wstała, wyjęła z rękawa jedwabną chustkę i stojąc twarzą w twarz z Jakubem de Guntersbergiem, otarła usta. On w tym czasie schował swój cud natury, nie spuszczając z niej wzroku. Gdzieś z boku suczy instynkt rzucił jej się do kolan, skomląc: „Głupia ty... bierz go... Bierz...", ale teraz to już znów ona panowała, nie instynkt, nie żądza, nie. Schowała chustkę do rękawa i cofnęła się o krok.

— Mów! — powtórzyła żądanie. — Muszę wiedzieć, za co płacę, skoro wykonałeś moje zlecenie niedokładnie.

— Nawet jeśli, jak mówisz, pani, niedokładnie, to zgodnie z duchem twej woli na tyle, na ile pozwoliły zmieniające się okoliczności.

A jednak zapatrzyła się na mówiącego Jakuba de Guntersberga. Prawda, miał tę rzadką cechę urody tak doskonale bezbarwnej, że jego twarz nikomu nie utrwalała się w pamięci. Chwaląc go, mówiono: „Podobny do nikogo", bo istotnie, w jego fachu to była nieoceniona zaleta. Ale teraz, kiedy mówił do niej, był kimś. Zwłaszcza że widziała, co kryje między nogawicami.

— Rozstałem się z margrabiami, ustalając miejsce, do którego mam przywieźć króla. Wjechaliśmy do Rogoźna. Zabiliśmy straż. Potem sługi, potem śpiących po turnieju rycerzy. Z grodu uciekł tylko giermek, ale się później odnalazł. Już nic nikomu nie powie. Król walczył o życie jak lew...

— Stojący lew — przytaknęła Mechtylda na wspomnienie herbu Przemysła z czasów, gdy był tylko księciem. — Nasz poznański lew.

— Tak, pani. W czasie walki pojawił się wspomniany rycerz, Zaremba. Z początku sądziłem, że zamroczony krwią pomylił się i dlatego zaatakował Przemysła. Musiałem bronić jeńca. Spieszyłem się, miałem rannego króla na ręku i dlatego nie sprawdziłem, czy Zaremba nie żyje. Zabraliśmy Przemysła na koń i myląc pogoń, ruszyliśmy na południe. Zaremba dogonił nas, gnał jak wicher. Odebrał mi rannego króla i próbował go zabić. Nie chciałem na to pozwolić, wszak ty, pani, życzyłaś sobie mieć Przemysła żywego. Wyrwałem go Zarembie. Od strony Rogoźna nadjeżdżał pościg, to nie był nikt z grodu, pomordowaliśmy wszystkich, więc szybko zrozumiałem, że to ludzie króla, którzy z jakiegoś powodu przybyli do Rogoźna później. Przemysł już rzęził, uznałem, iż nie mam szans.

— Szans? Na co? — z wypiekami na policzkach dopytała Mechtylda.

— Na dowiezienie ci go żywego. Na ucieczkę z nim przed pogonią bez dalszych uszkodzeń i ran. Uznałem zatem, że gdybyś była na mym miejscu, pani, wolałabyś, by zginął z twojej ręki, a nie jakiegoś Zaremby. Zresztą intencje tego ostatniego nie były dla mnie jasne. Już dojeżdżało do nas czoło pogoni. Jej dowódca, myśląc, iż to Zaremba jest winny, zaatakował go. Obciął mu głowę, jadąc w galopie. Godny cios. Ja dobiłem Przemysła i musiałem rzucić ciało. Uciekliśmy pogoni. To tyle.

Już była sobą. Już mogła powiedzieć:

— Na drugi raz wykonaj zadanie do końca. Mogłeś mi dowieźć choćby rannego — pouczyła go oschle. Czyż Jakub nie powinien wiedzieć, że Mechtylda słynie ze zdolności leczenia ran? Zna mikstury na wszystko.

— Już mówiłem, pani, że nie uciekłbym z nim. Sam miałem szanse, ale z nim nie. Przydałby ci się osadzony w poznańskim lochu człowiek, którego widywano na zamku w Dąbiu? Ktoś w końcu mógłby mnie rozpoznać, pewnie żyją jacyś ważniacy, co posłowali do Konstancji, siostry Przemysła.

— Dobrze — zamknęła ten temat. — Zapłacę ci, choć zgłaszam zastrzeżenia. Pamiętaj o nich na drugi raz.

— Oczywiście, pani.

Mechtylda z jedwabnej sakiewki u pasa wyjęła srebro. Piękne, okrągłe brandenburskie denary. Odliczyła i położyła na wyciągniętej dłoni Jakuba. Skłonił się i zacisnął na nich palce. Na chwilę zatrzymała wzrok na tych palcach. Nie, bzdura. To tylko palce, nie to.

— Ja też mam coś dla ciebie, pani — powiedział, sięgając pod kaftan. — Proszę. — Podał jej na otwartej dłoni prosty woreczek z białego płótna.

Zajrzała do środka.

— Ludzkie włosy? — skrzywiła się, patrząc na brudny kosmyk.

— Królewskie — odpowiedział jej Jakub. — Pasmo włosów martwego Przemysła.

— Kiedy zdążyłeś je odciąć? — zapytała nieufnie. — Mówiłeś, że działałeś w pośpiechu...

— Pod Rogoźnem tak, ale w Poznaniu nie. — Uśmiechnął się do niej Jakub de Guntersberg. — Prawdziwy sekretny człowiek wykończa swe dzieło.

— Coś ty robił w Poznaniu z trupem króla? — Mechtylda zamarła.

— Myłem go, pani. — Skłonił jej się samą głową, nie spuszczając wzroku. — Zamieniłem się w posługacza, by być pewnym, że nie został po mnie żaden ślad.

ELŻBIETA, księżna wrocławska, coraz trudniej znosiła ciążę. Dziecko zamknięte w jej brzuchu kopało tak, jakby chciało wydostać się na świat siłą, choć było to wciąż za wcześnie. Nie mogła sobie pozwolić na leżenie, jak radził magister. Musiała czuwać, patrzeć na ręce swego szwagra, regenta. A ten dzień po dniu działał coraz energiczniej. Najpierw rozprawił się z możnymi Wrocławia, którzy ośmielili się nie uznać w nim opiekuna księstwa i zamknąć mu bramy miasta. Bezwzględnie stłumił bunt; lecz zabijając protestujących, pilnie patrzył, by byli to najemnicy, a nie głowy rodów. Kiedy mu się poddali, kiedy uprzątnąwszy zgliszcza, zrobili Bolke Surowemu drogę od bram do zamku i gdy ustawili się w szpalerze, by witać go jeśli nie entuzjastycznie, to przynajmniej pokornie, on spojrzał na wrocławian z wysokości końskiego grzbietu i wyjechał za bramy. A potem kazał swym ludziom wybić dziurę w murze miejskim, obok bramy. I dopiero tą dziurą, ku osłupieniu i przerażeniu mieszkańców wjechał, dając im dowód, że oni nic mu dać nie mogą, czego by sam nie zdobył. I było po buncie. Kto szemrał przeciw niemu, tego nie wpuszczał na zamek, więc kolejne dni przynosiły zmianę stronnictw. Elżbieta mogłaby być zadowolona, w końcu szwagier zrobił porządek z tym, z czym nie potrafił uporać się jej mąż. Lecz przeciwnie, im lepszym okazywał się gospodarzem, tym ona bardziej się bała.

Co będzie, jeśli po zakończeniu regencji szwagier nie zechce opuścić Wrocławia? Klejnot Śląska zniszczył już niejedno życie. Jej męża, na przykład. Gdyby nie wydał Wrocławia Głogowczykowi, żyłby dzisiaj. A tak? Zostawił ją z dwójką synów, pięcioma córkami i tym wściekle kopiącym brzuchem.

— Elżbieto — szwagier powitał ją jak zawsze, z szacunkiem i chłodem. — Zostawiam cię samą, pod opieką mej służby.

— Mam własną służbę, Bolke. Jestem u siebie — powiedziała, idąc do okna.

— Mnie też traktujesz jak służbę, Elżbieto — stanął koło niej.

— Regencja to rodzaj służby — wyniośle odpowiedziała mu księżna. — Jesteś opiekunem moich synów, ale tylko do dnia, gdy przekroczą próg dojrzałości.

— Twoim także — głos Bolke nagle zabrzmiał tak blisko, że natychmiast przypomniały jej się domniemania starej Jadwigi, jakoby szwagier mógł nastawać na nią.

— Więc czemu się dziwisz? — odrzekła głośno, by spłoszyć go, by pokazać, że nim pogardza, a się go nie boi. — Regencja to rodzaj służby.

— Zatem jadę ci służyć. Tobie i twoim dzieciom.

— To dzieci twojego brata — zrobiła wszystko, by w jej głosie zabrzęczała nuta upomnienia.

Bolke odsunął się, usłyszała brzęk stali. Teraz zdała sobie sprawę, iż pod tuniką miał kolczugę, na kolanach nagolenniki. Wcześniej nie zwróciła na to uwagi. Odwróciła się od okna.

— Co zamierzasz?

— Wyrównać pierwszy rachunek z Głogowczykiem. — Ukłonił się jej i wyszedł.

Patrzyła z okna, jak wsiada na konia, jak giermek poprawia kropierz. Widziała, jak Bolke zakłada kaptur kolczy, potem rękawice. I jak podnosi głowę i na niby łapie ją, stojącą w oknie. Cofnęła się gwałtownie. Dzieciak znów kopnął ją w pęcherz.

Reszty dowiedziała się od Jana Romki, biskupa wrocławskiego, którego zaprosiła dwa dni później na wieczerzę, by omówić z nim sprawę klarysek.

— Twój szwagier, pani, i Konrad Garbaty zwietrzyli, że księstwo głogowskie całkiem z wojska oczyszczone, bo książę, co mógł, to zabrał na wojnę z Karłem.

— Nie mów tak na niego, biskupie. To mąż mojej rodzonej siostry.

— Zapomniałem, pani! Wybacz. Tu szwagier, tam szwagier. — Bezradnie rozłożył ręce biskup. — W każdym razie, Głogowczyk walczy o Starszą Polskę z księciem Władysławem, a Bolke zaprosił Konrada Garbatego na rabunek księstwa. Tak lepiej?

— Wiem, biskupie, że Bolke naraził ci się, wraz z mym nieżyjącym mężem.

— Naraził? Księżno, najechali moje zamki, mnie samego!

— Byłam temu przeciwna, ale jak się domyślasz, biskupie, żaden z nich nie pytał mnie o zdanie. Najpierw rządził mną mąż, a teraz szwagier. Okropna jest kondycja kobiety. — Pochyliła głowę i położyła dłoń na brzuchu. — Gdyby to księżne rządziły, wierz mi, biskupie, wojny skończyłyby się w jednym roku, raz na zawsze.

Biskupowi błysnęło oko, jakby w jej pokorze znalazł szansę dla jakiejś własnej sprawy.

— Nie musisz, księżno, się godzić na regencję szwagra. Możesz rozważyć inną opiekę.

— W tym rzecz, biskupie. Wierzę, że jesteś najlepszym opiekunem. Klaryski wrocławskie potrzebują twej pomocy.

Jan Romka stanowczo co innego miał na myśli, lecz Elżbieta nie pozwoliła mu się wymknąć z sideł. Wiedziała, że biskup chętnie obwołałby się regentem jej synów, proponował to nie pierwszy raz, a ona nie pierwszy raz go zwodziła. Bolke, biskup, Václav Przemyślida. Nie pozwalają jej rządzić samodzielnie, będzie więc rządziła nimi.

Po dwóch tygodniach jej szwagier wrócił zwycięski. Na szczęście bez garbatego sojusznika, bo Elżbieta nie chciała patrzeć na kaleki, gdy była ciężarna.

— To koniec wojny głogowskiej? — powitała go wyniośle.

— Nie, Elżbieto. Dopiero pierwsze starcie.

Nie zareagowała, więc poczuł się zachęcony do opowieści.

— Rozgnietliśmy jego wojsko w pył i zagarnęliśmy Głogowczykowi dwa grody. Jeden przyłączę do księstwa twych synów, drugi do swojego.

— Nie widzę głowy wroga na tacy. — Uniosła wyniośle podbródek.

— Nigdy o nią nie prosiłaś. — Jego śmiech zgasł w jednej chwili. — I nigdy nie widziałem, byś tańczyła jak Salome.

— Więc jednak wychodzi z ciebie Herod, Bolke! Bolke Surowy czy już Okrutny? To drugie we Wrocławiu słychać częściej.

Musiał być znużony. Przyszedł do niej prosto z drogi. Błoto na butach, nogawicach, na skraju płaszcza. Posklejane włosy, ciemne smugi na twarzy, przekrwione oczy. Nagle zdała sobie sprawę, iż te oczy to jedyne podobieństwo, jakie łączy go z Henrykiem, jej nieżyjącym mężem, a jego bratem. I nagle uświadomiła sobie, że te oczy nie są odrażające, że jest w nich coś, co sprawia, iż ona szuka spojrzenia Surowego.

— Daj mi spokój — powiedział w tej samej chwili. — Jestem zmęczony.

— Idź spać — odpowiedziała zimno i ostrzej, niż należało, bo była spłoszona tym, że nagle nie poczuła do niego odrazy.

— Idę — odrzekł, nie ruszając się z miejsca i patrząc jej wyzywająco w oczy.

DĘBINA szła leśną drogą do nowego matecznika. Budziła się wiosna, więc z przyjemnością stawiała bose stopy na mchu. Wsparta na sękatym kosturze, z koszem na ramionach, okryta płaszczem z szarych ptasich piór zmierzała na spotkanie swych córek i sióstr. Z Raduni musiały się wynieść; Śląsk zrobił się niespokojny, tamtejsi biskupi mieli chorobliwe upodobanie do „tropienia pogan", a Dębina nie chciała tracić kolejnych córek. W Starszej Polsce zielone kobiety od lat mieszkały w zakolu Lutyni na małej Łysej Górze, ale i one musiały zmienić dom, bo ród Zarembów, który zajmował ziemię brzostkowską nieopodal, poczynał sobie coraz ostrzej i śmielej i nawet na Łysej Górze przestało być bezpiecznie dla sióstr. Jemioła znalazła im nowy matecznik, niedaleko, nad Wartą. Bezpieczny, z dala od siedzib ludzkich. Z jednej strony osłonięty pasmami mokradeł i bagnisk, poprzecinany jarami i parowami, niczym wilcze doły. Z drugiej zaś zamknięty nieregularnym korytem rzeki, a Warta w tym miejscu meandrowała, tworząc nurt rwący, niebezpieczny, owiany sławą „wody, co porywa ludzi". Dzięki temu okolica nie zachęcała możnych do zakładania siedzib. W pobliżu osiadł tylko jeden, niewiele znaczący ród Doliwów, który w przeciwieństwie do pierwszych panów Starszej Polski, butnych Zarembów znaczących się krwiożerczym półlwem za murem w herbie, nosił trzy kwiaty. I jak na dobrą wróżbę, najbliższa miejscowość nosiła nazwę Dębno.

Do matecznika wiodła droga w kolumnadzie drzew, jedyna taka w Królestwie. Nie powstała z ręki człowieka, nie pielęgnował jej żaden ogrodnik. Stworzyła ją natura i ona jej strzegła. Po dwóch stronach wąskiej ścieżki stały proste i wyniosłe pnie dębów, jeden obok drugiego. Koronami, niczym zaczepami zielonej bramy, wchodzące w siebie. Żeby wejść w dębową aleję, by trafić nią do matecznika, trzeba było zejść z głównego traktu. Podróżni tego nie robili; głębokie nadwarciańskie lasy budziły w nich zabobonny lęk, strach człowieka przed naturą, z której wyszedł do swych zamkniętych murami miast, wałami grodów, zagrodami wsi. I dobrze, dzięki temu kobiety Starej Krwi były w swej nowej siedzibie niewidzialne i bezpieczne.

Dębina szła wąską ścieżką między kolumnami drzew, patrząc na ich korony, na ledwie powleczone zielenią gałęzie. Nie mrużyła oczu przed przeświecającym przez nie słońcem. Aleja wiodła wprost do najwspanialszego z pałaców natury, jaki można było sobie wymarzyć. Na płaskim wzgórzu dwanaście starych grabów po lewej i dwanaście po prawej stronie oznaczało przestrzeń, która nie zamykała się w kształcie pałacu, lecz przeciwnie, otwierała w niej. Dębina lekką, bosą stopą wkroczyła do niego, niczym leśnej świątyni. Przystanęła w niej i uniosła głowę. Śmiała się pełną piersią do urody świata, na jedną chwilę uwalniając od trosk. I jak z jednej strony weszła do grabowej świątyni, tak z drugiej nią wyszła. W niewielkiej niecce pełnej suchych, zeszłorocznych liści leżały dwa omszałe głazy, nad którymi unosił się niewielki, przejrzysty obłok mgły: spod kamieni biło ciepłe źródło. Woda, co nigdy nie zamarza, woda żywa. Pochyliła się i zanurzyła dłonie w ciepłej niczym krew cieczy. Obmyła twarz, by odzyskać jasność myśli. Zmyć złość i odróżnić ją od czystego gniewu. Wstała i poszła dalej, czując, jak ciepła woda zamienia się na jej twarzy w chłodną mgłę. Nim ruszyła ścieżyną w dół, odwróciła się, chcąc jeszcze raz spojrzeć na źródło. Zobaczyła tylko rozwiewający się w powietrzu obłok pary. Tak, to dobre miejsce na matecznik. Najlepsze. Ostrożnie zeszła ku niemu, na spotkanie ze swymi zielonymi córkami i siostrami.

Dębina, wbrew temu, co myślano o niej, była zdolna do odczuwania gniewu. Jej spokój czasami się kończył. Zwykle była jak niebo. Pozwalała, by obłoki zmartwień przepływały przez nią, lecz raz na kilkadziesiąt lat te chmury zbijały się w ciemną, burą masę, która musiała zakończyć się nieuchronną burzą. Powodem tej, której nadciąganie czuła, byli kapłani Trzygłowa. Wojowniczy starcy nie raz wyprowadzali ją z równowagi, średnio co dwadzieścia lat powtarzając wezwanie: „Wzmocnić krew i zbroić się!", burząc nim serca i umysły ludzi Starej Krwi. Co za bzdury! Święte gaje spłonęły trzysta lat temu z górą. Lasy na pogorzeliskach odrosły i kto chciał, mógł do nich chodzić i modlić się. Wierni wiedzieli, jak trafić do ukrytych w ciemnych borach gontyn. Kobiety zgromadzone wokół niej, które życie poświęciły czczeniu Mokoszy, zbierały się na świętych górach rozrzuconych po kraju, od Raduni, Ślęży do Łysej i Chełmskiej. Nie było łatwo, ale kto chciał żyć w myśl dawnych prawd, mógł to czynić. O ile ambicje nie pchały go ku władzy. Władza, przekleństwo czasów, w których żyć im przyszło! Ale jej żądza nie pojawiła się wraz z kapłanami Chrysta, była dużo starsza niż on. I ponad wszystko nie pochodziła od Matki. Tyle że tamte czasy nie wrócą. Coś się w świecie zmieniło, zmienili się ludzie?... A może ona wreszcie zaczęła się starzeć, skoro nie chce już zmieniać świata? Pragnęła nieść pamięć o Starej Krwi, uczyć kobiety, jak czerpać z natury to, co przynosi korzyść życiu. Dobrze znała czasy, w których świat był całością, i choć z bólem godziła się na to, iż one nie wrócą, to jednak uważała, że wciąż można godnie żyć.

Zapadał zmrok. W ostatnich promieniach słońca weszła pomiędzy cztery, niemal równej wielkości pagórki, które osłaniały swymi grzbietami niewielką kotlinę. Porośnięta drobnymi krzewami, zamknięta z każdej strony, zapraszała, by schronić się w niej, jak w kołysce. Na dnie stał szałas kryty trzciną, a przed nim płonęło małe ognisko. Pozdrowiła pełniące wartę dziewczyny i siadła przy ogniu. Kląża, jej wnuczka, przyniosła kubek gorącego naparu.

— Jest Kalina? — spytała Dębina.

— Nie, babciu, Kalina nie przyjdzie. Jest przy małej królewnie, powiedziała, że nie może teraz zostawić jej samej.

— Rozumiem. A Jemioła?

Kląża pokiwała głową i ściszyła głos.

— Jest w chacie. Źle z nią.

— Powiedz, żeby wyszła, i zawołaj siostry. Zaczynamy.

Po chwili wokół ogniska zaroiło się od kobiet w prostych, zielonych sukniach. Z tyłu zamajaczyła zmizerniała twarz Jemioły. Dębina przywołała ją bliżej siebie.

— Za trzy nowie będę przywoływała Mokosz — powiedziała, gdy przywitała je wszystkie. — Dzisiaj chcę posłuchać, co myślicie o tym, co się stało.

— Ja się boję — śmiało odezwała się Jodła. — Boję się przepowiedni o nocy w biały dzień i dzieciach branych na sznur. Dębino, ja już straciłam tylu synów...

— A ja myślę, że kapłani straszą — weszła jej w zdanie Topola. — Wojownicy Trzygłowa się burzą, łakną krwi i kapłani dla nich stwarzają te przepowiednie.

— Chcesz powiedzieć, że zmyślali? Nie pamiętasz lodu, jaki okrył ich twarze? Ja im wierzę — twardo stała przy swoim Jodła. — Wierzę i boję się.

— Oni chcą, byś się bała. Latem przyjdą do ciebie i powiedzą: „Daj syna do świętej drużyny, bo jak nie dasz jednego, to wojownicy Umarłego zabiją ci wszystkich". Wspomnisz moje słowa, Jodło.

— A ty nie lękasz się zakutych w żelazo? Nie czujesz zimna, gdy myślisz o wyznawcach umarłego Chrysta? — spytała Topolę Trzemielina.

Dębina dała znak, że chce się włączyć.

— Nie mam zamiaru brać w obronę kapłanów Trzygłowa, ale zwracam uwagę: nie mylcie ich. Wyznawcy Umarłego i wierzący w Chrysta to tylko z pozoru to samo. Ci drudzy wierzą w Boga, który dał się ukrzyżować, a po śmierci zmartwychwstał, więc w istocie wierzą w życie rozciągnięte na ziemskie i pośmiertne. Kiedy zaś kapłani mówią o zakutych w żelazo wyznawcach Umarłego, mają na myśli zimnych, pozbawionych dusz rycerzy z krzyżami na płaszczach. Takich, co nazywają się rycerzami Matki Boga, ale w głębi serca w nic nie wierzą. I to oni są groźni, bo pod chorągwią z krzyżem niosą trupie żelazo mieczy. Przyznam, iż właśnie dlatego wzbiera we mnie gniew na kapłanów Trzygłowa. Ich przepowiednia dotyczy zagrożenia ze strony rycerzy Krzyżaków, a nie wszystkich ochrzczonych. Tyle że jeśli kapłani będą chodzić po kraju i nawoływać do walki, to za chwilę sami sprowokują wojnę, bo każdy jeden wojownik dobrze odurzony naparem i przepowiednią chwyci za broń i pójdzie wyrzynać księży, biskupów, plebanów i każdego ochrzczonego. Taką wojnę już raz mieliśmy i krew wsiąkała w ziemię latami. Jak się skończyła? Każdy wie — wielką przegraną. Przetrzebiono nasze szeregi i zepchnięto w lasy. Czas nic nie zmienił. Jeśli kapłani wywołają wielkie powstanie, będzie to, co przed laty — śmierć tysięcy niewinnych, łzy, krew. I wtedy dzieci pójdą w niewolę, jak mówili, na sznur.

— Dlaczego rycerze z krzyżami mieliby wejść na nasze ziemie? Dotąd trzymają się północy — wyraziła powątpiewanie Topola.

— Dlatego, że tam wyrżnęli już braci Prusów, Jaćwięgów, Żmudzinów — odezwała się milcząca dotąd Jemioła. W jej głosie drżał gniew. — A w każdym razie ich większość. I będą szukali nowej krwi.

— Oni nie potrzebują krwi, lecz ziemi, Jemioło. — Dębina spojrzała na swą ulubienicę smutno. — I nie dlatego mogą skierować oczy na nasze ziemie, że wyrżnęli północne plemiona.

— Wiem. Wystarczy im, że kraj nie ma króla.

— Owszem, kieruje nimi chciwość i zimna rachuba. Są jak wilki. Szukają ofiary, która nie potrafi się obronić. Osaczą ją i będą nękać, aż, doprowadzą do zguby. A potem będą rozrywać ciało na strzępy. W tym upatruję błąd kapłanów — w braku przenikliwości, w lekceważeniu zasad, które rządzą dzisiejszym światem. I w bezsensownym, według mnie, wezwaniu do nierównej walki. Ja nie wstydzę się przyznać do słabości, gdy wiem, iż nie mam wystarczających sił. Oni będą tak długo podburzać ludzi Starej Krwi strachem, aż ci chwycą za broń i staną do wojny, w której będą bez szans. Nie zgadzam się na rozlew krwi. Uważam, że krew trzeba chronić.

— Więc co mamy robić, Dębino? Mamy ukryć się w mateczniku i czekać? — zawołała Jemioła.

— Mamy nie pozwolić wyprowadzić się z równowagi — uspokoiła ją Dębina. — Dla ciebie zaś mam specjalne zadanie.

Dębina wyczekała, aż kobiety się rozejdą. Chciała mówić z Jemiołą na osobności, bo czuła, iż gniew w dziewczynie jest tak wielki, że w każdej chwili może wybuchnąć bez kontroli. Zielone oczy Jemioły płonęły, dłonie drżały, a serce biło chaotycznym rytmem.

— Przejdźmy się — zaprosiła ją i ruszyły w las.

Szły w ciemności w stronę Warty. Noc zapadła chłodna, wilgoć szła od rzeki. Nad ziemią unosiła się smuga błękitnej mgły.

— Twój bliźniaczy brat służył u Matki Jaćwięgów, prawda? — spytała Jemiołę, gdy stanęły nad brzegiem rzeki. Jej wzburzony, meandrujący nurt szumiał niespokojnie.

— Prawda.

— Chcę, byś z jego pomocą odnalazła Jaćwież.

— Nie wiem, gdzie dzisiaj jest Woran — wymijająco odpowiedziała Jemioła.

— Więc najpierw znajdziesz brata.

Jemioła żachnęła się.

— Ostatnio szukałam go kilkanaście lat.

— Teraz pójdzie ci łatwiej. Z nim, lub sama, udasz się do Jaćwie-ży i pomówisz z nią.

— Dębino, nie mogę — jęknęła Jemioła. — Nie mogę i nie chcę. Nie dawaj mi zadań ponad siły, proszę.

— A czego chcesz?

— Chcę zemsty — powiedziała cicho dziewczyna. — Nie dlate-go, że kochałam Przemysła. Chcę zemsty, bo jego śmierć była nie-sprawiedliwa i niepotrzebna. Sama to dziś powiedziałaś: kraj nie ma króla i to wystarczający powód, by Krzyżacy zagarnęli nasze ziemie. Pragnę ukarać tych, którzy stoją za jego śmiercią, by dać dowód, iż nie można bezkarnie...

Słowa więzły Jemiole w gardle, dławiły ją. Dębina przygarnęła dziewczynę ramieniem i czekała, aż puści tama, która trzymała jej łzy. W sercu wezwała Mokosz, by Matka Matek pomogła ukoić ten żal. Ale nawet gdy wezwała jej imię po trzykroć, w Jemiole wciąż płonął gniew i Dębina musiała zrobić coś, czego się po sobie nie spodzie-wała.

— Dobrze. Łamię wszystkie swoje zasady i zgadzam się na two-ją zemstę, Jemioło. Ale najpierw idź do jaćwieskiej Matki i pomów z nią.

— Jak każesz, Dębino. — Jemioła przylgnęła do niej całym cia-łem i otarła łzy. — Dziękuję.

— Dziewczyno, nigdy nie dziękuj za zemstę. Dziękuj za miłość, którą czułaś. I wierz mi, pewnego dnia przyjdziesz do mnie i znów zapragniesz wejść w wodę żywą. A teraz idź. Stań przed Jaćwieżą, pokłoń się jej, o nic nie pytaj, tylko usłysz, co ona mówi. Zapamiętaj każde jej słowo i przynieś mi je.

HENRYK, książę głogowski, chciał spod Krzywinia iść na swoje no-we ziemie, które wymusił od Władysława. Chciał udowodnić baro-nom Starszej Polski, jaki z niego pan! Nie dostał aż tak wiele, to praw-da. Ziemie do rzeki Obry, od źródeł do ujścia, ziemie za Notecią i Wartą po Drezdenko i prawo do wykupu kasztelanii zbąszyńskiej od królowej wdowy. W dodatku większość z tego, co mu ustąpił Wła-dysław, było już zajęte przez Brandenburczyków. Lecz nie w tym rzecz, najważniejsze, że książę kujawski musiał przyznać, iż to on,

Henryk głogowski, ma większe prawa do Starszej Polski. I co istotne, musi przekazać prawo do samego Poznania na małego Henryka. Dla tych dwóch zapisów było warto. Gdyby nie Bolke, który skoczył mu niczym wilk na odsłonięte księstwo, kiedy on sam negocjował pod Krzywiniem, wytargowałby od Władysława więcej. A tak? Zamiast ruszyć na Brandenburczyków i ogniem wykurzyć ich ze swoich, tak, swoich już ziem, musiał wracać i bronić ojcowizny. Lecz już postawił tu stopę, wbił tu chorągiew z czarnym orłem, więc wróci. Tylko pokona Surowego i wróci. Odesłał małego Henryka matce i wraz z wojskiem pod wodzą Ottona von Seidlitz ruszył na granice.

— Książę! Bolesławiec zajęty! Obsadzili je podwójnymi załogami. Bolke Surowy wrócił do Wrocławia.

— To paskudnie — skwitował von Seidlitz. — Wrocławia nie będziemy oblegać. Z tymi murami nie mamy szans.

— Książę! — Lutek Pakosławic i jego druh Henryk Hacke podjechali do Henryka z dwóch stron naraz, odgradzając księcia od wodza jego wojsk. — Ruszmy na Wrocław! Czy nie widzisz, książę, co się święci? Bolke rozpoczął z tobą wojnę o Śląsk! Po co nam Starsza Polska? Zostawmy ją Karłowi, walczmy o cały Śląsk!

— Zapominasz się. Miałeś nigdy tak nie mówić o księciu — syknął Henryk i wyminął Lutka.

Tak, wiedział, że to wojna. Ale nie o Śląsk, bo żaden z nich nie był na tyle silny, by narzucić swe panowanie dzielnicy. To wojna o prymat na Śląsku. I choć Henryk nie chciał jej przegrać, to jak żaden inny książę piastowski był realistą. Nigdy nie pragnął więcej, niż mógł mieć.

— Henryku! — Dogonił go von Seidlitz. — Nie słuchaj ich. To narwańcy. Lutek duszę by zaprzedał, aby zemścić się na Wrocławiu za ojca, a Hacke to jego czarny duch.

— Wiem — spokojnie odrzekł Henryk. — Nie mam zamiaru oblegać Wrocławia. Ale zamierzam urządzić Surowemu krwawy odwet. Nie mogę mu pozwolić, by najeżdżał mą ziemię i brał moje grody.

Otto von Seidlitz zaśmiał się, pokazując szczerbę po wybitym zębie.

— Krwawy odwet, mój książę? Obiecuję, że będziesz go miał!

I odwrócił się do jadących za nimi oddziałów głogowskich. Wskazał im majaczącą rzędem pagórków na horyzoncie granicę.

— Wojsko za swym księciem! — ryknął, unosząc ramię. — Palić i brać!

WŁADYSŁAW wracał spod Krzywinia wściekły. Wściekły na Głogowczyka, Brandenburczyków, na Leszka, na panów Starszej Polski i na siebie. Dał się przyprzeć do muru. Pozwolił wyprowadzić się z równowagi. Ale jedno jest pewne: kupił sobie czas.

Nim się rozstał z Bolesławem mazowieckim, na oczach jego wojsk ucałował ich sztandar, Madonnę na purpurze. A rycerstwo Bolesława skandowało:

— Wła-dy-sław! Wła-dy-sław! Wła-dy-sław! Sław! Sław! Sław!

Panowie Starszej Polski patrzyli na ten przejaw szacunku jego wojennych druhów i może coś do nich dotarło. Nie odzywał się do żadnego z nich przez całą drogę do Poznania. Odprowadzili go na Wzgórze Królewskie. Gdy tylko przekroczyli bramę zamkową, krzyknął do swych kujawskich rycerzy, że mają rozkładać jego namiot na dziedzińcu.

— Jakże to, panie? — spytał niespokojny kasztelan poznański, podjeżdżając do niego zbyt blisko.

Rulka wyciągnęła szyję i obnażyła zęby. Wałach kasztelana cofnął się. Władek uniósł się w ostrogach i powiedział spokojnie, choć głośno:

— Za dwa dni oczekuję uroczystej elekcji od wszystkich baronów Starszej Polski tu, na królewskim zamku.

— Elekcja już była — bąknął wojewoda gnieźnieński.

— Ma się odbyć tu — skończył rozmowę z nimi Władysław.

W nocy, gdy kładli się spać, Pawełek Ogończyk powiedział:

— Pół życia w siodle, drugie pół w namiocie. Mogliśmy przynajmniej zostać pod Poznaniem, twardo nam będzie na zamkowym bruku.

— To sobie podłóż płaszcz — rzucił mu Władek.

— Zaciąłeś się, książę, co? — Chwał Doliwa podał kielich z winem.

Służba zamkowa przyniosła im wieczerzę do namiotu, a do niej dzbany z winem, kosze suszonych owoców w miodzie. Królewska uczta, tyle że na dziedzińcu. Władysław nie odpowiedział na zaczepkę Chwała, lecz spytał:

— Dobiesław ruszył na Węgry?

— Ruszył, ruszył. Ale czy coś załatwi? Fenenna nie żyje, nie w porę się jej zmarło, biedaczynie. — Pawełek mościł się na baraniej skórze i płaszczu.

— Fenenna nie była żadną biedaczyną, tylko królową węgierską — ostro skarcił go książę. — A Węgrzy nigdy nie odmówili mi pomocy. Ja im też.

— Prawda — przyznał Szyrzyk Doliwa. — Jak król węgierski nie da wojska, dadzą panowie. Amadej Aba, Mateusz Czak.

Władysław rozprostował obolałe plecy, uderzył dłońmi w kolana i powiedział:

— Za cztery tygodnie będę miał druhów Madziarów pod bokiem. — Wstał. — Madonna na purpurze z Bolesławem mazowieckim, wy, najwierniejsi z wiernych, i czego nam więcej trzeba? Skończą się błota i roztopy. Pogonimy Głogowczyka w śląskie góry, a jego synek będzie się ze strachu darł! Daj jeszcze wina, Chwale, daj! Ruder, kanclerzu! Czym się znów martwisz?

— Jak chcesz, żebym mówił prawdę, to wszystkim.

— Czyli niczym! — zarechotał Pawełek spod płaszcza.

— Zrób z człowieka kanclerza, a zaraz zaczyna zrzędzić — zawtórował mu Władek. — Przestanę cię zabierać ze sobą.

— Nie, książę — poważnie odrzekł Ruder. — Ty nie możesz być teraz sam.

Na zamek wkroczył, wiedziony przez kasztelana Poznania, ledwie żyw, stary biskup Jan; słaniał się, ale szedł. Po stromych stopniach, na górę, do najwyżej położonej Okrągłej Sali, bo Władysław powiedział, że mają być wszyscy. I byli. Tylko arcybiskupa Jakuba Świnki zabrakło, ale jego obecności oczekiwał dopiero w katedrze gnieźnieńskiej, jak przyjdzie ten czas. Zmarszczył czoło, wchodząc do reprezentacyjnej wielkiej komnaty. Nie spodziewał się, że będzie spowita w czerń. Na ziemistym suknie krwawo odciskała się chorągiew Królestwa. Zawieszona tak nisko, że biały orzeł skrzydłami dotykał posadzki. Władek skrzywił się. Ktoś mógł o tym pomyśleć, zdjąć te ponure czernie, bo przecież idzie nowy, przyszły król!

Przywiedli go do tronu Przemysła. Usiadł. W milczeniu nałożyli mu na ramiona płaszcz i diadem książąt Starszej Polski. Diadem, na którym orzeł rozkładał skrzydła. I ukłonili się przed nim do ziemi.

— A teraz zdejmijcie ze ścian żałobę! — rozkazał im Władysław.

— Książę — zaprotestował najważniejszy z kasztelanów, poznański. — Tak nie wolno! Żałoba jeszcze trwa...

— Zdejmiemy dopiero jak będzie nowy król — twardo oświadczył Beniamin Zaremba.

— Już jest książę! — uniósł głos Władysław, ale złowiwszy ostrzegawcze spojrzenie Rudera, zniżył ton. — Zaraz będzie i król.

Odpowiedziało mu milczenie. Nie mógł go znieść, więc zaczepnie krzyknął:

— Wezwaliście mnie na tron. I dzisiaj ponowiliście zaproszenie. Umowy z Krzywinia traktuję jak niebyłe. Zbiorę posiłki i odbiję księciu Głogowa pół Starszej Polski, Brandenburczykom zachodni kraj.

— A Leszkowi Pomorze? — powątpiewająco zapytał Andrzej Zaremba.

— Tak!

— Zatem, książę, gdy tylko Królestwo odzyska swe ziemie, koronujemy cię — oświadczył Andrzej i zawtórowały mu pomruki z głębi sali.

— Ale żałobę zdejmiecie natychmiast! — Władek zerwał się z książęcego paradnego krzesła.

— Jak sobie życzysz — wycedził kanclerz.

W Okrągłej Sali zaszumiało. Panowie szeptali między sobą. Zaremba musiał dwa razy przywoływać ich do porządku. Słudzy wezwani do zdjęcia żałobnego sukna przepychali się pomiędzy możnymi, jakby ci nie chcieli ich przepuścić. Przyniesiono wysokie stołki, słudzy wdrapali się na nie, by odwiązać czarne sukno. I wtedy stało się. Chorągiew Królestwa spadła z łoskotem na kamienie posadzki. Przez zgromadzonych przeszedł jęk. Władysław krzyknął:

— Podnieść chorągiew! Natychmiast!

I rzucili się ku niej bracia Doliwowie, Polubion i Chwał.

— Zbrukana... zbrukana... — usłyszał szept.

— Znieważona... zerwana...

— Zły znak...

Doliwowie unieśli chorągiew, ale w zgromadzeniu głos dołączał do głosu:

— Zły znak!

— Zły znak!

Struchlała służba dalej odczepiała żałobne sukno. Gdy opadło na dół, kamienne ściany wydały się nagie. Z Okrągłej Sali zrobiła się kwadratowa wieża. A przecież zawsze taką była! Swą nazwę zawdzięczała barwnym gobelinom, które Przemysł kazał rozwiesić wokół sali tak, iż tworzyły okrąg, rozjaśniany dodatkowo światłem płynącym z umieszczonych wysoko wąskich okien. Teraz nawet tego światła nie było. Pochmurne wiosenne niebo zwiastowało deszcz.

— Ludzie! — zawołał Władysław. — Rycerze i panowie moi, opanujcie się! Nie wierzę w żadne znaki, dobre czy złe! Doliwowie! Zawiesić z powrotem chorągiew Królestwa!

Polubion i Chwał zrobili to szybko, najszybciej, jak się dało, pośród rozgorączkowanego i trudnego do okiełznania tłumu. Ledwie jednak zawisła, a kasztelan krzyknął:

— Wody! Biskup poznański zemdlał! Wody!

W tej samej chwili pod sklepieniem wieży załopotały skrzydła. Lecz nie były to, jak jeszcze miał nadzieję Władek, skrzydła królewskiego orła. Nie. To były wrony, dziesiątki wron, które wlatywały z zewnątrz, jak w ucieczce, bijąc skrzydłami w ogłupiałej panice i odbijając się chaotycznie od ścian. Usłyszeli grzmot. Błysk pioruna i strugi ulewnego deszczu wlały się przez wysoko umieszczone okna. Ze wszystkich stron naraz, jakby nawałnica, która się rozpętała nad Poznaniem, szła z każdego możliwego kierunku.

— Wody! — raz jeszcze zawołał kasztelan, choć ta lała się strugami z góry.

Baronowie stali mokrzy. Stali i patrzyli na Władka. Na jego zmokły książęcy płaszcz. Na zmokłą chorągiew zawieszoną ledwie co przez Doliwów. Na wrony obijające się o ściany.

Władysław wstał i powiedział dobitnie:

— Nie ma żadnych znaków. To wiosenna burza. A ja, wasz książę, nie boję się burz!

I wyszedł.

MICHAŁ ZAREMBA słyszał grzmoty. Mur wieży, w której lochu siedział, przenosił dźwięki i zdawało się, że wieża rusza się w posadach. Przy kolejnym gromie rozbłysło. Zmrużył oczy. To nie błyskawica, to światło z podniesionego włazu. Poruszył się. W dół zsunęła się niemal bezszelestnie sznurowa drabina. Światło raziło go w oczy tkwiące cały czas w mroku. Na drabinie zamajaczył zielony kształt sukni i czarny płaszcza. Sukni? Chyba mu się śni. Nie, nie śni się. Ktoś ubrany na zielono lekko i wprawnie schodził z drabiny, trzymając w dłoni obciągniętą wyprawioną skórą lampę.

— Michale?

Rozpoznał głos Kaliny, piastunki małej królewny. Poświeciła sobie lampą. Jej blady, stłumiony blask wydawał mu się niemal jasnością rażącą oczy.

— Tu jestem — szepnął i podniósł się.

Nie trzymali go w łańcuchach. Mógł chodzić, stać.

Klapa włazu cicho się zamknęła.

— Jesteś sam? — spytała Kalina, poruszając lampą, jakby chciała oświetlić cały loch.

— Nie licząc szczurów, myszy, pająków i robactwa, tak. Jestem sam.

Podeszła do niego. Uchylił twarz przed światłem.

— Lada dzień wyjeżdżam z królową i Rikissą do Brandenburgii.

— Z Rikissą? — zdziwił się.

— Tak. Na dwór jej narzeczonego Ottona.

— Ach, tak, przepraszam. Siedzę w mroku i mój umysł gnije.

— Nie mów tak — ostro skarciła go Kalina. — To ty zdecydujesz, czy tu zgnijesz, czy wyjdziesz stąd żyw. Przychodzę w imieniu Rikissy.

— Domyślam się, że sama nie miałaś ochoty tu przyjść.

— Kiedyś nie byłeś taki zgryźliwy.

— Kiedyś nie siedziałem w lochu.

— Mała królewna martwi się o ciebie. Powiedziała, że o tobie nie zapomina nawet na jeden dzień.

Przełknął ślinę. Poczuł się jak tkliwy głupiec.

— Kazała przekazać, że zrobi, co w jej mocy, by cię uwolnić. Ale teraz, kiedy wysyłają ją do Brandenburgii, to nie będzie proste. Przysłała mnie. — Kalina przysunęła się do niego.

— Nie rozumiem.

— Gniezno. Przypomnij sobie, kto uwolnił młodego Przemysła, gdy stryj zamknął go, byście nie pojechali do Wrocławia.

— Służka — odpowiedział. Coś mu zaświtało w głowie, ale odpędził tę myśl jako niedorzeczną.

— Ja.

— To nie mogłaś być ty. Dwadzieścia pięć lat temu? Nawet dzisiaj nie masz tylu.

— Mam o wiele więcej, Michale, niż ci się zdaje.

— Bzdura.

— Nie chcesz, to nie wierz. Twoja sprawa. Królewna jest innego zdania, skoro przysłała mnie do ciebie.

— Żebyś mnie stąd wyciągnęła? Jak?

— Tak, jak od dziesiątek lat kobiety wyciągają mężczyzn z więzień, Michale. — Uśmiechnęła się do niego i wyciągnęła rękę. — Potrzymaj lampę.

Wziął ją, ale odsunął od siebie na bok. Kalina w jednej chwili zrzuciła płaszcz, a potem równie szybko suknię. Stała przed nim naga i śmiała się.

— Na co czekasz, Michale Zarembo? Przebieraj się.

— Oszalałaś? Mam wyjść w twojej kiecce? Z tą brodą? Nie widzisz, że zarosłem tu jak pustelnik?

— Widzę, że zdziczałeś jak pustelnik — hardo odrzekła dziewczyna. — Zakładaj moją suknię, na głowę kaptur i wyłaź, póki wszyscy są zajęci elekcją.

— Jaką elekcją?

— Księcia Władysława.

— Więc na zamku są wszyscy baronowie Starszej Polski! — Roześmiał się Michał ponuro. — Jednak zwariowałaś, jeśli wyobrażasz sobie, że mógłbym jako baba z brodą wydostać się w taki dzień.

— Przeciwnie. Jeśli już, to dzisiaj, gdy panuje zamieszanie. No, dalej, bo mi zimno. Oddawaj mi swój kaftan.

— A ty? Chcesz tu zostać za mnie?

— Jutro, jak przyjdą dać ci posiłek, podniosę lament, że mnie zniewoliłeś — roześmiała się. — Wypuszczą mnie.

Michał bił się z myślami. Postawił lampę na ziemi i podniósł jej płaszcz. Okrył ramiona dziewczyny.

— Nie, Kalino. Nie mogę uciec jak tchórz. Mój honor rycerski mi nie pozwala.

Kalina nieoczekiwanie złapała go w pasie i przyciągnęła do siebie. W jego nozdrza wdarł się słodki, ciepły zapach kobiety. Ze zgrozą pomyślał o tym, jak sam musi śmierdzieć. Chciał się jej wyrwać, ale Kalina była wysoka i silna. Objęła go ramionami i szepnęła wprost do jego ust:

— Zapomnij o honorze i ratuj życie, Michale.

Wcisnęła wargi w jego usta, chciał się odwrócić, uchylić, myślał o tym, że cuchnie, a ona taka piękna, wonna, naga. Zamiast tego oddał jej pocałunek. Kalina całym ciałem przywarła do niego i pchnęła na snopek słomy. Przytomnie pociągnął ją na drugi, szepcąc:

— Ten jest czysty, przynieśli wczoraj.

Roześmiała się tym swoim śmiałym, pozbawionym wstydu śmiechem.

— Ach, te wasze dworskie uprzedzenia! Czystość i brud! Honor rycerski...

Rozwiązywała mu kaftan, ściągała nogawice. Pomagał jej. Od tak dawna nie był z kobietą, że bał się, co z tego wyniknie. Burza wróciła ze zdwojoną mocą. Grzmoty słychać było z każdej strony lochu, jakby nawałnica otoczyła zamek. Lampa, którą zostawili na środku lochu, dawała dość światła, by widział jasną plamę jej ciała, ale nie mógł dostrzec barwy oczu. Nie pamiętał jej. Podłożył płaszcz, by słoma nie kłuła jej nagich pleców, i ta chwila, gdy oderwał się od jej uścisku, sprawiła, że się zawahał. Czy na pewno tego chce?

Kalina nie czekała. Pociągnęła go na siebie gwałtownie, zdecydowała za niego.

— Chodź, Południowy Wichrze, chodź!

Wtargnął w nią jak najeźdźca. Kalina nie oddawała mu się. Kalina go brała na równi, tak samo gwałtownie, jak on ją. Na jego pchnięcia odpowiadała ruchem bioder, na pocałunki ugryzieniami. Zacisnął palce na jej sutkach, ona na jego. Widział jasne białka jej otwartych oczu, rozchylone usta. Grom. Za gromem grom. Namiętność obudziła w nim człowieka. Zapomniał, że jest w lochu. Był wolny, był Południowym Wichrem, który może mknąć, gnać, szarpać. Wokół nich szalała potworna burza, jakby wszystkie pioruny upodobały sobie zamkową wieżę, a on czuł, jak nawałnica w nim narasta. Jakby z wnętrza jego ciała chciał się wydostać ktoś inny. Zdawało mu się, że jego ciało jest pochwą, którą przecina ostry nóż. Ból i rozkosz mieszały mu się w jedno, oszałamiające uczucie, zawył, a Kalina mocno unosząc biodra, wbiła palce w jego pośladki. Grom. Trwali tak w uścisku jak zawieszeni w powietrzu. W gardle czuł ogień. Dziewczyna pod nim opadła. Został na kolanach. Poczuł woń dymu. Może piorun coś zapalił?

Dyszeli ciężko. Kalina pozbierała się pierwsza. Wstała, zabierając ze słomy płaszcz, i rzuciła go na jego plecy.

— No, dalej. Ubieraj się, Michale Zarembo. Czas wyjść na wolność.

Wstał. Poszedł do ściany, przy której stał dzban z wodą. Pił. Pił.

— Nie zmieniłem zdania, Kalino. Nie wyjdę w przebraniu. Opuszczę loch jako Michał Zaremba, nawet jeśli to będzie droga pod katowski miecz.

Kalina wciąż jeszcze naga przysunęła się do niego i przylgnęła do jego pleców, dłoń wsuwając między jego uda. Nie odwracając się do niej, syknął tak nagle, że sam wystraszył się swego głosu.

— Nigdy więcej tak ze mną nie rób. Budzisz we mnie kogoś innego, obcego. Kogoś, kogo nie chcę znać.

VÁCLAV II spotkał się z królem Niemiec, Adolfem z Nassau, w klasztorze. Nie brał ze sobą Guty, by jego habsburska małżonka nie kłuła nowego sojusznika w oczy swym pokrewieństwem z największym wrogiem niemieckiego króla, Albrechtem Habsburgiem. Zresztą Guta była w połogu, po tym jak powiła córkę. Dał jej na imię Małgorzata, choć Guta upominała się, że ona chce też mieć córkę swego imienia, tak jak on ma Václava III. Powiedział jej:

— Jedną już miałaś i ci zmarła.

Więc Guta obraziła się i zgodziła na Małgorzatę. Bardzo ładna dziewczynka. Václav oznaczał ją zgiętym palcem, jak te wcześniejsze.

— Mój drogi, szlachetny przyjacielu! — powitał Adolfa z Nassau pocałunkiem w powietrze, ale blisko jego policzka.

A potem przez cały wieczór był czarujący i miły, tak miły jak złoto. Ale też złotą cenę miały negocjacje z Adolfem, które się właśnie skończyły.

— Václavie II. Moją wolą jest, byś w uznaniu za wierność wobec korony Świętego Cesarstwa Rzymskiego koronował się na króla Czech. — Adolf wzniósł toast.

Václav uśmiechnął się ujmująco i wypił. Za to mógł wypić. Uścisnął także dłoń Adolfa, kiedy się żegnali, ponownie ucałował powietrze koło jego policzka i udając żałość z rozstania z „najbliższym sojusznikiem", pomachał mu na drogę. I to było wszystko, ani chwili więcej tej obłudy by nie zniósł. Poszedł do celi, którą mu przygotowali zakonnicy, padł na łoże i rozmasował obolałe od ciągłego uśmiechania się szczęki.

Sługa musiał go rozbierać leżącego.

— Człowiek z ciebie rycerski, Adolfie z Nassau, ale polityk kiepski! Nie będziesz nigdy cesarzem, bo nie potrafisz podlizywać się elektorom, łgać jak z nut i nie masz z czego im płacić, ot co! Ale po dziesięciu latach czekania na zgodę wziąłbym koronę i od samego diabła. Łaski mi nie robicie, królowie niemieccy, bo to nie wasza korona, ale Przemyślidów! Moja własna! Ondriczku, powiedz, dlaczego ten świat jest tak urządzony, że nad każdym panem jest jakiś inny pan? Nad królem Czech król Niemiec, nad królami cesarz, a naprzeciw niego papież! — Zderzył dłonie.

— Ja nie wiem, ja jestem sługą — odparł Ondriczek, ściągając mu buty.

Václav roześmiał się dźwięcznie.

— A ja wiem. Ale ci nie powiem, Ondriczku, bo to słudze do niczego niepotrzebne.

Pomasował czoło. To czoło, na które niedługo włoży koronę. I westchnął.

— Zapłaciłem Adolfowi Agnieszką. Ma sześć lat, niech się w końcu ojczulkowi przyda córeczka, co? Ten jego Ruprecht z Nassau jest w jej wieku. Ładnie się będą bawić w męża i żonę, jak my z Gutą. Też nas zaręczyli, jakeśmy byli dziećmi. Nie, nie oddam jej, póki nie dorośnie. Mnie też stary Habsburg Gutę długo nie oddawał, trzymał ją w Wiedniu i sposobił do małżeństwa. Cokolwiek to nie znaczy, ja też będę moją Agnieszkę sposobił. Charakter odziedziczyła po matce, więc będzie moim szpiegiem na dworze Adolfa. Córki to dobra rzecz. Masz, Ondriczku, córkę?

— Nie, panie. Żony też nie mam.

— Ha, ha! A wciąż wierzysz plebanowi, że dzieci wychodzą tylko z żoną? Weź sobie jakąś dziewkę z kuchni i sprawdź. Powiesz mi potem, jak ci poszło.

— Jak sobie życzysz, panie. Czy kaftan zdejmować?

— Tak. Rozdziej mnie. Wielki Post się skończył, a ja już tęsknię za biczowaniem. Wysmagasz mnie nieco, Ondriczku.

Pokojowiec się wzdrygnął, jakby tego nie lubił. Ale Václav był zbyt zmęczony, żeby umartwiać się własną ręką. Poza tym sam zadawał sobie razy trochę za mocno, trochę bez pamięci. Słudzy robili to lekko, nieśmiało i tego mu dzisiaj było trzeba, nic więcej. Jutro musi wracać do pracy, do przejrzenia spraw śląskich, bo mu się tam zanadto książęta wymykali spod kontroli. Posłał już po Bolka Opolczyka, wiernego wasala. Niech śląski orzeł na błękicie nie zapomina. Przecież każdy pan ma pod sobą innego pana.

MAŁGORZATA źle zniosła podróż. Kolebka trzęsła na wybojach i raz po raz zapadała się w błocie, aż z małą Rikissą obijały się o siebie. Przez większość czasu prześladował je deszcz. Ziąb, błoto i deszcz. Na postojach Małgorzatą wstrząsały torsje. Gdy wsiadała do kolebki, przeszywał ją dreszcz. Ukojenie znajdowała jedynie w snach. Tam spotykała się z Przemysłem. Odnajdowała go takim, jakim chciała go pamiętać. Czułym, delikatnym, pięknym. Nie, nie pamiętała mu tego, iż nie brał jej do łoża miesiącami. Ani tego, że w dniu ich ślubu ustanowił fundację na rzecz zmarłej żony. Ani że kochał tamtą nawet po jej śmierci. Małgorzata potrafiła pamiętać tylko to, co dobre. Pamiętała koronację, gdy pocałowali się po raz pierwszy jako królowa i król. Jego i swoją białą szatę, orła, który okrył go skrzydłami jak płaszczem. I tę noc po uroczystościach, kiedy przyszedł do jej łoża i wziął jej dziewictwo, jakby to był prezent, jaki dać mogą sobie tylko władcy. Dłonie, którymi odnalazł ją pod sukniami; dłonie, które zamieniły Małgorzatę w kobietę, ucząc rozkoszy, oswajając z nią. Jego śmiech, kiedy odgarniał włosy za ucho, albo zarys szczęki, prostą linię nosa, wypukłość czoła. Profil Przemysła znała na pamięć. Kiedy siedzieli jedno obok drugiego, krzesła odsunięte na odległość wyciągniętego ramienia — była mistrzynią spojrzeń z boku. Patrzyła, kontemplowała, czciła, mogłaby się do niego modlić, gdyby nie lęk, że to jednak grzech.

Powrót do rodzinnego domu napawał ją lękiem. Salzwedel. Wielkie, zimne zamczysko, w którym mieszkali wszyscy. Jej ojciec, schorowany margrabia Albrecht, dwaj młodsi braciszkowie — Otto i Jan. Siostry Beatrycze nie zastanie, wyjechała, wydana za Henryka Lwa. Tego samego szalonego rycerza, którego siostra Lukardis była pierwszą żoną jej Przemysła. Dziwnie się plotą losy. Złotowłosa Lukardis już nie żyła, gdy jej brat brał Beatrycze za żonę. Nie będzie w Salzwedel żadnej z jej rówieśnic, kuzynek. No może Judyta? Bo starsze wydane. Beatrix za Bolke Surowego ze Śląska, Matylda, najpiękniejsza z nich wszystkich, Matylda... Ach, ona też może tam być. Spotkają się dwie wdowy po Piastach. Matyldę uszczęśliwił nieżyjący piękny książę Wrocławia, rycerz i minezinger Henryk. Zmarł otruty i słodka Matylda chyba wróciła do Salzwedel. Chociaż ona. Obawiała się spotkania ze stryjem, Ottonem Długim, i jego wyniosłą żoną, Juttą z Hannenbergu. Tak jak i ich syna Hermana, ale o nim wiedziała, że wyjechał do Koburga objąć rządy, co za ulga.

Nie spotka też najmłodszego z braci ojca, Ottona zwanego Małym, bo służy u templariuszy i kto wie, dokąd zawiały go wojenne wiatry. Nie bała się spotkania z ojcem, nawet nie miała pewności, jak głęboko został wtajemniczony. Tym, co napawało ją największym lękiem, był stryj Otto Długi, i jego siostra, księżna Szczecina i Zachodniego Pomorza, Mechtylda Askańska. Na samo jej imię Małgorzatę przechodził dreszcz.

„Greto!" — tak do niej powie. I wszystko, co będzie miłe lub dobre, współczujące czy troskliwe, w ustach Mechtyldy zamieni się w zimne kłamstwo. Każda z nich, każda z jej sióstr i córek stryjów, musiała przejść przez szkołę Mechtyldy. Nazywała je „czerwonymi orliczkami" i wychowywała, by przyniosły chwałę Brandenburgii. Biada tej, która popełniła błąd. Księżna Askańska ceniła wyłącznie zwycięzców. Małgorzata pamięta, jak Mechtylda potrafiła dotkliwie karać nawet rodzone córki. Na samą myśl o spotkaniu z nią żołądek zaciskał jej się w twardy węzeł.

— Greto! — usłyszała ten metaliczny głos, ledwie wysiadły z Rikissą z kolebki.

I poczuła się jak mysz, którą wypatrzył polujący sokół. Na dziedzińcu prócz straży i służby nie było żadnej przyjaznej duszy. Tylko Mechtylda i Otto Długi.

— Gdzie mój ojciec, bracia? — spytała, nadając głosowi oficjalny ton. W końcu nie jest już dziewczynką. Jest królową-wdową.

— Niedomaga! — W głosie pomorskiej księżnej zabrzmiało ledwie skrywane lekceważenie. — Jan i Otto są z nim. Gdzie mała dziedziczka? — Mechtylda niczym drapieżny ptak przekrzywiła głowę. Czerwony orzeł na piersi jej sukni też.

— Narzeczona mojego brata, królewna Rikissa — odpowiedziała Małgorzata, gdy sługa postawił małą przy niej.

Mechtylda zrobiła ku niej krok i wyciągnęła ramiona.

— Zachwycająca! Witaj, Rychezo. Pozwolisz, że będziemy teraz mówili na ciebie Rycheza? Tak miała na imię pewna...

— Siostrzenica cesarza, która poślubiła naszego króla Mieszka II — odpowiedziała grzecznie Rikissa i skinęła Mechtyldzie główką, jakby ta była ledwie damą jej dworu. — Wygnali ją z Polski — dodała, nabrała tchu i wyrecytowała: — Była także Ryksa, córka polskiego króla, która została szwedzką królową, żoną Swerkera i Magnusa, dwóch moich przodków. I Ryksa, z domu księżniczka śląska, a po mężu cesarzowa hiszpańska. Jeśli tak będzie dla was przyjemnie, to proszę. Ja będę mówić o sobie tak, jak nazywali mnie w domu.

— Czyli jak?

— Rikissa Trzy Lwy — odpowiedziała królewna i Małgorzata po raz pierwszy w życiu widziała Mechtyldę zmieszaną.

— Zatem witaj, Rikisso Trzy Lwy — zastąpił ciotkę Otto Długi i pochylił się, by podać małej rękę. — Chcemy, by Salzwedel stał się twoim domem.

— Dziękuję. Gdzie mój dwór? Dlaczego mnie nie wita?

Teraz zawstydził się Otto Długi.

— Nie spodziewaliśmy się, że tak szybko przyjedziecie — odpowiedział. — I twój dwór jeszcze nie jest gotowy. Ale daj nam dzień, dwa, a przedstawimy ci najlepsze córy Brandenburgii.

Rikissa skinęła głową.

— Zgadzam się. Mam też własną służbę. Kalino! — zawołała swoją piastunkę.

— Nasz burgrabia cię odprowadzi, Rikisso — ukłonił się jej Otto.

Za Rikissą ruszyła poznańska służba, a Małgorzata widziała, że Mechtylda uważnie lustruje orszak królewny. Uwagę księżnej przyciągnęła skromna postać Kaliny skrytej pod prostym płaszczem z wielkim kapturem.

— Stój — zatrzymała ją Mechtylda. — Ty jesteś piastunką?

— Tak, pani — skłoniła się Kalina.

— Więc proszę, byś poszła teraz do mojej ochmistrzyni. Helga zapozna cię z obowiązkami tego dworu. Helga! — z klaśnięciem przywołała jakąś kobietę w niemal czarnej sukni, a ta ujęła Kalinę pod łokieć i odprowadziła osobno.

Gdy królewna zniknęła i na dziedzińcu opustoszało, Małgorzata poczuła węzeł żołądka jeszcze wyżej. Oczy Mechtyldy odzyskały już pewność siebie i skierowały się na nią.

— Greto, idziemy do orlej wieży. Czas pomówić.

— Chciałabym odpocząć po podróży — spróbowała uniku.

— Naturalnie, w twoim stanie to nawet konieczne. — Mechtylda uśmiechnęła się do niej nadspodziewanie miękko. Tak przyjaźnie, że Małgorzata się wystraszyła.

— Ottonie, towarzysz nam do wejścia. Pójdę z naszą miłą Gretą do jej komnat. Spotkamy się w orlej wieży później.

Dziedziniec, który zapamiętała sprzed wyjazdu jako niezmiernie duży, teraz wydał się mały jak podwórko. Już weszli w zimne mury zamku, już owionął ją ten wilgotny zapach kamieni. Ze ścian wyciągały się ku Małgorzacie ostrza dawnych mieczy, przykurzone tarcze, z których biły skrzydłami czerwone orły. Wydawało się jej, że każdy z nich ma na szponach i dziobie krew Przemysła. Szła wolno, bo żaden skazaniec nie spieszy się do miejsca kaźni. Słyszała brzęk ostróg Ottona i elegancki szelest sukien Mechtyldy. Co jej mogą zrobić? Czy odważą się nastawać na nią tu, pod bokiem ojca? Nagle poczuła lęk. Czy jej ojciec w ogóle jest tutaj? Nie widziała go przecież. A jego choroba? Czy przyszła z wieku, z natury czy może...? Z zamkowej kuchni snuła się woń przypiekanej na rusztach dziczyzny. Małgorzata poczuła, jak wszystko podchodzi jej do gardła. Przykryła usta dłonią. Bała się zwymiotować.

— Wolniej! — krzyknęła Mechtylda i już była przy niej.

Pochylała się nad Małgorzatą z troską.

— Źle się poczułaś, Greto?

— Tak, ciotko.

Mechtylda objęła ją ramieniem i wąską dłonią nacisnęła lekko na brzuch Małgorzaty. Nieoczekiwanie pocałowała ją w policzek i szepnęła:

— Ach, już się nie mogę doczekać. Przywiozłaś nam w prezencie dziedzica... dziedzica korony...

Małgorzacie czarne i czerwone plamy zawirowały przed oczami. Ostatnie, co pamięta, to chłód posadzki, o którą, upadając, uderzyła głową.

LESZEK, książę inowrocławski, jechał konno brzegiem Wisły. Żółty, lepki piach spod kopyt; siwa woda rozbryzgiwana przez silne nogi klaczy. Gryf, czarny rodowy gryf, leciał nad jego głową, krzycząc wniebogłosy. Odkąd przyjechał na Pomorze, puszczał gryfa wolno, by ten mógł latać i nurkować w falach; przynosić w hakowatym dziobie lśniące ryby. Gryf kochał Gdańsk, ale Leszek naznaczy stryjowi spotkanie w Tczewie. Tu stare pomorskie rody czciły imię Sambora i nie zapomniały matki Leszka, Salomei. Gdańsk otworzył przed nim swe bramy, ale Gdańsk jest kapryśny, wszyscy to wiedzą. Gdańsk się ceni, otacza przywilejami, zasłania prawem portowym. Mieszczanie gdańscy mają w kantorach denary z całej Europy. Mają beczki tłustych, błękitnych śledzi i sztokfisze. Składy pełne sukna, plastrów miedzi, bochnów ołowiu, bałwanów soli, brył jantaru i kunich skórek. Lakowane dzbany słodkich win, suszone daktyle, beczki zielonego miodu. A w głowach szlaki handlowe, imiona zamorskich kupców od gorącego południa do mroźnej północy. I pilnują tych tajemnic, tych niewidzialnych nici łączących ich ze światem, nie mniej pilnie niż samych skarbów. Gdańsk jest jak kupiec — nigdy nie mówi „nie".

„Chcesz być naszym księciem, naszym panem, Leszku? Chcesz od nas podatki, cła portowe, książęcą część naszych zysków? Z przyjemnością, Leszku, lecz powiedz, co nam dasz w zamian? Jak ochronisz nasze statki na obcych wodach? Jak strzec będziesz naszych praw wobec innych portów? Jak?".

Otworzyli przed nim bramy, nie powiedzieli „nie", lecz czekali, co on może im dać.

Taki jest Gdańsk, a Tczew jest inny. Tczew wszystko zawdzięcza Samborowi i nie udaje, że sam się stworzył, nie. Tczew pamięta, że to jego dziad uczynił go tym, czym jest, przenosząc tu stolicę księstwa. Komora celna na Wiśle, port pełen statków, własna mennica i tczewski denar. Rada Miasta rozpoczynająca każde obrady od wezwania imienia księcia dobrodzieja. Lecz wyniosły Gdańsk, stary dobry Tczew i obronne, strojne w solne składy Świecie to jedna tylko część Pomorza. Druga to baronowie Bałtyku. Nikt nie będzie władał Pomorzem, póki nie otworzą dla niego swoich serc. Leszek, choć przed jego czarnym gryfem z szacunkiem skłonili głowy, wiedział, iż jeszcze ich nie przekonał do siebie. Mówią do niego „książę", lecz czuł, że kryje się za tym coś więcej, czego wciąż nie umiał nazwać.

— Jadą! Jadą, mój książę! — usłyszał daleko za plecami głos Patka. Leszek zawrócił klacz i ruszył ku jadącemu do niego giermkowi.

— Jadą, książę! Zbrojni! Na ich czele twój stryj!

— Daleko?

— Pół dnia drogi od Tczewa.

— Nasi gotowi? — spytał, mocniej uderzając końskie boki.

— Gotowi!

— A dużo ich?

— Czcibor mówi, że duża setka.

Odetchnął. W głębi duszy bał się, że stryj przyjedzie z wielkim wojskiem. A jeśli to tylko straż przednia? — znów pod sercem odezwał się lęk.

— Gryf! — Gwizdnął na herbowego. — Gryf!

Już kopyta jego klaczy zadudniły po moście nad fosą. Zatrzymał się. Jest! W ostatniej chwili przed zamknięciem bram gryf wylądował na jego piersi.

WŁADYSŁAW stanął pod murami Świecia. Nie miał ze sobą machin oblężniczych i uważał, że i bez nich Leszek podda się.

— Otwierać bramy! — krzyknął herold. — Książę Królestwa Polskiego, pan Starszej Polski, Pomorza, Sieradza, Łęczycy i Kujaw, Władysław Kazimierzowic, żąda, by otworzyć bramy przed jego majestatem!

Rulka zarżała. Władek zmrużył oczy. Herold powtórzył. I znów cisza. Książę wstrzymał go ruchem ręki i sam krzyknął do ukrytego za bramą bratanka:

— „Pod wiatr"!

Słysząc swoje zawołanie, kujawskie rycerstwo Inowrocławia za murami Tczewa odpowiedziało bratnie:

— „Pod wiatr"!

I wojsko Władysława zagrzmiało:

— „Pod wiatr"!

Gdy umilkli, na murze zagrał róg, mała brama otworzyła się i konno wyjechał Leszek. Sam.

— Stryju.

— Bratanku.

Wystarczyło, by Władysław spojrzał na Leszka, a odeszła od niego cała złość. I zamiast krzyknąć: „Co ty wyprawiasz, smarkaczu, otwieraj, bo już mnie wyprowadziłeś z równowagi!", powiedział:

— Przejedziemy się?

Leszek skinął mu głową i ruszyli, sami dwaj, w stronę Wisły. Jak tylko oddalili się, jak owionął ich wiatr znad rzeki, Władek puścił wodze, wysunął nogi ze strzemion i mocniej objął Rulkę kolanami. Klacz roześmiała się rżeniem i wstrząsnęła grzywą. Klacz Leszka przygryzła wędzidło.

— Matka cię napuściła, tak? Salomea i jej czarne wizje? Sypia jeszcze?

— Sypia w dzień — cicho odpowiedział Leszek.

— Karmi gryfa surowym mięsem?

— Nie wiem. — Leszek sięgnął do piersi i gryf ostrożnie przeszedł na jego rękawicę. — Chcesz, to go spytaj — uśmiechnął się blado i pozwolił herbowemu odbić się od rękawicy i wzlecieć. — Ja pozwalam mu polować. Lubi ryby.

— Każdy gryf lubi ryby — wzruszył ramionami Władysław. — Nie ma się czym podniecać. Drapieżnik jest od tego, aby polować, synu. Żaden to dziw. Ale dziwi mnie to, to żeś zgubił gdzieś półorła, półlwa. Ojciec patrzy na ciebie z góry i jego dusza jęczy. Bo co widzi? Że jego pierworodny to syn matki, nie jego. A syn matki to inaczej jak się nazywa? Maminsynek. Ładnie to tak?

Leszek zaczerwienił się i przygryzł wargi. Władek złapał wiatr w żagle.

— Moja wina — powiedział. — Miałem dla ciebie za mało czasu. Siemaszko, mój brat, zawinął się i zmarł. Ale ty wiesz, co ja miałem na głowie?

— Wiem, stryju. Walczyłeś o Kraków.

— Wiesz, a za przeproszeniem, gówno rozumiesz, Leszku. Mówię „gówno", bo cię szanuję. Do obcego bym tak nie powiedział. Walczyłem o Kraków, to nie znaczy, że chciałem sobie przywłaszczyć Małą Polskę i stary Wawel. Nie. Za Boga Ojca nie chciałem dopuścić, by w siedzibie polskich królów zasiadł czeski Václav. Krew oddawałem za to, by Przemyślida nie modlił się tam, gdzie nasi święci. By nie spał w ich łóżkach. Co ja z tego miałem? Nic. Rany, długi i nienawiść, którą mi Václav poprzysiągł na wieki. Upokorzenie przed nim, jak musiałem pokonany kolano zgiąć. Ale powiedziałem sobie wtedy: „Ty się upokorzysz, Władysławie, ale Królestwo zyska". I jaką mam z tego nagrodę? A taką, że wam się wydaje, że ja zniosę wszystko jak koń!

Rulka szarpnęła.

— Nie podsłuchuj, nie ciebie miałem na myśli. Mówiłem „koń", a ty jesteś „klacz". Pani Rulka! Dobrze, Leszku, pokajałem się, że miałem za mało czasu, i ty to przed chwilą zrozumiałeś, tak?

— Tak, stryju.

— To teraz druga nauka, mogę mówić, bo w końcu jesteśmy sami. Dzieje swego ojca znasz?

— Znam.

— Ja twoją matkę szanuję, bo ja ogólnie szanuję kobiety. Tyle tylko, że ja ich nie słucham! Synu, ja nie słucham bab.

Rulka wstrząsnęła łbem tak bezczelnie, że musiał ją zdyscyplinować. Nie będzie mu przemowy psuła klacz.

— Jedna była, z której zdaniem się liczyłem, moja świątobliwa za życia ciotka, Kinga z Arpadów, księżna krakowska czczona przez koronowane głowy. Ale słuchałem jej nie jako kobiety, a jako wielkiej księżnej, rozumiesz? Rozumiesz, bo nie przerywasz. Z twoją matką to było tak, że wszystkie kłopoty mego brata Siemaszki, a twego ojca były z powodu jej rad. Jak podpuściła Siemaszkę, by na urzędy brał nie naszych, z Kujaw, lecz Niemców od Sambora, tak, twego pomorskiego dziada Sambora, to skończyło się czym? Buntem poddanych i odebraniem mu władzy. Potem znów Salomea kazała Siemaszce iść na wojnę z Mściwojem. Nadmienię, że o Pomorze, to Pomorze właśnie. I co? I jak Mściwoj zawołał na pomoc mojego teścia, ojca mojej Jadwini, to skończyło się czym? Powiedz, żebym był pewien, że nadążasz i odróżniasz wojnę od wojny.

— Wygnaniem mego ojca z księstwa — ponuro mruknął Leszek.

— Tak jest. I ty się, synku, na tym wygnaniu urodziłeś. Miałeś dwa lata, jak Siemaszkę przywrócono do łask. Taki malutki, a musiałeś się po dworach tułać, żal. A myśmy go ostrzegali, wszyscy bracia. Mówiliśmy mu: „Salomea jest opętana Pomorzem, nie słuchaj jej". Dobra, powiem ci, bo już masz te lata, że powinieneś wiedzieć: na zjeździe piastowskim to się z Siemaszki w oczy śmiali, że go żona trzyma pod butem. A wiesz, co to jest, jak się z mężczyzny śmieją? Nie, o tym też gówno ci wiadomo, chłopcze. Ale ja ci powiem, bo ze mnie się śmiali całe życie, że jestem karłem. Że niski, niewyrośnięty, ułomny. Tyle tylko, że to było coś, co nigdy nie zależało ode mnie. Taki się urodziłem. I ćwicząc na placu więcej niż inni, zdzierając palce i kolana do krwi, przekułem swoją słabość w siłę. Udowodniłem, że mały książę potrafi się bić. Wygrywałem i turnieje, i pojedynki. Bitwy i wojny.

Rulka znów otrząsnęła się znienacka, jakby podsłuchiwała i jakby wiedziała, że z wojnami to przesadził. Ale Władysław czuł, że ta rozmowa jest ważna dla nich obu i mówił dalej:

— Twój ojciec nie zdążył żadnemu księciu udowodnić, że nie wolno się z niego śmiać. I umarł w zgryzocie, zaszczuty wieczny-

171

mi pretensjami żony. Ale opieka nad tobą spoczęła na mnie i ja nie pozwolę, by z ciebie, Leszku, ktokolwiek się śmiał. Musisz zerwać z matką, by stać się mężczyzną. Tak, jak musiałem to zrobić ja.

— Ty, stryju?

— Tak. Ja. Powiem ci krótko, bo nie jest to rzecz, którą ktokolwiek chciałby się chwalić. Eufrozyna, moja rodzicielka, obdarzyła mnie najgłębszym uczuciem, na jakie było ją stać — nienawiścią. To z jej ust usłyszałem po raz pierwszy słowo „karzeł". I tylko przypadkowi zawdzięczam, że uniknąłem śmierci z jej rąk. Więc o tym, co matka może zrobić synowi, mógłbym składać pieśni, tylko że nie chciałbym ich śpiewać.

— Nie miałem pojęcia — szepnął pobladły Leszek.

— Bo się tym nie chwalę. Mówię tobie, jak synowi. Jak mężczyzna mężczyźnie.

Chwilę jechali w milczeniu. Gryf Leszka raz po raz wracał z rybą w dziobie. Pożerał ją, krztusząc się.

— Wiesz, co teraz będzie? — spytał po chwili Władysław.

Leszek nie odpowiadał, więc powiedział mu:

— Wrócimy do Tczewa. Ty zamkniesz się za murami, ja zacznę cię oblegać. Za tydzień przyciągnie tu mój druh Bolesław. Lecz nim Madonna na purpurze załopoce pod murami miasta, będziesz prosił mnie o pokój, bo skończą się wam zapasy żywności, gdy odetnę port. Ludzie cię znienawidzą. Przeklną imię Sambora, które dzisiaj wymawiają wyłącznie z czcią. I wyrzekną się czarnego gryfa, bo nie nakarmią nim dzieci. Gdzie twój półorzeł, półlew?

— Na zamku, w Inowrocławiu.

— Więc wróć po niego, Leszku. Oddaj gryfa matce, niech w jego czarny łeb sączy swą opowieść o dziedzictwie, Pomorzu, morskich falach i soli we krwi. A ty uwolnij w sobie półorła, półlwa. Jesteś księciem z Kujaw. Zawsze „Pod wiatr". Tak jak ja.

MAŁGORZATA ocknęła się w swojej komnacie. W swojej dawnej, panieńskiej komnacie, którą, nim pojechała do Poznania, dzieliła z siostrą Beatrycze. Uniosła głowę. W pokoju stało tylko jedno łóżko — jej. Po masywnym łożu siostry nie było śladu, lecz więcej nic się nie zmieniło. Ostrożnie wysunęła stopy, palcami dotknęła zimnej posadzki. Usłyszała szelest wysoko nad głową. Wychyliła się zza baldachimu. Czerwony orzeł zerwał się z belki pod sufitem i wyfrunął przez okno. Szpieg. Ptaszysko na usługach Mechtyldy. Księżna Askańska w tej samej chwili wchodziła przez drzwi komnaty.

— Greto! Wypoczęłaś? To dobrze. Martwiłam się. — Już siedziała obok niej na łóżku. — Jak się czuje mały dziedzic Królestwa? — Objęła Małgorzatę w pasie, kładąc dłoń na jej brzuchu. — Martwię się, że taki mały, choć pierwsza ciąża czasami ma prawo być niewielka.

Mechtylda nie kryła się z tym, że palcami bada jej brzuch. Serce Małgorzaty zabiło gorączkowym rytmem.

— Policzmy, kiedy wypada rozwiązanie. — Badawczo przyjrzała się jej Askanka. — Poczęcie w grudniu, jak donosiłaś, tak? Na Boże Narodzenie? — Czubkiem języka polizała kącik ust.

Małgorzata skinęła głową.

— Zatem jesień! Jesienią urodzisz nam dziedzica. Pogrobowy syn króla Polski przyjdzie na świat tak blisko święta zmarłych! Doskonale! Doskonale! Jesteś najpilniejszą z moich uczennic! — Uszczypnęła ją w policzek w nagrodę. Jak kiedyś. — O nic się nie martw, zadbam o ciebie lepiej niż o własne córki. Zostanę w Salzwedel aż do rozwiązania. Aż wykluje się nasze pisklę. Czerwony i biały orzeł połączyły się, ach! Cóż to będzie za bestia czteroskrzydła!

Mechtylda wstała i krążyła po komnacie, zacierając dłonie. Nagle zatrzymała się wprost przed Małgorzatą.

— Niepokoję się, Greto. Służba rozpakowała twoje kufry, kiedy leżałaś tu niedysponowana. Osobiście pilnowałam rozładunku. I chociaż przejrzałam wszystkie twoje rzeczy, nie znalazłam tego, czego szukałam.

Małgorzata zebrała się w sobie. Podniosła głowę i powiedziała cicho:

— Nie mogłam tego zabrać.

— Co?! — wrzasnęła Mechtylda. — Chyba się przesłyszałam, powtórz!

— Nie mogłam. Pilnowano mnie dzień i noc. Patrzyli mi na ręce.

— Co mnie to obchodzi?! Miałaś tylko jedną rzecz do załatwienia. Najważniejszą. I nie wykonałaś zadania!

Wściekle klasnęła w ręce i czerwony orzeł natychmiast wylądował na jej ramieniu. Małgorzata widziała, jak nozdrza Mechtyldy poruszają się w rytmie jej wzburzenia, jak bierze orła w dłoń, i wiedziała, co teraz nastąpi. Zasłoniła oczy.

— Kara! — syknęła Mechtylda.

Czerwony orzeł wylądował na plecach Małgorzaty. Szeroko rozstawionymi łapami rozparł się na jej obu ramionach. I raz za razem zaczął wydziobywać jej włosy, pojedynczo. Syknęła z bólu. Lecz w głębi serca poczuła ulgę. To nie była najgorsza z kar.

Za to, że nie spełniła żądania Mechtyldy i nie wykradła ze skarbca królewskiej korony, spodziewała się gorszych szykan. Zacisnęła powieki i przywołała w pamięci obraz Przemysła. Zagryzła wargi i powiedziała mu w myślach, że to dla niego. Podkurczyła z bólu palce u stóp. Orzeł uderzył mocniej i wyrwał jej całe pasmo.

TYLON, królewski notariusz, pchnął drzwi wiodące do ciemnej i niskiej izby sędziego.

— Szanowny Tylon! — powitał go sędzia i zaniósł się kaszlem.

— Szlachetny Gniew! — odpowiedział notariusz i wszedł.

— Więcej światła? — spytał gospodarz.

— Jeśli łaska — ucieszył się Tylon i zasiadł naprzeciw Gniewa przy wąskim stole.

Po chwili w blasku oliwnej lampki rozjaśniła się izba i oczom Tylona ukazało się wyraźnie oblicze starego Doliwy, podbiegnięte żółcią oczy, wiszące policzki, wilgotne od kaszlu wargi i brudny blat stołu. Okruszyny chleba, po zapachu wnosząc, i sera, źdźbła słomy, skrawki jakichś materiałów, gliniane naczynia pełne dziwnych mazi, powyginane blaszki, zardzewiałe haki, złamane dłuta. Dwaj starzy urzędnicy uśmiechnęli się do siebie.

— Daj nam wina! — pokrzyknął Gniew na sługę, a Tylon ze zdumieniem zauważył, że to służąca, a z bliska patrząc, całkiem niebrzydka.

Dziewczyna podeszła z tacą, ustawiła kubki i chciała szmatką omieść stół.

— Nie ruszaj — skarcił ją Gniew, a do Tylona powiedział: — Jest nowa, zupełnie nie wie, jak się zachować. — Odwrócił się do służącej i poinstruował ją: — Nalej, zostaw dzban i wyjdź.

Jak tylko za dziewczyną zamknęły się drzwi, Tylon spytał:

174

— Jaka decyzja?

Gniew sapnął.

— Skazać Zarembę trzeba. Ja wskażę wyrok śmierci. Śmierć za śmierć — zaniósł się kaszlem Gniew. — Ale wiesz, jak jest, Tylonie, z tymi panami: kruk krukowi oka nie wykole. Ojciec skazańca — wojewoda poznański, a kanclerza bliski krewny. A jak trzeba liczyć zbrojnych na wojnę, to w Starszej Polsce nikt nie wystawi więcej niż Zaremby.

— A teraz znów mamy wojnę — westchnął Tylon. — Każdy miecz liczy się podwójnie.

— Ano tak. Ja chcę być w zgodzie z własnym sumieniem, więc go skażę. A potem decyzja w rękach nowego księcia. Może go ułaskawić, może trzymać w lochu i parę lat.

— To tak, jakby skazać na śmierć, tyle że powolną. Ile lat w lochu wytrzyma skazaniec?

— Silny i młody, jak Zaremba, to i może wyżyć z pięć. Był taki przypadek, był. Stare dziady jak ty i ja zgniłyby pierwszej zimy. Na zdrowie! — Wzniósł kubek.

— Na zdrowie. — Z niepokojem spojrzał na sędziego. Gniew coraz szybciej się męczył i coraz paskudniej kaszlał. — Nie wydaje ci się to jednak dziwne, Gniewie? — po chwili spytał Tylon. — Mnie to męczy.

— Że jeden Zaremba zabił drugiego? Nie. — Wzruszył ramionami sędzia. — Zobacz. Przepraszam, posłuchaj. — W jego głosie zabrzmiał śmiech, ale Tylon nie miał mu tego za złe. Znali się tyle lat, że własne słabości od dawna były wspólnym tematem drwin. — Ci Zarembowie to jak książęta, a w książęcych i królewskich rodach walczy się o władzę twardo i bezwzględnie. To była rozgrywka między nimi. Król Przemysł odsunął od siebie Michała, faworyzował Wawrzyńca i Michał chciał się go pozbyć. Brudne, ale prawdziwe. A że uciął mu głowę mieczem? Nie przeceniałbym tego. Jechał konno, miecz miał w ręku, zrobił to najszybciej, jak potrafił, ot co. Nie ma w tym nic więcej. — Znów zakaszlał, a może zaśmiał się, ale w płucach zacharkotało flegmą. — Jak mówią od końca, to nie kłamią!

— Tak — zamyślił się Tylon. — Tak. Dwie zbrodnie zlały się w jedną, niczym dwa strumienie, co wpadają do jednej rzeki. Przemysł i Wawrzyniec.

— Nie — twardo zaprzeczył Gniew. — To raczej dwa osobne strumienie, które przez przypadek wpadły w jedno koryto.

— Dlaczego Brandenburczycy chcieli porwać króla? To zupełnie niepolityczne działanie, nie wydaje ci się?

— Porwać, by coś wymusić... Na Śląsku książęta piastowscy do dziś to uprawiają. Przestarzałe, ale skuteczne.

— Nie rozumiem. Mieliby króla w ręku, mogliby go zgładzić i po kłopocie. Przecież gdyby go wypuścili, a porwanie z natury rzeczy służy późniejszemu uwolnieniu, jasnym byłoby, że nie dotrzyma żadnej z obietnic, które im pod przymusem złożył. Mnie wciąż to dręczy, Gniewie. Wiem, że są winni, ale nie wiem, dlaczego to zrobili. Nie mogło im chodzić tylko o ten kawał zachodnich ziem nad Notecią, to za mało, żeby porywać króla. Skoro stać ich było na zajęcie grodów, mogli to zrobić, gdyby Przemysł żył. Wciąż od nowa pytam: czemu miało służyć porwanie?

— Ja też lubię zagadki, Tylonie — przerwał mu Gniew. — Ale mam w kolejce dziesięć następnych spraw. Jedna w drugą paskudne. Będziesz miał kolejny trop, wpadnij, wypijemy i pogadamy. A teraz...

— Mam trop, Gniewie. Kiepski, ale mam. Zapomniałeś o odcisku rękojeści na plecach króla?

JAKUB DE GUNTERSBERG przekroczył granice Śląska i pędził przez Czechy. Omijał łukiem gospody i karczmy na trakcie, spieszył się. Za dużo czasu zmitrężył z dzieckiem. Matka chciała sprzedać, a potem udając rozpacz, targowała cenę. Wcisnął jej w końcu pół brandenburskiego dukata, jednego z tych, którymi za porwanie Przemysła zapłaciła Mechtylda. I tak w życiu na oczy nie zobaczy więcej pieniędzy, niech się cieszy. Drugie pół dał rodzinie, w której umieścił dzieciaka na wychowanie. Zabronił dawać niemowlęciu imię.

„Macie mówić do niej «Dziewczyna», nic więcej". Wróci po nią, jak uzna, że mała może zacząć szkolenie. Niegłupi to pomysł; zlecenia są coraz bardziej wyrafinowane, klienci coraz wyżej urodzeni, rynek się poszerza. Trzeba mieć coś w zanadrzu, zwłaszcza że czas dla niego, w przeciwieństwie do Mechtyldy Askańskiej, nie stoi w miejscu. Księżna szczecińska z wiekiem coraz piękniejsza, a on? Czasami ciężko wstać. Kolana bolą. Plecy też garbią się częściej. Tylko głowa wciąż nie zawodzi, mieści w sobie coraz więcej. Ale konkurencja nie śpi. Już słyszał o bandzie niejakiego Rylca, który ponoć maczał palce w „naturalnej śmierci" Henryka Brzuchatego we Wrocławiu. Jeśli to prawda, a nie przechwałki, to znak, że na sekretnych ludzi coraz większe branie. W żołądku mu zaburczało, gdy dojrzał przy zakręcie światła gospody. No dobrze, może w końcu coś zjeść. Uwiązał konia i pchnął drzwi.

Owionął go zapach świeżego piwa i zjełczałego baraniego tłuszczu. Skrzywił się.

— Jajecznicę, karczmarzu! — krzyknął i podszedł do stołu skrytego za piecem.

— Jakub de Guntersberg! Góra z górą... — przywitał go niski mężczyzna, unosząc się z najmniej widocznego miejsca przy ławie.

— Grunhagen! — Jakub splunął i usiadł. — Mówili, że nie żyjesz.

— Nie wszystkie twoje życzenia się spełniają, przyjacielu!

— Nie używaj słów, których znaczenia nie rozumiesz. Prędzej się zaprzyjaźni wilk z barankiem, niż ja z tobą.

— Jesteś drażliwy — uśmiechnął się Grunhagen. — Czyżby coś ci nie poszło? Wziąłeś zaliczkę i się nie wywiązałeś?

— Błąd. Znów oceniasz mnie swoją miarą.

Karczmarz przyniósł miskę parującej jajecznicy. W zielonych oczach Grunhagena mignęły złośliwe ogniki.

— Nie słyszałeś, jak można zatruć jajka, nie rozbijając skorupek? Nie jesteś na bieżąco, a w naszym fachu to źle.

Guntersberg przełknął, bo nienawidził, kiedy ktoś mówił z pełnymi ustami, i dopiero odpowiedział.

— Słyszałem. Nakłuwasz skorupkę i przez słomkę wpuszczasz jad. Stara metoda. Dokąd jedziesz?

— Tam, gdzie ty! Do człowieka, który jest w potrzebie, od którego wezmę zlecenie, zaliczkę i imię skazańca.

— Ostatnio pałętałeś się u Krzyżaków. Rozwiązujesz problemy na poziomie komturii czy to zwykłe zatargi między szeregowymi braćmi? A, prawda! Bracia! Bracia von Schwarzburg, tak się nazywają twoi nowi pracodawcy?

Z przyjemnością odnotował, że zielone oczy Grunhagena pociemniały. Trafiłem, pochwalił się w duchu i dokończył jajecznicę.

— Piwo! — zawołał do karczmarza, sprawdzając najpierw, co pije Grunhagen.

Ten już z powrotem miał obojętny i nieco wyniosły wraz twarzy. Zbyt wyniosły jak na takiego karła.

— Ty, Guntersberg, jesteś naprawdę dobry i ja ciebie szanuję. Uprawiaj swoje poletko w Brandenburgii i tam, gdzie sięgają wpływy twojej pani. Ja mam inny pogląd na naszą pracę. Ja kocham wyzwania tak samo mocno, jak siebie. I im znajdę lepsze, tym bardziej się cenię.

— Pierdolisz — podsumował Jakub de Guntersberg, bo już nie mógł słuchać przemądrzałego zielonookiego karła.

— Owszem, to też lubię, ale nie gustuję w takich jak ty, zarośniętych brzydalach. Powiem ci krótko, bo widzę, że się spieszysz. Ty służysz światu, który zmierza do swego zmierzchu. A ja postawiłem na jego nowych panów. Piję zdrowie Żelaznych Braci! — Uniósł kufel.

Jakub de Guntersberg wstał, rzucił na stół pół praskiego grosza za posiłek i piwo i bez pożegnania z Grunhagenem wyszedł. Stara reguła: jak się spotka dwóch sekretnych ludzi, wygrywa ten, który wychodzi pierwszy. Już siedział w siodle, odjeżdżał traktem na Pragę. Zasada stara, ale warta przestrzegania, zwłaszcza gdy nie ma się czasu na sprawdzanie zasadzek na drodze.

Kolejna zasada, której przestrzegał Jakub de Guntersberg, brzmiała: „Nie oceniaj człowieka, który ci płaci". Tej jednak trudno było się mu trzymać za każdym spotkaniem z królem Czech. Václav Przemyślida budził ciekawość Guntersberga. Złotowłosy król wydawał mu się istotą co najmniej dziwną i pełną sprzeczności. Dzieckiem w ciele mężczyzny. Mnichem w ciele lubieżnika. Artystą o skłonnościach do chorobliwego uwielbienia wyuzdanej przemocy.

Jakub naddał drogi, objeżdżając zamkowe wzgórze od wschodniej strony. Zawsze wjeżdżał Zachodnią Bramą, więc dzisiaj zrobił odwrotnie. Spotkanie z Grunhagenem wzmogło jego czujność. Wyminął służbę tłoczącą się przy bramie i zerknął który ze strażników ma dziś wartę na Czarnej Wieży. Bez kłopotu wjechał do Grodu Praskiego. Droga łącząca dwie przeciwległe bramy, Wschodnią i Zachodnią, dzieliła go niemal po równo na część królewską i kościelną. Po prawej stronie minął plac Świętego Jerzego, dwie białe, wyniosłe kościelne wieże i nisko zabudowany klasztor. Dalej majaczyła potężna bryła katedry Świętego Wita. Skręcił do stajni, skąd podjął go dowódca straży Václava i poprowadził do prywatnej komnaty króla. Przemknęli długim korytarzem wzdłuż reprezentacyjnej Wielkiej Sali, do której służba wnosiła ławy, pewnie szykowali się do uczty.

— Królu — nisko skłonił się Jakub, gdy weszli.

— Mój sekretny człowiek! — Klasnął w dłonie Václav, jakby Jakub był zabawką, a on znudzonym chłopcem. — Miło mi cię widzieć, zwłaszcza że spisałeś się doskonale. Perfekcyjnie, jak zawsze. Nie rozstawałbym się z tobą, Jakubie, gdyby nie to, że znów potrzebuję twej pomocy.

— Do usług.

— Szczegóły omówimy później, teraz chcę posłuchać.

To najmniej przyjemna część jego pracy. Jakub niestety wiedział, że zleceniodawcy uwielbiają słuchać opowieści, a on nie znosił składania relacji.

— Tak jak sobie życzyłeś, panie. Przemysł zginął jak król.

— Zabiłeś go mieczem? — Oczy Václava zalśniły.

— Nie. Sztyletem.

— W serce?

— W szyję.

— Wbiłeś aż po rękojeść? — Przemyślidzie wyschły usta z emocji i oblizał je.

Obrzydlistwo — pomyślał Jakub, tłumacząc niechętnie dalej:

— Nie, królu. Sztylet wystarczy wbić, lekko przekręcić i wyjąć. To wszystko.

— Masz frapującą pracę! — westchnął Václav i podrapał się po kroczu. — I opowiadasz tak zajmująco. Ja w swojej muszę się namęczyć, ach, nawet nie masz pojęcia, jak namęczyć, by osiągnąć równie spektakularny efekt. Nie musisz nikogo całować w pracy? — spytał nagle.

— Nie.

— No widzisz, Jakubie. A ja muszę. Gdyby królowie Niemiec nie byli hipokrytami, kazaliby sobie od razu lizać tyłki. Nawet nie wiem, czy to nie byłoby prostsze, mniej obrzydliwe niż te wszystkie: „Ach, och, jakże mi miło, szlachetny mój przyjacielu, wielki królu Rzeszy, sojuszniku mój". Bardzo chce mi się wymiotować czasami, jak jestem w pracy.

— Służę pomocą, królu — ukłonił się mu Jakub.

— Tak, tak, chętnie skorzystam. Chociaż w przypadku króla Rzeszy Niemieckiej to na nic. Zabijesz dla mnie jednego, elektorzy wsadzą na tron drugiego. Choć — Václav na chwilę zatrzymał słowotok i postukał wąskim palcem w łeb czarnej płomienistej orlicy Przemyślidów na swej piersi — choć, skoro znam imiona wszystkich przyszłych kandydatów na tron, można by zaryzykować wielką czystkę.

Orlica na jego pięknej tunice krzyknęła i Jakub wpatrzył się w lśniące oko ptaka.

— Co? Myślałeś, że bestie herbowe nigdy nie pokazują prostakom, co potrafią? To bujda. Odzywają się nie tylko przy szlachetnie urodzonych, jak słyszysz.

Jakub odnotował w pamięci, że Václav Przemyślida nazwał go prostakiem. Król chyba zreflektował się, że coś jest nie tak, bo natychmiast zmienił ton.

— Mam dla ciebie nagrodę za Przemysła. Druga część wynagrodzenia i prezent. — Pokazał mu ręką, by podeszli do okna, a potem znów złapał się za krocze i podrapał.

— Jak się ma twój koń? — spytał.

— Dobrze — odpowiedział Jakub, a w myśli dodał: W przeciwieństwie do twojego, jak widzę. Dręczy tu kogoś choroba dworska.

— To szkoda — odrzekł Václav. — Bo myślałem, że sprawię ci niespodziankę. Zerknij na tego karego ogiera, tam.

Jakub de Guntersberg wyjrzał przez okno i zobaczył stajennego czeszącego grzywę czarnego jak węgiel konia.

— Piękne zwierzę — z podziwem powiedział Jakub.

— Prawda? Stanął ci? Ponoć prawdziwym mężczyznom staje na widok takiego ogiera. Mnie nie — zachichotał król. — Mnie staje na klaczki.

Jakub sądził, że takie gadki przechodzą chłopcom razem z pryszczami znikającymi z brody. Najwyraźniej Václav Przemyślida i w tym względzie był inny.

— Jest twój. Nagroda za to, że się pięknie spisałeś z Przemysłem. — Król wyciągnął rękę, jakby chciał go klepnąć w plecy, ale zaraz ją cofnął.

Boi się mnie. Albo brzydzi. Za każdym razem pilnuje się, aby mnie nie dotknąć — skonstatował Jakub, kłaniając się Václavowi na pożegnanie. Po drodze wziął ze stołu ciężką sakiewkę.

Owionął go ciepły prąd powietrza; złapał go w nozdrza z przyjemnością i pomyślał o Grunhagenie. Niech sobie zielonooki karzeł opowiada bajki o przyszłości, która należy do Żelaznych Braci. Ja wolę żyć w czasach, w których żyję.

Szedł przez dziedziniec wprost ku stajennemu, żeby odebrać swą nagrodę.

To było najlepsze z zadań, jakie mi postawiono — pomyślał, głaszcząc czarną, szorstką grzywę. — Trzech różnych zleceniodawców na jednego Przemysła. Porwanie. Zabójstwo. Zabójstwo. Ze wszystkich zleceń się wywiązałem. Czas odebrać nagrodę od trzeciego płatnika.

ZYGHARD VON SCHWARZBURG z radością szedł na spotkanie ze starszym bratem. Na dziedzińcu malborskiej komturii już zaczynał się ruch; bracia rycerze zjeżdżali na obrady kapituły. Stajenni poili zmęczone konie, bracia służebni nosili bagaże rycerzy zakonnych do budynku konwentu. Słudzy toczyli beczki z piwem w stronę kuchni, z której niósł się zapach wieprzowiny pieczonej w kapuście. Zyghard rozciągnął plecy i spojrzał na wznoszące się nieopodal mury malborskiego zamku. Na budowie trwał ruch dużo większy niż tu, na dziedzińcu.

— *Gott mit uns!* — uśmiechnął się i zmierzył wzrokiem mury.

Przez rok, odkąd był tu ostatnio, urosły więcej niż o połowę. Zbliżało się południe, upał zaczynał doskwierać. Kusiła go położona na uboczu gospoda, ale nic z tego. Zimne piwo może poczekać, a jego brat i Konrad von Sack nie. Ruszył do położonych w lewym skrzydle zabudowań, tam, gdzie wciąż tymczasową siedzibę mieli mistrz krajowy Prus, Meinhard von Querfurt, jego zastępca, Konrad von Sack, i Gunter von Schwarzburg, starszy brat Zygharda. Pewnie nie mogą się doczekać przeprowadzki — pomyślał, oglądając się raz jeszcze na zamek w budowie. W tej samej chwili potknął się i głową uderzył w coś twardego.

— Uważaj, jak chodzisz! — gniewnie rzucił wysoki mężczyzna. To na niego wpadł.

— Uważaj, do kogo mówisz! — zamiast przeprosić odpowiedział Zyghard, mierząc go wzrokiem. Choć był zbudowany jak kopijnik, miał na sobie szary płaszcz półbrata. Ale pod zwykłym kaftanem musiał nosić nawet nie kolczugę, tylko blachy, bo po pierwsze, skąd taka wypukła pierś, a po drugie, głowa Zygharda bolała, jakby przywalił w tarczę. Jednak, jakkolwiek byłby twardy i wysoki, to był jedynie półbratem i wobec białego płaszcza Zygharda powinien zachować należny szacunek. Mężczyzna rzucił mu wściekłe spojrzenie, wymamrotał:

— ...p-szam... — i chciał go wyminąć.

— Nie usłyszałem! — zdyscyplinował go Zyghard.

Tamtemu drgnęły szczęki, w których gdyby chciał, mógłby kruszyć orzechy, i tonem, który zwiastował „pocałuj mnie w dupę" powiedział:

— Najmocniej przepraszam.

Po czym wyminął go i odszedł. Zyghard wzruszył ramionami i ruszył na spotkanie z pierwszą trójcą pruskiej prowincji Zakonu Najświętszej Marii Panny Domu Niemieckiego.

Cała trójka już siedziała przy stole i prócz serdecznych powitań mieli dla Zygharda to, o czym marzył: zimne piwo. Meinhard, szczupły, suchy, kostyczny, zajmował zgodnie z hierarchią szczyt stołu. Przy nim jego przeciwieństwo, Konrad von Sack, żywa beczułka na krótkich nogach, z kozią bródką, obleczona w biały habit, i wreszcie Gunter, starszy od Zygharda o ledwie pięć lat, o nienagannie wygolonej twarzy, prostych plecach i przykuwających uwagę oczach mędrca.

— Bracia! Widzieć was, to jakby radośnie powtarzać śluby zakonne! — powitał starszych Zyghard.

Konrad roześmiał się, ukazując szparę między przednimi zębami.

— Jak ty potrafisz zdania składać! Mówię wam dziś, bracia, nasz młody Zyghard zostanie kiedyś wielkim mistrzem!

— Prorok z Marienburga Konrad von Sack — roześmiał się Meinhard. — Kto wie! Niezbadane są wyroki kapituły!

— Co tam w Królewcu? — zapytał go starszy brat.

— Dzicy w odwrocie. Chwilowo przylgnęli do ziemi, zaszyli się w puszczach i chcą, byśmy myśleli, że ich nie ma. Wodzowie plemion udają ochrzczonych, raz na miesiąc przypomina im się, że trzeba się na mszy pokazać i robią z tego widowisko. Ale to wszystko, by uśpić naszą czujność, zwiadowcy donoszą o ruchach ich wojsk. Tu i ówdzie widziano leśnych wojowników, pojawiają się i znikają, nie podejmują walk. Dziwne to wszystko. — Łykiem piwa zakończył relację Zyghard.

— Dziwne — potwierdził mistrz krajowy Meinhard. — Na zachodnich rubieżach ponoć widziano Starców.

— Wszystkich trzech? — zakpił Konrad, nadymając policzki. — To bzdury. Lud je chętnie powtarza, żeby zasiać w rycerzach zakonu lęk.

— Akurat informacji o Starcach nie lekceważyłbym — spokojnie zaoponował Meinhard. — Poprzednio, gdy się ukazali, wybuchła wielka wojna.

— Którą dzięki Najświętszej Marii Pannie wygraliśmy — przypomniał Konrad.

— Krzyż zwycięża — wzniósł toast mistrz Meinhard. — Ale nie sam. Potrzebuje nas. Dlatego jestem za ściągnięciem Zygharda do nas. Jego doświadczenie ze wschodnich rubieży przyda się przy tropieniu Starców.

— Macie wobec mnie plany, o których nie wiem? — zaniepokoił się Zyghard.

— Zaraz się dowiesz, zebranie kapituły krajowej jeszcze nie rozpoczęte. — Konrad pokazał mu w uśmiechu przerwę między zębami.

— Czy słusznie się domyślam, iż właściwe obrady nastąpią teraz, a konwent jutro jedynie zatwierdzi to, co moi szlachetni bracia uradzą przy tym stole? — zapytał Zyghard.

— Ma zadatki na wielkiego mistrza! — szturchnął go kubkiem Konrad. — Mówiłem, że ma!

— Bracia! — Wzniósł dłoń Meinhard. — Dzisiaj o świcie dotarła do nas smutna wiadomość. Wybaczcie, że wam nie powiedziałem wcześniej — skłonił się do Guntera i Konrada — ale chciałem poczekać na naszego Zygharda.

Konrad chrząknął, a Gunter przejechał dłonią po czole, co nie uszło jego uwagi. Czyżby między wielką malborską trójcą jakieś tarcia? — szybko pomyślał Zyghard. Meinhard tymczasem dokończył:

— Konrad II von Feuchtwangen, wielki mistrz Zakonu Najświętszej Marii Panny, nie żyje.

Zygharda zatkało.

— Bóg z nami, a z jego duszą pokój — spokojnie skwitował to Gunter.

Konrad nic nie powiedział, okręcił w zadumie kubkiem.

— Jak to się stało? — spytał Zyghard mistrza krajowego. — Był w Marienburgu miesiąc temu!

— Tak, zmarł w drodze z Prus do Wenecji, w Czechach, w miasteczku nieopodal Pragi.

— Koło Pragi? — zdumiał się Zyghard.

— Zmarł nagle. Ponoć wieczór wcześniej źle się poczuł, myślał, że to zmęczenie podróżą, położył się i rankiem brat służebnik odnalazł go w łożu zimnego.

— Dziwne... — powiedział Zyghard. — Był zdrów.

— Bóg daje życie, Bóg odbiera — krótko skwitował Gunter. — Nie ma co doszukiwać się dziwności w zgonie człowieka, który wiele miał na sumieniu.

— To za jego panowania Mamelucy zdobyli Akkę — przypomniał porażkę wielkiego mistrza Konrad. — Naszą ostatnią twierdzę w Królestwie Jerozolimskim. Powiedzmy krótko: to był kiepski wódz.

— I w sprawy pruskie wtrącał się nam zupełnie bez wyczucia — dodał Gunter. — Teraz, Meinhardzie, otwiera się dla ciebie pole do popisu! Pojedziesz jako mistrz krajowy na wybory nowego wielkiego mistrza do Wenecji.

Meinhard skrzywił się.

— To będą kiepskie wybory. Wenecja zupełnie nie rozumie wagi Prus! Odkąd padła Akka, prawdziwa wojna krzyżowa zaczyna się tu! To my, stawiając mur chrześcijaństwa, jesteśmy dla Dzikich ostatnią zaporą. Ale wszak nasze plany sięgają dalej! Czy nas zadowala bycie murem, o który rozbijają się ich pogańskie łby? Nie! Nam trzeba ścigać ich i palić do korzenia wraże gaje, w których oddają ohydną cześć swoim bożkom!...

— Meinhard na wielkiego mistrza! — Wzniósł kubek pulchną dłonią Konrad von Sack. — Przemowa, która powinna powalić zakute łby braci urzędasów z Wenecji.

Meinhard parsknął śmiechem.

— Ty, Konradzie, dzisiaj rozdajesz urzędy. Szkoda, że nie będzie cię ze mną na kapitule generalnej.

— Też żałuję — mruknął Sack. — Ale ktoś musi siedzieć w Marienburgu i organizować rejzy. Ty, Meinhardzie, od zaszczytów, a ja, twój skromny zastępca, od brudnej roboty. Czy wy wiecie, ile nadeszło zgłoszeń na najbliższą zimę? Trzech margrabiów saksońskich z synami, graf Lotaryngii z orszakiem bratanków, dwaj rycerze z Anglii i pięciu z Antwerpii. Jak się nie pospieszymy z budową zamku, nie będę miał ich gdzie rozlokować. Nie mówiąc o tym, że czarny szlak na siedziby Żmudzinów wąski i jak w grupie mam więcej niż trzydziestu ludzi, to się zaczynają kłopoty. Już tak było, że mi Dzicy porwali z tyłów jednego margrabiego i potem zamiast ich bić i palić, musiałem negocjować wykup.

— Nie gorączkuj się, Konradzie. Goście zapłacą za rejzę srebrem, które podciągnie mury zamku w górę. I za rok, dwa, będziemy mogli przyjmować nie trzy dziesiątki naraz, a trzy setki. Zrobi się rejzy równolegle, jedna będzie wracała, wychodziła druga — wszedł mu w słowo Gunter.

Zyghard nie mógł oprzeć się wrażeniu, że dzieje się coś intrygującego, Meinhard, który mówi o śmierci wielkiego mistrza, a jego brat i Konrad zamiast się przejąć, planują rejzy. Do komnaty wszedł sługa Meinharda, nachylił się do jego ucha i coś wyszeptał. Meinhard wstał.

— Bracia, opuszczę was na chwilę. Mam gościa. Wracam niebawem.

Mistrz krajowy pospiesznie wyszedł i jak tylko zamknęły się za nim drzwi, Zyghard zapytał:

— O co chodzi?

Konrad von Sack wyszczerzył zęby w uśmiechu.

— Meinhard jest jak dziewica, która pragnie mężczyzny, a nie chciałaby stracić wianuszka.

— Więc Konradowi i mnie przypada zaszczytny obowiązek gwałcenia mistrza, tak aby mógł pozostać w swych intencjach czysty, a rozkoszy zaznać — uśmiechnął się Gunter, nie tracąc swego melancholijnego wyrazu twarzy.

— Wiecie coś więcej na temat śmierci Feuchtwangena?

— My? Skąd? Gdzie nam, skromnym zausznikom mistrza krajowego, pilnować zdrowia samego wielkiego mistrza? Kipnął z gorąca albo z trudów drogi — wzruszył ramionami Konrad.

— Z gorąca? — powątpiewająco powtórzył Zyghard. — Feuchtwangen walczył w Jerozolimie.

— Ale przegrał — ostrym szeptem wszedł mu w zdanie brat. — I tak jak usłyszałeś z ust Meinharda, czas skończyć z dyktatem Wenecji. Przyszłość zakonu jest tu! Tu bije jego serce, w Prusach! Zyghardzie, ty jesteś stworzony, by ścigać niewiernych, my to wiemy. Ale zacznij myśleć o przyszłości. O kapitale, jaki tkwi w naszym położeniu. Szpica krzyża! Tak! Lecz by broń była ostra, by rycerz krzyżowy mógł walczyć, musi mieć zaplecze. Potrzebujemy więcej ziemi i więcej srebra. I nie mam tu na myśli ziem Dzikich, te zdobywamy rok po roku, krok po kroku. Mam na myśli trwałe, mocne zaplecze.

— Wisła i porty Bałtyku — uciął domysły Zygharda Konrad. — To nasz cel.

— Ambitny — przyznał Zyghard.

— Na rejzach zarabiamy dobrze, ale za mało i za wolno, by zasilić kasę zakonu sumami, które dorównają naszym planom. Potrzebujemy co najmniej Gdańska i Tczewa. Rozumiesz?

W głowie Zygharda zapanowała taka jasność, jak nigdy wcześniej.

— Mały Książę — powiedział.

Gunter wstał i uścisnął brata.

— Schwarzburgowie przysięgali matce, że wyrównają rachunki z księciem kujawskim. A Schwarzburgowie prócz broni ukrytej, tej, o której wiesz ty, ja i nasz przyjaciel Konrad, posiadają jeszcze atut, którym biją Małego Księcia na łeb — zwiesił głos Gunter, a Zyghard dokończył:

— Cierpliwość.

— Tak, bracie, cierpliwość. Dzisiaj kopiemy fundamenty pod gmach, który wzniesiemy w przyszłości! Gotów?

— Gotów, Gunterze, od dnia urodzenia — powiedział Zyghard i wpadli sobie z bratem w ramiona.

— Przejdźmy do szczegółów, bo się popłaczę ze wzruszenia — przerwał im Konrad. — Nie wrócisz do Królewca. Obejmiesz komturię w Rogoźnie. Wprawdzie nie tym słynnym z jatki na polskim królu, ale tu, naszym, koło Grudziądza.

— Co mam robić?

— Oczyścić teren z Dzikich. To tam, na bagniskach Osy, widziano ostatnio Starców.

— Meinhard mówił...

— Meinhard mówi to, co my chcemy, żeby myślał. Ma czuć, że sam wpadł na pomysł ściągnięcia ciebie z Królewca — przerwał Konrad. — Udajemy przed nim lekceważenie dla tych opowieści, ale prawda jest taka, że od jakiegoś czasu zamiast mieć Dzikich na wschodzie, mamy ich w granicach zakonnego państwa. I ty, Zyghardzie, rozprawisz się z nimi szybciej niż ktokolwiek inny.

— Zwiadowcy, patrole, pełna obserwacja. Atak bez czekania na rozkazy z Marienburga — uzupełnił Gunter. — Jak najszybciej oczyścisz przedpola, byśmy mieli ręce wolne do zajęcia się Małym Księciem.

— Gunter przeniesie się do Chełmna. On będzie teraz flanką wbitą w granice Królestwa. A ja będę pilnował mistrza Meinharda i organizował rejzy, rejzy i jeszcze raz rejzy. — Sack dopił piwo i skrzywił się, bo w dzbanie na stole nie było więcej.

— Będziesz naszym komturem do zadań specjalnych, Zyghardzie. Przygotuj się, że czekają cię ciągłe zmiany. Tutejsi bracia tak okrzepli na bezpiecznych od lat komturiach, że zapomnieli, jak się tropi i wygniata Dzikich. Gospodarzą, folwarkami zarządzają, drogi budują, wszystko jak trzeba. Tylko ducha bojowego gdzieś po drodze zgubili. Twoja świeża krew jest nam potrzebna od zaraz. I jeszcze jedno. — Gunter i Konrad wymienili się spojrzeniami. — Chcemy, byś kogoś ze sobą zabrał. To delikatna sprawa... Trzeba wprowadzić go w tajniki zakonu. Pojętny, niejedno przeszedł, tylko mały z nim kłopot... — Gunter zmrużył oczy i zamilkł.

Konrad łypnął na przyjaciela i dokończył, jak zawsze bez ogródek.

— To renegat. Był wcześniej templariuszem. Dlatego nie chcemy się nim chwalić.

— Póki nie wrośnie w tkankę naszego zakonu, wolimy, by nie był zbyt widoczny...

— Przecież może wystąpić do mistrza templariuszy z prośbą o zmianę zgromadzenia. — Zyghard wzruszył ramionami, bo pomysł z renegatem nie podobał mu się. — To już się zdarzało.

— Zbyt rzadko i zbyt wiele hałasu było wokół tych spraw — uciął Konrad.

— Sam wiesz, że światy braci rycerzy są małe i huczą od plotek. Joannici nienawidzą nas, templariusze nas i joannitów — spokojnie klarował brat.

— A my nienawidzimy wszystkich — skończył Konrad i niestety miał rację.

— Zyghardzie, zależy nam, by ten konkretny rycerz stał się członkiem naszego zakonu, naszym bratem. Kiedyś, jak się zaprzyjaźnicie, w co nie wątpię, opowie ci pewnie swoją historię. Na dzisiaj wiedz tyle, że Konrad i ja szanujemy go jako człowieka, który dokonał pewnego wyboru, i podziwiamy jego czyny, jako rycerza. Przez pewien czas będzie w trudnej sytuacji, musząc być u nas ledwie półbratem. Liczymy, że pod twoją ręką szybko zasłuży na zakonne śluby. Nie trzymaj go w murach komturii. Wypuszczaj na zwiady, bo ma doświadczenie i wprawę, choć wcześniej walczył w piaskach pustyni, a nie w pruskich borach i bagnach.

— Zgodziłeś się już? — zapytał zniecierpliwiony Konrad von Sack. — Bo chcę go zawołać.

— A mam inne wyjście, bracia? — nerwowo roześmiał się Zyghard.

Oczywiście Gunter melancholijnie milczał, a von Sack rozciągał usta w uśmiechu.

— No to wołam!

Pochylając głowę w niskim wejściu, wszedł do komnaty ten sam mężczyzna, z którym Zyghard zderzył się na dziedzińcu. Wysoki ogorzały blondyn o nieogolonej twarzy i ponurych oczach.

— Poznaj swego towarzysza, Zyghardzie! — Szerokim gestem zaprosił przybysza Gunter.

— Kuno — przedstawił się nowy.

— Kuno i jak dalej? — zapytał bez entuzjazmu Zyghard.

— Kuno.

— Tyle na razie musi wystarczyć — wytłumaczył nowego Konrad.

— Za chwilę wróci Meinhard i będziemy musieli urobić go przed kapitułą. Wolałbym, aby nie zastał tu Kunona, więc zabierz go, Zyghardzie, na swoją kwaterę. Spotkamy się wieczorem. Bóg z wami.

— I z wami, bracia — odpowiedział Zyghard, wychodząc. Kuno ruszył za nim.

Na dziedzińcu panował ruch dużo większy niż wcześniej. Słudzy biegali z koszami chleba, toczyli do chłodni kolejne beczki, konie rżały, a bracia z różnych komturii witali się hałaśliwie. Ruszyli w stronę budynku będącego częściowo w budowie, tam się mieli zatrzymać.

Ale mi dali prezent na drogę do nowej komturii — niechętnie pomyślał Zyghard. A na głos powiedział:

— Tędy.

— Widzę. Zawsze mówisz rzeczy oczywiste?

— A ty zawsze taki bezczelny? Kimkolwiek jesteś, oficjalnie będziesz przy mnie pełnił służbę półbrata. I tak też będę cię traktował, póki nie zasłużysz na więcej. Wiesz, kim jest półbrat?

— Krzyżacy reguł zakonnych pierwsi nie wymyślili — zaczepnie odpowiedział Kuno.

— Nauka wstępna: nie mówimy o sobie Krzyżacy. Tak mówią o nas inni.

— Ci, którzy was nienawidzą, czyli reszta świata? — w głosie Kunona zabrzmiała drwina.

Zyghard wściekł się. Renegat, który kpi z zakonu dającego mu schronienie? Odwrócił się w stronę Kunona, nie zwalniając kroku.

— Słuchaj! Nie gadaj! — syknął na niego.

Kuno błyskawicznie rzucił się ku Zyghardowi i z całej siły pchnął go w zadaszony podcień budynku, przygważdżając cielskiem do ściany. Zyghard już miał wymierzyć mu cios w tę kwadratową szczękę, gdy zobaczył wielki kamienny blok spadający z dachu. Dokładnie w to miejsce, w którym był przed chwilą. Przeszedł go dreszcz i ugięły się pod nim nogi. Spojrzał na nieogoloną twarz Kunona, tuż przy swojej. Renegat puścił go.

Rozległy się krzyki, do kamiennego bloku zbiegli się robotnicy.

— Jakie szczęście, że nikt nie przechodził dołem! — huknął z ulgą mistrz kamieniarski.

— Szczęście od Boga! — zawtórował mu niski sługa w ubielonym wapnem murarskim fartuchu.

Zyghard przetarł dłonią oczy, bo wydało mu się, że źle widzi. Sługa wyglądał jak karzeł. Zielonooki karzeł.

— Jestem twoim szczęściem od Boga — kpiąco powtórzył Kuno i rozmasował nadgarstek. — Co się mówi?

W pierwszej chwili Zyghard nie zrozumiał. Wciąż serce biło mu trochę szybciej. Ale po chwili przypomniał sobie i powiedział:

— Dziękuję.

JAN MUSKATA, biskup krakowski, lubił swą małopolską diecezję. W końcu jak być biskupem, to tylko w Krakowie! Oczywiście, są i inne biskupstwa w prowincji polskiej, choćby w Poznaniu — ale odkąd zginął król Przemysł, to po cóż być biskupem Poznania? Zupełnie się nie opłaca. Albo jeszcze gorzej, diecezja włocławska. Broń, Panie Boże! Teren duży, lud biedny, wpływy do skarbca małe i wieczne użeranie z Krzyżakami. Nigdy w życiu. Gdyby rozpatrywać beneficja wyłącznie kategoriami bogactwa, to najlepiej miał się biskup Wrocławia. Od czasu słynnego sporu nieżyjącego biskupa Tomasza z nieżyjącym księciem Henrykiem, sporu, na którym Muskata zbudował swą karierę, biskupi wrocławscy to pierwsi duchowni książęta. Czasami przychodziło mu do głowy, że tyle wywalczył dla Tomasza, a sam nie skorzystał. Ale takie krótkowzroczne myśli dopadały go wyłącznie na kacu i to tym najpotężniejszym, kiedy każde włókno ciała ciągnęło w inną stronę, gdy pod czaszką eksplodowały Wezuwiusze i, czego nienawidził, z ust płynęły mu rzeki kwaśnej śliny. Na trzeźwo wiedział, że kariery buduje się wytrwałością, pracą i nieustannym czuwaniem. Był jak podniebny ostrooki drapieżnik, który potrafi wypatrzeć okazję tam, gdzie nie widzi jej jeszcze nikt inny.

Pracy się nie bał; wychował się w rodzinie kupców korzennych. Jego ojciec miał piękny kram przy wrocławskim rynku. „Towary wschodnie", na tym stary Leo Muskata zbił fortunę. Wstawał przed świtem, by wykorzystać blask słońca od pierwszego do ostatniego promienia. Mawiał, że towar trzeba oglądać rano, pieniądze liczyć, zanim słońce stanie w południu, a przed jego zachodem sprzedawać klientom luksus. Gdy pytano go, dlaczego, opowiadał brednie o złocie rosnącym wraz ze słonecznym blaskiem. Stara kupiecka bujda, aż dziw, że ludzie się na to nabierają od pokoleń. Prawda była dużo bardziej prozaiczna: kram Leo Muskaty stał od wschodniej strony sukiennic i od ranka do południa było tam najostrzejsze światło, w sam raz dobre, by ocenić jakość przypraw po kolorze i rozróżnić wartość bel jedwabiu po splocie delikatnych nici. Po południu zaś, gdy wpadało do kramu ciepłym, lecz nieco przyćmionym blaskiem, nadawało się idealnie do sprzedaży, mamiąc oczy klientów odcieniami, których towary nie posiadały w istocie. Poza tym Leo był sknerą i oszczędzał na oleju do lamp. Ot, cała prawda. Troje dzieci, jakie urodziła mu żona, podzielił po równo: Stefan obejmie kupiecki interes, Adelajda bogato za mąż i na rozród, a Jan zrobi dla rodziny więcej niż jedno i drugie — wyniesie ją na szczyty. Stary Leo dobrze przydzielił im role, wiedział, które z rodzeństwa do czego się nada. Śmiali się z ojca, że oglądał ich wyłącznie w tym samym świetle, co pieprz, imbir i szafran. Wiedział, ile są warci.

Stefan jako dziecko wcale nie potrafił liczyć. Nie miał do tego talentu. Ale był uparty niczym osioł. Tak długo ćwiczył dodawanie na wszystkim, co wpadło mu w ręce, że właściwie nie robił nic innego, tylko liczył. Ziarna grochu, które zjadł na kolację, krople wody spadające z dachu, szczeknięcia psa, pchły na poduszce, włosy wyrwane Adeli w czasie zabawy. Potem kroki od wyjścia z domu do kramu, spotkanych przechodniów z podziałem na dzieci, kobiety i mężczyzn. Nim skończył piętnasty rok, potrafił powiedzieć, że było ich trzydziestu, w tym dziesięciu mężczyzn, w tym pięciu młodych, trzech starych, jeden wyrostek i jeden chromy. Kobiety dzielił według kategorii kupieckiej przydatności. Staruszki odrzucał, bo nie kupowały drogich przypraw. A że w szale liczenia liczył się też ze słowami, nie mówił im nawet „Dzień dobry". W dziewczynki inwestował, zaszczepiając w nich pragnienie przyszłych zakupów. A cały urok roztaczał przed mieszczkami, żonami i córkami wystarczająco bogatych mężczyzn, by stać ich było na zamorski luksus. Tak na oczach rodzeństwa wyrósł Stefan Muskata.

W jaki sposób stary Leo odgadł dyplomatyczny talent dzisiejszego biskupa Krakowa? Może w dniu, w którym mały Jan sprzedał pozbawionemu węchu kaletnikowi dziesięć gałek muszkatu, zachwalając wyłącznie ich aromat? Jan nie wiedział wtedy, że mężczyźni trawieni sekretną chorobą mają wielkie bulwiaste nosy nie dlatego, że są arcymistrzami węchu, ale dlatego, że już go nie posiadają. Gdy kaletnik wyszedł z ich kramu z uszczęśliwionym wyrazem na zniekształconej chorobą twarzy, zostawiwszy w kantorku ciężką porcję srebra, Leo popatrzył na syna i powiedział: „Odgadłeś jego marzenia, sprzedałeś mu nieosiągalne i jeszcze ci za to zapłacił. Synu, świat stanie przed tobą otworem". I posłał Jana na studia. Pieniędzmi ojca, własnym talentem oraz ciężką pracą szybko zaczął spełniać tę przepowiednię. W Bolonii zawsze wiedział, z kim warto siadać w jednej ławie, a komu nie trzeba poświęcać nawet spojrzenia. Po powrocie mógł się legitymować znajomościami, od których szumiało w głowie. Kanonikiem wrocławskim został niemal z rozpędu, a wszak kanonik to już elita duchowieństwa, kuźnia, w której wykuwają się przyszli biskupi i kanclerze. On też cel ten sobie postawił, choć długo, naprawdę długo liczył na to, iż gdy dzień chwały nadejdzie, to właśnie diecezję wrocławską będzie mógł prowadzić.

Los chciał inaczej, los pchnął go w orbitę Václava Przemyślidy akurat wtedy, gdy czeski król zdobył Kraków i mościł się w Małej Polsce. Muskata umiał czytać los tak samo dobrze jak psalmy i zdecydowanie przedkładał to pierwsze nad drugie. Václav zajął Kraków, pół Polski lamentowało, że oto Wawel, siedziba królów, w rękach obcego władcy, oj, oj, ile to płaczów wyszło, a wszystkie sygnowane z arcybiskupiej kancelarii Świnki, co to, nie wiedział? Wiedział. A przecież Przemysłowi II nie przeszkodziło to, by właśnie wtedy wydębić od papieża zgodę na koronę królewską i w Gnieźnie koronować się na króla Odrodzonego Królestwa. I ogłosić przy okazji, że oto zdjęta z kraju klątwa Wielkiego Rozbicia. No, Muskata lepiej by tego nie wymyślił! Stratę Krakowa przekuć na królewską koronę! Podziwiał, podziwiał, choć nie gratulował, bo stało to całkowicie w poprzek jego planom. Muskata potrafił jednak szanować przeciwnika i doceniać mistrzowskie posunięcia, bo, jak mawiał Leo przy kramie: „Od konkurencji uczymy się najwięcej". W dniu, w którym

Jakub Świnka wkładał na głowę Przemysła koronę, Muskata pił słodkie wino w Pradze na dworze Václava już jako szacowny biskup Krakowa i pierwszy doradca czeskiego króla w tak zwanych sprawach polskich. Tak zwanych, do czasu.

Bo plan w głowie Muskaty dojrzewał powoli, ale cel dostrzegł szybko. I ten cel miał odcień złoty, tak się składa, jak złotą była Praga Przemyślidów.

Wakujące trony, niepewne korony, królestwa rozbite racz dać nam, Panie! — oto modlitwa codzienna biskupa krakowskiego Muskaty Jana. Modlitwa, której jakimś cudem bardzo chętnie wysłuchiwał Pan.

Muskata pragnął władzy. Władzy większej niż ta, którą dawał mu zaszczytny biskupi pastorał. Na arcybiskupstwo gnieźnieńskie nie miał szans. Świnka tępił go jak dzięcioł szkodnika, psuł mu opinię w kapitule na wszystkie możliwe sposoby. Ale skoro granice Królestwa zostały przesunięte, czyż nie można zmienić i granic archidiecezji? Unormować ich, zgodnie ze stanem aktualnym, powiedzmy? Ach, tak mówić musiał z legatem papieskim albo na posiedzeniach kapituły. Gdy był sam na sam ze sobą, nazywał rzeczy po imieniu: Kraków i Wrocław trzeba oderwać od polskiego i przyłączyć do czeskiego kościoła. To był plan pierwszy, skromniejszy. Plan drugi: Václav na polski tron, Świnka nie jest wieczny, Muskata na arcybiskupa Królestwa, jako zaufany i wypróbowany doradca Przemyślidy. Plan trzeci: ćśśś... Był i plan trzeci, bo Muskata zawsze miał trzy plany, tak jak trzy gałki muszkatołowe w biskupim herbie. Ale ten trzeci był tak odważny, tak obrazoburczy, że Jan jeszcze nigdy nie wypowiedział go głośno. Patrzył, słuchał, przewidywał i milczał, powtarzając jedynie słowa swej modlitwy: *Wakujące trony, niepewne korony, królestwa rozbite racz dać nam, Panie!* Jako syn kupca korzennego wiedział, aż nadto dobrze, iż na rzeczy wzniosłe trzeba czasami w codziennym znoju zapracować. Tak jak i teraz, gdy podjął się roli rozjemcy w sporze między biskupem Wrocławia, Janem Romką, a księciem regentem, Bolke Surowym. Stroną oskarżoną, prócz Surowego, był i jego brat, zwany Brzuchatym, ale wzięło się mu i zmarło.

No i dobrze — pomyślał Muskata — nie będę musiał robić z gęby cholewy. Popierałem Brzuchatego, a teraz musiałbym wydać wyrok przeciw niemu. Prezent mi zrobił swym pogrzebem, a jakże! Jego bratu nic nie obiecywałem, pieniędzy od niego nie wziąłem, mogę wydać wyrok po swojej myśli. Ale! Zanim zaczął się protest, wiadomo było, że rozsądzę przeciw książętom, tylko czy w moim interesie jest tak całkiem zaspokoić biskupa Wrocławia? Nieee. Człowiek zaspokojony przestaje czuć respekt. A jednoznacznie skazany lekceważy wyrok, który go przerasta. Salomonowe wybory. Jan Salomon Muskata, bardzo proszę, do usług!

— Prosi się szlachetnego Jana Romkę, biskupa Wrocławia, i księcia świdnickiego, regenta Wrocławia, Bolke z rodu Piastów, o podejście do rozjemcy procesowego biskupa krakowskiego Jana Muskaty — obwieścił jego pomocnik, obiecujący pisarz o imieniu Uldryk.

Romka posunął się w latach — z satysfakcją zauważył Muskata — łeb mu się kiwa. A Bolke Surowy musiał nieźle oberwać od Głogowczyka, bo skąd ta szrama na dłoni ukryta pod rękawem kaftana?

Przywitał ich frasobliwym skinieniem głowy; spojrzał na obu tak, jakby trzy ostatnie noce nie spał z powodu zagłębiania się w akta procesu. Prawdą było, że nie spał. Nieprawdą, że przez proces. Jego kochanka Gerussa, miewała ruje, zupełnie jak kotka i ujeżdżała go wówczas bez umiaru, przodem, tyłem, wierzchem.

— Bracia — zwrócił się do obu umęczonym głosem — napawał mnie bólem wasz spór, lecz rozpatrzywszy każdy z faktów byłych i obecnych, podjąłem decyzję, która jawić się może jedyną słuszną w myśl prawa biskupiego, ludzkiego i boskiego.

Psiamać, znowu pomyliłem kolejność — skarcił się w duszy i na chwilę wytrąciło go to z równowagi. Skupił się szybko na sentencji.

— Książę Bolke winien jest naruszenia dóbr biskupa Jana Romki poprzez zbudowanie na ich terenie zamków i twierdz obronnych. Aby winę zmazać, zamki muszą zostać rozebrane, kamień po kamieniu. Każdy jeden.

Bolke rzucił się ku niemu, ale straż biskupia czuwała. Zagrodzono księciu drogę dwiema skrzyżowanymi pikami. Ho, ho! Nie od parady Muskata studiował w Italii, w czasie gdy walki domowe były nieodłącznym elementem budowania karier. Wiedział, iż szanujący się biskup musi mieć swych kondotierów. I miał.

— To wyrok pisany pod dyktando czeskie! — ryknął poczerwieniały Bolke Surowy. — Zburzenie twierdz oznacza torowanie drogi na Śląsk Václavowi Przemyślidzie! Hańba, biskupie, hańba!

— Bardzo sprawiedliwy wyrok! Bardzo! — jęczał radośnie Jan Romka.

— Jeszcze nie skończyłem — spokojnie przerwał im Muskata. — Zamki muszą być rozebrane, ale zważywszy na koszt całej operacji, uznaję, iż książę Bolke nie musi wynagradzać tak zwanych szkód na dobrach biskupich.

Jana Romkę zatkało, zwyczajnie zamarł. Jak szpak co połknie czereśnię — zarechotał w duszy Muskata. Wiedział przecież, że zwrot szkód jest dla biskupa wrocławskiego tak samo ważny jak te twierdze, co stanęły na jego ziemi. I wiedział też, że Romka liczył po cichu, że mu Muskata przyzna te twierdze. No jasne! Bolke je wystawił, po części materiał na budowę brał z dóbr Romki, więc ten miał nadzieję, że twierdze będą dla niego i jeszcze odszkodowanie. A tu nic z tego. Jan Salomon Muskata kazał twierdze rozebrać i odszkodowań nie płacić. Bolke wściekły, Romka wściekły, Václav zadowolony, a wyrok jak brzytwa. Wilk syty, owca cała, niezadowolenie sądzonych jakimś ochłapkiem słodzone, nikt nie będzie mógł gadać, że arbitraż był niesprawiedliwy. Co to, to nie! Jan Muskata słynął z orzeczeń kontrowersyjnych być może, ale w granicach prawa!

Romka, który zdążył wyrok pochwalić, już nie śmiał pisnąć, choć łzy mu po policzkach leciały jak grochy. Bolke Surowy, co rzucił się z oskarżeniami, powtórzyć już ich nie mógł. Odeszli ramię w ramię.

I w samą porę! Janowi Muskacie czas się było zbierać do Pragi. Miał zaproszenie na ślub małej Agnieszki Przemyślidki, córki Václava, z równie młodym Ruprechtem z Nassau, synalkiem niemieckiego króla. Nie może go zabraknąć, bo po pierwsze, to wydarzenie pieczętuje zmianę niemiecko-czeskich sojuszy, a po drugie, sam pomógł załatwić dyspensę dla nieletnich małżonków. A po trzecie? Oczywiście, i tym razem Jan Muskata miał trzy plany, bo powiedzenie, iż sprytni pieką na jednym ogniu tylko dwie pieczenie, uważał za stanowczo przestarzałe.

MAŁGORZATA wygrzewała się w letnich promieniach słońca, z radością patrząc, jak Rikissa i jej brat Otto bawią się w ogrodzie. Ośmioletnia królewna podbiła serce dziesięcioletniego Ottona, nie robiąc nic. Wcześniej wrzaskliwy i wojowniczy chłopiec, który całe dnie spędzał na placu, szyjąc z łuku lub okładając się z bratem fiszbinowym mieczem, nagle spokorniał, spoważniał i wysubtelniał. Przy

Rikissie robił się opiekuńczy, miły i ciągnęło go do ksiąg, bo ona kochała barwne ilustracje równie mocno jak inne dziewczęta stroje. Mogła całymi dniami siedzieć i wpatrywać się w misternie zdobione inicjały, rozróżniała style zdobnicze i bezbłędnie nazywała nawet subtelne odcienie barw. Inna rzecz, że stroje uwielbiała również i nigdy nie było jej obojętne, którą z sukien włoży i jakim połączy surkotem. Jeszcze w Poznaniu sprawdzała co rano, jaka jest pogoda, jakimi kolorami lśni Warta, czy kwitną róże wokół zamku i jeśli tak, to które, białe, czerwone czy żółte. Dopiero wtedy wybierała suknię i zwykle nikt nie mógł skłonić jej do zmiany decyzji.

Jak tylko stary ojciec Małgorzaty, margrabia Albrecht, poczuł się lepiej, Rikissa towarzyszyła mu w spacerach wokół zamku w Salzwedel. Małgorzata chadzała z nimi czasami, a Otto nie opuścił żadnego z wyjść. O ile szybko można było stwierdzić, iż Otto zakochał się w małej Rikissie, o tyle co powiedzieć o Albrechcie? Stary ojciec nie tylko spełniał zachcianki królewny, on starał się je odczytać, zanim Rikissa na nie wpadła. Ściągnął z opactwa benedyktynów księgi, płacąc za ich wypożyczenie ciężkie pieniądze, by mała mogła je oglądać. Zaprosił do Salzwedel minezingera, by doskonalił jej naukę niemieckiego, bo Rikissa powiedziała, że chce do swego kawalera mówić po niemiecku. „Kawaler Otto", tak go nazywała, a on czerwieniał na twarzy za każdym razem. Gdyby tylko stryj Otto Długi rzadziej bywał na zamku i gdyby raz po raz nie przyjeżdżała Mechtylda Askańska, Małgorzata mogłaby powiedzieć, że jej smutne i samotne wdowieństwo nabiera bladych odcieni błogiego spokoju. Niestety, Mechtylda wyjeżdżała na krótko, a wracała na zbyt długo. Osaczała Małgorzatę, szpiegowała każdy jej krok. Przekupiła służące i dwórki, i Małgorzata nie ufała nikomu, prócz siebie. Cała ta sytuacja stawała się z wiadomych przyczyn coraz bardziej uciążliwa. Rozwiązanie musiało nadejść lada dzień, a Małgorzata bała się go tak bardzo, że na samą myśl zapierało jej dech. Wolała więc nie myśleć, udawać, że problemu nie ma, odsuwać go od siebie jak najdalej, zdając się na los. Modlić się w tej sprawie nie miała odwagi, bo zbyt wiele się wydarzyło zła.

— Ach! Tu jest moja orliczka! — głos Mechtyldy przeciął letnie powietrze niczym bicz. — Nie powinnaś siedzieć na słońcu. To może zaszkodzić dziecku.

— Nie jestem w ciąży — powiedziała Małgorzata i sama zlękła się swoich słów.

Zielone oczy Mechtyldy pociemniały w fali gniewu tak gwałtownej, że Małgorzata niemal poczuła jej uderzenie. Dlaczego to powiedziałam? — trwożliwie przemknęło jej przez głowę. — Dlaczego?

— Poroniłaś? Służące nic o tym nie wiedzą! — Słowa księżnej były jak uderzenia otwartą dłonią w twarz.

— Nie poroniłam.

— Więc co? Byłaś i nie jesteś? — Mechtylda przysunęła się do niej tak blisko, że widziała kropelki śliny na jej ustach.

— Nie byłam — odpowiedziała cicho. — Myślałam, że jestem brzemienna, ale myliłam się...

— Bzdura. Łżesz. Czuję, że kłamiesz.

Nozdrza Mechtyldy poruszyły się i Małgorzata bez trudu mogłaby uwierzyć, że Askanka naprawdę wietrzy fałsz. Co robić? Jak się bronić? Przecież nie powie prawdy. Odruchowo zrobiła krok w tył, ale Mechtylda była szybsza. Doskoczyła do niej, pchnęła, przyparła Małgorzatę plecami do drzewa i bez skrępowania chwyciła ją za brzuch.

— Gdzie jest to dziecko? Mów!

— Nie wiem, jak to się stało... Tyle dni byłam pewna, że moje łono jest brzemienne... A w niedzielę obudziłam się i krwawiłam jak kiedyś... — Małgorzata czuła palce wbijające się przez fałdy sukni w jej podbrzusze, obmacujące badawczo i bezwzględnie.

— Bez dziedzica jesteś niczym! — syczała wściekła Mechtylda prosto w jej twarz.

Brzuch był pusty i mogła jedynie dusić go pazurami tak mocno, że odbierała Małgorzacie dech.

— Jesteś niczym!... — powtarzała jadowicie, nie mogąc się z tym pogodzić.

— Księżna szczecińska nas odwiedziła! — Jasny głosik Rikissy był zdyszany, jakby królewna biegła. — Witamy!

— Witamy księżną! — szybko dołączył do niej głos Ottona.

Mechtylda puściła Małgorzatę, ale jej oczy mówiły: „Jeszcze z tobą nie skończyłam".

— Bawiłyście się w chowanego? — spytała niewinnie Rikissa.

— Tak — odpowiedziała gładko Askanka. — Twoja macocha bawi się ze mną w chowanego. Dziwne, bo jako dziecko nie znosiła takich gier.

Małgorzata poprawiła suknię, szybko otarła łzy i spojrzała na dzieci. Rikissa miała zaróżowione policzki, Otto w ręku trzymał koło. Musiały tu przybiec. Czy słyszały rozmowę?

— Księżno, gdzie jest moja piastunka? — spytała Rikissa. — Panna Kalina zniknęła i mówiono mi, że to ty, pani, zabrałaś ją ze sobą.

— Moja droga, nie potrzebujesz już piastunki — słodko odpowiedziała Mechtylda. — Jesteś już narzeczoną, panną na wydaniu!

— Królewną — poprawiła ją Rikissa. — Jestem polską królewną.

Małgorzata przez całą tę chwilę liczyła, że Mechtylda odpuści jej i przy dzieciach nie będzie rozmawiać o wiadomo czym. Ale szybko okazało się, że nic z tego.

— Rikisso Trzy Lwy. — Askanka przykucnęła i położyła małej królewnie ręce na ramionach. — Czy Małgorzata czuła się ostatnio gorzej? Czy nic nie rzuciło ci się w oczy?

Co za suka — pomyślała Małgorzata — wciąga w to wszystko małą! Jak śmie! Gdybym tylko miała odwagę postawić się jej ostro, gdyby choć raz nie paraliżował mnie lęk...

— Gräfin Mechtilde — powiedziała dźwięcznie Rikissa, przechodząc całkowicie na niemiecki — królowa Małgorzata nie najlepiej znosiła stan odmienny. — Podniosła ręce i zrobiła dokładnie to samo, co Mechtylda: położyła jej dłonie na ramionach. — Dobrze, że mój ojciec wezwał to nienarodzone dziecko do siebie, prawda, Gräfin Mechtilde? — Przechyliła główkę i wpatrywała się w oczy Askanki.

— O czym mówisz, królewno? — dopytała Mechtylda, lekko ściągając brwi.

— To przynosi pecha — odpowiedziała Rikissa, poprawnie akcentując słowa. *Unglück*. Pech. — Mój ojciec też narodził się jako pogrobowiec. Zapewne zechciał mieć tego potomka w niebie, a nie tu, między nami.

Mechtylda zdjęła ramiona Rikissy ze swoich i wstała. Miała nieodgadniony wyraz twarzy.

— Dzieci, proszę, byście mi towarzyszyły. Idę odwiedzić mego brata Albrechta — zwróciła się do Ottona i Rikissy.

Otto grzecznie zrobił krok w stronę Mechtyldy, ta spojrzała wyczekująco na Rikissę. Królewna uśmiechnęła się.

— Mój kawaler będzie ci towarzyszył, Gräfin Mechtilde, on jest bardzo miły. Ja zostanę z Gretą.

Askanka zamrugała, Małgorzata drgnęła, bo Rikissa nigdy wcześniej nie nazywała jej w ten sposób. „Greta" była niemal zastrzeżona dla Mechtyldy, a ta zwracała się do niej tym zdrobnieniem wyłącznie, gdy były same, gdy chciała Małgorzatę sprowadzić do poziomu uległej dziewczynki. Rikissa znów uśmiechnęła się niewinnie i skinęła głową, jakby żegnała Mechtyldę i Ottona. Askanka odeszła w zadumie, choć parę kroków dalej już pociągnęła Ottona za rękę.

— Nic mu nie zrobi, prawda? — zapytała cichutko Rikissa po polsku.

— Nie.

Małgorzata otarła spocone czoło, oparła się o drzewo.

— Chcesz usiąść? Chodź, tam jest kamienna ławka, mój kawaler i ja często tam siedzimy. — Rikissa wzięła Małgorzatę za rękę.

— Skłamałaś dla mnie — powiedziała Małgorzata, gdy usiadły.

— Skądże. Ja tylko mówiłam w innym języku.

Królowa spojrzała na małą, a ta mrugnęła do niej i zaśmiała się cichutko.

— Starałam się mówić bardzo poprawnie. Dobrze mi wyszło, co?

— Nawet nie wiesz, jak dobrze! — Małgorzata przytuliła się do dziecka i rozpłakała. — Nawet nie wiesz, jak...

Rikissa pogłaskała ją po policzku i odpowiedziała całkiem poważnie:

— To jest zła osoba, ta Gräfin Mechtilde. Nie lubię jej, ale się jej nie boję. I ty też możesz się jej nie bać, Małgosiu.

Małgorzata opanowała łzy.

Późno w nocy stała przy oknie, patrząc w mrok, w korony drzew poruszające się, gubiące pierwsze liście. Myślała o słowach Rikissy. „I ty też możesz się jej nie bać". To nie takie proste, jak się małej królewnie wydaje! Tyle lat, tyle kłamstw, czasami sama nie odróżnia prawdy od zmyślenia... Najpierw Mechtylda kazała jej uwieść Przemysła, przywiązać do siebie. Ona tego nie potrafiła, bo mąż wciąż był zakochany w zmarłej żonie. Potem wymagała, by Małgorzata szpiegowała Przemysła, by donosiła o jego planach. A on nie dzielił się z nią planami. Mechtylda nastawała na nią, goniec ścigał gońca, każdy domagał się wieści. Małgorzata zaczęła zmyślać; wydało jej się to nieszkodliwym sposobem, by zaspokoić Mechtyldę jakimś ochłapem, czymkolwiek, byleby przestała ją nękać. Ale to zamiast przynieść ulgę, tylko wzmagało ich żądania, bo Małgorzata wiedziała, że za Mechtyldą stoją wszyscy Askańczycy obu skłóconych linii.

I ten straszny dzień, kiedy zrozumiała, że chodzi im o Wschodnie Pomorze, że tego nie mogą Przemysłowi darować, iż on włączył je w obręb Odrodzonego Królestwa. Pragnęli go dla siebie, pragnęli przyłączyć je do Zachodniego Pomorza Mechtyldy i władać nim niepodzielnie, jak swoim. Od tamtego dnia Małgorzata wiedziała, że coś się stanie. Spodziewała się najgorszego w każdej chwili. Próbowała z żądań kierowanych do siebie, z natarczywych próśb o informacje przewidzieć, co planują. Każda z tych myśli napawała ją grozą, bo wiedziała, iż Przemysł nie jest gotów do wojny z całą Brandenburgią, że zjednoczonymi we wspólnym, drapieżnym pragnieniu margrabiami Stendal i Salzwedel. Próbowała mu subtelnie przemycić tę myśl, by się zbroił, by gotował zachodnie rubieże do obrony, ale nie potrafiła. Bała się, że zaszczepiając w nim myśl o zagrożeniu brandenburskim, zrazi go do siebie. Była słaba — z miłości. Tak bardzo nie chciała go stracić, że nie umiała nic zrobić...

Jednak gdy przed Bożym Narodzeniem zrozumiała, że Askańczycy są gotowi posunąć się nawet do zamachu na króla, wpadła na pomysł dziedzica. Wymyśliła, że spodziewa się dziecka. Była pewna, że to pokrzyżuje im plany. Nie podniosą ręki na Przemysła albo chociaż nie od razu. Królowa wdowa z niemowlęciem na ręku byłaby dla każdego nowego króla pierwsza do usunięcia. Tak jak nowy lew zabija lwiątka samicy z poprzedniego miotu. Naiwnie sądziła, iż wieść o następcy tronu w jej brzuchu pohamuje krwiożercze pragnienia jej rodziny. W końcu to byłby dziedzic i ich krwi! Po co wydzierać Przemysłowi siłą Pomorze, skoro władać nim będzie jej brandenburski syn? Myślała, że kłamstwem o ciąży kupuje życie Przemysła, że go ochroni, osłoni albo chociaż wytarguje czas. Czas potrzebny na to, by w jakiś sposób uprzedzić go o brandenburskich planach. Ale... nie spełniło się żadne z jej domniemań, żadne.

Kazali jej jechać z nim na zapusty do Rogoźna, powiedzieli, że wpadną tam z wizytą. Więc nie pojechała, żeby znów pokrzyżować im plany, żeby zmylić. Znała Mechtyldę jak zły sen, wiedziała, że jest zdolna do tego, by przystawić jej nóż do brzucha i szantażować Przemysła. A przecież on jeden wiedział, iż szansa na to, że brzuch królowej jest pełen, była znikoma. Nie pojechała. Modliła się, prosząc Boga o ratunek, i wtedy gdy w połowie modlitwy do jej drzwi zapukał Michał Zaremba, potraktowała to jak znak. Michał to imię Archanioła, wodza wojsk niebieskich, który może pokonać Szatana. Wysłała go za Przemysłem do Rogoźna, błagała: „Strzeż króla" i nie ustrzegła. *Boże, mój Boże, czemuś mnie opuścił!* — łkała później noc w noc. Na jej głowę spadły oskarżenia. To ją wytykano palcem na Małej Radzie.

Popychano ją tym palcem do wyjazdu z Poznania. Dawano jej do zrozumienia, że nie jest mile widziana na dworze.

A ona bała się powrotu. Bała się, że wpadnie w ręce Mechtyldy, Ottona Długiego, Ottona ze Strzałą, ich wszystkich. Tylko jej ojciec był poza spiskiem. Stary, dobrotliwy mędrzec, zbyt prostolinijny jak na Askańczyka. Z Albrechtem nie dzielili się swymi niecnymi planami, bo wiedzieli, że nie znajdą u niego uznania. Ale to był kolejny powód do niepokoju. Małgorzata bała się o ojca i młodszych braci. Cóż będzie, jeśli któregoś dnia Mechtylda i Otto Długi uznają Albrechta za przeszkodę na ich drodze? *Boże, tyś miłosierny nawet wobec tych, co błądzą! Racz spojrzeć na mnie Panie!* — Tak, po stokroć wolałaby zostać w Królestwie jako królowa wdowa z Rikissą przy boku. Odsunąć się w cień, wychowywać królewnę, pielęgnować pamięć o Przemyśle, nawet dać się zamknąć w klasztorze! Wszystko, byleby nie wracać do nich! Ale sieć intryg zacisnęła się niczym pętla na szyi. W Poznaniu była niemal pierwszą podejrzaną, Mechtylda pisała histerycznie: „Ojciec twój coraz słabszy, wracaj szybko i nie wygadaj się przed kanclerzem, żeś ciężarna, bo cię nie wypuszczą". Kłamstwo raz puszczone w obieg obrastało w dziesiątki półprawd. I lęk o Przemysła zastąpił nowy lęk: o życie ojca. A teraz jeszcze i o małą królewnę. Matnia. Zabiłaby się, gdyby nie to, że jedynym sensem jej istnienia jest marzenie o życiu po śmierci — z Przemysłem. Samobójczynię Bóg strąci do piekieł bez pytania o powód, a tam z pewnością nie spotka Przemysła. Więc znów jest bez wyjścia. Jak kiedyś. Jak zawsze. Całe życie przyparta do muru.

Patrzyła na wschodzący ponad koronami drzew dzień. Sina łuna świtu. W oddali zabiły kościelne dzwony. Dźwięk niósł się, przebijając przez chłodną, lepką mgłę. I wtedy zaczerpnęła tchu głębiej. I zaświtała w niej jakaś myśl, coś na kształt wciąż odległego w czasie, ale jednak rozwiązania. Doczekać, aż wydadzą Rikissę za Ottona, wtedy mała będzie bezpieczna. Doczekać śmierci starego Albrechta, by nie uczynili mu krzywdy. I gdy spełni powinności wobec tych dwojga, odejść. Przekroczyć furtę zakonu. Założyć habit i modlić się o odkupienie win, także tych niepopełnionych. Tych, które nazwać może grzechem zaniechania, a których źródło tkwiło w obezwładniającym ją strachu. I móc zaśpiewać jako ostatnia wśród psalmistek: *Bogu ufam, nie będę się lękać, cóż może mi uczynić człowiek?*.

1297

ELŻBIETA, księżna wrocławska, pospiesznie przeżegnała się przy krypcie grobowej męża i ruszyła w stronę celi opatki. Czasu nie miała wiele; odkąd najmłodszy syn pojawił się na świecie, czuła się jak więzień tego zachłannego dziecka. Zapukała trzy razy szybko i czterokrotnie w odstępach.

— Po coś mu dała na imię Władysław? — wypaliła zamiast powitania opatka, Jadwiga głogowska.

— Bo Bolesława i Henryka już mam, wybór się zawęził — odpowiedziała Elżbieta, siadając na ławie obok Ofki i zdejmując wdowi welon. Jej srebrne włosy rozsypały się po ramionach.

— Ładnie ci — skomentowała najstarsza z książęcych klarysek, Jadwiga Pierwsza. — Młoda a siwa. Mnie się podoba. Rok minął, możesz zdjąć żałobę.

— Ale Elżbiecie do twarzy w czerni! — Ofka pogłaskała jej srebrne włosy. — Mogę cię uczesać?

Opatka, siostra Henryka Głogowczyka, w zamyśleniu pociągała krzyż zawieszony na piersi. Zerkała na Elżbietę spod oka, bijąc się z myślami. Nie wytrzymała.

— Elżbieto. Imię Władysław jest dzisiaj mało dyplomatyczne na Śląsku. Dajesz sygnał, że wspierasz Karła.

— Księcia Kujaw, Starszej Polski, Pomorza i męża mojej siostry — poprawiła ją oziębłe Elżbieta. — Zresztą dziad Ofki i mój był Władysław.

— Władziu Odonic! Kawał zbója! Miał przydomek „Plwacz" — ożywiła się Jadwiga Pierwsza i natychmiast zastrzegła: — Nie, żebym go znała osobiście, ale jak to mówią: „Rodzice wspominali jego imię zgorszonym szeptem". — Zachichotała jak dziewczynka.

— Dajcie spokój Elżbiecie. Rzeczywiście, jej pierworodny to Bolko, drugi syn Henryk, to jaki miała dziewczyna wybór? Został jej prócz Władysława Kazimierz, ostatecznie Siemomysł.

— Jest jeszcze Leszek, bardzo ładne imię — bąknęła opatka.

— A jak się kojarzy, ho, ho! — Jadwiga Pierwsza zrobiła okropną minę i ciągnęła nienaturalnie przesłodzonym tonem: — Chciałaś nawiązać do Leszka inowrocławskiego, co próbował Karłowi zdmuchnąć sprzed nosa Pomorze czy do naszego Leszka? Życzysz Elżuni, żeby zamiast synowej miała kiedyś synowca?

— Przynajmniej ziemi nie musiałby chłopak dzielić między synów — zachichotała Ofka, ale natychmiast przeprosiła. — Żart był niestosowny, wybaczcie.

— Dobrze. Odwołuję, co powiedziałam. — Rozłożyła ramiona pokonana opatka. — Jak się chowa mały Władysław?

— Okropnie. Dzieciak z piekła rodem. Trzecią mamkę zamęczył w pół roku i widzę marne szanse na znalezienie czwartej — uczciwie przyznała Elżbieta.

— Widać, że po złości poczęty. Możesz nam znów opowiedzieć, jak to było? — poprosiła Jadwiga Pierwsza. — Ku bojaźni bożej...

— Później, kochanieńka, później. Musimy omówić ważniejsze sprawy, dlatego przyzwałam do nas Elżbietę. — Opatka wyprostowała się i wzniosła oczy ku krzyżowi pod sklepieniem celi. — Mamy zjazd wszystkich książąt śląskich w Zwanowicach. Co wy na to?

Najstarsza Jadwiga zgodnie ze swym przydomkiem odezwała się pierwsza.

— Prawdziwych książąt to tam jest dwóch. Twój brat, ponury Henryk z Głogowa, i szwagier Elżbietki, Bolke Surowy. Cała reszta to tak jak wianuszek z pieczonej rzepy wokół prosiaka na półmisku. Wątpliwa ozdoba. Niby jest, a nikt tego nie tknie.

— Siostra Jadwiga ma rację, ale najważniejsze, że się w ogóle spotkali na pokojowym gruncie. Może pokój na Śląsku uradzą?

— Jeśli się spotkali, to raczej znak, że chwilowo wyczerpali fundusze na wojnę — przerwała Ofce Jadwiga Pierwsza. — Ponad pół roku się tłuką, a klasztor cierpi.

— Prawda — potwierdziła opatka — śląskie darowizny zmalały. Ale pojawiła się jedna, która dała mi do myślenia, i dlatego chciałam z wami wszystkimi rozmawiać.

— Duża? — zaciekawiła się Jadwiga. — Bo jak koń tłusty, to może nie będziemy mu zaglądać w zęby?

— Symboliczna, więc lepiej dla nas pomyśleć, co się za nią kryje. Darczyńcą jest Václav Przemyślida.

— Akurat teraz? Co za zbieg okoliczności! Książęta śląscy radzą w Zwanowicach, a klaryski we Wrocławiu będą się modlić za darczyńcę. Ha, ha! Jeszcze mnie rozum nie opuścił. Mój cioteczny wnuk Václav, czy jak go tam liczyć, to szczwana bestia kuta na cztery kopyta. Łapy ma długie, mówię wam, że coś knuje. Pomodlić się mogą co najwyżej nowicjuszki i to po zjeździe, nie w trakcie. Nie będą mu zasłużone siostry spraw u Pana Boga załatwiać — orzekła autorytarnie Jadwiga Pierwsza, jakby zapominając, iż już od lat nie jest opatką.

— Lepiej bym tego nie ujęła — chłodno przyznała jej rację Jadwiga głogowska. — Zwłaszcza że zjazd organizował książę Bolko opolski.

— No i wszystko jasne! Złote orły na błękicie! A jak uważacie, dlaczego książęta opolscy mają złote orły, nie czarne? Bo złota jest Praga Przemyślidów! Podlizują się królom czeskim niczym kundle kuchennej służbie. Za kość z mięsem będą stać na dwóch łapach i merdać ogonem w poprzek. — Jadwiga Pierwsza, choć po matce była Przemyślidką, nie lubiła Czechów. Albo, jak sama mawiała: „Miała o nich właściwe mniemanie".

— Czego Václav dzisiaj szuka na Śląsku? Ponoć zajmuje się wyłącznie swoją koronacją. — Zadumała się Ofka, kończąc splatanie włosów Elżbiety w koronę. Przyjrzała się swemu dziełu z podziwem.

— To proste. Chce mieć tu spokój, żeby mu nikt uroczystości nie popsuł. Muskata rozbroił Bolke Surowego, każąc mu burzyć zamki, więc Václav pozbył się jednego zagrożenia. Teraz chce się upewnić, że Śląsk pod kontrolą. Nasi książęta się pogodzą, pójdą lizać rany w domowe pielesze, kto wie, może ich nawet Václav na koronację do Pragi zaprosi, jak obiecają, że będą grzeczni.

— Nie wierzę, by mój szwagier pojechał bić brawo Václavowi — powiedziała krytycznie Elżbieta, sprawdzając palcami zawoje warkocza na głowie. — On jest strasznie zacięty. I nawet jeśli pogodzi się z bratem Jadwigi, to nie sądzę, by gdziekolwiek wystąpili wspólnie.

— Poznałaś go już lepiej, co? Prawda to, że z niego ogier? Słyszałam, jak mówiły dziewuszki w kuchni... — Jadwiga Pierwsza ożywiła się i mlasnęła. — A może ty już go osiodłałaś, Elżuniu? Mów, mów, to ciekawsze od tamtej opowieści, jak cię mąż zmusił do fizycznego aktu. Tamto mi się już, szczerze mówiąc, znudziło. Nowości pragnę!

Elżbieta wcale tego nie chcąc, zarumieniła się aż po czoło. Uparte oczy Bolke śledziły ją niemal co dnia. Co gorsza, śledziły ją także i wtedy, gdy szwagier wyjeżdżał z Wrocławia, stając się rodzajem obsesji.

— Nie. Nic między nami nie zaszło — odpowiedziała zgodnie z prawdą. — Nic a nic.

— Ale widziałyście, jak się zawstydziła! Ha, ha, jak dziewica! — Starsza Jadwiga klaskała z uciechy.

— Przestańcie! — wzięła ją w obronę Ofka. — Elżbieta jest zakochana w innym!

— Ale ten inny nie żyje od roku! Wdowieństwo po mężu zdejmuje, więc jak długo się będzie kochać w zimnym trupie?

— Elżbieta się nie kocha w trupie męża, czyście poszalały?! — wygadała się Ofka.

Zapadła niezręczna cisza. Elżbieta spuściła głowę najniżej, jak było można. Ofka trzymała się za usta. Opatka litościwie milczała. Ale Jadwiga Pierwsza nie wytrzymała i pisnęła cichutko:

— No przecież nie jesteśmy głupie. Wiemy, w którym nieboszczyku kocha się Elżbietka. Ona po prostu nie umie kłamać, ot co. Bardzo zła przypadłość, jak na księżnę.

— Mam dla was jeszcze jedną sensacyjną wiadomość. — Przyglądziła habit opatka. — Skupcie się, by zrozumieć, co ona może znaczyć.

— Skupcie się, skupcie się — niezadowolonym głosem przedrzeźniała ją Jadwiga. — Chwili wytchnienia człowiek mieć nie może, bo albo do modłów gonią, albo do śpiewania. Dobrze, że już haftować nie muszę, odkąd zamiast ornatu zaczęłam wyszywać rękaw własnego habitu. Nitki od igły nie odróżniam. Zawsze musisz wszystko zepsuć, szanowna nasza opatko? Raz na jakiś czas się można rozerwać, porozmawiać o ciekawych sprawach, a ty nic, tylko: „Skupcie się". I co masz aż tak ciekawego, żeby przerywać wątek o tym, kto się w kim kocha, co?

— Książę Władysław kujawski spiskuje z biskupem krakowskim Muskatą! — oznajmiła opatka.

— Niemożliwe, Władysław nienawidzi Muskaty bardziej niż twego brata — skwitowała Elżbieta, ciesząc się, że przestała być w centrum zainteresowania.

— A jednak — potwierdziła opatka. — Nadał mu przywileje i dobra w Sieradzkiem. To jak sądzicie, za nic mu je dał? Za darmo? Nie wierzę. Coś się za tym kryje, tylko co?

Ofka zmarszczyła brwi, uniosła szczupłe palce do oczu i poruszyła nimi. Przetarła powieki, jakby ścierała z nich sen, lekko potrząsnęła głową. Spojrzała na nie, mówiąc niepewnie:

— Władysław zrewanżował się przywilejami za jakąś przysługę Muskaty...

Jadwiga Pierwsza rozparła się wygodniej na ławie i udała, że ziewa. Gdy sprawdziła, że wszystkie patrzą na nią, dodała niby od niechcenia:

— Jak to co? Mały Książę kupuje u biskupa krakowskiego wolne przejście dla wojsk węgierskich, po które posłał w zeszłym roku.

JEMIOŁA spotkała się z bratem w niewielkiej chacie rybackiej nad brzegiem Szeszupy. Ostatni raz widzieli się, gdy umierał książę Pomorza Mściwoj. Woran przez wiele lat był giermkiem wielkiego, czarnego gryfa. Służąc Mściwojowi, w istocie służył jaćwieskiej Matce. Mściwoj i jego czarny gryf, sami o tym nie wiedząc, znajdowali się pod ochroną ludzi Starej Krwi w podzięce za to, że książę i jego ojciec wspierali i zbroili plemiona w wojnie z Krzyżakami.

— Woran!

— Jemioła!

Nie zmienił się ani trochę. Wciąż miał twarz melancholijnego młodzieńca i te, właściwe tylko jemu, z pozoru spowolnione ruchy, które sprawiały, że nawet kiedy biegł, zdawało się, że stał.

Ucałowała brata, a on wyszeptał:

— Życie bliźniąt narodzonych w świętą noc Kupały nie należy do nich. Jesteśmy cudem natury i jej musimy służyć. Spokojnie przeszłaś przez kraj Galindów?

— Tak, są u nas dwie siostry z tych stron. Mówiły, że mogę bezpiecznie iść po kulgrindach, ścieżkach przewieszonych nad bagnami. Powiedziały, że im gorzej ta podniebna kładka będzie wyglądać, tym pewniejsza, i miały rację. Żywego ducha nie spotkałam, niestety.

— Mów, co cię sprowadza, siostro.

— Rozkaz Dębiny. Kazała mi się spotkać z tutejszą matką.

— Zaprowadzę cię, ale nie mogę obiecać, że Jaćwież z tobą pomówi. Jest... — zawahał się, szukając właściwego słowa — ...kapryśna.

Jemioła przytuliła się do brata.

— To znaczy, że z niej niezłe ziółko. Nie znam nikogo, kto byłby tak delikatny, jak ty.

— Chodź, moja połówko! — pociągnął ją Woran. — Zostaniesz do Kupały?

— Nie wiem.

— Pójdziemy najpiękniejszym olsem, jaki znam. — Woran udawał, że nie widzi jej zmarszczonych brwi, napiętych mięśni. — Teraz las olchowy przypomina pannę młodą strojącą się do ślubu. Stój, trzeba pokłonić się pierwszej matce.

Zgiął się wpół i wyszeptał:

— *Meřas māte*, Matko Lasu, przejdziemy?

Odczekał chwilę i dał Jemiole znak, że ruszają. Choć ona była raczej pulsującą gniewem wdową, Woran miał rację. Ols był wspaniały. Stał w wodzie po ostatnich ulewach, a słońce sprawiało, iż ta parowała, unosząc w górę wonie ziemi. Zdjęli buty, Jemioła podkasała suknię pod pasek i boso ruszyli przed siebie. Stare, wielkie olchy wyglądały, jakby rosły w wodzie. W kępach runa u szyi ich korzeni gnieździły się krzewy kwitnących biało kalin. Ciepła, stojąca woda przyjemnie łaskotała łydki. Woran szedł przodem, ale raz po raz odwracał się do siostry i uśmiechał. Przez krótką chwilę zapomniała o zemście, przeszło jej przez głowę, że mogłaby tu zamieszkać z bratem.

— Co robisz po śmierci Mściwoja? — spytała.

— Matka wysłała mnie do roboty — odpowiedział z uśmiechem.

— Można powiedzieć, że dopiero teraz rozumiem twoją służbę.

— Którą? — spytała może nazbyt twardo.

— W „Zielonej Grocie" — tajemniczo uśmiechnął się Woran.

— Powiesz coś więcej, czy mam się sama domyślać?

— To tylko praca. Służę. Znów jestem giermkiem.

— Nie rozumiem.

Woran odwrócił się do niej i uśmiechnął rozbrajająco.

— Myślisz, że ja pojmuję wszystkie rozkazy matki? Czasami je tylko wypełniam. Zatrzymaj się na chwilę.

Pochylił się i wyszeptał:

— *Udens māte*, Matko Wody, przejdziemy?

Wyczekał w pokłonie i zrobił kilka kroków, mówiąc:

— Teraz uważaj, ols się kończy, wchodzimy w martwy lód.

Drzewa zaczęły rzednąć i mimo iż nadal szli po wodzie, pod stopami poczuła chłód, jakby szła po zimnych kamieniach. Dopiero gdy wokół nich zapanowała cisza, dotarło do niej, że wcześniej ols był rozświergotany głosami ptaków. Teraz zaś ani ważka, których przed chwilą było tak wiele, ani motyl, ani żaden owad nie mąciły ruchem skrzydeł tej chłodnej ciszy.

Nie rosły tu żadne drzewa, krzewy, nic. Po prostu pas martwej, przykrytej wodą ziemi. Kończył się kilkoma głazami rzuconymi niczym tama i za nim zaczynał się znów zielony wąwóz.

— Załóż buty — powiedział Woran i spojrzał w zachodzące za ich plecami słońce — o zmroku dotrzemy. Ale stój chwilę, czekaj.

Pokłonił się trzeci raz i wyszeptał:

— *Vejas māte*, Matko Wiatru, przejdziemy?

Wąwóz był podmokły, choć w przeciwieństwie do olsa nie stała w nim woda. Za to rozwinął przed nimi kobierzec roślin. Pogodne, słoneczne kaczeńce, ostrza turzycy. Pełzające kłącza karbieńca o rozłogach zdobnych koronami białych kwiatów nakrapianych czerwienią, jakby na płatki spadły krople krwi. Między nimi kwitnący biało czosnek niedźwiedzi i gdzieniegdzie miododajne i trujące wilczełyko.

Zapadał zmrok, gdy wyszli z wąwozu i wdrapali się na osłaniające go zbocze.

— Spójrz, Jemioło — powiedział Woran, ogarniając jej plecy ramieniem. — To widok, przy którym gubię wszelkie smutki.

Cztery wyniosłe stoliwa, samotne wzniesienia, spadały ostrym zboczem ku spokojnej tafli jeziora. Były niczym cztery wieże chroniące jego wody.

— To Perty, jezioro, na którym siedzi Jaćwież. A tam w oddali już Litwa.

— Ależ tu pięknie — jęknęła Jemioła.

— Tak jak mówisz, pięknie. Schodzimy.

Pociągnął ją za rękę, niemal biegli w dół. Gdy stanęli nad brzegiem jeziora, unosiła się mgła.

— Vakarinė, bogini Gwiazdy Wieczornej, prowadzę swą siostrę! — krzyknął Woran, a jego głos popłynął po wodzie.

Z szuwarów wyciągnął tratwę z jednym wiosłem. Wsiedli na nią i Jemioła z podziwem patrzyła, jak zręcznie Woran wiosłuje. Noc i woda zlewały się w jej oczach w jedną, ciemną toń. Spłoszyli stado wodnych ptaków, dobijając do lesistej wyspy.

— Wyskakuj.

Sam zacumował tratwę do zgiętej nad wodą brzozy.

— Siadaj, czekamy, aż rozpalą. Wcześniej Matka nie przyjmuje. — Podał jej bukłak z brzozowym sokiem.

Właściwie mogłaby tak siedzieć w mroku nocy, podparta o plecy Worana i pić orzeźwiającą bzowinę. Przy bracie odpływała od niej chęć zemsty. Znów była tym, kim wcześniej: dziewczyną o włosach w kolorze orzechów buczyny, pogodną i jasno patrzącą na świat.

— Spójrz w górę — szepnął Woran.

Uniosła głowę, a on obrócił jej twarz, śmiejąc się.

— Nie tak dosłownie. Spójrz na brzeg.

Dojrzała blask ogniska wysoko na brzegu, z którego przybyli. Potem Woran pokazał je drugie, trzecie i czwarte. Płonęły na szczytach stoliw, wzgórz okalających jezioro niczym strażnice.

— Nieźle — mruknęła z podziwem.

— Możemy iść. — Brat wstał i podał jej rękę. — W las!

— Jak widzisz ścieżkę? — spytała, bo prowadził ją nieomylnie.

— Gdybyś była tu tyle razy co ja, też byś szła z zamkniętymi oczami.

Poczuła na czole pot, prowadził szybko. Las wokół nich gęstniał, a ciemność zdawała się zaciskać wokół nich. Wreszcie dojrzała coś jasnego, choć z pewnością nie był to ogień. Wyszli na niewielką polanę. Pośrodku na czymś, co przypominało ułożony z kamieni stół, jarzyły się ciepłym blaskiem wielkie bryły żywicy.

— *Bisu māte*, Matko Pszczół — pokłonił się Woran.

Ciemny kształt za kamiennym stołem poruszył się.

— Przyprowadziłem do ciebie siostrę. Chciałaby z tobą mówić.

— Niech podejdzie — odezwał się kobiecy głos, a Woran pociągnął Jemiołę do przodu.

Żywica żarzyła się, dając ciepło i wonny dym, lecz niewiele światła. Jemioła poczuła gorąco bijące od nagrzanych kamieni. Za stołem siedziała tęga kobieta okryta miękkim, brunatno-złotym płaszczem. Przyjrzała się Jemiole, mówiąc:

— A więc to jest twoja połówka, Woranie.

— Tak, *Māte*.

— Jakie imię?

— Jemioła — odpowiedział jej brat.

— Jemioła — powtórzyła Jaćwież i wyciągnęła ramię. Płaszcz uniósł się z niej i dopiero teraz Jemioła zobaczyła, że to były pszczoły. Setki, tysiące pszczół, które siedziały na ciele kobiety. Wzleciały w górę i niczym chmura odleciały w las. Kobieta była naga. Miała potężne, masywne ciało. Pomiędzy wielkimi obwisłymi piersiami Jaćwieży wisiała bryła jantaru wielkości ludzkiej głowy. Największa, jaką Jemioła widziała w życiu.

— Przysyła mnie Dębina — wyszeptała Jemioła, nie mogąc oczu oderwać od jantaru.

— Po co?

— Bym wysłuchała, co masz do powiedzenia.

— Nie mam ochoty dzisiaj mówić.

— Przybyłam z daleka. W Starszej Polsce zamęt. Zginął król...

— Nie obchodzą mnie królowie.

— Kapłani Trzygłowa wzywają do wojny.

— Z kim?

— Z rycerzami Umarłego. Straszą, że krzyżowi bracia nadchodzą, że niosą zniszczenie i śmierć.

Jaćwież machnęła ręką, jakby od niechcenia. Jemioła zacisnęła zęby. Woran ostrzegał, że Matka jest kapryśna, ale jeśli nic nie powie? Jeśli zostawi Jemiołę z niczym? Oczyma duszy zobaczyła smutną twarz Dębiny.

— To ślepcy — wolno cedząc słowa, powiedziała Jaćwież. — Groźni, bezwzględni, upiorni ślepcy. Póki nie wejdą na waszą ziemię, nie pokazujcie się im.

— A wejdą? — z niepokojem spytała Jemioła.

Kobieta przymknęła oczy i wyciągnęła obie dłonie ponad żarzącą się żywicę. Trwała tak chwilę i wreszcie, nie podnosząc powiek, powiedziała:

— Pragną wody. Płynącej wody, którą będą puszczać swe łodzie. Pragną morza i rzek. Przybędą z północy. Zakuci w stal. Nie cofną się przed niczym. Ale nie po was przychodzą, lecz po wody. Po tętnice płynących rzek, po bezmiar siwych fal. Będą grabić, palić i niszczyć. Zapłoną nawet kościoły. Pohańbią ołtarze Boga, którego krzyż noszą na płaszczach. Póki ten dzień nie nadejdzie, nie pokazujcie się im na oczy. Ale gdy nastanie czas pożogi, stańcie ramię w ramię z całym ludem waszej ziemi. Oni przyjdą przeciw Królestwu, nie przeciw Starej Krwi, więc w dniu próby zjednoczcie swe siły z ludem. Wiele lat przyjdzie wam czekać na zwycięstwo, ale widzę je. Ty i Woran dotrwacie tych dni. Oto prawda, którą wam głoszę. Jeśli jej chcesz, to bierz. Jeśli nie chcesz, to zapomnij me słowa i niech rozwieją się w dym.

Otworzyła oczy. Jemioła pokłoniła się Jaćwieży, szepcząc:

— Dziękuję ci, matko. Zaniosę Dębinie każde z twych słów.

W jantarze między piersiami Jaćwieży coś się poruszyło. Matka dotknęła go i ze zdumieniem spojrzała na Jemiołę, mówiąc:

— Dziecko chce ci coś powiedzieć. Podejdź tu.

Jemioła obeszła kamienny stół i stanęła przy niej. Na chwilę odebrało jej dech. W wielkim jantarze zawieszonym na szyi matki był ludzki płód. Wyraźny kształt dziecka ssącego palec, poruszającego się w płynnej żywicy. To, co wcześniej brała za sznur, na którym zawieszony był jantar, było pępowiną biegnącą wokół szyi Jaćwieży wprost do jej łona.

Matka machnęła ręką zachęcająco.

— Dotknij go. Skoro chce ci coś powiedzieć, ja nie będę przeciwna.

Płód wyciągnął rączkę i skierował ku Jemiole. Rozczapierzył palce, dotykając od środka jantarowej macicy. Jemioła przyłożyła dłoń do jego dłoni. Poczuła ciepły dotyk żywicy. Przez pępowinę owiniętą wokół szyi Jaćwieży szybciej popłynęła krew. Płód otworzył oczy i w tej samej chwili ciałem Jemioły wstrząsnął potężny dreszcz.

Obrazy jeden po drugim cisnęły się do jej oczu tak szybko, że musiała skupić się, by je rozumieć. Krwawy śnieg, kopyta rozgniatające bryły lodu. Jeźdźcy o niewidzialnych twarzach. Turniej. Śmiech. Pochodnie rozjaśniające noc. Przemysł i jego rycerze. Bawią się. Walczą. Młody chłopak o chmurnym obliczu ostrzy miecz. Na jego piersi półlew Zarembów. Odwraca się tyłem. Coś płonie na jego plecach czarnym, złym ogniem. Smok. Jemioła widzi smoka, choć ten jest ukryty. Jeźdźcy coraz bliżej. Sen. Przemysł przez sen chwyta niebieski kielich i pije. Giermek, tak, Płatek. Płacze, patrząc na śpiącego króla. Jeźdźcy zeskakują z koni. Wyrzynają straż. Młody Zaremba patrzy na to zza muru. Jemiołę dławi ból, jakby usta zalewała jej krew. Przez chwilę nie widzi nic. Potem śnieg. Dwa smoki, czarny i biały gonią się. Jeźdźcy uciekają. Powietrze przecina miecz, głowa czarnego smoka spada. Naga pierś Przemysła na śniegu. Michał Zaremba trzymający go w objęciach, tulący do siebie. Szepcą. Oczy Przemysła zachodzą mgłą. Dłonie Jemioły pulsują. Dziecko w jantarowej macicy zwija palce w pięść i uderza w żywiczną powłokę, jakby wołało: „Zabij ich". Słyszy we wnętrzu swojej głowy głos: „Smoczy ród ma krew na rękach. Znajdź czarne smoki za murem i zabij je".

WŁADYSŁAW, książę kujawski, gnał na czele wojsk. Wojsk kujawskich i najemnych, węgierskich, przysłanych przez niezawodnych przyjaciół, barona Węgier zachodnich, Mateusza Czaka, i wschodnich, Amadeja Abę. Gnał pod wiatr i co sił w płucach krzyczał:

— „Pod wiatr"!

Rulka niosła go, czerpiąc radość z szybkiej jazdy, z błota rozbijanego kopytami, z pyłu pól, kurzu gościńców, miękkości mchu i gałęzi łamanych w pędzie, z wody strumieni rozpryskującej się wprost na jej brzuch.

— „Pod wiatr"! — odkrzykiwali mu bracia Doliwowie z pierwszego szeregu, za nimi Leszczyce, Pomianowie, Awdańce, Godzięby, Rolicowie i Powały. — „Pod wiatr"!

A wiatr niósł ich zawołanie do ogorzałych węgierskich jeźdźców, którzy gnali na niskich, stepowych koniach, ciemnowłosi i ciemnoocy, z szablami zamiast mieczy przy boku, z łukami przewieszonymi przez plecy.

Zaczaili się w lasach wokół Obry. Tak, tej Obry, którą wraz z przyległościami Władek musiał oddać w Krzywiniu Głogowczykowi.

— Làszló *fejedelem* — zaszeleścił mu nad uchem Mohar zwany przez Kujawian Białym, a przez swoich Fehér Mohar. — Jaki plan?

— Książę, jak plan? — raźno spytał Pawełek Ogończyk, który w przeciwieństwie do Władka nie znał węgierskiego.

— Czy wy musicie po sobie powtarzać?! — zezłościł się książę.

— Tyś mądry, panie, bo masz węgierską teściową, a wcześniej miałeś węgierską ciotkę i to od razu świętą, co cuda robiła o tak, na zawołanie... — Rozłożył ręce Pawełek.

Prawda, Władek nauczył się węgierskiego nadzwyczajnie szybko przy świątobliwej Kindze, ale jego teściowa Jolenta nie miała z tym nic wspólnego. No, może tyle, że potrafił ją rozbawić, opowiadając po węgiersku różne historie. Ciotka Kinga nauczyła go przy okazji kilku dialektów, w tym znienawidzonego przez siebie, a przez Władka dość lubianego języka Połowców, zwanych tam Kumanami.

— To co robimy, książę? — spytał Szyrzyk Doliwa, który skończył nadzorować budowę prowizorycznego obozu i właśnie do nich doszedł, wraz z drugim z węgierskich dowódców, Hunorem zwanym Pasterzem.

— Làszló *hercog* — błysnął białymi zębami Juhász Hunor — co robimy?

— Już! Nie wszyscy na raz! Zaczajamy się tutaj. Nie chcę oblegać grodów, bo nie mamy machin to raz, a dwa, zaraz się zacznie lament, że ja jestem ten gorszy pan, ten, co niszczy. Będziemy ludzi Głogowczyka wywabiać z grodów i rozbijać ich poza murami.

— Dobry plan — pochwalił Juhász Hunor. — Długi czas.

— Nie, Hunor! Ja wam płacę, ja liczę, ja chcę szybko.

— Làszló *fejedelem* — zaszeleścił Hunor. — Ty nam nie musisz płacić, ty pozwól nam łupić.

— *Nem, barátom* Juhász Hunor — zaprzeczył z uśmiechem Władek. — Łupić nie wolno.

— O czym książę mówi z Pastuchem? — zaciekawił się Ogończyk. — Chyba coś miłego? Tak sobie gawędzą, a nam czas ustalić, jak będziemy łupić Głogowczyka.

— Nie wszyscy naraz! — krzyknął na Pawełka Władysław. — I przecież tłumaczę, że łupić nie wolno! Od dzisiaj mieszkacie z Węgrami i uczycie się języka. Mam dość. Jedynie bracia Awdańcy się dogadują. Dobiesław i Wilk, do mnie! Będziecie tłumaczyć. A ty — wycelował palcem w Ogończyka — nie mów na Hunora „Pastuch", tylko „Pasterz", bo jak Juhász się zorientuje, że przekręcasz mu nazwisko, to pokaże ci, co u Madziarów naprawdę robi pastuch. I nie pytaj mnie teraz „co", tylko słuchaj! Rozdzielamy się na małe grupy, zaczajamy wokół Krzywinia, Kościana i Przemętu, wyciągamy z grodów załogi...

— Na „wieś się pali" czy na „banda rozbójników na gościńcu"? — wtrącił się Ogończyk, a zaraz za nim Fehér Mohar:

— Może na „porwali nam nasze stada"?

— Tak. Do tego blokujemy ruch na traktach, przechwytujemy dostawy żywności, nękamy. Wojna szarpana, pełną gębą.

— To sprawę aprowizacji naszych wojsk będziemy mieli z grubsza załatwioną — ucieszył się Szyrzyk.

— Wszystko jasne? — Książę rozejrzał się po swoich druhach.

Rudera, samozwańczego kanclerza, zostawił w Łęczycy, więc nikt nie miał pytań. Rozstawili warty i poszli spać.

Ranek wstał mglisty i zimny; choć wiosna, ścięło wodę w kałużach. Konie parskały, szukając paszy między źdźbłami zamarzniętej trawy. Władek nie pozwolił palić ognisk, więc zebrali się szybko, zziębnięci, głodni, nieco ospali. Ruszyli grupami, jak było umówione. Władek na Krzywiń, Szyrzyk na Kościan, Ogończyk na Przemęt.

— „Pod wiatr"! — krzyknęli sobie na pożegnanie.

— „Pod wiatr"!

— *„Ellenszél"!* — dołączyli Węgrzy.

Jak tylko stanęli na granicy lasu i Władysław zobaczył przeklęte błonia pod Krzywiniem, te, na których Głogowczyk rok wcześniej zmusił go do zawarcia układu; jak dostrzegł chorągiew z czarnym śląskim orłem na bramie, tak odeszła go ochota na „bandę rozbójników" czy „porwali nam stada". Miał tylko jedno pragnienie: spalić tego orła. Pozwolić jego spopielonym skrzydłom wzlecieć. Na szczęście Chwał wyprzedził myśli księcia, upatrzył wóz zmierzający z pól do grodu i z dziesiątką Doliwów wyrwał się z lasu na dobrze widoczny z obwarowań gościniec. Słońce stało już wysoko i konie Doliwów wzbiły taką kurzawę na drodze, że po chwili z grodu wyjechała ostrożnie grupa uzbrojonych strażników.

Mamy ich — pomyślał z radością Władek. — Uznali, że rabusiów mało, i dali się wyciągnąć. Zyskaliśmy przewagę. Krzywiń jeszcze nie wie, a wojna już trwa!

Na widok zbrojnych Doliwowie stanęli i zawrócili, uciekając w stronę lasu, do księcia.

— Broń w gotowości! — krzyknął Władek, ściskając mocniej miecz. I powtórzył Węgrom: — Stój! *Állj!*

Konnymi obsadził leśny trakt; między drzewami stali giermkowie z krótkimi oszczepami i zbrojni z toporami w rękach.

Doliwowie za chwilę wpadną w las, trzeba wyczekać, aż wjadą dość głęboko, wciągając za sobą zbrojnych z Krzywinia. Liczył w myślach. Raz, dwa, trzy. Chwał minął go w pędzie.

— Naprzód! — krzyknął. — *Előre!*

Kwik koni i głośne przekleństwa. Giermkowie zaatakowali od dołu, celując w końskie brzuchy. W jednej chwili na trakcie skłębili się ludzie spadający z koni i wierzgające zwierzęta.

Mamy ich — pomyślał — dziesięciu już nie wróci do walki.

W tej samej chwili dostrzegł, że z grodu ruszają posiłki. Rzucił okiem na kłębiące się na trakcie konie i natychmiast krzyknął:

— Wyjść z lasu! Tutaj potratujemy się! Za mną!

Wyjechał pierwszy. Na głowie miał otwarty hełm, który nie zamykał mu pola widzenia, na kolczudze skórzaną kamizelę z przynitowanymi od spodu płytami. W ręku miecz.

— Fryczko! — Odwrócił się, szukając swego giermka.

Wyłowił go w drugim szeregu.

— Fryczko, daj mi oszczep, szybko!

Wypadli z lasu. Dwudziestu zbrojnych z Krzywinia z czarnymi orłami na piersiach galopowało na nich. Rulka ruszyła bez komendy. Władek pochylił się w siodle. Zacisnął palce na drzewcu oszczepu. Obrońcy już ich dostrzegli, szereg się zachwiał i zrobili to, czego się obawiał — usiłowali zawrócić.

— Rulka, szybciej!

Odwrócił się. Przed jego ludzi wysforowali się Węgrzy.

— Fehér Mohar! *Előre!* Naprzód! — krzyknął do czarnookiego druha.

Cała nadzieja w Rulce i madziarskich jeźdźcach. Na szczęście obrońcom nie było łatwo zawrócić rozpędzonych koni. Przejechali spory kawał, zataczając łuk, nim pokazali plecy.

— Rulka, jeszcze trochę! Stąd nie trafię!

Widział na wałach obrońców, napinali łuki. Widział zamykane bramy. Zostawiali jedno skrzydło, by wpuścić swych uciekających zbrojnych. Ocenił odległość.

— Rulka, teraz!

Klacz zrozumiała w czym rzecz. Przeszła w galop tak płynny, że Władek spokojnie wymierzył i rzucił oszczepem.

— Jest!

Trafił w odsłonięte plecy. Przebił jakieś czarne orle skrzydło. Jeździec padł na szyję swego konia. W tej samej chwili zza pleców Władka posypały się groty strzał. Obrócił się. O dziesięć kroków za nim był Juhász Hunor i jego lekka jazda. Raz za razem napinali cięciwy i strzelali w galopie, jak Dzicy. Pierwsi uciekający dopadali bramy. Ale kilku żałośnie wisiało w siodłach, ich konie nie zwalniając biegu, wpadały w bezpieczne ramiona grodu.

— Zawracać! — krzyknął książę i w tej samej chwili z wałów posypał się grad strzał.

Zdążyli umknąć przed nimi w las.

Pocztowi kończyli porządkować pobojowisko na leśnym trakcie. Martwe konie odsunęli na bok, połapali w lesie pozostałe, które, gdy Władek z konnicą ścigał obrońców, jak oszalałe uciekały pomiędzy drzewami.

— Dobre konie — pochwalił książę.

— Więc jednak wyszło, że porwaliśmy jakieś stada! — ucieszył się Juhász Hunor.

216

Władek oddał Rulkę Fryczkowi, a sam nie wychodząc z lasu, podglądał gród. Krew go zalewała na tę chorągiew ze śląskim orłem powiewającą z wałów.

— Chwał! Każ ciurom pościnać młode świerczki, gałęzie obciąć. Robimy drabiny. O zmroku wpadniemy z drugą wizytą do Krzywinia.

— Tak jest!

Las rozbrzmiał stukiem toporów; gdy zapadła ciemność, byli gotowi.

Konni ruszyli przodem, osłaniając ciurów niosących drabiny. Mieli szczęście. Noc była ciemna, przy nowiu. Podeszli blisko niezauważeni. Na wałach panowała cisza, jakby Krzywiń spał. Drabiny raz-dwa zostały przystawione do wałów. Tam, gdzie brakło drabin, młode świerczki. Pocztowi wspinali się po nich jak wiewiórki, zręcznie stawiając stopy na schodkach z obciętych gałęzi. Juhász i Fehér zabezpieczali tyły, ich ludzie czekali z łukami w ręku na znak Władka. Przez chwilę zlękł się, czy w tej ciemności nie powybijają się nawzajem, źle wymierzona strzała szybciej trafi w odsłonięte plecy wspiętego na drabinę niż w obrońcę za murem. Przeżegnał się i dał znać.

Zaskrzypiały powiązane łykiem drabiny. Na wałach krzyk, obrońcy się budzą.

— Książę! — drze się gdzieś z tyłów Chwał. — Odsiecz głogowska idzie!

— A niech to szlag! — splunął Władek. — Fryczko, odpal mi pochodnię, ale już!

Zeskoczył z Rulki. Chwycił pochodnię w dłoń i pobiegł do najwyższej z drabin stojącej przy bramie. Wspinał się po niej. Nad sobą, w górze widział wykrzywione twarze obrońców, widział podeszwy butów chłopaka od Doliwów, który na najwyższym szczeblu kordem właśnie zepchnął jednego do grodu. Ale Władek nie szedł bić obrońców. Szedł zabić ich ducha. Jeszcze pięć, sześć szczebli. Wyciągnął ramię z pochodnią i nie pierwszy raz w życiu pożałował, że jest niski. Nie mógł sięgnąć. Przesunął się, wychylił poza drabinę, trzymając ją jedną ręką, naprężył, jak mógł i...

Płomień pochodni przeskoczył na chorągiew głogowską zawieszoną na bramie. Jest! Czarny orzeł płonął. W blasku płomieni zobaczył, że traktem od przeciwnej strony grodu ciągną zbroj-

217

ni. Odsiecz głogowska, o której mówił Chwał. Nie mógł ich policzyć. Szybko zszedł z drabiny i wskoczył na siodło przyprowadzonej przez Fryczka Rulki.

— Wojsław! — przywołał Powałę. — Szturmujcie dalej. Ja jadę uderzyć w odsiecz.

— Zdaje się, że wojska głogowskie prowadzi Otto von Seidlitz — krzyknął Chebda, ocierając krew z rozciętej brwi.

— Szkoda, że nie ponury Henryk! Fryczko, daj kopię!

— Seidlitz ma sławę świetnego wodza — przestrzegł Dobiesław.

— Tym lepiej! — Błysnął zębami książę i krzyknął: — Mohar, Hunor, *előre*! Naprzód! Doliwowie, ze mną! — Wskazał nadjeżdżającą odsiecz i Rulka ruszyła.

Miał przed sobą pięćdziesięciu, może sześćdziesięciu konnych.

— Nie jest źle — mruknął. — Rulka, nie jest źle.

Odwrócił się, by zobaczyć, jak łopoce na wietrze płonąca chorągiew. Obrońcy nawet nie próbowali jej gasić. Czarny orzeł ulatuje w dym!

Mocniej chwycił kopię i z Doliwami i Węgrami na obu skrzydłach wpadł w szeregi głogowskie. Kogoś zbił, ale kogo?

Drugie, trzecie starcie. Przy piątym konie były zmęczone, ludzie też. Wstawał świt. Na polach pod Krzywiniem wciąż wrzało. Tuman pyłu, zgiełk, krzyki, kwiczenie koni. Kamienie z proc, zabłąkane strzały, groty bełtów, skrzyp naciąganych kusz. Szukał wzrokiem Ottona von Seidlitz. Widział go, gdy zawierali porozumienie pod Krzywiniem, ale z daleka. Który to może być? Ten piekielnie wysoki w niebieskiej tunice na kolczej zbroi? Czy może ten krępy, przysadzisty, który już w trzecim starciu próbował sięgnąć Władka grotem kopii?

Po piątym starciu oddziały wróciły na miejsca, kto mógł, zmieniał konie. Władek mógł, ale nie chciał. Zresztą Rulka by mu dała, zmienić klacz!

— Otto von Seidlitz wzywa cię, książę, do ustąpienia! — krzyknął herold z przeciwnej strony.

— Gotowi? — spytał Władek, poprawiając tarczę z półorłem, półlwem na lewym przedramieniu. — Fryczko, daj kopię!

Chwycił ją dobrze. Poruszył lewym ramieniem. Tarcza siedziała jak trzeba. Wyjechał przed szereg i krzyknął:

— Ottonie von Seidlitz! Zapraszam!

Chwał ruszył za jego plecami i powiedział, co myśli.

— Książę, nie!

— Tak. Stanę z nim. Żeby potem nie gadali, że walczę tylko z lasu.

Naprzeciw wyjechał rycerz z czarnym, choć ubrudzonym pyłem orłem na tarczy. Władek odetchnął z ulgą. To nie był ten najwyższy. Herold krzyknął:

— Otto von Seidlitz, wojenny namiestnik księcia Głogowa, Henryka.

Za jego plecami Chwał darł się ile sił:

— Książę Starszej Polski, Kujaw i Pomorza, Władysław!

Władek ruszył. Zasady zasadami, ale nie będzie się tu bawił w turniej i oklaski dam. Seidlitz nie najwyższy, ale i tak o dobry łokieć większy od niego. Pochyla kopię, jego gniady, potężny ogier, gna na Rulkę. W ostatniej chwili, gdy Władek widział już koronę kopii Seidlitza wymierzoną w siebie, wyżej uniósł lewe ramię z tarczą, lepiej osłaniając pierś półorłem, półlwem. Seidlitz go trafił. Grot jego kopii utknął w tarczy Władka. Bestie nie jęknęły, może nie oberwały? Rulka równym tempem oddalała się i sama zawracała. Władek ledwie łapał oddech. Poruszył barkiem. Ramię zdrętwiało, ale kość cała. Już znów zmierzają ku sobie, Otto von Seidlitz nie ma kopii, odrzucił na trawę złamany drzewiec, sięga po miecz, już go unosi.

— Biegniesz! — rozkazuje Rulce Władek i zamierza się kopią na przeciwnika.

Ten odbija kopię mieczem i z tego samego ruchu wyprowadza zamach do cięcia. Książę paruje tarczą uderzenie, miecz głogowskiego namiestnika trafia poniżej wciąż tkwiącego w niej grotu, ze zgrzytem ześlizguje się. Rulka sama odbiega po łuku. Władek spluwa, w ustach ma pył i jedną myśl: Psiakrew, dobry jest.

Otto zawraca konia szybciej, mocno ściąga wędzidłem przez lewe ramię, w miejscu. Rulka to widzi, sama zawraca. Chce skrócić dystans — myśli Władek, odrzucając kopię. Wyciąga miecz. Konie ruszają w młyn. Władek widzi zacięte usta von Seidlitza i jego oczy, oczy zwycięzcy. To jasne, z bliska, z mieczem tracę przewagę przez mój wzrost — wie to, nie musi mu tego mówić głogowski wódz. Jego ogier źle idzie w młynie, nerwowo rzuca łbem. Rulka przeciwnie, jakby całe życie chadzała w kółko w towarzystwie żelastwa. Władek nie czeka, unosi ramię, Otto błyskawicznie zasłania się tarczą, czarny orzeł przy krywa mu twarz. Miecz Władysława z brzękiem stali uderza w hełm Ottona von Seidlitz i ześlizgując się z jego dzwonu, wali w rant tarczy, nacinając czarne orle skrzydło. Lecą pocięte pióra, orzeł w pisk. Bestie Władka podnoszą zgiełk jednocześnie. Półlew ryczy, półorzeł bije skrzydłem. Władek szybko unosi tarczę, musi zobaczyć, co jest. W porządku. Grot kopii tkwi w tarczy dokładnie między nimi. Konie w ruchu. Otto wyprowadza nagłe pchnięcie, ostrze miecza kieruje w twarz Władka. Półlew z tarczy ciągnie swego księcia w bok. Władek przechyla się nisko w siodle, niemal kładzie na lewym boku Rulki. Klacz idzie szybko, w rytmie. Ogier Ottona rży. Młyn. Trwa młyn. Seidlitz w półobrocie nie zobaczył, że Władek położył się w siodle, mija go z prawej, wyprowadzając drugi sztych na twarz. Jego miecz przecina powietrze. Władek podnosi się błyskawicznie. Jest o cały ruch szybszy. Ma wystawione przed sobą plecy odjeżdżającego po uderzeniu Ottona, z prawej, wygodnie, do miecza, ciach! Tnie, rozcina tunikę, na kolczudze ginie rozpęd miecza, ale von Seidlitz aż się skulił. Jego ogier nie wraca w młyn, ucieka, gna przed siebie w stronę głogowskich wojsk.

Grają odjezdnego, zrywają się. Władek na polu bitwy sam. Odwraca się. Gród nie zdobyty. Ale chorągiew na jego bramie spłonęła. Czarny orzeł uleciał z dymem i smrodem płonącej szmaty. Jego wojsko skanduje:

— Władysław! Władysław! Sław! Sław!

Węgrzy drą się:

— Làszló *fejedelem*!

A on krzyczy:

— Za nimi! Gonimy! „Pod wiatr"!

Chwał wysforował się, zrównując z Władysławem.

— Nic ci nie jest, książę?

— Trochę mnie przytkało, ale nawet półorzeł i półlew nie oberwały. Seidlitz trafił dokładnie między ich łby.

— Zdaje się, że uciekają pod Przemęt. Tam Pawełek Ogończyk.

— Dlatego jedziemy za nimi. Pawełek ma mniej ludzi, Seidlitz choć zmęczony, może go roznieść po przemęckich bagnach.

Rulka nieco zwolniła; była w biegu od północy. Kasztelanię przemęcką zbudowano na wyspie położonej na bagnistym jeziorze. Prowadził do niej jeden, usypany trakt z północy i drugi z południa. Sam gród dzięki temu był niemal niedostępny. Słońce stało w południu, gdy wjechali na wąską drogę między mokradłami. Dwa konie mogły

obok siebie iść, ale już wóz o tej porze roku by ich nie wyminął. Latem, po długiej suszy, trakt robił się szerszy. Ale teraz, wiosną, ciemna,
stojąca woda podmywała jego boki. Musieli zwolnić. Konie odpoczy-
wały w ruchu. W głębi po obu stronach drogi parowały brunatne mokradła. Wokół korzeni drzew pełzały pokryte pierwszą zielenią krzewy. Z gęstej, przysypanej rzęsą wody, sterczały smukłe trawy.

— Jak czarcie bagna — powiedział Wilk i przeżegnał się.

W tej samej chwili usłyszeli bicie kościelnych dzwonów i bitewny
zgiełk.

— Naprzód! — krzyknął Władek i choć klacz była niechęt-
na, zmęczona, poderwał ją do galopu. Wyjechali z lasu. Przed nimi
otworzył się widok na Przemęt. Wokół grodu trwała walka. Władysław poczuł znużenie i ból w barku od uderzenia kopii von Seidlitza, ale gdy w kurzawie i tumulcie pod wałami mignęła mu chorągiew
z półorłem, półlwem, którą osobiście dał Ogończykowi, odzyskał siły.
Zwłaszcza że chorągiew chwiała się.

— „Pod wiatr"! Na Przemęt, za mną! — krzyknął, jakby robił to
dzisiaj pierwszy raz.

Dojeżdżając, zobaczył, że z murów oblegający zrzucają głogowską chorągiew. Pawełek z największego tumultu darł się:

— Książę Władysław!

Głogowczycy mieli przewagę. W tumie trudno było rozróżnić, ilu
ich jest, ale najwyraźniej górowali nad trzydziestką zbrojnych Ogończyka. W samej odsieczy pod wodzą Seidlitza mogło przyjechać
pięćdziesięciu ludzi, może trochę mniej. Chwał poprowadził uderzenie na lewe skrzydło, odciążając oddział Pawełka. Władek wyjął
miecz i poprosił klacz:

— Rulka, ostatni raz, dobrze?

Ruszyła i po chwili Władek wbił się w walczący tłum.

— Przemęt płonie! — rozległy się głosy.

W ciżbie walczących nie widać było płomieni, ale po jakimś czasie poczuli unoszący się nad grodem dym. Władysław szukał w tłumie von Seidlitza. Poczuł ochotę, by dokończyć potyczkę spod Krzywinia. Nie widział go. Uderzając na prawo i lewo, próbował przebić
się w stronę bram. Zadarł głowę wysoko i zobaczył, że chorągiew
Ogończyka już stoi pewnie i prosto. W tym samym momencie od
środka pchnięto bramy i konno wyjechał przed nie jeździec. Za nim
drugi, trzeci.

— Uciekają z płonącego grodu! — krzyknął ktoś w tłumie.

— Nie! — wrzasnął jeździec. — Kasztelan Maciej z synami jedzie wesprzeć księcia Władysława!

Z grodu szły płomienie, krzyki ludzi. Załoga próbowała gasić. Kasztelan i jego zbrojni wbili się z mieczami w ręku w walczący tłum. Rulka parskała, nie znosiła dymu. Tuman gęstniał, pewnie paliły się pokryte słomą dachy. Przemęt przez otwarte bramy ział dymem jak smok. Tłum walczących nagle rozrzedził się. Władek trafił wprost na zalaną potem i krwią twarz Hunora.

— Làszló, uciekają!

— Kto?

— Seidlitz i jego ludzie! Gonimy? — spytał Węgier, ledwie łapiąc dech.

— Nie, Hunor. Już nie. Konie nam padną.

— Książę! — Podjechał do niego kasztelan. — Pożar wybuchł, bo walki były w grodzie. Pół załogi chciało bronić Przemętu przed twoimi ludźmi, drugie pół chciało otworzyć dla nich bramy.

— A ty?

— Ja je rozwarłem. Z synami.

— Zapamiętam to, kasztelanie. Teraz jedź gasić. Chwał! Pawełek! Szukać rannych. Zostajemy w Przemęcie.

Fryczko pomógł mu się rozebrać. Zdjął podbijaną blachami skórzaną kamizelę. Kolczugę. Był tak znużony, że nawet koszula i kaftan ciążyły mu na grzbiecie. W miejscu po uderzeniu kopii Seidlitza miał krwiaka wielkości dłoni. Parę zadrapań, nic więcej.

Wieczorem kasztelan wyprawił dla nich ucztę. Przy zimnym piwie odżyli. Po drugim i trzecim dzbanie znów zachciało się im do siebie odzywać. Przy Władku leżała jego tarcza, z wbitym między łby rodowej bestii grotem kopii.

— Daj mi ją książę — poprosił Maciej, kasztelan przemęcki. — Mój zbrojmistrz zajmie się tym.

— Nie dzisiaj, może rano. Widzisz, kasztelanie, wieczór po walce chcę spędzić z towarzyszami broni i półorłem, półlwem.

— Jak sobie życzysz, panie.

— ...i Seidlitz się zamachnął, a książę pan ciach, na lewy bok siodła i mu zniknął jak duch, powiadam, jak duch — opowiadał Chwał Ogończykowi. — A Niemiec zdębiał. Szczęka mu opadła, o tak, pokażę ci...

— Te wsie między Przemętem a Krzywiniem do kogo należą? — spytał książę kasztelana. — Trochę ucierpiały.

— To dobra klasztorne. Wojewoda poznański podarował je cystersom — odpowiedział Maciej.

— Niedobrze — powiedział Władek. — Spustoszyliśmy dobra Beniamina Zaremby. Jak mam szczęście w bitwie, to pecha w dyplomacji.

VÁCLAV czekał na ten dzień tak długo, tak piekielnie długo, że były mroczne chwile, w których bał się, iż nie doczeka. Ale już! Kysz, kysz, złe, lepkie myśli, kysz, kysz! Dzisiaj święta korona Przemyślidów spocznie na jego skroniach!

— Ręce mi się pocą, Ondriczku. — Pokazał dłonie pokojowcowi, który go ubierał.

Chłopak otarł mu je jedwabną chusteczką, którą wcześniej zwilżył w różanej wodzie.

— Upał — powiedział filozoficznie — pełnia lata.

— Ale mi zimno — szepnął mu na ucho Václav.

— Ja to najjaśniejszego pana podziwiam. Gdyby mnie mieli koronować po tylu latach, to bym chyba się ze szczęścia... — Ondriczek zrobił wymowny przysiad biodrami.

Václav poczuł, że tak, że też musi. Jak tylko skończył, jak Ondriczek zabrał cebrzyk wraz z zawartością, wstrząsnęły nim torsje. Zwymiotował i poczuł się lepiej.

Dzisiaj wszystko musi być doskonałe — pomyślał z uznaniem o sobie, kiedy pierwsi panowie Czech wiedli go do katedry Świętego Wita. Miał na nogach białe jedwabne trzewiki wyszywane perłami. Przewiewną białą szatę, niczym kapłan. Kazał szyć nową, ta po ojcu zatęchła w skarbcu. Czterdzieści pięć lat dzieliło ich koronacje! Dobrze, że złoto się nie psuje. Wypolerowana korona świętego Wacława lśniła jak nowa i tym blaskiem zajaśnieje dzisiaj na jego głowie. Płaszcz koronacyjny też polecił odnowić, widział te dziurki wyżarte w podbiciu, drobne, obrzydliwe odchody robaków żywiących się futrem. Pokrycie się nadawało, owszem. Choć czuł w nim woń stęchlizny, mimo iż płaszcz przesypywano ziołami dwa razy do roku, przez czterdzieści pięć lat. Ile to będzie razy? Ile worów tych ziół?

Aż miał dreszcze na myśl, jak się poczuje, gdy biskupi nałożą mu na ramiona królewskie okrycie, a płomienista orlica okryje go swymi skrzydłami.

Wkroczył do katedry. Chłód po skwarze. Półmrok po wściekłej jasności lejącego się żaru słońca. Kojące chóry: *...nasz Pan... la... la... la...* Tak! Pan do was idzie, dzieciątka!

Pod ołtarzem czeka na niego arcybiskup Moguncji, Gerhard. Rozkłada ramiona. Przy nim biskupi ołomuniecki, praski i krakowski. A co to tak lśni na mitrze Muskaty? Václav zamrugał. Trzy gałki muszkatołowe w herbie pamiętał, lecz obok nich pojawiło się coś na kształt korony. Ha! Ulubiony biskup uczcił mą koronację, to dobre! Ma zmysł dyplomatyczny — pochwalił Muskatę w myślach. O, a ta zwalista osoba stojąca tyłem do niego, to kto?

W pierwszej chwili nie poznał Guty. Gdy już się zorientował, że przysadzista sylwetka okryta płaszczem należy do jego małżonki, wpadł w gniew. Dzisiaj wszystko miało być piękne! Dlaczego więc Guta jest brzydka? Na złość mi — szepnął w duchu jedyne wytłumaczenie. Na złość mi urodziła miesiąc temu córkę zamiast syna i to od razu martwą. Prawie od razu — poprawił się w myślach — zdążyliśmy dać jej imię. Jakie? Guta! Oczywiście, spełniłem zachciankę żony, pozwoliłem, żeby dziecko było „Guta", i co? Dostało imię i zmarło. Żona zaburzyła moje rachunki! Habsburska złośliwość! Miało być zawsze po równo, po równo dziewczynek i chłopców, a tu co? Sześć do czterech, licząc wszystkich! W żywych dzieciach proporcje załamały się całkiem! Jeden synek mu został, jego Vašek. Stoi teraz grzecznie przy ołtarzu i czeka na tatusia. Trochę wątły jak na swoje osiem lat, trzeba go podtuczyć. Dalej siedmioletnia Anuszka, pięcioletnia Elżunia i Małgosia, niespełna dwa latka. Wszystkie niestety podobne do matki. Wyniośle minął Gutę, zauważył jednak, że ma twarz obrzmiałą, spoconą, włosy matowe. Po co jej rozpuścili te włosy, jak Gucie brzydko w rozpuszczonych? A, bo do koronacji — przypomniał sobie szybko. Dobrze, dobrze, ale najpierw on. Habsburżanka potem. Kiedy arcybiskup Moguncji pytał, czy ceremoniał pełen czy skrócony, Václav kazał ze wszystkimi honorami. Ostrzegali go uczciwie, że to potrwa, ale przecież chciał, by trwało! Czekał tyle lat, żeby teraz rach-ciach i po zabawie? Nie...

Przymknął oczy i słuchał psalmów. Nadzwyczajne, że takie ładne są te psalmy! *...idzie Pan...*

Guta pierwszy raz zemdlała przed *Kyrie* — pokręcił tylko głową i zaśpiewał z biskupami *Panie zmiłuj się*. Docucili ją szybko, na *Gloria* już stała na nogach. Ale na *Sanctus Benedictus* trach! Obaliła się znowu jak krowa. Pokręcił głową z dezaprobatą. Guta von Habsburg świętej chwili uszanować nie może! Wstyd. I jeszcze jego rozprasza, a tu już ten czas! Już arcybiskup bierze z ołtarza koronę i...

— Alleluja! — śpiewa mu Muskata i tamci biskupi. — Alleluja!

— Niech żyje król! Niech żyje król Václav II! Alleluja!

Płaszcz koronacyjny spłynął na jego ramiona. Płomienista orlica uniosła się z niego i potężnymi skrzydłami uderzyła w ciężkie od woni wosku i kadzideł powietrze. Krzyknęła dźwięcznie, wzlatując ponad głowę Václava.

— Niech żyje król! — W dłoń wsadzili mu berło.

Uniósł je wysoko i jako pan łaskawy, choć koronowany, obrócił się twarzą do swego ludu. Popatrzył na nich wszystkich. Na swego szwagra Albrechta Habsburga, który marzy o koronie niemieckiej, na margrabiów brandenburskich Ottona Długiego i Hermana, na książęta śląskie Bolke Surowego, Henryka Głogowczyka, Bolka z Opola i całą pomniejszą resztę. Dwudziestu ośmiu książąt, licząc ze szwagrem, przyjechało podziwiać jego święty dzień! Więc łaskawie każdego z nich teraz obdarzył spojrzeniem. I zwrócił się ponownie ku ołtarzowi, bo czas był na koronację Guty. Nie każdemu do twarzy w koronie — skonstatował kiedy i dla niej *Alleluja* zaśpiewali biskupi. Uśmiechnął się do żony litościwie i wyrozumiale, podał jej dłoń i wiedzeni przez orszak dostojników ruszyli ku wyjściu. Ponad ich głowami leciała orlica Przemyślidów. Ciężkie drzwi katedry otwierał młody baron Henryk z Lipy, tak jak jego dziad otwierał je przed ojcem Václava Přemyslem Ottokarem II. Na piersi Henryka dumnie krzyżowały się pnie lipy, herb Ronovici, haftowany złotem. W chwili gdy baron pchnął drzwi i wpuścił go katedry snop słonecznego światła, ze skrzydła orlicy wypadło pióro, opadając wprost w bezlistne gałęzie herbowego pnia Henryka. Václav czuł się tak wzniośle, tak łaskawie, że szepnął baronowi:

— Weź je na pamiątkę.

I już przekraczał próg katedry, już wchodził między ustawiony długim szpalerem lud. Już oblał go słoneczny skwar południa.

— Niech żyje król!

Postawił stopę na purpurowym suknie. Najpiękniejsze panny, córy jego baronów, rzucały mu pod nogi kwiaty.

— Niech żyje król Václav II!

Ze wszystkich stron dochodził basowy dźwięk rogów. Chorągwie Przemyślidów rozpościerały się złotymi zasłonami, wisząc w ciężkim od gorąca powietrzu. Chorążowie mieli twarze spocone, lecz dumne; pannom od upału kwiaty więdły w dłoniach. Nic to! Jak koronacja, to w blasku słońca, bo od dzisiaj on sam jest słońcem. Pozdrowił lud gestem dłoni.

— Boże, chroń króla! — krzyczeli jego wojewodowie, a on uśmiechał się do nich łaskawie, myśląc: Boże też, ale wy, panowie, przede wszystkim!

— Królowa! Ratujcie królową! — rozdarł się ktoś za jego plecami. — Królowa Guta nie żyje!

Odwrócił się gwałtownie, choć wiedział, że nie wolno, że to przynosi pecha.

Guta leżała na ziemi, na purpurowym suknie, czerwona na twarzy i wcale nie martwa, bo posiniałymi, obrzękłymi palcami kurczowo przytrzymywała koronę na swej głowie. Już rzucili się do niej, by ją cucić. Już dziewczynki, ich trzy córki, dobiegły do matki, piszcząc i szlochając. Tylko Vašek szedł jak on, jak król ojciec, wyprostowany. I wtedy stało się: Václav między nogami cisnącego się do Guty tłumu zobaczył czarnego kota. Serce zabiło mu mocniej, szarpnął się, by sprawdzić, czy w orszaku dostojników idzie margrabia Otto Długi i czy to on wypuścił przeklęte zwierzę. Kto, jeśli nie on? Miau — usłyszał wraży odgłos — miau... miau... Rozejrzał się spanikowany. Tak! Dwa... trzy... trzy czarne koty, jego pech, jego przekleństwo...

— Królu — położył mu dłoń na ramieniu biskup Muskata — nie oglądaj się za siebie. Unieś głowę, unieś prawicę i idź. Królowa musi odpocząć, dołączy do nas później.

— Koty — szepnął przestraszony Václav, pokazując Muskacie wzrokiem ocierające się o suknie panien zwierzę.

Jan Muskata, nie zastanawiając się ani chwili, zrobił szybki krok w lewo i kopnął kota, a ten po prostu zniknął. Biskup uśmiechnął się do króla uspokajająco.

— Już dobrze. Nikt i nic nie zakłóci twej koronacji, królu!

— Skąd one się tu wzięły? — szeptał Václav do Muskaty, gdy rozdając uśmiechy, ruszyli przed siebie. — Margrabia Otto Długi wie, moja żona wie, więc i jej brat Albrecht Habsburg wie...

— Panie, Praga jest pełna bezdomnych zwierząt. Nikt tych kotów celowo nie wypuścił. Zobaczyły tłum ludzi i z ciekawości przyszły. — Głos Muskaty brzmiał łagodnie, wiarygodnie, kojąco.

Václav uspokoił się szybko.

— Życzę sobie, byś mi towarzyszył przez cały dzień, biskupie. — Obdarzył go łaską w podzięce.

Trzy koty, trzy kury, trzy ziarna. Burzowe pioruny, nagła ciemność, wilgotne podziemia, zamknięte pomieszczenia. Wszystko to stanowiło pożywkę, wstrętną strawę napadających go od czasu do czasu złych wizji. Jakby w głowie Václava mieszkały dwa rozumy, jeden zwykły, światły i logiczny, a drugi podziemny, mroczny, przeraźliwy. I czasami ten drugi otwierał się, ziejąc czarnymi płomieniami, kalecząc go zimnym ogniem o trującym dymie. Václav wiedział, że wszystko, co złe, zdarzyło się w latach dzieciństwa, od których odgrodził się, by ich nie pamiętać. Lecz czasami sam widok Ottona Długiego, ponurego patrona tamtych czasów, jego opiekuna i regenta, sprawiał, że mroczna część umysłu otwierała się nagle i wypluwała z siebie obrazy, które go dręczyły. Kysz, kysz... Przeżegnał się i wsparł na uczynnym ramieniu Muskaty.

— Masz piękną mitrę, biskupie — pochwalił go, gdy oprzytomniał. — Och, byłem pewien, że jest na niej jedna korona, a widzę trzy.

— Trzy, lecz pierwsza z nich, zauważ, królu, jest złota. Dwie kolejne ledwie naznaczone — uśmiechnął się Muskata. — Wszystko przed tobą, mój panie!

Musieli przerwać rozmowę, bo oto doszli do tronu ustawionego na purpurowo-złotym kobiercu. Na oparciu, czekając na Václava, przysiadła płomienista orlica.

— Teraz odbiorę hołdy, a potem jeszcze pomówimy, Muskato! — obiecał biskupowi Václav.

Ale nie dotrzymał słowa przez trzy najbliższe dni, albowiem uroczystości koronacyjne pochłonęły go bez reszty.

— Sto dziewięćdziesiąt jeden tysięcy koni — szepnął Václavowi kanclerz. — Tylu przyjechało gości.

I było ich widać! Wielka uczta na błoniach pod Pragą w wybudowanym na tę okazję drewnianym domu królewskim. Tysiące barwnych płacht namiotów wokół królewskiego miasta, niczym kwiaty rozkwitłe dla Václava! Wino płynące ze studni świętego Gawła! Konsekracja nowej bazyliki u jego cystersów w Zbrasławiu! Muzyka dzień i noc; noce bez mroku, jasne od pochodni, goście, goście kłaniający się, błogosławiący mu, hymny pochwalne z refrenem *Václav rex*!

Nie patrzył na pobladłą twarz podskarbiego, który w oczach miał liczydła zamiast podziwu. To były jego dni wyczekiwane i nie pozwoli, by psuł mu je posępny nadzorca skarbu. Nie pozwoli też, by psuła mu je Guta, jego jęcząca żona, która jak padła na purpurowym suknie, tak jeszcze nie wstała. Zajął się jej bratem Albrechtem von Habsburg, zwłaszcza że już połączyła ich pewna śmierć.

— Żałuję twej córki, Václavie — szeptał mu Habsburg przy stole, przegryzając kapłonem — świeć, Panie nad duszą małej Agnieszki! Lecz czyż tak samo obaj odbieramy ten znak? Wydałeś ją za Ruprechta, syna króla niemieckiego Adolfa z Nassau, i proszę, nie powiodło się dziewczynie! Ślub i śmierć! Czyż, drogi mój szwagrze, nie czujesz, iż czas zmienić sojusze?

Václav II czuł i to dużo wcześniej. Przecież nie przypadkiem zaprosił na swą koronację czterech z siedmiu elektorów decydujących o wyborze króla Niemiec. Piątym był on sam. O nieodległym głosowaniu mogli zdecydować tu, w Pradze, jedząc jego chleb i pijąc ze złotych kielichów jego wino. Chciał jednak, by Albrecht Habsburg jeszcze chwilę się potrudził, powyginał w tkaniu aż nazbyt przejrzystej intrygi. Oczywiście, że Václav miał już gdzieś Adolfa z Nassau! Córka, którą dał jego synowi, zmarła, nie musiał się martwić losem dziedziczki. A to, co miał dostać od Adolfa, właśnie w tryumfie świętował — korona Przemyślidów lśniła na jego głowie. Tyle tylko, że był zły na Gutę, iż w czasie całej uroczystości wciąż zwracała na siebie uwagę i to tak niegodnym zachowaniem. Chciał za błędy swej żony ukarać jej brata Albrechta. Jak wytrącić z równowagi zarozumiałego Habsburga?

— Biskupie Muskato — Václav z ożywieniem przywołał ulubionego biskupa — ponoć rozmawiałeś z tym grubasem, Węgrem?

— Patriarchą Ostrzyhomia? Owszem.

I już Albrecht Habsburg nadyma policzki! Już go krew zalewa, że Václav nie zajmuje się jego sprawą! Czy nie umie pojąć, iż w czasie swego święta król Czech może robić, co chce? Poza tym knucie o jego elekcji może poczekać, tak jak Václav czekał na swą koronę.

— Zatem co słychać u mych przyjaciół, Węgrów? — zwrócił się do Muskaty.

— Król Andrzej, ostatni z Arpadów... — zaczął biskup.

— ...jest żonaty z moją córką! — wtrącił swoje trzy grosze natrętny Habsburg.

— Ale Pan Bóg im nie błogosławi — słodko i smutno pokiwał głową Muskata. — Potomstwa się nie mogą doczekać.

— Moja Agnieszka jest płodna! — ryknął Albrecht, rozpryskując wino, którego się zbyt zachłannie napił. — Jak każda Habsburżanka!

— Król Węgier dowiódł swej męskiej sprawności, płodząc córkę z poprzednią żoną, kujawską Fenenną — uprzejmie przypomniał Muskata i Václav ucałowałby go, gdyby nie to, że się całowania brzydził. I tą całą Fenenną też, bo była krewną kujawskiego, krewkiego księcia, Karła, który nieustannie załazł Václavovi za skórę.

Do ich stołu zmierzał młodzieniec, może siedemnastoletni, z rozpartym na piersi czerwonym lwem Habsburgów, za rękę prowadząc prześlicznego siedmiolatka.

— Mój siostrzeniec! — wykrzyknął Václav.

— Mój bratanek! — jeszcze głośniej powiedział Albrecht.

Spojrzeli na siebie jednocześnie i wskazując na starszego, Albrecht dodał z tryumfem:

— Mój syn, Rudolf!

— Janku — Václav zignorował siedemnastolatka i zwrócił się do młodszego: — Chodź do wuja!

Mały puścił rękę Rudolfa Habsburga i skłonił się przed Václavem. Był synkiem jego zmarłej w zeszłym roku siostry i jednocześnie pogrobowcem brata Albrechta, Rudolfa II. Na dworze Habsburgów nigdy nie był, Agnieszka tułała się z nim po Austrii, aż Václav się ulitował i kazał im zamieszkać w Pradze.

— Drogi Janku, ten pan, który nazwał cię bratankiem, to Albrecht Habsburg, przywitaj się ze stryjem grzecznie.

Mały ukłonił się sztywno i wbił wzrok w Habsburga. Był uderzająco piękny, jak na chłopca, i odkąd Václav pamięta, wyjątkowo uparty i butny.

— Albrechcie, zapewne zechcesz zająć się swym, jak powiadasz, bratankiem. — Uśmiechnął się zachęcająco Václav. — Zapewne wykroisz dla niego jakieś księstewko?

Albrecht zagryzł wargi. Václav wymienił z Muskatą porozumiewawcze spojrzenia. Tak, tak, nasz miły gość niczego nam dzisiaj nie może odmówić!

— Gratuluję koronacji. — Rudolf ukłonił się, chcąc jakoś ojca wybawić z niezręcznej sytuacji. Siebie pewnie też, bo ten siedmioletni stryj musiał mu być bardzo nie na rękę.

— Jak ją znajdujesz? — Václav zmrużył oczy i gestem ręki przywołał swego syna.

— Bardzo bogata. Wielki przepych — powiedział Rudolf, ostrożnie dobierając słowa i uspokajająco kładąc dłoń na łbie swego herbowego lwa.

— U was nieznany? — dopytał Václav i pogłaskał po głowie Vaška, który właśnie podszedł, zerkając spod oka na Rudolfa.

— My wolimy srebro przekuć na miecze — odrzekł młody Habsburg.

— Walczycie srebrną bronią? — zaciekawił się Vašek. — Po co? Przecież i tak się ubrudzi.

Václav pocałował synka w czoło i pochwalił:

— Mój ty zuchu!

Widząc zaś, że Rudolf z trudem radzi sobie z rozmową z siedmioletnim Jankiem, zachęcił Vaška, by ten siadł mu na kolana. Vašek natychmiast wyciągnął ręce w stronę korony na głowie ojca.

— Mogę przymierzyć?

Albrecht i Rudolf zmierzyli małego Przemyślidę ciężkim wzrokiem, więc Václav, patrząc w oczy Rudolfa, powiedział:

— Naturalnie. Jesteś moim następcą, kolejnym królem.

— Ja będę Václavem III. — Nadął policzki malec.

— Oczywiście. — Ojciec pomógł mu założyć koronę. I pomyślał to, o czym w tej chwili myśleć musieli Albrecht i Rudolf — że oni jeszcze nie są królami Niemiec. I że jeden głos elektorski w tej sprawie należy do niego.

— Jaki piękny dzień! — westchnął Václav i delikatnie zdjął za dużą koronę z główki syna. — Idź się pobaw. Możesz wziąć ze sobą Janka, bo się tutaj nudzi. I... — Václav uśmiechnął się przemiło do Albrechta — ...i weź też Rudolfa, jest trochę od was starszy, ale zapewne z chęcią będzie wam towarzyszył.

Albrecht Habsburg wypił jednym haustem kielich wina, gdy chłopcy odeszli. Otarł usta wierzchem dłoni. Biskup Muskata z najniewinniejszym wyrazem twarzy zapytał:

— O czym to mówiliśmy wcześniej? Zupełnie zapomniałem...

— O mnie! — odpowiedzieli jednym chórem Václav i Albrecht.

Václav nie miał zamiaru mu ustąpić; Habsburg nadął się, Muskata marszczył brwi, patrząc w dal, jakby szukał jakiegoś konceptu, wyjścia z sytuacji; marszczył je coraz mocniej, aż wstał i wychylił się, wskazując wyciągniętym palcem coś w oddali.

— Królu! Czy ty to widzisz? — spytał.

— Co? — Václavowi nie podobało się, że biskup wstał. Nie wypada, by biskup wstawał od stołu pierwszy.

— Czarna chorągiew ze skrzydła królowej. I druga! Z zamkowej wieży! — wykrztusił Muskata. — Wywiesili ją przed chwilą...

Poprzednią, obwieszczającą śmierć ledwie narodzonej córki zawieszono cztery tygodnie temu i burgrabia pilnował, by zdjąć ją przed koronacją, w końcu życzenie Václava było jasne: wszędzie ma być radośnie i uroczyście. Król poczerwieniał.

— Twoja siostra zrobi wszystko, by mi uprzykrzyć ten piękny dzień! — warknął do Albrechta.

— Sądzisz, że kazała znów wywiesić chorągwie żałobne? — z nutą zdenerwowania w głosie zapytał Habsburg i pokręcił głową, zniesmaczony. — Jest mściwa, prawda, ale żeby aż taka złośliwość?

Coraz więcej gości usadzonych przy długich rzędach stołów na błoniach pod zamkiem odwracało głowy w stronę chorągwi. Wzdłuż ław szedł szmer. Pierwsze stoły najbliższych gości to sami książęta. Václav widział wbity w siebie wzrok margrabiów brandenburskich, wyniosłą sylwetkę Bolke Surowego, ponurą i podłużną twarz Głogowczyka, złote orły na błękicie Bolka opolskiego, widział ich wszystkich naraz i każdego z osobna. Śląskie orły, co przyjaźnie otaczały jego płomienistą orlicę. Ale teraz oni wszyscy patrzyli to na czarną chorągiew, to na niego. Jak na złość zerwał się wiatr znad Wełtawy i choć przez cały dzień upał był niemiłosierny, teraz powiewał tą upiorną chorągwią. Od strony zamku, od otwartej bramy nic się nie zmieniło, trwał taki sam ruch jak podczas całej uczty. Służba na tacach wielkości drzwi nosiła pieczone wieprze, gęsi, kaczki, stosy przepiórek, combry jagnięce. Kosze owoców, misy kaszy, dzbany wina i piwa. I nagle przez tę rzekę jedzenia płynącą z zamkowej kuchni do stołów na błoniach przedarł się konny. Jeździec roztrącał służbę, jabłka z kosza posypały się czerwoną strugą błoniami w stronę Wełtawy. Jeździec upiorny z czarną szarfą w ręku. Milczący. Już go Václav rozpoznał. To młody Henryk z Lipy. Ten sam, któremu podarował czarne pióro, ten sam. Koń parska, Henryk z Lipy zeskakuje w biegu, przyklęka przed Václavem, koń spłoszony biegnie między stoły znamienitych gości, strąca z nich kopytami kielichy, stając dęba, rżąc.

— Królu mój! — zawołał Henryk, unosząc głowę. — Królowa Guta von Habsburg nie żyje!

BENIAMIN ZAREMBA jechał na zjazd rodowców do Brzostkowa, choć targały nim sprzeczności. Jego syn, Michał, gnił w poznańskim lochu z wyrokiem śmierci za zabójstwo syna Sędziwoja Zaremby. Sędziwój słowa dotrzymał i póki co nie nasyłał siepaczy na więźnia. Beniamin jednak, choć chciał, nie mógł spełnić swej części przysięgi. Sytuacja w Starszej Polsce była nieciekawa. Książę Władysław nie sprawował sądów, w Poznaniu nie bywał, bo walczył z Głogowczykiem, chcąc mieczem unieważnić umowy z Krzywinia. Jednocześnie gdy Beniamin prosił go o rozpatrzenie sprawy Michała, o cofnięcie kary śmierci, co wszak było w jego gestii, powiedział: „Skończy się wojna, pomyślę. Nie ukrzywdzę. A teraz, wojewodo, bądź przy mnie". I co? Jak mógł złożyć urząd, skoro książę dał Michałowi nadzieję? Nie mógł.

W dodatku Tylon, dawny królewski notariusz, wciąż wokół tej sprawy węszył. Na czyje zlecenie? Jedyny, który przychodził Beniaminowi na myśl, to arcybiskup Jakub Świnka. Tego nieustannie, acz w sekrecie prowadzonego śledztwa, bać się powinien Sędziwój, nie on. Ale co z tego, skoro obaj są Zarembami? Jeśli Tylon wpadnie na trop, to i Beniamin się z błota, które ze sprawy chluśnie, nie otrzepie.

Wojewoda uniósł ramię i pozdrowił niewidocznego gołym okiem wartownika. Pierwsze czujki wokół Brzostkowa rozstawione były daleko przed obronnym dworzyskiem. Małe wartownie w koronach starych dębów mieściły jednego strażnika. Powinny być jeszcze trzy, zanim wąską, jednokonną drogą dojedzie do rozlanych wstęg strumieni, które niczym naturalne fosy broniły dostępu nieznającym brodu.

Ledwie się dzisiaj wyrwał do Brzostkowa, bo stanęli z książęcym obozem niedaleko; zostawił Władysławowi oddziały pod wodzą Piotruna i pojechał sam, jedynie z szóstką służby. Nie powinien, w kraju gryzionym podjazdową wojną wszędzie włóczyły się jakieś bandy, ale

cóż miał robić? W końcu ten powiedział: „Bądź przy mnie, wojewodo". Zagmatwało się wszystko.

— Panie — cicho powiedział giermek jadący tuż za nim — tam,
w lesie...

Beniamin spojrzał, coś zafalowało między drzewami. Uniósł głowę, szukając wartowni. Dąb z dziuplą, która pomieścić mogła barana.
Wartownia wydała mu się pusta. Świsnął przeciągle, ale nikt nie odpowiedział. Co jest?

Zatrzymał sługi. Pokazał im, że mają wjechać w las po obu stronach wąskiej ścieżki. Sam ruszył w głąb, w tę stronę, gdzie coś wcześniej mignęło. Pnie zwalone po zeszłorocznej wichurze były oplecio-
ne pędami dzikich, płożących jeżyn. Zeskoczył z konia i uwiązał go
do brzózki. Zdawało mu sie, że między drzewami przemknął zielony
cień. Przeskoczył zwalone drzewo i zamarł. Pod pniem leżał martwy wartownik. Rozpoznał go po małym półlwie za murem, herbie
Zarembów na piersi. Pochylił się i poczuł, jak oblewa go zimny pot.
Zobaczył to równocześnie: obciętą prawą dłoń wartownika i jego
obnażone lędźwie. Ukucnął przy nim, przewrócił trupa na plecy.
Od obciętej ręki i gołej dupy umrzeć nie mógł — pomyślał trzeźwo Beniamin, szukając przyczyny śmierci. Rój much, który spłoszył,
wrócił do padliny, usiłując obsiąść i wojewodę; odgonił je wściekłym
ruchem. Usłyszał szelest. Uniósł głowę.

W odległości trzech dziesiątek kroków stała kobieta i ni mniej,
ni więcej, tylko celowała do niego z łuku. Przemknęło mu przez głowę, że gdzieś ją widział, lub do niej podobną. Zielona, prosta suknia, orzechowe włosy splecione nad karkiem. Psiakrew, wystarczy, że
zwolni cięciwę.

— Ktoś ty? — zapytała.

— Beniamin Zaremba — odpowiedział, lustrując las za jej plecami. Była sama.

— Wojewoda poznański?

— Tak.

— Ojciec Michała Zaremby?

— Tak.

— Pokaż dowód, że jesteś białym Zarembą — zażądała.

Zrobiło mu się gorąco. On, wojewoda, co tyle razy szedł w ogień
walki, po raz pierwszy w życiu poczuł, że z przerażenia stają mu dęba
włosy na plecach. Serce uderzyło gdzieś, pod samym przełykiem.

— Kim? — zapytał, bo przemknęło mu przez głowę, że się przesłyszał.

— Białym Zarembą — twardo powtórzyła dziewczyna.

— Nie rozumiem — skłamał.

— Rozumiesz — nie dała mu szans. — Rozepnij pas, podciągnij kaftan i pokaż.

Nagle dotarło do niego, dlaczego wartownik miał obnażone lędźwie.

— Już — odpowiedział, wstając i wyjmując końcówkę pasa z węzła. Wolał nie kombinować. Może wyjąć nóż, lecz nim spróbuje w nią rzucić, dziewczyna wypuści strzałę. Jeśli krzyknie, by przywołać sługi, ona i tak będzie szybsza. Pas cicho opadł na mech u jego stóp. Dziewczyna trzymała łuk wprawnie, prawa ręka i strzała były w idealnej linii, nie ma co. Podciągnął kaftan.

— Obróć się! — rozkazała.

Wie, czego szuka — pomyślał, spełniając jej polecenie. Tylko czy ma tak bystre oko, by z trzydziestu kroków dostrzec znak? Nie usłyszał jej kroków, a poczuł na plecach dotknięcie strzały.

— Unieś kaftan wyżej — powiedziała z bliska.

Przemknęło mu przez głowę, że dziewczyna zobaczy strużkę potu, która płynie mu wzdłuż kręgosłupa, ale zrobił, co chciała. On, wojewoda, stał, pokazując obcej kobiecie rzyć.

— Jesteś wolny — powiedziała i zrozumiał, że błyskawicznie oddaliła się od niego o kilka kroków.

Sprytna — pomyślał — mogłem odwrócić się, chwycić za strzałę i wyrwać jej łuk.

Opuścił kaftan i dopiero wtedy się odwrócił. Dziewczyna zniknęła. Pochylił się po pas. Poczuł, że pot zalewa mu oczy. Otarł go i raz jeszcze wbił wzrok w las. Nie ma jej. Po prostu jej nie ma.

Chryste Panie — pomyślał — co to było?

Przykucnął nad trupem wartownika i od razu znalazł przyczynę śmierci. Z oka herbowego półlwa sączyła się gęstniejąca krew. Pociągnął za kaftan na piersi. Otwór po strzale był wąziutki, to musiał być specjalny grot. Nie, nie grot — skarcił się w myślach, że uległ iluzji celującej do niego przed chwilą łuczniczki — to musiało być wąskie ostrze. Węższe niż sztylet. Na gałkach ocznych wartownika siadały muchy. Już ich nie odpędzał. Znów obrócił go na brzuch, chcąc sprawdzić. Tak. Ponad prawym pośladkiem miał wykłutego smoka, podbarwionego na czarno mieszaniną spalonych roślin i sadzy. I już był zimny. Beniamin z trudem naciągnął mu nogawice i osłonił nagie lędźwie, przerzucił go sobie przez ramię, a potem sztywnego wciągnął na siodło. Odwiązał konia i ruszył do ścieżki. Niespokojnie rozejrzał się, szukając sług.

— Nic nie znaleźliśmy, panie wojewodo — zameldowali, wracając ze swojej strony lasu po dłuższej chwili.

— Ja znalazłem — powiedział.

Potem zakazał im gadania o cieniach przemykających w lesie i ruszyli do Brzostkowa. Tak jak się spodziewał, strażnicy na innych wartowniach nic nie widzieli i nic nie słyszeli. Ale byli cali i żywi. Kazał im zwiększyć czujność, nic więcej.

W dworzysku brzostkowskim trafił w sam środek dysputy.

Kanclerz Królestwa, Andrzej Zaremba, wiódł prym.

— Karzeł się nie sprawdza! A jak się upomina o koronację, Beniamin świadkiem! Prawda, Beniaminie?

— Raz się upomniał.

— Może przy tobie, ze mną rozmawiał już ze trzy razy! — zabulgotał Andrzej.

— To po co mnie pytasz, jak wiesz lepiej?

Powiedzieć im czy nie? — zastanawiał się Beniamin. Patrzył na prawie setkę Zarembów. Ilu z nich ma nakłutego na plecach smoka?

— ...lepszy. Byłby lepszy i mówiłem to na pierwszej Małej Radzie, Beniamin świadkiem. Prawda, Beniaminie? — znów wyrwał go do odpowiedzi kanclerz.

— O co pytasz? — odezwał się nieprzytomnie.

— A o czym ty myślisz? — zagrzmiał Sędziwój.

O tym, że wśród nas są Biali i Czarni i że ktoś o tym wie, choć nigdy nikomu nie mówiliśmy — oczywiście nie powiedział tego głośno.

— Głogowczyk to lepszy wybór. Jest przewidywalny i choć ma sławę okrutnika, mściciela i ponuraka, to szanuje prawo. A Karzeł? Wywołał wojnę w Starszej Polsce! Podzielił, co było niepodzielne!

— Mówisz jak arcybiskup — zadrwił z Andrzeja Beniamin.

— A co? Myślisz, że się nie nadaję? — poczerwieniał ten z gniewu.

Beniamina zatkało. Andrzej miesiąc temu został biskupem poznańskim, po zmarłym naonczas Janie Gerbiczu. Oczywiście kanclerstwa nie złożył, a książę Władysław nie miał kiedy mu go odebrać, bo wciąż ganiał wojska Głogowczyka. Beniamin wiedział, że Andrzej jest ambitny, ale nie przyszło mu do głowy, że aż tak. Może powinien poprosić kanclerza, by ten podwinął duchowną suknię i pokazał, co ma wykłute na plecach?

Jezu Nazareński, oszaleję! — stłumił w sobie gniew. — Popadam w obłęd.

— Głogowczyk ma jedną wadę — nieoczekiwanie spokojnie odezwał się Sędziwój — otacza się swoimi ludźmi.

— Każdy władca otacza się swoimi — wzruszył ramionami Andrzej.

— Za czasów księcia Bolesława kaliskiego i powiem to, choć nie chcecie słuchać, za czasów Przemysła to my byliśmy ludźmi władcy — powiedział Beniamin.

Sędziwój posłał mu ponure spojrzenie, ale nie skomentował. Mówił dalej i znów, o dziwo, spokojnie, jak nie on.

— Mam na myśli to, że Mały Książę otacza się Kujawianami, lecz w Starszej Polsce nikogo nie zdjął z urzędu.

— Bo nie zaczął rządzić — ze śmiechem przerwał mu jego rodzony, dużo młodszy brat, Mikołaj, wojewoda pomorski. — Nie miał czasu...

— Zaś Głogowczyk w kasztelaniach, które dostał w Krzywiniu, pozmieniał kasztelanów na Ślązaków. Wokół niego niemal sami Niemcy.

— Masz coś przeciw Ślązakom czy Niemcom? — dopytał Mikołaj.

— Mam coś przeciw obcym, bracie! Nie chcę, by Starszą Polską rządził kanclerz von Dier!

— Takie rzeczy można zawrzeć w układzie wstępnym — lekceważąco utrącił argument Sędziwoja Andrzej.

— Nie zgadzam się na żaden układ — syknął Sędziwój.

Oho — Beniamin zrozumiał, że główna dyskusja odbyła się, nim przybył. I po raz pierwszy od lat poczuł, iż zgadza się z Sędziwojem. Nie wiedział wprawdzie, czy rzeczywiście powodowało panem brzostkowskim to, co mówił głośno, ale wiedział, co powodowało nim — obietnica Władysława, że nie ukrzywdzi mu syna.

— Koniec rozmów na dziś! — obwieścił Sędziwój. — Ochna! Daj nam jeść!

Płomiennowłosa gospodyni pojawiła się szybko. Jej służki wnosiły misy parujących w wonnym sosie mięs.

— „Leśny ostęp"! — zaanonsowała, gdy jej dziewczęta roznosiły wieczerzę.

Ochna lubiła nazywać potrawy, dodając swojej pracy jakiejś ważności. Teraz uśmiechała się promiennie, głównie do Sędziwoja, rzecz jasna. Nie było tajemnicą, iż od lat są kochankami.

— Pięć gatunków dziczyzny duszonych w jałowcu i jarzębinie!

Jarzębina — serce zabiło Beniaminowi mocniej. — Ta łuczniczka w lesie miała jarzębinę zatkniętą za ucho. Odechciało mu się jeść.

— Czegoś taki markotny? — spytał Sędziwój, gdy w izbie rozległo się mlaskanie przeplatane śmiechami jedzących Zarembów.

— Przywiozłem ci martwego strażnika — odpowiedział. — Trzecia wartownia od Brzostkowa, dąb z dziuplą.

— Co się stało? — Zmarszczył brwi Sędziwój.

— Leżał nieopodal pod zwalonym pniem.

— A pozostali?

— Nic nie widzieli, nic nie słyszeli.

Sędziwój otarł usta wierzchem dłoni, łyknął piwa i wstał.

— Chcę go zobaczyć.

Beniamin nie musiał z nim iść, ale podniósł się i wyszli na dziedziniec. Akurat służące wynosiły giermkom jedzenie.

— W stajni — powiedział wojewoda poznański.

Wartownik leżał na słomie. Zwłoki całkiem zesztywniały. Na twarz wyszły mu ciemne trupie plamy. Sędziwój przykucnął i nie klucząc, od razu sięgnął do herbowego znaku na piersi wartownika. Wsadził palec w przebite oko półlwa.

— Ktoś poluje na Zarembów. — Splunął w bok. — Mam takich raz, dwa razy w miesiącu. I zawsze to samo: oko półlwa.

— Co to za ludzie?

— Gdybym wiedział, kto poluje, już by wisieli w Jarocinie na stryczku — syknął Sędziwój i wstał.

— Pytam o tych. — Beniamin czubkiem buta wskazał na trupa.

— A, moi.

— To wiem, że twoi, bo noszą półlwa na piersi. Pytam, kim są.

Przez twarz Sędziwoja przeszedł ledwie widoczny skurcz.

— Synowie moich najlepszych ludzi jarocińskich.

— Biedni Zarembowie o rozwodnionej krwi, którzy za tobą poszliby w ogień?

— Tak. Ktoś na nas poluje — powtórzył Sędziwój.

237

Beniamin pokiwał głową. Lecz nie powiedział mu, że to dziewczyna w zielonej sukni. I nie powiedział mu, że strzela do półlwa, ale szuka tych, co noszą czarnego smoka.

TYLON nie ustawał w swoich dociekaniach, choć odnosił wrażenie, że nikogo to już nie obchodzi. Jego przyjaciel, sędzia Gniew, wydał wyrok, wsadził do lochu Michała Zarembę i miał to gdzieś. Kanclerz nie chciał słyszeć o dalszym dochodzeniu, jak Tylon mu się naprzykrzał, odesłał go do arcybiskupa. Ojciec Michała, Beniamin, przyjął go raz i bardzo chłodno. Oświadczył, iż jemu nie wypada interesować się tym, bo jego syn skazany za Wawrzyńca. I na pożegnanie dodał, że może Jakub Świnka coś wie. Poprzedni biskup poznański, Jan Gerbicz, chciał rozmawiać, ale zanim Tylon do niego przyszedł, zmarł.

— Ostatnim, który mówił z biskupem Janem, był arcybiskup Jakub — powiedział jego kapelan, ocierając łzy.

I wtedy Tylon zatrzymał się. Pomyślał. Dlaczego wszystkie tropy prowadzą do arcybiskupa Świnki?

— Jest nie tylko głową polskiego Kościoła, ale i mędrcem — odpowiedział sobie sam.

I znów się zatrzymał. „Nigdy nie udzielaj sobie oczywistych odpowiedzi", przypomniały mu się słowa ojca.

— No, ale jak?

Znał Jakuba Świnkę od czasów, gdy ten był skromnym kantorem gnieźnieńskiej kapituły. Najpierw był człowiekiem starego księcia Bolesława, dopiero potem Przemysła. Wszyscy to wiedzieli. Ale jest nieposzlakowanej opinii, wręcz kryształowej. Nie, cokolwiek mi przyszło do głowy, musi być głupie. — Tylon odpędził natrętnie brzęczącą myśl.

Ta jednak wróciła zupełnie nieoczekiwanie. Tylon poczuł się źle, a że był akurat z wizytą u swych młodszych braci, wciąż w służbie kancelarii, Jaśko nie słuchając zapewnień Tylona, że samo przyszło, samo przejdzie, zawołał do niego magistra Mikołaja, dawnego medyka króla.

— To on jeszcze żyje? — zdziwił się Tylon, bo zawsze mu się zdawało, że Mikołaj jest stary, odkąd on go zna.

— Złego diabli i tak dalej — uśmiechnął się Jaśko i nie było dyskusji.

Magister Mikołaj chwycił go za puls, pokiwał głową. Zajrzał do oczu i orzekł:

— Żółć się wzburzyła.

— To może i się uspokoi? — zażartował niepewnie Tylon.

— Sama? A to niby jak? — Oskarżycielsko skierował suchy palec w jego pierś Magister.

— No, tak jak i się tego...

— Nie. Ja już niejednego pacjenta straciłem przez takie lekceważenie! Mówiłem: słuchajcie Mikołaja, bo przeze mnie przemawia wiedza, ale nie! Książęta wiedzą lepiej! Byłem z arcybiskupem Jakubem II u łoża chorego księcia Leszka Czarnego, mówię: „Żółć się wzburzyła, pozwólcie mi leczyć", to nie! Arcybiskup mu od razu namaszczenia udzielił. A wiadomo, namaszczony umiera chętnie, bo mu się wydaje, że żywcem do nieba go wezmą. Swoją drogą, przy — chrząknął, szukając słowa — „skłonnościach" księcia Leszka to ja tam nieba nie widzę.

— I co?

— Co i co? Zmarł. To samo z Henrykiem, wrocławskim księciem, tym, co go otruli. Mówiłem arcybiskupowi: „Daj mi leczyć, znam odtrutki, różne, weneckie, galijskie, tak zwane papieskie, znam nawet dwie litewskie i jedną wielkoruską". Ale nie. Arcybiskup najpierw egzorcyzmy nad księciem odprawiał. I dla mnie już roboty nie było. Potem tylko egzekwie i krypta w kościele Świętego Krzyża.

— Ja... ja... chętnie oddam się wobec tego twemu leczeniu, Magistrze — wyszeptał przelękły Tylon.

— No więc zaczynamy od puszczania krwi! — Magister oblizał suchym językiem spierzchnięte wargi.

— Ale nie w kancelarii królewskiej, na Boga! — wystraszył się Jaśko i ciałem zastawił obszerny stół pełen dokumentów.

— A dlaczego by nie? — Błysnął okiem Magister i Tylon poczuł, że chyba jest jego pierwszym pacjentem od dawna. — Gdy chory w potrzebie! Ach, nie. — Uderzył się chudą dłonią w czoło. — Instrumentów tu nie mam. Moich noży do puszczania krwi. Ani pijawek... Ale zapraszam do mnie, zapraszam. Służba! — Klasnął. — Proszę nieść pana notariusza do mojej pracowni.

Tylon zamknął oczy, gdy magister ułożył go na wąskim łożu i podwinął mu rękawy. Przecięcia skóry niemal nie poczuł, potem

239

jedynie pieczenie i ciepło. Krew płynęła do naczynka podstawione-go przez magistra Mikołaja. Ten na szczęście przestał gadać, tylko raz po raz cmokał albo mlaskał. Tylona ogarnęła ciepła, przyjem-na błogość. I w tej błogości doznał dziwnych skojarzeń, zupełnie nieprzyzwoitych i wnet porażających. Oto bowiem przypomniało mu się, iż ostatnią osobą, która mówiła z księciem Bolesławem, był Jakub Świnka. I także pierwsza żona Przemysła, nieszczęśliwa księż-na Lukardis, zmarła po jego wizycie. O tym akurat było głośno, bo śmierć księżnej nastąpiła w dość tajemniczych okolicznościach. Kilka dni później Jakuba wyświęcono i dostał arcybiskupią sakrę z rąk Przemysła. A przecież wywołana we wspomnieniach magistra śmierć księcia Henryka dała Przemysłowi władzę nad Krakowem i Małą Polską. Na krótko, ale dała. Kto był przy pisaniu testamen-tu? Jakub Świnka. Sam notował ostatnią wolę umierającego. Śmierć księcia Leszka Czarnego też dziwna, ale ona akurat nie dała Prze-mysłowi nic, Leszek nie zostawił testamentu. Tym niemniej te zgo-ny ułożyły się w jakiś ciąg: Bolesław, Lukardis, Leszek, Henryk. A teraz Jan Gerbicz.

— Czy poprzedni biskup poznański chorował? — spytał Tylon.

— Był stary jak grzyb, ale zdrów — z niechęcią odpowiedział medyk.

— A jak zmarł, można wiedzieć?

— Oglądałem zwłoki, tak, z grubsza, nie, żebym był wścibski — zastrzegł się Mikołaj. — Zsiniał, jakby go flegma zatkała, tak bym orzekł. Gdyby mnie ktoś pytał — z zawodem dokończył i po chwili podjął: — Uleczyłbym go, jak nic. Nie takie rzeczy umiem wyleczyć. Ale nie wołali. Oczywiście, sam arcybiskup go namaścił i wiadomo, egzekwie. Teraz, jak na zamku pana nie ma, to ja w ogóle nie mam co leczyć. Jedyny jestem w Królestwie po wielkich italskich akademiach i co? I nic. Lud u nas zabobonny, albo znachorkę wzywa, albo od razu księdza. Z duchem czasu nie chcą iść.

No właśnie — uspokoił się w duszy Tylon, bo tok rozumowa-nia, który naszedł go w czasie puszczania krwi, nie pasował mu — to zbiegi okoliczności. Po prostu obecność arcybiskupa przy chorym jest naturalną koleją rzeczy.

Gdy tylko poczuł się lepiej, a zajęło to wbrew zapewnieniom ma-gistra Mikołaja kilka dni, wybrał się w podróż do Gniezna, zaanonso-wał w kancelarii arcybiskupa Jakuba i czekał.

— A w jakiej sprawie? — zapytał kanonik Borzysław. — Bo może ja pomogę panu notariuszowi?

— Nie, dziękuję — nieśmiało uśmiechnął się Tylon. — Ja muszę z samym...

— Rozumiem. — Skinął mu głową kanonik i zniknął.

Arcybiskup kazał na siebie długo czekać, przygotowywał synod prowincjonalny. Wyszedł w końcu zmęczony i chmurny.

— Tylon? Notariusz Tylon? — zdziwił się.

Tylon także się zdumiał, bo nie widział arcybiskupa od pogrzebu króla i nie wiedział, iż ten tak bardzo się zmienił.

— Proszę, wejdź. — Otworzył przed nim drzwi swej komnaty.

Tylon wszedł onieśmielony. Czego się spodziewał? Że będzie jak wtedy, dwadzieścia lat temu, gdy obaj siedzieli w komnacie księcia Bolesława i śmiali się do łez? I właściwie o co ma arcybiskupa pytać? Może spróbuje tak:

— Wciąż mi nie daje spokoju śmierć króla.

— Mnie też — twardo oświadczył Świnka. — Wpadłeś na trop sługi, który był przy oględzinach? Kto to jest?

— Nie, Jakubie. Zapadł się pod ziemię. Przykro mi.

— Nie powinno się coś takiego zdarzyć. Śmierć króla obnażyła nas.

— Co przez to rozumiesz?

— Pokazała, jak słabe i wątłe jest Królestwo. Brandenburczycy zajęli grody nadgraniczne i choć wszyscy wiedzą, że oni stoją za zamachem, nic nie potrafimy zrobić. I ten Krzywiń! Baronowie nasi, którzy zgodzili się na podział Starszej Polski, wstyd! Hańba. Siadaj, co tak stoisz?

Tylon posłusznie usiadł i zrozumiał istotę zmiany, jaka zaszła w arcybiskupie. Ten zwykle pokorny, spolegliwy człowiek nagle stwardniał, ma oczy niczym stal.

— Żeby w królewskim grodzie obcy człowiek dostał się do podziemi kościoła na Ostrowie Tumskim, tam, gdzie jeszcze niedawno stało kamienne palatium pierwszego króla, tam, gdzie złożono ciało Przemysła, Tylonie, czy to w normalnym Królestwie byłoby do pomyślenia?

— Nie wiem, Jakubie. Nie znam innych Królestw.

— Jak mogło dojść do tego, że obcy ludzie wtargnęli w granice i niezatrzymani przez żadną straż napadli na Rogoźno we śnie? Gdzie była straż? Ja tego nie pojmuję! — krzyczał Jakub II.

— Straż zginęła wraz z królem. Wszystko wskazuje na to, iż atak był bardzo nagły, porywacze wyliczyli tę szarą godzinę przed świtem, gdy straże najsłabsze, senne...

— Ale to był król! — wołał dalej Jakub. — Jego straże nie mają prawa być senne!

— Zgadzam się z tobą, arcybiskupie. Wciąż rozważam, kto zawiódł. I choć brzmi to strasznie, myślę, że wśród ludzi króla byli zdrajcy. Może nieświadomi tego, że sprzedają życie swego pana, ale... ktoś musiał komuś powiedzieć, że król tamtego wieczora będzie z całym swym dworem bawił się i pił... a jak się popiją, to będą spali mocniej niż zawsze...

— Nie — przerwał mu kategorycznie Jakub. — Ja nie przyjmuję takich tłumaczeń. Ja uważam, iż zawiedliśmy wszyscy, jak jeden mąż. Nie zgadzam się na takie rozmazywanie winy. Może ten, może tamten. Nie, Tylonie. Każdy jeden człowiek musi uderzyć się w pierś i powiedzieć: „To ja jestem winny śmierci tego, któremu ślubowałem!". Wybacz, musisz już iść. Mam dużo pracy. Zaraz będą tu moi kanonicy.

— Tak. — Tylon podniósł się z miejsca, ale nie ruszył

Do komnaty arcybiskupa weszła służba, wnieśli stołki, ławę, jeszcze więcej światła. I gdy wraz z każdą wniesioną lampą oliwną pomieszczenie rozjaśniało się, Tylon dostrzegł coś, czego nie widział wcześniej. Na bocznym, niskim stole, tuż obok miejsca, gdzie chwilę temu siedział arcybiskup, leżał miecz. Koronacyjny miecz Przemysła II.

Tylon zrobił krok w jego stronę, ale Jakub II odezwał się:

— Idź już, proszę. Z Bogiem.

HENRYK, książę głogowski, spodziewał się wszystkiego, ale nie tego.

— Jesteś pewien? — spytał Lutka. — Pewien?

Lutek Pakosławic przygładził swoją wąską bródkę.

— Książę, może i ja jestem okrutny, jak mówią, ale nigdy nie zmyślam. Osobista sprawa nie przesłania mi...

Henryk Hacke, czarny druh Lutka, przytaknął.

— Hercog Heinrich, nie ma ani chwili. Przeklęty Karzeł przekroczył granice Starszej Polski i wraz z wojskami węgierskimi wtargnął na Śląsk od północy. A od południa idzie na ciebie Bolke Surowy.

— Szykować wojsko! Wezwać kanclerza von Diera. Gdzie mój główny wódz, Otto von Seidlitz?

— Bije się z oddziałami Karła.

— To jak? Władysław idzie na mnie, czy bije się z Ottonem von Seidlitz? Zdecydujcie się.

— Karzeł podzielił własne wojsko na trzy duże grupy. Część wiąże siły Ottona, wciągając go z potyczki w potyczkę. Druga, pod jego wodzą, ruszyła na Śląsk, trzecią nasi zwiadowcy zgubili. Przypuszczamy, że rzucił ją na Brandenburczyków. A trzeba było zdusić gnidę w Krzywiniu!

Książę pojął, co się dzieje, zacisnął usta i stanął naprzeciw Henryka Hackego.

— Wyjdź. I nie pokazuj mi się więcej na oczy.

Ogorzała twarz Hackego zamarła, spojrzał na Lutka, ten spuścił głowę.

— Wybacz, książę — wymamrotał Hacke. — Zapomniałem się, nigdy więcej nie powiem o nim „Karzeł", przysięgam.

— Przy mnie nikt nie może się zapominać, Henryku. Nigdy z nim nie wygracie, jeśli między sobą będziecie z niego drwić. Żegnam. — Odwrócił się od Henryka Hacke i słudze kazał wzywać kanclerza. Spojrzał na ciemną kamienną ścianę i zacisnął zęby, do bólu.

„Zdusić gnidę w Krzywiniu". Głupcy! To, co pokazał w Krzywiniu kosztowało go słono i ani na pół rycerza więcej nie było go stać. Czy takim jak Hacke wydaje się, że książę wojsko opłaca uśmiechem? Albo, że raz na tydzień wchodzi do skarbca i rozmnaża złoto?

Otto von Dier zderzył się w drzwiach z wychodzącym Hackem. Lutek Pakosławic stał, wciąż nie unosił głowy. Kanclerz zmarszczył brwi i grzecznie powiedział do księcia:

— To już piąty, którego wyrzuciłeś. Nie żal ci trzebić własnych szeregów, mój książę?

— Żal — powiedział zgodnie z prawdą Henryk, odwracając się od ściany. — Ale nie ma wyjścia. Muszę usunąć tych, którzy zabijają ducha wojennego moich wojsk. Przejdźmy do konkretów, kanclerzu, bo znasz moje zdanie i wiesz, że nigdy go nie zmieniam. Lutek, przedstaw kanclerzowi sytuację.

W czasie kiedy Pakosławic mówił, Henryk wyjrzał przez okno na dziedziniec. Jego pierworodny z zapałem uczył się fechtunku. Walczył źle, ale miał tylko sześć lat.

Zmienię mu nauczyciela — pomyślał Henryk. — Dziedzic Poznania musi walczyć jak lew.

— Twoje zdanie o tym, co zamierza Władysław? — zwrócił się do kanclerza.

— Oskrzydla nas, ale to fakt, nie refleksja — spokojnie zastrzegł von Dier. — Postępuje brawurowo, jak ktoś, kto nie ma nic do stracenia albo jak ktoś bardzo pewny siebie. Chce przesunąć ciężar działań wojennych ze Starszej Polski na Śląsk, bo musi się zrehabilitować w oczach swojego rycerstwa i poddanych, odciążyć własne ziemie, które ponoszą koszta jego wygranych i klęsk. Do tej pory, nawet jeśli przegrywaliśmy potyczki, to wygrywaliśmy twój wizerunek — księcia prawego, który idzie z literą prawa, szanuje przysięgi, a jeśli musi być srogi, to tylko gdy dotrzymuje słowa. To nam się na nic nie zda, jeśli Władysław zrujnuje nam księstwo. Wtedy będziesz miał, mój panie, to, co on — własnych poddanych przeciw sobie. Jeśli są przy nim Węgrzy, tym gorzej. Śląsk odwykł od madziarskich najazdów. Lud będzie się bał. Jednak jak powstrzymać Władysława? Nie wiem, tu potrzebujesz swoich dowódców. Ja, jako teoretyk, zrobiłbym inny ruch, dość absurdalny.

— Jaki? — sucho zapytał Henryk, bo choć nie znosił posunięć nieprzewidywalnych, to szanował analityczny umysł von Diera.

Kanclerz uśmiechnął się i podszedł do stołu. Na samym jego krańcu ustawił masywny dzban, dalej trzy takie same kubki. Wziął jabłko z misy i potoczył je delikatnie, mówiąc:

— To jest Władysław.

Jabłko odbiło się od kubka. Pchnął je mocniej, przewróciło kubek i poturlało się, uderzając kolejny.

— To były twoje wojska pod wodzą von Seidlitza. A to — wskazał na drugi uderzony kubek — wojska, którymi dla ciebie dowodził będzie Sobieżyr. — Ponowił uderzenie jabłkiem i przewrócił kubek. — Zaś ten ostatni to ty, książę, broniący Głogowa. — Nie odważył się jednak przewrócić kubka księcia.

Henryk podszedł do stołu i położył rękę na dzbanie.

— A to kto?

— Václav II Przemyślida, mój książę. Czeski król, z którym zawarłeś przymierze. Jeśli więc, zamiast tracić siły na walkę z Władysławem, odsuniesz się i zrobisz mu wolne miejsce, on zachłyśnięty sukcesem zagalopuje się przez Śląsk i rozbije na tym dzbanie. Wpuścisz go wprost na Przemyślidę. I przy okazji odbierzesz mu stronnika. Bo Bolke Surowy z radością wspiera Władysława w wojnie przeciw tobie, lecz kiedy zobaczy, iż ten jest gotów zdobyć cały Śląsk, ocknie się i okopie na swoich pozycjach.

— Interesujące — zamyślił się Henryk. — Ale zbyt ryzykowne. — Odruchowo ustawił kubki na swoich miejscach.

— Książęta Mazowsza tak właśnie załatwiają porachunki między sobą — ośmielił się odezwać Lutek — przepuszczając Litwinów przez jedne ziemie, by ci napadli na drugie.

— Tu nie Mazowsze i nie Litwa! — ostro przerwał mu Henryk. — Tu jest Śląsk! Nie narażę mieszczan ani kupców. Nasze bogactwo to nie sama ziemia, lecz to, co się kryje w niej. Bolke Surowy złamał postanowienia z naszego zjazdu w Zwanowicach. Umówiliśmy się, a on nie dotrzymał słowa. Musi ponieść karę za pomoc udzieloną Władysławowi.

Otto von Dier skrzywił się nieznacznie, jakby połknął drobną ość.

— Panie — powiedział. — Będzie ci trudno jednocześnie dać odpór księciu kujawskiemu i wymierzać karę regentowi Wrocławia.

— Nie jestem dzieckiem, jestem księciem — chłodno osadził kanclerza Henryk. — Znajdź mi pieniądze na wojska zaciężne.

— Nie jestem skarbnikiem, jestem kanclerzem — podjął wyzwanie Otto. I w tej samej chwili poczuł, iż przeszarżował.

Henryk zatopił w nim lodowate spojrzenie niebieskich oczu. I powiedział:

— Rozumiem. Wobec tego poproś do mnie Fryderyka von Buntensee.

WŁADYSŁAW niemal położył się na szyi Rulki. Klacz gnała, ale to już nie był galop, to był cwał. Miał mniej niż tydzień, na dłużej nie mógł opuścić swego wojska. Zrobił coś ryzykownego, coś, co Ruder określił jako „głupie", a bracia Doliwowie powiedzieli: „Chryste, książę, czy wiesz, co czynisz?". Może i nie, ale za to dokładnie wiedział, czego pragnie. Bolesław mazowiecki i jego Madonna na purpurze, zwana przez niektórych „Krwawą Marią", ruszyli spod Płocka i idą mu na pomoc, na Śląsk. Ale na Śląsku wsparł go nieoczekiwanie Bolke Surowy i łupią miasto za miastem. Szkoda sił Bolesława do wojny, która już niemal wygrana, szkoda tracić czas i impet. Trzeba ruszyć na Małą Polskę. Tak! Pragnął znów zobaczyć Kraków. Nawet jeśli siedzi tam namiestnik Václava. Nawet jeśli nie odbije Wawelu, to przypomni rycerstwu Małej Polski, że jest! Że on, Mały Książę, o niej nie zapomniał! Że tylko odzyska Starszą Polskę, ugnie przed sobą butne karki jej panów i wróci powiesić swojego półorła, półlwa na wzgórzu nad Wisłą. I Królestwo od morza po góry będzie jego. Jego! Więc gnał z małym oddziałem Leszczyców. Z Januszem, Przezdrzewem, Jankiem. W dziesięciu dołączą do Bolesława i zawrócą go z traktu na Śląsk. I ruszą wprost pod Kraków. Co tam, nawet jeśli jego nieobecność potrwa nie tydzień, a trzy, to bracia Doliwowie sobie poradzą, Grunhagen też.

— Ech, Rulka, jaki ja jestem mądry! — szepnął klaczy do ucha.

Odkąd spotkał tego małego rycerza, połączyła go z nim jakaś dziwna więź, wiedział, że to nie mogło się stać po nic. Że tamten też jest niski, to jedno, nie w tym rzecz. No, nie tylko w tym. Grunhagen zniknął i zjawił się znów, gdy odbijali południe Starszej Polski. Władek dołączył go do oddziału Szyrzyka, by mieć małego rycerza na popasach bliżej. Walczył z nimi pod Przemętem, dobrze się spisał. Pewnego dnia Ruder z tą swoją wiecznie ponurą twarzą oznajmił:

— Książę, nie możesz opuścić swych wojsk. Po Śląsku niesie się trwoga, że Mały Książę, we własnej osobie, oblega miasta. Niech Bolesław sam zdobywa Kraków. Sam, ale przecież w twym imieniu. Uda mu się, cel osiągniesz.

W tej samej chwili, on, Władek, wpadł na ten mistrzowski pomysł i wypowiedział go na głos, aż zatkało Rudera.

— Grunhagen mnie zastąpi. Z daleka wygląda jak ja. Ślązacy go nie rozpoznają.

Wtedy jego kanclerz użył słowa „głupi", oczywiście nie na Władysława, tylko na jego koncept, a Doliwowie jęknęli: „Książę, czy wiesz, co czynisz?".

Wiedział, czego pragnął. A czynił, co musiał, by to mieć.

MUSKATA, biskup krakowski, przyjmował swego drogiego przyjaciela Alberta na kolacji. Obok niego usadził szwagra, męża Adelki, Gerlacha de Culpen.

— Wójt Krakowa i wójt Wieliczki, poznaj, Gerusso! — wprowadził swą, jak zawsze spóźnioną, kochankę i przedstawił gościom: — Wójtówna sądecka, Gerussa, ma przyjaciółka!

— Nadzwyczajna uroda! — cmoknął Albert, wójt krakowski.

A Gerlach ją pewnie teraz porównuje z Adelą — uśmiechnął się do bogatego szwagra Muskata.

— Są pewne przewagi stanu duchownego — mruknął Gerlach de Culpen.

— Italskie wino! — Klasnął w dłonie Muskata, bo wprawdzie chciał oczarować obu wójtów, ale nie rozzłościć. — Mamy co świętować, panowie! Król Václav II, na którego koronacji byłem gościem, jak może wam się obiło o uszy... — Zrobił dzióbek, skromnie, chwilę poczekał na reakcje. Albert cmoknął, Muskata mógł kontynuować: — Zamierza postawić na stan mieszczański! Napijmy się!

— Nadchodzą nowe czasy? — pociągnął nosem Gerlach.

— O, Kraków pod rządami Václava już zyskał. — Wójt Albert prężył się i opuszczał barki, by wydać się Gerussie wyższym. — Przemyślida wie, że oprzeć rządy można tylko na czymś stabilnym. Panowie krakowscy to chorągiewki na wietrze, rycerstwo niczym gęsi wyciąga szyje, patrząc, gdzie jaki wojenny pan! A ja, my — wyprostował się i uśmiechnął do wójtówny — solidny stan, panna wie! Zdrowie! — Stuknął w jej kielich kielichem.

— A klaryski w Sączu ponoć się modlą, by Václav zrezygnował — powiedziała Gerussa, udając, iż nie widzi wlepionych w siebie oczu wójta Alberta. — Ojciec mi mówił.

— Niemożliwe, ptaszyno! — pobłażliwie uśmiechnął się Muskata. — Tam ksienią jest ciotka Václava, księżna Gryfina.

— Powtarzam, co słyszałam. — W słodkim głosie Gerussy pojawiła się nuta oporu.

Muskata wiedział, że nie znosiła, gdy stawiano wójta Sącza, jej ojca, niżej niż wójtów Krakowa czy Wieliczki. Nie zna proporcji, to tylko piękna dziewczyna — ponyślał Muskata i pogłaskał ją po dłoni.

— Mogę nie powtarzać, jeśli sobie biskup nie życzy. — Uniosła podbródek wysoko i Muskata natychmiast tego pożałował.

— Powtarzaj, moja piękna, powtarzaj. O czym to mówiliśmy? O Václavie! Zatem... no, mówiłem, żeby nam nie przeszkadzać! — ostro krzyknął do sługi, który wsadził łeb przez drzwi i robił dziwaczne miny. — Czego, szelmo?

— Pilne, najjaśniejszy panie, pilne...

— Mów!

— Wolałbym nie... — Sługa zrobił wielkie oczy.

— Przeszkadza nam, bo pilne, wie, ale nie powie! Masz ci los! Oferma, darmozjad. — Muskata udał zagniewanie na sługę i przepraszając gości, wyszedł.

Za drzwiami zmienił ton, bo sługa w istocie był jednym z jego cichych ludzi.

— Co się dzieje? — spytał z niepokojem.

— Madonna na purpurze łopocze nad Małą Polską, Muskato.

— Psiamać! Zły moment! Gdzie są?

— Minęli Ogrodzieniec, jak burza idą na Olkusz.

— Na Olkusz? To w trzy dni mogą być pod Krakowem! — wystraszył się Muskata. — Trzeba zawiadomić starostę krakowskiego, mój Boże!

— To nie wszystko, biskupie Muskato. Ramię w ramię z Bolesławem jedzie książę kujawski, Władysław.

— Moje dobra w sieradzkim? — Chwycił się za serce Muskata.

— Nietknięte.

— Bogu niech będą dzięki! I tobie dziękuję, Ruprechcie.

— Walterze — poprawił go zwiadowca.

Muskata nie miał ani czasu, ani ochoty wracać do gości. Ale nie chciał też zostawić Gerussy sam na sam z wójtem Albertem, nawet jeśli jako przyzwoitka towarzyszył im Gerlach. Szwagier ze zwykłej złośliwości chętnie by coś uszczknął z biskupiego ogródka. Trzeba działać szybciej niż szybko... Starosta, owszem, na pierwszą linię, lecz Václav, Václav przede wszystkim.

— Walterze! — przywołał odchodzącego zwiadowcę. — Mam dla ciebie misję.

— Słucham, panie?

— Biegnij po kanonika Piotra, powiedz, że proszę go na wieczerzę, a po drodze zaproś mego kapelana, świątobliwego Zygfryda. Tylko błagam, szybko!

Nawet jeśli zwiadowca był zaskoczony, udawał, że mu wszystko jedno, tropić wojska czy kanoników katedry krakowskiej. Uwinął się szybko i Muskata zabezpieczył obecnością obu starych, zasuszonych i wyjątkowo nudnych gości niewątpliwe atuty Gerussy. Biskup krakowski mógł zostawić kochankę i zająć się pracą.

WALDEMAR, margrabia brandenburski z linii Stendal, z radością przyjąłby walkę. Stryj obiecywał mu krew, jęk konających i łupy. A tu weszli, zajęli rubieże i nic. Od czasu do czasu jakiś oddział rycerski wysłany z Poznania na zwiady. Szybka wymiana haseł, szarża, atak, cofnięcie się, szarża. Kilkunastu rannych i bezwzględne polecenie stryja:

— Odwrót!

Chowanie się w grodach, wyczekiwanie. To ma być wojna? Waldemar wyobrażał ją sobie inaczej. Marzył o posoce płynącej rzekami, o stosach trupów, uciętych kończynach. W ostateczności pożogi. Palące się ciała i wrzask. Ale ile razy można podpalać tę samą wieś? Nade wszystko chciał zmierzyć się w polu ze słynnym Małym Księciem. Ale ten jakby zapadał się pod ziemię, po to, by po kilku tygodniach zjawić się nieoczekiwanie, uderzyć znienacka i znów zniknąć. Wszyscy go widzieli, ale chyba nie walczył z nim nikt.

— Pociągnął na Śląsk — meldowali zwiadowcy.

I starszy brat Waldemara, Jan, oddychał z ulgą.

— Będzie można gospodarzyć — cieszył się, jakby to kogoś poza nim radowało.

Waldemara nie. Miał prawie siedemnaście lat i burzyła się w nim krew. Otto ze Strzałą, jego jednooki stryj, człowiek wojny i krwi, wyjechał miesiąc temu na spotkanie elektorów Rzeszy. Będą dzielić jeden głos, bo tyle właśnie przypada na obie linie brandenburskie! Bzdura! Zamiast bić się między braćmi, stryjami i kuzynami o to, na kogo zagłosują w Wiedniu, mogliby zebrać swe wojska i popędzić na Poznań. Mieczem wyrąbać sobie drogę na wschód. Starsza Polska bezbronna po śmierci króla niczym nałożnica po stracie kochanka! Tak, słyszał to zdanie z ust ojca i wydało mu się tak piękne, iż je zapamiętał. Dusił się w Santoku. Wskakiwał na konia i mknął. Już nie bawiło go uciekanie własnej straży, która miała rozkaz pilnować najmłodszego z margrabiów dzień i noc, ale i tak robił to z braku lepszego zajęcia. Dzisiaj też. Na trakt i ostro skręcić w las.

— Margrabio! — krzyczał dowódca straży, próbując go dogonić. — Margrabio Waldemarze!

A on się śmiał i zataczając lasem łuk, wyjeżdżał z powrotem na trakt. Tak jak teraz! Schylić się, przywrzeć do końskiej szyi i...

Spadł z konia powalony uderzeniem w bark.

— Trafiony! — krzyknął ktoś, podczas gdy Waldemar poczuł, że wypluwa własny ząb. Psiamać, to mogła być kopia.

— Sprawdź, kto to! — rozpoznał głos stryja Ottona ze Strzałą, ale nie mógł odpowiedzieć, bo usta wypełniała mu krew.

Już ciągną go w górę czyjeś ramiona, próbują postawić na nogi.

— Zabierz łapy, prostaku! — wymamrotał.

— Waldemar? — Otto podjechał i spojrzał na niego z góry. — Waldemar!

Już z lasu wyjeżdżała straż. Już jej dowódca raportował stryjowi, ile razy młody pan im umknął.

Otto ze Strzałą zachował kamienną twarz. Spytał go, czy może wsiąść na konia, i kazał mu jechać. Waldemarowi kręciło się w głowie. Rękawem otarł z ust krew. Sprawdził językiem — tak, dziura po przednim zębie. Musiał mocniej trzymać wodze, bo wirowało mu przed oczami.

— Bratanku — chłodno przywołał Waldemara, który z trudem go dogonił. — Wiem, że inaczej wyobrażałeś sobie tę wojnę. Że oczekujesz szybkich kampanii, pochodów i zdobyczy. Ale wiedz, że nie możemy ruszyć na Poznań. Jeśli uda nam się utrzymać grody graniczne, to będzie już wiele. Nie przerywaj mi! — powiedział, choć Waldemar nie miał takiego zamiaru. Zacharczał tylko, czując piekący ból nad płucem. — Większość władców to chętni walki rycerze. Ale tylko władcy wybitni, ci, którzy coś w życiu osiągają, to stratedzy. Rozumiesz? — niby spytał, a właściwie stwierdził.

Waldemar zaciskał szczęki. Bolała go wyrwa po zębie.

— Strateg nie podpala wiosek, które wcielił w granice swego kraju, robi to wyłącznie głupek.

Rwał bark, w który oberwał.

— Strateg nie wystawia swego majestatu na zbędne niebezpieczeństwo.

Paliły policzki, jak ogień.

— Ale strategii wojennej można się nauczyć. A poza tym masz wszystkie cechy, które przydają się władcy. Jeśli zaś nosi cię i grzeją cię lędźwie, każ sobie sprowadzić dziwki, to cię uspokoi.

Waldemar spojrzał na stryja, nie kryjąc zdumienia.

Otto ze Strzałą uśmiechnął się do bratanka i dodał:

— Spokój przyda ci się, synu, bo prowadzę oddziały zaciężne na wojnę z Małym Księciem. Odwróć się i spójrz na tyły!

WŁADYSŁAW wpatrywał się w gwiazdy. Noc była pogodna, rześkie powietrze zapowiadało dzień dobry do jazdy. Stanęli na nocleg pół dnia drogi od Miechowa. W oddali płonęły ogniska, na nich pierwszy ciepły posiłek, jaki będą mieli w ustach od trzech dni.

— Kraków coraz bliżej, druhu! — Bolesław mazowiecki podszedł do niego cicho. — Tu nawet gwiazdy inaczej świecą. Wierzysz, że odbijemy Václavovi Wawel?

— Václava tam nie ma, sam wiesz. Jest bękart jego ojca, starosta — odpowiedział Władek, żując źdźbło.

— Wierzysz?

Władek milczał tak długo, że każdy inny na miejscu Bolesława obraziłby się. W końcu powiedział:

— Kiedyś. Jeszcze nie dzisiaj. Ale czasami trzeba zrobić coś głupiego, nieoczywistego, coś, czego nie robią mężowie stanu, bo są na to za starzy.

Bolesław przerwał mu ze śmiechem:

— Mówi to książę, któremu za chwilę stuknie czwarta dziesiątka.

— Nie mam na myśli lat, wiesz o tym. — Znów zapatrzył się w niebo w oddali. — Gdybym miał kochankę, a nie mam, powiedziałbym, że Starsza Polska jest jak żona, a Mała Polska jak kochanka, która ucieka, a ty wciąż chcesz za nią biec. I teraz przybiegłem tutaj, choć nie powinienem, bo należy być przy żonie. Ostatecznie wyprzeć Głogowczyka z południa Starszej Polski, potem Brandenburczyków z zachodu. Umocnić się na Pomorzu, osiąść w Poznaniu, powiedzieć baronom Starszej Polski: „Oto jestem. Koronujcie mnie". I wtedy walczyć o Kraków. Ja wiem, że tak powinno być.

— Może ty się nie nadajesz na króla? Wszystko zawsze robisz na opak, Władku.

Władysław roześmiał się nieoczekiwanie.

— Mylisz się. Jadwinia spodziewa się syna. Zachowałem się jak mężczyzna, co? Wpadłem do Łęczycy między jedną a drugą kampanią, spędziłem z żoną trzy noce, wyjechałem i proszę! Goniec przybył i powiedział: „Pani brzemienna. Mówi, że będzie syn".

— Poprzednio też mówiłeś, że Jadwiga urodzi ci syna i co? Masz pierworodną córkę.

— No, ja mówiłem, że syna, a ona od razu powiedziała, że będzie córka. I miała rację, choć nie chciałem jej wierzyć. Teraz wierzę.

— Władysławie, ja cię szanuję, nie pozwolę nikomu na ciebie złego słowa powiedzieć. Ale obawiam się, że ty wierzysz tylko w to, co chcesz. Ciągnąłeś mnie tu z wojskiem, z moją „Krwawą Marią" i teraz, kiedy jesteśmy prawie pod Krakowem, mówisz, że to tylko po to, by zaspokoić ambicję. By coś sobie udowodnić. Obawiam się, druhu, że jestem za stary na takie udowadnianie.

— To dlaczego przyjechałeś na moje wezwanie? Dlaczego zawsze przyjeżdżasz? — Władek nagle odwrócił się do Bolesława, uniósł rękę i położył mu na ramieniu. Spojrzał w oczy. Bolesław umknął wzrokiem.

— Mów! — powtórzył natarczywiej, bo nagle doznał dziwnego wrażenia, iż przyjaciel, wojenny druh, na którym polega od lat, kryje przed nim jakąś tajemnicę.

— Nie chcesz tego wiedzieć — cicho odpowiedział Bolesław i Władek poczuł skurcz pod sercem.

— Mów!

Bolesław spojrzał na niego spod ciężkich, obrzmiałych powiek.

— Chcę zadośćuczynić — powiedział wolno, cedząc głoski.

Władek uniósł wzrok, by patrzeć mu w oczy, by nie umknęło mu ani jedno słowo. Oddech mu przyspieszył.

— Za twego brata Kazimierza. I jego śmierć z rąk Litwinów.

Palce Władysława zacisnęły się na ramieniu księcia Mazowsza, bo serce podpowiedziało mu ciąg dalszy szybciej niż rozum. Ale nie wyręczył go, czekał, aż Bolesław sam powie prawdę, powie, jak było.

— Tak. To ja przepuściłem Litwinów przez moje ziemie, kiedy jechali na Łęczycę. Nie sądziłem, że zrobią coś tak strasznego, taką rzeź... Chciałem się zemścić na twoim bracie, ale nie pragnąłem jego śmierci. Stało się. Zgrzeszyłem.

Władek puścił ramię Bolesława. Niemal słyszał krzyki kobiet w łęczyckiej kolegiacie, widział Litwinów zdzierających ze ścian kobierce, z ołtarza kielichy, tamten, wysadzany rubinami, krzyż. Twarz Kazimierza; Kaziu pocił się, kiedy się bał.

Spojrzał na zmęczone, nieogolone policzki Bolesława. W jego oczach zobaczył ból, prośbę o wybaczenie, napięte wyczekiwanie. Wypluł źdźbło, które trzymał w zębach, pod nogi Bolesława.

— Żegnam cię. Zabieraj Madonnę na purpurze i nie chcę was tu rano widzieć.

Odwrócił się i poszedł w stronę swego namiotu. Przy ogniu siedział Przezdrzew Leszczyc. Wstał, widząc księcia. I wystraszył się.

— Panie?

— Bolesław z wojskiem odjedzie dziś w nocy albo nad ranem. My wracamy na Śląsk.

— Książę, jak to? Co się stało?

Władek czuł, że za chwilę wybuchnie mu głowa. Z całych sił kopnął w płonące polano. Poturlało się, sycząc snopem iskier. Pochylił się i wyjął z ognia rozżarzoną głownię. Chciał poczuć ból, fizyczny ból, by ukoić to głuche kołatanie w piersi. Oparzył się. Swąd skóry był wstrętny. Tak przez wiele tygodni śmierdziała łęczycka kolegiata, aż kazał ją rozebrać. Wypuścił głownię. Przezdrzew chlusnął wodą z cebrzyka na jego rękę. Niechcący zagasił płomienie, z wściekłym sykiem wyparowało ognisko.

Przed świtem obozowisko było niemal puste. Trzy namioty Leszczyców i on. Zwijali się szybko. Władek był jak w letargu, ręka spuchła, nie spał całą noc. Próbował doliczyć się bitew i potyczek, w których walczył z Bolesławem przy boku. Dzielił je na te przed śmiercią Kazika i po. I nijak nie mógł zrozumieć, w czym rzecz.

Fryczko przyprowadził mu klacz. Wskoczył na Rulkę i objął ją za szyję. Przyjęła jego pieszczotę z pokorą, choć nie znosiła żadnych czułości, dzisiaj nie dała mu tego odczuć. Westchnął, podniósł się i chwycił ją lewą ręką za grzywę. Kolanami dotknął boków. Ruszyła. Zatrzymał ją.

— Rulka, pokaż mi jeszcze raz trakt na Kraków — poprosił cicho.

Odwróciła się. Spojrzał na ciemne niebo za sinym gościńcem.

— Kochanka znów mi uciekła. Czas wracać do żony. Odebrać Głogowczykowi, co moje, osiąść w Poznaniu, wychować syna. Jedziemy!

Jednak ledwie ujechali dwa stajania, jak dogonił ich poseł.

— Biskup krakowski Jan Muskata ma dla księcia Starszej Polski propozycję — wyrecytował.

Na dźwięk słów „książę Starszej Polski" serce zabolało Władysława mocniej.

— Mów — nakazał.

— Václav, król Czech, książę Małej Polski i Krakowa, proponuje księciu Starszej Polski pięć tysięcy grzywien srebra za potwierdzenie, iż prawo Václava do ziemi krakowskiej jest większe. W zamian za tę ogromną kwotę książę Starszej Polski odstąpi ze swymi wojskami i wojskami swych sprzymierzonych od nękania ziemi małopolskiej.

Tam, w oddali, za plecami posłańca, nad krakowską ziemią, kochanką, znaczyła się czerwona łuna świtu. Na zachodzie, dokąd zmierzał, jeszcze panował zmierzch.

— Niech biskup Muskata przygotuje dokumenty i prześle je do Rudera, mego kanclerza — powiedział Władysław bezbarwnym głosem i nie czekając odpowiedzi, pozwolił Rulce odwrócić się i ruszyć. Na zachód. W mrok.

1298

ELŻBIETA, księżna wrocławska, choć pora była późna, poczuła, że musi zobaczyć swe dzieci. Wszystkie. Poprosiła dwórki, aby je przywiodły, i po chwili do komnaty księżnej weszły dziewczęta. Czternastoletnia Jadwisia o słomkowych włosach, dwunastoletnia Eufemia, bledziutka i piękna w tej jasności, tak podobna do klaryski Ofki. Jedenastoletnia Halszka, pogodna, silna, zawsze strojna w zielenie, i dwie najmłodsze, Helenka i Anna, zwana Aną. Pięć córek. Przez pierwsze dwanaście lat małżeństwa rodziła tylko dziewczynki. Co z nimi teraz będzie? Jak je wydać za mąż w tych przeklętych czasach? Ile z nich trafi pod rękę opatki Jadwigi, przywdziewając habit klaryski? Po ponurym dukcie swego małżeństwa Elżbieta uważała, iż to jedno z lepszych wyjść dla kobiety ich stanu. Księżniczki, dla których brakło odpowiedniej partii, które dostawały się w łapy książąt bez ziemi. Niejedna klepała biedę, ukrywając to pod szarzejącym jedwabiem wyprawnej sukni. Bywały też nieoczekiwane wzloty, mariaże przypadkowe, które z czasem nabierały wartości, choć nic jej nie zapowiadało. Ta mała Fenenna z Inowrocławia. Dynastyczny pomiot, jak powiedziałaby Jadwiga Pierwsza, a jednak — królowa węgierska. Albo, daleko nie szukając, ukochana siostra Elżbiety, Jadwinia. Wydali ją za Karła, a po dziesięciu latach od ślubu ten zagonowy książę pretenduje do najważniejszych tytułów! Nawet najlepiej zaplanowane dynastyczne szachy są rozgrywką tak wielu graczy, że nie wszystko da się wcześniej przewidzieć.

— Jadwisiu, czy krwawisz już? — zapytała najstarszą.

— Nie, pani matko — grzecznie odpowiedziała Jadwinia. — Czy to źle? — zmartwiła się.

— Nie, skarbie. W naszej rodzinie dziewczęta dojrzewają późno. — Uśmiechnęła się do nich chyba zbyt blado, bo Eufemia spytała:

— Czy wezwałaś nas, by powiedzieć coś złego?

— Skądże. Chciałam was tylko zobaczyć. Ucałować każdą na dobranoc.

— Wołać chłopców? — spytała dwórka.

— Nie, zrobiło się późno. Idźcie spać. Proszę pamiętać o pacierzu. — Skinęła głową córkom, a do dwórki dodała: — Nie, nie zapalaj świec. Tak jest dobrze. Chcę zostać sama.

Nim wyszły, każda złożyła matce ukłon, chciały pokazać, czego się nauczyły. Patrzyła w roztargnieniu. W ich młodości zaklęta była jej młodość. Niespełnione, odważne uczucie do Przemysła. Małżeństwo z woli ojca, okraszone przepraszającym: „Chcieliśmy dla ciebie lepszej partii, ale sama wiesz, nie było. Stawiamy na pierwszego konia w drugiej śląskiej stajni".

— Elisabeth?

Głos szwagra tak ją zaskoczył, że niechcący powtórzyła głośno.

— Pierwszy koń w drugiej śląskiej stajni...

Bolke zamknął drzwi i podszedł do niej blisko.

— Gdybyś powiedziała tylko słowo... Elisabeth, dla ciebie gotów jestem na wszystko. Twoje księstwo już jest pierwszym na Śląsku.

Musiała zmrużyć oczy, by w mroku dobrze rozczytać jego twarz. Bolke postąpił jeszcze krok, Elżbieta była wysoka, patrzyła mu w oczy bez unoszenia głowy. Mówił cicho, czytała z jego ust. Warg.

— Najechałem Głogowczyka, nie dla Władysława, ale dla ciebie. Biłem się z nim, jakby to był rycerski turniej, na którym siedzisz w loży. Marzyłem o tym, że pokonam go, a ty obdarujesz mnie wstążką.

— Nie jesteśmy za starzy na wstążki? — spytała, choć powinna powiedzieć to, co zawsze: „Idź już!" albo: „Czego ty chcesz, Bolke?". Zamiast tego wyciągnęła rękę i dotknęła czarnego orła na jego piersi. Przesunęła palcami po piórach. — Czego ty chcesz, Bolke?

— Chcę tego, czego nie powinienem pragnąć — odpowiedział i dotknął jej policzka.

Widziała, że drżą mu wyschnięte wargi, widziała, że szuka w jej oczach zgody. Znała to uczucie, przed wieloma laty sama tak właśnie patrzyła na Przemysła. Potrafiła wciągać w nozdrza jego zapach, gdy przechodził. Czy to samo w tej chwili robi Bolke? Dlatego ruszają mu się skrzydełka nosa? Przemysł nie odrzucał jej uczucia. On go po prostu nie widział. A ona? Ona widzi i wie, czego pragnie Bolke.

Położyła mu dłoń na biodrze, zacisnęła palce. I stało się.

Bolke przyciągnął ją do siebie gwałtownie, ale jej twarz objął dłońmi tak delikatnie, jakby chwytał motyla. Nie zamknęła oczu, kiedy ją pocałował. On tak, on zacisnął powieki. Jego język był wilgotny i ciepły, choć krył się za wyschniętymi, twardymi wargami. Ona, która przez siedemnaście lat oddawała się mężowi, teraz zapragnęła brać. I nie bała się wyciągnąć rąk po Bolke. Brat jej męża, ten, do którego „Surowy" przyrosło jak drugie imię, okazał się łagodnym i uległym. Zdejmował z siebie pas, kaftan, nogawice, a ona patrzyła na odkrywające się przed nią nagie męskie ciało. Sama rozsznurowała swoje suknie, on jej pomógł je zdjąć, wprawnie, niczym pokojowa. Kiedy stanęli przed sobą nadzy, w ciemności rozpoznawali się tylko po cieple ciał. Chciwie wciągała w nozdrza ostrą woń potu, w której wyczuwała daleki posmak rdzy. Bolke stał na wprost niej, nie dalej niż o dłoń, wyczekujący. Tak, znów to ona pierwsza wyciągnęła rękę i tak jak chwilę wcześniej, zacisnęła palce na jego biodrze. Nie potrzebował więcej, zrozumiał, iż otwiera mu bramę, i przeszedł przez most, biorąc ją tak, jak stała, niemal wyprostowaną. Oparł jej plecy o słupek łoża, stawiając jej stopę na jego krawędzi. Nie wdzierał się w nią, tylko wchodził, jakby znał drogę; jedynie przyspieszony oddech zdradzał pożądanie, pośpiech i lęk. Rozpoznanie. Szybkie bicie serca. Pragnienie, którego się nie spodziewała, którego się niemal zawstydziła, gdy odkryła, iż między nogami ma wilgotną fosę. Nie znała siebie takiej. Ona, której porody sprawiały większą przyjemność niż poczęcia, nagle zapragnęła oddawać się i zdobywać.

Pociągnęła go na łoże, na siebie, wpuściła między ustawione wysoko kolana, pozwoliła pochylać się nad swymi piersiami, choć zaskoczył ją, gdy wziął je w usta niczym niemowlę. Jęknęła. Bolke zatrzymał się, jakby bał się, że sprawił jej ból. Nie, nie. Uniosła biodra wyżej, zachęciła go do wejścia głębiej, potem zdobywania, szturmu. Nawet gdyby to był ból, to tak! Miał go jej zadawać, bo nic słodszego nie czuła dotąd, niczego nie pragnęła mocniej.

— Mocniej!

Spełniał jej rozkazy jak sługa, odczytywał te, których nie śmiała wydać. Nie widziała jego oczu, mrok, mrok, długie włosy łaskotały ją po twarzy co pchnięcie.

— Pchnięcie!

Nie miała pojęcia, do czego to prowadzi, czy coś jest na końcu? Czy będą tak trwać w ciągłym zwarciu raz za razem, raz za razem?

— Tak!

Wiedziała, że jeśli ją teraz wypuści, jeśli przerwie ten opętany rytm, ona umrze, skona.

Bolko krzyknął, ale nie zostawił jej, oplotła go nogami, wzniosła się i tak została, bo jej ciało, niezależnie od woli, wygięło się w łuk. Głuchy jęk, jakby na ułamek chwili doświadczyła wieczności.

— Dokonało się — szepnęła, opadając.

Zamknęła powieki i zapadła w sen. Obudził ją chłód.

Leżeli nadzy, Bolke nie spał, patrzył na nią. Wciąż była noc.

— Powinnam coś powiedzieć? — zapytała.

— A ja? — odpowiedział.

Milczeli. W jej myślach raz po raz padało słowo „grzech", ale nie miała ochoty wypowiedzieć go głośno. Grzech lubieżności — słyszała to setki razy, a teraz wie, że być może to było właśnie to. A może coś zupełnie innego? A może nie grzech, tylko świętość? On był bratem jej męża, prawnym opiekunem jej dzieci i księstwa. Czyż nie powinien opiekować się i nią? Czyż to nie naturalne, że zajmuje u jej boku miejsce nieżyjącego brata? Strąciła z siebie natrętne porównania, które cisnęły się same. Żadne z nich nie było pochlebne dla Henryka, a przecież o umarłych nie należy mówić źle. I dopiero teraz, na końcu, przyszedł jej do głowy Przemysł. Czy tak by było, gdyby to stało się z nim? Nie dowie się. Od dzisiaj wie tylko, ile straciła. Nocy, dni i lat.

Wyciągnęła ręce po Bolke. I w ciemności szepnęła:

— Ile zostało nam lat?

KALINA nie była w nowym mateczniku, odkąd siostry wyniosły się z Raduni. Dzisiaj szła pod Dębno pierwszy raz. Póki żył król, zdarzało się jej raz po raz wyskoczyć z zamku na spotkanie z Dębiną i zielonymi siostrami, ale po jego śmierci po prostu nie śmiała zostawiać królewny samej. Bała się o nią. Wokół dziecka wciąż pełzały ciemne i lepkie nawki, duchy, co wychynęły wprost z krainy zmarłych, niepotrzebnie przedostając się na ludzką stronę. Czuwała nad królewną dzień i noc, odpędzała strzygonie, przeganiała wąpierze, otaczała dziecko swą opieką. Od początku wiedziała, że nawki, które wokół Rikissy krążą, nie wylęgły się z duszy jej ojca, było ich zbyt dużo. Roje obcych bytów powstałe z pożywki nagłej śmierci, z życia odebranego we śnie. Większość z nich musiała pochodzić od ludzi króla zgładzonych wraz z nim; nawarstwienie śmierci, nagromadzenie mordu,

260

skłębienie bólu, bezradności, rozpaczy, wszystko to stawało się pośmiertną żertwą nawek.

Te nieszczęsne nieżywe istoty zwabione urodą, niewinnością królewny i bijącym od niej ciepłem były w istocie poszukiwaniem tętna króla. Nawki nawet po śmierci pozostawały w jakiś przewrotny sposób wierne, tyle że ta ich wierność mogła zabić królewnę. Wraz z wyjazdem z Poznania wszystko ucichło. Zostawiły za sobą świat niestrawionej śmierci. Oczywiście, w Brandenburgii czyhały na Rikissę inne zagrożenia i dały o sobie znać już w dniu przyjazdu, ale o ile można je stopniować, te nowe Kalina oceniała lepiej, bo przynajmniej pochodziły z krainy ludzi żywych.Gdy zeszła z głównego traktu w las, bez trudu odnalazła ukrytą w jego głębi dębową aleję. Wystarczyło iść ścieżką wydeptaną przez sarny. W kolumnadzie dębów jęknęła z zachwytu, w pałacu z grabów na szczycie wzgórza szepnęła:

— Piękniejszego nie ma żaden książę, żaden król! Po co strażnicy w domu stworzonym ręką natury? Po co odźwierni w świątyni, która nie zamyka się przed nikim?

Pomiędzy równymi odstępami grabowych pni wyszła i trafiła wprost na wiodącą do matecznika ścieżkę. Wspięła się na kolejny pagórek i spojrzała z jego grzbietu na chatę w kotlinie. Pozdrowiła uzbrojoną w długi łuk strażniczkę pilnującą zejścia do matecznika.

— Dębina w domu? — spytała.

— Tak, gości dziewczyny z „Zielonych Grot", więc zaraz usłyszysz ich śmiechy.

— Szkoda. Miałam nadzieję na spotkanie w cztery oczy.

Strażniczka roześmiała się.

— Nie żałuj. Dziewczyny przyniosły zielone piwo od pani Ludwiny. Jak skończę służbę, wpadnę do was. Zostawcie mi chociaż dwa łyki!

— Ja nie piję — zastrzegła się Kalina.

— Więc nie zaczynaj! Zielone ma tę właściwość, że jak raz spróbujesz, nie sięgniesz po inne. Bywaj.

Kalina szybko zbiegła w dół, pchnęła drzwi chaty i pokłoniła się Dębinie, rozglądając po izbie. Trzmielina, Wierzbka, Irga, Malina, Dymnica i Dziewanna, prawie wszystkie piękności z „Zielonych Grot".

— A Jemioły nie ma? — ze zdziwieniem zauważyła brak siostry, która cieszyła się największym poważaniem w miłosnej profesji.

261

— Nie. Jemioła odeszła. Mam nadzieję, że tylko na jakiś czas. — Dębina miała poważne, smutne oczy i Kalinie wydało się, że najważniejsza z Matek jest w żałobie.

— Co się dzieje? — spytała niespokojnie.

— Cierpię, gdy tracę córki, ale nie mogę nikogo zatrzymać siłą. Jemioła weszła na śliską ścieżkę zemsty.

— A to się narobiło. — Kalina usiadła przy ogniu i spojrzała po twarzach dziewczyn. Owszem, piły piwo, ale wcale nie były rozbawione, jak mówiła strażniczka.

Dziewczyny z „Zielonych Grot" były tajną bronią i sekretną służbą Dębiny. Z pozoru panny nierządne uprawiające najstarszy zawód świata, w istocie zaś wywiadowczynie i siostry do specjalnych, czasem najtrudniejszych zleceń. Dzięki nim Dębina wiedziała, co się dzieje na dworach książęcych, z wyprzedzeniem znała miejsca i daty obław na ludzi Starej Krwi. W przeszłości nie raz wpływały na władców, bowiem dysponowały nie tylko urodą i wdziękiem, ale i wszystkimi sekretami przyrody, najpotężniejszymi, ukrytymi siłami kobiecej natury.

— Zanim przyszłaś, rozważałyśmy, co robić. Przyszłość kraju, a z nim i nasza jawi się w ciemnych barwach — wyjaśniła Dębina.

Kalina uśmiechnęła się, mówiąc:

— Ja w tej sprawie. Ale choć nie mam dobrych wieści, mam pomysł. Przyszłam wprost z Brandenburgii, Mechtylda usunęła mnie siłą z otoczenia małej Rikissy, ale nim to zrobiła, zobaczyłam wystarczająco dużo, by mieć o czym myśleć. Chodzi mi o królewnę.

— Tobie zawsze chodzi o królewnę — roześmiała się Wierzbka. — Jakbyś mogła, byłabyś jej matką, ojcem, siostrą, babką, ciotką i mężem.

— Gadasz! — Machnęła ręką Kalina. — Ja po prostu wiele lat żyłam, nie znając celu, a kiedy ona się urodziła, cel przyszedł do mnie. Nie jestem jakąś niewyżytą mateczką; jakbym chciała, to bym miała gromadkę rozkrzyczanych dzieci. To nie Przemysł powierzył mi opiekę nad córką, to ja sama go o to prosiłam, bo pragnęłam przy niej być. To było silniejsze ode mnie. I przez każdy dzień jej życia starałam się zrozumieć, o co mi chodzi. Aż dotarło do mnie, kiedy zobaczyłam na własne oczy, że Rikissa potrafi sobie poradzić nawet z taką wiedźmą jak Mechtylda.

— Mechtylda własnoręcznie zabiła Olchę — przypomniała dziewczynom Irga. — Udusiła ją w sieci z martwego drewna.

— Tak było — potwierdziła Dębina. — Chcesz powiedzieć, że królewna Rikissa jest silniejsza od Mechtyldy?

Kalina rozpromieniła się.

— Tak! I jej moc jest zupełnie innego rodzaju. To moc naturalna, jakieś światło, które lśni w jej duszy. Nie umiem tego opisać. Rikissa potrafi sprawiać, iż ludzie robią to, czego ona pragnie. Z początku sądziłam, że to dlatego, iż jest królewną, małym rozkosznym dzieckiem, któremu świat służy, bo jest dobrze urodzone. Ale po śmierci ojca, zwłaszcza gdy wyjechałyśmy do Brandenburgii, zobaczyłam ją w nowym świetle. Znalazła się wśród obcych; większość dziewcząt na jej miejscu zamknęłaby się w sobie, wpadła w otchłań ponurych, cierpiętniczych myśli. Ona nie. Posłuchajcie uważnie: ona potrafi z wrogów uczynić przyjaciół. Oczywiście, nie zawsze jej się udaje, ale stary margrabia, ojciec jej narzeczonego, patrzy na nią w zachwycie i gotów jest sprzeciwić się własnej rodzinie, byleby dobrze się wiodło królewnie. Jej kawaler, Otto, chodzi za nią jak pies. Okrutny Otto Długi przy niej mięknie, a Mechtylda nie uczyniła jej nic złego, przeciwnie, powściąga się przy Rikissie. I pomyślałam, może naiwnie, ale pomyślałam, że moc królewny odpowiednio kształcona mogłaby służyć także i nam. To jest dziedziczka Królestwa. Pamiętacie, jak Dębina wezwała Mokosz po śmierci króla? Matka Matek powiedziała, że królewnie przeznaczona jest polska korona. Czyż nie pociąga was wizja królowej? Czy kobiety Starej Krwi nie powinny wesprzeć dziewczynki, która w przyszłości zasiądzie na tronie?

— Będzie tylko żoną króla — trzeźwo wtrąciła Irga.

— Od czegoś musi zacząć — roześmiała się głośno Kalina.

Dziewczyny zaczęły między sobą mówić, gorączkowo, jedna przez drugą.

Dębina gwałtownie wstała od ognia i krzyknęła:

— Cisza!

Umilkły. Matka podeszła do drzwi chaty i otworzyła je na oścież. Odwróciła się ku nim z rozjaśnioną, uśmiechniętą twarzą.

— Słyszycie? — spytała w uniesieniu.

— Jeszcze nie — pokręciła głową Kalina.

Czekały w milczeniu, aż po dłuższej chwili ciszę rozsadził grzmot dalekiej burzy. Dębina miała słuch, który wyławiał nawałnice długo przed ich nadejściem.

— Dobry znak! — Kiwnęła głową. — Kalino, przyniosłaś nam dzisiaj radość. Patrzyłyśmy i nie dostrzegałyśmy tego, co było blisko. Prawda, Mokosz powiedziała, że Rikissa będzie królową. I rację ma Irga, że to oznacza, iż poślubi ją król. Nie ten chłopiec, którego wyznaczono jej na narzeczonego, ale król. Zatem w naszych rękach reszta.

— Dębino, życie na dworze to świat pełen pułapek. Spiski, knucia, walka wpływów. Rikissa będzie potrzebowała naszej pomocy, bo nawet najjaśniejsze światło, jakie w niej płonie, może zgasnąć przedwcześnie na skutek złych intryg. Wiem, co mówię. Na poznańskim zamku spędziłam kilkanaście lat, potem widziałam dwór w Salzwedel.

Dębina zostawiła otwarte drzwi, by mogły słyszeć piękno gromów, i wróciła do ognia, mówiąc:

— Przeżyłam setki lat w Królestwie i wiecie, że od zarania byłam nieprzychylna dynastii Piastów. To ród, który wyrósł na brutalnej, nieposkromionej sile. Ale jeszcze nigdy na czele rodu nie stanęła kobieta. Najpiękniejsze i najsilniejsze córki wysyłali do obcych mocarstw, by tam płodziły obcym królewskich synów. Dzisiaj niespodziewanie los odwraca role. To kobieta może przenieść w sobie krew dynastii i ja, Dębina, Matka Matek, chcę tę kobietę wesprzeć.

— Dziewczynkę. Na razie małą dziewczynkę — powiedziała Kalina, a po twarzy popłynęły jej łzy. — Przepraszam was! — Otarła je wierzchem dłoni. — Przepraszam... Płaczę ze szczęścia.

Dębina przygarnęła ją do szerokiej piersi i pogładziła po włosach. Odczekała, aż Kalina się uspokoi, i posadziła ją przy ogniu.

— To, co teraz mówię, to rozkaz. Nikomu ani słowa o królowej Rikissie. Kapłani Trzygłowa nie mają prawa się o tym planie dowiedzieć. Im się marzył na tronie dziedzic Starej Krwi, bo nie chcą zrozumieć, że nie można Starej Krwi wprowadzać na królewski tron. To jak pożar gasić wiatrem, a powódź ulewą. Księżna Lukardis, Olcha, Czeremcha to ofiary ich opętanej wizji. Nie życzę sobie kolejnych śmierci w imię mrzonek Starców. Należy roztoczyć opiekę, rozpiąć sieć wokół Rikissy. Przeniknąć do jej służby. Czuwać dzień i noc. Wy, moje piękne panny nierządne, zbierzcie wieści ze wszystkich dworów. Gdy wybije właściwa chwila, wkroczymy do gry.

MUSKATA, biskup krakowski, dostał kilka sygnałów, iż jego ciągłe wyjazdy z diecezji nie podobają się Jakubowi Śwince. „Pasterz winien jest sprawować posługę wśród swych owieczek". Tra la la la la. A jeśli pasterz przerasta swą owczarnię? Jeśli widzi łąki soczyście zielone gdzie indziej? Wzrokiem sięga daleko poza horyzont? Ba, co począć, gdy pasterz jest w istocie drapieżnikiem? Tak czy siak, ruszył do Pragi.

— Mój król wygląda doskonale! — pochwalił Václava, bo ten miał minę nadętą i niewyraźną. — Korona służy?

— Muskato — stęknął Václav — jestem w żałobie.

— Naturalnie. Królowa Guta von Habsburg była kobietą nieodżałowaną...

— Nie po niej. — Skrzywił się król. — Guta była koszmarna. Czy ty wiesz, co ja musiałem znosić, jak się natrudzić, by ją ciągle zapładniać? Ile ja jej z siebie dałem, tej Gucie? Bardzo dużo. A ileż ona tego zmarnowała? Zobacz, biskupie. Został mi po niej jeden jedyny syn. Tóż byle książę śląski ma ich co najmniej trzech! I ten mój Vašek taki blady, chorowity, że musiałem kazać go tuczyć. Jestem w żałobie, bo przeliczyłem zmarłych synów. Trzech ich było i teraz siedzę i za nimi płaczę.

Muskata przybrał współczujący wyraz twarzy, pokiwał głową, jak mu się zdało, bardzo żałobnie. Odczekał, ile trzeba. I rzekł:

— Nowa żona ożywiłaby twe lędźwie i rozweseliła dni. Powinna być piękna jak zorza i płodna. Zgadza się?

Václav kiwnął głową. Muskata przystąpił do ataku.

— Oraz powinna dodać splendoru twej koronie.

— Co masz na myśli?

— Masz koronę świętego Wacława. Czy nie chciałbyś do niej dołączyć korony świętego Stefana?

Václav ożywił się.

— Myślałem raczej o koronie Piastów. Był jakiś święty Piast?

— Wybacz, panie, ale nie. — Muskata rozłożył ręce. — Mieliśmy różnych królów i żaden nie był święty. Choć gdybyś chciał przeklętego, to zaraz ci znajdę.

Václav zaśmiał się, zatykając usta dłonią.

Bardzo mu się to spodobało — z satysfakcją zapamiętał Muskata. — Muszę częściej ten koncept powtarzać.

— Tym niemniej polska korona jest w zasięgu twej ręki, królu — dodał głośno.

— Dlaczego akurat dzisiaj mówisz o węgierskiej?

— Andrzej III jest ostatnim męskim potomkiem Arpadów. Ma tylko córkę i aż córkę. Biskup Ostrzyhomia powiadomił mnie, iż te ataki kaszlu, na jakie cierpi Andrzej, pogłębiają się, tak jak i jego niechęć do habsburskiej żony. Czyż trzeba więcej, by zwrócić twe oczy na Budę?

— Ile ta córka ma lat?

— O dziesięć za mało — skrzywił się Muskata — jak dla ciebie. Ale jeśli dla Vaška, to w sam raz.

— Czyli dwulatka?

— Pięciolatka.

Król podrapał się w brodę.

Liczy — pomyślał Muskata. Wyczekał i dał nagrodę:

— Rikissa, dziedziczka Przemysła, ma dziewięć.

— Zaręczyli ją z margrabią — błysnął Václav i Muskata odetchnął w duchu.

Najgorsze u Václava są te dni, gdy jego umysł oddaje się gnuśnieniu i nie przejawia ochoty na życie. Nieraz zdarzało się, iż Muskata siedział w Pradze i wyczekiwał, aż król się ocknie.

— Owszem, mój królu. Ale ten margrabia to dziecko. Chłopczyk.

— E, to niech sobie Rikissa ma — znów opadł w emocjach Václav. Ziewnął. — Ja teraz mam na głowie elekcję króla Rzeszy. Knucie, podliczanie, przekupstwa i knucie. Wyobraź sobie, Muskato, że najbardziej przekupni są elektorowie duchowni. Frymarczą głosami, zmieniają zdanie. Tak, król Rzeszy to moja najważniejsza rozgrywka.

— Naturalnie. Równie zajęci są nią inni. — Obłudnie uśmiechnął się Muskata. — Właśnie z tego powodu sądziłem, iż w czasie, kiedy owi inni kręcą się wokół wyborów, tylko ty, panie, ogarniesz wzrokiem miejsca dla nich ukryte i zasiejesz tam swe nasienie...

— Nie mogę zapładniać tej pięciolatki! Ani dziewięciolatki nawet! — jęknął Václav. — Choć w sumie tą starszą mógłbym spróbować...

— Miałem na myśli zaznaczenie terenu. Powiem wprost: terenów. Obu naraz. — Muskata dawno się tak z Václavem nie użerał. — Królu! Czyś nigdy nie wpadł na to, by rozciągnąć imperium Przemyślidów na trzy korony? Węgry, Czechy i Polska naraz, zjednoczone pod twym berłem. Taka okazja się nie powtórzy. Węgry rozdarte przez wojny między panami i starzejący się król, ostatni w rodzie, bez dziedzica. Polska rozbijana przez dwóch pretendentów do jednego tronu! I tylko nie mów mi teraz, królu, że nie poślubisz obu królewien naraz, bo...

— Zgłupiałeś, Muskato? — otrzeźwił go Václav i biskup dopiero usłyszał, co powiedział. — Opanuj się. Może u ciebie, w Krakowie, robi się takie rzeczy, ale nie w Pradze. Wspominałeś kiedyś, że masz pomysł, jak usidlić Karła. Skorzystaj z pomocy moich legistów, mam dwóch świetnych Italczyków, naprawdę wybitnych. Ty wymyśl, czego nam trzeba, a oni znajdą na to taki zawijas prawny, że Władysław nawet się nie zorientuje, gdy potwierdzi sprzedaż własnej żony wraz z córką i wnukami, których jeszcze nie ma. Zajmij się tym od ręki. Przygotuj mi także zręczne poselstwo do Andrzeja, takie, które wyczuje, czy tej małej nie obiecali komuś innemu. Od razu zaproponujemy im Vaška. Ale, rzecz jasna, nie zaprosimy narzeczonej na wychowanie na nasz dwór, tylko mego syna wyślemy do Budy. Sam wiesz, mój Muskato, że prawo zawsze stanie za tym, który je zna.

Muskata zdębiał. Kolejny raz nie doszacował Václava. Psiakrew, i teraz będzie, że król sam wpadł na ten pomysł, co za piekielny pech! Pozostaje pokora i zachwyt.

— Mój królu, zaskakujesz mnie każdego dnia... — i ukłon.

— Nie, mój biskupie. Tym razem pierwszy byłeś ty.

— Ja? — przeciągle, z zaskoczeniem, na końcu niewinnie.

— A co? Sądziłeś, iż nie wiem, czemu służą trzy korony na twej mitrze? I dlaczego w dniu mej koronacji pierwsza z nich zalśniła złotem? Mój Muskato! Pasujemy do siebie jak palec i pierścień. Można by rzec: zaślubieni sobie.

— Nie śmiałbym... — głowa w dół, ale nie za nisko i spojrzenie od spodu; podbródek już ciągnie w górę i piękny uśmiech. W sercu Muskaty już grają złote trąby, fanfary, purpurowe sukno ścieli mu się do stóp.

Václav II kiwa głową i daje mu znak, by podszedł bliżej.

Pocałunek przyjaźni — myśli Muskata promiennie i nadstawia policzek. Václav drapie się w kroczе. Potem tą samą ręką klepie go w plecy. I mówi z uśmiechem:

— Tak się cieszę, że możesz mi służyć!

HENRYK, książę głogowski, wrócił z objazdu nadgranicznych grodów. Był zaniepokojony, burzyła się w nim krew, a jego twarz wyrażała tylko to, co zawsze. Ale ci, którzy znali go dobrze, wiedzieli, iż ponura maska towarzyszy zarówno chwilom euforii, jak i klęski. Tylko ludzie, których dopuszczał do siebie bliżej niż na odległość dwóch kroków, mogli odróżniać nastroje swego księcia. Lutek Pakosławic robił to bezbłędnie; wiedział, gdzie patrzeć; w to miejsce na twarzy, na dolnym obrysie szczęki, tam krawędź ponurej maski Głogowczyka potrafiła drgać. Jeszcze lepiej zdawał sobie z tego sprawę sam Henryk, bowiem ten ruch, w istocie zupełnie drobny, z odległości czterech kroków nie do wychwycenia, jemu samemu sprawiał niemal fizyczny ból. Czasami miał wrażenie, że kości żuchwy szorują o nagą tkankę. Wchodząc do komnaty, zdejmował rękawice. Podał je giermkowi.

— Wołać kanclerza!

— Panie, czy prosić mamy Ottona von Dier czy też Fryderyka von Buntensee? — dopytał drżącym głosem sługa.

— Kanclerzem księstwa głogowskiego jest wyłącznie Otto von Dier — powtórzył z naciskiem i sługa zniknął.

Henryk na chwilę odwrócił się do okna. Chwycił za szczęki. Spróbował je rozewrzeć, rozmasować. Poczuł na palcach ostre kłucie suchego zarostu.

— Mój książę. — W drzwiach stanął Otto von Dier.

Henryk odwrócił się do niego i spojrzawszy w oczy von Diera, zobaczył siebie. Kanclerz był od niego starszy, dużo niższy, ale tak jak on, miał zawsze taką samą, niewyrażającą zbędnych emocji, nieruchomą twarz.

— Ottonie. Myliłem się co do ciebie. Moja decyzja w sprawie Fryderyka była pochopna.

— Rozumiem — skinął głową von Dier.

— Cofam ją. A jeśli życzysz sobie przeprosin przy świadkach, zrobię to.

— Nie ma takiej potrzeby, książę. Kanclerz jest sługą.

— Najwyższym rangą doradcą — poprawił go Henryk.

— Owszem. Ale w służbie księcia.

Henryk skinął głową i wyciągając ramię, zaprosił Ottona do szerokiego, dębowego stołu. Usiedli.

— Władysław się zbroi. Kupuje broń. Wszystko wskazuje na to, iż szykuje kolejny atak na mnie.

— Wiem, panie. I wiem już, skąd ma pieniądze.

— Mów.

— Dał mu je Václav II. Pięć tysięcy krakowskich grzywien srebra.

Henryk nie odpowiedział. Potrzebował chwili, by przeżuć porażkę. Tak, rzecz trzeba nazwać po imieniu: to porażka. Zachował się jak dziewica latami kuszona przez starego dziada do małżeństwa, dziewica twarda i nieugięta, która mówi „Nie, nie" i się wzbrania. I gdy w końcu, po latach kuszenia panna nagle łamie się, w myśl wyższych celów, mówi staruchowi „Tak", on przyjmuje ją na uczcie, obślinia pocałunkami na oczach swego dworu, a parę miesięcy później żeni się z inną. Krótko mówiąc, Henryk popełnił błąd. On, jako ta dziewica, puścił się z Václavem Przemyślidą za darmo i bez sensu. Bo Václav choć przyjął go w splendorze i docenił obecność na swej koronacji w Pradze, teraz postawił na Władka.

— Czy wiesz, za co król Czech dał księciu kujawskiemu tyle pieniędzy? — spytał, kiedy już mógł wydobyć z siebie głos przez zaciśnięte szczęki.

— Za stwierdzenie faktów. Władysław uznał, iż Przemyślida ma lepsze prawa do Krakowa niż on.

— Mam nadzieję, że przynajmniej zabolało. — Rozmasował własną sztywną żuchwę.

— Zapewne tak. Obaj wiemy, jaki jest stosunek kujawskiego księcia do Wawelu. Tym niemniej Władysław słynie z układów, których nie przestrzega, z przysiąg, jakie łamie; nasza wojna najlepszym tego dowodem. Inna rzecz, że Václav rozegrał nas po mistrzowsku. Z tobą się pojednał, zadzierzgnął przyjaźń, obiecał sojusz. A Władysławowi dał pięć tysięcy grzywien, które ten przeznaczy na wojnę z wojskami Głogowa. Pozostaje nadzieja, iż książę kujawski większość z tych pieniędzy wydał, zanim je zobaczył.

Henryk wyczekująco spojrzał na Ottona. Ten kontynuował:

— Nie wiemy, jak wielki jest jego dług wobec węgierskich najemników, a zważywszy, jak łupili nasze ziemie, śmiem sądzić, że spory. I czy zapłacił Bolesławowi z Mazowsza. Podliczając kampanię, którą przeciw nam wytoczył w tym roku, może być tak, iż tym, co dostał od Przemyślidy, ledwie spłaci swoje dotychczasowe długi. Dyscyplinująca bratanka wyprawa na Pomorze też musiała kosztować. Plus Brandenburczycy, których raz po raz nęka, by nie czuli się pewnie.

— Tyle dobrego w złych wiadomościach, że rozpoczął grę na zbyt wielu frontach — skwitował Głogowczyk. — Ale nam również brakuje gotówki.

— Naciśnij na szwagra, panie — poradził Otto. — Książęta Brunszwiku są ci winni pomoc.

— Wiesz, Ottonie, największe oszustwo naszych czasów jest w tym, że o zwycięstwach minezingerzy śpiewają pieśni rymujące odwagę, prawość i męstwo z honorem. A prawda jest taka, że wojna to pieniądze, pieniądze i jeszcze raz pieniądze. I choćby rycerze wypruwali sobie flaki w bohaterskich czy zuchwałych potyczkach, to jeśli srebra zabraknie, na nic zda się ich śmierć.

— Owszem, dlatego musimy je znaleźć. Naciśnij na szwagra — powtórzył. — Choćby pod zastaw przyszłych zwycięstw. I pokaż baronom Starszej Polski, że nie jesteś księciem, któremu można pluć w twarz. Oni świadczyli w Krzywiniu.

— Tak — w zamyśleniu pokiwał głową Henryk. — Są zatem współodpowiedzialni za Władysława, który złamał układ. Muszę ich teraz zdyscyplinować, pokazać, czym jest mój odwet. Aby mnie szanować, muszą zacząć się bać.

JAKUB DE GUNTERSBERG był w drodze do trzeciego zleceniodawcy. Tak. Przemysł II od niemal dwóch lat w grobie, a Jakub rozliczył tylko porwanie i jedno zabójstwo. Nawet jeśli wszystkich czynności dokonał tylko raz, to skoro zleceniodawców było trzech, należy mu się potrójne wynagrodzenie.

Pogranicze Królestwa i Brandenburgii nie było teraz dobrym miejscem. Przez trakty przeciągały bandy maruderów. Część z nich to plewy wojsk margrabiów, którzy okopali się w zajętych kasztelaniach i wypuszczali zbrojne bandy dalej, w głąb Królestwa, by siały niepokój w poddanych księcia Władysława. Jechał już drugi dzień i widział ze trzy płonące wioski. Nieprzyjemny swąd palonych chałup, starej słomy, bydła i ludzkich ciał na śniegu utrzymywał się długo. Wisiał w mroźnym powietrzu niczym zimna chmura. Jakub nie był przesadnie sentymentalny, by odnajdować w tym smrodzie popalone obrazy dziecięcych główek czy kobiet. Po prostu miał czuły węch i inne podejście do pracy. W swojej robocie cenił dyskrecję, czystość, porządek. Żadnej prowizorki, chaosu, który niszczy efekt.

Ze zleceniodawcą umówił się w jednej z przydrożnych karczm. Wolał wysublimowane zlecenia Mechtyldy Askańskiej, która raz po raz kazała mu przeobrażać się i przebierać. Dawały dreszcz emocji i pewność, że nikt go nie pozna, nie podsłucha rozmowy. Dyskrecja to warunek skutecznej pracy sekretnych ludzi. Trudno, niech będzie i karczma. Ma w zanadrzu dziurawy, pokutny płaszcz pielgrzyma. Trzeba sprawę załatwić i czym prędzej jechać do Pragi. Złoty Václav zapragnął mieć go w swym orszaku na zjazd książąt Rzeszy. Okazja nie do przepuszczenia.

Gdy karczma zamajaczyła mu na horyzoncie, skręcił z traktu, odnalazł wystarczająco gęsty sosnowy zagajnik, by zostawić w nim konia. Przebrał się, znalazł pod śniegiem sękaty kij, na który nabił pielgrzymią muszlę, i ruszył.

Przy stajni niewielki ruch. Pięć koni, wóz młynarza. Skrzywił się, jeden z koni był wyraźnie pański, z rzędem zdobionym srebrem. Nim wszedł do gospody, wsadził dłoń w popiół wyrzucony przy chlewie i przybrudził twarz.

— Pochwalony niechaj będzie Pan nasz Jezus Chrystus i Matka Jego Przeczysta Dziewica! — stęknął, przestępując próg. W nozdrza wdarł mu się zapach kwaśnego, taniego wina, zjełczałego sera i zupełnie świeżej pieczeni. — Pokój temu domowi na wieki wieków, amen!

Jego bezbłędne oczy wciąż szybko potrafiły przyzwyczajać się do półmroku. Dostrzegł młynarza targującego się z właścicielem, trzy sługi i giermka. Przy tym też się skrzywił, bo giermek miał na sobie kaftan z czerwonym brandenburskim orłem.

— Wynocha, żebraku! — oderwał się od młynarza korpulentny karczmarz.

— Jam pielgrzym w drodze — spokojnie odrzekł Jakub i zauważył, iż nie ma karczmarzówny.

— Aaa... pielgrzym. — Niechętnie powtórzył karczmarz. Pielgrzymów nie wypadało przepędzać, bo zabobonnie wierzono, że to grzech. — Czego chcesz?

— Miejsca na sianie, jeśli łaska, bom znużony drogą. — Jakub wiedział, że w tej izbie nie ma tego, kogo szukał, a już domyślał się, gdzie może być.

Gospodarz odetchnął, że przybysz nie chce jeść.

— Bardzo proszę! Stodoła po lewej, z tyłu. Idź sobie, człowieku dobry, idź.

Wyszedł, obszedł zabudowania, minął stodołę i od tyłu wrócił do stajni. Nie mylił się. Usłyszał miarowe stuknięcia i jęki.

Paniątko kopuluje bez zrzucania pasa — skonstatował. — A karcz-marzówna pewnie nie zdejmowała fartucha, by być na podorędziu, gdy ojciec zawezwie.

Bezszelestnie przeszedł między końskimi zadami. Margrabia Waldemar właśnie kończył, jego pośladki drgnęły, wbijając się między rozłożone nogi karczmarzówny, wydał z siebie wysoki jęk i wyskoczył z dziewczyny jak oparzony, odwracając się w stronę Jakuba.

— Poszedł precz, dziad jeden! — krzyknął na niego poczerwieniały od niedawnego wysiłku.

— Byliśmy umówieni — spokojnie odpowiedział Jakub de Guntersberg i zdjął kaptur, by Waldemar mógł go rozpoznać.

— Ach, to ty. — Młody odsunął włosy z czoła. — Miałeś być wczoraj. — Przybrał gniewny ton.

— Wybacz, panie, ale musiała zajść pomyłka. Umówiliśmy się dzisiaj.

— Ja się pomyliłem? — zaczepnie ruszył na niego Waldemar.

— Środa Popielcowa. Druga rocznica — wciąż spokojnie przypomniał Jakub. Zauważył, że młodzieniec ma brzydką dziurę po przednim zębie.

— Ha, ha! Popielec! Widzisz, Magda, a ja zamówiłem u twojego ojca pieczeń z dzika, ha, ha!

Dziewczyna zawstydziła się, spódnice obciągnęła już dawno, teraz próbowała zakryć wylewające się spod koszuli piersi. Zaciągnęła na nie fartuch, którego jak Jakub przewidział, nie zdjęła. Postanowił, że nigdy nie będzie jadł w tej karczmie.

— Wstydzisz się patrzeć na świętego pielgrzyma? — zadrwił z niej Waldemar. — To się odwróć! Nie ty, ty możesz popatrzeć — zaśmiał się nerwowo do Jakuba, pokazując dziurę po zębie.

Guntersberg lekko uniósł brew. Waldemar natychmiast, niemal wściekle zamknął usta i odwrócił z powrotem do dziewczyny, chwytając ją za biodra i brutalnie przewracając na brzuch.

— A teraz wstań. Pokażemy pielgrzymowi, jak to się robi w stajni! No, dalej, moja mała klaczko!

Karczmarzówna się ociągała, więc Waldemar zmusił ją, by stanęła, jak kazał, twarzą do żłobu. Zarzucił jej spódnice na plecy i już brał się do niej.

Chce mi pokazać, jaki z niego buhaj — pomyślał spokojnie Jakub. — Wydaje mu się, że on jeden na świecie może wsadzać dziewce raz za razem. Chce, abym poczuł się zlekceważony tym, że muszę czekać. Pytanie: czy przywiózł denary?

Wobec klientów, którzy się nie wywiązali, obowiązywał niejednoznaczny kodeks. Jeśli byli słabego stanu, można było sobie pozwolić na wyrafinowany rewanż. Jakub w swej młodości zrobił to kilka razy. Zlikwidował delikwenta tak, iż ten w ostatnim tchnieniu przed śmiercią wiedział, że umiera za niedotrzymanie słowa. Dawało to poczucie sprawiedliwości, ale nie satysfakcji. Nieboszczycy nie płacą długów. I pozostawał niesmak. Brał zaliczki, owszem, to przynajmniej zabezpieczało koszta. Od Waldemara też wziął. Był zaskoczony, gdy krótko przed wykonaniem zlecenia czternastoletni wówczas margrabia spotkał się z nim. Powiedział krótko: „Wiem, że Mechtylda i mój stryj zapłacili za porwanie. Ja zapłacę więcej, ale za zabójstwo". Jakub był wtedy zdumiony, choć nie okazał po sobie niczego. Wziął dziesięć brandenburskich dukatów zaliczki i z uznaniem pomyślał o gówniarzu: „Ostry dzieciak. Z takich jak on wyrastają bezwzględni władcy". Jednak teraz ostry dzieciak rżnął córkę karczmarza na jego oczach i stawiał go w niezręcznej sytuacji. Margrabiego nie może zlikwidować. W dodatku giermek zapewne wie, po co tu przyjechali. Skoro młody nie miał dość wyobraźni i nie kazał giermkowi zdjąć brandenburskich orłów, znak, że równie dobrze mógł mu wygadać, po co się tu spotyka i z kim. A na splamienie nazwiska Jakub de Guntersberg nie może sobie pozwolić. Nie teraz, kiedy jego kariera dzięki Václavovi i Mechtyldzie szybuje wzwyż. Więc co? Uznać, iż dwie zapłaty to i tak lepiej niż dobrze i zaniechać pobierania trzeciej? Potrzebuje gotówki. Trzeba opłacić utrzymanie dziecka. Tej małej, którą sobie znalazł i kupił na pomocnicę.

— Ach, ty suko! — jęknął Waldemar, kończąc z karczmarzówną. Wypuścił dziewuchę czułym: — Poszła precz!

Szybko schował przyrodzenie, otarł palce o nogawice i odwrócił się do Jakuba.

— Więc to ja się pomyliłem, powiadasz?

— Owszem — potwierdził Jakub.

— A mnie się zdawało, że ty — powiedział, mrużąc oczy, Waldemar. Pilnował się już, by nie otwierać zanadto ust. — Miało być bez świadków, czyż nie tak się umawialiśmy?

De Guntersberg skinął głową. Do czego zmierzał margrabia?

— Spartaczyłeś robotę. Wypuściłeś giermka.

A niech to szlag — pomyślał Jakub. Nie zapomniał o giermku króla, który wydostał się jakimś cudem z Rogoźna, ale był pewien, iż stryczek, na którym go znalazł...

— Co? — drwiąco skrzywił się Waldemar. — Myślałeś, że się sam powiesił? Musiałem poprawiać po tobie robotę. I to jest ten twój legendarny porządek?

Jakubem wstrząsnął gniew. Tak, sądził, że giermek sam się powiesił. Więcej, był tego pewien, bo każdy inny na jego miejscu powinien był to zrobić. Ale nie może tego powiedzieć gówniarzowi. Bo musiałby powiedzieć za wiele.

— Wypadek przy pracy — wydukał. — Tylko ten, kto nic nie robi, nie popełnia błędów. — Spojrzał znacząco na szczerbę Waldemara, którą ten znów pokazał. Chłopak zamknął usta, odwrócił się.

— Jesteśmy kwita — rzucił znad siodła margrabia — nic ci nie dopłacę, ale i nie obgadam cię w Stendal i na Salzwedel.

— Rozumiem — sucho oznajmił Jakub. — Wobec tego przyjmę jedynie symboliczną opłatę za głowę.

— Co? — znów głos Waldemara spłatał mu figla i nagle wpadł w zbyt wysoki rejestr.

— Symboliczna opłata za głowę. Za twe imię szeptane do ucha ofierze w chwili jej zgonu.

— Ach tak, jasne, jasne. — Margrabia odwrócił się do Jakuba, oczy mu zalśniły dumą i ciekawością, lecz chciał udawać, że wszystko wie i rozumie. Z mieszka przy pasie wysupłał dukata.

— Masz. Za głowę. — Wręczył mu niemal z namaszczeniem.

Jakub de Guntersberg wychodząc ze stajni, omal nie parsknął śmiechem. Z bzdur, w jakie wierzyć chcą ludzie, ta wydawała mu się pierwszą. Ale wierzyli, w tę zawsze wierzyli. Chcieli widzieć mistycyzm śmierci, a nie jej realizm. Pragnęli uwznioślonych wizji zamglonych oczu, ostatnich westchnień, chwil przerażenia, wezwań Boga, ojca czy żony. Nie opowiadał im nigdy o tym, że umierający czasem rzyga ze strachu, popuszcza w gacie z przerażenia, ślini się. Że przedśmiertna maska jest brzydka, a oczy potrafią być puste, całkiem pu-

274

ste. Realia pracy zostawiał dla siebie. W końcu oni płacili mu za swoje spełnione marzenia. Nie zapomniał o kiju. Szedł traktem w stronę zagajnika, wspierając się na nim. Brandenburski dukat nie parzył go w rękę, przeciwnie. Tyle właśnie potrzebuje na kolejny rok utrzymania dzieciaka.

Usłyszał tętent kopyt przed sobą i po chwili zza zakrętu wypadła grupa jeźdźców.

Zwiadowcy — przemknęło mu przez głowę. Dopatrzył się pół-orła i półlwa na tunikach. Ludzie kujawskiego księcia. A ci drudzy? Z wizerunkiem kobiety na czerwonym polu? „Krwawa Maria", książę mazowiecki.

— Człowieku! — zawołał do niego dowódca, wstrzymując konia. — Czy to karczma tam, czy zagroda?

— Karczma, łaskawy panie! Wracam stamtąd, bo mnie jakiś ważny rycerz pogonił...

— Rycerz? A wiesz jaki?

— A skąd mnie, prostemu, wiedzieć? Brandenburski musi, bo miał czerwone orły, ale kto on, to ja nie wiem. Młody panicz, a taki okrutny...

— Waldemar! — syknął dowódca do swych towarzyszy. — Niech ci, dziadku, Pan Bóg wynagrodzi! Módl się za prawdziwego pana tej ziemi, księcia Władysława! Jazda! — krzyknął do swoich, a Jakubowi pod nogi rzucił srebrny pieniądz.

Gdy tylko odjechali, Guntersberg schylił się i podniósł monetę. Schował. I zaśmiał się na cały głos z najszybciej w swym życiu zarobionych pieniędzy.

WŁADYSŁAW wybaczył Bolesławowi. Nie. Nie śmierć brata, ale naiwność, że książę mazowiecki nie przewidział litewskiej jatki. Ruder zbadał sprawę dokładnie, przesłuchał świadków, znalazł niejakiego Wawrzyńca, kasztelana z Białej, który poświadczył, iż zaskoczenie Bolesława siłą najazdu Litwinów było tak wielkie, że książę sam ruszył na odsiecz Kazimierzowi i narażał głowę na niebezpieczeństwo. Ów kasztelan osobiście wyratował Bolesława z opresji, gdy ten walczył z litewskim zagonem. Jeśli więc jest świadectwo, że książę mazowiecki zgrzeszył, chciał zadośćuczynić i życie narażał, to Władysław mógł uznać, że wybaczenie nie będzie potwarzą dla pamięci ofiar. I wybaczył. A bo to sam nie popełniał błędów? Popełniał. Choć ostatnimi czasy mniej, znacznie mniej. Madonna na purpurze znów załopotała przy półorle, półlwie. Drzewiec w drzewiec. Miecz w miecz. Szarpali się z Brandenburczykami. Margrabia Otto ze Strzałą rzucił nad Noteć posiłki. Zaciężne wojsko to jedno, z takim to i przyjemność się bić. Ale bandy raubritterów to drugie. Margrabiowie wypuszczali je, niczym bezpańskie psy. A oni grabili wioski, napadali klasztory, polowali przy gościńcach na kupców i zapadali się pod ziemię. Gdy czuli zagrożenie, łączyli się w hordy; głodne, ogłuszone winem zrabowanym po klasztorach, zuchwałe. I wyskakiwali z lasu, stawiając czoła oddziałom sojuszniczych książąt. Gonili ich, rozbijali na strzępy. Nim zdążyli ucieszyć się zwycięstwem, zwiadowcy dawali znać, że oto nowa banda skrzykuje się w okolicy. I tak w kółko. Władek splunął:

— To nie wojna, tu wyłuskiwanie pluskiew i gniecenie gnid.

— Làszló *fejedelem* — zwrócił się do niego Fehér Mohar — zróbmy im krwawy odwet.

— Władysławie, uważaj — przestrzegł Bolesław. — Jak zapędzisz się w głąb Brandenburgii, odsłonisz Starszą Polskę.

— A wy co radzicie, bracia Doliwowie? — spytał książę.

— Gonić ich. Z Madziarów świetni zagończycy — powiedział Szyrzyk.

— Do księżnej pani jechać. Już by czas rozwiązania był albo już i po czasie — zauważył Polubion.

— Wracać na Śląsk i Głogowczyka dręczyć — jednoznacznie orzekł Chwał.

— No tak. To się poradziłem. — Władek sięgnął po bukłak.

— Biały Mohar i ja mamy takie samo zdanie — podliczył Szyrzyk. — To reszta ma inne. A twoje, książę, jakie jest?

— Chciałbym syna zobaczyć. — Władek otarł usta. — Ale... jak go zobaczę podrośniętym, większym, to mi się bardziej spodoba, nie? Zróbmy rozsądnie. Pawełek Ogończyk do księżnej, a my na Brandenburgię. Wedrzemy się w głąb i pokażemy im, że żaden najazd nie zostanie bezkarny.

— Jak chcesz, Władysławie. Ale ja powtarzam: odsłaniasz Starszą Polskę — pokręcił głową Bolesław.

— A ja się pytam, druhu, czy mam inne wyjście, by czerwone orły usadzić w miejscu? Nie. Pawełka do mnie wołać.

— O nie. Ja mu tego nie powiem. — Chwał uciekł z narady. — Niech mu Fehér Mohar powie, najlepiej.

— *Szívesen elmondom.* — Poważnie kiwnął głową Fehér. — *Magyarul.*

— No i bardzo dobrze. Niech mu wszystko powie po węgiersku.

Ruszyli wraz z późnym, zimowym świtem. Po zamarzniętej Noteci. Władek jechał pierwszy, jego Rulka bezbłędnie wyczuwała twardy, mocny lód. Węgrzy nie znosili jazdy po skutych rzekach, zgadzali się na nią tylko, gdy „Làszló *fejedelem*", książę Władysław, prowadził pochód. Mieli bezgraniczne zaufanie do niego, a pewnie i większe do Rulki. W ich żyłach wciąż płynęła krew koczowników, Ogończyk kpił, że gdy nikt nie widzi, czczą konie. Coś w tym mogło być, bo wszyscy, począwszy od dowódców — Juhàsza Hunora czy Fehéra Mohara — a skończywszy na słudze, niemal bałwochwalczym szacunkiem obdarzali książęcą klacz. Nim słońce stanęło w zenicie, byli w Brandenburgii. Przywitały ich dzwony klasztoru bijące na trwogę. Władysław przeżegnał się, krzyknął:

— „Pod wiatr"!

I ruszyli. Poczuli wolność wojny toczonej na obcej ziemi. Mohar i Hunor w końcu mogli bezkarnie spuścić ze smyczy madziarskie gończe psy. Bracia Doliwowie przestali myśleć, czy wioska, w którą wjeżdżają, nie należy do ich krewnych. Tak samo odetchnęli Leszczyce, Godziębowie, Awdańcy. Wszyscy. Madonna na purpurze stała się w ciągu siedmiu dni prawdziwie krwawą Marią, a kujawski półorzeł, półlew wzlatywał, gonił i nurzał się w posoce. Na śniegu krew. Pożoga i gęsty dym. Dotarli o dzień drogi od Salzwedel. Nikt ich nie zatrzymywał. Władysław obawiał się przez dwa dni, że to podstęp, dopiero kilku złapanych na trakcie rycerzyków, gdy im noże przystawiono do gardeł, zeznało, że margrabiowie pociągnęli na zjazd elektorów do Wiednia.

— Marchia bez panów, zobacz tylko. — Poklepał Rulkę po szyi. — Otto ze Strzałą, Jan i Waldemar siedzą u mnie, zabranych grodów pilnują, a kraj własny odsłonili.

Rulka stuliła uszy, podniosła łeb i machnęła ogonem. Robiła to, gdy chciała księciu powiedzieć: „Przesadziłeś i to ostro. Uważaj!". Ale Władek nie miał ochoty jej słuchać. Wiedział lepiej.

Wieczorem odnalazł ich posłaniec z Pomorza, upominający się w imieniu wojewody o przybycie księcia: wciąż zapowiadane, a niespełnione, i załatwienie najpilniejszych spraw ziemi gdańskiej, sławieńskiej i tczewskiej.

Władysław westchnął. Tyle razy przeklinał chudą, rodzinną ziemię, ale mógł ją objechać całą w kilka dni. A teraz? Przecież się nie rozerwie! Zatoczyli jednak łuk i skierowali się na północ. Z drogi wysłał do największych miast Starszej Polski rozkaz, by same wystawiały zbrojnych do ochrony swoich traktów i dróg, dał im zgodę na ściganie i karanie wszelkiej maści raubritterów, łotrów, złodziei, bandytów. Czy to go uspokoiło? Nie. Ale dało argument przeciw ciągłemu krakaniu mazowieckiego księcia: „Odsłaniasz Starszą Polskę". Z Bolesławem zresztą rozstał się, do załatwiania spraw pomorskich go nie potrzebował. Madonna na purpurze załopotała na trakcie wiodącym na wschód.

Odnalazł Pomorze innym, niż je dwa lata temu zostawił. Wtedy wydawało się, iż wystarczy usunąć Leszka i wszystko się ułoży. Ale nie. Baronowie Bałtyku z rodem Święców na czele, wojewoda pomorski Mikołaj Zaremba i pomniejsi okazali się jednak stronnikami Leszka. Gdy zasiadł na książęcym tronie, a oni zaczęli przychodzić ze swymi skargami, z każdej jednej wyławiał:

— ...gdy księcia nie było, zaszły gwałty...

— ...cóż robić, księcia nie było, sam wymierzyłem sprawiedliwość...

— ...nie płaciliśmy, bo księcia nie było...

„Nie było, nie było, księcia nie było" — mielili to na dziesiątki sposobów, jak dzieci. Ten nadużył, ten nadszarpnął, ten pogwałcił, każdy coś — bo księcia nie było. A czy on wtedy ucztował? Nie. Walczył. W nocy przewracał się na posłaniu, sen go opuścił. Czuł, jakby ten książęcy płaszcz, który mu nałożyli na ramiona w Poznaniu, ciągnięto mu i rozdzierano we wszystkie strony. Głogowczyk, Brandenburczycy, teraz jeszcze Pomorze i znów Leszek. Srebra, które dał mu Václav Przemyślida za upokarzające uznanie czeskich praw do Krakowa, już nie miał. Wojna kosztuje. Miał poczucie, że jest bardzo blisko celu, że wystarczy, aby na chwilę dano mu spokój z jednej strony, a upora się z drugą raz i ostatecznie. Ale tego spokoju nie było. Kilka dni później przybyło jeszcze poselstwo węgierskie, wzywające powrotu Mohara i Hunora do ojczyzny. Andrzej III, jego oddany druh i sojusznik, radośnie oznajmiał mu, iż zaręczył Erzsébet, Elżbietę, córkę swoją i Fenenny, z Václavem III Przemyślidą.

— Psiamać! — wściekł się Władek. — Przecież to moja krew! Erzsébet to moja bratanica! Za Przemyślidę? Jak mógł!...

Ten akt wydał się w jego oczach iście szatańskim pomysłem czeskiego króla. Bo Władysław nawet gdyby chciał, nie mógł przeciw niemu pisnąć. Wziął pięć tysięcy grzywien? Wziął.

— Kupił moje milczenie... moje przyzwolenie... — jęczał i nic nie mogło ukoić jego wściekłości. Żeby chociaż był przy nim Ruder, może powiedziałby coś mądrego, ale kanclerza zostawił w Łęczycy. I będąc szczerym, zostawił go właśnie, by ten nie gadał.

Pożegnał Madziarów. Każdego z nich uściskał, z każdym zderzył się otwartą dłonią w dłoń.

— Do zobaczenia w lepszych czasach! — krzyknął na odjezdnym Fehér Mohar.

I Władysław znów zabrał się do rozsupływania pomorskich spraw. Nadaniami kupował wierność, przywilejami lojalność, groźby zostawiał dla tych, którym już nic nie mógł dać. Leszek, książę inowrocławski, wolał z nim rozmawiać przez swego wysłannika. Stryja się bał. Znalazł mu kasztelanię wyszogrodzką, na granicy i pozwolił przyłączyć do księstwa inowrocławskiego. Zachłanny wysłannik Leszka chciał więcej, Władek wiedział, że bratanek sam by tyle nie utargował. Ale co? Miał tracić czas? Znów jechać, spotkać się z nim, do porządku jak ojciec przywołać? To już wolał dać. Puścił mu w dzierżawę miasto Nowe i kawał ziemi nad Wisłą. W końcu swoim dawał, synom brata. Oby jak najkrócej żyła ta nocna wdowa, ich matka. Czarne, zachłanne, nienasycone babsko. Wydaje jej się, że jest dumną gryficą? Bliżej jej do wrony. Kra, kra, kra.

Potem wsiedli na niego mieszczanie Gdańska. I kupcy lubeccy, proszący o ochronę swych praw. Sprawę po sprawie załatwiał. Ale za każdym razem, gdy mu się zdawało, że to już ostatnia, fala wynosiła nową. Pawełek Ogończyk z Łęczycy nie wracał. Jadwinia urodziła czy nie? A jeśli tak, to kiedy? A jeśli nie, to co się stało? Żadnych wieści z Poznania, to chyba dobra wiadomość? Rozsądził, pochwalił, zganił. Dyspozycje rozdał, stan portów sprawdził. Święców tak obdarował nadaniami, że aby się wywdzięczyć, powinni mu służyć nie tylko w dzień, ale i w nocy. Kazał się ludziom szykować do drogi. Nosiło go. Może już ma syna? Chryste, a jeśli to już i po chrzcinach? Jak mu dała na imię?

— Polubion, nie pamiętasz, czy ja księżnej pani mówiłem, że syn ma być Bolesław?

— Nam książę mówił! — uśmiechnął się druh.

Uspokoił się. No, skoro wszyscy wiedzą, to i Jadwinia wie.

— Jezu Chryste, trzy miesiące straciliśmy! — powiedział do Szyrzyka, patrząc, jak ładują wozy.

— Nie, książę! Trzy miesiące rządziłeś, jak prawdziwy pan.

Władek przeciągnął się, aż mu kości strzeliły. Skrzywił się do Szyrzyka, pokazując mu, co o rządzeniu myśli i gdzie je ma. Stajenny przyprowadził mu Rulkę. Wskoczył na siodło.

I w tej samej chwili na dziedziniec wjechał wysoki, potężnie zbudowany szary Krzyżak. Książę, widząc obcego, wsadził stopy w strzemiona, chwycił wodze.

— A ten tu co? — zapytał Szyrzyk.

Półbrat rozejrzał się pomiędzy licznym na dziedzińcu rycerstwem i choć Władek nie był jedynym konnym, podjechał prosto do niego. Ukłonił się i zaczął:

— *Mein Herr...*

W tym samym czasie Szyrzyk dobiegł do niego i chwycił mu konia za uzdę, mówiąc szybko:

— Jesteś w Królestwie Polskim i stoisz przed księciem tego kraju. Więc złaź z konia, kłaniaj się i mów po polsku.

Olbrzym spojrzał na Szyrzyka z góry, zszedł z konia i teraz dopiero okazało się, jak jest wysoki. Nie zwracając uwagi na Doliwę i niemal nie podnosząc głowy, powiedział do Władka:

— Komturowie Gunter von Schwarzburg z Grudziądza i Zyghard von Schwarzburg z Rogoźna przesyłają ci, książę, braterskie pozdrowienia.

— Dziękuję — odparł niezadowolony Władek. Co to? Ja ich brat? — pomyślał.

— Dowiedzieli się o twym pobycie na Pomorzu i chcieliby złożyć ci wizytę, książę.

— Nie teraz. Nie mam czasu. — Władek był zniecierpliwiony. Jeszcze mu tylko Krzyżaków brakuje! To może i delegacja joannitów, templariuszy, żeglarzy, szkutników i innych piekarzy?

— Komturowie nalegają.

— Nie widzisz, że wyjeżdżam, człowieku? Na drugi raz niech zapowiadają się szybciej.

— Powtórzę — powiedział olbrzym.

Władek chciał się odwrócić od niego, ogarnąć wzrokiem dziedziniec, czy już mogą ruszać. Nieoczekiwanie Rulka stawiła mu opór. Niemal poczuł, jak napręża grzbiet. Uszy zwróciła ku szaremu bratu. Ten stał i wpatrywał się w księcia. Miał szare, jakby brudne oczy.

— Czego chcesz jeszcze? — spytał zaczepnie Władek.

— Niczego — odpowiedział, nie przestając patrzeć na niego Krzyżak.

— Jak cię zwą?

Krzyżak milczał.

— Odpowiadaj, gdy książę pyta — krzyknął na niego Szyrzyk.

— Kuno.

— Kuno to imię. Jak dalej?

— Nie ma dalej, książę. Jestem Kuno.

Rulka poruszyła się. Zrobiła dwa kroki w jego stronę, on nie drgnął. Ona nie zmieniła toru. Napięta, zebrana w sobie, jak do ataku. Władek widział ją kiedyś, jak dyscyplinowała inne konie w stadzie. To było właśnie to. Ostrzegała je najpierw postawą. Szła na nie wolno i stanowczo, cała naprężona, gotowa do skoku, z uniesioną wysoko głową. Potem wyciągała szyję i obnażała zęby. Dalej już były tylko kopniaki, które wymierzała bezwzględnie i celnie. Trzymał wodze w dłoni, lecz nie kierował Rulką. W tej chwili ona sama kierowała sobą. Szła na szarego Kunona z wyciągniętą szyją. Poczuł napięcie tej szyi i wiedział, że już zaczyna odsłaniać potężne zęby. Mógł jeszcze ją cofnąć. Powstrzymać. Ale nie zrobił tego. To się działo. Podkowa Rulki zadźwięczała na bruku nie dalej niż o trzy stopy od Krzyżaka. Szyrzyk Doliwa był szybszy. Pociągnął szarego Kunona w bok. Rulka niemal stanęła dęba, pokazując intruzowi kopyta dokładnie w tym miejscu, gdzie przed chwilą była jego głowa. Władek spodziewając się tego, co nastąpi, błyskawicznie przechylił się i chwycił jej szyi. Nie zrzuciła go, przeciwnie. Stanęła na ziemi łagodnie i majestatycznie opuściła dziedziniec.

HENRYK nie pędził na czele swych wojsk. Robił to za niego ktoś inny. Otto von Seidlitz, dowódca oddziałów głogowskich. W sam raz bezwzględny. Wielbiciel dyscypliny, strateg i rzecz bezcenna: pozbawiony choćby dalekich krewnych w Starszej Polsce. Nie miał żadnego interesu w tym, bo kogokolwiek oszczędzać. Szedł i łupił wieś za wsią.

Podpalał kasztelanie. Nie oblegał ich i nie zdobywał, gnał tam, gdzie trzeba — prosto na Poznań. Wysyłał Henrykowi codzienne meldunki z trasy. Straty własne, straty nieprzyjaciela, zyski. Po stronie zysków odnotowywali przerażenie wśród poddanych Władysława, niepokój wśród możnych i panikę pomiędzy duchowieństwem. „Oto idę po serce Starej Polski w imieniu jej prawowitego dziedzica. Tego, którego naznaczył zamordowany król" — takie orędzie miał Otto von Seidlitz wygłaszać w każdym przysiółku i robił to. W dwa tygodnie osiągnął bramy zupełnie nieprzygotowanego do obrony Poznania. Sforsował je, spanikowaną obronę wybił, miasto uległo. Na zamku Przemysła obok chorągwi z królewskim białym orłem zawisł orzeł czarny, śląski. W dniu, gdy ten raport przywiózł goniec na spoconym koniu, Henryk zaczął się szykować do drogi. To był już ten czas.

ANDRZEJ ZAREMBA wściekł się. Wojna wojną, ale dlaczego ucierpiały jego dobra? Dlaczego płoną jego spichrze i stodoły? Kara za wezwanie na tron Karła! Nieudolnego i niegodnego tytułu księcia! A kto mówił, że to błąd? Że tej decyzji pożałują wszyscy? No, kto? Tylko on! Jakub Świnka autorytetem arcybiskupa ręczył. Wojewoda gnieźnieński zapierał się, byleby być przeciw Andrzejowi. A poprzedni biskup poznański Jan? Niemal się modlił o wybór Władysława. Tylko on jeden, kanclerz, mówił: „Karzeł nie nadaje się na księcia!". Wojna, granice w strzępach, w Krzywiniu fatalny układ spisany i podeptany dzień później! W dodatku, mimo iż Andrzej po śmierci Gerbicza objął biskupstwo poznańskie, to Mały Książę najwyraźniej zamierza odebrać mu kanclerstwo Królestwa! Wszystko, co ważne, redaguje ten nieuk, Ruder. Błąd na błędzie. I lakuje pieczęcią „Książę Kujaw, Starszej Polski i Pomorza, dziedzic Królestwa". Niech to szlag!

Nosiło go. Ileż to razy na zjeździe rodowym Zarembów podnosił: „Zmieńmy władcę. Przywołajmy księcia Głogowa na tron". Ale z niewiadomych przyczyn Sędziwój zaparł się. Beniamin też udawał, że go to nie interesuje. Teraz, gdy najazd wojsk głogowskich wdarł się do Poznania i zdobył go ot, tak, jak się bierze swoje; teraz, gdy zwiadowcy mówią, że idzie drugi najazd z samym Henrykiem głogowskim na czele wojsk, Andrzej wiedział, iż nie będzie czekał ani dnia dłużej. Zwołał kanoników poznańskich. Przepytał, czyje dobra ucierpiały podczas wojennej zawieruchy. Nie było takiego, który by nie jęczał. Dobrze. Zaprosił Wisława, biskupa kujawsko-pomorskiego. Usadził ich wszystkich, duchownych, szacownych gości i powiedział:

— Czy wiadomo wam, moi najmilsi, jak w Moguncji obalono Adolfa z Nassau i wybrano Habsburga antykrólem Rzeszy?

Kiwali głowami, nadymali policzki. Krótko mówiąc, nie wiedzieli. No to im objaśnił, że ni mniej, ni więcej, tylko zdecydowały głosy trzech nadreńskich biskupów. Słuchający nadęli się, poczuli ważni, pchnął ich wyobraźnię w stronę hierarchów nad Wartą i Wisłą. Potem namęczył się dłuższą chwilę w dyplomatycznych pląsach o wyższości księcia prawego, choć surowego, nad tym, co łamie prawa, słowa nie szanuje, choć może i pokrewieństwem z dynastią jest im bliższy. Jak zaczął w południe, tak koło północy wpadli na to, iż oni nie gorsi niż biskupi nadreńscy, a Głogowczyk to wybór mniejszego zła. Nim dzwony zabiły na jutrznię, gotów był plan, szkic dokumentu i poselstwo do księcia Henryka. A kiedy rankiem wpadł goniec z trwożliwą wieścią, iż prawdą jest, że sam książę Głogowa, we własnej osobie, ciągnie na Poznań, Andrzej nie wahał się ani chwili. Stanął na czele poselstwa i przodem puścił zapowiedź do Głogowczyka.

Spotkali się w Kościanie. Henryk z dopasowaną maską na twarzy wydał się Andrzejowi jeszcze bardziej kostyczny niż dwa lata temu, w Krzywiniu. Właściwie, w pierwszej chwili, Andrzej Zaremba wystraszył się go. Potem, gdy uświadomił sobie swój lęk, zdziwił. Bo prawdą było, iż bał się niewielu rzeczy. Bał się gniewu Boga, dnia Sądu Ostatecznego i śmierci w długiej chorobie, gdy ciało gnije, a umysł nie chce od niego odstąpić. I to by było na tyle. Nie bał się biedy, bo mu nie groziła. Nie lękał się o dzieci, bo ich nie miał. I nie bał się ludzi, bo od urodzenia był od nich lepszy pod każdym względem. Dlaczego więc wstrząsnął nim dreszcz na widok głogowskiego księcia? Ciemne, kiedyś czarne włosy Henryka przetykały dzisiaj siwe pasma. Trzymał się prosto, jego sylwetki nie szpecił brzuch, znak słabości do jadła i napitku połączonej z gnuśnością. Miał prosty, długi nos nieskażony znakiem sekretnej choroby. Usta wąskie, ułożone w prostą i nieodgadnioną linię. Policzki pokryte cieniem suchego zarostu, który nie maskował twardej linii szczęki. Ubrany w białą tunikę, niczym rycerz zakonny, tyle tylko, iż jego piersi nie zdobił krzyż, tylko czarne i drapieżne orle skrzydła. Ciemnoniebieskie oczy księcia były zimne. Przez plecy biskupa przeszedł dreszcz, bo w tej chwili zrozumiał, czego się lęka: książę Głogowa łudząco podobny był do wyobrażenia Szatana, jakie w duszy nosił Andrzej. Wytrąciło go to z równowagi na chwilę, jednocześnie było tak natrętnym, jak potrafią być upiorne myśli.

— Pomódlmy się, książę, by sam Pan Bóg patronował naszemu spotkaniu — powiedział, nadając głosowi barwę spokojną i ciepłą.

Głogowczyk skinął głową i ukląkł przed wiszącym na ścianie krzyżem. A potem pogrążył się w tak głębokiej modlitwie, że lęki Andrzeja prysły.

Negocjacje jednak nie były ani lekkie, ani przyjemne. Do sedna doszli szybko, książę z uznaniem przyjął ofertę pomocy ze strony duchowieństwa w zdobyciu władzy w Poznaniu i w zamian za to uznał roszczenia o odszkodowanie za zniszczenia wojenne; ich wysokość można określić krótko: satysfakcjonująca. Obiecał rządzić w zgodzie z wolą rady duchownej, potwierdzić Andrzejowi, Wisławowi i kanonikom poznańskim wszystkie ich przywileje. I tu się zaczęło. Henryk zażądał korony Przemysła.

— W tej kwestii głos zabrać musi i arcybiskup Jakub Świnka — powiedział Andrzej.

— Chcesz powiedzieć, biskupie, iż działasz bez jego zgody? Że twe poselstwo do mnie jest wynikiem jedynie twej i biskupa pomorskiego woli? — Głos księcia zabrzmiał jak stal, którą ktoś stuka w szkło.

— Arcybiskup jest głosem całego Kościoła Królestwa. Przy podejmowaniu decyzji liczyć się będzie ze zdaniem hierarchów. Poparcia dwóch z nich i to kluczowych dla Starszej Polski możesz być od dziś pewien.

— Byłem pewien w Kościanie, kiedy spisywaliśmy ugodę. — Zimno spojrzał mu w oczy Henryk.

— Nie ja byłem wtedy biskupem poznańskim — wyślizgnął się Andrzej.

— Ale znałeś pierwszy testament Przemysła i wiedziałeś, że w jego świetle ja jestem dziedzicem, a Władysław uzurpatorem. I jako kanclerz patronowałeś porozumieniu w Krzywiniu — bez satysfakcji przypomniał mu Henryk. — Prawo jest jedno i łamanie go jest deptaniem przysiąg składanych przed Bogiem.

— Nie ja podeptałem przysięgi, książę. Niosę na barkach winy swych poprzedników.

Dlaczego w jego obecności wciąż czuję się winien? — gorączkowo zastanawiał się Andrzej. — Prawdą jest, że ja jedyny chciałem przywołać go na tron.

— Mogę przyjąć na siebie obowiązek obrony Poznania i zachodnich granic. Lecz z całym szacunkiem, biskupie, nie zrobię tego za czcze obietnice. I nie popełnię tego błędu, co Władysław, który przyjął książęcy diadem, nie żądając korony Przemysła.

— Jeżeli pomogę ci, Henryku, zdobyć tron, to w zamian muszę mieć od ciebie równie twarde gwarancje.

— Czego oczekujesz, Andrzeju Zarembo?

— Związania na zawsze dwóch godności: biskupstwa poznańskiego i kanclerstwa Królestwa.

HENRYK, książę głogowski, był pewien, że Jakub Świnka nie wie o tym spotkaniu. Wysłał Lutka, a z nim cichych ludzi, by śledzili każdy krok arcybiskupa. Ale też Henryka od dziecka odznaczała pokora. Znał granice swoich możliwości i nigdy nie sięgał po coś, co stało poza nimi. Wiedział, że Jakub II nie pokocha go ojcowską miłością arcypasterza do księcia. Miał pewność, iż tym uczuciem Jakub darzył wyłącznie nieżyjącego Przemysła, bo zobaczył w nim ongiś mistyczny obraz księcia, który przeobrażał się na oczach swego ludu w króla. Tak, Henryk znał dobrze wszystkie te dawne przepowiednie, stare znaki, legendy piastowskie, które wskazały na Przemysła jako na władcę czystego i godnego korony. Szanował duchowe symbole. Nie oczekiwał więc takich egzaltacji. Po prostu liczył, że z czasem przekona do siebie Jakuba Świnkę. Zaprowadzi w księstwie spokój, otoczy opieką kościoły i klasztory, będzie sprawował rządy prawe. Zadba o poddanych, od tych najniższych po najwyższych. Jaki hierarcha nie doceni pracowitego i znającego swe miejsce księcia? Na pewno tak sprawiedliwy jak Jakub Świnka musi to dostrzec i obdarzyć pochwałą. Trzeba mu tylko czasu i wsparcia możnych. Prawdziwego wsparcia, a nie chwiejnej i kapryśnej łaski, jaką dali kujawskiemu księciu. Władysławowi, zabójcy jego brata. Uzurpatorowi depczącemu testament króla — zatrzęsło nim. Poczuł, że unosi go gniew.

— Nie ja podeptałem przysięgi, książę. Niosę na barkach winy swych poprzedników — zastrzegł się Andrzej, a Henryk natychmiast się opamiętał. Gniewem nic nie wskóra. Gniewem nie pozyskuje się stronników. Opanował się i powiedział najspokojniej, jak potrafił:

— I nie popełnię tego błędu, co Władysław, który przyjął książęcy diadem, nie żądając korony Przemysła.

Poczuł, że biskup poznański zgrzytnął niczym koło u wozu wypchniętego z koleiny. Usłyszał to, na co czekał:

— Jeżeli pomogę ci, Henryku, zdobyć tron, to w zamian muszę mieć od ciebie równie twarde gwarancje.

W jego sercu miejsce gniewu zajęła ciekawość. Jakie warunki postawi Zaremba? Czego zechce w zmian?

— Związania na zawsze dwóch godności: biskupstwa poznańskiego i kanclerstwa Królestwa.

Henryk milczał. Nie dlatego, by zwaliło go z nóg żądanie Andrzeja. Milczał, bo bał się, że jeśli otworzy usta, nie opanuje jęku ulgi. Doby Boże, na wieki niech Ci będą dzięki! Wszak wstępując na tron poznański, byłby pierwszym, który prosiłby biskupa o to, aby stał się kanclerzem Królestwa. Nie jest głupi. Ma świadomość, iż kanclerz Głogowa nie opanowałby możnych Starszej Polski. Bez biskupa Poznania jego rządy byłby fikcją, tak jak są nią rządy Władysława.

— Rozumiem — odpowiedział powoli — i gotów jestem uznać twój warunek za ze wszech miar sprawiedliwy. Jednak nie uznam naszych rozmów za wiążące, jeśli nie spiszemy porozumień. Wiesz o tym, biskupie, że pod Kościanem stoi moje wojsko z Ottonem von Seidlitz na czele. Otto zdobył Poznań raz, gotów jest najechać gród Przemysła powtórnie, zwłaszcza że teraz przy jego boku stoi syn, Teodoryk. Mistrz będzie chciał zachwycić ucznia, a młody von Seidlitz marzy o tym, by zobaczyć to, o czym opowiadał mu ojciec: czarnego orła przy białym na zamkowej wieży. Skrzydła w skrzydła, dziób w dziób.

— Niewiele osiągniesz, strasząc mnie, Henryku — odparował mu biskup. — Przybyłem tu z własnej woli, nie kierował mną strach, lecz myśl o dobru Królestwa. Zgadzam się na spisanie porozumień, lecz jednocześnie zaznaczam, iż powinniśmy przez pewien czas utrzymać nasz układ w tajemnicy.

— Nie lubię tajemnic — oświadczył Henryk. — Często kryją się za nimi matactwa.

— Jeśli wątpisz w mą dobrą wolę, wyjadę natychmiast — uniósł się Zaremba.

Jeszcze kilka miesięcy temu powiedziałbym mu: „To jedź" — pomyślał Henryk — ale nie dziś. Nie teraz, kiedy jestem tak blisko celu.

— Nie mówię, że wątpię. Pytam: po co sekret, skoro intencje prawe?

— Po to, byś nie podzielił losu Władysława. Mówiąc wprost, muszę przygotować grunt. Pozyskać dla naszej sprawy wszystkich baronów Królestwa. Oni, po porażce kujawskiego księcia, nie są skorzy do nagłych decyzji.

— Rozumiem. Co proponujesz?

— Objęcie książęcego tronu natychmiast. Porozumienie z możnymi, czas do akceptacji dla Jakuba Świnki i koronację królewską w pierwszym możliwym terminie.

Tak. Tak to sobie właśnie wymarzyłem — pomyślał Henryk, a głośno zapytał:

— Co będzie, jeśli nie pozyskasz baronów dla naszej sprawy?

Biskup Andrzej Zaremba roześmiał się po raz pierwszy tego wieczoru.

— Książę, daj mi czas, nic więcej. Od dzisiaj obaj możemy o tobie myśleć jako o jedynym prawym dziedzicu Królestwa. I rodzi się w mej głowie jeszcze jeden plan, który zabezpieczałby twoje i twego syna prawa do tronu lepiej niż układ z Krzywinia. Wymaga to jeszcze czasu i wielu subtelnie prowadzonych rozmów, ale gdy się powiedzie, nie będzie siły zdolnej usunąć wasze roszczenia.

Henryk nie wytrzymał, zapomniał się, że to Andrzej Zaremba, i zrobił to, co ze swoimi ludźmi — krzyknął, mrużąc oczy:

— Mów!

— Mariaż królewny Rikissy z twoim synem Henrykiem, książę! — odpowiedział tryumfalnie biskup Zaremba.

RIKISSA i Otto biegli wzdłuż rzeki. Służba starego Albrechta, ojca Ottona, przyzwyczaiła się, iż dzieci są w nieustannym ruchu. Na życzenie margrabiego nie przeszkadzano im w zabawach, a jedynie pilnowano z oddali. Czasami towarzyszył im Jan, brat Ottona, ale sam kawaler Otto starał się, by to było rzadko. Wolał nie dzielić się Rikissą z nikim, a i ona wolała jednego niż dwóch naraz. Od kuchennej pomywaczki, przez psiarczyka, stajennego, pannę pokojową, giermków, aż do dam dworu, wzdychano w Salzwedel: „Jacyż oni słodcy! Zakochani w sobie od dziecka!". Rikissa lubiła swego kawalera Ottona. Miał włosy jasne, oczy jasne, skórę bielutką, cały był taki czysty. Poradziła mu, by nie nosił codziennie czerwonych brandenburskich orłów na tunice.

— Zobacz, mój miły, wyglądają jak ubrudzone krwią. A tobie tak ślicznie w zieleni i błękicie!

I Otto pokochał zieleń, błękit i ulubione szmaragdy Rikissy. Gdy raz czy dwa wspomniał, że powinien orła nosić, bo to jego herbowy, Rikissa pogłaskała jego jasny policzek i uspokoiła:

— Ottonie miły! Noś, jeśli ci się podoba, noś!

Chłopiec był markotny, niewyraźny i zdradził jej sekret na ucho, najcichszym szeptem:

— Nie lubię go. Drapie mnie pazurami. W nocy siedzi mi na piersi, gdy śpię.

Rikissa poczuła dreszcz.

— Możesz mi coś jeszcze powiedzieć, do ucha? To takie słodkie, przyjemne...

— Orzeł mnie śledzi... Zawsze gdy idziemy się bawić we dwoje, ty i ja... A jak przyjeżdża stryjna Mechtylda, to orzeł jej wszystko mówi, co robimy...

— Ach! — Rikissa otrząsnęła się od rozkosznego dreszczu, jaki wywołał w niej szept Ottona. — Teraz ja! Też ci coś opowiem na ucho, żebyś poczuł, jakie to przyjemne.

Otto nachylił ku niej swoje białe, czyste ucho i Rikissa szepnęła w nie:

— Nie bój się czerwonych orłów... Widocznie nie jesteś im przeznaczony, Ottonie, skoro się nie lubicie... Herb musi cię strzec, bronić, pomagać ci w chwilach trudnych i złych, a w dobrych radować się razem z tobą... Ty i ja to dobro... Jeśli więc twój orzeł nie kocha dobra, porzuć go... Nie zakładaj na pierś... A gdyby jeszcze kiedyś chciał nas śledzić, powiedz mi, na ucho, bo najprzyjemniejsze słowa mówi się na ucho... A wtedy ja poproszę swoje trzy lwy i one zajmą się tym orłem... Rozumiesz, mój kawalerze?

Odsunęła się od jego ucha i stanęła z Ottonem twarzą w twarz. Patrzył na nią zamglonym wzrokiem, z rozchylonymi ustami.

— Ottonie! — obudziła go z uśmiechem. — Poza tym Królestwo mego ojca jest strzeżone przez białego orła, więc po co ci czerwony?

Biały obejmie nas oboje swymi skrzydłami w dniu, kiedy wstąpimy na polski tron!

— Oczywiście. Będzie, jak mówisz, moja Rikisso!

I teraz biegli wzdłuż rzeki, po zielonej murawie i żaden orzeł już nad nimi nie krążył. Rikissa chciała dzisiaj dojść do miejsca, gdzie kończy się ogród, widywała je tyle razy z okna, ale nigdy nie zdołała tam dotrzeć. Ostatnie z przystrzyżonych krzewów róż, za nimi niczym zbrojna flanka, wielki na wysokość dwóch dorosłych ludzi wał dzikich róż, poskręcanych, pełnych drapieżnych kolców.

— Jak one pachną, mój Ottonie! — zamknęła oczy, wciągając ciepłą, odurzającą woń.

Otto, widząc, co robi królewna, powiedział szybko:

— Ja też wolę dzikie róże, zupełnie jak ty, Rikisso!

— Rikisso Primislausdotter! — usłyszała szept z głębi zarośli. Szept w niemal zapomnianym języku jej matki.

— Kto mnie woła?

— Nie poznajesz?

— Kalina?

— Tak, moja mała! To ja, Kalina!

— Z kim rozmawiasz, Rikisso? — spytał niespokojnie Otto.

— Z moją piastunką.

— A gdzie ona jest? Nie widzę jej...

— Ja też. Kalino, wyjdziesz do nas? Dlaczego się kryjesz?

— Przed Czerwoną Panią, królewno. Uciekłam jej.

— Mojej stryjny nie ma w Salzwedel — przejął inicjatywę Otto.

— Jesteście pewni? Nie może mnie zobaczyć.

— Jesteśmy, wyjdź, wyjdź do mnie, Kalino! — Rikissa aż drżała na myśl, że za chwilę zobaczy piastunkę.

Krzewy poruszyły się i dziewczyna przeszła przez nie, jakby to były łagodne wierzbowe witki, a nie drapieżne, dzikie róże. Rikissa poznała ją od razu, choć Kalina nie była już taka sama jak wcześniej. Wpadły sobie w ramiona.

— Zmieniłaś się — powiedziała królewna, dotykając prostych warkoczy Kaliny.

— Ty też. Wyrosłaś. Więc to jest twój kawaler Otto?

— To ja, proszę pani. Otto VIII, margrabia brandenburski. — Ukłonił się chłopiec.

Kalina przyjrzała mu się uważnie i spytała:

— Czy możemy pomówić na osobności, choć chwilę?

— Moja narzeczona i ja nie mamy przed sobą tajemnic — oświadczył Otto.

— Ale Kalina ma je przed Mechtyldą, twoją stryjną. Więc abyś nie musiał czuć się niezręcznie, mój kawalerze, nazrywaj dla mnie kwiatów, proszę. — Uśmiechnęła się do niego czule.

— A jeśli straż was zobaczy?

— Spójrz na nią! — szepnęła wprost do jego ucha. — Straż z odległości dwustu kroków nic nie zobaczy, pomyślą, że rozmawiam z krzewem!

Kalina, odkąd Rikissa sięga pamięcią, ubierała się wyłącznie w prostą, zieloną suknię. Teraz jednak miała na niej drugą, w jaśniejszym odcieniu zieleni. Ciemne włosy, splecione w warkocze, zdobił zielony sznurek, który wyglądał, jakby uplotła go z traw. Niby nic, ale cała była taka drzewna. Panicz Otto posłusznie odszedł kilkanaście kroków i pochylił się, wybierając najokazalsze jaskry. Dobrze, powie mu, że żadnych kwiatów nie kocha tak, jak jaskry!

— Skąd się tu wzięłaś? Tyle razy pytałam o ciebie Gräfin Mechtilde, a ona mówiła, że jestem za duża na piastunkę! Kłamała, prawda? — Tuliła twarz do piersi Kaliny, szukając znajomych woni.

— Czerwona Pani — twardo odpowiedziała Kalina — to paskudny człowiek, okropny. Ale w jednym nie kłamała: nie potrzebujesz już mnie. Radzisz sobie lepiej niż niejedna dorosła kobieta. Lepiej niż twoja macocha.

— Małgorzata? Ona jest nieszczęśliwa. Prześladują ją tutaj prawie wszyscy. Zastraszona jak myszka, którą kotka złapie w kącie izby. Żal mi jej, tej Grety.

— Jesteś jak twoja matka, Rikisso. Niczego się nie lękasz. — Kalina pocałowała ją w czoło. Mówiła szybko, słowo goniło słowo. — I tak ma pozostać, rozumiesz? Cokolwiek się zdarzy, masz się nie bać. Tutaj nie mogę cię chronić, bo Czerwona Pani wie, kim jestem, i nienawidzi takich jak ja, ale jej władza nad tobą skończy się niedługo i w dniu, w którym przekroczysz z powrotem granice Królestwa, znajdę cię i już nie opuszczę, rozumiesz? Ja i moje siostry będziemy cię wspierać, będziemy przy tobie na dobre i złe. Musisz mi zaufać i wytrwać tu, póki czas nie nadejdzie.

— Czas mego małżeństwa z Ottonem? — chciała upewnić się Rikissa. — Ale czy książę Władysław odda nam tron? Jesteś tego pewna? Różnie tu mówią na zamku.

— Męża twej ciotki zdetronizowano, do Poznania przywołano
księcia głogowskiego, Henryka. Wszystko się może zdarzyć, moja
mała, słodka królewno. Ty wszystkich słuchaj, ale myśl samodzielnie,
dobrze? Będziesz polską królową, ja i moje siostry zrobimy, co w naszej mocy, by tobie przypadł tron.

Rikissa uspokoiła się, choć w istocie Kalina nie obiecała jej, że
wszystko będzie dobrze, a w tym, co mówiła, kryło się wiele zagadek.
Jedną postanowiła rozwikłać od zaraz, więc chwyciła Kalinę za obie
dłonie i popatrzyła jej w oczy, pytając:

— A kim ty teraz jesteś, zielona Kalino?

Dawna piastunka zamrugała, jej suknie i warkocze drgnęły, choć
nie zerwał się wiatr.

— Jestem kobietą Starej Krwi, moja mała królewska dziewczyn-
ko. I zawsze nią byłam.

1299

WŁADYSŁAW niemal oszalał, kiedy mu powiedzieli:

— ...na zamkowej wieży łopoczą dwa orły, czarny i biały...

Szalę goryczy przechylił Ruder, mówiąc:

— Źle się stało, żeś, panie, usynowił małego Henryka i przekazał mu w Krzywiniu władzę nad Poznaniem. Wprawdzie miało to być za kilka lat, jak dzieciak wyrośnie, ale teraz będą się tego trzymać choćby i zębami...

— W dupie mam ich zęby! — ryknął głosem, którego się po nim nie spodziewali.

— Dobrze, że księżna pani tego nie słyszy — szepnął Pawełek tak głośno, że usłyszał Władysław. Opamiętał się niemal natychmiast. Jadwinia, z synkiem przy piersi, była w wielkiej żałobie po stracie matki. Łkała dniem i nocą tak, że aż ściany łęczyckiego zamku drżały i wszyscy bali się o jej życie i zdrowie.

— Cicho! — huknął książę. — Nie możemy pani teraz denerwować. Nikt jej nie powiedział, mam nadzieję?

— Nie!

— Ja nie...

— Nie, na pewno nie! — zaprzeczyli gorąco bracia Doliwowie i Ogończyk.

Rudera nie miał co pytać, Jadwinia nie znosiła kanclerza, jego ponura twarz działała na księżną jeszcze gorzej niż opowieść o krążącym na bagnach wokół Łęczycy Borucie.

— Słuchać mnie! — rozkazał Władysław. — Księżna pani nie może się dowiedzieć o stracie Poznania. Obedrę ze skóry tego, który śmie jej słówko pisnąć. Nie ma rady, zbieramy się natychmiast i jedziemy odbić gród Przemysła. Wymarsz jutro.

Chwał spytał niepewnie:

— No, ale co powiemy pani? Książę obiecywał uroczyście, że zostanie przy niej i dzieciach na dłużej... polowanie odpada, bo księżna, jak słyszy „polowanie", wpada w histerię, „wojna" nam nie wolno, to co powiemy? Ja się boję.

— Powiemy prawdę, tylko inaczej. Powiemy, że jadę sądy sprawować do Poznania. A ja już zrobię Głogowczykowi taki Sąd Boży, że popamięta. I swoim żonom mówcie to samo. Nikt nie może wiedzieć, jasne?

— Jasne, książę!

— To dobrze. Do księżnej pójdzie... — Potoczył wzrokiem po nich, by wybrać. Rudera pominął. — Pójdzie Polubion Doliwa, mój ukochany przyjaciel.

Ogończyk i pozostali dwaj bracia odetchnęli z ulgą, ale Polubion nieoczekiwanie się zbuntował.

— Ja? A dlaczego ja? Ja będę musiał łgać przed moją Katarzyną, a ona ma ucho jak pleban, każdy grzech niewypowiedziany usłyszy. Książę jest na miejscu, książę powinien sam pójść do żony. Przy okazji książę uściska przed drogą syna. Pierworodnego syna.

Władek spuścił powietrze. Polubion postawił się mu, ale miał rację, niestety. Poszedł więc do Jadwigi, zajrzał do śpiącego w kołysce Stefana, znów zapytał, czy nie zgodziłaby się zmienić mu imię na „Bolesław", ona się nie zgodziła, jak poprzednio. Potem powiedział jej o wyjeździe, ona płakała, że jest samotna, on ją pocieszał, pogłaskał, przytulił; ona się też przytuliła do niego, pomoczyła mu tunikę łzami, pocałował ją, ona też go pocałowała, raz, dwa, kilka razy; uległ jej, no bo jak tu nie ulec, jak ona samotna i płacze. Pocieszał ją w łożu kilka razy, co chciał wstać, to ona znów we łzach, więc zostawał. I w kółko zadawała pytania o wszystko. Żeby nie mówiła, całował ją. To ona mu ręce na szyję i też całować w usta i jeszcze raz pocieszenie, aż w końcu Stefan się obudził, zaczął wyć, przybiegły piastunki i Władek mógł się wymknąć.

Rankiem byli w drodze na Poznań. Śniegu nie było, lekki mróz ściął trakt. Władek zauważył, że wszyscy jego rycerze dość markotni, chyba im tłumaczenie żonom wyjazdu poszło gorzej niż jemu. Sam z siebie był zadowolony, nie dość, że się bardzo dobrze wytłumaczył, to jeszcze pocieszył strapioną i kto wie? Może zasiał w jej łonie kolejnego syna? Wyprostował się w siodle i powiedział do Rulki:

— Jedziemy odbić Poznań z czarnych szponów Głogowczyka, wszystko dla mojej pani!

Klacz zrobiła dziwny ruch, machnęła łbem i zarżała. Podjechał do niego Polubion.

— Z czego Rulka się śmieje? — spytał.

Władek wzruszył ramionami. Nic śmiesznego nie powiedział. Zmienił temat.

— Obawiam się, Polubionie, że czeka nas rozgrywka nie tylko z Głogowczykiem, ale i z baronami. Bez ich zgody nie zająłby ani miasta, ani zamku. Czy ty nie masz wrażenia, że panowie Starszej Polski mnie nie lubią?

— Ja ciebie lubię, książę — wyznał mu Doliwa.

— To wiem, ale co z nimi?

— Zapytajmy!

— Zgłupiałeś? Jesteś jak dziecko — rozczarował się przyjacielem Władysław.

— Zapytajmy tutejszych Doliwów, to miałem na myśli. W Dębnie nad Wartą ma siedzibę Mikołaj Doliwa, nasz krewniak. Wystarczy, byśmy nieco odbili z traktu na Poznań, przekroczyli Wartę i już.

— Ufasz im?

— Książę! Tak jak swoim braciom. Powiedzą ci, jak jest, nawet jeśli będzie źle.

To przekonało Władysława. Jego Doliwowie mówili mu prawdę prosto w oczy. Do komandorii joannitów zajechali późnym popołudniem, słońce kładło się na rzece, sprawiając, iż woda zdawała się płynnym ogniem. Strzegący przeprawy bracia, rycerze od świętego Jana, zaproponowali nocną gościnę w komandorii. Książę odmówił, więc przeprawiali ich tratwami na przeciwległy brzeg rzeki. Dowódca komandorii, muskularny brat, który przedstawił się jako Pecold, osobiście prowadził tratwę księcia. Nie był rozmowny, Władkowi to pasowało. Dopiero kiedy tratwa lekko uderzyła o drugi brzeg Warty, powiedział:

— Nie jest dobrze tutaj jeździć po nocach. To dziwne ziemie.

Książę wzruszył ramionami.

— Spieszy mi się. A raubritterów się nie boję. Nieraz walczyłem z wyrzutkami, wiem, jak płochliwe i zdradliwe to rycerzyki.

— Nie ich mam na myśli, książę. Tu niedaleko Łysa Góra w zakolu Lutyni. — Pecold spojrzał na Władka znacząco.

— E, to takie bajki, bracie Pecoldzie! — wtrącił się Polubion. — Stryj nam opowiadał, jak byliśmy mali.

— Nie wiem, czy to bajki, panie Doliwo — poważnie powiedział Pecold. — Wiem, że widuje się w tej okolicy kobiety Starej Krwi znacznie częściej niż gdziekolwiek indziej.

— A tyś je widział, dowódco? — spytał znad ramienia księcia Szyrzyk.

— Widziałem, rycerzu. I nie chciałbym tego powtórzyć, choć nie należę do płochliwych.

— Dziękujemy ci, Pecoldzie — łaskawie skinął mu głową Władek. — Bywaj zdrów!

Kiedy wsiadł na grzbiet Rulki i odjechali kawałek drogą wiodącą przez las, powiedział kpiąco do braci Doliwów:

— Co on, żarty sobie z nas robił? Czy ja dobrze zrozumiałem, że on się boi starych bab? — Zaśmiał się na cały głos, bo stanęła mu przed oczami poważna twarz brata dowódcy. — Ja się bab nie boję i nie słucham! — skwitował z dumą. — Takie mam zasady!

Rulka zarżała cicho. Skarcił ją, by się nie wtrącała.

— Ty jesteś klacz, najlepsza klacz na świecie, a nie jakaś baba! Jak ty mi dajesz znaki, to ja wiem, że słusznie!

Klacz stanęła w miejscu tak nieoczekiwanie, że Władek poleciał na jej szyję.

— Ej, Rulka, co z tobą?

Cofnęła się o dwa kroki. Przed nimi straż przednia szła spokojnie traktem, słychać było ich rozmowy. O co chodzi klaczy? Dlaczego nagle nie chce iść? Dotknął jej głowy, a Rulka nagle skoczyła w przód tak szybko, że znów upadł na jej szyję. Stanęła równie gwałtownie, jak ruszyła, Władek odwrócił się, usłyszał świst i niegłośne uderzenie. W powietrzu zderzyły się dwie strzały, w miejscu, w którym on był przed chwilą. Musiano je wystrzelić naraz z dwóch przeciwnych stron. Odruchowo złapał się za szyję. Dopiero wtedy poczuł zimny pot na plecach. Gdyby nie Rulka, już byłoby po nim.

— Atak na księcia! Straże w las! — komenderował Szyrzyk. — Złapać ich żywych lub martwych!

— Co to było, u licha? — krzyknął do niego Władek.

— Diabli wiedzą! — Podjechali do niego Doliwowie i na wszelki wypadek otoczyli księcia.

Chwał i Szyrzyk zdjęli z pleców łuki.

— Tam dalej ziemie Zarembów. Czyżby oni? A może raubritterzy liczyli na szybki zysk?

Nad ich głowami zaszumiały bezlistne drzewa. Z lasu po obu stronach słychać było nawoływania straży. Władek obdarzył Rulkę pocałunkiem w sam środek łba.

— Moja niezawodna...

— Stój! Ani kroku dalej! — krzyknął Chwał do pieszego, który nieoczekiwanie wynurzył się z lasu. — Ktoś ty?

Władysław odwrócił się w tę stronę, zmrużył oczy, bo mrok zaczynał powoli zapadać. I roześmiał się.

— Daj spokój, Chwale! To kobieta! Do kobiety chcesz strzelać?

Z lasu wyszła nie jedna, a dwie młode kobiety. Chwał opuścił łuk.

— Podejdźcie tu! — zażądał.

Kobiety bez lęku zbliżyły się. Władek przyjrzał się im krytycznie. Były do siebie podobne niczym siostry, ubrane w jednakowe zielone suknie i wełniane płaszcze. Całkiem proste, ale i tak za dobre jak na zwykłe łachmany wieśniaczek. Wyglądały raczej jak zielone zakonnice, tyle że bez welonów — pomyślał.

— Coście za jedne? — spytał Szyrzyk.

— A wy? — zuchwało zapytała jedna z nich.

— Odpowiadaj, jak pytam!

— Dlaczego to twoje pytanie ma być ważniejsze niż moje? — Druga z kobiet przekrzywiła głowę.

— Bo stoicie przed księciem Starszej Polski, Władysławem! Zgiąć kolana! Ukłonić się! — zdenerwował się Szyrzyk.

— Daj spokój — powiedział łagodnie Władysław i zwrócił się do kobiet: — Jak wasze imiona?

— Trzmielina, panie — równie grzecznie odpowiedziała pierwsza.

— Jemioła — krótko przedstawiła się druga.

— Tutejsze?

— Nie, napływowe. Za pracą, ze Śląska przyszłyśmy.

— Ze Śląska? Za pracą? — zaciekawił się Władek. — To wcześniej czyimi byłyście poddanymi? Księcia Głogowa?

— Różnie, dobry panie — uśmiechnęła się ta, która się przedstawiła jako Trzmielina. — Pracowałyśmy w „Zielonej Grocie", to na zbiegu granic śląskich księstw.

Pawełek Ogończyk, który wyjechał w międzyczasie z lasu i przysłuchiwał się rozmowie, parsknął.

— Och! Miłe moje panie! To tam już pracy dla was nie było?

— Była — uśmiechnęła się zaczepnie ta druga — ale czasy takie, że chciałyśmy w spokojniejsze miejsce.

— Słyszycie? — pokiwał głową zadowolony Władek. — U nas spokojniej niż na Śląsku! A niech jeszcze raz ktoś gada, że w Starszej

Polsce rozboje i pożogi! Ja panie na świadków wezmę, że w moim księstwie jest dobrze, prawda, pani Jemiołuszko?

— Jemioło — poprawiła go grzecznie dziewczyna.

— Lepiej nie, książę, oj, lepiej nie! — zanosił się śmiechem Pawełek. — „Zielona Grota" to dom rozpusty!...

Władka trochę ścięło. Poczuł się głupio. Raz, że nie wiedział, dwa, że chciał kobiety lekkich obyczajów brać na świadków swej praworządności, trzy, że w życiu by nie powiedział, że to dziwki, cztery, że Ogończyk chadza w takie miejsca. Odchrząknął.

— A czemuście nieoznakowane? — mruknął, żeby jakoś wybrnąć z kłopotliwej sytuacji. — W Starszej Polsce kobieta tej profesji musi nosić żółtą opaskę albo koszulę.

— Ależ nosimy, jaśnie książę! — odrzekły jednocześnie i zadarły kiecki do kolan.

Rzeczywiście, to, co miały pod spodem, było żółte. Odwrócił wzrok.

— No, dość już czasu straciliśmy. Chwał, wołaj ludzi, jak nikogo nie znaleźli, to i po ciemku nie znajdą. Musimy w drogę przed nocą.

— Piękna klacz, książę — powiedziała dziewczyna i zbliżyła się do Rulki.

— Nie podchodź! — krzyknął Władek. — Klacz... gryzie. Kopie też czasami, kopie. I jest, tego... niebezpieczna... bardzo groźna klacz...

Ale Rulka jakby chciała zaprzeczyć jego słowom. Wyciągnęła szyję w stronę dłoni dziewczyny i dotknęła jej łbem. Jemioła zrobiła coś, co wyłącznie Władek i to tylko czasami mógł zrobić — przytknęła swoje czoło do czoła klaczy.

Chryste Panie, tego jeszcze nie było! — jęknął Władek w duchu. — Kurtyzany mi klacz zbałamucą, Jezusie i Matko Najświętsza, jak ja się Jadwini wytłumaczę? Niech stąd idą, kysz, kysz, a kysz...

Chwał, Szyrzyk i Polubion mieli miny równie zdumione, jak on. Znali Rulkę od źrebca i żaden z nich w życiu by się na to nie poważył. Przecież to była przewodnica stada, klacz, która obcych traktowała jak obcych, kopytami, zębami, jeśli trzeba. Klacz, która niedawno w Świeciu omal nie staranowała wielkiego jak dąb szarego Krzyżaka.

Z lasu wyjechali ludzie, Chwał dwoma rozkazami uformował pochód. Dziewczyny skłoniły się i weszły w las, po przeciwnej stronie traktu. Róg zagrał sygnał odjazdu i ruszyli.

— Coś podobnego — wzruszył ramionami książę i otrząsnął się. — Wolę o tym zapomnieć. Pawełek, do mnie! Ty mi powiedz, synu, skąd ty takie miejsca znasz, co tam robisz i mów wszystko, jak na spowiedzi!

— Panie! — przerwał im spowiedź Ogończyka Szyrzyk. — Zaraz będziemy odbijać na Dębno, ale straż przednia mówi, że w lesie po drugiej stronie żeruje stado jeleni...

Władek zapalił się w jednej chwili.

— Dębno nie zając, nie ucieknie! Ruszajmy na jelenie, to przywieziemy gościniec.

On i jego ludzie ponad wszystko kochali polować. Zagonili się za jeleniami, które najwyraźniej czymś spłoszone bystro pobiegły w las. Władek nie chciał przerwać gonitwy. Polowanie bez zdobyczy? Nigdy w życiu! Ale o świcie, zamiast jeleni, zamajaczyła im na drodze dwójka konnych z czarnym orłem Głogowczyka na piersiach.

— Zamiast na jelenie zapolujmy na głogowskich ludzi! Co oni tu robią?

— Książę — oprzytomniał Szyrzyk — Głogowczyk w Poznaniu, mieliśmy jechać odbijać...

— Za nimi! — nie słuchał go Władek. — Za nimi!

Głogowscy zawrócili i galopem zaczęli uciekać w stronę siedzącej na skraju lasu wsi. Gdy książę i jego ludzie wpadli między chałupy, śladu po zwiadzie Głogowczyka nie było. Chłopi przecierali zaspane oczy i kręcili głowami.

— My nie...

— ...nic nie wiemy...

— Łżą! — wściekł się Władek. — Kryją głogowczyków i łżą! — I wyrwał z ręki swego giermka pochodnię.

Zawalisty chłop w rozchełstanej koszuli wyszedł mu tuż przed Rulkę i usiłował chwycić ją za uzdę. Kilku innych szybko złapało widły, chcąc stawić opór.

— Nam, wielki panie, wszystko jedno! — gniewnie krzyknął chłop. — Każden z was jest taki sam!

— To nie pan! To książę Władysław. — Szyrzyk zdyscyplinował chłopa batem.

Ten jednak, do bata przywykły jak wół, nie odstąpił od Rulki, i hardo patrząc na Władka, powiedział:

— Wszystko nam jedno, jaki książę, bo każden jeden taki sam! A my nie jesteśmy książęca wieś!

Władysław nie wytrzymał. Rzucił zapaloną pochodnię wprost pod strzechę chałupy.

— Nie książęca? To czyja?! — wrzasnął.

Chałupa stanęła w ogniu w jednej chwili, od niej zajmowały się kolejne. Chłopi ruszyli gasić.

— To Czermin. Wieś biskupa Andrzeja Zaremby — warknął chłop i skoczył po ceber z wodą.

— Odjazd! — krzyknął Władek. — Odwrót!

Mielił w zębach: „Czermin Andrzeja Zaremby". Splunął. Paskudnie się narobiło. Niepotrzebnie. Ale kryli głogowskich ludzi. Podjechał do niego Ogończyk.

— Nie twoja wina, książę. Kryli głogowskich ludzi. Jakoś się z tego wytłumaczymy.

— Jakoś tak, Pawełku — powiedział i przestał się tym przejmować.

Do Dębna dojechali w południe. Siedziba Doliwów była tak skryta w głębi lasów nad Wartą, że gdyby Szyrzyk nie prowadził ich pewien swego, Władysław zwątpiłby, że jedzie do znacznych przecież rycerzy.

— Tak to jest, mój książę, w Starszej Polsce — powiedział. — Dla panów Zarembów najlepsze ziemie, grodziska jak miasta i nawet wieża w Jarocinie. A Doliwowie? Cóż to dla nich Doliwowie! Ot, tyle, że mogą sobie siedzieć ukryci w lesie, jak jacyś Dzicy. Tu, koło Dębna, nawet przeprawy przez Wartę nie ma, a nurt tak rwący, że rosłego mężczyznę porwie bez trudu. Jedno, co dobre z takiego położenia, to, że na rodowców nikt się zasadzać nie chce, bo nie ma jak pod Dębno podejść.

Mikołaj Doliwa czekał na gości, powiadomiony przez rodowców.

Władysławowi szkoda było czasu; trochę go zmarnował na pogoń za jeleniami, trochę na pechowy Czermin, chciał jak najszybciej do Poznania, więc do rozmów z gospodarzami zasiadł od razu, z marszu.

— Książę, mój książę. Chciałbym cię pocieszyć, wesprzeć dobrym słowem, ale nie mogę, bobym łgał — powiedział Mikołaj Doliwa i Władek już wiedział, iż to Doliwa z krwi i kości. — Mam za to radę. Starszej Polski nie opanujesz bez Zarembów. Przykro mi to mówić, ale taka prawda. Póki ich nie masz za sobą, to jakbyś kraju nie miał. Tu rodów dużo, jak w każdym księstwie. Cztery z nich udają, że trzymają władze. Te cztery to herby Łodzia, Nałęcz, Grzymała i Zaremba. Ale prawdziwa władza jest w rękach Zarembów.

— Psiakrew! — jęknął Władek, odsuwając od siebie myśl o wsi.

— Wiem, że biskup poznański woli Głogowczyka.

— Woli i się z tym nie krył od początku. Gdyby arcybiskup Jakub dał mu jakąkolwiek szansę, przekabaciłby wszystkich przed twą elekcją. Ale Jakub II mu jej nie dał. Powiedział, że to masz być ty, i wszyscy to słyszeli. Tyle tylko, drogi książę, że Andrzej Zaremba, choć biskup Poznania i dawny kanclerz Królestwa, to nie jest cały ród.

— Wiem, wiem — jęknął Władek, przypominając sobie wielką jak skała sylwetkę wojewody Zaremby. — Ten drugi też za mną w ogień nie pójdzie.

— Nie mam na myśli wojewody — zaprzeczył mu Mikołaj Doliwa. — Prawdziwe serce rodu bije nieopodal mych włości. W Jarocinie i Brzostkowie. Rodem półwa za murem rządzi Sędziwój Zaremba.

— Sędziwój? — zdziwił się Władek. — Jego na elekcji nie było!

— W tym sęk, książę! Nie było! Nie było go także na elekcji królewskiej Przemysła. Teść twój, świętej pamięci umiłowany książę Bolesław, nie opowiedział ci historii pogorzelickiej? O tych polach przy przeprawie, gdzie baronowie przed laty podzielili władzę?

— Nie. Ja, widzisz, nie poznałem tak dobrze mego teścia. Bo on mi zmarł, jak Jadwinia była jeszcze młodziutka...

— Nie wierzę — szczerze zdziwił się Doliwa. — A z Przemysłem II o tym nie mówiłeś?

— No, jakby rzec... nie mówiłem. Na rany Chrystusa, Doliwo, ja nie jestem z tych, co by o wszystko pytał! — zdenerwował się Władek. — Nie znoszę tych starych gadek, opowieści, co kto z kim, przeciw komu, dlaczego, legendy, bajki, straszenie dzieci. Ja lubię żywoty królów wojowników, wiesz, Bolesław Śmiały, co Ruś zawojował, Bolesław Chrobry pierwszy król, najbardziej lubię o tym, jak cesarza niemieckiego pohańbił, znam to na pamięć — rozgorączkował się Władek. — Jak tron czeski zajął, jak się koronował, jak sobie siostrę ruskiego kniazia przywiózł na Ostrów, bo mu się spodobała, jak mieczem bramę Kijowa rozrąbał! Och, dużo by gadać. Jak nie znacie, opowiem, ale później. Wracajmy do Zarembów.

Mikołaj Doliwa wpatrywał się w niego pilnie i z, jak się Władkowi zdało, podziwem. Otrząsnął się i powiedział:

— Do Zarembów. Z nimi jest, jak powiedziałem. Sędziwoja trzeba pozyskać, on trzy czwarte rodu za gęby i miecze trzyma. Drugi jest Andrzej, prawda. Ten łasy na dobra i zaszczyty. Beniamin trzeci, a jego pozyskasz uwolnieniem syna z lochu. Choć nie, cofam słowo.

Beniamina pozyskasz, wypuszczając Michała, a stracisz w ten sposób Sędziwoja, bo Michał siedzi, jak wiesz, za zabójstwo jego syna...

— Wiem, wiem. Beniamin prosił w jego sprawie. — Przypomniał sobie Władek. — Czyli obiecać Beniaminowi, a w imię przyjaźni Sędziwoja nie wypuszczać? Zapamiętałem.

— Z tą przyjaźnią to bym nie miał wygórowanych oczekiwań, mój książę — ostudził go Mikołaj. — Jeśli pozyskasz jego głos, to już będzie szczyt marzeń.

— Zaraz! — wpadł na pomysł Władysław — A może najpierw do Sędziwoja wpadniemy, skoro mówisz, że to po sąsiedzku? Napiję się z nim, jak z równym sobie, zapoluję, pogadam, pokażę mu, że mam szacunek. To jest myśl! — zapalił się do tego. Wspólne polowanie, tak zdobył niejedną przyjaźń. Przy tej okazji jakoś się z tego Czermina Sędziwojowi wytłumaczy, a ten weźmie to na siebie przed Andrzejem Zarembą.

— Chciałem powiedzieć „fatalny pomysł", ale że się mało znamy, to powiem: „Mój książę, nie rób tego" — przerwał mu szybko Mikołaj Doliwa. — Lepiej zaproś go do Poznania, z uszanowaniem. Sędziwój nie znosi niezapowiedzianych gości. Brzostków otoczony jak twierdza, ostatnimi czasy u nas niespokojnie, giną ludzie. Cud, żeście wy spokojnie do mnie dojechali.

— Całkiem spokojnie to nie było. Najpierw śmignęły z lasu dwie strzały, gdyby nie przytomność mojej klaczy, nie siedziałbym u ciebie, a potem spotkaliśmy dziwaczne kobiety. Ladacznice — dokończył Władek szeptem, bo młodzi synowie Mikołaja siedzieli na krańcu ławy.

— Nie może być! — oburzył się Mikołaj. — A skąd takie tutaj?

— Mówiły, że uciekły ze Śląska, że tutaj teraz pracują, bo spokojniej — powtórzył relację Władek.

Mikołaj pokręcił głową. Skinął na sługę, by ten dolał wina.

— A jak wyglądały te osoby, pamiętasz, książę?

— Normalnie. Właśnie normalnie i ja z początku nie wiedziałem, że to takie. Pawełek Ogończyk je rozpoznał. Pawełek, powiedz!

— Ja nie rozpoznałem, ja znałem ten ich przybytek, z którego uciekły. — Ogończyk oczywiście zaczął od zaprzeczeń. — Kobiety, jak kobiety, całkiem zwykłe. Jakby się do profesji nie przyznały, to tak jak mój książę powiedział, byśmy nie rozpoznali. Zielone zwykłe suknie, nic więcej.

— Zielone, powiadasz? — powtórzył Doliwa w zamyśleniu.

— Znasz je, komesie? — zainteresował się Władek. — Mów, nie wstydź się!

— Śmiem sądzić, mój panie, żeście spotkali nie ladacznice, ale najprawdziwsze kobiety Starej Krwi. — Z ciężkim westchnieniem kiwnął głową Mikołaj Doliwa. — Wina, sługo! Zdrowie księcia, że wyszedł z tego cało!

ELŻBIETA, księżna wrocławska, zapukała do celi opatki, i nie czekając na zaproszenie, pchnęła drzwi i weszła. Stanęła w progu jak wryta. Klaryski się modliły. Przez głowę przeszły jej najczarniejsze myśli, bo jeszcze nigdy nie widziała, by to robiły w „godzinie modłów o dynastię". Zresztą sama przybyła do nich z nowinami, które budziły wiele pytań. Opatka, Jadwiga głogowska przeżegnała się, za nią Ofka. Jadwiga Pierwsza jęknęła:

— Pomóż mi, Elżuniu, wstać z kolan!

Podźwignęła starszą damę i spytała:

— Siostry, co się stało?

— Dziękujemy Panu za mego brata — uśmiechnęła się opatka.

Elżbieta chwyciła się za serce z przerażeniem. Jeśli coś dobrego stało się księciu Głogowa, to Bolke może być w niebezpieczeństwie! Już dwa tygodnie, jak wyjechał i wieści nie ma.

— Nie bój się, księżno! — zarechotała Jadwiga Pierwsza. — Nie za tego brata. Za Garbusa. Kto by pomyślał, że wybrali naszego Konrada patriarchą Akwilei! Co za honor dla całej dynastii! I pomyśleć, że taki los spotkał chłopaka z Żagania, kalekę!

— Konrad nie jest kaleką! — nadęła policzki opatka. — Ma nierówne plecy. Przydomek jest złośliwy.

— Oczywiście! Mały Książę kujawski jest w istocie wysoki, tylko nikt tego nie widzi! A dziad Ofki i Elżbiety był zwany Plwaczem, bo zawsze tam, gdzie się pojawił, mżyło. Twój świętej pamięci mąż, Elżuniu, też nie był Tłusty ani Brzuchaty, a Bolke nie jest Surowy! Ha, ha, ha!

— Bolke jest... — wyrwało się Elżbiecie zbyt szybko i natychmiast zasznurowała usta.

— Uuuu! — podchwyciła Jadwiga Pierwsza. — A więc stało się! Wziął, rzucił na łoże i zwyobracał! Nie wyjdziesz stąd, dziecko, nim się nie wyspowiadasz!

Opatka zaklaskała w dłonie.

— Plotki później!

— To nie będzie plotka! To opowieść z pierwszej ręki — próbowała postawić na swoim Pierwsza.

— Nie! Sytuacja jest napięta. Musimy ją poskładać.

— Zobacz, Elżuniu. Brata jej wywyższyli godnością i natychmiast się rządzi — podpuszczała Pierwsza, lecz opatka nie dała się wyprowadzić z równowagi.

— Wielki splendor, ale mogą być z tego kłopoty. Przeczuwam, że gdy jeden brat ruszy do swej odległej diecezji, drugi zagarnie jego dzielnicę. Henryk potrzebuje gotówki na walkę z Władysławem o Poznań, poszuka najbliżej, czyli u Konrada. Będę miała wojnę domową, lecz nie w tym rzecz.

— Poproś szwagra Elżuni. Bolke nie-Surowy chętnie zdyscyplinuje księcia Głogowa — szczuła zręcznie Pierwsza.

— Jadwigo, skup się — poprosiła ją opatka. — Potrzebujemy twego rozumu i znajomości Przemyślidów. Václav II wykonuje zaskakujące posunięcia. Najpierw pomógł Albrechtowi Habsburgowi dostać tron Rzeszy, a teraz zaręczył syna z córką króla Węgier, występując przeciw interesom Habsburgów. I w tym samym czasie przekupił księcia Władysława, by ten odstąpił od Krakowa.

— To nie wszystko! — szybko dorzuciła swoje nowiny Elżbieta. — Jadwinia, moja siostra, donosi, że wokół Władka zaroiło się od czeskich doradców. Władek ich nie słucha, bo on się przecież nikogo nie słucha, ale Jadwinia niepokoi się, co oni przy nim robią. Aleksy z Leckinsteinu, mówią na niego Lekszyk, został kasztelanem rudzkim zaraz po tym, jak książę wziął te pięć tysięcy grzywien od Václava. Jadwinia zauważyła, że ów Lekszyk szybko zdobył sobie serca w otoczeniu księcia. Wesoły, miły, ale na Boga! To Czech!

— Morawianin — poprawiła Pierwsza — śliski typ. Taki, co buty będzie księciu podawał, w oczy patrzył, śmiał się z najgłupszych dowcipów i swoje robił. Pojawił się na dworze poprzedniego wrocławskiego księcia, w czasach kiedy ten był najbliższym sojusznikiem Przemyślidów. Po jego śmierci wylądował w Opolu, u złotych orłów na błękicie, zatwardziałych przyjaciół czeskich. Czy książę kujawski jest ślepy, by pierwszego szpiega Przemyślidów brać do siebie? Chyba że mu go narzucili w komplecie do gotówki. Daj znać siostrze, by przestrzegła męża i patrzyli Lekszykowi na łapy.

— Václav II zarzucił sidła na Władka. I to takie, którym mało kto potrafi się oprzeć — złote — powiedziała smutno Ofka. — Raz już wziął Władysława na to, że dał mu pieniądze na wojnę z Głogowczykiem. A teraz, kiedy Głogowczyk wzmocnił się w Poznaniu, kiedy pozyskał dla siebie możnych, znów Václav wkracza do akcji, by go osłabić rękoma Władysława. Zupełnie jakby ci dwaj byli pionkami na szachownicy czeskiego króla.

— Pytanie: w co gra Václav? Bo nie robi tego dla rozrywki.

— Przemyślida gra o polską koronę. Wykańcza przeciwników.

— Sami się wykańczają, według jego planu.

— Václav II odziedziczył imperialne marzenia po ojcu, Přemysle Ottokarze. Dlatego patrzy w dwie strony równocześnie, na Węgry i Polskę. Ale powiadam wam, siostry, on nie ma klasy i talentu swego rodzica. Za tym wszystkim stoi ktoś jeszcze.

— Biskup krakowski Jan Muskata — powiedziały równocześnie Elżbieta i opatka.

— A zatem, moje drogie! Jeśli Václav zrobi skok na polski tron, przeniesie stolicę do Krakowa. I tak skończy się idea Odrodzonego Królestwa — zawyrokowała posępnie Jadwiga Pierwsza i po chwili grobowej ciszy zatarła dłonie. — No, moje drogie! Przecież nie będziemy tu łez lały nad wojnami doczesnego świata! Świata, z którego wykreślono nasze imiona, bo nie byłyśmy dość godnymi, by stać się żonami władców. Jak zawsze mamy dwa rozwiązania: pierwsze, to znając ich plany, możemy je pomieszać, tak aby w zdumieniu pomyśleli, że oto sam Najwyższy wtrąca się w ich losy. A drugi, za którym ja optuję, to wycofanie w kontemplację, która zakłada zgodę na wyroki boskie. Zatem, z taką zgodą przyjmuję, iż nasza Elżbieta odbyła tajemny miłosny stosunek ze swym szwagrem i o tym właśnie chcę posłuchać. Kto jest za? Ha, ha, ha! Sprzeciwu nie widzę! Mów, kochanieńka, i żadnego szczegółu nam nie pomijaj!

ANDRZEJ ZAREMBA uciekł z Poznania do Jarocina, gdy Władysław we wściekłym odwecie brał miasto szturmem. Nie ryzykował wyjścia przez Bramę Wielką, zresztą stamtąd dochodził już zgiełk brutalnej walki. Skierował się ku Ciemnej Bramce. Ze zgrozą zobaczył, że jej wąski, niski prześwit niemal zapycha tłum mieszczan, którzy wypychają z miasta na wieś swe żony i córki, bojąc się osławio-

307

nych gwałtami madziarskich wojowników księcia. Naciągnął na oczy kaptur, by ciżba go nie rozpoznała i rozpychając się łokciami ruszył. W nozdrza Andrzeja wdarł się potworny smród idący z zaułku. Byle jak sklecone chaty niemal oklejały Ciemną Bramkę z obu stron. Przysłonił dłonią nos i pomyślał z obrzydzeniem — tu żyją ludzie? Nie rozglądał się jednak na boki, nie sprawdzał, czy ten odór naprawdę pochodzi z ludzkich siedzib; po prostu uciekał z obleganego miasta. Po prostu wiał. Dopiero kiedy znalazł się za bramą jarocińskiej siedziby Sędziwoja, odetchnął.

— Pana nie ma, pojechał do Brzostkowa — oznajmił mu zarządca z półlwem na piersi. — Posłać po niego?

— Posłać — oddał słudze płaszcz. — Ale nie po nocy. Nie spieszy się, zabawię dłużej.

— Jak pan kanclerz sobie życzy! — Ukłonił się. — Wieczerzę podać w Sercu Edmunda?

— Tak, poproszę — uspokajał się powoli Andrzej. — Na początek wino.

Kielich rozjaśniał mu myśli. A musiał się poważnie zastanowić.

Czy Mały Książę już wie o tajnych porozumieniach z Głogowczykiem w Kościanie? Czy też wrócił, w myśl swojej zasady, że co mu zabiorą, on odbija?

Wszedł na górę, do Serca Edmunda, reprezentacyjnej sali. Na ścianie na wprost okna pysznił się złoty smok.

— Wina, przynieście mi wina! — krzyknął, by pogonić sługi.

Dobrze jest być głową rodu — pomyślał, patrząc na smoka. Nic dziwnego, że Sędziwój Zaremba niczego się nie lęka. Tu, w jarocińskiej wieży, można się poczuć panem.

Pierwszy kielich wypił duszkiem, drugi wolniej, rozpierając się na rzeźbionym w smocze ogony krześle Sędziwoja.

Nie, Karzeł nie może widzieć o pertraktacjach z księciem Głogowa. Andrzej nie ujawnił ich jeszcze nawet swym rodowcom. Sytuacja nienadzwyczajna. Ręczył Głogowczykowi, że da mu poparcie możnych w zabiegach o tron, a tu Karzeł wyprzedził jego zabiegi i sam sobie Poznań odbija. Co robić? Jak nie stracić twarzy w grze o wielkie kanclerstwo?

— Jeszcze wina! — pogonił sługę, który przyniósł mu niepełny dzban.

— Panie Andrzeju — powiedział wchodząc na górę, zarządca Jarocina. — Masz pilnego gościa.

Andrzej niemal podskoczył. Przed oczami stanęła mu ciemna, ponura sylwetka Głogowczyka.

— *Apage, Satanas!* — Przeżegnał się.

— Nie wiem, czy *Satanas*, ale po nocy. — Wzruszył ramionami zarządca. — I w dodatku Doliwa. Pan Polubion Doliwa, wysłannik księcia Władysława. Kazałem mu czekać na dole, pan Sędziwój obcych nie przyjmuje w Sercu Edmunda.

Biskup poznański zamarł. Przyszli po mnie! Kto nie rozmawia, jest winny — pomyślał szybko i postanowił iść w zaparte.

Wstał z niechęcią i zszedł na dół do obszernej izby jadalnej. Polubiona widział wiele razy, słowo „znał" byłoby nie na miejscu. Zaremba nie bratał się z Doliwami.

— Co sprowadza o tak późnej porze? — przywitał go zaczepnie i w ostatniej chwili uznał, że nie musi nawet przyznawać się, że wie o najeździe na Poznań. Nikt go w tłumie uciekających za rękę nie chwycił.

— Pan mój przybył do Poznania, chciał się z szanownym biskupem spotkać, ale bramy zastał zamknięte — gładko powiedział Doliwa.

— Więc dlatego musiał je rozrąbać? — wyrwało się Andrzejowi i natychmiast dodał: — Jak ludzie mówią.

— Książę miał na myśli bramy biskupiej rezydencji na Ostrowie. I przyrzekam, iż nie tknęliśmy ich.

— Ach tak — opanował się biskup. — Co zatem?

— Książę Władysław pyta o zdrowie.

— Dobre.

— Zaprasza do Poznania.

— Nie wybieram się. Spotkanie kapituły już było.

— Och, to żal, że najważniejszego Zaremby zabraknie, gdy książę zaprosił i pana Sędziwoja, i pana Beniamina na spotkanie w Okrągłej Sali. Nie muszę dodawać, iż książę kazał zdjąć czarne orły z wieży.

— Sędziwoja nie zaprosił, bo on w Brzostkowie! — wyrwało się Andrzejowi.

— Wiemy, wiemy. Już i tam pojechali posłowie — nie dał się wyprowadzić z równowagi Polubion. — Nie muszę dodawać, iż książę kazał zdjąć czarne orły z zamkowej wieży. Nie moja to rzecz, co książę zdejmuje, co zakłada. Bawicie się Poznaniem, jak dzieci zamkiem z piasku.

— My? — całkiem szczerze zdziwił się gość. — A mnie się zdawało, że to baronowie bawią się książętami. Raz tego poprą, raz tamtego. Obiecają, nie dotrzymają...

Andrzej Zaremba wstał na tyle nagle, że Polubion nie zdążył się odsunąć. Oparł się rękoma o stół, wychylił i zbliżył czoło do jego czoła.

— Uważaj, co mówisz, Doliwo. Bo nie rozmawiasz z równym sobie, lecz z biskupem Andrzejem Zarembą.

Polubion z tej odległości popatrzył mu prosto w oczy i wyszeptał obłudnie:

— Tak się boję. Taki zaszczyt to dla mnie, zwykłego Doliwy, że jaśnie pan Zaremba mnie przyjmuje w jarocińskiej wieży.

Andrzej osunął się i usiadł. Zmierzył Polubiona pogardliwie.

— Czego chcesz?

— Ja? Ja jestem tu tylko wysłannikiem mego księcia, Władysława. Tego samego, którego wezwaliście na tron po śmierci króla. Mój książę kazał ci przekazać, że ma dla was, Zarembów, wiele szacunku i chętnie z wami omówi najważniejsze sprawy księstwa.

Nareszcie — pomyślał Andrzej, choć gadanie z Małym Księciem było wbrew jego ustaleniom z Głogowczykiem. — Nareszcie Karzeł zrozumiał, kto tu rządzi. A skoro układ z Henrykiem tajny, to nie łamiąc go, można coś jeszcze i z Władysławem wytargować. Przy okazji zniknie niezręczny problem, że nie wtajemniczył rodowców. Wezmą, ile Karzeł da, a martwić się będzie potem.

— Co proponujesz?

— Już mówiłem, że nie ja, tylko mój książę. I nie dowiesz się, siedząc tutaj. Musisz, jaśnie panie biskupie, ruszyć się do Poznania. Przy okazji: nakryliśmy w twoich dobrach zwiadowców Głogowczyka. Za karę puściliśmy z dymem Czermin.

W Andrzeju się zagotowało. Doliwa skończył i zmierzał do wyjścia. Stanął jednak w progu, odwrócił się i powiedział głośno:

— Jeśli jednak naprawdę interesuje cię, co myślę, to powiem. Różnica między Zarembami i Doliwami, poza majątkiem i pozycją, jest jedna: my działamy na rzecz swego księcia. A wy patrzycie wyłącznie na własny interes.

WŁADYSŁAW pierwsze, co zrobił na zamku, to kazał zatkać otwory pod sufitem wieży. Czarne wroniska, które zepsuły mu elekcję, więcej tego nie powtórzą. Potem, korzystając z mediacji swego nowego druha, Lekszyka, przyjął jaśnie panów Zarembów, tak jak radził mu stary Mikołaj Doliwa z Dębna. No, może kolejność mu nie wyszła, bo najszybciej miał u siebie wojewodę Beniamina. Obiecał mu wolność dla Michała w przyszłości, ale jeszcze nie dzisiaj. Mikołajowi Zarembie, wojewodzie pomorskiemu, temu samemu, u którego rok wcześniej gościł i nadania robił, z ciężkim sercem, ale zamienił urzędy, bo ten nalegał. Dał mu urząd wojewody gnieźnieńskiego. Gnieźnieńsko-kaliskiego. Władysław zachwycony nie był; raz, że musiał odebrać urząd staremu Mikołajowi Łodzi, a dwa, że czuł, iż ciężar wpływów Zarembów za bardzo przesuwa mu się w centrum kraju. Szczerze mówiąc, było źle — wojewoda gnieźnieński i poznański z jednego rodu. Ale co miał robić, jak ustąpić nie chcieli? Na końcu dobił go Sędziwój i Władek dał mu kasztelanię poznańską, pamiętając, że to najważniejszy w rodzie.

Możni panowie Starszej Polski znów byli przy księciu ugłaskani nadaniami. Cel osiągnięty, cóż, że kosztowało, aż ciary szły? Lekszyk go pocieszał, że takie kupowanie wierności to uroki władzy, a przecież teraz samymi Zarembami może odeprzeć Głogowczyka.

Ledwie skończył z nimi, jak z Łęczycy przybył Ruder od Jadwini. Ponury kanclerz obrzucił Lekszyka chłodnym spojrzeniem i powiedział:

— Księżna pani przysłała mnie w sprawach osobistych.

— Naturalnie, już znikam, nie chcę przeszkadzać. — Lekszyk uśmiechnął się szeroko i wyszedł.

Uwadze Władka nie umknęła niechęć kanclerza kujawskiego do Lekszyka.

— Czemuś się na niego uwziął? Gdyby nie on, nie udobruchałbym Zarembów. Wielkie mi usługi wyświadczył — z wyrzutem skarcił Rudera.

— Przykro mi, mój książę, ale to czeski szpieg.

Władek prychnął.

— To, że on z Moraw, jeszcze nie świadczy, że szpieg. Jesteś staroświecki, kanclerzu. Był gwarantem tamtej wypłaty, słowa dotrzymał, spisał się jak najlepiej, co do grosza pieniądze dostałem. Ja nic do niego nie mam i tobie też radzę, byś przestał węszyć. Co tam u mojej małżonki?

— Księżna pani wysłała mnie w tej sprawie.

— W jakiej? — Władek wzniósł oczy ku sklepieniu, bo zdawało mu się, że z zatkanych dziur coś się prószy. — Ruder, zobacz tam na górę, czy mnie wzrok zawodzi, czy się sypie? Z tych dziur?

— Sypie się, książę — potwierdził kanclerz.

— Fryczko! Przyślij tu kogoś od kasztelana Zaremby, żeby się tym porządnie zajęli. Szlag mnie trafia. Co mówiłeś, Ruder?

— Co ty powiedziałeś, panie? — przerwał mu kanclerz. — Kasztelan Zaremba? Zdegradowałeś wojewodę Beniamina do kasztelana?

— Nie, Sędziwoja zrobiłem kasztelanem. No co tak się patrzysz?

— Książę, to niemożliwe.

— Możliwe — z zadowoleniem uśmiechnął się Władek. — Lekszyk mi pomógł. Kupiłem sobie Zarembów! Widzisz, gdzie ja potrafię zajść bez twoich wątpliwych rad i ponurej gęby? No co ci jest? Osłabłeś? Hej, dajcie wody panu kanclerzowi! — zaniepokoił się Władek.

W tej samej chwili do Okrągłej Sali wpadł Polubion Doliwa.

— Książę! Zdrada! — krzyknął, ledwie łapiąc oddech.

— Gdzie? Kto? No mów! — Skoczył ku niemu Władysław.

— Biskup poznański Andrzej Zaremba obiecał Głogowczykowi Poznań i królewską koronę Przemysła! — wyrzucił jednym tchem Doliwa.

— Chryste Panie! Wracasz od niego? Powiedział ci to? — Władek chwycił Polubiona za kaftan i uniósł.

— Tak. Nie. Postaw mnie, książę! Byłem u niego, wzbraniał się przed przyjazdem do Poznania na twoje wezwanie. Wyszedłem wściekły. W stajni szykował się do drogi posłaniec, pakował kufer z dokumentami. Podpadł mi, bo się zląkł na mój widok. Zaczaiłem się na niego na trakcie, otworzyłem kufer i przejrzałem. A tam potwierdzenia nadań dla plebanów poznańskich uczynione przez „księcia Królestwa Polskiego i Pomorza", Henryka.

— Każ teraz, panie — odezwał się docucony Ruder — swoim Zarembom ukarać biskupa za zdradę.

— Chyba kpisz! — wściekł się na niego Władysław. — Sam go ukarzę! Polubion, jedziemy. Czermin to było za mało! Posiadłości biskupa Andrzeja Zaremby zapłoną jeszcze dzisiaj jak najjaśniejsza pochodnia!

Wychodzili szybko, zostawiając Rudera samego. To na kanclerza kujawskiego posypały się z góry drobinki kamieni i wapiennej zaprawy. Wrony wielkimi dziobami wybiły zatkane wcześniej dziury i zaczęły znosić gałązki. Zakładały gniazda.

JAKUB DE GUNTERSBERG w szerokim, słomianym kapeluszu na głowie był ogrodnikiem. Stał na drabinie i do wiklinowego kosza zbierał pierwsze, letnie jabłka. Przyglądał się z oddali Rikissie i margrabiątkom Janowi i Ottonowi. Odróżniał chłopców, wiedział, że ten, który nie nosi brandenburskiego orła, jest narzeczonym królewny. W zasadzie było mu wszystko jedno, miał zlecenie na obu. Dzień był piękny, słoneczny, zapowiadały się gorące tygodnie lata. Wszyscy zapamiętają, iż chłopcy odeszli w kwiecie łąk i wieku. Ta mała, córka Przemysła. Ładna. Już zwróciła na niego uwagę, idzie w stronę jabłoni, a chłopcy jak cielęta za nią. Staje pod drzewem, przysłania oczy dłonią. Oczy ma podobne do ojca.

— Jak cię zwą, ogrodniku? — pyta.

— Krystian — odpowiada Jakub.

— A jak zwą te jabłka?

Tego się nie spodziewał, łże na poczekaniu.

— To stara odmiana, mówią na nią „Piękny Chłopiec". Zechce królewna spróbować?

— Skąd wiesz, że jestem królewną? — Mruży oczy dziewczynka.

— Bo w Salzwedel nie ma drugiej piękniejszej młodej pani — uśmiecha się do niej i gryzie sobie język. — Życzy sobie jaśnie panienka? — Wyciąga do niej jabłko.

— Nie, dziękuję!

Jakub szybko odkłada je do koszyka. Dziewczyna odwraca się na pięcie i idzie ku różanym zaroślom. Zaraz te dwa małe cielaki polezą za nią. Musi szybko coś zrobić.

— A margrabiowie chcą sami zerwać jabłko? Może piękna panienka od nich weźmie?

— Ja chcę — zgłasza się Otto.

— I ja też — powtarza po nim Jan.

Jak to dobrze, że mali chłopcy są przewidywalni. Jakub przechodzi na grubą gałąź, zwalnia drabinę. Obaj wspinają się jeden za drugim. Chyba nigdy tego nie robili, bo twarze czerwienieją im z wysiłku.

— Słyszeli margrabiowie legendę tej jabłoni? — pyta cicho, by nie zwabić dziewczyny. — Nie? Naprawdę nie? O jabłkach najczerwieńszych, które spełniają każde marzenie? Trzeba tylko samemu urwać i od razu zjeść, mówiąc na głos, czego się pragnie skrycie.

— To jest całe czerwone — wskazuje Otto na właściwe jabłko.

— I tam, tam — szepce jego brat, dostrzegając drugie.

Więcej całych czerwonych już nie ma na gałęziach. Jakub de Guntersberg przygotował się do zlecenia starannie.

— Proszę, rwijcie.

Nie musi ich zachęcać. Otto był szybszy. Urwał jabłko i powiedział do jego czerwonego rumieńca:

— Chcę być mężem Rikissy!

A potem ugryzł.

— Dalej, paniczu, trzeba zjeść całe, aż do ogryzka.

Jan, ten młodszy, zarumienił się i skrzywił. Już trzymał jabłko w dłoni, już do niego szeptał:

— Ja chcę być mężem ...kissy! — po czym wbił się w nie zębami łapczywie.

— Coś powiedział? — ryknął na niego z góry starszy. — Powtórz!

— Nie! — Młodszy pochłaniał kęs za kęsem, aż mu leciało z ust.

To niedobrze — pomyślał Jakub i zwrócił mu uwagę:

— Paniczu, musisz zjeść jabłko, a nie nim pluć.

— Coś powiedział? — Otto nadepnął bratu na dłoń, schodząc.

— Auu! — zawył młodszy.

— Spokojnie, margrabiowie! — wystraszył się Jakub de Guntersberg.

Dzieciaki były gotowe pozabijać się bez jego pomocy. Oto siła marzeń wypowiadanych na głos!

— Jaśnie panienka do was idzie, chyba nie chcecie, by słyszała wasz spór?

Nie łgał. Rikissa szła ku nim, lekko unosząc suknię. Chłopcy zeskoczyli z drabiny, stanęli przed nią, cali w pąsach, niepewni, czy słyszała, czy nie. Otto zaatakował.

— Jesteś moją narzeczoną, Rikisso?

— Tak, mój kawalerze Ottonie!

— I nie wyjdziesz nigdy za mąż za mojego brata, obiecaj!

— Skąd ci to przyszło do głowy, mój drogi! Chodźcie, wasz ojciec czeka! Obiecał mi dzisiaj opowieść... Do widzenia, ogrodniku Krystianie!

— Do zobaczenia, mała królewno! — odpowiedział zgodnie z prawdą. A w każdym razie, nie wbrew niej. Kto wie, dokąd go jeszcze zaprowadzi praca sekretnego człowieka, kto wie?

Dzieci odeszły w stronę zamku. Jakub zniósł kosz z drabiny. Ustawił pod drzewem. Sprzątnął ogryzki. Kapelusz położył na koszu. Drabinę odstawił i odniósł do szopy ogrodników. Lubił zostawiać po sobie porządek. Wziął z kosza na wpół zielone jabłko i ugryzł. Nieźle. Ogarnął wzrokiem miejsce swej pracy, uznał, iż pozostawia ład, i oddalił się. Nim chłopców skręci ból brzucha, jego już tam nie będzie.

ANDRZEJ ZAREMBA uniósł ramiona, by sługa mógł nałożyć mu szatę pontyfikalną. Na nią paliusz, taśmy starannie ułożone do przodu. Ucałował pektorał, nim spoczął na jego piersi. Płaszcz biskupi okrył mu plecy, a sługa starannie upiął go na ramionach. Stał prosto, nie schylał głowy, kiedy dwaj następni zakładali mu mitrę. Poczekał, aż ułożą mu na plecy równo obie zwisające z niej wstęgi. Wyciągnął dłonie, by założyli mu białe jedwabne rękawice, a na nie pierścień z herbem. Półlew zza muru wystawił ostre niczym sztylety pazury i objął łapami krzyż biskupi zdobiący centralną część pierścienia. Tak — westchnął Andrzej — muszę być silny niczym lew i jak on bezwzględny. Wyciągnął rękę po pastorał, schwycił go i ruszył.

W ceremonialnej procesji dotarł do katedry. Lud stał po obu stronach drogi i milczał. Niech milczą, tylko cisza przynależy takiej chwili! Gdy stanął przed ołtarzem, poczekał, aż mieszkańcy Poznania wejdą i zajmą miejsca. Po jego prawej i lewej stronie stanęli pobladli kanonicy poznańskiej kapituły ze świecami w dłoniach. Był gotów. Uniósł ramię i krzyknął:

— Przeklęty niech będzie na zawsze! W nocy, w dzień i o każdej godzinie! W domu i poza domem. W polu i na wodzie. Od wierzchołka głowy do podeszwy stóp swoich. Jego oczy niech będą ślepe, uszy głuche, usta nieme. Niechaj język mu przyschnie do podniebienia! Książę kujawski Władysław za występki swoje tak liczne, że wymieniać ich nie sposób bez pohańbienia, zostaje obłożony klątwą! On i ci, którzy z nim są, niech szczezną z głodu, chłodu i wszelkiego utrapienia. Niech cierpią nędzę, choroby zaraźliwe i wszelkie męki.

Zrobił pauzę, bo mu oddechu brakło. W katedrze panowała grobowa cisza. Zaczerpnął powietrza i dokończył:

— Tak jak księcia Władysława mocą daną mi od Boga wyklinam, tak zobowiązuję duchowieństwo swej diecezji, by od tej chwili aż do odwołania nie sprawowało żadnego z obrzędów. Ani mszy świętej, ani sakramentów. Ani pokuty, ani Eucharystii. Ani namaszczenia chorych! Jego czynię osobiście jedynym odpowiedzialnym za to, że poddani będą rodzić się i umierać w grzechu. Na wyłączną odpowiedzialność Władysława interdyktem całą diecezję naznaczam aż po dzień pokajania się księcia! Bo napisane jest: „Niech własność jego będzie przeklęta". Poddani mogą mu wypowiedzieć posłuszeństwo! Żadne błogosławieństwo, żadna modlitwa na nic mu się nie przyda, lecz niech obraca w przekleństwo. Niechaj żarłoczne wilki pożrą ciało jego i tych, co są przy nim. Niech diabeł i piekielni pomagierzy wciąż mu towarzyszą!

Z czoła Andrzeja płynęły strugi potu, pastorał mu ciążył, ale nie mógł opuścić ramion. Uniósł je jeszcze wyżej i z całej siły uderzył krzywaśnią pastorału w otwartą dłoń, nadając swym słowom moc sprawczą. Ktoś w tłumie upadł z jękiem na posadzkę, ktoś inny jęknął żałośnie. Na jego znak kanonicy zdmuchnęli świece, wołając jednym głosem:

— Niechaj się stanie!

I opuścili swe miejsca, formując orszak. Andrzej ruszył za nimi ku wyjściu z katedry. Idąc, słyszał niemal dudniącą za jego plecami ciszę opuszczanej świątyni.

Przez chwilę jasność dnia na zewnątrz poraziła mu oczy. Wydała się niestosowną wobec mroku klątwy. Stąpał wyprostowany, opierając się na pastorale. Ciążyły mu obolałe ramiona. Gęsta ciżba po obu stronach drogi stała w trwożliwym milczeniu. Gdzieś zawył pies wzywający suki. W oddali wokół zamkowej wieży krążyły stada czarnych wron. I wtedy usłyszał z głębi tłumu szyderczy gwizd. A potem drugi. Ktoś krzyknął:

— Biskup robi prywatę naszym kosztem!

— Nas wszystkich, niewinny lud, ukarał za to, że książę jemu najechał wioski!

— Nie godzi się tak!

Andrzej Zaremba zatrzymał się. Powoli odwrócił w stronę, z której dochodziły głosy. Uniósł pastorał i zawołał:

— *Apage, Satanas!*

Z drugiej strony, za jego plecami, szepnął kobiecy głos:

— A jebał cię pies, wraży biskupie!

Zbrojni skoczyli w tłum szukać winowajczyni. Straż otoczyła Andrzeja zwartym kordonem i czym prędzej ruszyli przed siebie.

WŁADYSŁAW skorzystał z zaproszenia Mikołaja Doliwy i schronił się w Dębnie. Skryta w lasach nad Wartą siedziba Doliwów, niedostępna, mroczna i położona zupełnie na uboczu, nagle jawiła mu się pałacem. Wymarzonym miejscem, by przeczekać najgorętsze chwile. Wprawdzie tu obowiązywał interdykt Andrzeja Zaremby, ale stary Doliwa skwitował go krótko:

— Jeśli grzechem jest lojalność wobec mego księcia, to ze mnie materiał na zatwardziałego grzesznika! Inni niech robią, co im sumienie podpowie.

— W tym rzecz, mój Mikołaju, że w obecnej sytuacji wolałbym mieć samych grzesznych poddanych — ponuro mruknął Władek. Upił łyk wina, które zamiast gasić jego pragnienie, wzmagało je. I jęknął: — Boże, jak dobrze, że ciotka Kinga tego nie doczekała! Czyż ona z nieba teraz widzi, w jakie popadłem tarapaty?

— Kanonicznie rzecz ujmując, to nie — wyjaśnił skromnie Staś Doliwa, pleban z Dębna. — Bo jako książę wyklęty jesteś niewidzialny dla świętych, błogosławionych i samego Pana Boga.

— Jezu! — ryknął Władek i opamiętał się szybko. — Czy ja mogę wzywać imion Pana, skoro ten skurczybyk przywołał do mnie wiadomo kogo?

— Możesz, ale nadaremno. Nie słyszą cię. Tak przynajmniej zapewnia nauka Kościoła — zastrzegł pleban.

— A ty? Skoro ze mną siedzisz, grzeszysz teraz ciężko? — chciał już wszystko wiedzieć książę.

— Po pierwsze, to i tak nie mam co robić, póki na diecezji interdykt leży, bo mi ani chrzcić, ani namaszczać, ani spowiadać nie wolno. O mszy odprawianiu nie wspomnę. Po drugie, zaprosił mnie mój stryj Mikołaj, a ja jestem jemu winien posłuszeństwo po starszeństwie, więc zasadniczo, książę mój, ja tu jestem nie dlatego, że ty tu jesteś, tylko dlatego, że Mikołaj mnie wezwał. No i po trzecie, jak to się kie-

dyś skończy, to się szczerze wyspowiadam, odbędę pokutę i oczyszczę
z tego, że z tobą przebywałem.

Czy Doliwowie muszą być tak piekielnie szczerzy? — pomyślał
Władek i natychmiast zląkł się słowa „piekielnie". Że też mu takie
rzeczy przychodzą na myśl.

— Co ja mam robić? — jęczał. — Jadwinia widzieć mnie nie
chce. Wojska ze Starszej Polski odeszły ode mnie, wymawiając się
interdyktem, Głogowczyk znów się zbroi i po żniwach jak nic ruszy
odbijać mi Poznań. Ja nie wiem!

— Księżnej pani trudno się dziwić — Mikołaj Doliwa rozłożył
ręce — skoro brzemienna, to że tak powiem, kontakty z księciem
strach dla dziecka. Moja żona, świętej pamięci, to jak była przy nadziei, to ani na kulawego nie chciała patrzeć, ani na chromego, o gar-
busach czy karłach nie wspomnę. Kobiety takie są, wrażliwe.

Szyrzyk syknął na rodowca, ten się zorientował, iż prawdomów-
ność wiedzie go w niebezpieczne rewiry, i szybko zastrzegł:

— Przepraszam najmocniej. Ja oczywiście mówiąc „karła", nie
miałem na myśli księcia.

Lekszyk, kasztelan rudzki, który bezbłędnie sprostał wyzwaniu na
lojalność i towarzyszył Władkowi, błysnął:

— Prawda to, że trzeba przycupnąć gdzieś w Starszej Polsce
w gotowości przed najazdem głogowskim. A może tak byśmy przycupnęli w puszczy, na łowach? Książę nasz się rozerwie. Zwierzy-
na leśna w końcu o interdyktach nie słyszała, co nie? — zachichotał
i przekonał Władka w jednej chwili.

MUSKATA siedział wraz z królem Václavem w ogrodzie, w pięknej
altanie schodzącej ku rzece.

— W upalne popołudnia nic lepszego niż wietrzyk znad Wełtawy! — Muskata powachlował się chusteczką.

— Nie przeszkadza ci, mój biskupie, że śmierdzi od wody? Dlaczego moja rzeka tak cuchnie?

— Ale chłodzi, mój panie, chłodzi. W całym mieście zapach nie
jest najprzyjemniejszy w takie skwary. Skupmy się na warunkach, bo
twój brat Mikołaj...

— Bękart mego ojca — uściślił Václav.

— Owszem, książę opawski Mikołaj, bękart Přemysla Ottokara.

— Mój brat przyrodni.

— Tak, panie. — Zacisnął szczęki Muskata, myśląc, iż od tego upału Václav jest dziś niemożliwie kapryśny. — Mikołaj musi pojechać z gotowym formularzem. Spotkanie nastąpi w głębokim lesie, podczas łowów, nie będzie warunków, aby coś spisywać, co najwyżej drobne poprawki. Poza tym zabiegamy o to, by było to w tak kompletnej dziczy, aby książę Władysław nie mógł się skonsultować z żadnym znawcą prawa.

— Najważniejsze, aby nie było przy nim baronów Starszej Polski. — Václav wysunął dolną szczękę i wyszczerzył zęby.

Kruszą mu się i czernieją — zauważył z niepokojem Muskata.

— To mamy zapewnione. Małe grono, tylko jego kujawscy rycerze, nawet tego całego Rudera, kanclerza kujawskiego, nie będzie. Jedno pytanie, królu. Dlaczego chcesz mu zaoferować mniej srebra niż dwa lata temu?

— Bo mi się nie przelewa, Muskato — smutno powiedział Václav. — Namówiłeś mnie na te Węgry, a to kosztuje!

— Żałujesz, królu? — przebiegle przybrał smutną minę.

— Nie, sobie nie żałuję. Karłowi żałuję. Poza tym, sam mówiłeś: „W miarę jedzenia apetyt się zwiększa". Raz dostał ode mnie pięć tysięcy, teraz będzie chciał sześć. Więc ja mu dam cztery.

— Dobrze, dobrze — przytaknął biskup krakowski. — To go wytrąci z równowagi, będzie później bardziej skory do ustępstw. A te — rozpromienił się — przygotowaliśmy po mistrzowsku!

— To znaczy mój italski legista przygotował.

— Ale według moich wytycznych — cierpliwie zaoponował Muskata. — Podstawą planu jest pełen układ lenny w formie zupełnie w Królestwie nieznanej.

— To mnie właśnie martwi w twoim planie, Muskato. Władysław przed laty złożył mi hołd lenny, jak go pogoniłem z Krakowa i Małej Polski aż do Sieradza. Drugi raz w obliczu prawa stał się moim lennikiem, jak wziął te pięć tysięcy. Ani jedno, ani drugie nic nie zmieniło. Żadnych hołdów w obecności świata mi nie złożył, ziemie jego nie przeszły na mnie, został papier i stracone srebro. — Żachnął się Václav i tak mu się ręce roztrzęsły, aż rozlał wino.

Sługa rzucił się czyścić pana. Muskata roześmiał się promiennie.

— W tym rzecz, mój królu, w tym rzecz! Poprzednie układy, jak pamiętasz, konstruowane beze mnie, nie zawierały listy kar! A cały majstersztyk tego, co przygotowałem, nie wiąże się z tym, co mu dasz. Ale z tym, co go czeka, jeśli się przed tobą nie ukorzy, mój panie!

— A wiesz, Muskato, że Guta mi się pokazuje po śmierci? Śpię, śpię i nagle czuję, jak mnie coś tak dusi na piersi, otwieram oczy, a to Guta siada na mnie! Wiesz, jaka ona się zrobiła wyuzdana? Gdyby taka była za życia, to kto wie, może inaczej by się między nami działo?

— Guta robi tak ze złośliwości, mój panie. Chce, abyś jej żałował.

— Masz rację, Muskato! Masz świętą rację! Ona jak była złośliwa, tak i złośliwa została. Jak sądzisz, gdzie ona teraz jest?

W niebie, za męczeńską cierpliwość, z jaką znosiła cię przez dziesięć lat — pomyślał Muskata i wypił wino duszkiem. Zapowiadał się ciężki dzień z chimerycznym królem. Ale nie ma tego złego, czego by w złoto nie potrafił obrócić. W końcu napisane jest w Piśmie: „Po owocach ich poznacie", a on zalążek owocu trzymał w ręku spisany równym duktem liter.

— Zapewne smaży się w piekle — odrzekł na głos to, co chciał usłyszeć Václav. — Jakżeby inaczej mogła przychodzić do ciebie pod postacią koszmaru?

WŁADYSŁAW ukryty w zaroślach obserwował stado jeleni. Przy jego boku leżał stary leśny przewodnik, którego polecił im na polowanie Mikołaj Doliwa.

— Widzisz, panie, tego chłysta? — Wskazał na niezbyt postawnego, młodego jelenia odpędzanego przez wielkiego byka od stada łań.

Upór samczyka zafrapował Władka, choć koniec końców byk go przegnał.

— Za rok chłyst wróci i pokona starego — zawyrokował przewodnik. — Jam to widział wiele razy i umiem rozróżnić tego, co da sobie odebrać wszystko, od tego, który ma w sobie wolę walki. I ten chłyst ją ma.

Podnieśli się i poszli w stronę uwiązanych dalej koni.

Władysław polował w uniesieniu. Rulka sama go niosła. W dodatku dołączył do nich Grunhagen, niski zielonooki rycerz o przeszłości krzyżowca. Ten, co udawał Władka, kiedy książę wyskoczył ze Śląska pod Kraków. To akurat było wspomnienie ze złym zakończeniem, ale samo spotkanie z Grunhagenem uradowało Władka.

— Książę! — zawołał Szyrzyk. — O stajanie przed nami jest babrzysko. Jedziemy?

— Jedziemy! — Rulka ruszyła sama, niemal nim zdążył odkrzyknąć.

— Co to „babrzysko"? — spytał niespokojnie Grunhagen.

— Takie zarośnięte małe jeziorko, gdzie przychodzą się kąpać jelenie i dziki — wyjaśnił Władek.

— Trudny wasz język — sapnął mały rycerz.

— Szybko się uczysz, Grunhagen! — pocieszył go książę.

Przez te tygodnie w puszczy zobaczył tyle, ile nigdy wcześniej. Właściwie nie samym polowaniem żyli; przewodnik prowadził ich do dziewiczych, splątanych kniei, gdzie mogli zobaczyć najstarszą z żyjących w tej puszczy samur, samic dzika, które porzuciły stada i żyły samotnie, czekając na śmierć. Tropili wielkiego odyńca, tak olbrzymiego, że jego szable mogły mieć łokieć długości. Nieraz nocą zalśniły w kniei czujne ślepia wilka.

Po tygodniu zaczął odzyskiwać siły i witalność. Zwłaszcza że zbliżał się termin powrotu Lekszyka, który obiecał, iż postara się załatwić pieniądze od Václava. Władek czuł, że jeśli dostanie od losu jeszcze jedną szansę, pokona Głogowczyka raz na zawsze. Musi zmiażdżyć Henryka tak, aby nigdy więcej baronowie Starszej Polski nie mogli mu wytykać, że nie dał mu rady. Jak go przegna, Andrzej Zaremba cofnie klątwę, bo na cóż zda się klątwa wobec jedynego księcia?

— Rulka, w lewo! — poprawił klacz, która skręciła nie w tę stronę.

Ona jednak, uparta jak zawsze, zamiast do babrzyska skierowała się na trakt. Wypadła na niego w galopie i przebiegnąwszy jeszcze kilkanaście kroków, zatrzymała się.

— No i co tym razem? — ledwie zadał pytanie, zobaczył odpowiedź.

Zza zakrętu wyjechał orszak. Ale jaki! Władek gwizdnął, by bracia Doliwie dołączyli do niego szybko. Przodem jechali ciężkozbrojni na koniach ubranych w kropierze. Na tarczach pyszniły się płomieniste orlice. Za nimi mały poczet lekkiej jazdy, jeden w drugiego ubrani tak samo, ze znakami Václava na piersiach. Dalej wielki brodaty mężczyzna w sile wieku, ubrany skromnie, w skórzany kaftan i jedwabną lekką tunikę. Obok niego zaś dostrzegł przyjazną twarz Lekszyka. Władek wyciągnął szyję, by sprawdzić, czy z tyłu jadą wozy ze srebrem. Jechał jeden, szczelnie przykryty. Mógł odetchnąć. Dostanie to, czego chciał. Uniósł prawicę i powitał gości. Za plecami już miał braci Doliwów i Pawełka Ogończyka. Nawet Grunhagen zdążył dojechać.

— Zapraszam do myśliwskiego obozu! — krzyknął do nich Władysław.

MUSKATA do ostatniej chwili poprawiał zapisy i instruował pisarzy, których dołączył do poselstwa. Cała sztuka w tym, by brzmiało dla księcia Kujaw znajomo, jak poprzednimi razy.

Zobowiązuje się zjawić w najbliższą wigilię Bożego Narodzenia w Pradze, by przekazać królowi Czech, Václavowi II, wszystkie posiadane ziemie i odebrać je od niego w lenno.

Poprzednio też tak formułowano część dotyczącą zobowiązań Władysława. Dobrze.

Z wypełnienia obowiązku wyprawy do Pragi zwolnić go może tylko ciężka choroba, ale nawet gdyby na nią zapadł, winien udać się w podróż najpóźniej cztery tygodnie od dnia, w którym będzie w stanie ponownie jeździć konno.

A tego poprzednio brakowało. I Muskata wyjątkowo przyłożył się, by teraz słowo po słowie to zapisano.

Gdyby książę lub jego następcy naruszyli podjęte wobec Václava II zobowiązania, wówczas stracą posiadane w lenno ziemie na rzecz króla. W związku z tym książę poleca swym poddanym, by w takim przypadku odmówili mu dalszego posłuszeństwa i poddali się królowi czeskiemu.

Na koniec Muskata dopisał jeszcze zgrabny ustęp, w którym książę zrzekał się występowania przeciwko ustalonym warunkom przy użyciu jakichkolwiek praw, przywilejów czy sądów. I w nagrodę za to dopisał do wynagrodzenia ustalonego z Václavem na cztery tysiące krakowskich grzywien srebra, dochody z żup w Olkuszu. Dużo łatwiej się rozdaje cudze — westchnął, stawiając kropkę. Kazał rzecz jasna kancelistom sporządzić wierne kopie, aby nic później nie umknęło jego uwadze, żadne dopisane słowo czy przekręcone sformułowanie. Na to zresztą uczulił pisarzy i samego negocjatora, księcia opawskiego Mikołaja.

— Mów tak, mój drogi książę, jakby to wszystko było oczywistym. Nie przywiązuj wagi do zobowiązań. Podkreślaj zalety, wagę srebra w ciężkich czasach, opowiadaj, jak piękne i majestatyczne są takie uroczystości. Roztocz przed księciem wizję bliską wniebowstąpieniu — zachichotał, bo to mu się to porównanie rzeczywiście udało.

WŁADYSŁAW oka nie mógł oderwać od potężnej piersi księcia opawskiego. Wiedział, że to bękart, przyrodni brat Václava. I żeby tak wywyższać dziecko z nieprawego łoża? Boże mój, to co by to było dawniej na Kujawach albo na Śląsku! Mikołaj, książę opawski, mógł pić i jeść bez umiaru. Lał w siebie wino, miód, piwo, zagryzał dziczyzną i na wszystko cmokał, że bardzo dobre. Lekszyk dwoił się i troił, by rozmowy szły z tempem, w końcu wiedział, że Władkowi się spieszy. Ale kiedy doszli do kwoty, zaczęły się nieporozumienia.

— Cztery tysiące? Ostatnio dostałem pięć. — Zdenerwował się, bo liczył na sześć, co najmniej sześć.

— Cztery w gotówce, ale dochód z żup w Olkuszu na osiem lat! — uśmiechnął się promiennie Mikołaj. — Zdrowie księcia!

— Zdrowie! — mruknął Władek. Znał kopalnie olkuskie, bywał tam w młodości z ciotką Kingą. Srebro i ołów, to fakt.

— Panie! — szepnął Lekszyk. — Tego się nawet ja nie spodziewałem! Co za szczęście! Osiem lat! Mój książę — ściszył głos jeszcze bardziej — z tych żup wyciągniesz więcej, niż ci król oferuje w gotówce.

— Ale ja potrzebuję gotówki i to od ręki — uśmiechając się do Mikołaja opawskiego, półgębkiem odpowiedział Lekszykowi.

— Gotówkę przywieźliśmy! — huknął Mikołaj, bo najwyraźniej usłyszał. — Zaliczka na wozach.

— Zaliczka? — zaniepokoił się Władysław. — Jak to „zaliczka"? A nie cała kwota?

— Och, książę! Myśmy nie wiedzieli, czy ty chcesz z naszym królem... negocjować, to myśmy przez niespokojny Śląsk mieli wieźć cztery tysiące grzywien? — zdumiał się Mikołaj. — Przywieźliśmy jedną czwartą. Reszta w ratach, jak ustalimy, do wypłaty. Oczywiście po świętach.

— Dlaczego po świętach?

— Bo jak już mówiłem, król Václav zaprasza ciebie, jako swego lennika, na święta do Pragi. To wielki zaszczyt!

Niech no Jadwinia usłyszy, że ja kolejne święta poza domem, już da mi zaszczyt. — Zagryzł zęby Władek.

— A gdybym zachorował? — spytał głośno.

— To byłaby wielka szkoda! — Smutno pokiwał dużą głową Mikołaj. Poskubał brodę i uśmiechnął się. — Przewidzieliśmy to i oznaczyliśmy w układzie. Przyjedziesz, jak wyzdrowiejesz. Tylko że mój brat drugiego Bożego Narodzenia nie wyprawi, żal ci będzie...

— Jakoś przeżyję — ucieszył się Władysław i podliczył w myślach: tysiąc grzywien od ręki. Może i starczy? Bolesław mazowiecki powinien zgodzić się na wypłatę później, a więc dostanie po świętach. A może uda się szybko wydobyć coś z tych kopalń srebra. Węgrom trzeba zapłacić część od razu, ale z Węgrami zawsze utarguje.

— Co w zamian? — spytał, pociągając łyk słodkiego miodu.

— To, co zawsze — ziewnął Mikołaj, a Lekszyk zaraz przytaknął.

— Tak jak poprzednio, mój książę. Oddasz się pod opiekę Václava. — I mrugnął, szelma. Dobrze, że ten Mikołaj nie widział. Grunhagen zresztą zajął Mikołaja, bo przyniósł z ognia kolejny sarni comber i książę opawski wgryzł się w niego, jakby w życiu nie jadł. Władek nachylił się do ucha Lekszyka.

— Na jak długo?

— Co, mój książę? Żupy? Na osiem lat. Widziałem na własne oczy, tak jest tam napisane.

— Pytam, na jak długo oddam się pod tę opiekę?

— A, to. — Zachichotał cichutko i szepnął: — Na zawsze, jak zawsze.

Władek zamyślił się. Może posłać po Rudera? Dobrze by było, żeby ponury kanclerz to przeczytał. Ale to potrwa, dziesięć dni, jak nic. No, może tydzień, jeśli pośle Ogończyka. A za tydzień Henryk głogowski znów może być pod Poznaniem. Nie ma czasu. I tak trzeba będzie czekać, aż przyjadą posiłki, wiązać siły głogowskie potyczkami, nękaniem, tak aby nie wystawiać się na walną bitwę, a umęczyć przeciwnika, rozbić ducha walki w śląskich hufcach. Najbardziej marzyły się Władkowi dwie rzeczy: pierwsza to pokonać w polu tego diabła... Jezu, przebacz, nie chciałem pomyśleć „diabła", przebacz, przebacz... Ottona von Seidlitz. Za to, że zatknął czarne orły na wieży zamku Przemysła. Dlaczego ja wciąż mówię „Przemysła"? On nie żyje. Powinienem mówić „mój zamek". Więc pokonać w polu wodza wojsk głogowskich. A druga, równie ważna dla Władka, to wyzwać na pojedynek bitewny Głogowczyka. Tak jak ongiś wyzywał jego młodszego brata, Przemka. Uwielbiany przez wszystkich książę ścinawski zginął, bo się odważył z Władka śmiać. To wspomnienie stoi jak ość w gardle i jednocześnie jak spełnienie najważniejszej z przysiąg: „Nikt nie będzie się ze mnie śmiał!". A wtedy, na polach pod Siewierzem, Przemek ścinawski jechał, odrzucił hełm i śmiał się na całe gardło, krzycząc: „Konny karzeł". I Władek mu ten śmiech wbił w gardło aż po rękojeść. Nie jest trudno przeszyć komuś gardło. Patrzył, jak z Przemka wypływa życie konwulsyjnym rzygnięciem krwi i jak mu ten śmiech więźnie w rozpłatanej krtani. Więc tak, marzy o pojedynku z Głogowczykiem. Na miecze, na topory. Mogą być nawet kopie, byleby śląski czort stanął z nim na ubitej ziemi twarzą w twarz.

— Zdrowie gospodarzy! — krzyknął Mikołaj i wlał w siebie kolejny dzban. — No, ja chętnie to bym i księciu Władysławowi od siebie dał posiłki na tę wojnę. Mam tam z Głogowczykiem na pieńku.

— Ile byś dał? — szybko wszedł mu w zdanie Władek.

— Hufiec ciężkozbrojnych. — Mikołaj rozejrzał się za miodem. Grunhagen zeskoczył z ławy i począłpał po dzban.

— Od ręki? — naparł Władek.

— Za dwa tygodnie pod twe rozkazy. — Beknął sobie Mikołaj. — Przepraszam, chyba mam dosyć.

— Ja też. Spisujmy, dawajcie srebro, przysyłaj mi ten oddział, nie traćmy czasu. Lato się kończy, a ja chcę wygnać Głogowczyka ze Starszej Polski jeszcze przed świętami.

— Oczywiście, mój przyjacielu! Bo na święta musisz być w Pradze! Oczywiście! Ja będę cię gościł, Václav będzie cię gościł, nie pożałujesz! Wino znów popłynie ze studni świętego Gawła. Pisarz! Przynieś, co trzeba!

Raz-dwa uprzątnęli stół. Pisarczyków zaroiło się chyba ze trzech.

Na święta to ja będę już po wojnie — uchwycił się Władek tej myśli. — I szukaj, Václavie, wiatru w polu, jak cię odwiedzę w Pradze. Co za pomysł, pić wino ze studni?

— Miejsce zawarcia układu musimy wpisać — grzecznie upomniał się pisarz.

— Szyrzyk, gdzie my jesteśmy? — spytał Władysław.

— W puszczy!

— Pisz „w puszczy" — rozkazał książę opawski. — Ale w jakiej puszczy? Jest tu jakaś miejscowość nieopodal?

— Jest. — Kiwnął głową Szyrzyk. — Nazywa się Klęka.

Lekszyk zachichotał i literując pisarzowi, wykonał głupkowaty ukłon, jakby klękał na jedno kolano.

RIKISSA trzymała zimną dłoń kawalera Ottona i wpatrywała się w jego twarz. Ołowiane, brzydkie plamy szpeciły jasną kiedyś buzię młodego margrabiego. Ubrali go na biało, choć tak prosiła, by dodano mu kolorów na tę ostatnią podróż. Biel koszmarnie odbijała sine plamy. Brandenburski orzeł na piersi kawalera nerwowo wyciągał szyję. Nie chciał być przy martwym chłopcu, służące musiały przyszyć go złotą nicią, chwytając szpony, dziób, nasadę skrzydeł. Mimo to herbowy wciąż walczył, próbował się wyrwać z ciała młodzieńca. Obok, na drugim katafalku spoczęło ciało Jana. Czuwała przy nim Małgorzata. Obie miały na sobie czarne suknie, te same, co na pogrzebie Przemysła. Rikissa ze swojej wyrosła, służące szybko przerabiały suknię, wstawiając w nią szerokie pasy jedwabiu.

— Zobacz, Małgorzato — szepnęła Rikissa ku pochylonej sylwetce — znów razem jesteśmy w żałobie.

— O tym samym myślałam, królewno. Ja byłam żoną twego ojca, ty narzeczoną mego braciszka. Każdą śmierć dzielimy razem.

— Za mocno nas powiązali — powiedziała Rikissa, sama nie wiedząc czemu. — Ale Otto to była ostatnia wspólna nić. Co teraz ze mną będzie? Odeślecie mnie do Poznania?

— Nie wiem, królewno. Nikt ze mną o tym nie rozmawiał. Ale... — Rikissa wyczuła w głosie Małgorzaty wahanie — ...o twoim losie mogą decydować baronowie Starszej Polski albo... — dostrzegła, że plecy Małgorzaty skuliły się — ...albo najbliżsi męscy krewni Przemysła. Margrabiowie brandenburscy ze Stendal. — To ostatnie powiedziała szeptem.

Ciałem Rikissy wstrząsnął dreszcz. Tylko raz widziała Ottona ze Strzałą i nie zapomni tego oblicza nigdy. Łysa czaszka, nos prosty niczym naga kość i skórzana przepaska zasłaniająca pusty oczodół. Twarz, która może zjawić się w najpodlejszych snach. To jest jej krewny?

Małgorzata wstała i z suchym szelestem sukien podeszła do Rikissy. Przykucnęła i szepnęła wprost do jej ucha:

— Otto ze Strzałą jest głową ich rodu, jak naszego Otto Długi, mój stryj. Ale twym krewnym jest Waldemar i nie wiem, skarbie, który z nich dzisiaj gorszy. Waldemar to najokrutniejszy młodzieniec, jakiego wydał nasz ród, Boże mój, niech nie pozwolą, by to on... — Uniosła głowę, lecz zamiast na Rikissę, spojrzała do wnętrza trumny, na Ottona.

Rikissa wymknęła się z objęć Małgorzaty i poszła do okna. „Waldemar" — zadźwięczało jej w głowie, otwierając najgłębsze pokłady pamięci.

Zamkowy dziedziniec zalany był blaskiem słońca. Na najbardziej oświetlonym miejscu, przy studni, wylegiwały się trzy herbowe lwy Rikissy. Nie pozwoliła im ze sobą iść do komnaty żałoby. Śmierć u kresu lata. Owszem, pomyślała o tym, iż nie żyje jej matka, ojciec, narzeczony. Ma niespełna dwanaście lat, jest sama i jej los znów stał się niepewny. Królewny dorastają zaskakująco szybko. Rozmowy o mariażach, tronach, następstwach, wojnach i traktatach toczono w jej obecności od wczesnego dzieciństwa. Wiedziała, iż nie ma powodu, by pozostała w Salzwedel u rodziny martwego chłopca, który jeszcze parę dni temu był jej narzeczonym. Szkoda, lubiła starego Albrechta i wiedziała, że on lubi ją. Lubiła też Małgorzatę, macochę, ale miała smutną pewność, iż ta nie ma już żadnej władzy i w niczym nie może jej pomóc. Pozostali członkowie tej rodziny... Lepiej nie mówić. Otto Długi i Czerwona Pani, Mechtylda. Żeby chociaż żył Jan, mogłaby zostać narzeczoną Jana.

Trzy lwy na dziedzińcu uniosły złote łby. Zawsze wszystko robiły równocześnie. Teraz też, wstały i oparły łapy o studnię, wyprężając smukłe, muskularne ciała. Trzy lwy. Myśl, która obudziła się w jej głowie, była wystarczająco szalona, by się jej uchwycić.

Usłyszała, że ktoś wszedł do żałobnej komnaty. Nie odwracała się od okna. Ciągle ktoś wchodził, wychodził. Ludzie przyklękali przed katafalkami chłopców w równym stopniu kierowani żałobą, co ciekawością. Dwóch margrabiów! Co za historia! — szeptali po kątach.

— Rikisso. — Poczuła na ramieniu ciężką dłoń margrabiego Albrechta.

Odwróciła się i spojrzała w górę, w jego pomarszczoną twarz, jakby pokrojoną w żałobie.

— Córko moja — powiedział Albrecht i pogłaskał ją po policzku. — Zostań ze mną, proszę. Nie opuszczaj tego, co miał być ci przybranym ojcem. Synowie moi odeszli, ale ty... ty jesteś mi droższa niż rodzone córki. Zostań, tak bardzo cię proszę.

Badała jego twarz. Drgnienia powiek, ust o smutno opuszczonych kącikach. To nie była twarz kłamcy. To nie była twarz tchórza. To oblicze zrezygnowanego mężczyzny, w którym można jeszcze obudzić życie. Uśmiechnęła się do Albrechta, mówiąc:

— Dobrze, mój margrabio. Zostanę.

W jego oczach zalśniły łzy i przytulił Rikissę do piersi, dziękując pocałunkami w głowę.

— Chcę jednak, abyś coś dla mnie zrobił, mój margrabio. I abyśmy zachowali to w sekrecie przed wiadomo kim.

Albrecht odsunął Rikissę na odległość ramienia. Zamrugał, uwalniając oczy od łez.

— Co rozkażesz?

— Ja nie rozkazuję, ja proszę. Wiem, że przez twą świętej pamięci żonę masz bliskie związki z królami Danii, z rodu mojej babki. I wiem, że równie dobrą pamięcią otaczasz szwedzkich Folkungów, ród mego dziadka. Mam na myśli Waldemara, dawnego króla Szwecji. — Pogłaskała margrabiego po sękatej dłoni. — Ja sprawnie i ładnie piszę, mój Albrechcie, boś i ty mnie tego uczył.

Spojrzała mu w oczy, odnajdując w nich dumę.

— Chcę napisać list do mojej królewskiej rodziny w Sztokholmie. I potrzebuję, byś pomógł mi go doręczyć.

— Twój dziad, Waldemar Birgersson, żyje. Mieszka w Nyköping, tam, gdzie dorastała twa matka — powiedział i dopiero usłyszał swoje słowa. Przyjrzał się Rikissie, jakby ją pierwszy raz na oczy widział. Zrozumiał to, co ona, gdy patrzyła na trzy herbowe lwy przeciągające się na zalanym słońcem dziedzińcu.

JADWIGA, księżna kujawska, miała lat z górą trzydzieści pięć, ale z odległości dziesięciu kroków wciąż wyglądała na ledwie dwadzieścia. To wręcz skłaniało ku temu, by mówić o niej „Jadwinia". Drobniutka, o twarzy wiecznie zmartwionej dziewczynki, białym liczku ze skłonnością do rumieńców, gdy się wstydziła lub denerwowała. Unikała słońca, bo wywoływało na jej buzi piegi, które plamkami osiadały niczym złoty pył na czole, policzkach, nosie i brodzie. Miała ich więcej, cała jej delikatna skóra pokryta była piegami, ale na co dzień kryła je pod obcisłym jedwabiem sukni. Jasne włosy w odcieniu wpadającym w miedź dwórki plotły jej w warkocze zwijane wokół uszu. Nie zawsze chowała je pod nałęczką; gdy tylko nie musiała, nie nosiła okrycia głowy. Ani dwoje szczęśliwie urodzonych dzieci, ani trzecia ciąża, którą właśnie nosiła, nie odebrały jej uroku niewinności, jaki roztaczała wokół. Dwórki zawsze miały pod ręką nałęczkę i diadem swej pani, by gdy znienacka pojawiał się jakiś ważny gość, w okamgnieniu przeobrazić dziewczynkę w księżną. Przemiana Jadwini w Jadwigę bywała wstrząsająca dla tych, którzy ją ujrzeli, choć trzeba przyznać, iż zdarzało się to niezmiernie rzadko.

Teraz jednak chwila ta nadchodziła i Jadwiga zbierała siły, wiedząc, iż rozmowa, która ją czeka, jest bez wątpienia najważniejszą w życiu. Położyła dłoń na niewielkim, brzemiennym brzuchu. Stefan też był bardzo mały, gdy w niej siedział, a teraz, jako roczne dziecko, rośnie niczym trawa w maju. Nie ma się co martwić na zapas, wiadomo czym. A Kunegunda, ich pierworodna? Cztery latka i już wysoka jak strzała. Jadwiga wiedziała swoje, dzieci należało powierzyć opiece węgierskich świętych przodków. Kunegunda po Kindze, ciotce jej i Władysława. Stefan po świętym węgierskim królu. Tak samo zrobili jej rodzice, jak dali siostrze na imię Elżbieta, po świętej królewnie Arpadów, to proszę! Książna wrocławska wysoka i prosta!

— Cicho, malutki, cicho — uspokoiła synka pląsającego w jej łonie. — Mamusia nie jest na ciebie zła, nic się nie martw. Najlepiej zaśnij i nie słuchaj, co mamusia będzie mówiła.

A może lepiej, gdyby słuchał? Może wyciągnie z tego naukę? Ale już nie było czasu na przemyślenia. Do komnaty wszedł jej małżonek, Władysław. Zacisnęła pięści i ruszyła wprost na niego.

— Coś ty zrobił, mężu?! — krzyknęła, aż słudzy podsłuchujący pod drzwiami uderzyli w nie głowami z całych sił. Zaraz po tym dał się słyszeć tupot ich nóg, pośpiesznie uciekających w najdalsze zakamarki Łęczycy. — Coś ty zrobił? — powtórzyła z desperacją.

— Jadwiniu, nie denerwuj się, jesteś przy nadziei... — zaczął Władek.

— Nadziei? — przedrzeźniała go. — Nadzieję odebrałeś sobie, mnie i naszym dzieciom w Klęce!

— Przesadzasz! — Władysław podniósł głos. — Demonizujesz!

Cofnęła się, bo wypowiadając złe słowa, on sam zdawał jej się demonem. Syn ukryty w jej łonie kopnął i natychmiast odzyskała siły.

— Jak mogłeś, Władysławie, jak mogłeś? Od dnia, w którym cię wybrano, robiłeś wszystko źle! Milcz, nie odzywaj się. — Zatrzymała go, bo chciał otworzyć usta. — Dlaczego powołali ciebie na tron po Przemyśle, a nie Głogowczyka? Bo myśleli, że tak jak mój ojciec będziesz „pogromcą Niemców". Sądzili, że jesteś wrogiem

Brandenburgii, a o Henryku nie mogli mieć tej pewności. A tyś co zrobił jako pierwsze? Zamiast gnać na zachód i odbijać zagarnięte przez nich grody, jakby zrobił mój ojciec i Przemysł, ty, Władysławie, najpierw pojechałeś bić Głogowczyka, boś się bał konkurencji do tronu! Coś im pokazał? Że nie jesteś pewny swych praw. I coś uczynił? Rzecz, której w Starszej Polsce wybaczyć nie można: podzieliłeś między siebie i Głogowczyka kraj! Kraj, którego książęta od lat w trudnych chwilach wołają się hasłem: „Niepodzielni"! Hańba! Mój tatuś przewraca się w grobie! — Głos jej zadrżał, do oczu napłynęły łzy.

Władek oczywiście natychmiast to wykorzystał.

— Jadwiniu, serce moje, ja nie miałem wyboru, musiałem. Brandenburczycy zamknęli się w grodach... Leszek próbował chapnąć Pomorze... Ale to Głogowczyk szedł na mnie...

— No i niechby na ciebie szedł! Pobiłbyś go, wracając zwycięsko z Brandenburgii! Wydałbyś mu bitwę pod samym Poznaniem, każdy z baronów stanąłby przy tobie, wyprężył pierś i oddał krew, bo honor by im nie pozwolił inaczej! Ale nie, ty wiesz lepiej, co robić! Zawierasz układy, które zrywasz tego samego dnia! Głogowczyk nie odpuści ci nigdy! Wiesz, dlaczego? Bo mając na sumieniu śmierć jego brata, wzgardziłeś jego synem! Uwikłałeś się w wojny, bo chciałeś prowadzić wszystkie naraz, zamiast postawić na obronę Królestwa, postawiłeś na siebie! Chciałeś władać ludźmi, którym nie dałeś szansy, by cię szanowali? Powiedz, czy masz przynajmniej miecz?

— Jaki miecz? — Władysław rozłożył ręce.

— Miecz mego ojca, miecz Przemysła. — Na policzki Jadwigi wystąpiły rumieńce. Nie musiał odpowiadać, już była pewna, że go nie ma. Dokończyła szeptem: — Jedyny oręż, przed którym klękali baronowie.

Władek ukrył twarz w dłoniach. Wydał się mniejszy niż zwykle. Trudno, Jadwiga jeszcze nie skończyła.

— Oni ci nie wybaczą tego, coś zrobił w Klęce. Klątwa i interdykt Andrzeja Zaremby są niczym wobec tego, co spadnie na ciebie, gdy złożysz hołd przed Václavem Przemyślidą. Na ciebie, na nas, na nasze dzieci.

Władek odsłonił twarz. Był blady. Szepnął do niej:

— Ja mam całe życie „Pod wiatr"...

— A Starsza Polska od zarania woła: „Niepodzielni". Tak jak

Śląsk: „Czerń i złoto", Mała Polska: „Tron seniora", a Zarembowie: „Święta pamięć".

— Dlaczego mówisz mi to wszystko dopiero teraz? — Popatrzył na nią smutno.

Wściekła się.

— Dlaczego dopiero dzisiaj słuchasz? Za każdym razem, gdy chciałam z tobą rozmawiać, tyś mnie zbywał. Myślisz, że nie wiem, iż chełpisz się przed wszystkimi, że ty „nie słuchasz bab"? Próbowałam wiele razy w tych nielicznych chwilach, gdy byłeś obok mnie. Gdy nie wojowałeś, nie polowałeś, nie uciekałeś z Doliwami do lasu. Wolałeś myśleć, że jestem Jadwinią, co zna się tylko na hafcie i ma czternaście lat, tak? Odpowiedz mi!

— Miałaś więcej, kiedy cię poślubiałem...

Prychnęła pogardliwie.

— Ty nawet nie wiesz, ile ja naprawdę mam lat.

— Kobiecie się nie liczy, Jadwiniu — odzyskiwał swój zwykły, łobuzerski rezon.

Wyprostowała się. Uniosła podbródek i idąc do niego, powiedziała dobitnie:

— Mam na imię Jadwiga. Jestem księżniczką Starszej Polski, mój ojciec poszedł do grobu w chwale „pogromcy Niemców", bo bił ich tak, że na sam dźwięk jego imienia robili w gacie. A po matce w moich żyłach płynie najczystsza krew Arpadów. Jeśli jeszcze raz powiesz do mnie „Jadwiniu", dam ci w pysk.

Spojrzał na nią tak, jakby już mu dała. Trudno, musi boleć.

— Za ostatnim razem, gdy byłeś w domu, wtedy, kiedy okłamałeś mnie, że jedziesz sprawować sądy, a pojechałeś zasłużyć na klątwę Zaremby, chciałam powiedzieć ci: „Spotkaj się z arcybiskupem Świnką, on ci powie, co czynić". Ale ty wolałeś moje ciało niż rozum, zresztą, jak zawsze. O to, czyś od dnia elekcji rozmawiał z arcybiskupem, nie pytam, bo wiem, że nie. Nie musisz też się wykręcać, iż pojedziesz do niego jutro albo za tydzień. Sama zaprosiłam Jakuba II. Będzie w Łęczycy za trzy dni. I gdyby się tak zdarzyło, mój mężu, że chciałbyś odroczyć rozmowę z nim, bo powali cię obłożna choroba, albo nawet piorun w lesie cię strzeli w dniu jego przyjazdu, to uznam, iż to twoja wina. Jedna z wielu nieprzebaczalnych win.

JAKUB ŚWINKA nie przyjechał do Łęczycy sam. Zabrał dwóch najzdolniejszych uczniów arcybiskupiej kancelarii, Janisława i Borzysława. I jeszcze jednego legistę, prosto po studiach w Bolonii, specjalizującego się w nieznanych w Królestwie stosunkach lennych. Księżna dokładnie wyjaśniała mu wcześniej, o co chodzi, ale najważniejsze to skrupulatnie przeczytać nieszczęsny dokument. Może gdzieś w nim ukryty jest błąd?

Książę Władysław powitał ich w otoczeniu swych rycerzy, o stajanie przed Łęczycą. Uroczyście wjechali do zamku. W Łęczycy nie obowiązywał interdykt biskupa poznańskiego, ale nie przesadzali z uroczystą mszą. Była zwykła, skromna, w zamkowej kaplicy. Klątwa! Jakub Świnka od dawna uważał, że biskupi nadużywają klątwy i interdyktu, czyniąc z aktów duchowych narzędzie świeckiej wojny. Ten ostatni miał przecież budzić w poddanych niechęć do księcia, mówić: „To on jest winien, że cały kraj zostaje pozbawiony błogosławieństwa", a zamiast tego, coraz częściej wzniecał niechęć ludu do Kościoła, bo lud nie patrzył, kogo wyklęto, lecz kto wyklina. Niewielu było piastowskich książąt, których ten czy ów biskup choć raz nie postraszył klątwą.

W czasie posiłku Jakub II wciąż wpatrywał się w księcia. Chciał odgadnąć sekret tego niewysokiego mężczyzny, którego chronił półorzeł, półlew. Tak, wiedziano od dawna, iż herbowe mieszańce są silniejsze niż znaki pełnej krwi. Powstał o tym niejeden traktat, Jakub ongiś lubował się w takich sprawach i czytał, co się dało. Jednak, jak mawiał mistrz wywodów *O naturze bestii*, mieszańce potrafiły być złośliwe, wredne, skrytomyślne i przeciwstawne. Czy kujawski półorzeł, półlew złymi skłonnościami zatruwa duszę Władysława? Czy też obdarza go mocą podwójnej natury? Mały Książę cały złożony był z przeciwieństw. Zdecydowanie niewysoki, lecz muskularny, jakby pod jego skórą wiły się węzły ścięgien i mięśni. Obdarzony chłopięcym uśmiechem i jednocześnie spojrzeniem starca. Nie miał w sobie dostojeństwa Przemysła, jego męskiej urody, prawości bijącej w oczy. Tyle tylko, że Przemysł był z herbu stojącym lwem.

Boże litościwy! Po lwie mocno wspiętym na dwóch łapach nastał czas półlwa, półorła, pół... — złapał się za tę niegodną, niedokończoną myśl i pozbył się jej natychmiast.

— Zacznijmy od zbadania dokumentu — powiedział Jakub, gdy posiłek dobiegł końca. — Chciałbym wraz z mymi kancelistami przejść w spokojne, ustronne miejsce. I proszę, książę, byś nam towarzyszył, będziemy potrzebowali pewnych wyjaśnień.

— Ja także idę z wami — głośno i dobitnie oznajmiła księżna i Jakub ze zdumieniem zauważył, jak Jadwinia wyrosła.

— Naturalnie — odpowiedział arcybiskup i zerknął na księcia.

Władysław sprawiał wrażenie przyczajonego w sobie.

Pochylili się nad dokumentem wspólnie. Jakub, Borzysław, Janisław i młody legista. Gdy arcybiskup przebiegł wzrokiem treść, na jego plecy wystąpiły zimne strumienie potu. Czuł, że jest źle. Teraz miał pewność, iż jest fatalnie. Musiał wstać i odejść do okna. Zaczerpnąć tchu.

— I co, arcybiskupie? — nerwowo spytał Władysław. — Václav może mi nie wypłacić kolejnych rat?

Jakub Świnka z całych sił przytrzymał się kamiennej wnęki okiennej. Ale arcybiskup w nim był silniejszy, więc Jakub II odwrócił się w stronę księcia i zawołał:

— Nie powinieneś był od niego nic brać! Jedyna szansa, że ten dokument straciłby wagę, byłaby w tym, gdybyś nie wziął nawet złamanej grzywny!

— Ale... — zaczął i umilkł książę.

— Borzysławie, wytłumaczcie księciu, w czym rzecz — miał przytomność wyszeptać Jakub, bo inaczej zalałaby go krew.

— Panie, mocą tego układu za cztery tysiące grzywien i dochody z kopalń olkuskich sprzedałeś niezależność Królestwa Václavovi II.

— Ale... — znów spróbował książę, lecz Borzysław wziął się za niego spokojnie i metodycznie.

— Cokolwiek teraz zrobisz, jest źle. Pojedziesz do Pragi i złożysz mu hołd, to znaczy uczynisz Królestwo lennem czeskim. Weźmiesz za to resztę należności, o ile on po hołdzie zechce ci ją wypłacić. Może zwlekać, bo i tak będziesz jego poddanym. Nie pojedziesz, to twoi poddani będą mogli wypowiedzieć ci posłuszeństwo jako wiarołomnemu księciu, a prawa do polskiej korony i tak przejdą na Václava. Ten dokument jest majstersztykiem prawniczym, książę, bo przewidział i trzecie rozwiązanie, choć nie mówi o nim wprost. Mianowicie, gdybyś sam siebie odsunął od tronu, nie zmienia to faktu, iż każdy władca Królestwa staje się poddanym króla Czech. Zadam jedno pytanie, byśmy mieli jasność: czy na pewno są świadkowie, żeś wziął pieniądze przy spisaniu tego dokumentu?

— Są — ponuro powiedział Władysław. — Książę opawski Mikołaj przewodniczył ich poselstwu.

— Wobec tego wszystko jest, jak orzekłem powyżej. Janisławie, legisto, czy coś pominąłem? — dopytał Borzysław.

— Nie.

— Nie. „Dziedzice i następcy", tak to zostało ujęte. Czyli i dziedzice krwi, dzieci, wnuki, prawnuki, i następcy prawni, wyznaczeni przez ciebie czy baronów — uzupełnił Janisław.

Jakubowi Śwince przemknęło przez głowę, że jeszcze dzisiejszego ranka uważał za najgorszą chwilę swego życia wiadomość o zabójstwie w Rogoźnie. Teraz dotarło do niego w całej rozciągłości, iż śmierć króla była tylko początkiem pasma nieszczęść, ale to, co się stało w Klęce, jest jego czarnym dnem. Zebrał się w sobie i najspokojniej, jak potrafił, powiedział:

— Królestwo nasze nigdy wcześniej nie było niczyim lennem. Pilnował tego pierwszy król i po nim każdy następny. To nas różniło od królestwa Przemyślidów, że oni koronę dostawali z łaski cesarza. A my z rąk papieża, niejako wprost od Boga. Przez dwieście lat Wielkiego Rozbicia władcy nasi marzyli o powrocie utraconej korony, lecz żaden z nich nie wpadł na pomysł, by pójść na skróty i wziąć ją z rąk potężnego sąsiada. Inna rzecz, że i wśród nich nie znalazł się zjednoczyciel. Dopiero Przemysł był godzien, dopiero on odzyskał to, co przez dwa wieki było stracone. Ale... wraz z jego zgonem... — Głos Jakuba robił wszystko, by się załamać, jednak arcybiskup w nim był silny i pokonał wzruszenie. — Co się stało, to się nie odstanie, Władysławie, Jadwigo. Klęska twoja, książę, niech stanie się zarzewiem przyszłego zmartwychwstania. Musisz znać przyczynę swego upadku, Władysławie, i wyciągnąć z tego wnioski. Zostałeś pokonany nie w polu, nie w walce. Lecz w skomplikowanej prawnej rozgrywce. Ja, osobiście, jak tu przed wami stoję, przysięgam, iż jeszcze w tym roku wyślę na studia prawnicze nie jednego, lecz cały sztab adeptów. To będzie ziarno zasiane pod przyszły zbiór. Ty zaś, książę, musisz przestać myśleć o sobie, żeś nieomylny.

— Zacząć słuchać — dodała księżna.

— A co teraz mogę zrobić? — spytał pokornie Władysław.

Zapanowała długa i wymowna cisza. Jakub skinął Janisławowi głową, by ten mówił.

— Po pierwsze, nie wolno ci złożyć tego hołdu, książę. Nie jedź do Pragi, zapomnij o srebrze Przemyślidów.

— A po drugie? — szybko dopytał Władysław.

Zbyt szybko jak na nawróconego — zauważył Jakub i powiedział:

— Nie ma „po drugie". Janisław mówi tylko o ocaleniu resztek godności, o tym, by brakło aktu poddańczego. — Westchnął. — Rozwój wypadków może być różny, w zależności od tego, kiedy dowiedzą się baronowie Starszej Polski, co zrobiłeś...

Nieoczekiwanie dla Jakuba, weszła mu w słowo księżna, mówiąc ostro:

— Arcybiskup ma na myśli to, że wypędzą cię z kraju albo baronowie, albo Václav Przemyślida.

Jakub spojrzał na nią zaskoczony. Dziewczynka, jaką była, na jaką wyglądała, bo wiadomo, że to już pani, matka i księżna, zaskakująco trafnie oceniła sytuację i wypowiedziała ostrzej, niż on sam by potrafił.

— Jezu Przenajświętszy! — jęknął Władysław. — Ale ja chcę walczyć, odzyskać...

— Co odzyskać?! — krzyknął Jakub. — Jadwiga ma rację. Czeka cię banicja, o ile nie dopadną wcześniej baronowie i nie zamordują w leśnej głuszy, by pomścić swe marzenia o Królestwie sprzedane za czeskie srebrniki! Grzesznik, nawet najgorszy grzesznik ma szansę powrotu na łono Boga Ojca. Ale tylko wtedy, kiedy odbędzie pokutę! Kiedy się pokaja! Powiem ci, Władysławie, wprost, bo twoje uszy wciąż są głuche na to, czego nie chcesz słyszeć: nie daj się wypędzić, opuść kraj z własnej woli.

Zapadła cisza, nieznośnie grobowa w wymowie. Jakub bił się z myślami, czy dać księciu jeszcze ostatnią wskazówkę co do tego, czym powinno być wygnanie, aby przyniosło korzyść podobną tej, jaką jest czas zamarzniętej zimą ziemi dla przyszłorocznych plonów. Czy też zostawić go tak, by sam przeszedł swą drogę krzyżową? Nie, nawet Chrystusowi Szymon Cyrenejczyk poniósł krzyż.

— Władysławie. Wiem, że martwi cię klątwa biskupa Zaremby, ale nie skupiaj się na niej. Rok, który nadchodzi, jest rokiem szczególnym, jubileuszowym. Udaj się na pielgrzymkę w miejsca święte, módl, błagaj Boga o przebaczenie. Kiedy On to uczyni, ulegną twej ekspiacji i ludzie. Wróć za jakiś czas, gdy sprawy w kraju przybiorą lepszy obrót, bo dzisiaj, za co się nie złapiesz, to i tak...

— Zepsujesz — weszła mu w zdanie Jadwiga.

— ...rozpada ci się w rękach — dokończył myśl Jakub. — To już koniec ciężkich słów, które mam dla ciebie, książę. Teraz powiem rzeczy, które mogłyby przemawiać za twym usprawiedliwieniem: wszyscy jesteśmy winni. Twoja postawa uświadomiła nam, że Królestwo to coś więcej niż król. To dobro wspólne. Ty nie potrafiłeś go unieść, my nie umieliśmy ci pomóc. Ja, arcybiskup Królestwa Polskiego, błogosławię cię na drogę, bo nie straciłem wiary w Królestwo. I modlę się, abyś to właśnie ty, Władysławie, był jeszcze go kiedyś godzien.

JADWIGA wszystko by oddała, by móc cofnąć czas, by znów było jak w pierwszych latach po ślubie. Pokochała go przecież od pierwszego spojrzenia. Wydał jej się kimś niezwykłym, mężczyzną w ciele wiecznego chłopca. Lubiła jego małomówność i to, że długo nie nastawał na jej dziewictwo. Służba zamykała za nimi drzwi sypialni, a oni siedzieli po dwóch stronach łoża i każde z nich robiło swoje. Ona kończyła hafty. On czyścił broń lub ćwiczył siłę palców, próbując zgiąć końską podkowę. Z początku udawało mu się to często. Cieszył się wtedy, mówiąc:

— Jadwiniu! Spójrz, co zrobiłem!

Jezu Chryste. Dzisiaj to wspomnienie jawi się jak szyderstwo.

Tak więc wiele miesięcy zapowiadało się, iż będą białym małżeństwem, jak świętej pamięci książęta krakowscy, krewni obojga. Jadwiga zresztą już wcześniej marzyła o gnieźnieńskim konwencie Świętej Klary. Bardzo chciała być klaryską, jak jej siostra Anna, jak liczne kobiety z rodziny. Znała świetnie psalmy, uwielbiała wraz z matką odwiedzać ksienię. Podobało jej się to, imponowała twardość i świętość zakonnic. Ale od tej nocy, gdy zupełnym przypadkiem, wcale tego nie chcąc, dotknęli się z mężem, wszystko się zmieniło. Jadwiga tracąc dziewictwo, zyskała świat doznań wcześniej nawet nieprzeczuwalnych. Po tamtym pierwszym razie nastał drugi, trzeci i czwarty. I ona, i Władysław zasmakowali w urokach łożnicy, choć z nadejściem poranka każde z nich udawało, że to był jedynie świat sennych marzeń.

Miał rację Jakub Świnka, że wszyscy są winni. Ona też. Matka, póki żyła, tłumaczyła jej, jaki jest wpływ żony na męża, i choć nie mówiła wprost, wiadomym było, gdzie leży źródło owej siły. Ale Jadwiga nie umiała przebić się przez skorupę Władysława. Więc kiedy on umykał w swoje szczenięce żarty, wolała już z dwojga złego być „Jadwinią Władzia", niż postawić na swoim i powiedzieć mu parę mocnych słów do słuchu. Teraz już za późno. Dzisiaj jej mąż wyrusza w samotną podróż, z której kiedyś ma nadzieję wrócić. A ona? Ona...

— Jadwigo. — Władysław wszedł tak cicho, że pogrążona w myślach nie usłyszała jego kroków.

— Tak, mężu?

— Nie możesz zostać w Łęczycy ani nawet w Kaliszu. Arcybiskup obawia się o bezpieczeństwo twoje i dzieci.

— Wiem. Chcę schronić się u gnieźnieńskich klarysek.

— To nie jest dobry pomysł. Każdy, kto będzie cię szukał, najpierw sprawdzi wszystkie zgromadzenia zakonne. Klasztor nie chroni przed gwałtem. Pamiętasz, co było w Sączu, gdy najechali Dzicy?

— Tak. Matka opowiadała... Więc dokąd mam się udać?

— Pojedziesz do Radziejowa. Ukryjemy cię u pewnego mieszczanina, zwie się Gerko. Zamieszkasz u niego, udając krewną ze wsi, przebierzesz się... — głos mu wiązł w gardle — ...w zwykłe odzienie, jak mieszczka... Wiem, Jadwigo, że to dla ciebie wielki dyshonor, że nie zasłużyłaś na to wszystko, ale jedyna szansa ocalenia dla ciebie i dzieci leży w tym, by nikt was nie rozpoznał. Nie wiadomo, co się w kraju zdarzy. Może być ciężko. Musicie przeżyć i jeśli Bóg da, spotkamy się znowu...

— Wątpisz w to, Władku? — spytała, kładąc mu rękę na ramieniu.

— Nie — odpowiedział szczerze. — Ale nie wiem, jak długo to potrwa. — Uśmiechnął się, tak raczej krzywo. — Stefan wyrośnie, Kinga będzie już pannicą, może...

Na pierworodną zawsze mówi Kinga, nigdy Kunegunda. Uśmiechnęła się i w duchu, i naprawdę. Wzięła go za rękę i położyła ją na swoim brzuchu.

— To chłopiec? Jesteś pewna? — spytał.

Kiwnęła głową.

— Dasz mu na imię Bolesław? — zaryzykował.

Zaprzeczyła.

— To może chociaż na drugie?

— Nie. Dam mu na imię Władysław. I będę mówiła mu od dnia narodzin, że to dlatego, iż kocham jego ojca tak bardzo, aż tchu brakuje.

Władek ukłęknął przed nią. Pochylił się. Pocałował jej maleńkie stopy. Spojrzał na nią od dołu i wstając z kolan, powiedział głośno:

— I mów mu, że ojciec wróci.

VÁCLAV II wiedział, że Karzeł nie przyjedzie do Pragi i nie zegnie kolan, chociaż zależało mu, by to zrobił. Marzyło się mu bycie władcą doskonale sprawiedliwym, mimo iż Muskata wciąż mu powtarzał, że to nudne. Ten Muskata to był naprawdę pomysłowy! Ledwie Mikołaj, brat przyrodni Václava, wrócił z Klęki, a biskup krakowski już polecił słać posła do Rzymu. Po koronę.

— Polska korona z rąk papieża — powtarzał mu to, co wiele lat wcześniej biskup Tobiasz.

— Wiem, wiem! — Machał ręką Václav. — Ślij, ślij.

Ale jednego, nawet tak szczwany lis jak Muskata, nie przewidział: że papież się wypnie.

— Przeklęty niech będzie Bonifacy VIII i jego polityka! — darł się Václav, a Muskata uspokajał go.

— Przeklęta niech będzie Guta von Habsburg i jej zemsta zza grobu! — znajdował coraz to nowe argumenty król.

— A, tu akurat się z tobą zgodzę, mój panie — przytaknął biskup krakowski. — Wszystko przez Habsburgów. Papież nie znosi Habsburgów, a tak się składa, że jesteś uznany za ich sprzymierzeńców.

— To się ich wyprę! — wpadł na pomysł Václav.

— Nie, mój panie! W to Bonifacy nie uwierzy. Uderz w inną strunę.

— Jaką strunę? — zaciekawił się król.

Muskata zrobił przebiegłą minę i powiedział zaczepnie:

— Podobną jak w Klęce.

Przemyślidę zirytował koncept biskupa i stuknął się w głowę.

— Chcesz grać w ciepło-zimno? Czyś ty oszalał, biskupie? Przecież ja nie jestem dzieckiem. Jak ci się chce takich rozrywek, to wezwę moje córki. Jedna taka, Katerinka, bękarciątko, ale zdolne, nadzwyczaj lubi grać. Zawołać ci ją?

— Nie, dziękuję. — Muskata zwiesił głowę.

— No, nie martw się, biskupie! Skoro na koronację czeską zgodę dawał mi król Rzeszy, to na polską niech mi ją też da. Wystawimy papieża, co nie?

— To właśnie miałem na myśli. Zastosować zasadę lenną — ponuro odpowiedział biskup.

— Skoro jesteśmy jednomyślni i obaj uważamy, że to się da uzasadnić, wywieść prawnie i przeprowadzić, to się już nie smuć. Naprawdę, z tobą, Muskato, czasami ciężko rozmawiać. Masz takie dni, kiedy opornie wszystko chwytasz, o byle co się złościsz. Weź się w garść, biskupie krakowski.

Muskata spojrzał na niego tak jakoś mało przytomnie, ale łyknął złotego styryjskiego wina i wrócił do sił umysłowych.

— Chcę powrócić do pewnego ważnego tematu. Załóżmy, mój królu, że już zgodę na koronację masz...

— Jeszcze nie mam — upomniał go Václav.

— Ale będziesz miał — z naciskiem powtórzył Muskata.

— Papież Bonifacy to świnia — przypomniał sobie Václav.

— Masz rację. Przejdźmy dalej. Sprawa samego aktu...

— Słyszałeś o tym, że Bonifacy obraża królów? Filipa Pięknego nazwał „dupkiem"!...

— Słyszałem — kwaśno potwierdził Muskata, jakby go papież nie interesował.

— On nie lubi brzydkich ludzi — uświadomił biskupa Václav. — Grubych, kulawych, garbatych, karłów — zachichotał, bo to akurat było śmieszne.

— Filip Piękny nie jest brzydki, a Bonifacy też go nie lubi. Błagam cię, królu, skupmy się — zajęczał Muskata.

— Skoro mnie błagasz.

— Uważam, iż znacznie, znacznie lepiej dla ciebie i praktyczniej byłoby zrobić to w Krakowie.

— Co? — zdziwił się Václav.

— Koronować się na króla Polski.

— Muskato, ty jesteś dzisiaj w złej formie. Królowie Polski koronują się w Gnieźnie — poprawił go Václav. — A ja chcę być prawdziwym królem. Nie jakimś tam półkrólem. W Gnieźnie trzymają tę waszą koronę, insygnia, tam jest ta katedra święta i tak dalej. No co ty, ja mam ci historię tłumaczyć?

— Ja chcę namówić cię, mój panie, byś ty tworzył historię, a nie odtwarzał — jęknął Muskata.

Václav II zaśmiał się.

— Mój Boże! Jaki ty jesteś czasami przewidywalny! Przecież ty chcesz, aby stolica Królestwa przeniosła się z Poznania do Krakowa, bo oj, oj, oj, tak się składa, żeś ty, Muskato, jest biskupem krakowskim. A nie wpadłeś na to, że jak ja zechcę, to będziesz biskupem gnieźnieńskim?

— Arcybiskupem...

— No, ambicje to ty masz królewskie. — Zaśmiał się Václav. — Twoja szanowna mamusia nie była przypadkiem nałożnicą mojego tatki, co? Mój tatko lubił sobie czasem wskoczyć na zwykłą mieszczkę. E, no nie obrażaj się, chciałem ci pochlebić, a ty od razu dąsy.

— Nie obrażam się. Jestem realistą. Nie możesz mnie, mój królu, uczynić arcybiskupem, bo to wybór kapituły.

— A na krakowskiego to też cię kapituła nie wybierała? I co, bękart mojego tatki przyjechał z moim srebrem i kapituła zmiękła.

— Ale wybór musi zatwierdzić papież. Tak się składa, ten sam Bonifacy, co ci nie dał zgody na polską koronę.

— Nie kłóćmy się, Muskato. Niezgoda rujnuje. A ja i tak cienko przędę ostatnimi czasy. Same wydatki!

— Z Krakowa masz bliżej do Pragi — przymilnie wrócił do tematu Muskata. — Będzie taniej...

— Nie. Ja chcę w Gnieźnie. Ze wszystkimi honorami. I z córką Przemysła II za żonę. Ileż mogę być wdowcem?

HENRYK, książę głogowski potrzebował księstwa żagańskiego, dziedzictwa swego brata Konrada, by wzmocnić się finansowo przed kolejną kampanią. Po co Garbusowi księstwo, jak pojechał na zbytki do Akwilei? Zajął ziemie żagańskie, choć z oporem jego możnych. I ledwie się w nowym księstwie rozejrzał, jak gruchnęła wiadomość, że Konrad wraca.

— Po co? — zdenerwował się Henryk.

— Papież go nie zatwierdził na urzędzie. Powiedział, że paliusza mu nie da — krótko zreferował kanclerz.

— Ten Bonifacy to świnia — pozwolił sobie Lutek Pakosławic. — Co mu szkodziło? Mielibyśmy spokój. Garbatemu odmówił? Nie ma jakiegoś przesądu, że to jak z babą w ciąży?

— Mój brat nie może wrócić — orzekł Henryk. — Lutek, weź ludzi i wyjedźcie mu naprzeciw. Zatrzymajcie Konrada i pod strażą odprowadźcie do...

— Do lochu? — wtrącił się Otto von Dier. — Nie radzę. Zastosuj areszt domowy. Poddani ci będą patrzeć na ręce. Brata duchownego, prawie biskupa, a na pewno kaleki w lochu nie wybaczą.

— Areszt domowy — wydał polecenie Lutkowi. — Jedź.

Gdy tylko Pakosławic zniknął, Henryk zadał Ottonowi pytanie, które dręczyło go, odkąd dowiedział się o Klęce.

— Czy ja jestem urodzonym pechowcem?

— Nie nazwałbym tego tak dosadnie. Może po prostu brakuje ci szczęścia. Zresztą masz rację, książę, na to samo wychodzi. — Otto von Dier westchnął. — Mały Książę tym jednym krokiem podeptał ambicje tylu ludzi! On jest jak zły cień, ciągnie się za tobą. Ugiąłeś się i zgodziłeś na polityczne zaloty Václava, to ten dał Władysławowi gotówkę na wojnę z tobą. Zawarłeś porozumienie z Andrzejem Zarembą, to Władysław pohańbił się w Klęce i zaprzepaścił twój plan objęcia tronu w Poznaniu. Teraz nawet gdybyś chciał, bo Zaremba nadal jest ci życzliwy, to i tak na nic. Wdałbyś się w otwartą wojnę z królem Czech. A na to nie stać nas, nawet gdy przyłączymy sobie księstwo Konrada.

— Właściwie, to kiedy tak mówiłeś, pomyślałem, że to nie jest kwestia braku szczęścia, Ottonie.

— Nie poznaję cię! — Na twarzy jego kanclerza wykwitło coś, co u innych nazwano by uśmiechem.

— To wyłącznie kwestia Władysława. Za każdym razem to on mi wchodzi w paradę. Może więc...

Otto von Dier roześmiał się głośno.

— Nie! Na to jesteś stanowczo zbyt prawy. Każdy inny, ale nie ty, mój książę.

Książę Głogowa czuł, jakby coś wypaliło się w jego piersi. Coś, co napędzało go od lat w jego mozolnej, systematycznej drodze ku szczytowi. Gdy piął się szczebel po szczeblu, nigdy nie chcąc przeskakiwać kilku naraz, zawsze po kolei, zgodnie z prawem. I teraz, kiedy Władysław zrobił to, co zrobił, poczuł, jakby wyrwano z drabiny szczeble, na które chciał wejść. Patrzył w górę i nie widział nic.

Henryk rozwierał palce i zaciskał je w pięść. Rozwierał i zamykał. Przypominało to ruch orlego skrzydła. Jego osobisty, czarny orzeł spał zwinięty na piersi. Potrzebował obudzić go w sobie i siebie w nim.

— Zostawię cię, Ottonie. Wybacz.

Ruszył do wschodniego skrzydła głogowskiego zamku, wprost do komnat żony. Matylda Brunszwicka, jego księżna, była brzemienna. Ich małżeństwo odznaczało się przewidywalną harmonią. Co dwa lata potomek. I właśnie dzisiaj, wiedziony sam nie wie jakim impulsem, zapragnął rozerwać tę gładką, niczym jedwab, strukturę.

— Pani — przywitał ją i skinął głową także dwórkom.

— Mój mężu — odpowiedziała i się ukłoniła.

Była ubrana starannie, tak jak w dni, gdy wraz z fraucymerem przybywała na ucztę. Jedynie głowę miała odkrytą i zdał sobie sprawę, iż od czasu, gdy oznajmiła, że znów spodziewa się dziecka nie widział jej ciemnych włosów. Puszczone luźno na plecy, jak u dziewczyny, unosiły się w naturalnych zawojach loków. Luther mówił, iż Matylda odziedziczyła urodę po matce, księżnej Montferratu.

— Żegnam panie — powiedział do dam jej dworu, a one w równym ukłonie odpowiedziały:

— Dobrej nocy, książę.

I wyszły. Matylda siedziała, opierając się o rzeźbione oparcie krzesła. Uklęknął przy niej.

— Pani, nie przyniosłem bażantów i pieczonych gruszek, nie przyniosłem wina mozelskiego, ale przyszedłem do ciebie, bo nagle stwierdziłem, że życie jest krótkie, a los kapryśny.

— Nie musisz się tłumaczyć, *mein Heinrich*, z tego, że odwiedzasz żonę. — Wsunęła mu palce we włosy i ich opuszkami dotknęła skóry głowy.

To, w połączeniu z gardłowym „*Mein Heinrich*", które było nieodłącznym elementem ich nielicznych chwil rozkoszy, spowodowało, iż zarówno on, jak i jego orzeł gotowi byli do gry.

Łagodnie rozsunął kolana Matyldy, a czarny orzeł, bijąc skrzydłami, unosił jej suknię. Nogawiczki w odcieniu błękitu. Wstążka pod kolanem. Rozsupłał ją zębami. Matylda wczepiła palce w jego ramiona, ciągnąc go wzwyż, na siebie.

— *Mein Heinrich* — zacharczała zmysłowo.

Mają sześcioro dzieci, to w jej łonie jest siódme. Każde poczęli w nie więcej niż czterech zbliżeniach, w tym jedynym wolnym czasie między końcem połogu a ciążą. To znaczy, że zaznawali miłości mniej niż trzydzieści razy. Czy to musi tak być? Nie mógł dobrać się do jej piersi; zawsze dostawał ją gotową, rozebraną przez dworki z ozdobnych surkotów i ciasnych, sznurowanych sukni, ubraną jedynie w koszulę, którą zdjąć z niej mógł jednym ruchem. Matylda pomogła mu, wysoko podciągnęła suknię i otworzyła drogę do łona. Dotknął go. Było nabrzmiałe. No tak, jest brzemienna. Czy to nie zaszkodzi dziecku? — przemknęło mu przez głowę, ale ona sama rozwiała jego wątpliwości, drugą dłonią rozsupłując jego nogawice. Już wtargnął w nią, już poczuł ciepłą wilgoć brunszwickiego łona. Już Matylda unosiła biodra w tym samym rytmie, spotykając się z nim w pół drogi.

— *Mein Heinrich, Heinrich, Heinrich* — wczepiała się konwulsyjnie w jego ramiona.

Czarny orzeł Henryka unosił się nad nimi, pod wysokim sklepieniem, bił skrzydłami w powietrzu, krzyczał. Aż w końcu spadł w dół, pikując, i wylądował na piersi Matyldy. Ona złapała go tak mocno, że Henryk aż jęknął.

— *Mein schwarzer Adler* — krzyknęła i opadła na krzesło.

Henryk na nią. Matylda bezwładnymi palcami wypuściła orła. Przeszedł na oparcie jej krzesła, rozłożył skrzydła i machnął nimi. W blasku świec zalśniły jego szpony i dziób.

— „Czerń i złoto" — szepnął do orła Henryk.

Wstał, opuścił suknie Matyldy. Zasznurował nogawice. Poprawił kaftan. Potem przygładził włosy. Sprawdził, czy nie przesunął mu się pas. Zachciało mu się żyć.

Wrócił do komnaty, w której zostawił Ottona von Diera. Kanclerz głogowski drzemał z czołem opartym o pięść. Henryk już miał go budzić, ale w ostatniej chwili zrezygnował. Spojrzał na zawieszony wysoko, rzeźbiony w czarnym dębie krzyż. Pod nim stał klęcznik Henryka. Prosty, bez obijanego podnóżka. Klęknął nad nim. Składając dłonie do modlitwy, poczuł na palcach woń Matyldy. Przeżegnał się, oddalając zapach kobiety. W końcu wszystko ma swój czas.

— Panie, powierzam ci życie moje i sprawy księstwa, którym z Twej woli rządzę. Każdy z nas ma obiecane za dobre życie Królestwo Twoje po śmierci. Jak widzisz, Boże, robię wszystko, by godnie wypełnić swe dni. A jeśli dla dobra sprawy najważniejszej, jaką jest zdobycie Starszej Polski, która mi się słusznie należy, muszę uwięzić brata mego, to pamiętaj, Boże, że żaden ze mnie Kain. Potrzebuję jeszcze przez rok, nie więcej, dochodów z dzielnicy Konrada. Czyż to moja wina, że papież nie zatwierdził go na akwilejskim biskupstwie? Nie. To znak. W końcu i Ty, Panie, uznałeś, że on nie jest godzien zaszczytów, skoroś go obarczył kalectwem. Garbem. I ja, mój Boże, jeśli muszę coś przeciw niemu uczynić, to robię to nie dla osobistej korzyści, ale dla dobra sprawy. I Panie nasz, błagam Cię gorąco, na kolanach, z miłością o spokój duszy Przemka, brata mego umiłowanego. Miej na niego baczenie łaskawe, aby mógł dostąpić wiecznego spokoju w szeregu tych, których wybrałeś, amen.

Przeżegnał się i wstał. Przeszedł po komnacie. Przeciągnął, aż strzeliły kości. Wyprostował plecy i podszedł do śpiącego przy ławie kanclerza. Klepnął go między łopatki.

— Budź się, przyjacielu. Praca czeka! — Zatarł zziębnięte dłonie. — Przygotuj poselstwo o rękę Rikissy Przemysławówny dla mego syna Henryka.

WŁADYSŁAWA odprowadzał orszak dwustu ludzi. Wozy taborowe, zapasowe konie. Setka pożegnała go na granicy Kujaw. Zeszli z koni i stojąc przy nich, pokłonili się księciu do ziemi. A potem krzyknęli gromko:

— „Pod wiatr"!

Stary rycerz jego ojca Kazimierza, Sędzimir, z brodą tak długą, iż jej końce zakładał za uszy, powiedział:

— Wiatr cię zabiera, synu Kujaw, panie nasz! Niech wiatr nam cię zwróci!

A proboszcz kapituły katedralnej we Włocławku, syn sędziego brzeskiego, Gerward z rodu Leszczyców, ze złotym brogiem na piersi, uniósł krzyż i błogosławił na drogę imieniem Ojca, Syna, Ducha.

— ...a zwłaszcza niech Duch Święty będzie przy tobie, panie nasz!

Rycerstwo kujawskie płakało. Władek wzruszony pożegnaniem nie mógł wykrztusić ani jednego słowa. Uniósł tylko prawicę i pozdrowił ich. A potem odwrócił się i ruszył.

Kilka dni później, kiedy przejechali już ziemię sieradzką i dotarli do kasztelanii rudzkiej, zatrzymali się w gościnie u Lekszyka.

— No to jutro, najdalej pojutrze, przekroczymy granice księstwa — powiedział Chwał, szukając osłody w miodzie.

— I przed nami droga na Węgry — mruknął Polubion, zgniatając w palcach okruszynę chleba.

Strzelały płonące polana. Władek milczał. Nie pił. Lekszyk przeciwnie, starał się gadaniem rozmącić ciszę, która między jednym a drugim zdaniem, niczym mgła, zapadała w izbie. Lekszyk nie czuł, iż oni nie chcą z nim mówić, że od czasu Klęki stał się dla nich kimś niewidzialnym. Pili jego miód i jedli chleb tylko dlatego, że kasztelania rudzka była ostatnim przystankiem w drodze na południe.

— Na Węgry! Nasz książę to ma takie dobre układy na Węgrzech. Wręcz przepadają za nim Madziarowie. Hi, hi, hi! A co się wina napijecie, to wasze! Dziewczyny tamtejsze to namiętne!... Kiedyś w domu rozkoszy, u dawnego biskupa, Pawła z Przemankowa, miałem jedną Madziarkę. Oczy czarne, zęby białe, piersi...

— Każda dziewczyna ma piersi — uciął jego nieznośne gadanie Pawełek Ogończyk.

— Idziemy spać — rozkazał Władek i wyszli, zostawiając Leszczyka samego.

Ruszyli przed świtem lasami, w stronę przeprawy przez Pilicę. Kiedy stanęli nad brzegiem na popas, nim zeszli z koni, Władek wyjechał przed ich szereg, zebrał się w sobie i powiedział:

— Jesteście najwierniejsi z wiernych: Doliwowie, Leszczyce, Godziemby, Awdańcy, Korabici, Rolice, Pomianowie. W zdrowiu i chorobie, w majestacie i klątwie, w bitwie i na uczcie, zawsze przy mnie. Z wiatrem i pod wiatr...

Rulka przestąpiła z nogi na nogę, jakby chciała go pogonić, by nie przemawiał, tylko mówił. Więc powiedział.

— Nie pojedziecie ze mną.

— Pojedziemy — sprzeciwił się Ogończyk.

— Pojedziemy — jednym głosem powiedzieli bracia Doliwowie. — Gdzie ty, tam my.

— Nie. Wy wrócicie na Kujawy. Będziecie ich strzegli, bronili, jeśli trzeba. W was przetrwa Królestwo, jeśli nie wrócę ja. — Przełknął ślinę, bo słowa stanęły mu w gardle, i mówił dalej: — Dajcie mi waszych młodszych braci, drugich i trzecich synów. Tych, co nie dziedziczą, co nie stracą, idąc ze mną na wygnanie.

Powiedział. Jeszcze w nocy bał się, że nie powie, ale powiedział. Patrzyli na niego w osłupieniu. Szereg stu jego ukochanych ludzi. Nie spodziewali się.

— No, już. Weźcie się w garść — rzucił, by ich obudzić. — Bo sam będę wybierał.

— Wybierz mnie — Ogończyk wyjechał przed szereg — nie mam żony, synów, braci. Jestem tylko ja, Paweł syn Ogona. Wybierz mnie!

Władek skinął głową, bo wiedział, że nawet jeśli powie „nie", Pawełek pojedzie. Klacz Pawełka, gniada Arda, zarżała do Rulki.

Natychmiast za Pawłem odezwał się Wojsław Trojanowic, podkomorzy brzeski, też Powała, tylko z rywalizującej z Ogończykiem gałęzi.

— Moi młodsi bracia: Żyra i Przybysław do twych usług, książę!
Władek znał obu i pokazał im miejsce obok Ogończyka.

Janek Leszczyc, brat proboszcza Gerwarda, wyjechał przed szereg, a za nim...

O rany — pomyślał Władek — byłem pewien, że mają jeszcze kogoś...

— To najmłodszy z nas. Przezdrzew Leszczyc. Był przy tobie pod Miechowem, jak my wszyscy, Leszczyce. Wtedy, cośmy chcieli uderzyć na Małą Polskę, kiedy odeszły od nas wojska z Madonną na purpurze.

Władek pamiętał. Przezdrzew czekał na niego przed ogniskiem, gdy Bolesław wyznał, co miał wyznać. Teraz więc skinął głową i Przezdrzew przejechał na jego stronę.

Przed szereg wyjechał Piotr z Pakości, głowa rodu drugiej gałęzi Leszczyców, i wyprowadził niespełna dwudziestoletniego chłopaka.

— To mój drugi syn, Wojciech. Młody, ale bitny. Jego marzeniem jest, by zamiast imieniem świętego męczennika wołano go nie Wojciech, a Woj. Jeśli pod twoją ręką, książę, nabierze cech rycerskich, to przysięgam przed wszystkimi, co tu stoją, że będzie Wojem z Pakości. A jeśli się nie spisze, będziemy mówić na niego „Ciepły Wojtuś" do końca jego dni.

Wojtek nieśmiało uśmiechnął się do Władka. Wyglądał jak duże, wypłoszone dziecko. Książę skinął, by przejechał na jego stronę.

Czas na Pomianów — pomyślał Władysław, bo przed szereg wyjechali kasztelan i wojewoda brzeski z podwójnymi na skos łączonymi krzyżami na piersiach. — Boże, ileż ja z nimi przeszedłem!

Kasztelan Przecław z Osięcin, starszy z nich, uznał, że jako ojciec wielu synów ma do oddania więcej.

— Jałbrzyk i Bachorzyc. Chciałbym dać ci i Rozdziała, więc jeśli weźmiesz, książę...

— Nie. Dwóch to i tak nadto.

— Mniej niż dwóch nie mogę dać. Mam czterech.

— Jałbrzyku, Bachorzycu, stańcie przy mnie.

Wojewoda Bronisz ze Służewa miał tylko jednego syna, Przecława, archidiakona kruszwickiego, lecz pod jego rozkazami chodzili bratankowie, synowie Chebdy.

— Książę mój, albo weźmiesz obu, albo sam wybierz, którego wolisz: Andrzej starszy, Ligaszcz młodszy. Tyle że Ligaszcz mówi po niemiecku, jak za przeproszeniem, sam margrabia. Ma szelma talent do języków, a jego ojciec Chebda lubował się w niemieckich niewolnikach.

— Andrzeju, nie gniewaj się. Biorę młodszych synów. Ligaszczu, chodź ze mną. Znasz jeszcze jakieś inne mowy?

— Tak mój książę. Mieli my i Litwinów, i Rusinów, i Prusów w lochach. Jednego plebana, co mówił po łacinie, no tych Węgrów, co przy tobie wojowali, bo ja byłem w oddziale i na Brandenburgię, i na Pomorze, i na Głogowczyka... — Odwrócił się, patrząc trwożliwie na stryja, i dokończył ciszej: — Czeszkę jedną miałem, dziewuszkę, Lubuszanki dwie, ale dawniej...

— Bardzo dobrze. — Skinął mu głową Władek i z bólem pomyślał, że teraz pora na Doliwów i trzeba rozwiązać najtrudniejsze zadanie, jakie przed sobą postawił. Przecież nie wyobrażał sobie wyprawy bez braci Doliwów. Szyrzyk i Polubion byli rodzonymi braćmi. Chwał był ich bliskim krewnym, ale jak bliskim, tego Władek nigdy nie umiał dociec, bo u Doliwów drzewa rodowe były rozrośnięte i gałęziami niezwykle splątane. Wszyscy wiedzieli, iż oni mówią o każdym Doliwie w zbliżonym wieku „brat", a o wszystkich starszych „stryj", bo tylko dzięki temu unikają pomyłek, kto, czyj, kogo.

Wyjechali przed szereg we trzech. Chwał, Polubion i Szyrzyk. Dopiero teraz Władek zorientował się, iż oni nawet nie są do siebie podobni. Nigdy nie zwrócił na to uwagi. Herbowe trzy róże sprawiały, że zawsze, ale to zawsze, zdawali mu się synami jednej matki.

— Nie, bracia Doliwowie. Kocham was, ale tak samo muszę brać od wszystkich.

Mierzyli się z nim, nie zawołali po synów. Wyczekiwali, sądząc, iż zmieni zdanie.

— Każdy z was niech da mi po jednym. I to nie mają być pierworodni — powtórzył.

Oni znów nic. Staliby tak, wpatrując się w niego niemo, gdyby Rulka nie zarżała głośno. Znali Rulkę i wiedzieli, iż kolejne będą kopniaki. Chwał zawołał:

— Nielubiec, Bolebor, Zdzierad, wystąp!

Zza ich pleców wyjechało trzech, podobnych do siebie.

— Czyi to synowie? — nieopatrznie zapytał Władysław.

— Nasi — odpowiedział Chwał.

Pierworodnym było Blizbor, Dobrzegniew i Zdziemił — przypomniał sobie Władek.

— Dobrze, więc od dzisiaj to moi trzej bracia Doliwowie. Nielubiec, Bolebor, Zdzierad, do mnie.

W kwestii udziału obu głównych Awdańców, Wilka i Dobiesława, nikt nie dyskutował. Obaj szwargotali po węgiersku jak Madziarzy i już z racji tego byli niezbędni. Naprzeciw siebie stały dwa szeregi. Trzy dziesiątki ludzi wybrane do podróży. Przed Władysławem było kolejne pożegnanie. Przez ostatnie dni nic innego nie robił, tylko się żegnał.

— Dziękuję wam, moi pierwsi towarzysze, za drugich synów i młodszych braci. „Pod wiatr"! — krzyknął krótko.

— „Pod wiatr"! — odpowiedzieli gromko.

Gdy Rulka weszła w wody Pilicy, naprawdę zerwał się wicher. Znała rzekę, znała bród. Nie przelękła się gałęzi lecących z drzew do wody.

Z drugiego brzegu obejrzał się za siebie. Wciąż tam stali. Nad ich głowami kujawskie chorągwie. Pawełek Ogończyk uformował szereg. Władek wyjechał przed swoje małe wojsko i powiedział:

— Nie jedziemy na Węgry. Jedziemy do Rzymu.

ZYGHARD VON SCHWARZBURG i jego przymusowy towarzysz Kuno byli w drodze do Bałgi.

— Zobaczysz niezdobytą basztę w murze przeciw Dzikim! — Zyghard odwrócił się do Kunona i zagadał po dniu jazdy w milczeniu. Kuno wyglądał, jakby spał w siodle. — Ej, renegacie! Obudź się, jedziemy przez ziemie nawiedzane przez Dzikich!

Kuno uniósł głowę i skrzywił się.

— Skoro ta niezdobyta przez nich baszta przed nami, to po której stronie muru jesteśmy?

— Niewiele rozumiesz. Jesteś ucieleśnieniem mięśni, którym głowa służy tylko do zwieńczenia szyi. Mur Zakonu Najświętszej Marii nie jest murem w znaczeniu budowli. To symbol. Zaczynaliśmy od stawiania wież z polnego kamienia, stołby na wypalonej i wyrwanej Dzikim ziemi. A dzisiaj? Mamy szereg twierdz, zamki przy rzekach, by zawsze mieć dostęp do drogi wodnej. Dzicy nie potrafią oblegać zamków! Nasz mur, rozumiesz, ten mur symboliczny, jest ciągiem komturii, a bijącym sercem każdej z nich jest twierdza.

— Zapomniałeś o Pannie, komturze mędrku, Zyghardzie von

Schwarzburg. Mówi się: Najświętszej Marii Panny. Sądziłem, że o kim jak o kim, ale o Maryi nigdy nie zapominacie, skoroście nawet Malbork przechrzcili na Marienburg.

Zyghard wzruszył ramionami. Odkąd Kuno spadł na jego barki, miał ochotę go udusić równie często, jak zmawiał *Ave Maria*. Czyli raz na godzinę.

— Jednak zanim dojedziemy do bałgijskiej baszty na szczycie klifu, zobaczysz, cośmy zrobili z największą świątynią Dzikich...

— Jak skończysz krzyżacką karierę, możesz oprowadzać wycieczki.

— Kpisz, a to żelazny punkt każdej letniej rejzy. Rycerze z zachodu płacą ciężkie pieniądze, by zobaczyć ruiny.

— Niech zgadnę — ożywił się Kuno — porąbaliście siekierami świątynię i spaliliście posągi.

— To nie była zagadka. Ale tak. Tak było. Stąd nazwa miejsca: Heiligenbeil.

— Święta Siekierka — zaśmiał się renegat. — A poprzedni właściciele jak na nią mówili?

— Sventomest. Święte Miejsce.

— Znasz język Dzikich?

— Jeden, dwa dialekty, na tyle, by się dogadać.

— Ach! Czyli podstawowe pytania: Gdzie masz skarby? Gdzie schowałeś córki? Jak daleko do następnego domostwa?

— Nie. Ale umiem im wyjaśnić zasady nowej wiary.

— Czyżby? Czy to nie twój brat mówił: „Skończył się wiek misji. Nastał czas ognia i gniewu bożego"?

— Jedno nie przeczy drugiemu. Rozgadałeś się. Dobrze, bo w Bałdze sobie nie pogadasz. To zamknięte spotkanie.

— Więc po co ciągniesz mnie ze sobą?

— Na wypadek kamiennych bloków spadających z góry.

— Miło mi, że przypominasz zasługi zwykłego szarego brata.

— Kuno, kazali mi cię przygarnąć, nic nie mówili o chwaleniu. Zabieram cię, bo spotkania w Bałdze to rzadkość, to żywe serce zakonu i po prostu nie mam ochoty odpuścić udziału w nim. A ponoć cię nie można zostawiać samego. Konwenty w Marienburgu czy Elblągu to rzecz oficjalna. W Bałdze, pod czerwonym wilkiem wyje morski wiatr; tam komturowie i bracia rycerze mówią, co im w sercu gra.

— A kto podsłuchuje?

— Nie rozumiem.

— Ostrzegali mnie, że u was wszędzie się podsłuchuje. Myślałem, że to niepisany obyczaj.

— Mógłbym policzyć do trzech albo zmówić *Salve Regina*. Mógłbym tego nie robić i po prostu zabić cię, a Konradowi von Sack i memu bratu powiedzieć, że dostałeś od Dzikich bełt pod żebro.

— Dziwię się, że jeszcze tego nie zrobiłeś. Obstawiam, że pękniesz w drodze powrotnej z Bałgi.

— Pst!... — Zyghard uniósł dłoń, bo z lasu po prawej stronie dał się słyszeć dziwny tumult.

Coś jak gwałtowna szamotanina, szuranie zeszłorocznych liści. Głuche warknięcia, charkot, szczeknięcie. Ucieczka po suchym igliwiu. Na trakt wybiegł wilk z ludzkim ramieniem w pysku. Trzema skokami przesadził drogę, nie zwracając na nich uwagi. Wpadł w las po przeciwnej stronie i w tej samej chwili przeciął im drogę drugi, goniący go. Ten zatrzymał się na chwilę. Uniósł łeb, patrząc na Zygharda, Kunona i ich konie. Z otwartej paszczy skapnęła mu piana i ruszył gonić towarzysza.

— Masz dobry słuch — powiedział Kuno, gdy ruszyli dalej. — To była jedna z atrakcji wycieczki do Świętej Siekierki? Będzie więcej?

— Być może — uśmiechnął się półgębkiem Zyghard. — Tak właśnie wyglądają krańce ziem zakonnych. Rubieże chrześcijaństwa.

— Symboliczne baszty w murze, pomiędzy którymi biegają wilki — popisał się pamięcią Kuno. — Nie ciekawi cię, czyja to była ręka?

— Właściciel już nie żyje. — Wzruszył ramionami Zyghard.

Do Bałgi dojechali późnym popołudniem. Ich oczom ukazał się olśniewający widok zamku osadzonego na klifie. U jego stóp wściekle kłębiło się morze. Zyghard zobaczył to, co chciał: zaskoczenie na twarzy Kunona. Wjechali na wzniesienie. Najpierw okalająca mury fosa, głęboka na czterdzieści łokci. Za nią mur twierdzy, zamknięty z trzech stron, a od morza jedynie spięty solidnym krużgankiem. I dwie potężne baszty, południowa i północna. Nad bramą w podmuchach wiatru skakał czerwony wilk — herb Bałgi.

— Musicie bardzo bać się Dzikich, skoro budujecie takie twierdze — powiedział Kuno, gdy kopyta ich koni stukały po zwodzonym moście.

— Dobrze wiesz, że czegoś takiego nie zdobyłaby i armia zaciężnego rycerstwa. To nie objaw strachu. To znak potęgi zakonu. I jesz-

cze jedno, renegacie. Przy braciach w Bałdze nie mów o nas „wy".
A tu — wskazał ręką kościół na dziedzińcu i ściszył głos — możesz
schylić łeb jako były templariusz. Bo fasada kościoła wyłożona jest
kamieniem z Ziemi Świętej.

— Nie modlę się do kamieni, Zyghardzie. Jestem chrześcijaninem.

W refektarzu aż grzmiało. Cztery dziesiątki braci piły litewskie
piwo i jadły pieczoną dziczyznę. Był czwartek, dzień wolności. Jutro piątek i post. „Suszenie", jak mawiają bracia. Dni postne przepla-
tały tydzień: poniedziałek, środa, piątek, sobota, większą jego część
oddając cnocie. Choć niektórzy z braci mówili, iż posty ustanowiono
tylko po to, by leczyć kaca. W ich ustach „suszenie" nabierało swo-
istego znaczenia.

— Konrad von Sack! — Zyghard wypatrzył zwalistą sylwetkę zastępcy mistrza krajowego. — I Gunter! — Jego brat jak zawsze
w duecie. Smukły elegancki von Schwarzburg Starszy i baryła na krótkich nóżkach — von Sack.

— Przyjacielu! Do nas, do nas! O, zabrałeś ze sobą Kunona.
Chwali się taka opieka, chwali! Siadajcie — zagarniał ich Konrad. —
Opijamy przybycie do Prus Henryka von Plötzkau. Henryku, to jest
właśnie Zyghard von Schwarzburg.

Wyciągnął do niego rękę drobny mężczyzna z równo przystrzy-
żoną kwadratową brodą. Zyghard uścisnął ją i poczuł ból.

— Masz nierówno obrobiony pierścień, Henryku von Plötzkau
— powiedział, patrząc na kroplę krwi na swoim palcu.

— Wybacz. Niech to nie będzie zły omen na początek naszej
znajomości.

— Nie jestem przesądny — uśmiechnął się grzecznie Zyghard.

— Woran! Piwo na przeprosiny dla szlachetnego Zygharda! —
zawołał Plötzkau do swojego giermka.

W życiu bym takiego szmelcu na palec nie założył — pomyślał
Zyghard i nie wiedzieć czemu, zezłościł się. Gdyby mnie to spotkało, zdjąłbym pierścień i rzucił w ogień, by pokazać, że szanuję innych
i wstyd mi za wpadkę. Ale pewnie to jakiś biedak, na którego referen-
cje do zakonu zrzucały się cztery wsie.

— Piwo dla pana rycerza — zabrzmiał mu nad uchem melodyj-
ny głos.

Obejrzał się. Giermek Henryka von Plötzkau był smukłym chło-
pakiem o ciemnych, melancholijnych oczach i włosach w kolorze…

Jak nazwać tę barwę? Orzech? Zyghard gdzieś widział taki kolor, ale nie mógł sobie przypomnieć.

— Mówią na ciebie Woran? Co to za dziwne imię? — spytał giermka.

— Musiałby szlachetny pan spytać mego ojca — grzecznie odpowiedział chłopak.

— Kim był?

— Rycerzem pomorskim. Nie żyje od dawna.

— Wziąłem go na służbę, bo pałętał się przy dworze Gryfitów. Mechtylda Askańska miała z nim krzyż pański, więc chcąc zadość zrobić dobrodziejce zakonu, przygarnąłem chłopaka.

— Mechtylda to piękna kobieta! — oblizał się Konrad von Sack. — Ale dobrodziejka z niej żadna. Jej ojciec, owszem. Tu, niedaleko od Bałgi, mamy komturię, a w niej zamek Brandenburg, na pamiątkę założyciela, ojca rzeczonej księżnej.

— I kto to mówi? — zaśmiał się tubalnie Helwig, wychylając się zza załomu muru. — Czyż to nie ty, Konradzie, poleciłeś malować czerwoną Madonnę o rysach księżnej Mechtyldy? Nawet te trzewiczki ci malarz odtworzył co do czubeczka!

— Madonna Askańska — ryknęli śmiechem komturowie przy dalszych stołach.

Zyghard dostrzegł zdumioną minę Kunona, więc szepnął mu:

— Mówiłem ci, że to nieformalne spotkania.

— Kpią z zastępcy mistrza krajowego?

— Nie kpią. Bawią się. Sack się nie obraża.

— Dziewica Maria naszą boginią wojny! Chorałem lament niewiernych! Dym płonących domostw kadzidłem! — zawył ktoś z dolnej ławy, a reszta skończyła chórem:

— A żołdem rycerza zbawienie!

— Tak, tak, Henryku von Plötzkau! Północ to Nowy Świat, który trzeba dla Boga zdobyć — przepił do nowego brat Zygharda, Gunter. — A następnie ochronić, zasiedlić, zagospodarować zgodnie z Bożym planem.

— I zapłodnić — podskoczył na ławie Konrad.

— Chodzą plotki, że nowy komtur królewiecki, Bertold Bruhaven, przeszedł próbę dziewicy — wtrącił Gunter.

— Przy mnie dziewice nie mają szans — wtrącił się mu Konrad.

— Nie staje ci? — wychynął zza muru Helwig.

— Chcesz sprawdzić? — prowokował go Konrad. — Tak mi staje, że muszę siedzieć i ci nie pokażę. Co to za próba, Gunterze?

— Pół roku dzielił łoże z najpiękniejszą dziewicą i nic. Oczywiście zanim złożył śluby zakonne.

— To nie będzie obowiązkowe, jak ja zostanę wielkim mistrzem — wyrwał się z dowcipem Plötzkau. Że popełnił gafę, zorientował się po tym, iż nikt się nie zaśmiał.

Do refektarza wszedł kolejny gość. Młodzieniec o kręconych ciemnych włosach. Zyghard się skrzywił. Rycerz zakonny powinien strzyc się na krótko.

— Książę Brunszwiku, Luther! — powitał go coraz bardziej pijany Sack. — Zapraszamy, książę, do naszej ławy!

Luther przysiadł się i Zyghardowi odświeżyło pamięć, że rzeczywiście, młodzieniec jest od tego roku w zakonie. Można mu wybaczyć te loki, zetną mu je, jak tylko obejmie pierwszy urząd. Poza popijawą w Bałdze nikt już do niego nie powie „książę", tak jak i do nich nie mówią „książęta von Schwarzburg". Coś się kończy wraz ze ślubami, coś zaczyna.

— „Nakłońcie ich, aby przyszli"! — ryknął pijaniuśki Helwig w stronę giermków czuwających nad dzbanami.

— W moim poprzednim zgromadzeniu, którego nazwy tutaj nie wypowiem, nikomu nie przyszłoby do głowy, by kpić ze słów Pisma. To Księga Izajasza — szepnął mu na ucho Kuno.

— Nie bądź taki świątobliwy, bo ci z tym nie do twarzy — odparł mu równie cicho Zyghard.

— Gruchają gołąbeczki! — Konrad stuknął w jego kubek.

— Kuno ma problemy z przenośniami i symbolami — odburknął Zyghard.

— O, to całkiem jak Dzicy. Prawie sto lat temu biskup Rygi, chcąc pokazać im, na czym polega sekret naszej wiary, urządził misteria. Iście w stylu rzymskim. Sceny bitewne były tak trafnie oddane, że pogaństwo na widowni wpadło w panikę. Chcieli uciec stamtąd i się potratowali. — Konrad wyciągnął kubek w stronę dzbana. Woran, giermek nowego, nalał mu z wdziękiem.

— Krzyżowanie też było pokazane na tych misteriach? — spytał Kuno, a Zyghard trącił go pod stołem, by nie przesadzał.

— Krzyżowanie? Za pierwszych rycerzy robiło się pokazowe wyrzynanie jeńców, to owszem. Ale krzyżowanie? Nie, tego się nie praktykowało. Generalnie, Nowy Testament jest taki trudniejszy do ujęcia w obrazach.

Na twarzy młodzieńca z lokami, Luthera, książątka z Brunszwiku, wykwitły rumieńce. Spytał:

— Wyrzynanie jeńców? Zdaje się, że to nie chrześcijański obyczaj.

— Prawda — potwierdził Gunter. — Dlatego wyrzynano Dzikich. To, o czym wspomina Konrad, miało miejsce dawno temu, za czasów nawracania Estów. Bronili się w takim grodzie, Viljandi. Rycerze pokazali im grupę jeńców, mówiąc, iż jeśli obrońcy się poddadzą i przyjmą chrzest, puszczą ich wolno. Nie mieli jednak życzenia się poddać za pierwszym i za drugim razem. Słowo rycerskie zobowiązuje, jeńcy poszli pod nóż.

— Ale morał tamtej historii był budujący — wtrącił się Zyghard — po piątym dniu oblężenia Estowie przyznali, iż nasz Bóg jest silniejszy, i zapragnęli chrztu. Wszystko skończyło się dobrze. „Trąby świętej wiedzy mogły bez przeszkód rozbrzmiewać w najskrytszych zakątkach umysłu barbarzyńców".

— „Chronieni pancerzem Boga od prawicy do lewicy pełnimy posługę wojenną!" — Wzniósł kielich Gunter.

— „W takich miejscach należy tym usilniej pobożności dochować, aby większej bezbożności zapobiec!" — Stuknął się z nim Konrad.

— „Tam gdzie ongiś sowy tylko żyły, zielone pędy wiary wyrosną!" — Przepił ku nim Zyghard.

— Co to jest? — skrzywił się Kuno.

— Bulla Ojca Świętego Grzegorza IX. Nasza Biblia — odpowiedział mu von Schwarzburg.

— A, słyszałem. Mówiono na nią „Papież spuszcza Krzyżaków ze smyczy".

— Jeśli któryś z braci usłyszy, jak o nich mówisz, zrobią ci pokazowe misteria — ostrzegł go Zyghard.

— Bracie! — Uniósł się znad ławy Gunter. — Chodź ze mną podziwiać widok z klifu.

— Zaczekajcie! — Stuknął kubkiem Konrad. — Mnie też się chce lać.

Owionęło ich czyste zimne powietrze. Głowa Zygharda nieco ciężka od wypitego piwa otrzeźwiała.

— Karzeł uciekł — powiedział starszy von Schwarzburg.

— Wiem. Ponoć na Węgry.

— Taką wiadomość rozpuszczał po drodze, zatem nie sądzę, aby udał się tam, gdzie mówił.

— Wyślijmy za nim kogoś — zaproponował Zyghard.

— Już to zrobiliśmy — powiedział Konrad, który na dziedzińcu zdawał się w ogóle nie być pijanym. — Twój brat i ja myślimy o wszystkim. Jak idzie tropienie Starców?

— Dobrze. Choć na razie trafiały mi się same staruchy. Przesłuchiwałem je, pary z gęby nie puszczają.

— To je wypuść, synku. I Kunona za nimi, niech tropi, dokąd się udadzą.

— Nie wiem, czy nie przeceniacie jego możliwości. Bywa mało lotny.

— Prędzej ty go nie doceniasz, Zyghardzie.

— Albo podejścia wychowawczego ci brakuje.

— Nie mówmy o nim. Podrzuciliście mi go jak kukułcze jajo. Czyż teraz nie jest dobry moment, by przekroczyć Wisłę? Karzeł opuścił pielesze, kraj odsłonięty.

— Jeszcze nie. Jeśli teraz coś weźmiemy, to Václav II nam to jako swoje odbierze. Czekamy na rozwój sytuacji. Wracajmy, bracia się pochleją i może się skończyć mordobiciem.

— Jeśli o mnie chodzi, mogę bić tego von Plötzkaua na trzeźwo. Co za bęcwał.

Konrad wszedł pierwszy, Zygharda przytrzymał za rękę Gunter. Szepnął mu do ucha:

— Nie kpij przy Konradzie z Plötzkaua. Obaj wywodzą się z rodzin ministeriałów.

— Czułem niewolną biedotę na stajanie! — Zyghard splunął. — Dobra, rozumiem. Nie chcesz, by twój druh sądził, że się wywyższamy.

Popijawa trwała tydzień z przerwami na dni suche. Obaj nowi w Prusach bracia, i chłopięcy Luther z Brunszwiku, i prostacki Henryk von Plötzkau, wyszli z niej dostatecznie uświadomieni co do swego miejsca i powinności w zakonie.

Zyghard i Kuno ruszyli w drogę powrotną. Gdy przekroczyli bramę, a nad ich głowami załopotał czerwony wilk, zaczęło mżyć. Obaj naciągnęli kaptury. Gdy wjechali na leśny trakt, gałęzie zatrzymały część deszczu i jechało się lepiej. Zyghard był rozdrażniony, sam nie wiedział czym.

— Może po prostu męczy cię kac? — odpowiedział na niewypowiedziane Kuno.

— Skąd taka myśl?

— Spójrz na siebie. Cuchniesz piwem na stajanie. Wlewałeś w siebie jak w kadź.

— Znalazł się piastun. — Wzruszył ramionami Zyghard.

— Cicho! — Kuno położył palec na ustach i wskazał ręką las.

Zyghard tym razem nic nie słyszał. Może znowu wilk? Kuno zeskoczył z konia i rzucił mu cugle. Zdjął kaptur i wskoczył w las. Zyghard zorientował się, że widzi jego ogromną sylwetkę, ale nie słyszy kroków, jakby Kuno był wielkim, dzikim kotem. Poruszał się skokami. Od zwalonego pnia do głazu. Od głazu do krzewu. Zyghard odruchowo wyjął miecz. Szary płaszcz Kunona znikał w mrocznym lesie. Zrobiło się chłodno.

Może powinienem za nim pójść? — przeszło mu przez głowę. Odpędził tę myśl. Odmówił *Salve Regina* raz, potem drugi. Lubił samotne modlitwy, szelest słów szeptanych w dukcie oddechu. Ale zawsze ponad nie przekładał hymn śpiewany przez stu zakonnych braci. Słodkie święte słowa zamieniały się wówczas w pieśń bojową, z wersu na wers nabierającą mocy i rozpędu, by w finalnym *Amen* niczym okuty stalą rumak bojowy wpadać między szeregi wroga. Kuno zniknął. Zyghard postanowił, że nim zacznie się martwić, lub podejrzewać ucieczkę renegata, raz jeszcze zmówi *Salve*. Był już przy *„exsules filii Hevae"*, gdy zobaczył renegata wychodzącego z lasu. Kuno prowadził kogoś, żelazną pięścią trzymając za kark. A niech to!

— Czy to nie jest poszukiwany przez nas Starzec? — spytał, wychodząc na trakt.

Zyghard zeskoczył z siodła.

— Krył się w barłogu z liści. Udaje niemowę. — Kuno nacisnął na kark Starca i ten wyprostował się.

Mógł mieć i sto lat, choć trzymał się nieźle. Długie siwe włosy spadały mu w nieładzie na plecy, a broda sięgała do pasa. Oczy sprawiały wrażenie nieobecnych, unikał patrzenia na Kunona i Zygharda. Ubrany był w prostą wełnianą suknię o szerokich rękawach.

— Jesteś kapłanem bożka o trzech twarzach? — spytał Zyghard.

Starzec milczał. Powtórzył pytanie w dialekcie Prusów, potem Jaćwięgów. Nic. Zyghard z pewnym obrzydzeniem wyciągnął ku niemu rękę. Starzec drgnął.

— Nie znoszą naszego dotyku — powiedział Zyghard do Kunona. — Chcę sprawdzić, czy nosi bałwochwalcze znaki. Pomóż mi zsunąć mu suknię.

Kuno skrzywił się.

— Chcesz rozbierać starucha?

— Muszę. Jeśli to ten, którego szukamy, ma na ciele wykłute znaki. Jeden z ich wodzów miał na ramieniu i piersi całe malowidło przedstawiające ich bożki i demony. No, dziadku? Może rozbierzesz się po dobroci?

Zacięta twarz Starca nie wyrażała nic, więc Kuno go przytrzymał za barki, a Zyghard rozsznurował suknię pod szyją i opuścił w dół.

— Maryjo Dziewico! — jęknął.

Spojrzeli sobie z Kunonem prosto w oczy. Lewą pierś, lewe ramię, lewe udo i pół pleców Starca pokrywały sine linie układające się w opowieść o pogańskim świecie. Przerażające oblicza bożków z oczami wielkimi jak piekielne otchłanie. Ale nie mniej poraziła ich prawa strona ciała: Starzec nie miał ramienia. Obwiązany butwiejącymi liśćmi kikut zdawał się wciąż sączyć posoką.

— Wilk odgryzł ci ramię? — spytał Zyghard w języku Prusów.

Stary nawet nie drgnął. Z powrotem wciągnęli na niego suknię.

— Kuno, upolowałeś zdobycz, za którą możesz dostać rycerski pas — z podziwem powiedział Zyghard.

— Wiem. Co z nim robimy? Domyślam się, że nie masz ochoty wracać do Bałgi, by przekazać jeńca w ręce braci.

— Nie jestem głupi, by dzielić się taką zdobyczą. Zabieramy go do Rogoźna. Będziemy przesłuchiwać tak długo, aż puści farbę.

— A potem ściągniemy z niego skórę i złożymy w darze wielkiemu mistrzowi, by mógł sobie powiesić nad łożem?

Zyghard roześmiał się.

— Prędzej sam ją wyprawię i obciągnę nią tarczę. Zwiąż go dobrze, przerzuć przez siodło. Będziecie jechać razem.

Kuno spojrzał na niego nieprzychylnie, ale Zyghard niewiele sobie robił ze złośliwych uwag i spojrzeń renegata. Gdyby się nimi przejmował, musiałby zabić go w pierwszym dniu wspólnej służby.

Jeniec spowalniał im drogę. Nie dotarli na noc do kolejnej komturii, koń Kunona potrzebował odpoczynku.

— Zostaniemy na noc w lesie — powiedział Zyghard.

— Dwie koszule, brewiarz, śpiwór i nóż — zaśmiał się Kuno, powtarzając kompletny skład wyposażenia rycerza zakonnego.

— Czegoś ci brakuje? W piaskach pustyni potrzebowaliście więcej? Las da nam całą resztę. Pilnuj go, ja natnę gałęzi na szałas. — Zyghard ruszył w las.

Gdy wrócił, płonęło niewielkie ognisko. Kuno przywiązał Starca do drzewa tak mocno, że ani jedynym ramieniem, ani nogą nie mógłby ruszyć. Wydawał się spać z głową zwieszoną na bok.

— Nie ufałbym mu — mruknął Kuno, gdy usiedli przy ogniu, opierając plecy o zdjęte z koni siodła. — Jest silny, żylasty. Wydaje się stary jak świat, a bez trudu zniósł drogę.

— Oni są dziwni — w zamyśleniu powiedział Zyghard, grzebiąc patykiem w żarze. — Inni od nas. Ulepieni z innej gliny — uściślił.

— Mnie się wydają raczej wystrugani z drewna.

— Zwał, jak zwał. — Wzruszył ramionami Zyghard. — Bóg Ojciec, tworząc człowieka, raczej nie ich miał na myśli. A jacy są niewierni?

— Naprawdę inni — powtórzył po nim Kuno. — To znaczy jeszcze inni. — Nie poruszając się, uniósł oczy i wbił wzrok w ciemną gęstwinę lasu. — Zabijają podstępnie, zwykle nocą. Obóz bez dobrych wart był na pustyni niczym kołyska dziecka wstawiona między lwy — mówił wolno, nie zmieniając tonu, lecz wzrokiem pokazał Zyghardowi, by ten sięgnął po broń.

— Dorzucę do ognia — powiedział Zyghard i zamiast gałęzi chwycił miecz, nie podnosząc go z ziemi, przesuwając ku sobie po mchu. Zerknął na Starca. Jego głowa wisiała jak wcześniej, lecz oczy miał otwarte i patrzył w to samo miejsce, co Kuno. W tej samej chwili renegat powiedział:

— Najważniejsza była obrona Świątyni.

Zyghard, nie namyślając się, jednym susem skoczył ku staruchowi, wyciągnął nóż i przystawił mu do gardła. W ich stronę poleciały strzały. Jedna lub dwie wylądowały tuż nad głową Zygharda, wbijając się w pień. Trzecia, w tej samej chwili, otarła mu się o policzek. Poczuł gorący ból, jak smagnięcie ogniem. Kuno zasłonił się siodłem jak tarczą. Okrywając nim głowę i tułów, w trzech skokach był przy Zyghardzie. Przyparł go swoim ciałem do pnia, kryjąc jednocześnie. Strzały irytującym świstem przemykały koło nich. Z drzewa sypała się kora.

— Poderżniemy mu gardło! — krzyknął Zyghard w mrok. Powtórzył w obu dialektach. Strzały nie przestały padać. Kuno dostał w nogę.

— Nie wierzycie? — od razu po jaćwiesku wrzasnął Zyghard i jednym ruchem oderżnął staruchowi pół brody. Rzucił siwe włosy przed siebie.

I wtedy Starzec wydobył z siebie głos. To było niczym grom burzy dudniący w oddali. Ze słowa na słowo nabierający mocy. Kuno przylgnął do niego plecami, jakby wystraszył się dopiero tego głosu, nie strzał. Zyghard wiedziony jakimś nieznanym sobie odruchem wczepił się w ciało Kunona.

— Co on mówi? — spytał Kuno.

— Nie wiem. Nie znam tego języka. Ale przestali do nas strzelać.

Starzec umilkł, oni wciąż stali nieruchomo, Zyghard trzymał nóż przy gardle jeńca, Kuno osłaniał go swoim ciałem, a ich obu siodłem. Żadna strzała nie wyleciała z lasu. Panowała cisza. Ognisko dopaliło się. Głowa Starca znów opadła bezwładnie na bok. Zyghardowi mdlała ręka z nożem. Trwało to pewnie dłużej niż nieszpory. Na polankę wyszła sarna z młodymi. Uniosła wilgotny pysk, powęszyła i spokojnie odeszła w las.

— Chyba poszli precz — szepnął Kuno.

— Rusz się, sprawdzimy, czy polecą strzały.

Kuno postąpił krok w przód. Wciąż trzymał siodło jak tarczę i wciąż osłaniał Zygharda. Nic. Zrobił kilka kroków i nic. Okrążył polanę, wrócił. Von Schwarzburg opuścił omdlałe ramię i oderwał plecy od pnia.

— Krwawisz — powiedział Kuno, stając przed nim.

Zyghard dotknął policzka i spojrzał na palce. Lepka krew.

— Trują groty? — spytał Kuno.

— Zwykle tak. — Zyghard pobladł.

— Pokaż. — Renegat chwycił go za policzek i niedelikatnie obrócił nim. — Powierzchniowe, ledwie cię drasnęła, ale jeśli grot maczali w trutce, to...

— To już powinienem nie żyć — pocieszył się Zyghard. — Chyba że dopadnie mnie za dzień, dwa i wtedy zwinę się w mękach.

— Kpisz?

— Nie całkiem — próbował się uśmiechnąć — mieliśmy takie potyczki, gdy ranni dopiero w drodze powrotnej z rejzy zaczynali odczuwać skutki jadu. Marli w gorączce i majakach.

— Wyczyszczę ci to. Masz wino, czy wszystko wychlałeś z komturami?

— W bukłaku, tam! — Pokazał mu ręką Zyghard. Dopiero teraz, gdy zaczął mówić, zdał sobie sprawę, iż szczęka mu sztywnieje. — Opatrunki w torbie.

— Opatrunki mam swoje — odburknął renegat.

Zyghard dotknął Starca. Ten nie poruszył się, jakby zapadł w głęboki sen. Żył, bo pierś unosiła się równym rytmem.

— Odwróć się. Najlepiej oprzyj głowę o pień — powiedział Kuno.

Przyłożył białe płótno do brody Zygharda i polał ranę winem, zbierając w opatrunek ściekające krople. Zyghard zagryzł zęby. Piekło jak diabli.

— Lej jeszcze — powiedział, ledwie łapiąc dech.

Kuno znów chlusnął na niego winem. Polało się po oczach, ustach i brodzie.

— Co robisz! — syknął Zyghard, odruchowo łapiąc w usta płynące mu po twarzy wino.

— Leczę cię — odpowiedział poważnie Kuno i przyciskając dłonią z bukłakiem jego czoło do pnia, wpił się wargami w ranę.

Fala pożądania, jaka uderzyła w Zygharda, była niczym chmara strzał wbijających się w jego naprężone ciało. Złapał Kunona w pasie i przycisnął jego biodra do siebie. Renegat oderwał usta od jego policzka, i odchylając się z objęć w bok, splunął krwią i winem. Odwrócił się do Zygharda. Miał wargi mokre i brudne od jego posoki.

— Wyssałem z ciebie jad — powiedział, patrząc Zyghardowi w oczy.

— Jak smakował?

— Jak czerwone wino reńskie. Jak kość grotu. Jak gorzkie zioła i sadło borsuka. Jak królewska krew jego wysokości księcia Zygharda von Schwarzburg — odpowiedział Kuno i pocałował go w usta. Oderwał się od nich równie gwałtownie, jak do nich przywarł. — Czy dalej chcesz się mnie pozbyć, komturze?

— „W takich miejscach należy tym usilniej pobożności dochować, aby większej bezbożności zapobiec" — odpowiedział mu słowami papieskiej bulli, wpatrując się w jego twarz, chłonąc oddech Kunona rozchylonymi ustami.

— „Chronieni pancerzem Boga od prawicy do lewicy pełnimy posługę wojenną" — zacytował Kuno, przytykając mu do warg bukłak z winem.

Zyghard pociągnął łyk. Kuno odrzucił bukłak w mech i przycisnął biodra Zygharda do pnia.

— „Tam, gdzie ongiś sowy tylko żyły, zielone pędy wiary wyrosną" — wyszeptał Kuno i pocałował go drugi raz.

VÁCLAVA II radowała myśl, że wysłał swego ulubionego sekretnego człowieka w równie sekretną misję. Wyobrażał sobie, jak Jakub de Guntersberg niczym cień podąża za księciem Władysławem. Koniecznie musi mu wszystko opowiedzieć po powrocie, zwłaszcza o tym, za kogo się Jakub przebierał. Odkąd Václav dowiedział się, że ostatnio był ogrodnikiem, wprost szalał z ciekawości, co jeszcze wymyśli.

Król nadzwyczaj dobrze znosił trudy podróży. Gdy miał ochotę, a w Krakowie na przykład miał, nocował w miastach. Kiedy indziej kazał rozbijać potężne obozy na zielonych nadrzecznych błoniach. Podobało mu się, bo oto, jadąc po koronę i tron Królestwa, poznawał swój nowy kraj. Oczywiście, popasy w związku z tym przeciągały się nieraz do kilku dni, ale on w tym czasie nie próżnował. Kazał sobie znosić okoliczne kwiaty, owoce, liście drzew i uczył się ich nazw. Jedno, co nieco go rozczarowywało, to fakt, iż te wszystkie kwiaty, owoce i drzewa były takie same jak w Czechach. W głębi duszy liczył na jakąś egzotykę, przejmujący dreszczem powiew dzikości.

— Królu mój! — uspokajał go biskup Muskata. — Jak zobaczysz brzegi Bałtyku, klękniesz olśniony. Spienione sine fale, morski piach delikatny niczym złoty pył.

— Często bywasz nad brzegiem morza, Muskato? — spytał Václav, sprawdzając akurat smak miodu polskich pszczół.

Biskup chrząknął.

— Adriatyk bardzo mi przypadł do gustu. Wenecja...

— A nad Bałtykiem?

— Nie miałem sposobności. Obowiązki...

— To skąd wiesz o tym piachu?

— Kupcy lubeccy, z którymi handlował mój ojciec Leo Muskata, tak mówili.

— Masz rację. Morze to morze. Adriatyk czy Bałtyk. Ten miód też taki sam jak w Zbrasławiu. — Oddał kubek Ondriczkowi. — Czy baronowie już wysłali delegację, która mnie powita?

— Krakowscy czekali na granicy — upomniał się o swoje Muskata.

Ach, ten biskup krakowski — pomyślał Václav, biorąc od Ondriczka talerz wiśni — istny kupiecki syn!

— Zapominasz, Muskato, że Małą Polskę zdobyłem dziesięć lat temu. Kraków od dawna jest mój. Bardzo jestem ciekaw baronów Starszej Polski. I tego waszego arcybiskupa, Świnki.

— Obyś się nie rozczarował, mój królu. Ostrzegam, że arcybiskup nie jest ci przychylnym. Okropnie nie lubi Niemców.

— Przecież ja jestem Czech — oburzył się Václav, wypluwając pestkę wiśni. — To, że mówię po niemiecku, to wyłącznie objaw mej wysokiej kultury. Mikołaj do nas idzie! — zauważył. — Czy nie myślisz, Muskato, że to nieładnie jest być takim grubym jak Mikołaj? Bękarcia krew ma w sobie coś takiego lubieżnego, coś, co sprawia, że oni więcej jedzą, piją, jakby chcieli zagłuszyć własne nieprawe pochodzenie, zmazać winę, która choć nie leży po ich stronie, jest nie do starcia.

— Królu mój! — Skłonił się przed nim Mikołaj.

— Książę Mikołaj opawski! Właśnie rozmawialiśmy o tobie z biskupem Muskatą — powitał przyrodniego brata Václav. — Biskup bardzo chwalił nasze nienaganne rodzinne stosunki.

— Dziękuję — ukłonił się Mikołaj. — Jestem ci wierny jak pies.

— Mój kundel — szepnął Václav samymi ustami, tak iż ani książę, ani biskup tego słyszeć nie mogli. Na głos powiedział: — Wodzu moich wojsk, jaką meldujesz gotowość?

— Pierwszy kontyngent rycerstwa Czech, drugi Małej Polski. Poczty magnatów czeskich, które kosztować nas będą dobrych kilka tysięcy grzywien. Drugie tyle zapłacimy Ottonowi Bawarskiemu za stu ciężkozbrojnych, których przysłał na twe żądanie.

— Nic, tylko płacić i płacić. Muchy też takie same jak w Pradze, czyż nie? — odgonił owada, który ponownie usiadł mu na dłoni. Załaskotały go drobne nóżki. — Ten Bawarczyk jest chwiejny jak chorągiewka. Najpierw był przy Adolfie z Nassau, teraz przy mym szwagrze. Ale niepokoi mnie, że on ma węgierskie korzenie po dziadku czy po kimś. Jak tylko my, dzięki tobie Muskato, my pierwsi, zwróciliśmy uwagę na Budę, tak pół Europy szuka w sobie arpadzkiej krwi. Sami z siebie nic nie wymyślą, a po mnie kopiują wszystko! — Strząsnął muchę. — Zapłacimy później, po kampanii. Czy cisi ludzie wrócili? Jakie wieści?

— Zbrojnego oporu spodziewamy się tylko na Kujawach, w ziemiach dziedzicznych Karła.

— Te Kujawy nie są duże, prawda? Książę był mały, ziemia też ponoć niewielka.

— Jak Miśnia, mniej więcej. Trochę więcej.

Václav zadumał się. Jak Miśnia? Zawsze mówili „małe" albo „zagony", a tu od razu jak Miśnia albo i więcej.

— Nie myśl o tym teraz, mój królu. — Biskup Muskata był nieoceniony także i dlatego, że potrafił we właściwym momencie rozpraszać mroki jego myśli. — Płomienista orlica leci na Poznań, nikt nam na drodze nie staje. Może za tydzień, dwa uwije gniazdo na zamku Przemysła? Złoży jaja i...

— Ach, ty masz myśl! Jakbym ja tak już wjechał do Poznania z tą małą, co? Zdębieliby panowie. Królewna przy moim boku, najlepiej z brzuszkiem...

— Królu — syknął Muskata.

— Żartowałem, przecież kto jak kto, ale ja nie jestem głupi. Nie spłodzę bękartów, skoro mogę mieć dzieci prawe z dziedziczką korony. Prawda, Mikołaju? Też żałujesz, że cię mój tatko spłodził nie z boską Kunegundis, a z... mniejsza o to! Czy poselstwo w sprawie narzeczonej wróciło?

— Margrabia Albrecht odesłał je nam w wielkich referencjach — uśmiechnął się Muskata — to, tamto, owamto, koniec końców wykręcił się, iż nie ma władzy nad dziewczyną w tej sprawie i sprawuje nad nią wyłącznie opiekę jako niedoszły teść, patron.

— Patron? Czy on sobie za wiele nie pozwala?

— Pozwala sobie — przytaknął Muskata. — Bo jeśli już, to jej patronami mogą być margrabiowie ze Stendal, Otto ze Strzałą, dwóch po drodze i Waldemar. Moim zdaniem zamknęli królewnę w wieży i strzegą przed...

— ...o tak, w Brandenburgii są smoki. Wiem to. — Własna mroczna brandenburska przeszłość raz po raz dopadała Václava niczym zły sen i nieraz kończyła się mokrym łóżkiem. Zupełnie jak wtedy, kiedy i jego trzymano w zamknięciu. Otrząsnął się. Gotów był od razu pokochać tę królewnę z litości, przez wzgląd na wspólnie doznane krzywdy. Muskata jednak mówił co innego:

— Moim zdaniem strzegą ją nie tyle przed smokiem, co przed tobą. Chcą uczynić z dziewczyny atut we własnej rozgrywce o tron. Ja, gdybym miał radzić, panie, to zabierałbym ją z Salzwedel natychmiast i to nawet nie do Poznania, tylko do Pragi. Moi cisi ludzie donoszą, że margrabia Waldemar to wcielony diabeł. Kto wie, co mu wpadnie do głowy? A jeśli sam zechce poślubić dziewczynę, by nabyć podwójnych praw do tronu? Z racji na pokrewieństwo z nieżyjącym królem i małżeństwo z jego córką? Papież Bonifacy dowiódł już, że nie podoba mu się wizja ciebie na polskim tronie. Co to dla niego dać zgodę na ślub między krewnymi? Złym duchem całej tej sprawy jest księżna szczecińska, Mechtylda Askańska.

— Muskato, jak śmiesz! — Omal nie spoliczkował go Václav. — Ani słowa na temat Pięknej Pani! To było światło mych dni, kiedym był zakładnikiem jej brata. Światło mych dni! — powtórzył z naciskiem.

I pomasował się po kroczu. O, już. Samo wspomnienie pięknej Mechtyldy, jej czerwonych jedwabnych trzewików wystarczyło, by wąż Václava podniósł pełną jadu główkę. I wówczas przypomniało mu się coś. Ależ tak, tak! Pewien list Mechtyldy do niego, z czasu, gdy wrócił do Pragi. Pisała mu listy nie słowami, lecz obrazkami, wiedziała, że nie zna liter. Narysowała go kiedyś, znacząc nad jego głową nie jedną, lecz dwie korony. Prorokini! Prorokini...

JAKUB ŚWINKA przyszedł na spotkanie Małej Rady dużo przed czasem. Z nim Borzysław i Janisław, dwaj zaufani kanonicy.

— Gdzie postawić skrzynię arcybiskupa? — zapytał sługa.

— Pod chorągwią Królestwa — odpowiedział Janisław, zerkając pytająco w stronę Jakuba.

Ten kiwnął głową.

— Dziękujemy ci — odprawił sługę kanonik.

— Wciąż się zastanawiam, czy słusznie targaliśmy to... Czy dobrze robię? — zwierzył się Jakub kanonikom, gdy zostali sami.

— Sytuacja jest nadzwyczajna, arcybiskupie — odpowiedział Borzysław.

— Po raz pierwszy w dziejach Królestwa. — Pokiwał głową Janisław.

— Miejmy nadzieję, że gorzej nie będzie — pocieszył się Jakub.

— Wciągnijcie skrzynię za gobelin — polecił, przesuwając nogą czarne pióro na posadzce. Zadarł głowę do góry. — Że też nie można się uporać z tymi wroniskami!

— Ponoć co zamurują otwory, to wrony wyskubią zaprawę i dalej wić gniazda — odpowiedział mu Janisław, wychodząc zza gobelinu i otrzepując dłonie. — Niby tylko ptaszyska, a jednak jakoś tak nieprzyjemnie.

Jakub rozejrzał się po Okrągłej Sali. Ostatni raz był tu na Radzie po zabójstwie Przemysła. Żałobne sukno zdjęto, ściany znów ozdabiał gobelin przedstawiający rycerskie przygody króla Artura. Zapatrzył się w siwobrodą sylwetę czarnoksiężnika. Kanonicy stanęli za jego plecami. Janisław zamruczał melodyjnie:

Czarodziej Merlin, magów król
Co zna zaklęcia wszystkie
Powiedział, że nadejdzie dzień
Gdy klątwa miecza pryśnie

Jakub Świnka otrząsnął się ze wspomnień. Ta pieśń o mieczu tyle razy rozbrzmiewała w tej sali. Dawne dzieje.

Powoli schodzili się dostojnicy. Wojewoda pomorski Święca z rybogryfem na piersi. Kasztelan kaliski Bierwołt. Dawny wojewoda kaliski Mikołaj Łodzia.

— Dziękuję, żeś mnie zaprosił, arcybiskupie — przywitał się. — Choć ja już nie na urzędzie.

— Z uznania zasług, Mikołaju, i dla równowagi — odpowiedział Jakub.

— Właśnie. Dlaczego panów Zarembów jeszcze nie ma? — zdziwił się Święca. — Przecież mają najbliżej. Ja trzy dni z Gdańska gnałem prawie bez przystanku...

Jakub potarł dłonie zaniepokojony. Czyżby Zarembowie planowali zbojkotować Radę? Mają przewagę głosów, bez nich nie będzie nic warta. Kolejny grzech księcia Władysława. Wprowadził do Rady Sędziwoja, a Mikołajowi dał palację gnieźnieńsko-kaliską. Mój Boże. Czterech Zarembów w jednej Małej Radzie.

W tej samej chwili do Okrągłej Sali wkroczyli Zarembowie, ale tylko trzech: biskup Andrzej, wojewoda Beniamin i kasztelan Sędziwój.

— Gdzie wojewoda gnieźnieński, Mikołaj? — oschle zapytał Jakub.

— Nie żyje — równie cierpko odpowiedział Andrzej.

— Mój brat nie żyje — powtórzył za nim Sędziwój i w jego piersi coś zacharczało.

— Wieczny odpoczynek racz mu dać, Panie! — wyszeptał Jakub. — Co się stało? To przecież młody człowiek, w pełni sił.

Zarembowie spojrzeli na siebie. Ich herbowe półlwy schowały się za murem. Beniamin odpowiedział sucho:

— Czasami śmierć wybiera najsilniejszych. Niezbadane są wyroki.

— Boskie? — dopytał podejrzliwie Jakub.

— Boskie — szybko potwierdził Andrzej. I spytał: — Czy życzysz sobie, Jakubie II, bym jak po zgonie króla poprowadził obrady?

— Nie, dziękuję Andrzeju. Wtedy byłem zupełnie rozbity, dzisiaj, choć sytuacja jeszcze gorsza, jestem przygotowany. Zacznę od tego, co wam gniecie serce i nas tu obecnych już poraziło. Wyrażam wielki żal po nieoczekiwanej i nagłej śmierci waszego brata, Mikołaja. Miał wiele zalet, wśród których pogoda ducha wyróżniała go między nami wszystkimi. Pokój jego duszy.

— Na wieki wieków amen — odpowiedzieli wszyscy.

— Musimy szybko obsadzić województwo gnieźnieńsko-kaliskie. Tak się składa, iż jest z nami poprzedni wojewoda, Mikołaj Łodzia. Zapraszałem go przez szacunek dla jego doświadczenia, nie mając pojęcia, co się stało... — Jakubowi przez głowę przemknęło, iż Pan Bóg prowadzi go za rękę, choć miał świadomość, iż w oczach Zarembów wygląda to teraz co najmniej dziwnie. — A teraz proponuję, byśmy powierzyli mu z powrotem palację gnieźnieńską.

Zarembowie kiwnęli głowami jak jeden mąż. Jakub widział, że ich myśli są zupełnie gdzie indziej, bo wrodzona im podejrzliwość nie odezwała się w tej szczególnej chwili. Święca i Bierwołd nie mieli nic przeciw. Arcybiskup nieśmiało zapytał Sędziwoja:

— Czy łańcuch wojewodziński...?

— Ach, tak. Naturalnie. Dostarczymy wprost do rąk Mikołaja Łodzi. — Kiwnął głową Sędziwój i potarł czoło. — Mój brat nie miał go na sobie w chwili śmierci, więc nie pomyśleliśmy o tym, wybacz.

— Bóg od czterech lat stawia przed nami zadania nadzwyczajne. Przy każdym z nich zastanawiam się, dokąd zaprowadzi następne. Czy wszyscy obecni znają szczegóły aktu zawartego nieopatrznie przez księcia Władysława w Klęce? Są ze mną kanonicy, Janisław i Borzysław, którzy wraz z legistą sprawdzali słowo po słowie postanowienia tego dokumentu. Służymy wszelkimi wyjaśnieniami.

— O ile to się da wyjaśnić. — Rozłożył ręce Andrzej Zaremba.

— Prawnie owszem, a moralnie? Nie jestem władny, by wystawiać komukolwiek ocenę. Borzysławie, streść podstawowe tezy postanowień.

— Książę uznał się wasalem Václava II z całości swych ziem rodzimych i nabytych wcześniej prawem dziedziczenia — kujawskich, łęczyckich i sieradzkich, a także, co nas dotyczy bezpośrednio, z ziem Królestwa — Pomorza, Starszej Polski i Poznania. Takie wyszczególnienie tytulatury ziem w dokumencie świadczy, iż autor, a była nim bez wątpienia kancelaria czeska, przewidział, iż kwestionować będziemy prawa księcia do ziem Królestwa w ich całości lub częściach. Odebrano nam zatem tę możliwość. Osobne wyszczególnienie Poznania wskazuje, iż autorzy dokumentu świetnie znali postanowienia zawarte między Władysławem a Henrykiem w Krzywiniu. Podważają tym samym jakiekolwiek roszczenia księcia głogowskiego do samego Poznania. Kancelaria czeska również z góry przewidziała, że książę Władysław zobowiązań lennych nie wypełni i hołdu Václavowi nie złoży, stąd w postanowieniach końcowych formuła o wypowiedzeniu posłuszeństwa księciu przez poddanych, gdyby tego nie uczynił i przeniesienie wszelakich praw wynikających z układu na wszystkich jego następców i spadkobierców. Tyle w kwestii faktów. Analiza zapisów każe nam wysnuć wniosek, iż dokument ten był przewidziany nie tylko jako akt prawny, ale i jako uderzenie w opinię publiczną, zwłaszcza w środowiska skupione wokół idei odrodzenia Królestwa.

— Jednym słowem, panowie: Václav II liczył na to, iż uznamy Władysława winnym podeptania idei zjednoczenia. Tej, nad którą ucieleśnieniem pracowaliśmy tyle lat wraz z Przemysłem — podsumował Jakub II, patrząc w oczy Andrzeja Zaremby. — Ja zaś, jako zwierzchnik polskiego Kościoła, uważam, że choć winy księcia są oczywiste, to nie jest on jedynym odpowiedzialnym za to, co się stało.

Biskup poznański otworzył usta, by zaprzeczyć. Ale zamiast słów wydobył się tylko jęk. I zamilknął. Arcybiskup pociągnął dalej:

— Powtórzę to, co powiedziałem poprzedniemu biskupowi, Janowi — wy, jako baronowie Starszej Polski, ponosicie winę za to, żeście go wybrali, a potem nie stanęli przy nim. Starsza Polska w Krzywiniu została na pół przekrojona przy waszym udziale.

Teraz Beniamin Zaremba otworzył usta, chcąc zaprotestować, i tak samo jak Andrzej nie powiedział nic. Sędziwój niespokojnym wzrokiem zmierzył rodowców, uniósł prawicę i natychmiast, jakby wbrew własnej woli, opuścił.

— Nie mieliśmy wyboru — jako jedyny wydobył z siebie głos Mikołaj Łodzia.

— Nieprawda. Wtedy jeszcze był wybór. — Nie pozwolił nikomu na zrzucanie winy Jakub Świnka. — Dopiero teraz go nie mamy.

Andrzej Zaremba, wyniosły zwykle i protekcjonalny wobec całego świata nienoszącego półwa za murem, zapytał niemal pokornie:

— Czy gdybyśmy teraz przywołali na tron Głogowczyka, to on także staje się...

— Każdy. Każdy władca staje się wasalem czeskiego króla — potwierdził Borzysław.

— Biskupie Andrzeju — Jakub nie wstając z miejsca, wycelował palcem w pierś Zaremby — jako zwierzchnik polskiego kościoła mam sporo zastrzeżeń do klątwy, którą obłożyłeś Władysława, i interdyktu rzuconego na diecezję. Czy aby względy prywatne nie wzięły góry nad dobrem wspólnym? — mówił coraz głośniej Jakub. — Czy nie nazbyt lekką ręką sięgasz po narzędzie, które Pan wyznaczył tylko do spraw nadzwyczajnych? I wreszcie, czy dzisiaj, kiedy książę Władysław opuścił kraj, nie powinieneś natychmiast zdjąć interdyktu z księstwa?

Andrzej Zaremba sztywno kiwnął głową i powiedział spokojnie:

— W istocie, arcybiskupie. Nie było moim zamiarem karanie niewinnych, zatem w najbliższą niedzielę uroczyście ogłoszę w katedrze poznańskiej zdjęcie interdyktu. Pozwolisz jednak, Jakubie, iż sprawę księcia Władysława rozważę osobno z należytą uwagą.

Dobre i to — odetchnął w duchu Jakub Świnka — że chociaż lud uwolni. Nie rezygnując z surowego tonu, zapytał:

— W najbliższą niedzielę, tak? Wszyscy zebrani słyszeli obietnicę biskupa? Zatem możemy wrócić do sprawy porozumienia zawartego w Klęce.

— Co nas może zwolnić z tego układu? — spytał Beniamin.

Jakub skinął na Borzysława, a ten powiedział:

— Kilka rozwiązań. Pierwsze: jednoczesne anulowanie owego układu przez papieża i cesarza. Wątpliwość prawna jest taka, iż anulując u cesarza, przyznajemy, iż ma on jakąkolwiek moc decydować o naszych sprawach. To błąd. Ponadto, zważywszy na dzisiejsze układy, cesarz stanie za Václavem. Drugie: bezpotomna śmierć Václava II wygasi zgodne z prawem roszczenia Przemyślidów do tronu. Należy tę wersję rozważać, bowiem Václav ma tylko jednego męskiego potomka, Václava III, a ten został skierowany w stronę spraw węgierskich. W przypadku wygaśnięcia linii Przemyślidów i przejęcia władzy w Czechach przez inną dynastię jesteśmy w stanie zakwestionować ważność ich praw do polskiej korony. Trzecie: wygrana wojna księcia Władysława z Václavem i cofnięcie przez niego w traktacie ugodowym postanowień z Klęki. Ta wersja na razie nie wchodzi w grę, bowiem jak wiemy, Władysław udał się na wygnanie. Czwarte: przywrócenie praw do tronu Piastom, ale poprzez Václava. Konkretnie jego dziedzica. — Borzysław uniósł wzrok na Jakuba.

— Tak, ja wyjaśnię. — Skinął mu głową arcybiskup. — Gdyby Václav II pojął za żonę Rikissę, córkę Przemysła, i gdyby nasza ukochana królewna wydała na świat syna, następca Václava byłby pół krwi Piastem, pół krwi Przemyślidą, jak Bolesław Chrobry, pierwszy nasz król.

Zebrani spojrzeli na Jakuba, niemal otwierając usta.

— Owszem, w przypadku pierwszego króla pokrewieństwo było odwrócone, jego matka była Przemyślidką, ale jasnym jest, iż ewentualny syn Rikissy, wychowywany przez nas na poznańskim dworze, w szacunku dla tradycji, w poszanowaniu idei Królestwa i przygotowany do przyszłej roli przez was, baronów Starszej Polski...

— Jakubie Świnko! — krzyknął Andrzej Zaremba. — To plan genialny i szalony!... Co, jeśli Václav nie będzie chciał nam dać na wychowanie syna?

— Odwróciłbym twe stwierdzenie: uczyńmy z tego warunek zgody. Bo o tym, że powoływanie kogokolwiek na tron, przeciw prawom Václava, nie ma sensu, już wiemy. Skoro nasz władca miałby być wasalem — to słowo w ustach Jakuba brzmiało zawsze jak przekleństwo — oznaczałoby to całkowite zaprzepaszczenie wolności. Więc z ciężkim sercem mówię, ale mówię: nie rujnujmy kraju wojną, dajmy koronę Václavowi, ale zobowiążmy go do poślubienia naszej dziedziczki. W ten sposób przeniesiemy idee Królestwa przez czas ciemności, aż do odzyskania dziedzica.

Zapadła cisza. Przerwał ją Janisław, zresztą grzecznie.

— Pozwolę sobie dodać, iż w ten sposób kupujemy czas. Gdyby bowiem Václav nie spłodził z naszą Rikissą dziedzica, zakładając, że jego obecny syn desygnowany będzie jako mąż węgierskiej królewny na tamtejszy tron, wracamy do rozwiązań przedstawionych przeze mnie jako drugie i trzecie, w skrócie: wygaśnięcie dynastii Przemyślidów i zobowiązań wobec niej oraz powrót księcia Władysława.

— Aby plan powiódł się w każdym ze swych wariantów, potrzebujemy jednomyślności — oświadczył finalnie Jakub Świnka. — Bowiem przed nami jeszcze najcięższa próba, jaką będzie ślubowanie obcemu królowi. Próba... — Janisław szybko podał mu kubek wody, bo Jakubowi zrobiło się ciężko. — ...Dziękuję. Próba, której nie przechodziliśmy nigdy, bowiem jak świat światem, władali nami Piastowie. Dlatego chcę was dzisiaj zobowiązać wszystkich, byśmy wkładając koronę na głowę Przemyślidy, ślubowali wierność nie władcy, lecz Królestwu. Jesteście gotowi?

Powstali wszyscy. Jakub wyszedł zza stołu i stanął pod chorągwią z białym orłem.

Zarembowie szli do niego i klęknęli na oba kolana, nawet nie na jedno. Święca, Łodzia i kasztelan kaliski zrobili to samo. Jakub gestem ręki zaprosił do ślubujących Borzysława i Janisława. Dotknąwszy swej piersi lewą dłonią, prawą wyciągnął ku chorągwi.

— Przysięgamy uroczyście, iż nieść będziemy Królestwo w sobie, póki sam Najwyższy nie odda nam prawowitego dziedzica!

— Przysięgamy! — zawołali.

Królewski orzeł uśpiony od dnia śmierci Przemysła poruszył skrzydłami i nieoczekiwanie przeszedł na wyciągniętą ku chorągwi dłoń Jakuba. Baronowie patrzyli na to szeroko otwartymi oczami. Orzeł zacisnął wokół ramienia arcybiskupa szpony. I krzyknął, rozpościerając skrzydła. Wzbił się do lotu pod wysokie sklepienie sali. Okrążył ją kilka razy, nabierając rozpędu. I wyciągnąwszy przed siebie pazury, zaatakował wrony gniazda. Jedno po drugim wypychał je z otworów pod sklepieniem na zewnątrz. Wrony krakały nieśmiało, broniąc jaj i piskląt, lecz orzeł, bijąc potężnymi skrzydłami powietrze, nie dawał im żadnych szans. Po chwili do Okrągłej Sali, jak przed laty, wdarły się z każdej strony promienie słoneczne. W powietrzu jeszcze wirowały czarne wronie pióra. Kilka z nich spadło na barki Andrzeja Zaremby, strząsnął je z siebie z obrzydzeniem. Orzeł spokojnym lotem opadł i wylądował na ramieniu Jakuba Świnki.

— Przysięgamy! — po raz drugi zawołali baronowie.

SĘDZIWÓJ ZAREMBA prosto z Okrągłej Sali ruszył do Jarocina. Na jego barkach spoczywał pogrzeb brata.

— Czekam na was w Brzostkowie! — krzyknął na odjezdnym do Beniamina i Andrzeja i już kopyta wroniego ogiera dudniły po dziedzińcu. Jednak za bramą zamkową zwolnił, wzgórze było strome, a on, choć w głowie miał sztorm, to jednak nie był szaleńcem. Z trudem przebijał się przez kłębiącą się uliczkami ciżbę. Nienawidził miejskiego tłoku, drażnił go smród wyziewów żyjących w takim ścisku ludzi. Pełne nieczystości rynsztoki, kundle wyławiające z nich szczury, obsmarkane dzieci biegające pomiędzy przechodniami, łotrzykowie wszelkiej maści, ot, jak ten, co na jego oczach odcina sakiewkę rzeźnikowi. Tfu!

Dziwki wystające przy ulicy Woźnej, pranie zwieszające się z okien, przekupki o nakrapianych pryszczami biustach wylewające się z kramów z namolnym:

— ...chlebki poznańskie, chlebki nadziewane!

— ...ryba wędzona, ryba suszona, śledź z beczki zasalany!

Zasrany, nie zasalany! Splunął znowu. Doprawdy, nie dla niego był urząd kasztelana! Wszystko, byleby nie miasto. Jego ojciec Janek, kasztelan i wojewoda, nie doczekał takich czasów, gdy miasto rozrosło się niczym kopiec mrówek. Za jego urzędowania to była wieś, tyle że taka bardziej w sobie. Mury miejskie, liczne przywileje, które mieszczaństwu dał Przemysł, sprawiły, iż Poznań eksplodował życiem. A Sędziwój przez tyle lat odsunięcia go od urzędów przywykł do wsi, do swojego. Z wieży w Jarocinie patrolował swe włości i dużo dalej. W Brzostkowie, w dworzysku obronnym otoczonym folwarkami, gospodarzył. Urząd kasztelana poznańskiego cenił, bo to był honor. Ale siedzenie za miejskimi murami — nie dla niego.

W końcu wydostał się przez Bramę Wielką. Pochwalił strażników, że całego wozu rozwrzeszczanych dziwek nie wpuścili, pochwalił, że na jego oczach zatrzymali wyrostków złodziejaszków i już. Końskie kopyta stuknęły o trakt.

371

— Z drogi! — ryknął na woźnicę, który jechał środkiem, tarasując przejazd. — Z drogi, chamie!

Po chwili mógł zaczerpnąć w płuca świeżego powietrza. Przytrzymał palcem skrzydełko nosa i wysmarkał miejskie smrody. Odetchnął.

Nie stawał na popasy, czasu żałował. Tylko na chwilę wieczorem, nim wjechał w las, by się uzbroić. Wyjął z sakwy przy siodle kolczugę i wciągnął pod kaftan. Do lewego ramienia przywiązał niewielką tarczę, taką, by nie zajmowała dłoni. Przez plecy przewiesił łuk i kołczan, na podoręździu miał kiścień, pod ręką mały, zręczny puginał, przy pasie, na plecach nóż. Był gotów, by jechać dalej. Niechby na niego trafiło! Było późno, gdy dojechał na przeprawę. Zamigotał mu jasny płaszcz joannity.

— Kogo Bóg prowadzi? — krzyknął wartownik, biorąc w dłoń pochodnię.

— Sędziwój Zaremba, pan jarociński i kasztelan poznański! Dawaj, bracie! Spieszę się!

— Niech będzie pochwalony...

— Na wieki wieków, gotowyś? Możemy płynąć? — popędził go Sędziwój i zmrużył oczy, nie będąc pewnym, czy rozpoznaje wysokiego joannitę o nieco krzywym ramieniu. — Brat Wolfram?

— Nie, panie. — Ten już podszedł do niego i biorąc ogiera za uzdę, poprowadził ich do tratwy. — Jestem Manfred, młodszy brat. Szlachetni Wolfram i Pecold są nieobecni w wartowni. A trzeba to tak, po nocy? Mogę zaprosić do komandorii, pan Sędziwój jest tu zawsze szczególnym gościem; za dnia, na spokojnie pan kasztelan ruszyłby dalej.

— Spieszę się — odpowiedział Sędziwój.

— Prawda to — zapytał Manfred, kiedy odbili od brzegu — że brat jaśnie pana kasztelana...

— Prawda. Nie żyje — powiedział Sędziwój i splunął w wodę.

— Nie on jeden zostawił życie w tych lasach. Ostatnimi laty zrobiło się tu co najmniej niebezpiecznie. Ilekroć kogoś nowego przeprawiam, ostrzegam i ja, i bracia. Ktokolwiek grasuje w tych lasach, szczególnie nie lubi...

Zarembów — przeżuł w myślach Sędziwój.

— ...Krzyżaków — dokończył swoją myśl Manfred.

— Co mówisz? — Pochylił się ku niemu Sędziwój, bo wiatr zawiał i nie był pewien, czy dosłyszał.

— Krzyżaków — powtórzył Manfred. — Wielu z nich podróżuje tędy, udając się z Prus na południe, do Wenecji, do wielkiego mistrza. Czasami w miesiącu to i pięć, sześć poselstw jedzie. Jak z tych pięciu dwóch wraca, to dobrze.

— Gadasz — lekceważąco powiedział Sędziwój, już on swoje wiedział, kto naprawdę w tych lasach ginie. — Może zostają w Wenecji.

— Niektórzy pewnie i tak. Ale większość zostaje w tych lasach, a w każdym razie kupcy jadący z południa do Poznania przywożą ich płaszcze znalezione w lesie albo w krzakach przy trakcie. Płaszcze poszarpane przez dzikie zwierzęta, przeszyte strzałami.

— Coś takiego... — Pokręcił głową Sędziwój. — Coś takiego...

— Ja tam do Krzyżaków nic nie mam — flegmatycznie ciągnął Manfred — nie lubię, ale i nikt mi nie każe. No ale coś takiego to już zakrawa na polowanie, prawda, panie Sędziwoju?

— A joannitów nic złego nie spotyka? — dopytał Sędziwój.

— Nic a nic, panie. Też myśleliśmy, że polują na braci rycerzy. Ale nic żadnemu z nas się nie przytrafiło i oby święty Jan strzegł nas dalej. Dobijamy, proszę zsiąść z konia.

Tratwa ostro uderzyła o belki nabrzeża, dobrze, że Sędziwój trzymał ogiera za uzdę, bo ten rżał niespokojnie i zaczął dreptać w miejscu. Zbyt lekko obciążona tratwa kołysała, nie mogąc złapać równowagi. Manfred miał trudności z zacumowaniem, zerwała się jedna, druga lina.

— Noża nie wziąłem? — zdziwił się joannita, dotykając pustej pochwy przy pasie. — To przez pośpiech.

— Ja mam. — Wyjął swój nóż Sędziwój i podał mu. — Wybacz, że tak cię goniłem, ale też mi się spieszy. — Spojrzał w niebo. Za chwilę północ. Księżyc za mgłą nie dawał wiele światła. Nim dojedzie do Jarocina, będzie dniało.

Manfred przeciął zerwane liny i powiązał; tratwa jeszcze chwilę kolebała się, ale już coraz słabiej. Ogier Sędziwoja, gdy tylko poczuł drugi brzeg, pociągnął.

— No, już. Schodź, narwańcu. — Zaremba przeprowadził go na ląd. — Dziękuję, Manfredzie. Spokojnej nocy.

— Niech cię Pan Bóg prowadzi, kasztelanie! — Machnął mu ręką joannita i odbił.

Sędziwój wciągnął w nozdrza żywiczny zapach lasu. Wskoczył na siodło. Mgła unosiła się znad Warty i kładła miękko nad traktem.

Ruszył. W śmierci jego brata najdziwniejsze było to, że zginął nie w lesie, przed którym przestrzegał go Manfred, ale w domu. I to w jego domu! Strzała dosięgła go, gdy stał w oknie jarocińskiej wieży. Byli we dwóch, Mikołaj przyjechał z Kalisza z wizytą. Rozmawiali o swoich sprawach, gdy na dziedzińcu pojawiła się Dorota. Sędziwój przeprosił brata, zszedł na dół, by rozmówić się z córką; ostatnimi czasy zachowywała się tak dziwnie, że obawiał się nawet, czy dziewczyna nie zbikowała. Całymi dniami przepadała bez wieści, łaziła po polach, po łąkach, leczyła te swoje zwierzęta. Jeszcze trochę i zacznie z nimi gadać! W każdym razie Doroty dwa dni w domu nie było i gdy służka zameldowała przybycie panny, on wyszedł z sali Edmunda na podwórze. Zamienił z córką nie więcej niż trzy zdania, bo kiedy zapytał: „Gdzieś była?", ona odpowiedziała: „W lesie". On na to: „Przecież mówiłem, że jest niebezpiecznie, i zabroniłem ci się oddalać". I na to ona odrzekła coś lekceważącego, w rodzaju: „Nic mi nie będzie" albo „Mnie nic nie grozi", albo „Bój się o siebie", coś takiego, co go rozsierdziło. Chciał jej wymierzyć policzek, ale się powstrzymał. Była z suką. Z tą wielką niczym cielak płową suką, która rzecz jasna, gdy tylko uniósł dłoń, warknęła ostrzegawczo i pokazała mu kły, więc dał sobie spokój. Dziewczyna fuknęła, odwróciła się i odeszła. On coś jeszcze rzekł do służby, jedno, dwa zdania, nie więcej. I wrócił do Mikołaja, schodami w górę. Ile to mogło trwać? Wszedł i Mikołaj już nie żył. Strzała tkwiła w oku półlwa za murem na piersi brata. Jak za każdym razem. W samo serce. Podbiegł do okna, wychylił się i krzyknął: „Kimkolwiek jesteś, dorwę cię i przybiję głową w dół!". Ale wokół wieży nie było nikogo. Posłał straże w las; nic, nic nie znaleźli. Ani tropu, ani śladu. Na jego oko łucznik musiał strzelać z drzewa, bo jakżeby inaczej trafił w okno wieży? Najbliższe drzewa o dwa stajania. Jezu Chryste, kto ma takie oko?

Jechał przez mgłę. Z lasu dochodziły odgłosy nocnych polowań. Rozróżniał je z grubsza, sam lubił iść na zwierzynę nad ranem. Gdy na kilka uderzeń serca zapadała kompletna cisza, to znak, że sowa namierzyła ofiarę. Za moment będzie szamotanina w poszyciu, pisk, szum skrzydeł i znów cisza. Leśni zabójcy lubią te chwile przed świtem. Kto poluje na Zarembów? Do tej pory ginęli wartownicy wokół Brzostkowa albo patrole jarocińskie, które wypuszczał na trakty, by odstraszać włóczących się po kraju raubritterów od swoich dóbr. Chryste! Zabójstwo Mikołaja w jego domu, w obronnej wieży, wytrąciło go z równowagi. Jak zabezpieczyć gości, którzy przyjadą na pogrzeb, skoro jest pewien, że to na nich czyha niewidzialny zabójca? Czuł ucisk w piersi. Do pogrzebu zostało ledwie kilka dni. I jeszcze ta historia z Václavem Przemyślidą. Tyle lat Sędziwój czekał na powrót na najwyższe urzędy i gdy pragnienie się ziściło, oto nastanie obcy król. Obowiązek wymaga, by całe swoje siły poświęcił teraz służbie, a on? A on ma śmiertelne zagrożenie rodu na głowie i doprawdy nie wie, jak się z tym wszystkim uporać. Łeb mu pęka. Tuż nad nimi przeleciała sowa, nawet jej nie dostrzegł w tej mgle, dopiero szum skrzydeł nad głową. Odwrócił się, bo miał wrażenie, że ktoś jest za nim.

— Gówno widać — strzyknął śliną w mrok.

Wtem ogier zarżał i rzucił się w prawo, w wysoką trawę przy drodze. Sędziwój w ostatniej chwili złapał równowagę. Środkiem traktu szła locha z warchlakami. Zaremba poczuł gorąco. Locha broniąca młodych, tego mu tylko brakowało, psiakrew. Albo błyskawicznie zdejmie łuk, strzeli i trafi w oko, albo sprawdzi, czy jego wroni ogier wciąż jest tak szybki jak ongiś. Bał się ruszyć, by jej nie sprowokować, ale wciąż miał wrażenie, że z tyłu, za jego plecami, ktoś jest. Locha stanęła. Warchlaki zbiły się za nią w gromadę. Koń drżał, bał się. Sędziwój ścisnął mu boki, ale ten stał jak wmurowany. Szarża lochy jest straszna. Niezgrabna samica dzika w biegu zamienia się w masę mięśni szybszą niż uderzenie pięści. Jeszcze stoi nieruchoma, jeszcze go mierzy wzrokiem. Sędziwój poczuł na plecach zimno, niczym dotknięcie trupiej dłoni i nagle, jakby pchnęła go nieznana, obca mu siła, poczuł się zmuszony, by zsiąść z konia. Zrobił to. Locha postąpiła dwa kroki ku niemu. Wyzywająco uniosła gwizd, jakby chciała wciągnąć jego zapach. Poruszyła nim. Zanim pomyślał: Zaraz mnie zryje — zrobił krok, pociągając ogiera. Ona jeszcze nic, jeszcze go wietrzy. I wtedy, jak chwilę wcześniej, poczuł przymus, by pokłonić się losze. Przez głowę przemknęło mu: Co ja robię? Chrząknęła. Powoli, najwolniej, jak umiał, uniósł się z ukłonu, i pociągając konia za sobą, postąpił kilka kroków. Stała. Kolejnych kilka kroków, uważając, by się nie potknąć. Locha z młodymi stała na środku traktu, on z koniem na poboczu, pod stopami miał nierówną murawę, przed sobą niski krzak, dalej chaszcze. Nie śmiał wyprowadzić ogiera z powrotem na drogę, schodzili losze z oczu chyłkiem, bokiem, choć wiedział, że w każdej chwili ona może po prostu ruszyć na niego. Bał się odwrócić, bał się sprawdzić, co robi, przeszli spory kawał, nie bacząc na to, że kolczaste pędy jeżyn haczą nogi. Ogier wciąż drżał, Sędziwój trzymał go krótko, przy pysku. W końcu odważył się i powoli odwrócił głowę. Trakt za nim spowijała mgła. Wyprowadził konia na drogę i wskoczył na siodło. Ogier bez zachęty pana ruszył przed siebie. Co to, do licha, było? — pytał sam siebie, nie rozumiejąc, dlaczego zsiadł z konia i ukłonił się dzikiej świni, niczym królowej. Drżał, na całym ciele drżał. Czuł kwaśną, ostrą woń własnego potu.

Mgła zaczynała rzednąć, las rozbrzmiał wrzaskiem budzących się ptaków. Jeszcze nie dniało, jeszcze świt nie rozjaśniał zarośli. Poranna szaruga przywitała go, gdy wyskoczył z lasu na odkrytą drogę. W jej smudze zamajaczyła ciemna sylweta jarocińskiej wieży. Wroni ogier gnał, charczał ze zmęczenia i galopował dalej i dalej. I koń, i Sędziwój marzyli o tym, by zamknęła się za ich plecami ciężka, kuta żelazem brama. Już dostrzegli go strażnicy, już zaczynają otwierać. W bezwietrznym powietrzu chorągiew na bramie zwisa, jakby czarny półlew skurczył się w sobie i bardziej niż zwykle krył za murem.

— Bywaj! — pozdrowił dowódcę straży.

Kopyta uderzyły w drewnianą kładkę.

— Zamykaj od razu — krzyknął.

Ogier zatańczył na dziedzińcu.

— Ciii! — uspokoił go Sędziwój. — Już jesteśmy w domu. Cicho!...

Koń jednak parskał, rzucał łbem. Stajenni podbiegli i pomogli opanować zwierzę. Przytrzymali je, by Sędziwój mógł zeskoczyć z siodła.

— Opatrzcie mu pęciny, może mieć kolce jeżyn. I nakarmcie go!

— Panie Sędziwoju! — wyprężył się przed nim dowódca. — Stało się coś dziwnego.

— Co znowu? — warknął, bo dziwnych rzeczy miał na dzisiaj stanowczo dość.

— Chodzi o wieżę, o Serce Edmunda.

Poczuł zimno w sercu. Zapytał:

— Ktoś zginął?

— Nie, panie. Ciężko to powiedzieć... Najlepiej jeśli, panie, sam zobaczysz.

Przesadzając po dwa stopnie, biegł na górę do najwyżej położonej kondygnacji wieży. Jego chluba, Serce Edmunda. Cała ściana pokryta malowidłem, na którym pysznił się złoty smok; fortunę kosztowało. Wbiegł do sali. Przez wąskie okno, to samo, przez które zastrzelono Mikołaja, wpadał do wnętrza wąski, ostry snop światła, jakby świt wdarł się do niej, rozcinając ściany nożem. Musiał przysłonić oczy. Pierwsze, co zobaczył, to dwie wiszące na ścianie chorągwie Zarembów z półlwem. W chorągwiach tkwiły strzały.

— Tutaj, panie — powiedział zduszonym głosem dowódca.

Sędziwój odwrócił się. Złoty smok Wessexu naszpikowany był strzałami.

— Niemożliwe — jęknął — przecież to ściana z twardego jak mur dębu...

Podszedł do ściany i zrozumiał. Groty tkwiły nie w belkach, lecz w spoinach. Przesunął palcami po ścianie. Dwie w smoczym oku, jedna w rozwartym pysku, kilka na grzbiecie, w ostro zakończonym ogonie i jedna, z czerwoną lotką, w miejscu, gdzie smok ma serce.

Przez wąskie okno do śmiertelnie okaleczonego Serca Edmunda wdarł się poranny, radosny wrzask ptaków, jakby cały las wpadł oznajmić mu, że nastał dzień.

RIKISSA z coraz większym niepokojem spoglądała z okna na bramę zamku w Salzwedel. Minęło wiele czasu, odkąd posłaniec z jej listem wyruszył na wybrzeże. Margrabia Albrecht też zdawał się mieć coraz czarniejsze myśli.

— Królewno, obawiam się, że coś złego mogło spotkać okręt. Posłaniec powinien już wrócić. Coraz trudniej mi oganiać się od konkurentów do twojej ręki — powiedział tego dnia, gdy jedli we dwoje śniadanie.

Przełknęła kęs chleba i spojrzała w jego zmęczone, smutne oczy.

— Kto tym razem?

— Ponownie król Václav II.

— Nie sądzisz, margrabio, że konkurenci wydziwiają? Król Czech prawie trzy razy ode mnie starszy, a książę Henryk, o którym pisali z Głogowa, jeszcze młodszy niż ja. Nasz umiłowany kawaler Otto był w sam raz. Modlę się za niego co dnia.

— A ja za ciebie, światło moich starych dni — powiedział Albrecht i zasępił się.

Rikissa przyjrzała mu się pilnie. Coś musiało dręczyć margrabiego. Czy powie jej co?

— Widziałam rano wóz z dzbanami wina, spodziewamy się gości? Umknął spojrzeniem w bok. Pokręcił głową.

— Będę w ogrodzie, jakbyś mnie potrzebował, tatku — uśmiechnęła się do niego, odchodząc od stołu. Widziała, że złapał się za serce. Tak, rzadko mówiła do niego „tatku", ale dzisiaj poczuła, iż Albrecht zmaga się z czymś dla niego trudnym i wymaga to od niej wsparcia go troską.

— Rikisso! — Małgorzata wychynęła zza załomu muru na samym parterze, gdy królewna niemal wychodziła na podwórze. Pokazywała na migi, by dziewczynka podeszła. Pociągnęła ją za łokieć i rozglądając się, czy nikt ich nie widzi, wciągnęła w głąb korytarza.

— Nie chodź dziś nigdzie sama. Błagam cię — oczy Małgorzaty były przerażone — szykuje się coś złego, czuję to.

— Ja też — spokojnie odpowiedziała Rikissa. — Dlatego wezmę ze sobą do ogrodu trzy lwy.

— Nie, nie idź, proszę cię! To kocięta, one cię nie obronią... — Konwulsyjnie łapała Rikissę za ramiona.

— Przed kim?

— Przed gośćmi, którzy mogą zjawić się w południe.

— Powiesz mi, kto?

— Nie mogę. Nie mogę.

— Kolejni zalotnicy?

— Konkurenci, tak. Proszę, zostań w zamku.

— Dobrze — pocałowała Małgorzatę w policzek — wrócę w południe i nie oddalę się ani na krok.

Wymknęła się z objęć macochy.

— Trzy lwy! — zawołała na wylegujące się przy studni leniuchy.

Jakkolwiek sama czuła, iż coś ciężkiego unosi się w powietrzu, nie mogła nie pójść na spotkanie z Kaliną. Piastunka czekała na nią w zaroślach dzikich róż. Rikissa, biegnąc wzdłuż rzeki, pomachała strażnikom.

Muszę pamiętać, by przynieść im róże — wbiła sobie do głowy. Ilekroć robiła to, nie pytano, po co chodzi w odległy koniec ogrodu, tam, gdzie splątanymi kłującymi krzewami przechodził wprost w las. Dostrzegła Kalinę z daleka, choć poza nią nikt nie zauważał ubranej w zieloną suknię dziewczyny.

— Wyglądasz jak ukwiecona gałąź — powitała piastunkę Rikissa, a jej rodowe lwy dotknęły mokrymi nosami nóg Kaliny.

— Moja pani! — Kalina pocałowała jej drobne dłonie.

— Co ci? Czy i ty dzisiaj jesteś niespokojna?

— Tak. Dzień twego wyjazdu z Salzwedel bliski. Konkurenci dwoją się i troją. Niedługo pojawią się kolejni.

Rikissa roześmiała się.

— Mówisz jak margrabia Albrecht. Jak mam rozpoznać tego właściwego? Tego, który uczyni mnie królową?

— To proste Rikisso. To będzie król.

— Masz na myśli Václava? To starzec! Ma chyba ze trzydzieści lat!

— Nie spodoba ci się i ty nie spodobasz się jemu. Dla ciebie, Rikisso, jeszcze nie nastał czas na miłość.

— Mówisz zagadkami. Mam wybrać....

— Nie. Nie masz nikogo wybierać. On już został tobie wybrany. Jak tylko dostaniesz znak od ojczulka Świnki, masz go posłuchać. Rozumiesz? Każdy będzie cię ciągnął w inną stronę, ty zaś masz posłuchać wyłącznie ojczulka Świnki. Nawet gdyby ludzie tutaj tobie najbliżsi chcieli czegoś innego, sprzeciwisz się. Błagam cię, Rikisso, nie zachwiej się w chwili próby. Jak tylko twój orszak przekroczy granicę Królestwa, ja znów będę przy tobie. Muszę już iść. Spójrz, szukają cię!

Rikissa odwróciła się. Od strony zamku biegły dwórki, niczym barwne kwiaty na zielonej murawie. Machały ku niej.

— Kalino? — chciała zapytać, ale gdy zwróciła się ku niej, piastunki nie było.

Zerwała na oślep kilka pędów róż, raniąc się w nieuwadze do krwi. Ruszyła ku dwórkom.

— Królewno!... Królowa Małgorzata cię wzywa!... — krzyczały jedna przez drugą, z trudem łapiąc oddech po krótkim przecież biegu.

Są jak kwiaty hodowane przez ogrodnika — pomyślała Rikissa — słabe i niesamodzielne.

— Jestem już, miłe moje — powiedziała na głos. — Możemy wracać.

Dworki z nieufnością odsunęły się od pędzących przodem trzech lwów.

— Och, krwawisz! — Zakryły usta dłońmi, jakby nigdy nie widziały krwi.

Zaśmiała się i skoczyła ku stojącym przy wejściu do ogrodu strażnikom.

— Dla was, dzielni rycerze! — Wręczyła im róże.

Na zamkowym dziedzińcu zobaczyła nieznanych sobie ludzi, margrabiego Albrechta i macochę.

— Rikisso! — Podszedł ku niej margrabia. — Wejdźmy na górę.

Podreptała za nim grzecznie, jak dziecko. Ma dla mnie złą wiadomość, nie chce mówić przy służbie na dziedzińcu. Zobaczyła, że Małgorzata idzie za nimi.

— Światło moich starych oczu — zaczął Albrecht, gdy znaleźli się w komnacie — okręt kupców, którzy wieźli posłanie do twego dziadka Waldemara Birgerssona, zatonął.

— Rozumiem — powiedziała i usiadła.

Oparła głowę o krzesło. Albrecht podszedł i głaskał ją po włosach. Spodziewała się tego, czyż nie tak? Ale czym innym jest spodziewać się złych wiadomości, a czym innym je dostać. W głębi duszy liczyła, że wyciągnie po nią opiekuńcze ramiona rodzina matki. Że zabiorą ją za zimne morze daleko od tej wojny o jej rękę. Od za młodych Henryków, za starych Václavów i Bóg wie kogo jeszcze.

— Nie martw się — sękata dłoń Albrechta trochę haczyła jej włosy — spróbujemy jeszcze raz...

— Proszę, by ojciec nie zatruwał głowy Rikissy tymi sprawami — dość stanowczo jak na siebie odezwała się Małgorzata. — W Szwecji pewnie wiedzą, jak się rzeczy mają, i gdyby... — zawahała się, już tracąc impet — ...gdyby mogli, już pewnie by się Rikissą zajęli.

— Sugerujesz, że nie chcą? — smutno spytała Rikissa.

Małgorzata, jak to ona, przelękła się. Szybko przyklęknęła przy królewnie i przepraszająco wyjaśniła:

— Nie, nie mówię, że nie chcą... Mam na myśli, iż nie bardzo mogą... Już nie jesteś ich... Ach, co ja gadam, wybacz mi, kochane dziecko!

— Wybaczam — zgodnie z prawdą powiedziała Rikissa i coś ją zaciekawiło: — A ty, Małgorzato, kogo byś wybrała na moim miejscu?

— Ja? Młodego Henryka. Jest ledwie cztery lata młodszy, gdy dorośniecie, to nie będzie miało żadnego znaczenia. Jeśli wychowacie się razem, to zapewne polubicie się, tak jak i z mym bratem Ottonem.

— Córko! — zgromił ją Albrecht — Chciałabyś wysłać naszą Rikissę na dwór głogowski? Nie oddam jej! Dopóki nikt mnie nie zmusi zbrojnie, nie oddam dziecka! Tylko tu jest bezpieczna!

— Czyżby, ojcze? A kto zaprosił margrabiego Waldemara?

Serce Rikissy zaczęło szybko bić. Tak szybko jak motyl schwytany w dłonie.

— Tatku, zaprosiłeś go? — Spojrzała na Albrechta.

— Nie — odpowiedział z rezygnacją — ale nie mogłem odmówić.

W tej samej chwili zabrzmiały rogi na bramie i ujadanie sfory psów oznajmiło przybycie gości. Rikissa poderwała się, podbiegła do okna. Na dziedziniec wjechał orszak poprzedzany przez chorągwie z czerwonym orłem. Miał dużo dłuższy i bardziej zakrzywiony dziób niż ten tutejszy, do którego ponurej sylwetki zdążyła przywyknąć. Myśliwskie psy trzymane przez psiarczyków na długich smyczach świadczyły, iż goście w drodze umilili sobie czas polowaniem. Zobaczyła jeźdźca, którego twarz prześladowała ją w złych snach. Łysa czaszka, na niej skórzana przepaska zasłaniająca dziurę po oku i wąski, prosty nos. Otto ze Strzałą, tak, to on. Przy nim młody człowiek o pięknych, złotych, wijących się włosach. Jego twarzy nie mogła dostrzec; odwrócony był bokiem. Widziała tunikę z haftowanym najczystszym jedwabiem brandenburskim orłem opiętą na szerokich, muskularnych plecach. Gdy poruszał barkami, ten orzeł zdawał się prostować skrzydła.

— Och, nie! — Dopiero teraz zrozumiała, czemu młody margrabia odwraca się. I dlaczego wciąż porusza barkami. W dłoni trzymał coś w rodzaju smyczy, na końcu której, w obroży na szyi, tkwiła Kalina.

Rikissa zerwała się od okna, i podciągając wysoko suknie, rzuciła się do biegu schodami w dół. Wypadła na dziedziniec. Służba, dwórki, straże, wszyscy kłaniali jej się nisko, gdy biegła, i jakby zastygli w tym ukłonie, nie podnosząc się w górę.

— Kimkolwiek jesteś, natychmiast uwolnij moją piastunkę! — krzyknęła do młodego margrabiego, stając tuż przed nim.

Spojrzał na nią z wysokości końskiego grzbietu najzimniejszymi jasnymi oczami, jakie widziała w życiu.

— A ty kim jesteś, dziewczyno, byś mi rozkazywała? — odpowiedział, niemal nie otwierając ust.

— Jestem królewna Rikissa Primislausdotter! Trzy lwy do mnie! — Nawet nie zorientowała się, że w gniewie mówi po szwedzku.

— O! Jaka waleczna! — zaśmiał się margrabia. — I rządzi trzema kotami! To moja zdobycz i nie mam zamiaru jej puścić. Będę z nią robił, co zechcę! — W tej samej chwili w powietrzu świsnął bat i spadł na ramiona Kaliny. Dziewczyna syknęła.

— Straże! — krzyknęła Rikissa. — Aresztować tego intruza! Natychmiast!

Kalina wysłała jej zbolałe spojrzenie, przez które przebijała bezradność i wściekłość. Strażnicy z lękiem zrobili kilka kroków w stronę margrabiów. Na dziedziniec wybiegł Albrecht. Za nim Małgorzata. Stary Albrecht w panice rozkładał ręce, nie wiedząc, czy ma witać gości, czy kazać pod bronią ściągać ich z koni. I wtedy naprzód wystąpiła Małgorzata. Z wypiętą piersią, z wysoko uniesioną głową. Taka, jakiej Rikissa w życiu nie widziała.

— Rozkazuję natychmiast uwolnić dziewczynę. Albo to zrobisz, margrabio Waldemarze, albo nasi ludzie potraktują was nie jako gości, lecz jako wrogów. I zejdź z konia w tej chwili, bo nie wypada, byś siedział w obecności królowej wdowy i królewny dziedziczki! — powiedziała to, nie zająknąwszy się ani razu. Ostro i głośno.

Waldemar, patrząc na nie obie, powoli owinął sobie bicz wokół ramienia. Rzucił smycz, na której trzymał Kalinę, wprost w ręce Rikissy, i nie spuszczając ich z oczu, z drwiącym uśmiechem przełożył nogę przez siodło i zeskoczył. W tym samym czasie zsiadł z konia Otto ze Strzałą i ruszył w stronę Waldemara.

— Tak lepiej? — spytał młody margrabia, patrząc na Rikissę z góry. Zobaczyła, iż ma dziurę po wybitym zębie.

— Odepnij obrożę — zażądała, patrząc mu w oczy. — Już.

Wyszczerzył zęby, wcale nie kryjąc tej paskudnej dziury.

— Panna królewna mówi po niemiecku, jak człowiek.

Trzy lwy u jej kolan zawarczały, obnażając kły.

— Panna weźmie te koty, bo nie mogę uwolnić zielonej suki — powiedział.

— Witaj, drogi kuzynie — zza pleców młodego odezwał się jednooki Otto — i ty, Małgorzato, i przede wszystkim ty, droga Rykso. Ach, ci młodzi, gorąca krew! Czasami źle zaczną dobrze zapowiadają-

382

cą się znajomość. Lecz kto się lubi, ten się czubi, czyż nie tak? Walde-marze, odepnij zdobycz, skoro naszej Ryksie tak na niej zależy. — Ton Ottona był pojednujący, choć on sam nie umiał ukryć wyniosłości.

Waldemar syknął.

— Nikt mi nie będzie rozkazywał. — Ale odpiął obrożę i rzucił na ziemię ostentacyjnie.

Lwy Rikissy natychmiast rzucił się na nią i rozerwały skórzaną opaskę na strzępy. Ona sama przytuliła do siebie Kalinę.

Albrecht powtórzył za Ottonem:

— Młodzi, masz rację, gorąca krew. Zacznijmy raz jeszcze. Rikis-so, to twój krewny, margrabia Otto ze Strzałą, pan na Stendal. I jego bratanek, a jednocześnie siostrzeniec twego ojca, margrabia Walde-mar. A to nie Ryksa, wybaczcie, tylko Rikissa Przemysławówna, po matce nosząca w herbie trzy lwy.

Margrabiowie ukłonili się jej, Waldemar dodał do tego kpiący uśmiech. Rikissa nawet nie skinęła im głową.

— Proszę, proszę do komnat! Wieczerza zaraz będzie gotowa...

Zabolał ją do żywego ten służalczy, tchórzliwy ton Albrechta. Już ja mu dam „tatkę" — pomyślała Rikissa.

— Dołączymy do was później — nadal tonem królowej powie-działa Małgorzata i po chwili zostały na dziedzińcu tylko ze służbą.

— Nic ci nie jest, Kalino? — Rikissa objęła piastunkę.

— To potwór — szepnęła Kalina. — Poszczuł na mnie psy. Zła-pali mnie w lesie, jak wracałam... — zamilkła, nieufnie spoglądając na Małgorzatę. Ale ukłoniła się jej i powiedziała: — Dziękuję ci, pani.

— Ja też. — Rikissa złapała dłoń Małgorzaty.

Była zimna, spocona. Dopiero teraz z Małgorzaty spływał lęk. Na jej policzki wystąpiły rumieńce.

— Obawiam się, że to nie koniec gości na dzisiaj. Nie wiem tego na pewno, ale boję się, że przyjedzie i Mechtylda Askańska. Co zro-bić, by cię tu nie znalazła, Kalino? Służba jej powie — ściszyła głos jeszcze bardziej — wszyscy widzieli... wszyscy tu służą szczecińskiej księżnej... albo Ottonowi Długiemu... Mój ojciec jest gliną, którą ura-biają w palcach, jak chcą...

Rikissa znów zobaczyła, jak Małgorzata staje się sobą. W jednym zdaniu dwa razy powiedziała, że się boi. Co robić? Otaczają mnie tchórze — pomyślała — jeśli Waldemar zechce skrzywdzić Kalinę, macocha może nie mieć siły, by drugi raz wystąpić tak ostro.

Za plecami usłyszała męski głos. Odwróciła się. To jeden ze strażników zwykle pilnujących ogrodu.

— Królewno. Ja wyprowadzę twą piastunkę z zamku. Mogę ją odwieźć do najbliższej wsi, tam mam krewnych, pożyczę konia, panna różana odjedzie stąd czym prędzej.

Wymieniły się z Kaliną spojrzeniami. „Panna różana" — więc wie o ich, zdawało się tajemnych, spotkaniach. Kalina skinęła głową.

— Jak ci na imię?

— Johan, królewno! — Zapłonił się jak dziewczyna.

— Johanie. Opiekuj się mą piastunką, jakbym to była ja — powiedziała, kładąc mu dłoń na ramieniu.

— Dziękuję — zmieszał się do końca — nie zawiodę cię.

— Jedźcie już — szepnęła Małgorzata.

— Do zobaczenia, Rikisso! Żegnaj, pani — powiedziała Kalina, odchodząc z Johanem.

— Nie idźmy na ucztę — szepnęła Małgorzata. — Nie dam rady...

— Pójdziemy — oświadczyła Rikissa. — Musimy znać plany wroga.

Gdy weszły na górę, margrabiowie siedzieli po obu stronach struchlałego Albrechta i Rikissie przez głowę przemknęło, iż macocha miała rację: mogły tu nie przychodzić.

— Nasza piękna, mała królewna i nasza szacowna królowa wdowa! — przywitał je Otto ze Strzałą.

— Już otarłaś łzy swej piastunce? — zadrwił Waldemar. — Swoją drogą to podwójny wstyd. Raz, że piastunka włóczy się po lesie, udając zwierzynę łowną, a dwa, taka duża dziewczynka jeszcze potrzebuje niańki? Ponoć już jesteś zdolna do małżeństwa, prawda to?

— Nie twoja sprawa — odpowiedziała Rikissa, siadając na czekającym na nią krześle.

— Moja — warknął margrabia, nie zważając na uspokajające gesty swego stryja. — Jestem twoim najbliższym krewnym i mam swoje prawa.

— Mylisz się. Bliższych krewnych mam gdzie indziej.

Waldemar wyciągnął spod ławy pergamin i rzucił go na stół.

— Masz na myśli dziadka za morzem? Co za pech! Twoje błagania o opiekę do niego nie dotarły...

Rikissa wzięła pergamin, poznając swoje pismo. Spojrzała na Albrechta.

— Zatem okręt nie zatonął, jak nam powiedziano? — spytała go. Skurczył się pod jej wzrokiem.

— Zatonął, czemuż by nie? — Roześmiał się Waldemar, pokazując szparę po zębie. — Ale później. Najpierw moi ludzie przetrząsnęli skrzynie z pocztą. Tego strzegącego ich wymoczka też. Pewnie tonąc, myślał o okrutnych morskich rycerzykach.

— Więc, o czym to mówiliśmy, nim damy raczyły do nas dołączyć? — zapytał Otto. — Ach tak, o małżeństwie. To częste w miłości, że bierze się z przeciwieństw.

— Co masz na myśli, margrabio? — ośmieliła się odezwać Małgorzata.

— Naturalny bieg rzeczy, najpomyślniejszy dla obu stron. — Rozciągnął usta w uśmiechu Otto. — Pamiętacie obie, iż zawołaniem Starszej Polski było: „Niepodzielni"? I my mamy ofertę, która wychodzi naprzeciw oczekiwaniom baronów twojej ojczyzny, królewno. Złączyć to, co zostało rozdzielone.

— Mówisz, margrabio, o oddaniu Starszej Polsce grodów granicznych, któreście zagrabili po śmierci mego ojca?

— Zabezpieczyli, królewno. Ktoś ci źle przekazał nasze intencje. Ale owszem, ten właśnie wspaniały dar mamy na myśli. Nazwijmy go darem ślubnym.

Albrecht skurczył się jeszcze bardziej. Małgorzata zbladła. Rikissie było już wszystko jedno. Cokolwiek usłyszy, na nic się nie zgodzi.

— Nie interesuje cię, królewno, dla kogo taki dar przewidzieliśmy? — uśmiechnął się Otto niczym lis.

— Za bliskie pokrewieństwo — jęknęła Małgorzata.

— Radziłbym ci ostrożniej dobierać argumenty, królowo. Twoje i Przemysła także nie było odległe, to raz... — Gdy mówił „raz", zasyczał jak wąż i zmrużył to jedyne oko, które mu zostało. — A dwa, i dla ciebie, wdowo, mamy ofertę ślubną, więc jeśli nie chcesz schnąć do końca swych lat, to milcz i bądź milszą.

— Nie mam życzenia wychodzić za mąż powtórnie — nieco mocniej powiedziała macocha.

— Twoja wola nie jest niezbędna — szybko rzucił Waldemar, patrząc jednocześnie na Rikissę.

On chce, żebym się go wystraszyła. Myśli, że mam dwanaście lat, więc muszę bać się każdego, kto na mnie krzyknie. Boję się, bo patrzy, jakby nożem ciął mi skórę. Ale boję się tylko na skórze. W środku nie. Kalina powiedziała, że ona i jej siostry, kimkolwiek są, pomogą mi. Ojczulek Świnka... Zresztą, Boże! Prowadź mnie swoją drogą...

— ...tak jak i wola tej małej. Jeżeli ja, jako jej opiekun, zechcę, zostanie moją żoną! Podoba ci się ta myśl, królewno z trzema kotkami?

— Nie. Ty też mi się nie podobasz — powiedziała, patrząc mu w oczy. — Nie dlatego, że nie masz zęba, choć to brzydkie, ale dlatego, że jesteś zły.

Zerwał się i wychylił przez stół w jej stronę.

— Waldemarze! — ryknął na niego Otto. — Opanuj się!

— Inaczej zaśpiewa, jak zedrę jej wianek — syknął przez stół Waldemar, a czerwony drapieżnik na jego piersi rozchylił dziób.

Ona siedziała i już się nie bała. Gdy chwilę wcześniej poleciła siebie Bogu, lęk odstąpił od niej niczym mgła ustępuje przed słońcem.

Z podwórca zabrzmiały rogi. Jedne, drugie, trzecie.

Małgorzata jęknęła cicho.

— Mechtylda Askańska...

Otto i Waldemar wymienili się spojrzeniami, jak ciosami, i naskoczyli obaj na Albrechta.

— Nie mówiłeś, że spodziewasz się siostry!

— Nie wiem, nie wiem! — Albrecht zakrył dłońmi twarz i zaszlochał. — Każdy tu przyjeżdża, kiedy chce... Nikt mnie o niczym nie uprzedza...

Do sali wszedł dowódca zamkowej straży i zapowiedział:

— Posłańcy króla Václava II i arcybiskupa Jakuba II przybyli odebrać królewnę.

— Posłańcy? — fuknął zdezorientowany Waldemar, i odzyskując rezon, uderzył pięścią w stół. — Ja, jako opiekun, nie wydam jej! Wołaj Hansa, dowódcę naszego oddziału!

— Nie przyjdzie — hardo odpowiedział przełożony strażników na Salzwedel. — Hans i reszta waszych ludzi została otoczona na dziedzińcu przez czeski oddział.

— Co? — Waldemar zerwał się od stołu i podbiegł do okna.

W tej samej chwili do komnaty wszedł młody ciemnowłosy człowiek.

— Nazywam się Henryk z Lipy. Pierwszy chorąży wielkiej płomienistej orlicy. Król Václav i arcybiskup polecili mi niezwłocznie sprowadzić królewnę Rikissę do domu jej ojca w Poznaniu.

— Jakim prawem? — hardo zapytał Otto. — My jesteśmy jej krewnymi!

— Prawem królewskim. Prawem silniejszego — odpowiedział melodyjnie Henryk z Lipy. — Jeśli w nie wątpisz, margrabio, spójrz na dziedziniec.

Rikissa przygładziła dłonią włosy. Spojrzała na Albrechta. Mimo wszystko zachowa go w dobrej pamięci. Skinęła mu główką. Spojrzała na Małgorzatę.

— Chcesz z nim jechać? — szepnęła macocha.

— Tak. Chcę już stąd wyjechać — odpowiedziała zgodnie z prawdą Rikissa. — Żegnaj.

Małgorzata rozpłakała się tak nieoczekiwanie i spazmatycznie, że Rikissie zrobiło się jej żal. Pogłaskała macochę po jasnych włosach i powtórzyła:

— Żegnaj. Będę cię kochała we wspomnieniach.

— Zaczekaj! — Złapała ją za dłoń Małgorzata i sięgnęła do swej dłoni. Bez trudu zdjęła ze szczupłego palca pierścień z białą perłą. — To najcenniejsze, co mam — powiedziała, szlochając. — Tym pierścieniem twój ojciec brał mnie za żonę... Weź.

— Nie musisz — zawstydziła się Rikissa. — Nie masz po nim nic więcej...

— Ja nie potrzebuję. Weź ty. — Położyła jej pierścień na dłoni, i obejmując Rikissę, poszła z nią do przybysza.

— Panie Henryku z Lipy. Powierzam twej pieczy największy skarb, jaki miałam w życiu, poza mężem. Opiekuj się nią albo dla niej zgiń.

Rikissa spojrzała w górę. Najpierw na pierś czeskiego barona. Na skrzyżowane lipowe pnie w herbie. Odetchnęła, że nie ma tam żadnych bestii. Potem wyżej, na jego twarz. Na ciemne niczym cienisty las oczy. Na włosy wijące się w ciemnych splotach wokół policzków. Na usta, które otworzył się, gdy ona patrzyła. A potem podała mu rękę i nie oglądając się na nikogo, powiedziała:

— Henryku z Lipy, prowadź mnie drogą, którą wyznaczył Bóg.

SĘDZIWÓJ ZAREMBA jako brat i głowa rodu wiódł obrzęd pogrzebu Mikołaja. Do Jarocina zjechało się stu Zarembów. Ich żony i córki odesłano do obronnego dworzyska w Brzostkowie pod opiekę Ochny, gdzie miały dopełnić obrządku.

Niestety, było lato. A goście zjeżdżali się z całej Starszej Polski. Andrzej i Beniamin ledwie mogli się wyrwać z ogarniętego przygotowaniami do przyjazdu Václava Poznania. Sędziwój nie miał wyboru — musiał złożyć ciało brata w lochu. Tylko tam mogło przetrwać do pogrzebu. Łotrów, których tam trzymał, podzielił na dwie grupy i jedną powiesił, a drugą puścił.

— W imię spokoju duszy brata mego odpuszczam wam winy. Idźcie i nie grzeszcie więcej!

Salę zwaną Sercem Edmunda służba przygotowała na stypę. Strzały ze ścian i chorągwi wyjęto. Wąskie okna przysłonięto drewnianymi okiennicami. Kiedy dotarli wszyscy, a liczył ich dwa razy, sprawdzając, czy kogoś nie brakuje, nawet najmniej znacznego, kazał z lochu na linach wyciągnąć ciało. Ułożyli je na zbitych z dębowych dech drzwiach, co miały się stać dla Mikołaja ostatnimi, które się za nim zamkną na ziemskim padole. Sędziwój troskliwie okrył nieboszczyka płaszczem. Uformowali orszak i róg żałobny dał znak do odejścia. Przodem szli chłopcy. Wnukowie i synowie Zarembów. Nieśli w dłoniach proporce z półlwem za murem, każdy z nich przewiązany w połowie czarną wstęgą. Za chłopcami kroczył Andrzej Zaremba w biskupim płaszczu, z gromnicą w dłoni. Po nim szedł syn Mikołaja, prowadząc rozsiodłanego konia, nakrytego czarnym suknem. Jego bratankowie nieśli miecz, tarczę, paradny szyszak, złożoną na poduszce tunikę herbową. Potem sześciu Zarembów niosło na ramionach drzwi z ciałem Mikołaja. Za nią szedł Sędziwój, niosąc kopię brata. I dalej szli już wszyscy. Pieszo, do kościoła.

Kolejny pogrzeb w tak krótkim czasie — wspomnienie Wawrzyńca raz po raz wracało do Sędziwoja. — Najpierw umiłowany syn, teraz brat, że o wartownikach nie wspomnę. Wszystko co mi drogie, bliskie. Następny Zaremba opuszcza świat — z trudem przełknął ślinę. Gardło bolało go, jakby połknął piach.

Raz po raz zerkał kontrolnie na obie strony traktu. Ustawił tam wartowników, co pół stajania, aby byli niewidoczni dla żałobników. Jedyne, czego pragnął, to by pogrzeb zakończył się w spokoju, by nikomu nic się nie stało. A przecież wiedział, że gdyby to on był sekretnym zabójcą polującym na Zarembów, zrobiłby z takiej uroczystości ponury użytek. Dlatego bał się, bał się podwójnie. Przysiągł sobie, że po stypie powie reszcie rodu, w czym rzecz, co im grozi. Ale na Boga, nie teraz! Niechże dusza Mikołaja odejdzie w spokoju. Przed kościołem czekali na kondukt bracia joannici. Nie odmówili Sędziwojowi tej ostatniej posługi. Od lat, odkąd rycerze świętego Jana strzegą przeprawy przez Wartę, między nimi a Zarembami panuje rycerska przyjaźń. Sędziwój domyślał się, iż bracia joannici znają sekret rodu. A w każdym razie, tak jak Zarembowie szanują szpitalników z białym krzyżem, tak oni szanują półlwa za murem.

— Czy przywiedliście ku Bogu duszę szlachetnego Mikołaja Zaremby? — zakrzyknął Pecold, dowódca komandorii.

— Tak, bracia! Tenże Mikołaj pragnie dziś jeszcze stanąć przed Bogiem, a ciało swe położyć w kościele jego! — odkrzyknął Sędziwój.

— Jakie miejsce wybraliście na ciało swego brata? — zawołał Pecold.

— W progu świątyni! Tak, aby wierni przez lata deptali jego doczesne szczątki, a chwalili imię! — odpowiedział Sędziwój.

— Zatem przeprowadzimy ciało Mikołaja przez próg. Niech i dusza jego przejdzie przez boskie bramy!

Krypta u wejścia była zasłonięta solidną drewnianą klapą. Sędziwój niewiele spał przez te dni do pogrzebu, ale o wszystkim pomyślał. Ułożyli ciało na katafalku pod ołtarzem i Andrzej zaczął sprawować egzekwie. Gdy msza trwała, Sędziwój niespokojny o bezpieczeństwo rodowców, wymknął się na zewnątrz.

— Wszystko w porządku — zameldował mu wartownik. Jeden z dwudziestu wokół kościoła. — Tylko ludzi ze wsi napływa coraz więcej, chcą pogrzeb zobaczyć.

— Powiedz im, że jałmużnę będziemy rzucać po mszy za kościołem. Niech mi się tu nie cisną. Jak jakiego zobaczę, to zamiast grosza, będzie bat.

— Tak jest!

Wracając do kościoła, zamknął za sobą drzwi, dla pewności. Msza ciągnęła się długo. Andrzej odprawiał ją w pełnym obrządku, bez najmniejszego skrótu. Chłopcy z chorągwiami stali jak warta przy nieboszczyku. Rumak przy samym wejściu, pod chórem. Broń zmarłego złożono pod katafalkiem.

Gdy Andrzej po raz trzeci pobłogosławił ziemskie szczątki, nadszedł czas. Pecold w czarnym uroczystym płaszczu z białym krzyżem wystąpił przed ołtarz i zawołał:

— Nieście ciało w miejsce spoczynku jego!

I przenieśli nieboszczyka, stawiając przy odsłoniętej krypcie. Pecold dał znak synowi Mikołaja, by podprowadził konia. Wałach był ogłupiały, nie wiedział, czego od niego chcą. W końcu jednak kopnięciem w drzwi, na których leżały zwłoki, pożegnał swego pana. Wtedy uniesiono je, i przechylając, spuszczono ciało Mikołaja w dół. Bratankowie rzucili na nie tunikę herbową, szyszak i tarczę, które odbiły się z głuchym echem. Pecold dał znać Beniaminowi i Sędziwojowi.

— Wojewodo pomorski, wojewodo kujawski, niech twe żelazo będzie przy tobie — krzyknął Pecold, dając znak Beniaminowi, że ma złamać miecz.

Sędziwój patrzył, czy nadcięte wcześniej żelazo pęknie. Nie zniósłby jakiegokolwiek potknięcia w ceremonii. W wielkich, żylastych dłoniach Beniamina trzasnął miecz. Wojewoda poznański wrzucił do krypty najpierw ostrze, a potem rękojeść.

— Chwała ci, Mikołaju Zarembo! — powiedział głośno.

Sędziwój koroną kopii z całych sił cisnął w posadzkę. Włożył w uderzenie całą swą złość, cały żal nie tyle z powodu odejścia brata, ile ze sposobu, w jaki go zabito. Kopia skruszyła się i dwie jej części same wpadły do krypty. Trzecią ucałował, mówiąc:

— Pomszczę cię.

I z łoskotem wrzucił do krypty.

OCHNA, gospodyni brzostkowska, już dzień przed pogrzebem pomyślała, iż woli obsługiwać stu pijanych Zarembów niż pięćdziesiąt ich cór i żon. Dwoiła się i troiła, a większość z nich wciąż stroiła jakieś fochy czy fumy, czy inne wielkopańskie omdlewania. Tylko te spośród nich, które pod jej osobistą ręką rodziły synów w Brzostkowie, nadawały się do czegoś, reszta nic. Najdziwniejsza ze wszystkich była Dorota, najmłodsza i jedyna pozostała w domu córa Sędziwoja. Ochna wiedziała od swego pana, że dziewczyna jest nieco dziwna, troszkę pomylona, ale chciała i jej dogodzić, jakoś ją w Brzostkowie ugościć. Czy Dorota wie o mnie i Sędziwoju? — zastanawiała się, podając jej miskę z kaszą. — Czy może tak z ukosa patrzy z powodu swej odmienności?

W dzień pogrzebu zebrała Zarembowe i Zarembówny w wielkiej izbie i kazała im śpiewać żałobne wianki. Krajna Zarembowa zapytała:

— Ależ dobra Ochno, jak?

Gospodyni brzostkowska zgarnęła płomienne loki pod czarną chustę i przygryzając wargę, odpowiedziała:

— Gębą, moja pani.

Krajna umilkła i odwróciła się, unosząc wysoko podbródek. Prawda, nie wszystkie Ochnę szanowały z racji na brak rodowodu; z racji na to, że powszechnie wiadomym, choć nigdy niewymawialnym był jej związek z Sędziwojem. Ale te, którym na świat sprowadziła synów w rodnej izbie, darzyły ją wręcz zabobonnym szacunkiem. Złowiła ich posłuszne, gotowe na rozkazy spojrzenia. Wzięła więc głęboki wdech, rozwiązała chustę, opuściła jej długie brzegi, by zasłaniały jej pół twarzy, chwyciła za końce, i wykręcając się w żałobnym obrocie, zawyła:

Oj, a wieząć go, wiezą, przez sam środek wioski,
A schodzą się do niego z całej wsi kumoski.
Oj, a wieząć go, wiezą, w osikowej trumnie,
Oj, a wychodzi dusa, wróć się Mikołaju ku mnie!
Eeeee!... Mnieeeee!... Eeee...

Ostatnie „e" zrobiła na przydechu, na gardłowym świście, na szepcie, który wzbudzał dreszcze nawet u półgłuchych Zarembowych staruch.

Oniemiały. Zaległa cisza, w której niemal słychać było kroki nadchodzącej duszy Mikołaja.

Wciągnęła powietrze, poprawiła chustę i powiedziała, unosząc głowę, jak one:

— Teraz wy.

A widząc, iż są speszone, rzuciła spojrzenie spod wpółprzymkniętych powiek i dodała ostro:

— Nie zawiedźcie duszyczki Mikołaja, żeby nie stanęła w pół drogi.

Cisza. Próbowały jak ona, naciągnąć na twarz chusty, znaleźć w sobie tę na pół dziką, na pół niechrzczoną nutę, ale nie umiały. Dorota, szczuplutka i ciemnowłosa, rozejrzała się po izbie, i nagle odstawiwszy kubek, wskoczyła na ławę.

Oj, będą go chować w kościele pod chórem
Oj, będą mu rogi grały hymn srogi

Oj, złamią mu oręż i zbroję potłuką
Mikołaju, weź duszę i wskocz na koń
I los swój goń! oooń! oooń!...

Ochna zawtórowała jej tym „o" okrągłym i dzikim.

Zarembowe kiwały się w takt, patrząc na Dorotę z podziwem. Dziewczyna jakby ocknęła się, gdy zapadła cisza. Potrząsnęła głową i zeszła z ławy ostrożnie.

Ochna obrzuciła wszystkie spojrzeniem i powiedziała:

— Tak macie śpiewać. Dusza Mikołaja tego potrzebuje. Która mu zwrotki nie zrymuje, ta go zobaczy we śnie. Rozumieją? Ja idę tryznę sprawować.

I zawinąwszy spódnicami, wyszła.

Na podwórcu odetchnęła. Że też tak można żyć bezrozumnie? Życia i śmierci nie pojmować?

Zgarnęła na ramię kosz, co go sobie naszykowała z rana, i ruszyła na pole. Za dworzyskiem usłyszała za sobą kroki. Odwróciła się.

— Panna Dorota? A czegóż to?

— Chcę z Ochną, na tryznę — odpowiedziała bez zawstydzenia dziewczyna.

— No to chodź, panna — powiedziała Ochna. Po chwili szybkiego marszu zapytała: — A ty wiesz, co będziemy robić?

— Nie wiem, co, ale wiem, po co — odpowiedziała córka Sędziwoja.

Ochna skinęła głową i szły dalej. Ta Dorota całkiem do ojca była niepodobna. Delikatnej budowy, jak trzcina nad rzeką. Ciemne źrenice patrzyły łagodnie, albo też patrzyły tak, że zdawały się widzieć światy innym niedosięgłe. Sędziwój mówił, że ta dziewczyna gada ze zwierzętami jak z ludźmi. No, dla Ochny to nie dziwota i raczej zaleta niż wada. Skręciła ostro z drogi w las. Panna za nią. Jeszcze chwila i były na polanie.

Stara jak świat Przeborka w ciemnej chuście zarzuconej na głowę i ramiona czekała na nie. Wokół niej krąg kobiet i pięknie ustawiony kopiec.

— Pochwalony! — zawołała Ochna.

— Na wieki wieków! — odszemrały baby.

— Kto to? — Przeborka, wyciągnęła chudy wykrzywiony palec w stronę Doroty.

— Córka pana Sędziwoja, jaśnie panienka Dorota. Chce z nami odprawiać.

— Aha — powiedziała stara i zmierzyła Dorotę wzrokiem od stóp do głów. — A nie płocha jakaś?

— Nie — odpowiedziała za nią Ochna. — Zaczynajmy, bo ja mam tam we dworze pięćdziesiąt bab, roboty po łokcie.

— Przyniesła? — Przeborka, przekrzywiając głowę, wyciągnęła kościstą dłoń.

— Tak. — Ochna pogrzebała w koszu i wyjęła zawiniątko. — Kosmyk włosów brata pan Sędziwój dał na tryznę. I kawał śmiertelnej koszuli. I jeszcze prosił, by jako ofiarę spalić to — podała pokrytą czarną skrzepłą krwią strzałę. — To ta, co go zabiła.

— A dary ma? — skrzekliwie zapytała Przeborka.

— Mam, mateńko, mam. — Ochna ustawiła kosz na trawie i zaczęła wyjmować. Garniec miodu, miskę kaszy, miskę prosa, chlebek rumiany, zawiniątko z suszonymi grzybami, jaja, mleka dzban. Wszystko kolejno podawała starej, a ta pilnując nabożnie kolejności, ustawiała wokół kopca. Na jego wierzchu ułożone były warstwami suche gałęzie, trawy, zioła leśne, znów gałęzie. Na płaskim szczycie Przeborka położyła glinianą figurkę mężczyzny z wydrapanym na jednej piersi półlwem za murem, a na drugiej smokiem. Przysypała glinianego człowieczka włosami zmarłego, przełożyła śmiertelną koszulą. A strzałę ułożyła u stóp kopca.

Wyprostowała się, na ile zgięte plecy na to pozwalały, i patrząc po obecnych, zapytała:

— Gotowe są?

Baby skinęły głowami. Ochna i Dorota też.

— Matko nasza! — zakwiliła Przeborka. — Maryjo Panno, Dziewico i Matko, Mokosz nasza, co przynosisz rosę i deszcz. Tobie oddajem ciało brata naszego, Mikołaja Zaremby, bierz je, błagam, bierz! — Po tych słowach Przeborka zaczęła w dłoniach kręcić kawałek drewna nad strużynami.

Kobiety powtórzyły za nią:

— Bierz je, błagam, bierz, bierz je, błagam, bierz!

Cieniutka strużka dymu wywiła się między dłońmi Przeborki i starucha ostrożnie przeniosła zaczyn ognia na stos.

— Co z wody zrodzone, niech ogień pochłonie — zaśpiewała Przeborka i małe płomyczki zaczęły wywijać się od jej dłoni.

— Niech ogień pochłonie, co z wody zrodzone — powtórzyły kobiety.

Płomienie strzeliły w górę, raz-dwa zajmując stos, oplatając miłosnym objęciem glinianą figurę Mikołaja.

— Matko nasza, której łask upraszamy, syna spłodzonego między nami weź!

— Weź! — zakrzyknęły baby.

Ochna zerknęła na Dorotę. Panienka zdawała się całkowicie oddana obrzędowi. Będą z niej ludzie, czy to się Sędziwojowi podoba, czy nie — przemknęło przez głowę Ochny i wraz z babami zakrzyknęła podkręcone:

— Weź!

— Dary przyjmij, pieśń przyjmij, łzy zabierz, duszę ukołysz!

— Kysz! Kysz! Kysz!

— A rękę tego, co strzałę zdradziecką wypuścił, ukarz!

— Karz!

Stos palił się pięknym, równym płomieniem. Miski z darami zajmowały się ogniem jedna po drugiej. Przyjemny zapach palonego prosa wpadał w nozdrza. Ale strzała zdradziecka ułożona u stóp stosu pozostawała nietknięta.

— A rękę tego, co strzałę zdradziecką wypuścił, ukarz!

— Karz!

Powtórzyła Przeborka, a kobiety za nią. I nic. Dopalał się stos, już nie płomienie, lecz pełzające ogniki lizały jego zgliszcza, a strzała jak była, tak była.

— Z prochu powstalim i w proch się obrócim! — zawyła Przeborka wraz z ostatnim płomieniem.

Ochna przeżegnała się zamaszyście.

— W imię Ojca i Syna, i Maryi Najświętszej, amen.

— Amen.

Gospodyni westchnęła, patrząc na nietkniętą strzałę, i pochyliła się, by wyjąć z kosza jedzenie.

— Częstujcie się! — Podała babom pieczone mięsiwo, gotowane na twardo jaja, świeżo wypieczony chleb. I bukłak ze słodkim miodem.

— Za życie, za śmierć! — wzniosła toast, pociągając spory łyk i podała dalej.

Dorota popiła po Przeborce. Miód nie stał w miejscu, krążył między babami. Zarembówna rozłożyła szczupłe ramiona i nagle zaczęła tańczyć. Okręcała się wokół siebie i w obrotach kręciła wokół stosu. Przymknęła oczy, odchyliła głowę do tyłu. Chwilę po tym z lasu wzniósł się świergot ptaków. Jeden po drugim przylatywały skowronki, drozdy, słowiki, wróble, jemiołuszki i inne. Siadały wokół stosu, wydziobując na wpół zwęglone ziarna. Aż wreszcie ku zdumieniu Ochny nadleciały dwie sowy i usiadły na wirujących ramionach Doroty, pohukując dla odchodzącej w zaświaty duszy.

— Hu, hu!

— Hu, hu!

SĘDZIWÓJ ZAREMBA wzniósł kolejny toast za brata.

— Wieczny odpoczynek!

— Racz mu dać, Panie! — odpowiedziała chórem setka gości.

— Święta pamięć! — zakrzyknął rodowe zawołanie.

— Święta krew! — odpowiedzieli gromko.

— Zarembowie strzegą! — zawołał.

— Siebie! — odkrzyknęli.

— Prawda, bracia — zdusił krzyk do słów. — Muszę wam powierzyć sekret, z którym się zmagam od wielu dni. Ze śmiercią Mikołaja przerósł mnie i już nie mogę go chować w tajemnicy. Ktoś poluje na Zarembów! Od miesięcy giną moi ludzie, zawsze tak samo, ugodzeni strzałą lub ostrzem w pierś.

— Skąd domniemanie, że chodzi o Zarembów? — zapytał biskup Andrzej, ocierając usta.

— Stąd, że zabici mają ostrze wbite zawsze w to samo miejsce, w oko półlwa — odpowiedział Sędziwój.

— Mikołaj też?

— Też.

Andrzej przeżegnał się. Pozostali zaszemrali między sobą. Wstał Michał, ostatni z żyjących braci Sędziwoja.

— Czy to zaczęło się po śmierci króla? — spytał wprost.

— Tak — zgodnie z prawdą odrzekł Sędziwój.

— Czy łączysz to z... czynem Wawrzyńca?

— Nie wiem. — Rozłożył dłonie nad stołem gospodarz. — Nie wiem.

— Jeśli ktoś wie o naszym czynie, o udziale twego syna w zamachu, to czemu Mikołaj? Przecież on był wśród tych, co byli przeciwni. — Andrzej Zaremba odsunął talerz z pieczenią. — Chyba że czegoś nie wiem? Nie wiemy — poprawił się, patrząc na Beniamina.

Sędziwój potarł skroń.

— Tak, był przeciwny. Ale kiedyśmy podzielili się tamtej nocy... Kiedy jedni z was zostali w Brzostkowie, inni wrócili do Poznania, jak Beniamin wołając: „Miejsce wojewody jest przy królu", a jeszcze inni, w tym mój Wawrzyniec, pojechali ze mną do Jarocina...

— Mikołaj ruszył na Pomorze — twardo oświadczył Beniamin. — Wyjeżdżaliśmy razem.

— Tak. Ale... Mój brat zawrócił z drogi i rankiem stanął w Jarocinie, oddając pod me rozkazy swoich ludzi — zakończył Sędziwój.

— Więc ktoś zabija wszystkich, którzy maczali palce w królobójstwie — oświadczył Beniamin.

— Wyjaśnijmy coś sobie. — Sędziwój stanął na rozstawionych nogach. — Nawet jeśli mój syn odebrał z rąk rodowej starszyzny wyrok na Przemysła, nie zdołał go wykonać, to raz. Twój syn, Michał, stanął mu na przeszkodzie, to dwa. Co zrobił, to trzy. Ale ponad tą wyliczanką jest kategoria czynu. A tę nazwę nadzwyczajną. Wszyscy wiemy, dlaczego Wawrzyniec miał ukarać Przemysła: nam, staremu rodowi strażników Królestwa, nie widział się ten samozwańczy król. Ten, co nie przyszedł do nas prosić o zgodę na koronę. Ten, co sam ją wziął. Nasza krew, krew angielskiej dynastii, wzburzyła się na ten gest i brak poszanowania tradycji. Ale dzisiaj, w obliczu pogrzebu brata mego, ja, Sędziwój Zaremba, zmieniam ton. I pytam was, Beniaminie i Andrzeju, bośmy wespół tam byli i przed arcybiskupem przysięgali. Pytam: Co dalej?

Andrzej i Beniamin wstali. Biskup powiedział:

— Przyznaję, że moje serce jest przy Henryku z Głogowa. To mi się zdaje prawy król. Ale kiedy arcybiskup wyjawił nam sekret swego planu, poczułem, żem gotów przed jego wizją zgiąć kolano, jak ongiś przed świętym mieczem.

— A ty, Beniaminie?

— Ja przysiągłem Jakubowi II nieść w sobie ideę Królestwa i choćby ze mnie pasy darto, przysięgi nie złamię. Nie zgadzam się z tobą, Sędziwoju, w sprawie śmierci Przemysła. Ale zgadzam się co do jednego — Zarembowie od wieków byli strażnikami Królestwa. Póki mi tchu w płucach starczy, będę tej świętości strzegł. Jak pies.

— Czy nie wydało wam się dziwne, iż we trzech pochyliliśmy głowy do przysięgi, jak Jakub chciał? — spytał Sędziwój o to, co go dręczyło. — Jakby on miał we władaniu święty miecz?

— Tak było! — Ponuro kiwnął głową Andrzej. — Jakby miał niewidzialny dla nas miecz. — Biskup uniósł głowę, chwycił się za ozdobny pektorał na piersi, pociągnął go w zadumie i nagle bezradnie rozłożył ramiona, mówiąc: — Normalnie padłem na dwa kolana, choć i przed ołtarzem klękam na jedno...

Beniamin dopowiedział:

— Sędziwoju! Ja na ten miecz przysiągłem wierność dwa razy. Ostatni raz świadomie, w dzień koronacji Przemysła... Dla mnie, wiesz to, to żelazo jest tyleż przeklęte, co święte. Ale powtórzę: nie zastanawiam się, jaką mocą skłonił nas arcybiskup do przysięgi. Ja jej zamierzam dochować.

— Ja też! — Wyciągnął ku niemu prawicę Sędziwój i uścisnęli sobie dłonie po raz pierwszy, odkąd tamto się stało.

— I ja — dołożył swą dłoń Andrzej Zaremba.

— „Zarembowie strzegą"! — zakrzyknęli rodowcy.

Siebie! — Sędziwój odetchnął w duszy. Wrócił mu apetyt. Wypił łyk miodu i sięgnął po raz pierwszy od wielu dni po mięso. Chciał odkroić kawał dziczego udźca. Ale pochwę miał pustą.

— A niech to! — syknął. — Zostawiłem na tratwie joannitów nóż.

1300

WŁADYSŁAW był Rzymem przerażony, porażony i zniesmaczony, odkąd tylko wjechali na przedmieścia wiecznego miasta. Tak, arcybiskup Świnka kazał mu odbyć pokutę i to on powiedział o Roku Jubileuszowym, tysiąc trzechsetnym od narodzin Pana; że bullą papieża Bonifacego, kto nawiedzi Rzym, ten doświadczy odpustu zupełnego, zastrzeżonego dotąd wyłącznie dla rycerzy walczących w krucjatach. To było na osobności, w ostatniej chwili przed wyjazdem Władka. Spojrzał mu w oczy tak, jak tylko Jakub II potrafi; tak, że przenicował mu duszę na wskroś, do ostatniego włókna; spopielił i jednocześnie wyciągnął ku niemu rękę, wydobywając go z ognia piekielnego wyrzutów sumienia, mówiąc: „Trzeba być wyjątkowym szczęściarzem, mój książę, by papież Rok Jubileuszowy po raz pierwszy w historii ustanowił właśnie wtedy, gdy ty tak bardzo potrzebujesz odkupienia i Łaski Bożej".

I Władek chwycił się nadziei na tę łaskę jak tonący. I przybył ze swą trzydziestką banitów aż tu, do stolicy Piotrowej. I poczuł, że niczym była podróż i jej znoje; niczym mozół setek mil drogi wobec tego, jaki czyściec mu zgotował Rzym.

Owszem, arcybiskup wspomniał, iż Rzym zapewne zaroi się od pielgrzymów, ale na Boga, chyba nie miał na myśli aż tylu! Z trudem torowali sobie drogę w płynącym w wielu kierunkach ludzkim potoku. Już obrzeża miasta powinny dać im do myślenia; te koczowiska naprędce i byle jak skleconych namiotów, osłów, mułów i koni wyskubujących rzadkie kępki trawy. Namioty i płachetki pielgrzymów zaznaczone sękatymi kijami z muszlą świętego Jakuba, sąsiadowały z namiotami nierządnic, a nawet barłogami dziwek. Pomiędzy nimi biegały głodne psy i półnagie brudne dzieci. Im głębiej w stronę serca miasta, tym było ciaśniej i gorzej. Wąskie uliczki pełne nieczystości, zaduch unoszący się nad nimi i stojący w pozbawionym wiatru upalnym powietrzu. Gołębie, które zawsze zdawały się Władkowi niemal świętymi ptakami, tu żerowały wprost w rynsztokach. Nie mógł odróżnić kobiet lekkich obyczajów od dam, bo jedne i drugie miały jednako strojne suknie i zamiast przyzwoitych nałęczek, rańtuchów i innych chust nosiły na włosach materie tak przejrzyste, że widać było i barwę włosów, i upięcie. Niektóre używały maleńkich koronkowych, krzykliwie kolorowych wachlarzy, za którymi to kryły twarze, to znienacka je pokazywały. W paskudnie wąskich uliczkach, gdzie Rulka co kawałek stawała pośrodku tłumu i dawała jasno znać, że nie pójdzie dalej, co rusz jeszcze zatrzymywano ich, torując drogę lektyce jakiegoś Orsiniego czy Colonny. Szukali gospody, lecz każda kolejna okazywała się przepełniona, a właściciel nie chciał przyjmować gości nawet na nocleg w stajni. Władysław miał już dość Rzymu, jubileuszu i swojej dziecinnej nadziei odkupienia. Pawełek Ogończyk pocieszał:

— Jeszcze kawałek, książę, może ta za rogiem?

Ligaszcz, syn Chebdy, ten, który znał najwięcej języków, wchodził do każdej po kolei i buńczucznie krzyczał:

— Nocleg dla jego wysokości księcia kujawskiego Władysława Pierwszego! — licząc na to, że splendor tytułu zadziała na właścicieli i nie będą pytać o dukaty.

Ale najgrzeczniejsi odpowiadali:

— Szlachetny panie, nawet dla króla miejsca już nie mamy.

Mniej uprzejmi mówili:

— Książąt upychaliśmy na stryszku, pomiędzy naszymi damami, ale się zarwał w zeszłym miesiącu.

A zwykłe chamy krzyczały:

— Poszli stąd!

Ligaszcz nie tłumaczył wszystkiego księciu, tylko to o królach, na pociechę, ale nie musiał. Władysław kojarzył piekielny tłok i gest zamkniętej pięści rozumiał aż nazbyt wyraźnie.

Więc przejechałem pół świata, by tu mi zwykły karczmarz pokazał, ile jestem wart? — myślał ponuro. Zatrzymali się na chwilę na niewielkim placyku, przy studni. I wtedy zdarzył się cud. Usłyszeli radosny krzyk:

— Książę Władysław? Mój Boże! Książę...

Biegł ku nim szczupły człowieczek w habicie, z krzywo wygoloną tonsurą, która wyglądała jak czapka przekrzywiona na bakier.

— Jestem Mirosław, diakon, wysłannik arcybiskupa Świnki — przedstawił się.

— Do mnie? — z nadzieją zapytał Władysław i w duszy zagrały mu trąby złote, że oto los się odmienił i wzywają go do kraju, na tron...

— Nie, do kurii rzymskiej. Sprawy arcybiskupa załatwiam. A książę na pielgrzymkę? Piękny cel, szczytny. Mówią, że dwadzieścia tysięcy ludzi przybywa. Codziennie!

— Zauważyłem — ponuro odpowiedział rozczarowany Władek. — Gospody nie możemy znaleźć.

Mirosław ucieszył się, jakby to było coś radosnego.

— To ja pomogę! No, nie będą to książęce progi, ot, schronienie ubogich urzędników w dawnym pałacu kardynała di Fresco. Poprowadzę, proszę, proszę za mną, to niedaleko. Wygód wielkich tam nie ma, komnat osobnych też nie, ale kąt czysty, łóżko, miska z wodą. Dzisiaj, jak na Rzym, to niemal luksusy. Papież chyba nie przewidział, że w ludzkości jest taka zachłanność na odkupienie duszy; mawia się po cichu na ten istny rój pielgrzymów „najazd barbarzyńców" — zachichotał jak panienka i natychmiast się poprawił: — I tak wszystkie drogi prowadzą do bazyliki Świętego Jana na Lateranie. Jeśli książę będzie sobie życzył, chętnie poprowadzę.

Diakon Mirosław gadał przez całą drogę do pałacu, Władek nie słuchał, co mówi, lecz z jakąś przyjemnością wsłuchiwał się w dźwięk polskiej mowy płynącej wąskim strumyczkiem pomiędzy tą powodzią głosów wypełniających uliczki.

Zawiódł ich do miejsca, które wyglądało jak wnętrze olbrzymiej studni. Obszerny, zaniedbany podwórzec otoczonym z czterech stron szarymi ścianami wysokich budynków. O ile od zewnątrz fasadę zdobił roślinny ornament, o tyle wewnątrz była prosta, przecięta jedynie ścianą ażurowych krużganków. Pomiędzy zniszczonym brukiem rosły kępki trawy, ale Rulka nie chciała ich tknąć, przeczucie klaczy okazało się słuszne, jeden z budynków, nie odbiegający wyglądem ścian od trzech pozostałych, okazał się przestronną stajnią. Konie już miały nocleg; jego ludzie musieli się zadowolić po części miejscem przy nich, w stajni, a kilku udało się upchnąć w mieszkaniu dla służby.

Po wąskich i ciemnych schodach Mirosław poprowadził Władka i Pawełka na górę.

— To tutaj — oznajmił radośnie, pokazując księciu coś w rodzaju drewnianego łóżka przykrytego szarym kocem, ustawionego w sze-

regu innych dwunastu niemal identycznych. — Zaraz sługa przyniesie jakąś przesłonę, bo powiedziałem, jak znamienitego gościa będziemy mieli na noc. Liczę, że raz-dwa się rozniesie po Rzymie! Teraz wszyscy mieszkańcy są w pracy, czyli biegają wokół swych spraw
i tutejszej kurii, ale wieczorem radzę się poznajomić. Po prawej księcia stronie nocuje Francuz, Filip de Crois, zaufany sługa biskupa
Comminges, Bertranda d'Agoult. A po lewej Italczyk na służbie generała zakonu dominikanów, słynnego z pobożności Niccolò Boccassiniego. Nie chcieli zająć łóżek obok siebie, tak duża różnica zdań
dzieli ich mocodawców! — zachichotał Mirosław, jakby to był naj-
przedniejszy dowcip. — Będą zachwyceni, że między nimi spocznie
książę! Och tak, dobrze żyć z dzisiejszymi przeciwnikami to być ustawionym na jutro, nieprawdaż, panie? Świat wielkiej polityki sprowadza się do jednego, gdzie dwóch się bije, tam trzeci zawsze korzysta!
O czym to ja mówiłem? Ano tak, że liczę, iż rozniesie się po całym
Rzymie. Papież Bonifacy nienawidzi Albrechta Habsburga. Na sam
dźwięk jego imienia ponoć miota obelgi. To szansa dla twojej sprawy,
książę! Niczym to wolne łóżko!... Życzy sobie książę, bym zaprowadził do bazyliki Świętego Jana na Lateranie?

Władysław sobie nie życzył. Z ust Mirosława wypływał potok
słów, z rynsztoków rzeka nieczystości, a ulicami rwał w dwie strony
strumień pielgrzymów. Jedyne, czego sobie życzył, to uciec stąd do
jakiegoś lasu. Ogończyk, który znał go lepiej, niż się Władkowi wydawało, szepnął karcąco:

— Nic z tego, mój książę. Przybyliśmy do Rzymu i musimy ten
Rzym znieść. A ostatnie polowanie skończyło się, sam wiesz jak.
Więc lepiej chodźmy do tego Świętego Jana i miejmy to z głowy. Sko-
ro papież ogłosił odpust, to odpust się nam należy.

Na ulicy znów dopadł ich upał, jakby rzymskie słońce nie zna-
ło pór dnia. Ligaszcz szybko ustalił kierunek, a potem wystarczyło
dać się nieść tłumowi. Ludzie, którzy w drodze do bazyliki śmiali się,
żartowali, kłócili, dłubali w zębach, drapali po kaftanach na przepo-
conych plecach, z chwilą wejścia w cień gigantycznych półkolumn
wieszczących drzwi świątyni nagle milkli. Przy wrotach stały potężne skarbony i nie można było wejść do wnętrza, nie wrzucając w nie
przymusowej ofiary. Ofiary pierwszej. Bo, jak się po chwili okazało,
co kawałek dalej stały nie mniejsze skrzynie i przy nich straż papieska pod ostrą bronią. Gdy tylko przedostali się przez trzy kolejne

skarbony, Władek poczuł, iż stąpa po czymś niesłychanie gładkim. Pod nogami miał najpiękniejszą posadzkę, po jakiej w życiu chodził. Ciemnozłote prostokąty ramowane brunatnym tłem zaprowadziły go wprost do absydy wyłożonej w całości złotymi listkami. Dech mu zaparło. Złoto odbite od złota świeciło złotem. Od nawy głównej oddzielały go cztery kolumny ze złocistego marmuru i jeszcze cztery w zieleni, jak słupy drzew na granicy lata i jesieni na Kujawach, gdy kończy się babie lato, a zaczyna jesień. Słodki chór śpiewem otwierał mszę odprawianą przy centralnie ustawionym ołtarzu, niewielkim jak na tę niewiarygodnie dużą przestrzeń. Stał ściśnięty. W jego plecy wbijał się Jałbrzyk, syn kasztelana z Osięcin. W prawy bok Ligaszcz. Nielubiec i Bolebor niemal leżeli na nim z lewej strony pchani przez napierający tłum. On sam wciskał nos w plecy jakiejś niewiasty, która sądząc po zapachu, w podróży musiała być bardzo długo. Gdzieś ponad jego głową przepływał anielski śpiew chóru, ale z coraz większym trudem przychodziło mu go podziwiać; dusił się. Klęknięcie na podniesienie wymagało sprawności. Z Ligaszczem i Nielubcem wstawali „na raz", klękali „na dwa", inaczej nie szło. Ktoś próbował w uniesieniu rwać na sobie szaty, ale nie miał miejsca i tylko poturbował stojących najbliżej. Słyszał rozdzierające szlochy nawróconych. Widział tych, których lica płonęły ogniem skruchy, i tych, co bezgłośnym płaczem witali odpust grzechów. Raz po raz coś w rodzaju świętego uśmiechu wykwitało na niektórych twarzach. On sam modlił się o jedno:

— Boże Wszechmogący, daj mi ujść z Rzymu żywym.

Nie mógł przystąpić do sakramentu komunii świętej, bo nie zdążył iść do spowiedzi, a przecież to nie byle co, to miała być spowiedź jego życia! Na samą myśl, że musiałby ją odbyć w asyście tej nieprzebranej ciżby ludzkiej, złapał go za gardło jeszcze większy ścisk. Ale już nadszedł czas Eucharystii, schodzący od ołtarzy schodami księża, ze złotymi kielichami w dłoni, wzbudzili poruszenie zgromadzonych tak gwałtowne, jakby szli nie z Ciałem Chrystusa, lecz z chlebem do wygłodniałej armii, co miesiąc nic w ustach nie miała. Tłum porwał jego i towarzyszy i pociągnął za sobą, czy tego chcieli, czy nie. I wtedy Wojtek Leszczyc wykazał się nadzwyczajną odwagą. Krzyknął ponad głowami wiernych:

— Chwyćcie się za ręce!

I pociągnął Zdzierada, który był najbliżej niego, z taką siłą, że ruszył ich wszystkich trzydziestu pod prąd pielgrzymiego wiru. Przedzierali się jego środkiem, łapiąc oddech z największym trudem, raz po raz zderzając się czołowo z jakąś rozmodloną, a jednak wściekle nieprzychylną twarzą, narażając na ciosy, kopniaki w piszczele i bolesne zgniecenia palców. Młody Leszczyc nie dawał za wygraną. Był jak sternik na rzuconym w sztorm okręcie. I pod jego komendą przedarli się na powietrze, nie puszczając swych rąk, zbiegli z tych pięknych laterańskich schodów i wypłynęli na wolność. Władysław bez wahania zanurzył głowę w fontannie. Otrzepał się jak zwierzę.

— Leszczycu, do mnie! — krzyknął uszczęśliwiony. — Nie jesteś Wojtuś. Jesteś Wojciech.

Chłopiec śmiał się oczami, policzkami czerwonymi od wysiłku.

— Mogę księcia wyprowadzić jeszcze z jakiejś bazyliki, jeśli zasłużyć tym sobie mogę na Woja!

— Zasłużyłeś na zimne piwo. Proś Ligaszcza, by dowiedział się, gdzie je dają.

— Piwo to i ja znajdę — obraził się Pawełek. — Za mną, proszę!

Zamiast piwa było wino, ciepłe i cierpkie, sprzedawane wprost z beczki po drugiej stronie fontanny w miejscu, co gdyby miało ściany, byłoby gospodą. Trzej bracia Doliwowie, Bolebor, Zdzierad i Nielubiec, nie przejmując się tym, co krzyczą Italczycy, bo ich nie rozumieli, wysadzili z dwóch ław poprzednich gości i zrobili miejsce dla księcia.

— Bardzo piękna ta bazylika — pochwalił Ogończyk, pociągając łyk — i dużo lepiej wygląda z daleka.

— Myślę tak samo jak pan Ogon — odezwał się za plecami Władka skrzekliwy głos.

— Grunhagen? Co ty tu, u diabła, robisz?! Jak mnie znalazłeś w Rzymie?

Zielonooki niski rycerz przepchał się do księcia i usiadł przy nim.

— Przyjechałem po odpust i zbawienie duszy. Za stary jestem na krucjaty, więc został mi tylko Rzym i ten wielki jubel. — Popił wina i splunął. — Choć, przyznaję, że się przeliczyłem. Sądziłem, że pielgrzymowanie jest nieco łatwiejsze. Gdybym wymodlił sobie odpuszczenie bólu w krzyżu, to kolejne grzechy będę odpokutowywał jednak na jakiejś wyprawie!

Widok Grunhagena zaskoczył Władka. Poprzednio mały rycerz był z nim w lesie pod Klęką. Niczym podczaszy podawał wino zachłannemu bękartowi Przemyślidów. Czy wtedy, w dniu klęski, pomyślał, że następne wino będzie z nim pił w Rzymie?

Usłyszał wysoki, drażniący dźwięk piszczałek.

— Co to? — spytał Grunhagena.

— Kolejne widowisko. Siedzę tu od południa, więc widziałem jedno o Salome, Herodzie i głowie Jana Chrzciciela, drugie o rybakach w takiej niby łódce, ale sieci mieli prawdziwe, łapali w nie wiernych. Czekam na jakieś o weselu w Kanie Galilejskiej — zarechotał — bo mam nadzieję, że będą darmo dawać wina. Chociaż nie, to o Salome było niezłe. Tancerka miała piersi jak jabłuszka. Na miejscu Heroda też bym Janowi głowę odciął dla takich piersi, więc nie wiem, czy dobrze mnie ewangelizowano.

Tłum rozstępował się, robiąc miejsce grajkom prowadzącym dziwaczny orszak. Na jego czele kroczył ubrany w złotą zbroję rycerz, za nim mężczyzna przebrany za kobietę, sądząc po rozpuszczonych włosach, wianku i białej koszuli, zapewne dziewicę. Na końcu zaś karzełek prowadził osła.

Grunhagen i Władek wymienili się spojrzeniami niemal błyskawicznie. Jeden i drugi wzruszyli ramionami i z powrotem odwrócili ku osłowi. Grzbiet miał obleczony w zielony płaszcz wyobrażający smocze łuski. Na łbie, pomiędzy uszami przywiązano mu coś, co udawać miało paszczę. Gdy karzełek pociągał za sznur, osioł kwiczał, paszcza otwierała się i spomiędzy oślich uszu wyskakiwał długi, wściekle czerwony język. Tłum pielgrzymów rozstąpił się półkoliście, robiąc miejsce. Piszczałki wydobywały z siebie przeraźliwie wysokie tony, męska dziewica piszczała i mdlała, smok-osioł kwiczał i ciągniony przez karła próbował dotknąć jej czerwonym jęzorem, a złoty rycerz raz po raz dźgał go włócznią w lędźwie. W końcu ku uciesze gawiedzi osioł uniósł ogon i wypadło z niego najzwyklejsze łajno.

— I w ten sposób jedyna prawdziwa rzecz w tym widowisku to gówno — skwitował Władek.

A Grunhagen, pociągając łyk wina, podsumował:

— Przypowieść o tym, dlaczego kobiety powinny się golić. Jak rycerz widzi brodate dziewice, to woli osły. A osioł na końcu i tak zawsze się zesra ze strachu.

— Święty Michał chyba miota w niebiosach gromy, jak widzi taką wersję swej historii. — Pokręcił z niesmakiem głową Zdzierad.

— Sądzisz, że archanioł Michał się rozpoznał? — zarechotał Jałbrzyk.

— Książę! — ostrzegł Ogończyk. — Biegnie nasz wybawca w tonsurze na bakier!

— Ach! Tu jesteście! Szukałem was, co za szczęście! Mówiłem, że się po Rzymie rozniesie, ale nie sądziłem, że tak szybko! — Diakon Mirosław nie mógł złapać oddechu i zamilkł, sapiąc.

— Książę — szepnął w tym czasie zaniepokojony Ligaszcz — czy to dobrze, że tak wszyscy wiedzą, iż książę jest w Rzymie?

Grunhagen zmrużył zielone oczy, i gryząc słomkę, całkiem poważnie dodał:

— W Królestwie się bardzo rozpytują o księcia. Kilku możnych panów, a pewnie i jeden złotowłosy król, wiele by dało, by księcia, za przeproszeniem, dopaść.

Władysław wzruszył ramionami.

— W Rzymie jesteśmy jak kropla w morzu! Kto nas tu znajdzie? Niech szukają, panowie w Królestwie i Václav w Czechach. Niech szukają!

Mirosław złapał oddech i triumfalnie krzyknął:

— Książę mój, tyś jest urodzonym szczęściarzem! Papież Bonifacy wyznaczył ci dzisiaj audiencję.

— Co?! — Władek nie uwierzył.

— Ano tak! Cud jubileuszowy — zachichotał diakon — aż mi dech zapiera. Chodźmy, nie ma czasu, pewnie chcesz się, książę, przebrać? — Pociągnął ich za sobą i Władysław pomyślał, że jeśli to sen, to i tak zaraz się obudzi.

— Odpoczywacie po mszy? Byliście u komunii? No, to odpust gwarantowany! Gratuluję. Za dukata można dostać to na piśmie, tylko trzeba dwa tygodnie czekać, kancelaria papieska dosłownie zawalona robotą. Sam im dzisiaj pomagałem, wypisałem dwa. Jeden dla jakiegoś francuskiego księcia, drugi dla Sasa, na którym ciążyła klątwa rodzimego biskupa. Wszystko zdjęte! No, toście widzieli i święte martyrium, to tam, pod tym złotym baldachimem, przy głównym ołtarzu. Najświętsze relikwie Rzymu, mój ty Boże! Do grobu schodziliście? Pewnie, że tak, jakżeby inaczej, być u Jana na Lateranie, a nie zejść! To ten korytarz w dół, który wiedzie wprost pod ołtarz. Niebiański wynalazek, u góry trwa msza, a pielgrzymi, nie zakłócając jej, mogą dotknąć świętych krypt. Sam Konstantyn poświęcił świątynię *ex voto suscepto!* A ołtarz w głównej części transeptu to tak zwany ołtarz papieski... Jesteśmy na miejscu! Czekam tu, na dole, aż książę się przebierze.

To nie była audiencja w takim znaczeniu, w jakim ją rozumiał Władysław, ale w Rzymie już niewiele go mogło zaskoczyć. Swoich ludzi zostawił na dole, towarzyszył mu Mirosław, który miał pełnić rolę tłumacza.

Papieski pokojowiec poprowadził ich najpierw marmurowymi schodami pałacu laterańskiego, potem przez labirynt krużganków i korytarzy. Władysław po drodze łowił wzrokiem wejścia do niezliczonych sal, auli, kaplic i Bóg wie czego jeszcze, a Mirosław z wypiekami na twarzy szepnął mu do ucha:

— Idziemy do prywatnych pokoi...

W końcu pokojowiec przekazał ich odźwiernemu a ten otworzył drzwi i z ukłonem wpuścił. Bonifacy VIII, Ojciec Święty, leżał w samej tylko cieniuśkiej koszuli na stole. Na brzuchu. Głowę miał wspartą na złotej poduszce, a sługa masował mu plecy.

Gdy weszli, ciekawie uniósł głowę i bezceremonialnie zmierzył Władka wzrokiem od stóp do głów. A potem szepnął coś po włosku i wyciągnął rękę do sługi, by ten pomógł mu się unieść. Dwóch innych okryło jego ramiona miękkim, zielonym płaszczem i zsadzili Bonifacego ze stołu. Wsunął bose stopy w białe, haftowane złotą nicią buty podane na klęczkach przez służącego. I dając im znak, by poszli za nim, poczłapał do wyściełanego fotela. Zasiadł. Nadal był w samej koszuli, tyle że osłoniętej płaszczem.

— Chcesz całować mnie w rękę? — powiedział rozleniwionym tonem. — Nie mam pierścienia, palce mi puchną od upału.

— Jak sobie Wasza Świątobliwość życzy — odpowiedział przy pomocy Mirosława.

— Nie bardzo. Jestem po kąpieli. — Znów prześwidrował go wzrokiem, oczami niczym dwa czarne węgielki. — Więc jednak nie jesteś karłem, tylko czymś pomiędzy! — Klepnął się w kolano, a diakon przetłumaczył to cicho. Bonifacy sprawiał wrażenie rozczarowanego. — Chciałem myśleć, że odwiedzi mnie książę karzeł, który utarł nos zarozumialcowi Václavovi Przemyślidzie. A ty wyglądasz jak... — zawahał się i Mirosław także — ...jak mały łobuz, jak chłopiec z twarzą zbója, ale bez wątpienia mężczyzny.

Władysław poczuł, jak gorąco uderza mu do twarzy.

— Mam się czuć winny, że nie jestem prawdziwym karłem?! Że nie ubawiłem oczu Waszej Świątobliwości swym pociesznym albo pokracznym widokiem?!

Mirosław zawahał się, ale Bonifacy, widząc wściekłość gościa, kazał sobie tłumaczyć dokładnie. Gdy usłyszał, prychnął.

— Mam w Rzymie tańczących karzełków i karlice kurtyzany! Nie jestem upragniony dziwaczności. Nie bawią mnie również niepokorni władcy, bo dość mam z nimi kłopotów. A twojemu przeciwnikowi, Václavovi, odmówiłem prawa do polskiej korony, wiesz dlaczego? Bo nienawidzę jego szwagra Albrechta Habsburga. To prostak, któremu się zdaje, że tytuł cesarski można kupić, tak jak wraz z Václavem kupili głosy arcybiskupów elektorów. Nie daruję im tego, że wyrwali ich spod mojej władzy! — Bonifacy uniósł się w gniewie i zaczął walić pięścią w oparcie fotela. — I jeszcze teraz, aby mnie zirytować, ożenił swego kaprawego syna Rudolfa z córką mego największego wroga, króla Francji Filipa! A niech to szlag! — Płaszcz zsunął mu się z ramion, lecz słudzy natychmiast go poprawili. Wzruszył ramionami, wydął pogardliwie usta i syknął: — Poza tym Habsburg ma nos zgnieciony jak stary pantofel. A nie wiem, czy wiesz, mój ty Mały Książę, że ja nienawidzę brzydkich ludzi.

— Czy powinienem coś odpowiedzieć? — spytał Władek Mirosława.

— Nie sądzę — szepnął diakon.

— Co tam szepczecie? Książę chce mi znów coś powiedzieć? — dopytywał Bonifacy. — To mu wytłumacz, że jeśli o niego chodzi, nie startuje w tej gonitwie w turnieju. — Papież roześmiał się tak głośno, że aż mu zabulgotało w płucach. — Dla mnie książę Władysław jest tak brzydki, w swym łotrowskim uroku tak zacięty, że aż piękny! Może jest hybrydą chłopca i starca? Kto wie, starożytność znała takie przypadki. — Wyciągnął rękę, w którą sługa włożył kielich z winem. — Powiedz mu, diakonie, że królów takich jak Albrecht Habsburg to ja mam na pęczki! A Małego Księcia jak on tylko jednego. — Bonifacy pociągnął łyk wina i oblizał wargi. — Nie dałem Václavovi korony Władysława, nie widząc księcia. Teraz, kiedy go poznałem, tym bardziej odmówiłbym Przemyślidzie. Oczywiście wiem, że czeski król drugi raz nie poprosi mnie o zgodę, weźmie waszą koronę siłą. Ale będzie musiał przyjść w łaskę w innej sprawie i wtedy się z nim policzę. Będę odmawiał Václavovi wszystkiego, bo do końca swych dni zapamiętam tego księcia.

— Dziękuję — odpowiedział Władysław, a Bonifacy zaśmiał się znów.

— Nie dziękuj, bo po pierwsze, robię to, by zaspokoić własną ambicję. A po drugie, słabo wypadasz w dziękowaniu. Mam dla ciebie jeszcze jeden prezent, książę. — Kiwnął dłonią na pokojowca i powiedział do niego coś, od czego Mirosław jęknął.

Sługa podał Bonifacemu małą księgę o brudnych, wytartych okładkach. Wyglądała nieszczególnie, a mimo to papież wstał, nim wziął ją do ręki. Ucałował.

— Ewangeliarz, który należał do świętego Wojciecha Adalberta. A potem do Brunona z Kwerfurtu — powiedział zupełnie poważnie Bonifacy i wyciągnął rękę z księgą do Władysława. — Święty Wojciech miał ją ze sobą na misji, miał i przy swej męczeńskiej śmierci. Wasz król odzyskał Ewangeliarz od pogan, którzy go zabili, tak zresztą, jak wykupił ciało świętego. Potem dał księgę Brunonowi z Kwerfurtu, a ten odesłał Ewangeliarz do Rzymu, gdy trwało poszukiwanie wszelkich relikwii i pamiątek wojciechowych.

Władek przyklęknął na jedno kolano, gdy odbierał księgę. Poczuł pod palcami szorstką, wytartą okładkę. Te plamy, czy to krew męczennika? Widział w życiu wiele ksiąg, ale wszystkie były olbrzymie, strojne i ciężkie. A ta?

— Widzisz, książę? Bóg czasami przejawia się przez to, co małe, wręcz niepozorne — powiedział Bonifacy. — My, tu na ziemi, zbyt często przywiązujemy wagę do widzialnych oznak władzy.

— A to, co prawdziwie ważne, jest niewidzialne — powiedział Władysław, głaszcząc palcami wytratą skórę okładki. Pomyślał o Jadwidze i dzieciach. O miłości. O tęsknocie. I o heroicznej wierze Wojciecha, który z tą księgą szedł do Dzikich, bo wierzył, że Słowo Boże jest orężem, który go obroni.

Gdy Mirosław przetłumaczył słowa księcia, papież powtórzył:

— Niewidzialna prawda. Jest jeszcze coś, co niewidzialne i co mogę dać ci dzisiaj. Zbliż się.

Władek podszedł, i idąc za znakami dawanymi mu przez Mirosława, klęknął przed Bonifacym. Ten położył mu dłoń na czole i powiedział:

— W imię Ojca i Syna i Ducha Świętego zdejmuję z ciebie klątwę, a z kraju twego interdykt. Pokój Pański niech będzie z tobą. Amen.

— Już, książę — usłyszał za plecami szept Mirosława. — Możesz wstać.

Więc wstał. Przez chwilę patrzyli na siebie z Bonifacym. Papież, nie spuszczając z niego wzroku, pokiwał głową. Wtedy podszedł do niego sługa, pochylił się do ucha Ojca Świętego i szepnął coś szybko. Bonifacy uniósł rękę i skrzywił się.

— Diakonie, wyrażam zgodę, by książę odwiedził Sancta Sanctorum, najświętszą kaplicę papieską w pałacu. Sługa was poprowadzi. Rozumiem, że ty, diakonie, byłeś już w naszej domowej kaplicy?

— Nie... — wyszeptał zachwycony Mirosław — ...ale znam wszystkie jej cuda... z opowiadań...

— Zatem oprowadzisz księcia. Na mnie czekają pielgrzymi. Wybaczcie. Jestem ofiarą własnego sukcesu. Rok Jubileuszowy przejdzie nie tylko do historii Kościoła, ale i do historii świata. Udowodniłem wszystkim królom, kto ma prawdziwą władzę, czyż nie tak? To ja porwałem tłumy! To do mnie co dzień ciągną dziesiątki tysięcy ludzi!

Wstał i rozłożył ramiona. Słudzy zdjęli z niego zielony płaszcz i stał tak, w koszuli, z wyciągniętymi ramionami, a jego pokojowcy ubierali go. Na oczach Władysława zamieniał się w papieża Bonifacego VIII, strojnego w śnieżnobiałe suknie, przepasanego złotem, zwieńczonego tiarą. W zwycięzcę, który za chwilę będzie błogosławił swój lud.

Pokojowiec wyprowadził ich z prywatnych pokoi i szybkim krokiem prowadził do kaplicy. Mirosław jęczał.

— Boże, Boże! Cud za cudem! Książę, to my za chwilę staniemy przy największych relikwiach chrześcijaństwa...

Władysław niósł pod pachą księgę i czuł, iż ona jedna wystarczy mu za wszystkie relikwie. Przed drzwiami Sancta Sanctorum stali dwaj strażnicy z bronią, lecz gdy sługa szepnął im coś do ucha, otworzyli drzwi.

— Czy towarzyszyć gościom? — grzecznie spytał sługa.

— Nie — powiedział Władysław, ale diakon już zdążył głośno odpowiedzieć:

— Tak!

Papieski sługa zapewne robił to nie pierwszy raz, bo z wprawą poprowadził ich od drzwi.

— Pod naszymi stopami posadzka mistrza Kosmatego, wykonana niedawno na specjalne zamówienie papieża Mikołaja III. Różni się ona geometrycznym wzorem od rzymskiej mozaiki posadzki w prezbiterium kaplicy...

— Czy możemy do prezbiterium? — spytał diakon.

— Naturalnie.

Władek ledwie zerknął na posadzki, jego uwagę przyciągały wielkie marmurowe płyty na ścianach kaplicy i kipiące między nimi barwne freski. Rozpoznał świętych Piotra i Pawła, Stefana, Wawrzyńca, Mikołaja. Świętą Agnieszkę.

— A napis? — zapytał sługę Mirosław. — Nie mogę go dostrzec...

— Tutaj, panie — wskazał nadsłupie ponad kolumnami — za architrawem.

— Jest! Książę, spójrz! Napisano: „Nie ma świętszego miejsca na całym świecie"...

— Tak? A dlaczego? — spytał Władysław oszłomiony ferią barw i dziesiątek odcieni złota.

— Bo pod głównym ołtarzem tej kaplicy znajdują się najświętsze relikwie chrześcijaństwa. Głowy apostołów, Piotra i Pawła, relikwie samego Chrystusa Pana, Marii Panny, Jana Chrzciciela i Jana Ewangelisty...

— Gdzie? — Obrócił się dookoła Władysław.

Mirosław na klęczkach podszedł do ołtarza i wskazał znajdujące się pod nim drzwi z brązu.

Władek rzucił okiem na drzwi, zerknął na sługę, ten jednak przecząco pokręcił głową.

— Sam Ojciec Święty nie otwiera tych relikwiarzy — odpowiedział.

— Nigdy? — Władek pomyślał, że gdyby miał takie relikwie w Łęczycy, to chyba chciałby je nieustannie oglądać i pokazywać wiernym.

— Tylko w razie nadzwyczajnych okoliczności, książę — odparł niewzruszony sługa.

Władek wskazał na osłonięty płótnem obraz za ołtarzem.

— Dlaczego jest zasłonięty? — spytał.

— Bo bije od niego niezwykła świętość i moc — odpowiedział sługa papieski.

— To wizerunek Chrystusa, który zaczął malować święty Łukasz Ewangelista, książę — wyraźnie zgorszonym szeptem wytłumaczył mu Mirosław. — Sam święty Łukasz!... A dzieła dokończył anioł...

— I nigdy nie można go oglądać? — zdziwił się Władysław.

— Papież Stefan II obnosił obraz po Rzymie, aby obronić miasto przed inwazją Longobardów — próbował wytłumaczyć Mirosław.

— Poskutkowało?

— Tak.

— Raz do roku obraz jest wynoszony z kaplicy w wielkiej procesji z Lateranu poprzez Forum Romanum do Santa Maria Maggiore — włączył się sługa. — Jeżeli książę raczy zostać do święta Wniebowzięcia Najświętszej Maryi Panny, będzie miał okazję ujrzenia obrazu bez zasłony.

Władysław przyklęknął przed ołtarzem, tym ołtarzem, pod którym miały spoczywać te wszystkie przenajświętsze relikwie. Przeżegnał się, wstał i mocniej przycisnął do siebie Ewangeliarz.

— Na nas już czas — oświadczył i choć Mirosław najwyraźniej nie miał zamiaru wychodzić z „najświętszego miejsca na całej ziemi", musiał ruszyć za księciem.

Gdy wyszli z pałacu, znów wchłonął ich rzymski tłum. Ciżba ciągnąca pod papieski pałac. Widział łkające kurtyzany, wyciągające upierścienione dłonie do białej sylwetki Bonifacego w oknie. Widział rycerzy klękających przed nim, bogatych kupców modlących się w uniesieniu i zwykłych, śmierdzących trudem drogi pielgrzymów, błagalnie dopraszających się błogosławieństwa. A pomiędzy nimi chłopców odcinających nożykami sakiewki, małe dziewczynki zdejmujące pierścienie z rąk bogaczy rozmodlonych i psy wyrywające z pielgrzymich toreb ostatni kawał słoniny.

Władysław nagle poczuł się jak człowiek pozbawiony skóry; jakby odbierał wszystko nazbyt mocno, zmysłami, bez kontaktu z rozumem.

— Mirosławie — zapytał — czy jest w Rzymie kościół, w którym nie ma dzisiaj tłumów?

Diakon pomyślał chwilę i radośnie wykrzyknął:

— Basilica di Santo Stefano Rotondo! To na wzgórzu, chodźmy, książę!

Gdy Władysław zobaczył szarą i prostą bryłę, pozbawioną złotych ozdób, zrozumiał, dlaczego jest tu pusto. Okrągła świątynia wsparta na kamiennych filarach wyglądała ponuro. W niczym nie przypominała majestatu, dostojeństwa i blichtru Lateranu.

— To jeden z najstarszych kościołów w Rzymie, mój książę. Odwzorowano w nim świątynię Grobu Pańskiego w Jerozolimie. Pierwszy męczennik, święty Stefan uczy nas, by wybaczać swym prześladowcom...

— Chciałbym wejść sam — powiedział do niego Władysław.

— Jak sobie życzysz, panie.

Chłodny półmrok wnętrza po upalnym tłoku uliczek był czymś zupełnie nieoczywistym. Władek stał w smudze światła z wciąż otwartych za jego plecami drzwi kościoła. Przyzwyczajał wzrok do mroku. Zrobił kilka kroków w przód, uniósł głowę. Wewnętrzne mury rotundy były złożone z łuków wypełnionych nieczytelnymi malowidłami. W środku jasne kolumny kreśliły smukłą linią drugie koło. Okrąg w okręgu. W jego wnętrzu stał niewielki, pozbawiony jakichkolwiek ozdób kamienny ołtarz. Na nim wiązka kwiatów rumianku. Ruszył wzdłuż murów, jak pielgrzym, który chce obejść wyznaczony mu krąg, nim wstąpi w krąg drugi. Nie usłyszał zamykających się drzwi; po prostu smuga światła zniknęła. Wtedy dopiero dostrzegł, iż kościół doświetlają okna ułożone wysoko, wokół całej rotundy, niczym trzeci z jej kręgów.

W plamach światła śledził kolejne sceny z życia świętego Stefana. *Przemawia do tłumu. Nie słuchają go. Tłum odwraca się tyłem do świętego.* Szedł dalej z zapartym tchem i słyszał własne kroki. *Tłum z kamieniami w rękach napiera na Stefana. Kamieniują go. On wznosi ramiona ku niebiosom i błogosławi swych wrogów.* Przed tym malowidłem stanął. Wpatrywał się w nie. Błogosławi tych, którzy niesłusznie go...

— Wszyscy jesteście ochrzczeni, a żaden nie potrafi zrozumieć Stefana. — Usłyszał za plecami starczy głos, mówiący po węgiersku.

Odwrócił się. Stał za nim zgarbiony mnich z przepaską na oku.

— Kim jesteś? — spytał Władysław.

— Jednookim strażnikiem. Gdyby tu były złote kielichy i oprawne w klejnoty mszały, byłbym zupełnie bezużyteczny. Ale jako stróż fresków się sprawdzam.

— Jesteś Węgrem? Co tu robisz?

— Rzym jest stolicą świata. Skoro ty, Władysławie, przybyłeś aż z Polski, to czemu się dziwisz, że jestem tu ja?

— Skąd wiesz, kim jestem? — poczuł niepokój Władysław.

— Rzym to miasto, w którym plotki krążą szybciej, niż płynie woda w Tybrze.

— Diakon Mirosław?

— Nie znam dzisiejszych diakonów, tak jak nie interesują mnie obecni kardynałowie. Wolę służyć temu, co wieczne. Uklęknij, proszę.

Władysław posłuchał.

— Dotknij posadzki tu, przed wizerunkiem sceny męczenia Stefana.

Pod palcami poczuł kamień tak gładki, jak skóra niemowlęcia. Spojrzał na mnicha zdumiony.

— Tysiące pielgrzymów gładziły kolanami to miejsce.

Poczuł zawstydzenie, on po prostu szedł wzdłuż murów świątyni i nie przyszło mu do głowy, by uklęknąć.

— A teraz chodź za mną — powiedział jednooki i nie czekając na Władysława, ruszył, stukając w posadzkę kosturem. Książę zdał sobie sprawę, że słyszy wyłącznie mnicha i siebie; wrota świątyni były tamą, za którą został krzykliwy Rzym.

Zatrzymał się przed kolejnym malowidłem.

Stefan leżał na ziemi sam jeden. W głębi obrazu plecy jego morderców. Wokół ciała rozrzucone kamienie.

— Widok nędzy i rozpaczy. Zabójcy odchodzą, on kona, a Serafinowie jeszcze nie przylecieli po jego duszę. Uklęknij i dotknij ziemi.

Pod palcami miał chropowaty, pełen nierówności kamień.

— Ludzie lubią kontemplować mękę — odezwał się mnich. — W cierpienie męczenników wkładają wizerunki wszystkich własnych krzywd. Ale nie potrafią wytrwać przy beznadziei. Wolą, niczym zabójcy Stefana, przemknąć dalej, do wizerunku niebiańskiego ukoronowania męczeństwa, nie kłaniając się przy tym obrazie ludzkiej nędzy. Boją się, że skrzywdzony i porzucony przez ziemskie zło Stefan wyciągnie ku nim rękę i chwyci ich za ramię; pociągnie za sobą w otchłań, w której jeszcze nie widać obietnicy zbawienia i przyszłych łask. Umierający Stefan jest samotny. Tak jak samotny był Chrystus pomiędzy dwoma łotrami. Kto tego nie zrozumie, nie powinien nazywać się chrześcijaninem, bo to znaczy, że nie ma w sobie odwagi, by odpowiedzieć, gdy Pan woła: „Pójdź za mną!". A co, jeśli Pan zażąda ofiary? Jeśli powie: „Daj mi to, co kochasz, tak jak ja dałem umiłowanego Syna na ofiarę za ciebie, człowieku". Co wtedy? Jeśli chcesz, możesz przyklęknąć i przy wizerunku ukoronowania Stefana w niebie. Ale już wiesz, że znajdziesz tam posadzkę wygładzoną kolanami pielgrzymów jak jedwab.

Mnich przełożył kostur z prawej do lewej dłoni i patrząc jedynym okiem na księcia, dodał:

— Gdy przyjedziesz do swoich przyjaciół na Węgry, przekaż pozdrowienie od strażnika Stefana. A potem zażądaj wydania ci miecza króla banity.

— Wyspowiadasz mnie? — spytał Władysław.

— Ja? Tak, książę. Ale wyznaj swoje winy przed konającym Stefanem. Patrząc na jego beznadzieję, powiedz mu, coś uczynił. A grzechy odpuści ci Bóg. Ludziom musisz tylko zadośćuczynić.

RIKISSA, tuląc do siebie trzy lwy, jechała w wyścielonej miękkim suknem kolebce, otoczona przez ścisły kordon zbrojnych. Przed i za kolebką jechał uzbrojony po zęby czeski hufiec. Gdy tylko zatrzymywali się na popas, zjawiał się pan Henryk z Lipy i towarzyszył jej, nie opuszczając na krok.

„Czy już jesteśmy w Królestwie, panie Henryku?" — pytała go trzy razy dziennie, a on odpowiadał to samo: „Jedziemy najszybciej, jak można". Jednak nie wiedział, kim jest piastunka Kalina ani że ma na Rikissę czekać przy granicy, zaś na pytanie, czy jadą do Poznania, mówił iż: „Czekają na rozkazy króla, dokąd wieźć jego narzeczoną". Wiedziała, że jadą przez nadgraniczne kresy, przemykają nocą obok zajętego przez Brandenburczyków Międzyrzecza i kiedy wreszcie stanęli w Pniewach, u starego pana Nałęcza, i gdy wybiegła jej naprzeciw Eufemia Nałęczówna, dawna dwórka matki, a potem Małgorzaty, Rikissa odetchnęła. Czuła, iż jest wśród swoich. Odzyskała rezon w jednej chwili.

— Dalej nie jadę, panie Henryku z Lipy — oświadczyła swemu opiekunowi, chwytając mocno za rękę starego Tomasza Nałęcza. — Tu możesz czekać na swoje rozkazy.

— Ależ najjaśniejsza panno! Ja ich jeszcze nie dostałem! — Rozłożył ramiona nieco zdezorientowany Henryk.

— Ja też nie. Skąd mam mieć pewność, czy nie jesteś porywaczem? Powiedziałeś Brandenburczykom, że przysyła cię król i ojczulek Świnka. A w twoim wojsku sami Czesi. Gdzie jest ktoś od arcybiskupa? Nie ma. Nie ruszę się z tobą dalej, dopóki ktoś od Jakuba do mnie nie przyjedzie. Oczywiście, możesz mnie porwać, ale najpierw musisz spalić Nałęczom dwór. Prawda, panie Tomaszu, że mnie nie wydacie bez walki, prawda?

Stary Nałęcz, który był stryjem Nawoja, Zachodniego Wichru, jednego z czterech najbliższych druhów jej ojca, nie śmiał odmówić królewskiej córce. Nieco blednąc, spojrzał na setkę ciężkozbrojnych Czechów pod płomienistą orlicą, przełknął ślinę i przytaknął.

— Królewna ma rację. Nie wydamy jej, póki wysłannik Małej Rady i arcybiskupa nie przybędzie.

Henryk uderzył się dłonią w czoło i powiedział rozbrajająco:

— Ale ja nie chcę was palić...

— Tak sądziłam. — Kiwnęła głową Rikissa. — Nie wyglądasz na oprawcę. Ale obiecuję ci, panie Henryku z Lipy, że jeśli mnie oszukasz i uprowadzisz stąd nocą, dostanę gorączki. Tak wielkiej, że umrę w dwa dni. Jeśli więc chcesz siłą dowieźć swemu panu martwą królewnę, to nie mów, że nie ostrzegałam przy świadkach. Daj znać, co postanowisz. — Skinęła mu głową, i odwróciwszy się na pięcie, pociągnęła za rękę Tomasza Nałęcza w stronę pięknego, drewnianego dworu. Eufemia ruszyła z nimi.

Gdy tylko zostali sami, z dala od Czechów, zaczęła wypytywać o wszystko. Eufemia odpowiadała jej tak chaotycznie, jak Rikissa pytała.

— Kraj nie stawia oporu. Michał Zaremba w lochu, miał go ułaskawić książę Władysław, ale go wygnali. Václav już w Poznaniu na zamku. Okropne rzeczy, pierwszy obcy król na polskim tronie. Najpierw zaręczyny. Koronacji jeszcze nie było. Czesi są straszni, lecz grzeczni, nie niszczą, nie palą. Wojna była, oj, była. Z każdej strony szli. Dokąd uciekł książę? Z żoną, chyba z żoną.

— A moja piastunka Kalina? Była tu? Obiecała, że jak tylko przekroczę granice Królestwa, będzie przy mnie...

— Królewno! Przedrzeć się przez granicę łatwo, ale cało dojść tutaj trudno — powiedział stary Nałęcz. — Z oddziałem stu ciężkozbrojnych Czechów byłaś bezpieczna, ale bez nich nie przejechałabyś tych stron.

— Kalina przejedzie. Ona dotrzymuje słowa — uparła się przy swoim Rikissa.

Do izby wszedł Henryk z Lipy.

— Jedziesz po rozkazy, panie? — powitała go Rikissa.

— Ja nie mogę opuścić najjaśniejszej panny ani na krok. Ludzi wyślę jeszcze dziś.

— Powtórz im, co powiedziałam: nie zostanę żoną żadnego waszego króla, póki mi tego nie nakaże arcybiskup. Jakub Świnka, panie z Lipy, a nie jakiś wasz.

— Poprzednio mówiła najjaśniejsza panna coś innego. — Usiłował nie zdenerwować się Czech.

— Mówiłam to samo, tylko groziłam swoją śmiercią na wypadek porwania. I nadal grożę. W kwestii małżeńskiej: jeśli wasz król ma wobec mnie szczere zamiary, życzę sobie otrzymać przedmałżeński prezent.

— Będzie, niejeden — odetchnął Henryk z Lipy. — Złoto Przemyślidów z pewnością będzie ścielić się do twych stóp.

— To też, ale później — łaskawie odpowiedziała Rikissa. — Pierwszy prezent ma do mnie dotrzeć tu, do Pniew. Prezent nazywa się Michał Zaremba, mój rycerz, przyboczny mego ojca. Znajduje się w poznańskim lochu. Proszę, by mój narzeczony Václav, o ile nim naprawdę jest, ułaskawił i wypuścił Michała. Gdyby zaś próbowano mnie oszukać i powiedzieć mi, że Michał nie żyje, to obiecuję wam martwą królewnę przed ślubem. Zrozumiałeś wszystko, panie Henryku?

— Zrozumiałem, najjaśniejsza panno! — Ponuro kiwnął głową Henryk. — Wyprawię posłańca do Poznania jeszcze dziś.

— To jeszcze powiedz mu, iż życzę sobie zobaczyć umowę przedślubną. Umiem czytać, jeśli o to chodzi. Ale na wszelki wypadek chcę, by przedstawił mi ją któryś z notariuszy mego ojca, taki, którego znam. Podpowiem, że w grę wchodzi stary Tylon lub jeden z jego braci. To by było na razie na tyle. Żegnam pana, Henryku. Mam tu dobrą opiekę.

— Ale ja się nigdzie nie wybieram, najjaśniejsza panno. Muszę cię strzec.

— Rozumiem. Ale możesz mnie strzec, stojąc za drzwiami, prawda?

Henryk z Lipy wyglądał jak człowiek, którego przerasta zadanie. Stał, jakby nie wiedział, czy teraz ma się ruszyć, czy nie. Rikissa ułatwiła mu wybór. Podeszła do niego, ujęła za dłoń, tak samo jak w chwili, gdy opuszczali Salzwedel. I odprowadziła w stronę wyjścia, mówiąc:

— Chyba nie podejrzewasz mnie, panie, że będę umykać oknem? Jestem tylko małą, dwunastoletnią dziewczynką, której mama nie żyje, ojca króla zamordowano i która owdowiała po ukochanym narzeczonym otrutym na jej oczach. Przez której list do Sztokholmu zatopiono cały okręt. Którą próbowano siłą ożenić z kuzynem potworem i sadystą, a także półtuzinem innych zalotników. Jestem Rikissa Primislausdotter, dziewczynka, która wie, że od przeznaczenia nie da się uciec.

LESZEK, książę inowrocławski, niemal czuł szum skrzydeł płomienistej orlicy sunącej z drapieżnie wysuniętymi szponami ku granicom Kujaw. Przeleciała nad Starszą Polską, uwiła gniazdo na poznańskim zamku; nad Pomorzem zakołowała, zaznaczając, iż bierze w posiadanie teren. Do Leszka i jego braci; do Siemowita, księcia dobrzyńskiego, jedynego żyjącego brata księcia Władysława i nawet do Bolesława mazowieckiego wysłała swaty. Swaty! Drapieżne hufce z krótką ofertą: hołd lenny wobec Václava Przemyślidy lub wojna. Wszyscy wybrali wojnę. Bolesław ze swą Madonną na purpurze powiedział królowi Czech, że raz się z nim zbratał, kiedy wziął jego siostrę za żonę, więcej nie ma zamiaru. Siemowit był dzięki Bogu pijany, gdy odbierał czeskie poselstwo. Pijany stryj jest agresywny, dopiero na kacu wszystko mu jedno; odesłał więc ludzi Václava do stu czortów. Kujawscy baronowie stryja Władka, jego Doliwowie, Leszczyce, Pomianowie, Awdańcy, Godziembowie i reszta stanęli jak jeden mąż, mówiąc: „Bronimy ziemi naszego księcia choćby i pod wiatr!". On sam zaś obstawił wojskiem, co się dało. Do obrony Wyszogrodu wysłał brata Przemysława. Chłopak ma już dwadzieścia dwa lata, może stanąć na czele wojsk. W dyskretnym cieniu zaprawionych w bojach dowódców niech pokaże poddanym, że jest nieulękły, że nie jest malowanym książątkiem, które chować się będzie za spódnicą matki. Trzynastoletniego Kazia wprawił z wojskiem do Gniewkowa. Matka zrobiła mu za to karne nocne czuwanie dwa razy z rzędu, powtarzając bez końca, że dziecko wysłał przeciw Czechom. Raz wytłumaczył Salomei, że z Kaziem są doświadczeni dowódcy i że najmłodszy brat nie będzie walczył, tylko swą obecnością dodawał ducha obrońcom. Nocna wdowa nie chciała słuchać wyjaśnień, zresztą, od czasu, gdy ustąpił z Pomorza na rzecz stryja Władysława, nie bardzo w ogóle chciała słuchać, co ma jej do powiedzenia. Okokoniła się wdowim welonem, zeschła w nim niczym pszczoła złapana przez pająka. Jedynym widocznym znakiem życia matki był jej chrapliwy oddech, półotwarte powieki i konwulsyjne ruchy szponiastych rąk, którymi potrafiła złapać znienacka za łokieć lub zdusić czarnego, herbowego gryfa, aż kwilił. Leszek czuwał z nią, gdy wzywała, ale od rozmowy ze stryjem przestał jej słuchać. Coś z niego wyparowało z sykiem, jakby ambicje Salomei były kroplą wody, która spadła na nagrzaną blachę jego napierśnika.

Rozdzielił szczupłe siły między braci i obroną Inowrocławia zajął się sam. Teraz więc, gdy stał na zamkowej wieży, gdy patrzył w letnią, czarną jak smoła noc, wiedział, iż całe Kujawy są pod bronią, pod sztandarem półorłów, półlwów.

Był świadom, że siły Václava, jego zaciężne wojska z Małej Polski, Niemiec, Moraw i Czech są po wielokroć większe, i myślał sobie: Nie dam się. Nie dam się tak długo, jak będzie można. Nie przewidział tylko jednego: nie z samą płomienistą orlicą przyszło im walczyć.

Czeskie hufce szły od południa, pierwszy wykrwawiał się Piotrków, Sieradz, po nim poległa Łęczyca i Konin poddał się sam. Rycerze stryja, którzy nie chcieli zgiąć karku przez Václavem, uciekali do Brześcia, potem dalej na północ, do Dobrzynia. Wtedy Leszek wiedział, że nastał ich dzień. Czesi uderzyli jednocześnie na niego i braci. Tego samego dnia o świcie żelazna pięść wymierzyła cios w Gniewkowo, Inowrocław i Wyszogród. Czuł, że tak będzie, że nie dadzą mu szans, by wsparł młodszych braci posiłkami, których przecież nie miał w nadmiarze, ale gdyby dali mu walczyć kolejno, z grodu na gród przerzucałby siły. Bronili się i wiedzieli, że stryj Siemowit w Dobrzyniu, wsparty przez Doliwów, Leszczyców i Godziembów Władysława, też odpiera najazd. I właśnie wtedy, od północy, żelazny sztych zadali im Krzyżacy. Cios w plecy powalił Kujawy na kolana. Pierwszy pękł Siemowit i ugiął się. Leszek, Przemysław i trzynastoletni Kazimierz bronili miast tak długo, jak długo nie zobaczyli z murów posiłków ciągnących z dwóch stron. Z jednej płomienista orlica, z drugiej czarny krzyż. Gwóźdź do trumny. Koniec.

Koniec smakuje bezbarwnie — w pierwszej chwili pomyślał Leszek. A w drugiej? Gdy schodził z murów, gdy widział rannych obsiadłych przez chmary much, przerażone oczy głodnych kobiet i dzieci wyzierające ku niemu z kątów, bezradną wściekłość u tych, co mogli jeszcze trzymać broń... Wtedy przestał się zastanawiać, jak jemu smakuje porażka. Jakie to ma znaczenie dla jego poddanych? Dla tych, którym winien jest ojcowską opiekę z tego tylko powodu, iż jest ich księciem? Proszę bardzo, teraz niech będzie księciem, gdy zacznie negocjować warunki pokoju. A te były takie same, jak wcześniej.

— Książę i jego bracia złożą hołd lenny królowi Czech Václavowi II Przemyślidzie, ze wszystkimi należnymi honorami, w dniu jego koronacji w Gnieźnie na króla Polski.

Jezu Chryste! Coś mu pękło w duszy. To, co dla jednej strony będzie honorem, dla drugiej stanie się jego wydarciem. I natychmiast przywołał twarze tych ludzi: głodnych, przerażonych, zbolałych. Jakie ma prawo wydawać ich na rzeź? Czy tylko takie, że honor rycerski nie pozwala mu zgiąć kolana przed tym, który okazał się silniejszy?

— Zgadzam się — powiedział Leszek, choć w tamtej chwili jeszcze nie miał pojęcia, jak zmusi się, by dotrzymać tej przysięgi.

MICHAŁ ZAREMBA nie prosił o księdza. Nie miał zamiaru się spowiadać, bo skoro raz postanowił, iż będzie mówił półprawdy, nie chciał grzeszyć bluźnierczym sakramentem. Kwestię żalu za grzechy też miał ze sobą niezałatwioną, bowiem nie do końca żałował tych popełnionych, za to każdego zaniechania bardzo. Cztery pełne i pół roku. Półtora tysiąca dni ciemności. Cuchnącego mroku. Swędzącej do zwariowania skóry. Obietnic szeptanych mu wraz ze spuszczanym na linie posiłkiem: „Mówi się, panie, że cię puszczają", „W kościele dominikanów modły były o twe uwolnienie", „Biskup Andrzej coś ponoć załatwił", jakby służbie więziennej zdawało się, że potrzebuje tego równie bardzo jak chleba i cienkiego piwa. Ojciec odwiedzał go raz na miesiąc, ale Michał nie wiedział, o czym ma z nim mówić. Zresztą wojewoda Zaremba nie schodził do lochu — stał przy otwartym włazie, w snopie światła, który raził oczy Michała. Na górze wielki jak skała Beniamin, w dole skurczony, wygięty on. Niebo i piekło. Ojciec i syn.

— Pan Michał Zaremba! — krzyknął w czeluść lochu dowódca warty.

Od kilku tygodni więźniów było więcej; gdy Václav wjechał do Starszej Polski, zaczął karać złodziei, łotrzyków i innych złapanych na trakcie rzezimieszków. Michał miał towarzystwo; nie przyzwyczajał się do nowych, byli trzy, najwyżej dziesięć dni, wyciągano ich na sąd i nie wracali. Zwykle stryczek, czasem obcięcie ręki czy ucha. Zawsze to jednak na powietrzu.

— Pan Michał Zaremba! — powtórzył dowódca.

— Co? — Michał nie wysilał się na krzyk, kamienny loch dudnił, zwielokrotniając każdy dźwięk, jak studnia.

— Rozmowa z księdzem!

— Nie prosiłem.

— To warunek wyjścia, panie chorąży! — Jeśli można grzecznie krzyczeć, to tak właśnie zrobił dowódca więziennej straży.

Wyjścia? Jeśli sądził, a tak właśnie było, że jest mu wszystko jedno i czeka dnia, gdy zgnije na śmierć, to serce skaczące ku krtani uświadomiło mu, że jest w błędzie.

Spuścili drabinę. Miał kłopot, by się po niej wspiąć. Nim jego głowa przekroczyła granicę pułapu, omal nie odpadł od szczebli. Strażnicy dobrze opanowali obrzydzenie, jakie musiał wzbudzić swoim wyglądem.

— Do balwierza, panie, tędy proszę. — Poprowadzili go, odwracając wstydliwie głowy.

Gorąca kąpiel zmyła z niego brud, ale wstrętne strupy na ciele zostały. Nie widział ich w lochu, ale czuł pod palcami, niemal znał ich rozkład na pamięć, jakby to były ozdobne kamienie wszyte w kraj świątecznej szaty. Tyle że on miał je na całym ciele. Pod nożycami spadła broda, sięgająca pasa. Nie miał pojęcia, że tyle w niej siwych pasm. Potem włosy, strąk po strąku, kołtun po kołtunie.

— Muszę przy skórze, blisko, wybacz, szlachetny panie — tłumaczył się balwierz, a Michał powiedział do niego:

— Tnij.

Paznokcie obgryzał w lochu, by nie wbijały mu się w ciało, ale przycięte równo nożyczkami przestały sprawiać ból.

Michał stał w balii z wodą nagi. Bolały go powieki. Mruganie sprawiało trudność, choć przyzwyczajał się do światła szybciej, niż sądził. Oglądał swe zapadnięte żebra, dłonie mimo obciętych paznokci przypominające szpony, ciało czyste, ale pokryte regularnymi, niewielkimi strupami. Zachodziły na siebie, jeden przy drugim. Jak może wyglądać jego twarz? Nie miał ochoty pytać balwierza. Wystarczyło mu, że widział, iż ten wpatruje się w niego z przerażeniem.

— Królewski medyk, magister Mikołaj powiedział, że chętnie przyjdzie, by opatrzyć twe rany — powiedział balwierz, mrugając. — Alem pomyślał, że może nie medyka ci trzeba, panie...

— O co ci chodzi? Jestem zdrów, potrzebuję czasu, by dojść do siebie — warknął do niego Michał.

— Tak, tak — szybko potwierdził balwierz. — Można to wspomóc, że się tak wyrażę... Twój ojciec, pan Beniamin, przysłał zielarkę...

Balwierz chyłkiem wycofał się do drzwi i wpuścił przez nie drobną kobietę. Kobietę. Od odwiedzin Kaliny Michał nie widział kobiety.

Była niska, niepozorna, ubrana w zieloną suknię. Niemłoda, ale i nie stara. Spojrzała na niego, lekko ściągnęła brwi i pokiwała głową.

— Wyjdź, panie, z tej brudnej wody — powiedziała. — Balwierzu, nanieście nam czystej i ciepłej. Michał stał nagi, wyprostowany. Patrzył, jak kobieta wrzuca do balii ze świeżą wodą pęki ziół. Gorąca woda parowała, a jego nozdrza otwierały się na wonie sosnowych szyszek, igliwia, koszyczków rumianków, płatków dzikich róż. Rozpoznawał je jedne po drugich.

— Proszę, wejdź! — Kobieta wskazała na kąpiel i po chwili Michał zanurzył się w wodzie, która niosła w sobie żywe, niemal namacalne zapachy. Przymknął powieki. Zobaczył siebie wychodzącego pewną nogą z bagna, grząskiej, cuchnącej topieli. Poczuł na skórze letni deszcz, który zmywał z niego brud. I zobaczył, jak rusza przed siebie, nago przez las, stąpając po miękkim zielonym mchu. Widział siebie takim, jak się pamiętał sprzed lat. Wysokim, silnym. Czy to możliwe? Czy to sen, nabożne życzenie, by cofnął się czas? Bzdura. Czasu nie można wrócić.

Otworzył oczy. Zamrugał. Zielarka pochylała się nad balią i łagodnym ruchem przekładała wiązki ziela pływające w wodzie.

— Czasu nie można cofnąć — powiedziała, kładąc nagle dłoń na jego piersi — ale ty, panie, jesteś kimś wyjątkowym. Kimś, kto ma wystarczająco dużo sił i nadzwyczajną zdolność do ich odzyskiwania.

Nim zdążył zaprotestować, kobieta włożyła obie dłonie do wody i przeciągnęła nimi po całym jego ciele, od ramion po stopy. Czy ona wie, co robi? — rozmyślał. — Ja od lat nie byłem z kobietą. Całe ciało Michała naprężyło się, napięło i poczuł, że wypełnia je życie, które odezwało się pod postacią pragnienia. Pożądania. Kobieta jednak nie to miała na myśli, bo wyjęła ręce z wody, wstała i powiedziała do niego:

— Możesz się ubrać, panie. Zapewniam, że jesteś zdrów.

Wyszła szybko, zagarniając swoje zioła. Do pomieszczenia wrócił balwierz, niosąc czyste ubranie.

— Twój ojciec, panie, przysłał szaty. Pomogę ci się ubrać.

Dopiero dotyk czystej koszuli uświadomił mu, co to znaczy półtora tysiąca dni lochu. Jakby przeliczył je dzień po dniu. Omal się nie udławił od łez, które jak szczeniakowi napłynęły mu do oczu. A drugi raz, gdy zobaczył w swoim pasie dwie świeżo przebite dziurki. Beniamin przewidział, że schudłem, i nie chciał mnie zawstydzać pasem wiszącym niżej bioder — przeszło mu przez myśl. Wziął się w garść. Cokolwiek przed nim dalej, z jakiegoś powodu wyciągnięto go z podziemi choćby na jeden dzień.

— Masz wino? — spytał balwierza.

— Mam, panie, ale takie proste, kwaśne... — odpowiedział ten i zawstydził się, bo oczy Michała mówiły, od jak dawna nie pił wina.

— Proszę, jaśnie panie. Proszę bardzo.

Było nie proste, lecz prostackie, nie kwaśne, lecz zajeżdżające octem. I wypił go cały bukłak.

— Wołaj straż, jestem gotów.

Dowódca straży dopiero teraz spojrzał na niego odważniej i powiedział z podziwem:

— Inny by i połowy tego czasu nie wyżył. Jesteś, panie, silny jak... smok.

— Tylko nie smok — wyrwało się Michałowi.

— Wybacz — przeprosił strażnik, choć nie wiedział, za co, i już się nie odezwał. Wpuścił go do niskiej izby, tej samej, w której Michał siedział przed wyrokiem. Pod ścianą stał skromnie ubrany duchowny.

— Jestem kanonikiem gnieźnieńskim, nazywam się Borzysław. Przysyła mnie arcybiskup Jakub Świnka.

— Michał Zaremba.

— Wiem. Jeszcze dzisiaj będziesz wolny.

— Za jaką cenę?

— Nie rozumiem.

— Co mam zrobić, by zostać wypuszczonym? Przecież po czterech latach nie puszcza się skazańców, ot, tak.

— Czasami cuda się zdarzają — uśmiechnął się Borzysław i bacznie przyjrzał Michałowi. — Nie wyglądasz źle, jak na te cztery lata. Choć brak słońca... Ale, zielarka mówi, że to straty, które szybko nadrobisz. Ponoć jesteś zaskakująco silny.

Zaremba zrozumiał, że kobieta zajęła się nim nie tylko z polecenia ojca, ale przemilczał to.

— Znasz bieg wypadków, Michale?

— Nie. Znam historie łotrzyków wrzuconych przez Václava II do celi.

— Zatem wiesz o Przemyślidzie. — Borzysław kiwnął głową. — Zostaniesz wypuszczony z jego woli, na prośbę królewny Rikissy, która zażądała ciebie w prezencie zaręczynowym. Najdalej jutro wraz z poselstwem arcybiskupa i Václava pojedziesz do niej.

Michał nadążał z trudem, lecz nie chciał przerywać zbędnymi pytaniami. Jeżeli za jego wolnością stoi Rikissa, to może tę wolność przyjąć.

— Królewna została przez Czechów siłą wyrwana Brandenburczykom, którzy mieli paskudny plan wydania ją za margrabiego Waldemara albo księcia szczecińskiego Ottona, syna Mechtyldy. W pierwszym przypadku zamierzali podeprzeć swe pretensje do dziedziczenia Starszej Polski, w drugim do połączenia w ręku brandenbursko-gryfickim całego Pomorza, od Szczecina po Gdańsk. Nasi cisi ludzie śledzili ich ruchy od dawna, ten drugi plan trzymano w całkowitym sekrecie. Nie ukrywam, że tylko potęga Przemyślidy zmusiła ich do oddania dziedziczki. Do tego mamy potwierdzone wieści, że książę głogowski Henryk usilnie zabiegał o rękę Rikissy dla swego pierworodnego syna, by wesprzeć swoje i jego pretensje do poznańskiego tronu. Głogowczyk jest uparty, nikt nie ma pewności, że nie posunąłby się do porwania dziewczynki. Poselstwo, którego będziesz częścią, przedstawi królewnie założenia przedślubne. Ale tylko te oficjalne. Twoim zadaniem będzie czuwać nad Rikissą i nad wykonaniem drugiej części planu, która jak się nam dzisiaj zdaje, nie jest dla strony czeskiej najważniejsza.

— Jaki to plan? — spytał, a wypite u balwierza wino zostawiło mu kwaśną suchość w gardle.

— Najpierw ja mam pytanie. Przysięgałeś wierność córce Przemysła?

— Przysięgałem.

— Dotrzymasz słowa?

— Dotrzymam.

— Jakub Świnka i baronowie Starszej Polski traktują panowanie Václava jak zło konieczne. Książę Władysław na wygnaniu. Jedyną nadzieją na powrót korony do prawowitych dziedziców jest syn Rikissy. Václav dzisiaj zgadza się na to, by przyszły potomek był wychowywany w Królestwie, ale nie mamy pewności, czy słowa dotrzyma.

— To Rikissa nie będzie rezydować w Poznaniu?

Borzysław pokręcił głową.

— Nie. Pojedzie prosto do Pragi, to równoznaczne z ich zaręczynami. Tam najpierw przygotują ją do małżeństwa, dopiero potem spotka się z Václavem, a po ślubie zostanie koronowana na polską i czeską królową. Zagrożenie ze strony Brandenburczyków dla jej zdrowia i życia w Poznaniu jest nieporównywalnie większe niż w Pradze, więc z bólem serca, ale godzimy się na ten układ. Twoim zadaniem będzie strzec jej na dworze Przemyślidów jak oka w głowie. Gdy zajdzie w ciążę, pilnuj jej dzień i noc. A od dnia, gdy powije syna, zaczniemy planować jej powrót i ty, Michale Zarembo, będziesz odpowiedzialny za to, by ona i dziecko bezpiecznie wrócili do domu.

— A co będzie, jeśli urodzi córkę?

— Wówczas... będziesz podtrzymywał ją na duchu, by nie upadała w nadziei i, co ważniejsze, by nie popadła w niełaskę męża. Kolejny musi być syn. Václav dał dowody, że może płodzić synów, więc przy młodej i zdrowej żonie to tylko kwestia czasu.

— Według moich obliczeń królewna ma dwanaście lat. Czy jest gotowa?

— Jeszcze nie. Ale nim Václav wróci z Poznania do Pragi, minie najmniej pół roku. Czy zadanie jest dla ciebie jasne?

— Tak.

— Czy podejmujesz się go?

— Tak, choć przyznaję, iż mniej mnie obchodzi rajfurzenie dziewczynką, a bardziej jej bezpieczeństwo.

— Dobrze. Nie masz być rajfurem. Masz być aniołem stróżem.

Zaśmiał się.

— Anioł z wyrokiem śmierci zamienionym na stróżowanie.

— To zła zamiana? — spytał Borzysław niespokojnie.

— Nie, kanoniku. Najlepsza, jaką mogę sobie wyobrazić.

— Rozumiesz, że musisz wyrzec się innych spraw? Że to zadanie jest pierwszym i jedynym odtąd celem twego życia?

— Tak.

Borzysław skinął mu głową.

— Dobrze. Skoro tak, to znaczy, że jesteś gotów stawić czoła uwolnieniu.

— Nie rozumiem? — zaniepokoił się Michał.

— Ach tak, pewnie ci nie powiedziano. — Westchnął ciężko, patrząc mu w oczy. — Kasztelanem poznańskim jest Sędziwój Zaremba. Zgodnie z prawem to on musi cię wypuścić. Czekaj tu na niego. I bądź zdrów. Mam nadzieję, że spotkamy się niebawem. Czekamy na dziedzica. — Uśmiechnął się na pożegnanie i bez zbędnych gestów wyszedł.

SĘDZIWÓJ ZAREMBA miał przypasany miecz, a z tyłu, w poziomo wieszanej pochwie, długi nóż. Nowy nóż, bo stary nieopatrznie zostawił na przeprawie. Wiedział, że więzień będzie bez broni, balwierza więziennego opłacał on, kasztelan stołecznego Poznania. Jeśli wcześniej mogło mu się zdawać, że najtrudniejszym wyzwaniem był pogrzeb syna bez głowy, to co miał powiedzieć o tym? Oto miał puścić wolno tego, który tę głowę strącił. Rano wiedział, co powinien uczynić. W południe zawahał się. A teraz, idąc do niskiej izby, zmienił zdanie. Co mu zrobią? Ojcu, działającemu w afekcie? Nic. Gniew. Z każdym krokiem podchodził mu do gardła gniew.

Václav Przemyślida jest gotów do wszelkich ustępstw, byleby mieć spokój z baronami Starszej Polski, byleby nikt z nich nie zagrażał jego władzy w Królestwie.

Sędziwój spotkał się z przyszłym królem już pięć razy i nie mógł w sobie wzbudzić szacunku. Nie działało na niego złoto Przemyślidów, a Václav wydawał mu się zepsutym starym chłopcem. To dziwne, wszyscy biorą udział w widowisku. Oni udają, że będą mu służyć, on, że nie jest uzurpatorem. Co drugi dzień wymyśla nowe powody, dla których rzekomo dobrze zrobili, oddając mu tron. A oni słuchają tego w milczeniu, kiwają głowami i mówią: „Tak, będziemy ci wierni". On czuje fałsz, ale nie wie, gdzie tkwi jego przyczyna. Nie rozumie jej istoty. Najpierw pyta, a potem już prosi: „Czy arcybiskup spotka się ze mną wreszcie?". Ten kundel Muskata wije się niczym jarmarczna tancerka, by wytłumaczyć Czechowi, dlaczego Jakub II nie życzy sobie spotkania wcześniej niż w dniu koronacji. I trwa wzajemny taniec, dzień w dzień.

— Tędy, panie kasztelanie, więzień jest gotów.

— Wiem, którędy. Znam ten loch — odpowiada drwiąco. — Mój ojciec go budował, a ja w nim siedziałem, kiedy ty, synku, srałeś w powijaki.

— Tak jest, panie kasztelanie.

Choćby po to potrzebna jest władza. By móc mówić innym, gdzie ich miejsce. Szczęknęła żelazna zasuwa drzwi. Nabrał powietrza. Wszedł.

Zabójca jego syna stał przy wąskim, wysoko położonym oknie, jakby chciał złapać światło słoneczne. Sędziwój nie pamiętał, że Michał jest tak wysoki; że chudy? Po czterech latach w lochu musi być chudy. Przełknął ślinę i sam zamknął za sobą drzwi, mówiąc do zasrańca, który tu go odprowadzał:

428

— Otworzysz, jak ja zawołam.

— Tak jest, panie. Jak sobie życzysz.

Życzysz? — parsknął. Życzył sobie tylko jednej rzeczy w tej chwili.

— Darujmy sobie słowa, których żaden z nas nie chce mówić — powiedział do Michała.

Ten skinął głową. Sędziwój nie widział jego twarzy. Michał stał równo w smudze światła, które opływało jego wysoką, chudą sylwetkę niczym strumień drzewo.

— Wiem, jak zginął mój syn — powiedział, unosząc głowę. — Ale chcę wiedzieć, jak się spisał przed śmiercią.

— Przypuszczam, iż tak, jak mu przykazałeś — odrzekł Michał.

Sędziwój drgnął. Wydaje mi się — pomyślał. — To złudzenie.

— Był rycerski wobec upatrzonej ofiary, jeśli o to pytasz.

Sędziwój przetarł oczy. Miał wrażenie, że gdy Michał mówi, z jego ust wydostaje się świetlista struga.

— Ja też mam pytanie, Sędziwoju — odezwał się Michał i Sędziwój poczuł, że ciepło przenika go od czubka głowy do stóp. Nie mógł oczu oderwać od ust Michała i tej poruszającej się strugi światła.

— Czy giermek króla był w zmowie z Wawrzyńcem? Czy mógł działać na jego polecenie?

— Co masz na myśli? — wyszeptał Sędziwój, bo obezwładniała go bijąca z Michała jasność.

— Coś dolanego do wina króla.

— Nie, panie! Nie. Mój syn miał działać rycersko, żadnych sztuczek... Panie...

— Sędziwoju? Co ci? To ja, Michał.

— Czy mogę podejść do ciebie?

— To ja jestem więźniem.

Nogi miał jak z ołowiu, bał się, a jednocześnie ponad życie pragnął zobaczyć, sprawdzić, czy to możliwe, czy nie myli się.

— Panie, czy możesz wyciągnąć do mnie ręce? — poprosił, wręcz błagał.

Michał wyciągnął ramiona, on drżąc na całym ciele, wszedł w tę smugę jasności, która z niego biła. Ręce mu się trzęsły, gdy zbliżał je do dłoni Michała. Pochylił się, by dobrze się przyjrzeć, by nie ulec jakiejś ułudzie, złudzeniu ostrego światła i cienia. Nie! To nie jest ułuda. Sędziwój tak jak stał, padł przed Michałem na kolana.

— Widzisz to? — wyszeptał, unosząc głowę i z czcią dotykając jego palców.

Dłonie Michała Zaremby pokrywały łuski. Drobne, zachodzące na siebie. Jego szyję zdobiły misterne wzory, nie śmiał ich dotknąć, ale widział, że przy każdym oddechu także i te łuski poruszają się. Brodę, policzki, czoło...

Michał zbliżył swoje dłonie do oczu. Powiedział zduszonym głosem.

— Mam takie strupy na całym ciele... jeden na drugim.

— Michale Zarembo. To nie są strupy. To są łuski. Wychodzi z ciebie złoty smok. Na rany Chrystusa! Prawdziwy złoty smok... — jęknął Sędziwój i złożył Michałowi pokłon.

TYLON, stary królewski notariusz, i dwaj jego bracia, Jasiek i Mikołaj, także w służbie kancelarii, udział w delegacji do królewny Rikissy traktowali nie jak pracę, nie jak obowiązek, ale jako najmilszy zaszczyt. To, że wszyscy trzej mieli swój udział w narodzinach Rikissy, to, że ich właśnie, nikogo innego, jej matka wybrała, aby zanieśli ją do komnaty w chwili, gdy podczas spaceru zaczęła rodzić; i wreszcie to, że oni właśnie z życzenia księżnej pełnili pod drzwiami rodzącej straż, że pierwsi widzieli ten cud, gdy Rikissa Valdemarsdotter natychmiast po porodzie w koszuli jedynie i królewskim błękitnym płaszczu na ramionach wyszła z komnaty, unosząc wysoko przed sobą nowo narodzoną Rikissę Primislausdotter, a u jej nóg wyprężyły się trzy złote lwy, to jedno. A drugie, co dotyczyło samego Tylona, to fakt, iż on był tym, który Rikissę matkę w imieniu Przemysła zaślubił. Jego król obdarzył takim zaufaniem, iż wysłał po nową żonę za morze. On płynął w poprzek październikowego sztormu przez Bałtyk, by w sztokholmskiej katedrze stanąć obok Rikissy i w zastępstwie swego pana powiedzieć jej: „Biorę ciebie za żonę". Śluby kapłańskie, jakie złożył, choć był sługą Boga pokornym i gorliwym, nigdy nie przejęły go takim dreszczem, jak to najzaszczytniejsze zastępstwo. Och, dawne dzieje. Dzisiaj z niego półślepy notariusz w stanie spoczynku, którego przed śmiercią spotkała łaska: jak dobrze wytęży wzrok, zobaczy uwielbianą królewnę i może w jej rysach odnajdzie ślady jej cudnej matki? Szczęście mu sprzyja, słoneczny letni dzień to dla jego oczu zbawienie.

Michał Zaremba, którego wypuszczono z lochu na życzenie Václava i Rikissy, trzymał się z boku, jadąc na końcu orszaku i nie rozmawiając z nikim. Tylon zwolnił i zrównał się z nim.

— Pochwalony — zagadnął.

— Na wieki wieków — uciął Zaremba.

Chyba bardzo zmizerniał — zauważył Tylon, zerkając w stronę niedawnego więźnia.

— Zimno? — spytał, wskazując na okręcającą jego szyję chustę i rękawice zakrywające dłonie.

— Muszę się przyzwyczaić do powietrza.

— No tak, naturalnie. — Tylon chwilę milczał, ale ciekawość wzięła górę. — Jak ci się udało, panie, przetrwać cztery lata w ciemnicy?

— Cztery i pół — sztywno poprawił go Zaremba. — Jak widać, cuda się zdarzają.

— Ja cieszę się z twego uwolnienia — powiedział zgodnie z prawdą Tylon.

— Czyżby?

— Owszem. Uważam, że mój przyjaciel, sędzia Gniew, oceniał cię zbyt surowo. I... — Tylon zerknął w stronę Michała, ale ze smutkiem stwierdził, iż nie odróżni subtelności na jego twarzy. Mimo to zaryzykował. — I przez to przeoczył wiele tropów.

— Co masz na myśli, notariuszu?

— Poszlaki, różne drobne dowody wskazujące na okoliczności zbrodni w Rogoźnie. Nie wszystko jest jasne. Mnie na przykład wciąż dręczy pytanie: Jak to możliwe, że sprawcy bez trudu obezwładnili wszystkich?

— Nie wszystkich — sucho odpowiedział Michał. — Wawrzyniec Zaremba wyszedł z tego cało. I królewski giermek.

— Sądzisz, że sam się powiesił? Z rozpaczy, że na jego oczach porwano króla?

— Panie notariuszu — ostro przerwał mu Michał. — Giermek to najbliższy sługa króla. Płatek spał z Przemysłem w jednej komnacie, ubierał, rozbierał, podawał wino.

— Wino. — Tylon jak echo powtórzył zdanie z oględzin zwłok:
— „Przed śmiercią króla w jego komnacie pito wino z kielichów z niebieskiego szkła". — Obrócił się w bok, próbując coś jednak dojrzeć na twarzy Zaremby, niestety bez powodzenia. — Król miał szkło z potłuczonych kielichów wbite w kolana.

— Król nie miał niebieskich kielichów, panie notariuszu. A Rogoźno to, za przeproszeniem, zbyt ubogi dwór, by kasztelana stać było na takie zbytki!

Tak, Tylon pamiętał, że i wówczas wzbudziło to jego ciekawość. Westchnął.

— Aha, nie miał niebieskich kielichów. Wobec tego ciekawe, kto...

— Boże Przenajświętszy! — ryknął na niego nieoczekiwanie Zaremba. — Jeśli w takim tempie prowadziliście śledztwo w sprawie śmierci naszego króla, to nic dziwnego, że po dziś dzień jego prawdziwi mordercy chodzą wolno i śmieją się nam w twarz!

— Bardzo przepraszam — grzecznie wtrącił się Tylon. — Ja nie prowadziłem śledztwa. Ja tylko badałem ciało króla.

W Zarembie aż się zagotowało, bo warknął, wyrzucając słowo za słowem:

— Pamiętam sędziego Gniewa! Stary cap, który ledwie chodził po schodach, kaszlał jak umarlak! Podpowiadałem mu trop za tropem, ale nie, on wiedział lepiej! Wiesz dlaczego, Tylonie? Bo wiedział swoje!...

Tylon odchrząknął. Michał zamilkł. Do końca drogi nie odzywali się do siebie.

Potem nastąpiło radosne powitanie w Pniewach, które oddaliło Zarembę od Tylona i nie musieli ze sobą więcej mówić. Oczywiście, widok królewny rozbił duszę Tylona do łez. Smukła, szlachetnie wydłużona główka Rikissy sprawiała, iż tak była podobna do swej matki, oczywiście, na ile jego oczy nie zwodziły go i nie podkładały obrazu matki pod wizerunek córki. Jednak po tych głowach poznałby je nawet w półmroku. Ile to było na dworze zamieszania, jak Rikissa matka od dziecka zaczęła córce bandażować głowę! A dzisiaj? Mówią, że dzisiaj każda szanująca się królewna chce mieć taki kształt... Bo i słusznie, gdy Tylon pierwszy raz zobaczył jej matkę, a wtedy miał jeszcze wzrok jak młody sokół, pomyślał, iż oto nieziemska istota uczyniła śmiertelnikom łaskę i zeszła między nich. No, nie było czasu roztkliwiać się wspomnieniami. Stary notariusz i jego bracia pochylili się z królewną nad postanowieniami małżeńskiego kontraktu, by punkt po punkcie omówić szczegóły. Jedyne, na co Tylon zwrócił uwagę, to iż czeski baron Henryk z Lipy, wyznaczony przez Václava do strzeżenia narzeczonej, i Michał Zaremba, którego tym samym obowiązkiem obarczyli baronowie Starszej Polski, nie darzą się sympatią.

To i dobrze — pomyślał — będą jej strzec jeden przez drugiego.

Później zaś były już przygotowania do odjazdu królewny do Pragi i pożegnalna uczta wieczorem. Eufemia, dwórka wszystkich żon Przemysła, córka gospodarza, pełniła honory domu iście po królewsku. Niektórym damom wiek służy — pochwalił ją w myślach Tylon, nie zastanawiając się nad tym, czy nie bardziej służy im jego słaby wzrok i niezbyt obfite oświetlenie komnaty.

— Zdrowie naszej ukochanej panny Rikissy! Za szczęśliwą podróż i błogosławieństwo Boże nad jej małżeństwem! — wzniósł toast stary Tomasz Nałęcz.

— Zdrowie królewny! — zakrzyknęli goście i wypili.

Dwóch grajków przejechało smyczkami po strunach fideli, zaczynając jakąś na poły rzewną, na poły rubaszną pieśń. Mała królewna chyba karmiła trzy lwy, bo raz po raz zdawała się pochylać pod stół. Zapanowała wesołość; zabawnie przebrany człowieczek wyskoczył na środek i próbował tańczyć do muzyki.

Tylon poczuł, że ktoś kładzie mu rękę na ramieniu. Odwrócił się, zmrużył oczy.

— Pan Michał Zaremba?

— Tak. — Zaremba pochylił się do jego ucha i zduszonym głosem zapytał wyzywająco: — Czy ty, Tylonie, widzisz, z czego pijemy?

Notariusz poczuł, jak oblewa go gorąco. Pił z kielicha, ale rzecz jasna nie umiał określić nic więcej, choć po barwie głosu Zaremby powinien się wszystkiego domyślić. Chwilę milczał, bo co miał powiedzieć? Przesuwał w palcach kielich pod światło, delikatnie chwycił zębami jego brzeg.

— Szkło — wyszeptał niepewnie.

— Jezus Maria — jęknął Zaremba — ty jesteś ślepy!

— Ciii. Nie jestem ślepy, wzrok szwankuje mi tylko w słabym świetle, jak tu. Ale widzę, że pochylasz się nade mną, widzę człowieka, który tańczy, dwóch grajków z fidelami...

— Słyszysz dwie fidele — poprawił go Michał. — Ten grajek na środku to młody niedźwiedź na smyczy. A pijemy z kielichów z niebieskiego szkła.

433

ZYGHARD VON SCHWARZBURG wszedł do lochu, w którym przetrzymywali Starca. Rozebrany do naga, przykuty do muru w pozycji wyprostowanej, z żelazną obrożą na szyi, kostkach stóp i jednym ramieniu, wydawał się mimo swego wieku i chudości olbrzymem. Kuno siedział przed nim z płachtą pergaminu i kopiował rysunki z jego ciała.

— Kończysz już? — spytał Zyghard.

— Została mi tylko szyja. Jeszcze dzisiaj będziesz mógł zacząć go dalej badać.

— Nie wiem, jaki to ma sens. Nie wyciągnęliśmy z niego nic.

— Nie histeryzuj. Coś nam jednak powiedział.

— Traktujesz te bzdury o Trzygłowie i posłaniu śmierci poważnie? Ja nie. To, że Dzicy życzą nam śmierci, to żadna nowość od dnia, gdy pierwszy rycerz zakonny wkroczył na te ziemie. — Zyghard zbliżył się do Starca i zaczął go oglądać z bliska, po raz kolejny.

— Zasłaniasz mi — mruknął Kuno, więc odsunął się na bok, by renegat widział szyję więźnia.

— Nie przeszkadzało ci nigdy poczucie, iż ta wojna, którą toczycie, nie jest sprawiedliwa? — zapytał po chwili Kuno, nie przestając rysować. — Gdy templariusze walczyli w Ziemi Świętej z niewiernymi, którzy zawłaszczyli sobie grób naszego Pana, to jednak zupełnie inna rzecz, niż wydzieranie Dzikim ich ziemi, nie sądzisz? Jestem między wami od niemal pięciu lat i jeszcze ani razu nie widziałem, byście chcieli ich naprawdę nawracać i chrzcić.

— Niech Prus Prusem pozostanie — sentencjonalnie odpowiedział Zyghard.

Jego uwagę bardziej od wywodów Kunona przyciągał bożek o trzech twarzach na piersi Starca. Jego oczy ziały piekielną pustką. Zafrapowało go, że otchłań ta zdawała się falować. Może to pot lśnił na skórze starucha?

— No właśnie! — drwiąco roześmiał się Kuno. — Czyż nie lepiej od razu przyznać, iż Dzicy są jedynie przysłoną waszej działalności w Prusach? Świątobliwą legendą mającą uwiarygodnić przed światem zasadność istnienia waszego zakonu?

— Nasza działalność ma wiele płaszczyzn. Oferujemy wiernym w Europie to, czego pragną, w stopniu zależnym od ich kieszeni. — Zyghard odpowiadał mimochodem, wciąż czuł się odpowiedzialny za uświadamianie Kunona. Ale jego prawdziwą uwagę przyciągał

434

ten niebyt, który zionął z oczu bożka wykłutego na ciele Starca. —
Są skarbony w kościołach Rzeszy, są datki imienne, jeśli kogoś stać,
może opłacić poczet zbrojny, który weźmie jego herb na sztandar
i z jego imieniem uda się na krucjatę...

— Krucjatę? Zyghardzie von Schwarzburg, tyś nie widział, czym
jest krucjata!

— Daj sobie spokój. Po diabła opuszczałeś templariuszy, skoro
tak za nimi tęsknisz? — Zyghard wzruszył ramionami.

Gdy pierś Starca poruszała się w oddechu, wojownik z łukiem
wykłuty na jego piersi, znacznie poniżej trzygłowego bożka, zdawał
się napinać cięciwę.

— Mamy letnie rejzy i zimowe rejzy, co kto lubi. Na Matki Boskiej
Zielnej i na Gromniczą. W swych szeregach zagospodarowujemy
całe pokolenie drugich synów i młodszych braci, uwalniając Rzeszę
od nadmiernego rozdrabniania dziedzicznych księstw. Oferujemy
pokutę za grzechy popełnione i przyszłe, realizujemy zapisy testa-
mentowe gnuśnych zmarłych, co całe życie chcieli na krucjatę, a dupy
z domu nie ruszyli. Poza tym wybacz, ale czyścimy i po was. Królestwo Jerozolimskie upadło, walka z niewiernymi skończyła się totalną
klęską, a setki rycerzy zostały. Jak mają dokonać bohaterskich czynów
i zasłużyć na pasowanie?

Starzec być może udawał tylko, że nie rozumie ich mowy, bo jego
pierś zaczęła unosić się w coraz szybszym i szybszym oddechu, tak że
wykłuty na niej łucznik raz po raz sięgał siną strzałą do sinej cięciwy.

— Zakon Rycerzy Najświętszej Maryi Panny wypełnia tę lukę,
mój drogi. Daje im szansę na zaspokojenie ambicji i awans życiowy.
Przyjeżdżają tłumnie na zimową rejzę, gonią Dzikich, zabijają ich dla
Boga, wszak to dusze niechrzczone i krnąbrne, i w Królewcu, przy
wtórze *Salve Regina* śpiewanego przez stu zakonnych braci, dostają
od mistrza krajowego rycerski pas. Kuno, wiesz, co to za przeżycie?
Wracają potem do słodkiej Bawarii czy innej Fryzji i mają o czym
opowiadać dzieciom aż po życia kres.

— W zamian za to zostawiają w waszym skarbcu srebro, które
wykorzystujecie nie na krzewienie chrześcijaństwa wśród pogan, ale
do budowy potęgi zakonu. Łupicie więc Dzikich, rycerzy z Europy,
a ostatnio za pieniądze daliście się skusić do najazdu na Kujawy Brze-
skie! Jak najzwyklejsi w świecie najemnicy! Czeskie królewiątko wy-
korzystało was we własnej rozgrywce o władzę. Przecież tam zabija-

liście chrześcijan! Zyghardzie, patrzę na to i nie mogę wyjść z podziwu! Jesteście arcymistrzami obłudy.

Schwarzburg odwrócił się do Kunona gwałtownie i syknął, ostatecznie wyprowadzony z równowagi:

— Milcz. Ty chcesz mówić o obłudzie, renegacie? Może wyjawisz mi swoją historię, zamiast mnie w kółko pouczać!

— Odsuń się! — krzyknął do niego Kuno.

Zyghard nie ruszył się z miejsca i w tej samej chwili poczuł igłę z impetem wbijającą mu się z tyłu w szyję. Syknął z bólu i odwrócił się. Starzec miał szeroko rozwarte źrenice, oddychał głośno, charcząc.

Kuno odsunął pergamin i inkaust i przyskoczył do niego.

— Co jest?... — Zyghard próbował dotknąć się w to miejsce, z którego promieniował ból.

— Mówiłem: „Odsuń się"! — ryknął do niego Kuno. — Pokaż. Czekaj, wyciągnę. Nie ruszaj się przez chwilę i nie gadaj.

Zyghard poczuł palący ból, miał ochotę zawyć, ale nie chciał dać Kunonowi satysfakcji, więc tylko syknął.

— Już. — Kuno wyciągnął to coś z jego szyi i podał mu na otwartej dłoni, drugą tamując wypływającą krew. — Cokolwiek to jest — powiedział — wbił ci to Starzec. Widziałem, jak dmuchnął z całych sił w twoją stronę. Musiał mieć to ukryte w ustach... Dobrze, że już nie krwawisz. — Renegat puścił jego szyję. — Znów mam na rękach twoją krew.

Na dłoni Kunona spoczywała długa na palec cienka, sina igła z zadziorem przypominającym miniaturowy grot.·

— To nie igła — powiedział Zyghard. — On tego nie wydmuchnął z ust. Spójrz.

Podchodząc do Starca, miał niemal pewność, ale nie spodziewał się wszystkiego, co ujrzał. Łucznik wykłuty na piersi kapłana Dzikich trzymał w ręku łuk ze zwolnioną cięciwą. W drugiej ręce nie miał już strzały.

— Jezusie Nazareński — szepnął Kuno, pokazując na bożka wykłutego powyżej sylwetki łucznika.

Jedna z jego trzech twarzy miała usta umazane świeżą krwią. Na ich oczach wojownik na piersi Starca pokłonił się Trzygłowowi i złożył u stóp bożka swój łuk. A puste oczodoły boga zapłonęły światłem i spojrzały prosto w oczy Zygharda von Schwarzburg.

VÁCLAV II w Gnieźnie spał dobrze. Jego polski pokojowiec spisał się jak należy i całą noc trzymał światło w sypialnej komnacie. W sam raz jak trzeba, nie za duże, nie za małe, ot tak, by Václav wszystko widział i broń Boże nie czuł, że śpi w ciemności. Ondriczek też czuwał przy swym królu i czterech zbrojnych z osobistej czeskiej straży. Nie czuł wstydu, gdy służba rozbierała go i ubierała w obecności zakutych w blachy zbrojnych, w końcu królowie rodzą się, by być obsługiwanymi, a tym wojakom schlebia nadzwyczajnie, gdy widzą, jak wygląda król. W Pradze mógł sobie pozwolić na intymność, ale tu, w obcym miejscu, nie miał zamiaru ryzykować. Po raz pierwszy stawał się królem obcego państwa, lepiej mieć się na baczności.

Większość negocjacji odbył w drodze. Przyjmował na popasach baronów i pozwalał Muskacie pojedynkować się z nimi na argumenty. Przyjemnie zaskoczyli go tym, iż nadzwyczaj podobała im się myśl, że poślubi tę małą. Bał się, że będą kupczyć królewną. Muskata kręcił nosem na pomysł, by obiecywać, że ich przyszły syn wychowa się w Poznaniu, ale Muskata jest tak zawzięty na ten swój Kraków, że aż przykro patrzeć. I wciąż straszy go arcybiskupem Świnką. Co prawda, to prawda, arcybiskup się do Poznania nie pofatygował, czekał na Václava w Gnieźnie, a wszystkie ustalenia dotyczące koronacji prowadził z Václavem wyznaczony przez arcybiskupa kanonik Janisław.

Na wszelki wypadek o świcie Václav wysłał po Świnkę zbrojny orszak, aby ten się na koronację nie spóźnił.

— Ondriczku, czy płomienista orlica dostała złote ziarno?

— Dostała, mój panie.

— A czy dziób i pazury ma dość błyszczące? Wiesz, chciałbym, aby olśniła dzisiaj moich polskich poddanych.

— Ma lśniące, mój panie. Sam je pucowałem.

— Ondriczku, a powtórzysz ze mną ceremoniał koronacyjny raz jeszcze?

— Oczywiście, mój panie.

Václav wyskoczył z łóżka rozpromieniony.

— Wiesz co? Ale tym razem się zamienimy. Ty będziesz mną, a ja arcybiskupem Świnką!

— Jak sobie życzysz, mój panie.

— Życzę sobie. Zacznijmy od tego miejsca, jak wchodzisz w progi katedry, a ja w nich czekam. Wchodź, Ondriczku!

— Idę, panie.

Václav odwrócił się do straży i przypomniał im:

— A wy krzyczycie: „Przyszliśmy ukoronować wybranego króla!". Krzyczcie. Ja się kłaniam przed tobą. Janisław się kłaniał?

— Nie, mój panie.

— Ale ja się ukłonię, bo tak jest lepiej, i mówię: „Václavie, wstąp w progi świątyni". A ty wstępuj, Ondriczku.

— Wstępuję, mój panie.

— Stój. Cofnij się. O tym z orlicą zapomnieliśmy. — Václav usiadł na brzegu stołu i podrapał się w złote loki. — Ja tego nie rozumiem. Dlaczego mam zostawić płomienistą orlicę?

— By przyjąć na płaszcz białego orła, znak nowego Królestwa.

— Ale ja mam teraz dwa królestwa. Z jednej strony będzie orlica... Zawołaj ją, Ondriczku. Wszystko jej powiem. Albo nie, później jej powiem. Teraz cię ukoronuję.

JAKUB II leżał w mroku gnieźnieńskiej katedry krzyżem. Modlił się. Prosił Boga o znak, co ma uczynić. Gotów był oddać życie, gdyby ten nędzny dar miał odwrócić od Królestwa wyrok. Czym innym bowiem było powziąć decyzję, że koronuje Václava, a czym innym tego aktu dokonać. I to on, Jakub, musiał wypić ten kielich, wziąć na barki krzyż, nazwać ciemność światłem i oddzielić profanum od sacrum.

Królewskie insygnia czekały gotowe. Korona Bolesława Śmiałego. Berło. Olśniewający płaszcz. Nie było miecza Przemysła, bo ten, z wiadomych przyczyn, już nie wchodził w grę jako koronacyjny. Choć swych niezwykłych właściwości nie stracił, tego Jakub mógł być pewien od chwili, gdy Zarembowie padli na kolana, nawet nie wiedząc, iż klękają przed skrytym za gobelinem orężem Przemysła. Jednak Jakub nie chciał go użyć, to było żelazo, które odebrało życie, a on, choć nie chciał koronować Václava, nie mógł w obliczu Boga dokonać świętokradczej ceremonii. Zatem królewska korona, berło i płaszcz.

— A ty, Jakubie, ponieś to, co niewidzialne — odezwał się wreszcie Głos.

— Tak, Panie. Będę niósł w sobie Królestwo! — zaszlochał w kamienną posadzkę Jakub.

— To też, synu, to też. Żądam jednak, byś wziął na siebie więcej!

— Wszystko, czego zechcesz, Panie! Weź i moje życie, zabierz je, niechże się przysłużę...

— Twoje życie służy mi na ziemi, Jakubie. Inaczej po co bym cię wynosił na arcybiskupi stolec?

Jakub jęknął. Pan mówił do niego po raz drugi od śmierci króla i od razu tak dużo, a on, podły bękart, nie rozumiał, nie potrafił odgadnąć słów. Z bezsilności uderzył czołem w posadzkę, aż zadudniło, a po głowie rozszedł się świdrujący ból.

— Doskonale! — pochwalił Głos.

Jakubowi do oczu rzuciły się łzy, bo Pan chwalił, a on nadal tkwił w pustej klatce umysłu. Otarł je szybko, dotknął mokrą dłonią czoła, przejechał po nim, łagodząc pulsujący pod czaszką ból.

— O to mi chodziło, Jakubie II. Właśnie o to. Sakramentalna korona jest niewidzialna. I ty masz ją przyjąć na swoją skroń.

Świnka zerwał się z posadzki na kolana. Pojął, że Bóg nakazuje mu przyjęcie najgłębszego sacrum koronacyjnej ceremonii. Oddychał szybko, bo sam nie śmiałby wpaść na ten pomysł. Nie odważyłby się. W głębi swego jestestwa nadal pozostawał piastowskim bękartem, potomkiem wyrodzonego z dynastii Bezpryma, króla, którego imię wymazano na wieki, i kobiety Starej Krwi. Sekret jego pochodzenia znał tylko Pan, Matka Boża, Duch Święty i nieżyjący król, nikt więcej. Ale tak, prawda! Biorąc na skroń niewidzialną koronę, przeniesie ją jako dziedzic Piastów do czasów kolejnego, prawego króla.

— Panie, nie jestem Ciebie godzien, ale powiedz tylko słowo, a będzie uzdrowiona dusza moja — wyszeptał, czyniąc znak krzyża.

— Tak — odpowiedział Głos. — Jesteś gotów dokonać istoty swego przeznaczenia.

VÁCLAV II kroczył ku gnieźnieńskiej katedrze prowadzony przez wojewodę gnieźnieńskiego, Mikołaja Łodzię, który niósł na purpurowej poduszce koronę. Tę koronę, co za chwilę ozdobi jego skronie. Szkoda, że nie można nosić na raz dwóch! Jednak Václav obiecał sobie zamówić taką u praskiego złotnika, podwójną. No co, Muskata może na mitrze złocić sobie kolejne korony, a on nie? Wolno mu. Muskatę też puścił wolno do Krakowa. Ulubiony biskup za bardzo mu truł, straszył Świnką, bo sam się go bał. Jakub mu grozi procesem kanonicznym, więc Jan Muskata chętnie skorzystał z przyzwolenia na ucieczkę do własnej diecezji. Beniamin Zaremba, wojewoda poznański, niesie koronacyjny miecz. Ten sam, którym koronowano go w Pradze. Andrzej Zaremba, jeszcze dzisiaj kanclerz, niesie złożony królewski płaszcz. Václav siedział w Poznaniu tak długo, że już miał gotowy plan, jak urządzić nowe Królestwo. Koniec z samowładnymi kanclerzami! Przybędą z Czech starostowie. Dobrzy, zaufani zarządcy. W dodatku nie dożywotni, jak ci baronowie z półwem za murem, tylko urzędnicy, co nie znają dnia i godziny. Rotacja bardzo służy królewskiej kadrze. Dzisiaj tu, jutro tam. Oczywiście Muskata wytargował od niego starostwo krakowskie, Václav miał słabość do biskupa, a ten zmysł do handlu. Dał mu je jakby na kredyt, skoro ma być po kupiecku. Obiecał na przyszłość.

Po obu stronach drogi witał go lud. Lud był nieco milczący, nie wznosił okrzyków, ale jeszcze czas na: „Niech żyje król!". Wszystko w swoim czasie, Václav ćwiczył koronację z Ondriczkiem tyle razy, że sam mógłby wystąpić w roli koronatora, wojewodów, biskupów, ludu i króla, rzecz jasna. Stanęli przed zamkniętymi wrotami gnieźnieńskiej katedry. Po obu stronach czekali kasztelanowie.

Przyszliśmy ukoronować wybranego króla — powtórzył Václav w myśli kwestię kasztelanów, lecz zamiast tego jeden z nich krzyknął:

— Wojsko! Obce wojsko!

W jednej chwili do Václava przypadła jego osobista, czeska, straż i otoczyła króla żelaznym kordonem napierśników. Václav usiłował zobaczyć, co się stało. Rzeczywiście, w stronę katedry podążał oddział zbrojnych, ale nie obcych, pod znakami czeskich rodów. W dodatku z jego przyrodnim bratem Mikołajem, na czele.

— Królu! — Bękart klęknął przed nim na jedno kolano, gdy straż rozstąpiła się wreszcie. — Wiodłem kwiat młodzieży, którą miałeś po swej koronacji pasować, ale pod Gnieznem dotarła do nas wiadomość, że Henryk głogowski idzie na katedrę z wojskiem, więc nakazałem przyszłym rycerzom wykazać się przed pasowaniem albo i zginąć w obronie swego króla.

— Mikołaju, Mikołaju! Gdybym nie wiedział, jak mi jesteś wierny, pomyślałbym, że zagrożenie mojej osoby to jakieś twoje ukryte marzenie. Plotki o Głogowczyku idącym na Gniezno chodzą, odkąd ustalono termin mojej koronacji! Wstań i wiedź ten kwiat młodzieży. Tylko nie pomyl kolejności! Wy za mną.

Przez chwilę Václav był zły, bo pomyślał, że tak jak Guta popsu-
ła mu koronację w Pradze, tak Mikołaj chce mu zakłócić uroczystość
w Gnieźnie. Ale szybko mu przeszło, bo kasztelanowie krzyknęli, jak
było przewidziane:

— Przyszliśmy ukoronować wybranego króla! — I otworzyli spi-
żowe drzwi gnieźnieńskie.

Stał w nich niewysoki człowiek, cały w bieli, bez kapki złota.
Ornat, dalmatynka, kapa, płaszcz, nawet buty i arcybiskupia mi-
tra były lśniąco białe. I jedyną złotą rzeczą był pastorał, w którego
krzywaśni lśniły korale, niczym krople świeżej krwi. Václav struchlał
i wiedział już, dlaczego Muskata tak się bał tutejszego arcybiskupa.
Ten człowiek stojący we wrotach katedry patrzył na Václava oczami, które nicowały mu duszę, wydobywając z niej nie to, co dobre,
ale to, co małe, podłe i płoche. Oczami, które spowiadały go bez
rozgrzeszenia. I nagle Václav poczuł się źle, jakby znów był tamtym małym chłopcem, który w tajemnicy przed zimną, branden-
burską piastunką wyjmował z żywych kur oczy tylko dlatego, że się
ich bał.

— Václavie Przemyślido! — powiedział arcybiskup głosem, od
którego mały chłopiec w Václavie się skulił. — Jeśli jesteś godzien
wziąć na swe skronie koronę naszego Królestwa, przekrocz próg tej
świątyni.

Jestem godzien, jestem godzien — powtarzał w myśli Václav
i przeszedł próg.

Wojewodowie już złożyli insygnia na ołtarzu i zaczęła się msza.
Václav mógł usiąść, ale wciąż prześladował go wzrok Jakuba Świnki celebrującego ofiarę. Dopiero przy kazaniu odetchnął, bo na jego
prośbę wygłosił je jego kaznodzieja, Jan Brixen. Po łacinie.

Václav niemal się zasłuchał, odprężył, aż do chwili, gdy ze strony
steli arcybiskupiej usłyszał cichy, lecz wyraźny szept:

— Ten pies jest Niemcem.

Zacisnął usta. Och, ma on jeszcze dla nich niespodziankę. Pokaże Śwince za tego Niemca! Zdążył zebrać w sobie siły przed kolejną
częścią. Powtarzał ją z Ondriczkiem dokładnie. Będą rytualne pytania. I były! Nareszcie coś idzie zgodnie z oczekiwaniem.

— Jaki jest cel twej władzy? — spytał arcybiskup.

— Zachować jedność Królestwa — odpowiedział. — Dokończyć dzieła zjednoczenia, które zaczął mój poprzednik, Przemysł II.

Zespolić w jeden wielki dom dwa bratnie narody, polski i czeski! — Zrobił przerwę i głośniej powiedział: — Czyż nie mówimy niemal tym samym językiem? Czyż nie łączy nas wspólna historia? Czyż... — tego wszystkiego nie ustalił z Janisławem; to właśnie była niespodzianka dla nowych poddanych — ...czyż mój umiłowany ojciec Přemysl Ottokar II nie nosił tego samego imienia, co wasz poprzedni król? Polacy, to znak, że jesteśmy gałęziami tego samego drzewa, ścianami jednego domu! Ojciec mój Přemysl Ottokar II, u szczytu swej potęgi mógł zostać królem Rzeszy. Ale elektorzy podczas wyboru króla zarzucili mu, że jest Słowianinem, jakby to był grzech. Teraz, gdy dwa słowiańskie narody połączy moja osoba, króla i władcy, czyż nie staniemy się silniejsi od nich? Czyż nie będziemy siłą nie do pokonania? Bądźcie mi wierni. Poślubię córkę zmarłego króla, spłodzę z nią syna i to będzie widomy znak naszego przymierza. Amen!

Z radością chłonął ciszę, jaka zapanowała po jego słowach. Rozkoszował się tym, jak zaskoczył Polaków.

— Przysięgasz tego, coś powiedział, dochować? — Głos Jakuba II był nadal surowy, jakby arcybiskup nie uległ porywającemu przemówieniu Václava.

— Przysięgam!

— Więc klęknij i przyjmij błogosławieństwo.

Uklęknął, trudno. Nie będzie się opierał, gdy wszyscy patrzą. Zresztą, to już ta chwila. Chór śpiewa *Litanię do Wszystkich Świętych*, a służba liturgiczna rozwiązuje mu szatę pod szyją. Będą go maścić. Václav z szat obnażony — pomyślał o sobie, gdy Jakub II zanurzył palce w złotej czarze ze świętym olejem. Po raz pierwszy, odkąd wszedł do katedry, został przez arcybiskupa dotknięty. Wstrząsnął się, bo choć ćwiczyli to z Ondriczkiem, to jednak pokojowiec miał ciepłe palce i robili na sucho, bez oleju. Jakub pomazał jego nagą pierś, plecy, prawe ramię i obie dłonie. Służba ubierała go z powrotem, a arcybiskup uniósł ramię, i odwracając się w stronę ołtarza, zawołał:

— Oto prawdziwa korona! Niewidzialna dla oczu. Jedyna, której nikt nigdy nie może strącić. Znak Woli Bożej...

JAKUB II twarzą w twarz z Bogiem dokonał aktu woli, który mu Pan powierzył, i zwrócony do ołtarza, palcami umoczonymi w świętym oleju dotknął swego czoła i je pomazał. A następnie klęknął, pochylił głowę i szepnął:

— Bo Twoje jest Królestwo, potęga i chwała na wieki!

I trwał w modlitwie, by zadanie, które mu dano, potrafił wypełnić w pokorze. By Bóg przyjął jego posługę. By Królestwo okazało się czymś więcej niż król.

VÁCLAV II wstał z kolan i wyprostował się, gdy biskupi nakładali mu na głowę koronę. Jęknął. Słodki ciężar świętego złota przejął go wzruszeniem. *Te Deum laudamus* wyrwało się z gardeł i piersi chórzystów, a na ramiona nałożono mu królewski płaszcz. Wraz z nim na jego plecach załopotał skrzydłami orzeł i wszyscy w katedrze wstrzymali oddech. Václav też. Bo oto na piersi płomienista orlica Przemyślidów, a na plecach biały orzeł Piastów. Co zrobią dynastyczne ptaki? Czy połączą się? Václav marzył o tym, by orlica i orzeł wzbiły się pod sklepienie katedry, wczepiły w siebie pazurami w godowym tańcu i połączyły się w jedno na oczach wszystkich. To byłby znak. Ale płomienista orlica była kapryśna i krnąbrna. Wysunęła łeb i przez ramię syknęła na orła jak na intruza w gnieździe. On odpowiedział jej uderzeniem skrzydeł, wbił Václavowi szpony w plecy i znad jego ramienia pokazał zakrzywiony, otwarty dziób. Orlica jednym skokiem z piersi Václava znalazła się na jego prawym ramieniu. Orzeł wszedł na lewe. Oba ptaki uniosły dumnie łby i Václav mógł odetchnąć. Godów nie było, ale przynajmniej nie doszło do podniebnej wojny. Wojewoda podał mu berło i mógł odwrócić się twarzą do poddanych, by wysłuchać tego, na co czekał tak długo.

— Niech żyje król!

Spojrzał po ławach. Trzech kujawskich braci, książęta Leszek, Przemysł i ten mały, Kazimierz. Przy nich brat Władysława, książę Siemomysł z Dobrzynia. Wszyscy krewniacy Małego Księcia mają na piersiach półorły, półwy. I dobrze. Gdy za chwilę będą składali mu hołd, będzie mógł sobie wyobrażać, że ten mały to Władysław. Ciekawe, gdzie on teraz jest? Czy Jakub de Guntersberg już go odnalazł? Czy wykonał polecenie, które brzmiało: „Odeślij go w niebyt"? I jeszcze ciekawsze, jak mistrz sekretnych zadań opowie o tym niebycie?

— Niech żyje król! — skandował lud, kiedy wyszedł w ceremonialnym orszaku przed katedrę.

— Niech żyje król! — krzyczeli poddani i klękali nabożnie na jedno kolano na długo przed tym, zanim do nich doszedł. Byli jak łan zboża podcięty kosą.

Och. Dopiero teraz zorientował się, że na czele wiodącego go orszaku idzie arcybiskup Jakub Świnka. Lud sprawiał wrażenie klękającego przed nim, a nie przed Václavem. Skinął więc na swych czeskich przybocznych i ci wydobyli ukryte wcześniej misy z jałmużną. Zaczerpnął pełną garścią i sypnął w tłum. Tłuszcza rzuciła się na kolana, szukając monet i drąc wniebogłosy:

— Niech żyje król!

GRYFINA, księżna wdowa krakowska, z domu pani halicka, dziś przeorysza sądeckich klarysek była w piekle. Tak, tak. W czarnobiałym bezkształtnym habicie, który krył jej kibić; w welonie, który szczelnie okrywał jej piękne, złote włosy, wyglądała jak mniszka i nią musiała być. A przecież wdowieństwo nie powinno być aż tak koszmarne! Gdyby miała dzieci, mieszkałaby z nimi, pełniła honory, nawet obowiązki, ale nie! Z wiadomych powodów dzieci nie było. A honory? Cóż to, u licha, za honor dla krakowskiej księżnej być przeoryszą choćby i najbogatszego klasztoru? Co innego wrocławskie klaryski, Piastówny. Te żyły w wielkim mieście i jeśli chciały, a Gryfina nie przypuszcza, że mogłyby nie chcieć, przy odrobinie wysiłku potrafiły zapewne z tego skorzystać. A ona? Odziedziczyła klasztor będący zwyczajową oprawą krakowskich księżnych i stanowisko przeoryszy po świątobliwej Kindze z Arpadów. I odziedziczyła wszystkie te zasuszone mniszki, wraz z ich obyczajami, wśród których modły za duszę głównego obrońcy klasztoru i świętych dziewic Klary należały do najsurowiej przestrzeganych.

Zatem co dzień o świcie, jako przeorysza, musiała wieść orszak śpiewających psalmy mniszek do grobu kochanka swego męża i składać na nim świeże kwiaty. A zimą wieńce z jałowca! Czyż nie tak wygląda piekło?

Od czasu wielkiego najazdu Dzikich, gdy Bratomir, chorąży i kochanek jej męża, własną piersią osłonił mniszki przed Mongołami czy inną skośnooką dziczą; gdy poległ w obronie ich niewątpliwego dziewictwa, tutejsze klaryski czczą go niczym archanioła. To podłe! Tyle razy próbowała im wytłumaczyć, co z jej mężem, księciem krakowskim Leszkiem, robił ich bohater, ale one słuchać nawet tego nie chciały!

— Szlachetny Bratomirze, modlimy się za spokój twej duszy i wierzymy głęboko, iż w podzięce za twe wobec nas zasługi jesteś dzisiaj pierwszym chorążym niebiańskich wojsk — recytowały co rano równym i melodyjnym szeptem, składając te przeklęte kwiaty.

A Gryfina w myślach pomstowała. Albo dla odmiany wyobrażała sobie, co Bratomir, jako niebiański chorąży, robi aniołom.

Szczerze mówiąc, czuła się głęboko skrzywdzona przez los. Ani odrobinę nie ustępowała urodą swej siostrze Kunegundis. Obie miały ciemnozłote loki i oczy o barwie morskiego błękitu. Obie miały dłonie jak lilie i stopy gładziutkie niczym polerowany kamień. Ale to Kunegundis wyszła za króla Czech Přemysla Ottokara i urodziła mu syna Václava! Přemysl wielbił ją za to tak bardzo, że patrzył przez palce na romans żony z czeskim baronem. Liczył się dla niego tylko ten syn, podobny do króla jak dwie krople wody, a w każdym razie wystarczająco, by nie obciążać Kunegundis pretensjami. Nie dość, że żyła w praskim przepychu, to jeszcze rychło owdowiała i mogła korzystać ze swego kochanka, ile dusza zapragnie. Nawet wzięli ślub! A ona? Gryfinę wydano za księcia kujawskiego Leszka Czarnego, dziedzica Krakowa. I owszem, krakowski tron odziedziczył, ale łoża z nią nie dzielił ani jednej nocy. Z początku myślała, że mąż złożył jakieś cholerne śluby czystości, jak Bolesław i Kinga przed nimi. Starała się. Jedwabne nogawiczki, koszule cieńsze, niż mgła, włosy pachnące różami. Podziwiała jego szerokie plecy, warkocze mięśni oplatające ramiona, aż do dnia, w którym zobaczyła go w zbrojowni w miłosnym uścisku z Bratomirem. Ach!... I nie pomogło, że zrobiła z tego skandal! Wielkie widowisko, w którym ośmieszyła go, na oczach rycerstwa zdejmując małżeński czepiec i zakładając sobie na głowę dziewiczy wianek. Leszek wolał znosić szydercze miano impotenta, niż dzielić z nią łoże. W dodatku wredna świątobliwa Kinga mawiała jej często: „Gryfinko, Leszka miecz staje. Tylko nie w twojej pochwie!". Wtedy już nie szalała z rozpaczy, pozbyła się złudzeń na zimno, szukając pocieszenia w ramionach rycerzy męża.

Po śmierci Leszka, uwolniona od małżeństwa, które nie dało jej ani rozkoszy, ani dzieci, ani większych szans na błyszczenie na dwo-

rze, w akcie desperacji zapisała Kraków siostrzeńcowi, synowi Kunegundis, Václavowi II. Ten wycałował ją za to po rękach, obsypał pre-
zentami i... dał stanowisko przeoryszy! Co za tupet! Gniła tu dwunasty
rok, tracąc urodę i szanse na godne życie.

— Matko przełożona. Gość do ciebie — zaanonsowała siostra
furtianka i dodała szeptem: — Mężczyzna.

— Kto? — ocknęła się z zadumy Gryfina.

— Chorąży króla Václava, pan Henryk z Lipy.

— Znałam jego ojca — jęknęła Gryfina, bo był wtedy młodszy
od niej. — Proś.

Do celi wszedł dwudziestoparoletni, piekielnie przystojny, ciemnowłosy mężczyzna, bez wątpienia pan z Lipy, bo na potężnej piersi
miał dwa skrzyżowane pnie. Wniósł ze sobą powiew świata, życia,
mocny zarys szczęki i cień ciemnego zarostu na niej.

— Słucham cię, panie — powitała go Gryfina, prostując plecy.

— Księżno ksieni. Przysyła mnie król Václav II.

Nawet gdyby przysyłał cię sam Szatan, zapraszam — pomyślała, ob-
rzucając spojrzeniem jego sylwetkę i wyobrażając sobie dotyk jego skóry.

— Zechcesz spocząć? W ubogiej celi klaryski nie ma na czym
siedzieć. Proszę, zajmij obok mnie miejsce na ławie.

— Nie śmiałbym, postoję.

Gryfina w myślach uszczypnęła go w jędrny pośladek i polizała
w ucho.

— Mów, proszę. Płonę z ciekawości, co też ma mi do przekazania siostrzeniec — powiedziała, przekrzywiając głowę i ugryzła się
w język. Nie ma co przypominać, że król mógłby być jej synem.

— Pani, król Václav po długiej żałobie postanowił ponownie zawrzeć małżeński związek...

Znudziło mu się używanie dziwek i kurtyzan? — pomyślała za-
zdrośnie Gryfina i w myślach pogładziła Henryka z Lipy po brzuchu.

— ...jego wybranką jest córka nieżyjącego króla Przemysła II,
najjaśniejsza panna Rikissa.

To ta Szwedka? Ach, psiakrew, jej córka! Ależ zapleśniałam
w tych murach — przeklęła w duszy Gryfina. A głośno spytała:

— Ile lat ma wybranka?

— W tym rzecz, że dopiero dwanaście. Król postanowił umieścić ją na złotym dworze w Pradze, by przygotować narzeczoną do
małżeństwa.

Gryfina w wyobraźni przygotowywała sobie Henryka, zsuwając dłoń z jego brzucha niżej. Niechcący oblizała usta. Pan z Lipy chyba to dostrzegł i nie został obojętnym, bo wytrącony z równowagi nie wiedział, co mówić dalej. Pomogła mu zmysłowym szeptem:

— Słucham, jaka w tym moja sprawa?

— Taka, księżno, iż Václav prosi, byś porzuciła klasztor i wróciła do Pragi, by zająć się edukacją królewny.

Gryfina niemal podskoczyła, czując gorące uderzenie w dole brzucha.

— Jestem gotowa!

Henryk z Lipy zamrugał. Opanowała się szybko i dodała spokojnie:

— Kiedy mam wyruszyć do Pragi?

— Choćby dzisiaj, o ile obowiązki ksieni ci pozwolą...

— Pozwolą! — weszła mu w słowo i wyobraziła sobie, jak ona i pan z Lipy jadą do Pragi, przez góry, tylko we dwoje. Jak zastaje ich burza i zmusza, by schronili się w jakiejś jaskini. Jak zdejmują z siebie w pośpiechu przemoczoną odzież...

— Król powiedział, iż nie chce łamać twoich zakonnych ślubów, więc jeżeli zechcesz, jako wychowawczyni Rikissy, możesz w Pradze zamieszkać u klarysek, w klasztorze świętej Agnieszki...

— Nigdy w życiu! — wyrwało jej się, bo już poczuła wolność. Poprawiła się szybko: — Mój król zlecił mi odpowiedzialne zadanie i ja wypełnię je, choćby i dusza miała cierpieć. Przecież Václav pragnie, bym wychowała mu małżonkę, nie mniszkę, czyż nie tak? Jestem gotowa zdjąć habit w imię dobra dynastii. Zamieszkam na praskim zamku, z królewną i zajmę się wszystkim tak, że Václav będzie z mej pracy zadowolony. Przygotuj podróż, Henryku. — „R" w jej ustach brzmiało tak dźwięcznie.

Ciemnowłosy ukłonił się, aż herbowe pnie lipy potarły jeden o drugi, ze zmysłowym, chropawym odgłosem.

Oj, poleci dziś kora! — pomyślała Gryfina.

— Mam dla ciebie kolebkę, pani — powiedział.

— A konia nie masz?

— Nie sądziłem, byś życzyła sobie...

— Owszem. Z rozkoszą pojadę konno. Będę gotowa za chwilę.

Gdy Henryk z Lipy wyszedł, Gryfina padła na kolana przed wizerunkiem świętej Klary i zrzucając welon, po raz pierwszy modliła się żarliwie i szczerze.

JAKUB DE GUNTERSBERG sączył zimne słowackie piwo w granicznej gospodzie. Był kupcem czekającym na dostawcę.

— Czym handlujesz, panie? — zagadnął karczmarz. — U nas bieda...

— Bogactwo moje nie jest z tego świata — pogodnie odpowiedział Jakub.

Bycie miłym, w dodatku gadatliwym, kosztowało go dużo. Trudno, doliczy to Václavowi do rachunku.

— Gadasz jak ksiądz — nieufnie przyjrzał mu się karczmarz.

— Bo z nimi wciąż przebywam, bracie! Wożę relikwie.

— O Jezusie! Prawdziwe?

— Ci, co mi je dostarczają, mówią, że najprawdziwsze. A ci, którym je sprzedaję, wierzą w to.

Karczmarz dosiadł się.

— Do Trenczyna pojedziesz? Do wielkiego Matúš Čáka? To bogaty pan... A zamek jego na skale widziałeś?

— Kto by nie widział, człowieku! — Każde słowo, które musiał wypowiadać, międlił w ustach, bo sprawiało mu ból. — Ale to za wysokie progi na moje nogi, ha, ha, ha!

— U nas wojna. Król Andrzej choruje, wielcy panowie rozrywają między siebie Węgry, a człowiek biedaczyna cierpi. Raz mówią, że jak pomrze, to będzie taki król, raz inny. Wielki to żal dla króla, syna nie mieć. A może masz jakąsik relikwię, coby naszego króla uzdrowiła?

— A co ty się tak przejmujesz królem, karczmarzu? Co to, król da ci jeść?

— Niby nie, ale w sumie tak. Jak jest król, to jest pokój, jak króla nie ma, to źle. Obce wojska ciągną, palą, niszczą, córki nam psują...

Gówno wie, gówno powie — skwitował w myślach Jakub de Guntersberg.

Gdyby nie to, że nie miał pojęcia, jak długo przyjdzie mu czatować przy granicy na orszak Władysława, dawno dałby w pysk karczmarzowi i poszedł stąd. Ale niestety. Przespał jego wyjazd do Rzymu, a gdy tam dotarł, zostały mu wspomnienia ludzi, którzy widzieli na własne oczy Małego Księcia. Niektórzy tylko na jedno. Twardy był ten stary mnich. Nawet przypiekany nie chciał powiedzieć, dokąd udał się Władysław. Na szczęście, w chwili śmierci zawołał:

— *Atyám, bocsáss meg nekik, nem tudják, mit cselekszenek!*

I cokolwiek to miało znaczyć, brzmiało po węgiersku. A jedyna bezpieczna dla Władysława droga z Rzymu na Węgry wiodła tędy, przez Trenczyn. Guntersberg zajechał na śmierć trzy konie, by być pewnym, że stanie tutaj przed księciem. Właśnie dlatego przespał ten Rzym, że od początku stawiał, iż Karzeł pojedzie do swych madziarskich druhów. Czekał na niego nieopodal klasztoru klarysek w Sączu. Patrolował oba szlaki, główny i górski, z którego na co dzień korzystają tylko przemytnicy. Nasłuchał się psalmów za całe życie, bo tamtejsze mniszki co rano wychodziły z procesją do grobu jakiegoś świętego.

Co tak zatrzymuje Małego Księcia w drodze? Czy znów zmienił plany? To zlecenie sprawiało Jakubowi de Guntersbergowi same kłopoty. Wolałby jakąś przewidywalną ofiarę. Księcia, który zachowuje się jak książę. Władysław zaś zdawał się człowiekiem, którego kolejne kroki nie podlegają jakimkolwiek wzorcom zachowań. W każdym razie nie takim, jakie znał Jakub.

Złowił odgłos końskich kopyt. Pięć, dziesięć, dwadzieścia i więcej. Nasunął postrzępioną czapkę mocniej na oczy. To mogą być oni.

Do gospody wszedł młody chłopak w kolczudze pod kaftanem, bez znaków. Spytał po słowacku:

— Czy gospoda wolna?

— A kto pyta, panie? — niepewnie odezwał się karczmarz.

— Przyjaciel pana z Trenczyna.

— Wolna, wolna, panie! Prosimy!

— Żadnych gości nie masz? — nieufnie rozejrzał się po wnętrzu chłopak.

Jakub siedział w głębi, przy piecu.

— Nie, nie mam. Ino jeden kupiec w drodze, o tam jest, ale słabo mówi po naszemu.

Przybysz zajrzał i zmierzył Jakuba wzrokiem. Ten uśmiechnął się do niego swojsko, od czego zawsze bolały go szczęki.

— Dobra, może być. Wieczerzę szykuj! Zostaniemy na noc.

— A ilu was? — zaniepokoił się karczmarz. — Nie jestem gotowy...

Chłopak roześmiał się:

— To dawaj piwo i leć łapać kury! Ale już! — Wrócił do drzwi i krzyknął do towarzyszy po polsku: — Wieczerza jeszcze biega po podwórzu, ale piwo zimne jest!

Jakub de Guntersberg odetchnął. Nareszcie są! Pociągnął łyk piwa i o mało się nim nie zakrztusił. Do karczmy jako pierwszy wszedł zielonooki Grunhagen. Jego konkurent. A zaraz za nim rycerz nie-wiele wyższy od niego i choć był w zniszczonym, skórzanym kaftanie, w znoszonych wysokich butach i uwalanym błotem płaszczu, Jakub wiedział, że to musi być książę. A niech to szlag. Niby jeden karzeł i drugi karzeł, nawet Grunhagen nieco lepiej ubrany, ale coś takiego było w jego twarzy, co nie pozostawiało wątpliwości. Twardy, kwa-dratowy podbródek przecięty nieustępliwą linią. Mocny zarys lekko wystających kości policzkowych. Prosty nos o szlachetnych skrzydeł-kach. Brwi nakreślone lekko wygiętą linią. Pod nimi szare oczy wska-zujące człowieka, który nigdy nie traci wiary. Nawet brudne włosy układały się po obu stronach tej twarzy w równo falujących strąkach, tak samo, jak układają się pod ręką kamieniarza na posągach królów. De Guntersberg otrząsnął się. To był tylko książę, nie król. Króla za-bił pięć lat temu. I na Władysława też ma wyrok. Najwyraźniej jednak nie on jeden, bo cóż Grunhagen robi tu innego?

Książę zajął największy stół, jego towarzysze obsiedli go wokół. Rozbrzmiał śmiech, zanim karczmarz podał dzbany z piwem. Ciekaw był, kiedy zauważy go Grunhagen.

Już. Zielonooki wstał i szedł do pieca. Jakub miał w rękawie nóż. Co zrobi konkurent? Wystawi go ludziom Władysława jako zabójcę Przemysła czy jako...

— Tutejszy? — spytał Grunhagen uprzejmie.

— Nie, panie rycerzu. Przybysz, jako i ty.

Zielone oczy zalśniły.

— Kupiec, jak mniemam?

— Owszem, panie, kupiec. — Jakub pomyślał, że karzeł będzie ciągnął tę rozmowę, aż on dziewięć razy grzecznie powie do nie-go „panie". Rewanż za dawne spotkanie w Wiedniu. Tyle że wtedy Grunhagen udawał chłopa, a szlachetnym rycerzem był Jakub. Trud-no, taka praca.

— A czym handlujesz, człowieku? Może i my coś od ciebie ku-pimy?

— Święte relikwie wożę, panie.

Grunhagen roześmiał się gardłowo.

— Nie, dziękuję! My już po odpuście. *Annus gratiae!* Ha, ha, ha!... Spóźniłeś się ze swym, powiedzmy, towarem.

— Nie dziś, to jutro, panie.

— Dziś ja jestem w łaskach, kupcze.

— Widzę, panie. Grzejesz się w książęcym blasku.

— Grunhagen! Wracaj! — krzyknęli rycerze księcia.

— Zaraz, jeszcze cztery zdania sobie z kupcem zamienię. — Odwrócił się do nich na chwilę.

To wystarczyło, by Jakub czubkiem noża wyrył w stole dwie skrzyżowane linie i szybko schował rękę. Gdy Grunhagen znów spojrzał w jego stronę, siedział jak przedtem.

— Co jeszcze chcesz wiedzieć, panie? — spytał.

Grunhagen przekreślił palcem jedną z linii.

— Nic, kupcze. Nasze drogi nie krzyżują się — oświadczył zdecydowanie. — Być może biegną w tym samym kierunku, lecz nie potrzeba nam handlarza relikwiami. Mój książę nie jest zabobonny.

— Rozumiem, panie. Nie wiedziałem, że służysz księciu.

Grunhagen machnął ręką i ruszył w stronę stołu Władysława. Guntersberg powiedział do jego pleców:

— Więc do zobaczenia na szlaku! Świat jest szeroki, a wyroki boskie niezbadane.

Grunhagen odwrócił się, Jakub de Guntersberg pokazał mu dwa palce. Głośno westchnął.

— Ach, ci rycerze! Obiecają biedakowi cztery zdania, a zamienią o dwa mniej!

Konkurent udawał, iż nie zwraca na niego uwagi. Pił i gadał z księciem. Jakub gorączkowo myślał, jak z tego wybrnąć. Czy zielonooki dawał mu do zrozumienia, że nie zamierza zabić księcia? Bzdura. Zwodzi go. Obaj są w pracy, tyle tylko, że Grunhagen usadził się przy księciu jak giermek. Wobec tego, dlaczego jeszcze go nie zabił? Czeka na okazję do porwania? Być może. Jeśli tak, to ośmieszy Jakuba, który miał porwać króla, a musiał go zabić. A może trzeba najpierw usunąć Grunhagena? Skrzywił się. Gdy dwaj sekretni ludzie wejdą na swój łowiecki rewir, pojedynek może być nieunikniony. Tyle tylko, iż to zawsze jest pojedynek kosztowny. Pochłania czas, odciągając uwagę od zadania, a on i tak poświęcił go tej sprawie zbyt dużo.

Trzydziestu zbrojnych ludzi księcia to nie był problem. Problemem był drugi zabójca. Zielonooki karzeł, który zajmuje bliższe miejsce przy ofierze i tym samym chroni ją. Na dziedzińcu znów zadudniły kopyta. Rycerze księcia wyszli na zewnątrz i po chwili wrócili z ciemnowłosym rycerzem, ubranym w zielono-czarne barwy tutejszego pana Matúš Čáka.

— Juhász Hunor! — powitał go Władysław.

— Làszló herceg... — Przyklęknął przed nim na jedno kolano przybysz. — Matúš czeka na ciebie w zamku, a ty pijesz nędzne piwo w gospodzie? Matúš da nam popalić, jak się dowie, żeśmy cię z granicy nie podjęli.

— Właśnie mnie podejmujesz. — Zrobił mu obok siebie miejsce książę. — Ligaszcz, piwo dla Hunora! Co w kraju? Ponoć król bardzo chory.

— Nie bardzo — zaprzeczył Węgier, rozglądając się po gospodzie. — Ale tak się mówi.

— Żeby zachęcić konkurentów do tronu? — surowo spytał książę.

Jakub de Guntersberg wbił wzrok w Grunhagena. Nos mu podpowiadał, że coś jest nie tak.

— Mamy dwóch oficjalnych: synalka czeskiego króla, Václava, i Andegawena, Karola Roberta, który jest ledwie rok starszy od tamtego. Dwóch chłopców będzie walczyło o święty tron Arpadów! — Węgier splunął.

— Wasz król jeszcze żyje — wtrącił się Grunhagen, unosząc kufel jak w toaście.

I od tej chwili Jakub zaczął się zastanawiać, czy aby zielonooki karzeł nie mówił prawdy. Może jest tutaj w zupełnie innym celu, niż on? Czy na pewno nadal służy żelaznym braciom, czy zmienił mocodawcę? Guntersberg poczuł zimny pot na plecach. Przecież to jego mocodawcy, Václavowi, zależało na śmierci węgierskiego króla. Czyżby Václav wynajął ich obu? Dwóch sekretnych ludzi, dwa zadania i dwie korony — węgierska i polska. I tylko jedno jest pewne: sprawy skomplikowały się.

MUSKATA, biskup krakowski, kupił Gerussie dom i obsadził go zaufaną służbą. Wyznaczył zarządcę swych dóbr, pozałatwiał wszystkie sprawy, jedną część powierzając wójtowi krakowskiemu Albertowi, drugą swemu szwagrowi, wójtowi wielickiemu Gerlachowi de Culpen, a trzecią ojcu Gerussy, w końcu to prawie jak teść. Był gotów do wyjazdu na Węgry po trzecią koronę na biskupiej tiarze.

— Królu! — przywitał Václava biskupim uściskiem, choć powinien zawołać: „Do diabła, co tak późno?!".

— Zima w Krakowie jest piękna. — Václav wychylił się przez okno wawelskiego zamku. — Spójrz, Muskato, zamarznięta Wisła i śnieg...

— Tak, mój panie, ja w tej sprawie...

— Też lubisz śnieg, biskupie? — ucieszył się Václav.

— Tak, lubię, gdy muszę udać się w podróż i zdążyć przed roztopami.

— Ja do Pragi ruszę chyba po roztopach. Jakoś nie spieszy mi się. Jako król Polski dobrze się tu czuję.

Przez serce Muskaty przebiegł skurcz. Zostawić ponętną Gerussę w Krakowie sam na sam z Václavem? Źle. Ale ze sobą jej nie zabierze, bo jako kogo? Osobistą co? Chyba żeby dała się w habit oblec...

— Václavie — zaczął stanowczo. — Król Węgier, Andrzej, umiera. Czekaliśmy na tę chwilę tak długo, twój syn, narzeczony jego córki, jest gotów. Powinniśmy obaj ruszyć szybko do Pragi, by być gotowymi na rozwój zdarzeń. Andegawenowie nie śpią.

— Ja też nie śpię. Rozmawiam tu sobie z tobą przyjemnie. A król Andrzej jeszcze żyje.

— Nie sądzę — uśmiechnął się elegancko Muskata i poprawił włosy. — Sądzę, że nie.

— To się zdecyduj, biskupie, żyje czy nie żyje?

— Ująłbym to tak: jeśli jeszcze żyje, to dni jego policzone na palcach jednej ręki.

Václav przyjrzał mu się uważnie.

— Masz przede mną jakieś tajemnice, Muskato?

— Nie śmiałbym. To raczej niespodzianki. Sam mówiłeś, królu, że jest między nami takie duchowe porozumienie... ale, do rzeczy. Obawiam się lojalności twego szwagra. Jego córka, a żona umierającego króla Węgier, trzyma małą dziedziczkę przy sobie i wydaje się robić wszystko, by nasz Vašek jej nie pojął za żonę.

— Habsburżanki to suki. — Kiwnął głową Václav. — Tylko moja Guta była inna.

Muskata omal się nie przewrócił. Guta inna? Skąd ta zmiana frontu u króla? Do niedawna Guta była praprzyczyną i jednocześnie skutkiem wszelkiego zła. Pięści same się zaciskają, Boże, ratuj! Jak tu nadążyć za Václavem?! O, znów sunie do okna tanecznym krokiem, wychyla się i... Jezu Nazareński, co on wyprawia?! Ratować czy popchnąć?

— Co za bałwan, Muskato! Spójrz. Mali chłopcy robią bałwana.

Odwraca się od okna, policzki ma zaróżowione, jakby ten bałwan miał wagę królewską. Trzeba go zdyscyplinować.

— Panie, habsburska żona króla Węgier ma w ręku argument i nie zamierza go wypuścić. Obawiam się, że będzie chciała kupczyć dziewczyną i choć ta jest zaręczona z naszym chłopcem, zechce wydać ją szybko za Karola Roberta.

— Głowę straciłeś, Muskato? Karola Roberta popiera papież, który na samą myśl o Habsburgach miota klątwy. Ci, choćby chcieli dziewczynę siłą wsadzić Karolowi Robertowi do łóżka, nie dadzą rady przy sprzeciwie Bonifacego.

— Za przeproszeniem, królu mój, dwa błędy w jednej myśli. Po pierwsze dziedziczka Węgier nie jest Habsburżanką, jest jedynie pod władzą habsburskiej macochy. Po drugie zaś, co wynika z pierwszego, papież z przyjemnością wydałby ją za Karola Roberta...

— Po trzecie, jest prostsze rozwiązanie, Muskato — przerwał mu Václav — bo nudzi mnie ta wyliczanka, kto z kim przeciw komu i do czyjego łóżka. Ja nie lubię ludziom zaglądać do łóżek, zwłaszcza gdy spółkują. Widziałem to parę razy i wiesz, te wyziewy, które się przy tym ulatniają, trochę mnie brzydzą. Zatem proponuję, jedźmy na Węgry i koronujmy Vaška bez tych ceregieli, o których opowiadasz. Jak mój syn włoży koronę świętego Stefana, to przestanie się liczyć, kogo ma Karol Robert w łóżku i czy to jest Bonifacy.

Muskata odetchnął z ulgą. Przy Václavie trzeba nabrać elastyczności; nie zawsze udaje się dojść do celu zamierzoną przez siebie drogą, czasem trzeba się nagiąć do meandrujących ścieżek króla i tylko przypomnieć mu we właściwym czasie, kto jest autorem królewskich planów. I najważniejsze: Gerussa będzie bezpieczna, skoro król wyjedzie z Krakowa wraz z nim.

— Ten bałwan kogoś mi przypomina — roześmiał się Václav, znów patrząc na dziedziniec. — Muskato! Jedź na Węgry bez zwłoki, przygotuj wszystko, a ja z Vaškiem dołączę do ciebie, jak tylko dasz znać, że król Andrzej nie żyje, a Węgrzy są gotowi do przyzwania mego syna na tron. Ja jestem tak zmęczony zdobywaniem polskiej korony, że muszę jeszcze trochę odpocząć. Ręce mam wolne, ale serce jeszcze nie. Zabieram ze sobą do Pragi Piotra Święcę, syna dawnego wojewody pomorskiego.

Muskata zgrzytnął zębami. To nie był jego dzień, musi się z tym pogodzić. Wykrzesał z siebie dość uprzyjmy uśmiech, mówiąc:

— Bardzo dobry pomysł, królu, wychowaj sobie polskich urzędników.

— Nie zamierzam go wychowywać, biskupie. I nie zamierzam mieć polskich urzędników. — Źrenice Václava zwęziły się jak u patrzącego w słońce kota. — Wystarczy mi arcybiskup Jakub Świnka, który choć nie przynależy mu żadna władza prócz kościelnej, zachowuje się niczym... — Václav szukał słowa na określenie arcybiskupa, a Muskata go w tym nie wyręczył. Skoro Przemyślida nie słuchał rad biskupa Krakowa, niech sobie teraz radzi sam. Václav ściągnął brwi, jakby zaskoczony zachowaniem Muskaty. A potem wydął usta i wzruszył ramionami, mówiąc:

— Obsadzę Królestwo tymi, których znam, Czechami. A z młodym Święcą dobrze się bawię. Wypoczywam w jego towarzystwie. Jest dowcipny, czarujący, miły...

Jan Muskata pojął lekcję tego trudnego dnia. Pomyślał, jak bardzo będzie miły, gdy zażąda nagrody za węgierską misję. Jak dowcipnie ją Václavovi zrelacjonuje. I przywołując najbardziej czarujący ze swych uśmiechów, pożegnał się z królem.

Gdy zamknęły się za nim drzwi królewskiej komnaty, gdy przytrzymując się poręczy, schodził stromymi schodami z wawelskiej wieży, jego plecy prostowały się. Do tej pory Václav niewiele wiedział o arcybiskupach, bo żadnego nie miał na stałe pod bokiem. Kościół czeski podlegał arcybiskupowi Moguncji, a to jednak z Pragi kawał drogi. Jakub Świnka dał Václavovi w Gnieźnie i Poznaniu lekcję, pokazując, że arcybiskup może być niczym król. Na Węgrzech będzie to samo. Arcybiskup Ostrzyhomia, prymas Węgier. Tak się składa, że na tym stanowisku wakans. Muskata zatrzymał się. Zerknął przez okno na ośnieżoną drogę. Tak jak Bonifacy VIII wjechał do Rzymu na białym koniu, tak on, Jan Muskata, może wjechać do Ostrzyhomia po białym śniegu, na saniach. Kto prowadził konia Bonifacego? Król Neapolu, Karol II. Dziadek Karola Roberta, konkurenta Vaška do węgierskiego tronu. Czyż to nie będzie piękny widok: Jan Muskata, prymas Węgier, i Václav III, nowy król korony świętego Stefana? Tak. To będzie i piękny, i godny widok. Niech Václav II użera się z Jakubem Świnką. Jan Muskata od dziś stawia na młodość! Wychowa sobie jego syna, bo trzecia z koron musi zalśnić największym blaskiem. W końcu arcybiskup i prymas to więcej niż król.

455

TYLON zaniemógł. Królewna Rikissa odjechała z Pniew, a przy jej boku Michał Zaremba i Henryk z Lipy; jego bracia Jasiek i Mikołaj spieszyli się do Poznania, a on zdradzał objawy tak silnego osłabienia, że nie był zdolny do drogi. Eufemia Nałęczówna przyrzekła jego braciom, że zajmie się starym królewskim notariuszem. I został. Leżał w łożu, przykryty błamem z wilczego futra, gapił się w jasność bijącą z kominka i przypomniał sobie wszystko fakt po fakcie. Przyboczni króla, zwani Czterema Wichrami, byli synami głównych rodów Królestwa. Zaremba, Nałęcz, Łodzia i Grzymała. Zaproszenie na nieszczęsne zapusty pochodziło od jednego z nich, Boguszy Grzymały, a konkretnie od jego kuzyna, Domaradzica, dawnego kasztelana Rogoźna. Słyszały to dwórki, królowa, mała Rikissa, nawet książę Władysław obecny był przy rozmowie, bo toczyła się przy świątecznym stole. Ale kasztelanem rogozińskim urzędującym w tym czasie był Nałęcz. Sulisław Nałęcz. I uczciwie rzecz biorąc, to on jest odpowiedzialnym za brak właściwej ochrony. Dlaczego Gniew pomijał ten wątek? Tylonowi nie daje to spokoju, odkąd odkrył niebieskie szkło na uczcie; odkąd wyliczył, że z Szamotuł, głównej rodowej siedziby Nałęczów, jeździec na dobrym koniu jechał do Rogoźna szybciej niż z Poznania.

— Pani — zatrzymał Eufemię, która zajrzała sprawdzić, czy czegoś mu nie brak. — Dotrzymasz mi towarzystwa? Staremu człowiekowi bardziej szkodzi samotność niż brak zdrowia.

— Oczywiście — uśmiechnęła się do niego smutno.

— Coś się skończyło, prawda, pani? — zapytał, gdy usiadła przy nim, przygładzając szerokim ruchem fałdy sukni.

— Nieodwołalnie. Prawie dwadzieścia lat służyłam żonom Przemysła. Wszystkim trzem. Gdy zaczynałyśmy, byłyśmy niczym cztery pąki róż, zresztą, nazywano nas „Kwitnące", a kiedy kończyłyśmy... — roześmiała się gorzko. — Wiesz, jak giermkowie mówili? „Cztery Więdnące". No i prawda, uschłyśmy.

Główne damy dworu, tak jak przyboczni Przemysła, były cztery: Nałęczówna, Zarembówna, Łodzia i Grzymalitka. Symetria.

— Grzeszysz pani, czas ci służy — zaprzeczył Tylon, nie wspominając o swojej wadzie wzroku. — Ale odpowiedz, proszę: Właściwie dlaczego żadna z was nigdy nie wyszła za mąż? Byłyście najlepszymi partiami Królestwa.

Eufemia wzruszyła ramionami.

— Owszem. Ale tylko dlatego, że byłyśmy przy dworze. Małżeństwo oznaczałoby odejście z niego i tym samym utratę pozycji. Ja wolałam być pierwszą damą na służbie księżnych, niż żoną przy mężu, gdzieś na prowincji. To wciąga, Tylonie. Służąc władcy, przebywając przy nim dzień i noc, stajesz się częścią jego życia. I tak też zaczynasz myśleć o sobie. Wiesz, co nam kiedyś powiedział król? To było przy królowej Małgorzacie. Oni nie... — zawiesiła głos i spytała: — ...rozumiesz?

— Nie bardzo.

— Nie sypiali ze sobą. W każdym razie nie przed koronacją, a potem tylko kilka razy. Gdy w końcu odwiedził ją nocą, zapytałyśmy, czy mu usłużyć, czy pomóc mu się rozebrać do łoża. I król powiedział: „Tak, jak zawsze". W tym jednym zdaniu tkwiła cała tajemnica naszej specjalnej służby. „Jak zawsze". Żony się zmieniały, a my nie.

— Jesteście, przepraszam, byłyście dla jego żon tym, czym giermek dla rycerza.

— Powiedzmy. — W głosie Eufemii Nałęczówny zabrzmiała ledwie wyczuwalna nuta wyższości. — Księżne, a tym bardziej królowe nie mają przyjaciół. Na dworze męża są obce. Przyjeżdżają z obcego kraju i natychmiast niczym muchy obsiadają je ci, którzy chcą skorzystać z wpływu żony na męża. Pochlebcy, interesanci, a głównie intryganci. Z kim ma się zaprzyjaźnić młoda żona, księżna? Z żoną głównego barona? Przecież jasnym jest, że taka przyjaźń będzie nasączona jadem, mniej lub bardziej subtelną grą interesów. A my? Cztery damy, cztery główne rody Królestwa. Byłyśmy kwiatem o czterech płatkach. Wcieleniem równowagi. Wyzbyłyśmy się prywatnych ambicji, odnalazłyśmy sens życia w służbie. Ubierałyśmy i rozbierałyśmy. Pomagałyśmy dobrać surkot do sukni. Wiedziałyśmy, kiedy nasza pani sypia z mężem i kiedy mąż jej unika. One nie miały przed nami tajemnic i nie musiały się nas wstydzić, bo stałyśmy się częścią ich życia. Rozumiesz mnie, Tylonie?

— Zdaje mi się, że tak — odpowiedział, myśląc, że szanse na zamążpójście prawie czterdziestoletniej damy są nikłe. Eufemia poświęciła życie pracy, która dawała jej rzeczywisty udział nawet nie we władzy, ale w intymnym życiu żon władców. Czy czuła się, jakby sama nią była? Wstydził się spytać wprost. Zresztą pewnie by nie odpowiedziała.

— Czy któraś z żon Przemysła darzyłaś większym uczuciem, pani?

— Nie jesteś oryginalny, Tylonie. — Eufemia westchnęła pobłażliwie, wzruszając ramionami. — Każdy zadaje mi to pytanie. Ale rozumiem ciekawość. Ty znałeś Przemysła tylko przez pryzmat pracy w jego kancelarii, ja zaś... Zaskoczę cię. Wszyscy uwielbiali Rikissę. Dla mnie była stanowczo zbyt swobodna. Ja pokochałam Małgorzatę. Dlaczego? Może dlatego, że była taka zamknięta w sobie, niemal zaszczuta? Król był dla niej miły, uprzejmy i jednocześnie zimny...

Tylon nie mógł oprzeć się wrażeniu, że w Eufemii jest jakieś poczucie wyższości wobec byłej pani i że to uczucie jej dawna dwórka myli z miłością.

— Dobrze znałaś Płatka, giermka Przemysła?

Zaśmiała się gardłowo.

— Wiecznego giermka! Był nim dwadzieścia lat i nie został pasowany na rycerza. Ale między nami mówiąc, on po prostu nie nadawał się, by nosić pas, wiesz, o czym mówię?

— Nie — skłamał Tylon, bo chciał to usłyszeć od niej.

— On miał mentalność sługi. A rycerz to pan.

— Mówiło się, że Przemysł nie pasował go, bo tak bardzo lubił Płatka jako giermka, że nie chciał się z nim rozstać.

— Bzdura. To chyba w kancelarii tak gadano — prychnęła pogardliwie. — Prawda była taka, że Płatek słabo wywiązywał się ze swych obowiązków. Raz po raz o czymś zapominał i Przemysł powinien był go zwolnić na początku jego służby. Trzymał go z dwóch powodów. Po pierwsze, z przyczyny jego pochodzenia, po drugie, z litości. Gdyby go odsunął, chłopak nigdzie nie znalazłby służby.

— Pochodzenia? A kim właściwie był Płatek?

Eufemia wyprostowała plecy i spojrzała na Tylona zapewne z nieukrywaną wyższością.

— Płatek był nieślubnym synem ukochanego nauczyciela młodego Przemysła.

— Dragomira?

— Nie, panie. Przybysława zwanego Płynącą Łodzią.

Tylon poczuł, że robi mu się gorąco. No, sam by na to nie wpadł.

— Ród Łodziów jest tak dumny, że usynowienie bękarta nie wchodziło w grę. A Przybysław kochał syna i gdy uczył Przemysła, jak władać mieczem, uczył też Płatka. Uprosił księcia, by wziął nieślubną latorośl na służbę, choć jak ci powiedziałam, Płatek nie był orłem. Nieprawe pochodzenie odcisnęło na nim piętno. Czuł się gorszy od wszystkich, a jednocześnie czasami ambicje fermentowały w nim, jak drożdże w piwie. Wyobraź sobie, że kiedyś, jak sobie popił, powiedział do Jadwigi: „Siostro". — W głosie dwórki zakipiało święte oburzenie.

— Do jakiej Jadwigi?

— Jadwigi z domu Łodzia — z naciskiem podkreśliła Eufemia. — Czwartej z nas.

— Rozumiem.

— I jeszcze ta nieszczęsna miłość do Lukardis — rozkręciła się Eufemia, a Tylon podjął jej ton.

— Chcesz powiedzieć, że bękart zakochał się w pierwszej księżnej? — Chyba mieszanina ekscytacji i pogardy wyszła mu przekonująco, bo Eufemia pękła niczym deszczowa chmura, która nadpływa nagle, by wylać na zaskoczonego podróżnego deszcz.

— Ale jak! Zaniedbywał służę u Przemysła, bo wciąż wystawał pod drzwiami księżnej. „Księżna Lukardis wygląda zjawiskowo", „Księżna Lukardis ma oczy jak dwie gwiazdy", pozwalał sobie na takie tanie komplementy, choć nie powinien w ogóle się odzywać, bo co on sobie wyobrażał? Przemysł miał anielską cierpliwość do bezczelnego giermka.

— A Lukardis?

— Och, księżna nawet go nie zauważała — zaśmiała się Eufemia. — Księżna kochała tylko swego męża, choć, jak wiesz, była istotą nieszczęśliwą i jej śmierć do dzisiaj jest zagadką, na którą odpowiedź zna tylko Jakub Świnka.

Tak. W tym miejscu już byłem — skonstatował Tylon. Już raz wszystkie nagłe zgony wiodły do Jakuba Świnki. Wszystkie, ale nie królewski, więc cokolwiek myśli o zagadkowej roli arcybiskupa w Królestwie, nie ma to związku ze zdarzeniami w Rogoźnie.

— Piękną ucztę wyprawiliście na pożegnanie królewny — wrócił do tego, co go interesowało. — Moją uwagę zwróciły kielichy. Niebieskie szkło, rzadka robota! Od dawna je macie?

— Od trzech lat.

— Nadzwyczaj efektowne.

— Prawda? Mój ojciec dostał je w prezencie od stryja Jadwigi. — Sądząc po tonie jej głosu, wydęła usta.

— Jadwigi?

— Jadwigi Łodzia — westchnęła nad jego niepamięcią Eufemia. — Przecież Jadwiga jest siostrzenicą wojewody gnieźnieńskiego, Mikołaja.

Boże! — jęknął w duchu Tylon. A na głos udał wścibstwo zazdro-
śnika.

— Piękne. Sam bym takie kupił, siostrzeniec się żeni, a ja wciąż
nie mam prezentu.

— To kosztowna rzecz, Tylonie — powiedziała takim głosem,
jakby sama kupiła kielichy. — Specjalizuje się w ich wyrobie jedna
nadreńska huta, a brandenburscy kupcy zbijają fortunę, sprowadzając
je do Szczecina. Stamtąd odbierają je żeglarze lubeccy i na statkach
wożą w świat.

— Nawet w Poznaniu na dworze Przemysła nie było takich —
zaryzykował Tylon.

— Były, ale krótko. W czasach, kiedy jeszcze nie bywałeś na
ucztach. Ale nie dlatego, że króla nie było stać. Nie znosiła ich jego
pierwsza żona, Lukardis, i na jej prośbę oddał całą zastawę.

— Nie podobały się księżnej meklemburskiej? — szybko dopytał
notariusz.

Eufemia rozłożyła fałdy sukni i strzepnęła z nich coś, odpowiadając lekceważąco.

— Ponoć uwielbiała je Mechtylda Askańska, żona jej dziadka,
Barnima. Zaś Lukardis przez całe życie walczyła z Mechtyldą, więc
w Poznaniu wyżyła się na jej ulubionych kielichach.

— Co się z nimi stało?

— Nie mam pojęcia.

Wszystko się gmatwa — z ciężkim sercem pomyślał Tylon. — Jak
kielich z winem, który wypadł z ręki i obryzgał wszystkich obecnych
na uczcie. Król pojechał na zaproszenie Grzymality. Kasztelanem był
Nałęcz. Dwaj Zarembowie śmiertelnie pobili się przy zgonie króla.
A giermek, który się powiesił, był bękartem Łodziów, którzy poda-
rowali obecne przy śmierci króla kielichy Nałęczom. W dodatku to
ulubione szkło księżnej Mechtyldy, szarej eminencji wszystkich posunięć Brandenburczyków. Poza tym czy kielichy mają jakiekolwiek znaczenie, prócz tego, że pito z nich wino? Król nie umarł od trucizny...

— Przypomniałam sobie. — Uniosła dłonie do skroni Eufemia.
— Przemysł całą zastawę podarował katedrze gnieźnieńskiej.

— Jakubowi Śwince? — zachłysnął się Tylon.

— Tylonie — skarciła go Eufemia. — Tyle to nawet kancelista
powinien pamiętać! Świnka został arcybiskupem dopiero po śmierci księżnej Lukardis.

— Racja. Wtedy był tylko kantorem katedry. — Udał skruchę Tylon i resztę dopowiedział w myślach.

Jakub był opiekunem gnieźnieńskiego skarbca w czasie najdłuższego wakansu na arcybiskupim stolcu. Wakansu, w czasie którego jeden z wybranych arcybiskupów zmarł, nim przyjął paliusz, drugi z nikomu nieznanych przyczyn zrezygnował, nim zdołał go przyjąć. Wakansu, zakończonego skutecznym wyborem dopiero, gdy padło nazwisko Jakuba Świnki. Tego samego, który jest zwierzchnikiem polskiego Kościoła. I który mimo iż koronowano już Václava, sprawuje nieformalną władzę nad Królestwem.

1301

WŁADYSŁAW jechał przez Węgry w paskudnym nastroju. Sprawy układały się źle. Ostatni z Arpadów, Andrzej III, zmarł. Wizja pomocy, jaką chciał od niego dostać, rozwiała się jak dym z pasterskich ognisk, między którymi raz po raz przejeżdżał. W dodatku Matúš Čák, wielki palatyn zachodnich Węgier, do tej pory oddany przyjaciel księcia, w zaczynającym się wyścigu do korony świętego Stefana postawił na Przemyślidów. A niech to szlag! Matúš gościł Władysława po królewsku. Pili razem wino w Trenczynie. Opłakiwali Arpadów. Čák razem z nim pomstował na Václava, który koronował się w Gnieźnie na króla Polski, a w końcu powiedział:

— Wybacz mi, książę, ale w wojnie dwóch chłopców postawię na młodszego. Bliżej mi do Przemyślidy niż Andegawena.

I nie pomogły zaklinania Władysława. Čák zaparł się, że nie będzie służył Neapolitańczykowi, i słuchać nie chciał wywodów Władka o tym, że krew Arpadów w żyłach Karola Roberta rozcieńczona, ale jednak obecna, lepiej by się przysłużyła Węgrom niż syn Václava. Nie pożegnali się w gniewie, ale więzy przyjaźni naderwały się nieco.

Władysław ruszył na wschodnie Węgry, do Amadeja Aby, drugiego ze swych wielkich madziarskich druhów.

— Książę mój, nie martw się — Pawełek Ogończyk próbował rozproszyć jego myśli. — Amadej Aba nigdy cię nie zawiódł.

— Wiem. Ale wolałem mieć trzech stronników na Węgrzech. Jeden właśnie wybrał mojego wroga, drugi umarł, a trzeci...

— A trzeci choćby dla równowagi będzie po przeciwnej stronie niż Matúš Čák. To jak w Starszej Polsce: Grzymalici przeciw Nałęczom, Łodzie przeciw Zarembom, a Zarembowie...

— ...przeciw mnie — dokończył Władysław. — Na samą myśl, że Václav włożył na głowę koronę polską, mam ochotę zawrócić i jechać na Gniezno. Ale z kim? W trzydziestu nie pokonamy potęgi

Przemyślidów. Co tam się dzieje? — Wskazał na czoło orszaku, gdzie Jałbrzyk i Bachorzyc zachowywali się co najmniej dziwnie.

Pawełek wyskoczył zobaczyć i wrócił niemal natychmiast. Lecz nim zdążył cokolwiek księciu powiedzieć, jego klacz, Arda, zarżała cicho do Rulki. Rulka zastrzygła uszami i nie pytając Władysława o zgodę, sama ruszyła na czoło.

— Panie! Ptaszysko na drodze... — Machał rękoma Jałbrzyk. — Wielkie jak...

— Twój brat zawsze opowiada innym to, co sami widzą? — spytał Bachorzyca książę.

— Tak. Rano mówi, że jest słońce, albo deszcz, chwali się, że ładnie wstał... Bestia, prawda, książę?

Na środku traktu na szeroko rozstawionych łapach stał ptak. Olbrzymi.

— Nie chce się ruszyć. — Pawełek podjechał do niego, ale ptak tylko poruszył skrzydłami i otwierając dziób, syknął. — Dziwadło jakieś. Podobny do jastrzębia, ale wielki jak krowa.

Rulka postąpiła kilka kroków do przodu. Ptak wyciągnął szyję w jej stronę, lecz nie syknął. Klacz powoli zgięła przednie nogi, Władysław przytrzymał się grzywy. Co chce zrobić Rulka?

— Książę, ona chyba mówi, że masz zsiadać — sapnął zdumiony Pawełek.

— Oszalałeś? Ja? Dlaczego ja mam zsiadać? — Władek często wobec pomysłów Rulki czuł się bezradny, ale klacz tyle razy wyprowadzała go z tarapatów, że coraz rzadziej z nią dyskutował. Uklękła przy wielkim ptaku. Ten zrobił dwa kroki w jej stronę i ostrożnie unosząc łapę, wszedł na jej grzbiet, zajmując miejsce przed Władkiem.

— Mam się posunąć? — spytał zdumiony książę, a Rulka powoli wstała.

Ptak wczepił się potężnymi pazurami w siodło. Miał łeb na wysokości twarzy księcia. Spod jego prawego skrzydła sączyła się krew.

— Rozumiem, że jest ranny i nie może latać. Ale dlaczego mamy go ze sobą wieźć? — spytał Władek Rulkę. Klacz ruszyła przed siebie i w żaden sposób nie zareagowała. — Bo co? Bo jest największym ptakiem, jakiego spotkaliśmy? Jakoś na polowaniach nie chciałaś wozić wszystkich wielkich żubrów, odyńców i łani. Rulka, co z tobą?

Klacz przeszła w kłus, a zaraz potem w galop i wysforowała się na czoło orszaku Władysława. Książę, mając przed sobą olbrzymiego ptaka, niemal nie widział drogi i nie kierował Rulką. Obejrzał się za siebie — gonił go Pawełek Ogończyk równie zdumiony jak on sam. Reszta oddziału próbowała do nich dołączyć.

— Rulka! Przesadziłaś! Nic nie widzę. Jak się nie uspokoisz, założę ci wędzidło. Nie mogę jechać przez obcy kraj na czele orszaku i wystawiać się na cel! Zwariowałaś?

W tej samej chwili ptak, jakby rozumiejąc niepokój Władysława, rozłożył skrzydła i osłonił go.

— Uspokójcie się natychmiast! — książę skarcił i ptaka, i klacz.

— Panie! Ludzie przed nami! — krzyknął zza jego pleców Ogończyk.

— Nic nie widzę! Ptaszysko zasłania mi drogę! Jakie znaki?

— Amadej Aba! Bogu dzięki!...

— Wołaj Wilka i Dobiesława. Niech wyjadą mu naprzeciw i powiedzą, że to my! — odkrzyknął Władek Pawełkowi i pomyślał, że chyba przetrąci ptaszysku to piekielne skrzydło.

Jednak Rulka gnała przed siebie co sił i nie pozwoliła, by wyprzedzili ją Awdańcy. W końcu parsknęła do Władka ostrzegawczo i stanęła niemal w miejscu.

— Làszló fejedelem! — usłyszał znajomy, niski głos Amadeja. Jedyne, co było inne, to, że głos Aby brzmiał niemal poddańczo.

— Amadej? Witaj, druhu — po węgiersku odpowiedział Władek. — Nie widzę cię, ptak mi zasłania.

— Turul... Przybędzie król na karym koniu, a z nim wielki Turul zwróci nadzieję na potężne królestwo! — wykrzyczał w uniesieniu Amadej Aba.

Władek zeskoczył z konia i zobaczył, że wielki palatyn Amadej, a za nim cały jego orszak klęczą.

— Przyjacielu, to ja! — podszedł do Amadeja Władysław. — Nie król, tylko książę, nie na karym koniu, tylko na Rulce, a ten ptak...

Amadej uniósł twarz do Władysława i książę po raz pierwszy zobaczył w oczach przyjaciela łzy.

— ...znalazłem go... — dokończył niepewnie. — Wstań, proszę. Co tu się dzieje?

— Làszló fejedelem — Aba wskazał placem ptaka — król Andrzej, ostatni z Arpadów umarł, a ty przywiozłeś nam Turula... Pamiętasz? Opowiadałem ci kiedyś, że gdy nasi pradziadowie pod wodzą króla Arpada szli ze wschodu, prowadził ich wielki ptak, Turul.

To on wypatrzył zieloną, niebiańsko piękną dolinę i wskazał im, by tu osiedli. Turul dla nas to jak biały orzeł dla twojego Królestwa. — Amadej Aba wstał z kolan, a za nim jego ludzie. — Władysławie! Pieśń mówi, że Węgry wiele razy padną na kolana i za każdym razem powstaną. A jedna z jej strof opowiada o wielkim królu, który na karym koniu przywozi Madziarom Turula na znak zwycięstwa.

Władysław uścisnął Amadeja i zaśmiał się.

— Wielkim? To chyba nie o mnie. Przychodzę do ciebie jako wygnaniec z własnej ojczyzny. Koronę odebrał mi Václav Przemyślida, ten sam, który właśnie wiezie na wasz tron swego syna.

— Wiem, książę. Znam twój kłopot. Jak tylko to się stało, przyszedł do mnie Fehér Mohar i zapytał, czy ma jechać wspomóc księcia. A ja mu powiedziałem: „Nie dzisiaj, Mohar. Gdy Làszló będzie nas potrzebował, da nam znak". Ale na Boga Jedynego! Nie spodziewałem się, że aż taki! Książę, jesteś naszym najmilszym gościem! Polujemy w tych lasach. Zgodzisz się dołączyć?

— A co z waszym Turulem? Ptak jest ranny. — Władek wskazał na wielkie ptaszysko najspokojniej siedzące na grzbiecie Rulki. Owszem, poczuł dreszcz na myśl o tym, że jest spełnieniem węgierskiego mitu, ale polować z tym gigantem w siodle nie będzie.

Amadej podszedł do Rulki i wyciągnął ramię. Turul przekrzywił łeb i łypnął czarnym okiem, ale się nie ruszył.

— Przyprowadźcie mojego konia! — cicho, by go nie spłoszyć, rozkazał Aba.

Rulka poruszyła nozdrzami, wietrząc ogiera. Wstrząsnęła grzywą.

— Regős? — przypomniał sobie jego imię Władek.

Wroni, ale niebieskooki koń spojrzał na niego uważnie i podszedł do Rulki tak blisko, że konie dotknęły się bokami. Turul przełożył łapę na siodło Regősa. Potem drugą. Rulka dotknęła łbem pyska ogiera. Parsknęły do siebie. Odprowadzono konia Amadeja, a Władek wskoczył na grzbiet Rulki. Pochylił się do jej ucha i spytał:

— Klacz się zakochała?

Rulka rzuciła głową i musiał się trzymać, by nie spaść.

Polowali w dorzeczu Torysy, w podkarpackich dolinach. Ale lasy tutejsze przywoływały we Władku tęsknotę za Królestwem. Za kujawskimi borami, za tropieniem żubrów i starych samur. Za babrzyskiem podglądanym o świcie. Serce go bolało. Żołądek wykręcał się na drugą stronę. Co robi Jadwinia? A jego synowie? Stefan i Władysław. Boże, Władysława na oczy nie widział. A Kunegunda? To już duża dziewczynka. Czy Václav ich nie gnębi? Czy nie tropi niczym dzikiej zwierzyny?

— Boże, zmiłuj się!... A jeśli nigdy ich nie zobaczę?

— Làszló fejedelem — przerwał rozpaczliwe myśli Amadej Aba — to tutaj.

Książę zsiadł z konia i rozejrzał się — znajdowali się na obszernej polanie, na skraju której stała drewniana, pokryta mchem chatka. Przed nią zaś płaski kamienny głaz. Ludzie Amadeja zajęli się ustawianiem obozowiska, Władek skierował swoich pod wodzą Pawełka do pomocy.

— Regős! — Amadej pociągnął ogiera za uzdę.

Rulka nieproszona postąpiła za nimi. Regős podszedł do głazu, a wielki Turul przeskoczył z jego siodła i rozpostarł skrzydła.

— Zabierzcie konie! — krzyknął do sługi Aba, a potem zapukał w drewniane drzwi chatki, mówiąc: — Ojcze i matko!

Otworzyły się ze skrzypieniem. Stało w nich dwoje ubranych na biało ludzi. Władek potrzebował chwili, by zrozumieć, że to kobieta i mężczyzna. Ubrani byli tak samo, w luźne spodnie, jakie na wschodzie noszą koczownicy, w rozcięte kaftany i wysokie buty do końskiej jazdy. Oboje siwi, długie włosy splecione w warkocze mieli luźno rzucone na plecy. Bruzdy zmarszczek na ich ogorzałych twarzach układały się w mozaiki pionowych i poziomych linii.

Amadej Aba pokłonił się im, mówiąc:

— Przybył król na karym koniu, a z nim wielki Turul i zwrócił nam nadzieję na potężne królestwo!

Mężczyzna podszedł do ptaka, a kobieta do Władysława. Obejrzała go od stóp do głów i odezwała się dialektem, który przypominał nieco język Kumanów. Władek rozumiał co któreś słowo, ale to pierwsze dotarło do niego bardzo dobrze.

— ...mały wzrost...

Zacisnął szczęki. W Rzymie papież zapamiętał go, bo jest niski. Teraz madziarscy szamani mówią mu to samo. Czy ludziom się wydaje, że on jeszcze o tym nie wie?

— ...klacz, która mówi... — ciągnęła kobieta.

Odpowiedział jej mężczyzna, a Władek z tego, co mówił, wyłowił tyle:

— ...naznaczony wygnaniec nosi przekleństwo...

Kobieta uniosła ramię i zatoczyła otwartą dłonią krąg.

— ...da nam potęgę z kobiety łona... żelazo banity czeka...

W jednej chwili Władysław przypomniał sobie Rzym i powiedział w języku Kumanów:

— Przybyłem po miecz króla banity. Przysyła mnie strażnik świętego Stefana. Jednooki.

Kobieta kiwnęła głową i rzekła:

— Chodź za mną.

Ruszyła przodem. Za nią Władysław, przy nim Amadej, na końcu mężczyzna. Szli wąską leśną ścieżką, która sprawiała wrażenie drogi do wodopoju. Zieleń budzącej się wiosny, świergot ptaków budujących gniazda, ostre promienie słońca w zachodzie. Kobieta przesadzała zwalone pnie niczym sarna. Unosiła głowę i wciąż nią poruszała, jakby węszyła. Szli długo, w milczeniu. W końcu stanęła przed nimi dzika ściana lasu uzbrojona pędami kolczastej jeżyny. Kobieta odwróciła się do Władka i powiedziała śpiewnie:

— Przetnij je.

Wyjął z pochwy miecz i zamachnął się. Kiwnęła głową, że wystarczy; odsunęła zasłonę jeżyn rękami.

— Wejdź.

Szedł po miękkim, przetykanym płaskimi kamieniami mchu. Stąpał po kamieniach, niczym po schodach, bo łagodne zbocze wiodło go w górę. Uniósł głowę i niemal jęknął. Łagodne zbocze przechodziło w ostre, skaliste podejście. Na wyraźnie widocznym, nagim szczycie stała kamienna chata. Kobieta ruszyła przodem, szła lekko, bezbłędnie wybierając miejsca, w których stawiała stopę. Władek i Amadej próbowali dotrzymać jej kroku, ale odległość między kobietą a nimi wciąż rosła. Gdy dotarli na szczyt, obaj byli mokrzy od potu. Dyszeli ciężko. Władek chciał rzucić się na ziemię i odpocząć, ale przypomniał sobie, że „przybędzie król na karym koniu, a z nim wielki Turul...". Nie wypada, by naznaczony padał na ziemię i dyszał jak pies. Pociągnął jeszcze kawałek, w stronę kamiennej chaty. Dopiero stąd zobaczył, że cała jest obleczona pnączami jak pajęczyną. Gdy stanęli przed nią, mężczyzna powiedział do Amadeja:

— Powiedz mu.

Aba otarł pot z czoła i brody, i z trudem łapiąc oddech, powiedział:

— Wasz wielki król, Bolesław Śmiały, znalazł u nas schronienie, kiedy został, tak jak ty, skazany na wygnanie.

— Zabił biskupa. — Władek zmarszczył brwi.

— Skazał na śmierć, jako zdrajcę. Wasz... wybacz, Làszló, wasz święty Stanisław był w istocie zdrajcą. Ale to z rozkazu jego wspólników powstały późniejsze kroniki, które wybielają biskupa, a króla winią za wszystko. My, Węgrzy, mieliśmy wobec niego dług wdzięczności, bo nie bał się potęgi Przemyślidów i uderzył na Czechów, gdy ci chcieli zagarnąć nasze ziemie. Pomógł nam, zatrzymując na swej piersi impet najeźdźców. Więc kiedy go wygnano, udzieliliśmy mu schronienia. Traktowany był w naszej ziemi po królewsku. I nim wyruszył do Karyntii, zostawił miecz w ręku naszego króla Władysława. To było żelazo, którym podbił Ruś. Powiedział: „Przekujcie stal i trzymajcie dla mego następcy. Poświęćcie ją tak, jak tylko będziecie potrafili". Król Władysław spełnił prośbę. Był bezdzietny. Dał miecz swemu następcy Kolomanowi, a ten, wciąż pomny na szacunek, jakim darzono tu Bolesława, przechował go

w czasie zawieruchy, jaka opanowała nasz kraj, gdy ciągnęły przez niego hordy krzyżowców wezwanych przez papieża na pierwszą wyprawę w obronie Ziemi Świętej. Koloman zadzierzgnął więzy przyjaźni z Baldwinem, późniejszym królem Jerozolimy, gdy ten wraz z rodziną przemierzał Węgry w drodze do Bizancjum. Zaufał mu i powierzył przekutą stal Bolesława. Poprosił, by Baldwin poświęcił miecz u grobu naszego Pana. Ale Baldwin z Jeruzalem nie wrócił, zmarł w piaskach pustyni. Następcy Kolomana przechowali pamięć o mieczu waszego króla i była to pamięć bolesna, powleczona niespełnioną obietnicą. Królowie wchodzili na tron i umierając, powierzali swym synom obowiązek odzyskania świętego żelaza. Byłem z królem Andrzejem, a jego żona, twa bratanica Fenenna, żyła jeszcze, kiedy na dwór w Budzie dotarł krzyżowiec. Powiedział, że spłaca długi dziadów, i oddał nam skrzynię, a w niej miecz Bolesława. Poświęcony dwukrotnie. Raz w Jerozolimie u Grobu Pana, drugi raz w Rzymie, u świętego Stefana. Jednooki strażnik, ten, którego poznałeś, gościł krzyżowca i przez dziewięć dni odprawiał nabożeństwa nad mieczem u grobu męczennika. Ten miecz czekał na ciebie, Làszló fejedelem. Wejdź do pustelni i weź go, zwalniając nas z obowiązku.

— Czy jestem godzien? — zapytał Władysław.

Kobieta i mężczyzna patrzyli na niego ciemnymi oczyma. Oboje kiwnęli głową jednocześnie.

Książę pchnął drzwi chaty. Otworzyły się cicho. Wewnątrz nie było nic prócz stojącej pośrodku klepiska skrzyni. Podszedł ku niej. Przeżegnał się i otworzył wieko.

Na zwykłym jasnym płótnie leżał miecz, jakiego w życiu nie widział. Ciemna stal i złota rękojeść. Na niej symbole *Agnus Dei* i najświętszych Ewangelistów.

— Słowo Boże — szepnął i klęknął przy nim.

Ale poderwał się i chwycił za rękojeść. Uniósł go. Miecz był olbrzymi. Postawił go czubkiem do ziemi. Sięgał mu dokładnie do serca.

— Baranek Boży... Panie, czy ja, banita, jestem godzien trzymać w ręku stal tak wielkiego króla?

Nie usłyszał odpowiedzi i uniósł miecz w górę. Zobaczył na głowni szczerbę, a w niej wbitą relikwię. Czym jest? Co ta stal niesie w sobie?

Wyszedł z chaty. Kobieta i mężczyzna stali, czekając na niego. Amadej klęknął na jedno kolano.

— Musisz nazwać miecz — powiedział mężczyzna.

— I siebie nazwać. Od nowa. Dać sobie imię inne niż to, które nosiłeś w dniu, gdy cię wyklęto i wyzuto z ziemi — dodała kobieta.

Nowe imię — pomyślał Władysław, a głośno zapytał:

— Mam porzucić siebie?

— Nie. Masz zrzucić skórę jak wąż.

Całe życie marzył, by być Bolesławem. By nosić imię jak ten król, którego przekutą stal odziedziczył. Ale przyjęcie go oznaczałoby pychę. A jemu przynależne dzisiaj jest miano pokory. *Agnus Dei*. Baranek Boży. Ten, który poświęca siebie. A więc coś, co jest oddaniem. Przyznaniem słabości.

— Mam na imię Małość — powiedział. — Jestem Każdy i Nikt. Niech od dzisiaj zwą mnie od mego mizernego wzrostu. Nazywam się... Łokietek.

Amadej Aba najpierw zmarszczył brwi, a potem zrozumiał. I powtórzył:

— Törpe. Törpe Làszló fejedelem.

A Władysław Łokietek wziął miecz, który sięgał mu serca; położył go na swym ramieniu i ruszył z powrotem. Chciał, by jego ludzie go zobaczyli. By powiedzieli, co myślą. Drudzy synowie, młodsi bracia, wierni towarzysze księcia, który sam siebie przezwał. I kiedy schodził z góry, a potem szedł wąską leśną ścieżką, z mieczem na ramieniu, po raz pierwszy w życiu godził się z tym, że jest niski. Bo nie był mały.

JADWIGA obwiązała się w pasie fartuchem. Do jej kolan doskoczyła Alwina, siostra Gerka.

— Pani! Nie musisz aż tak! Byłyśmy razem w kościele, widziałaś, pani, że mieszczki noszą się całkiem strojnie...

— Widziałam — odpowiedziała Jadwiga i zarzuciła na plecy grubą wełnianą chustę.

— Mi serce pęka, kiedy widzę moją panią tak przebraną...

Alwina była chuda jak palec, ale miała olbrzymi biust, który próżno starała się wcisnąć pod wąski stanik sukni. Potrafiła śmiać się na zawołanie i równie szybko zalewać łzami. Gerko, u którego mieszkali, wyznaczył siostrę na osobistą służącą Jadwigi, a dziewczyna wywiązywała się z zadania, niemal dwojąc i trojąc. Ale jej oddanie, może nawet miłość do księżnej przebranej za zwykłą kobietę, męczyło Jadwigę. Czy naprawdę wszyscy myślą, że jej przeszkadza prosta wełniana suknia zamiast jedwabiu? Sukienny pasiak zamiast surkotu w pasy? Że spać nie może z powodu twardej skóry butów w miejsce miękkiego safianu wyszywanych srebrem trzewiczków? Że źle jej, bo izba ciasna i śpi z dziećmi w jednym łóżku? Bzdury. Wszystko to pustota i bzdury. Jeśli takie wyobrażenie ma lud o swych książętach, to zmiłuj się, Panie, nad Królestwem.

Jadwigę dręczyła walka z samą sobą. Codzienny bój z beznadzieją. Z powodzią złych myśli, które nachodził ją niczym piekielne demony, podpowiadając:

— On nigdy nie wróci...

— On nie żyje...

— Napadli go siepacze Václava albo Brandenburczyków...

— ...ci sami, którzy zadźgali Przemysła...

We śnie widywała trupa Władka. Leżał w krzakach przy ludnym gościńcu; kupcy przejeżdżali obok niego, odwracając głowę. Na piersi Władka siedziała wrona i dziobała mu oczy. Jadwiga z Kunegundą i Stefanem za rękę, tuląc małego Władzia, biegła do męża, rozpychała ludzi, krzycząc: „To on!", ale nikt jej nie słyszał. I gdy dobiegała do niego, dostrzegała, że wrona jest czarną, płomienistą orlicą Przemyślidów, która rozkładała szeroko skrzydła, wbijając szpony w usta Władysława. A mały Władek przy jej piersi wypowiadał swe pierwsze słowo: „Ta-ta".

Budziła się z sercem kołaczącym z lęku. Z twarzą zlaną łzami i mokrą od potu piersią. Nie mogła krzyczeć, bo przy niej, na wąskim łóżku, spały dzieci. Tuliła je do siebie, jakby w ich równych oddechach chciała znaleźć życie, które zaprzeczy snom o śmierci.

W świetle dnia nigdy nikomu o tych snach nie mówiła. W świetle dnia była wcieleniem spokoju. Jeśli chodziła z Alwiną na targ i słyszała, jak ludzie mówią:

— Mały Książę nigdy nie wróci.

— Jak kamień w wodę.

Zaciskała usta i choćby dla samej Alwiny udawała, że w to nie wierzy. Widziała, jak niektórzy mieszczanie Radziejowa cieszyli się z nastania Przemyślidy. Widziała, jak wiwatowali, gdy przyszły jego wojska i zajęły miasto. Krzyczeli: „Niech żyje król Václav!", a ona zaciskając pięści, myślała, że obca władza ma przyjazne oblicze tylko do czasu. Dlaczego przed laty poddani kochali jej rodzica? Czy dlatego, że był „pogromcą Niemców"? Czy raczej dlatego, że mieli księcia jak ojca? Wiedzieli, że siedzi na zamku w Kaliszu, a wcześniej w Poznaniu. Wiedzieli, że raz w miesiącu sprawuje sądy i stali w kolejce od świtu. Wiedzieli, że jak pożar spali ich spichrze, to książę otworzy własne, by ich nakarmić. Václav przyjął polską koronę i wyjechał do Pragi. Zostawił starostów, by rządzili w jego imieniu. Ale starostowie Václava byli Czechami albo zniemczonymi Czechami. I traktowali Królestwo jak kraj obcy. Owszem, ucichły rozboje na gościńcach, lecz do lochów starościńskich trafiali nie tylko rozbójnicy, ale i ci, którym nie podobały się decyzje czeskich panów. W Królestwie Václava nie ma miejsca na lud niezadowolony. Lud ma być pracowity, płacić podatki i ładnie się uśmiechać, gdy starosta przejeżdża przez miasto. Przyjaciele jej męża, ci, którzy postawili się wojskom Václava, musieli zbiec na krańce Kujaw. W Brześciu nadal siedzą Krzyżacy i kto tylko może, ucieka spod buta żelaznych braci, bo traktują poddanych gorzej niż niewolników.

Czy Władek wie o tym, co się dzieje? Czy on w ogóle wróci? A co będzie, jeśli tak się nie stanie? Zaschło jej w gardle. Żyła wyłącznie dlatego, że zaprzeczała lękowi. Spotkanie z nim przerastało jej siły.

— Pani moja! Gerko wraca! — Alwina trzasnęła przysłoniętym błoną okienkiem.

— Cicho! Prosiłam cię tyle razy, żebyś nie mówiła do mnie „pani".

— Ja wiem, ja przepraszam! Ja się zapominam! — Dziewczyna już klęczała u jej kolan i już płakała. Potrafiła to robić na zawołanie.

Gerko wszedł do izby, zamknął szczelnie drzwi i wtedy dopiero przyklęknął przed Jadwigą.

— Pani. Mam dobre wieści. Gerward Leszczyc został nowym biskupem kujawskim.

— To przyjaciel mego męża — poczerwieniała, jak zawsze, gdy mówiła „mąż" przy ludziach.

— Otóż to! Biskup pragnie się z tobą widzieć, pani. Może ma jakieś wieści od księcia? Przyjadą po ciebie dziś wieczór bracia Doliwowie, ruszycie do Łęczycy nocą. Alwina zajmie się księżniczką i książętami.

Spojrzała na Kunegundę w burej sukience, z dwoma chudymi warkoczykami; na Stefana, który ciągnął za ogon psa, i Władzia śpiącego w przypominającym barłóg łóżku. Księżniczka i książęta.

— Będę gotowa, Gerko.

Szyrzyk i Polubion przebrani byli za kupców. Gdy wyszła do nich w swojej wełnianej chuście, Polubion, nie patrząc na to, czy ktoś widzi, czy nie, klęknął. Uśmiechnęła się do niego. Gdy Władek uciekał na polowanie, raz na tydzień przysyłał do niej wiadomość. Zwykle taką samą, że jeszcze nie wraca. Mistrzem w ich przekazywaniu był Paweł Ogończyk, Polubion nie potrafił. Miał wadę wrodzoną wszystkich Doliwów — mówił prawdę, nawet gdy nie chciał.

— Pięknie wyglądasz, pani — powiedział i Jadwiga zastanowiła się, czy aby pierwszy raz w życiu Doliwa nie skłamał.

— Jedźmy, proszę.

Zrobili jej miejsce na wozie z beczkami. Miała wyglądać jak prawdziwa kupcowa. Jechali do Łęczycy trzy dni, sypiając po drodze w gospodach. Przemierzała tę trasę wiele razy. Jako dziewczynka, gdy jej matka, szlachetna Jolenta z Arpadów, zapragnęła się modlić w tumskiej kolegiacie, tam, gdzie klęczał święty Wojciech, nim wyruszył na misję. Jako młoda żona, kiedy Władek był gdzieś, a ona już wytrzymać nie mogła sama w Łęczycy i uciekała z dworem do Gniezna lub Kalisza.

— Biskup Gerward spotka się z nami w kościele — odezwał się Szyrzyk, gdy wjeżdżali do Łęczycy. — Obawia się, że jest śledzony przez ludzi Václava. Będziemy udawać, że targujemy się o sukno, które kupi do katedry.

— Ale na wozie mamy beczki — trzeźwo zauważyła Jadwiga.

— No to może o piwo?

— Z biskupem? — Uniosła brew, a Szyrzyk zamilkł.

Jadwiga zasznurowała usta, żeby nie powiedzieć, iż po wielokroć wydawało jej się, że jej mąż i jego panowie uprawiali prowizorkę. Rzucali się na wroga, nie czekając na posiłki, wybierali nie tego nieprzyjaciela, którego podpowiadała strategia. Jakby zamiast: „Pod wiatr"! zawołaniem rodowym Kujaw było: „Jakoś to będzie".

— Uda się, nie zamartwiaj się, pani — pocieszył ją Chwał.

Uhm. „Uda się!" — z takim okrzykiem pewnie za każdym razem pędzili do walki. A kiedy wracali z pola rozgromieni, mówili: „Nie udało się", ale tylko półgębkiem. Pomogli jej zsiąść z wozu, podszedł ku nim sługa, i wpatrując się w Jadwigę, powiedział:

— Biskup Gerward czeka na kupców w bocznej nawie.

Osłoniła twarz chustą przed jego natarczywym spojrzeniem i krzyknęła do Doliwów:

— Pietrek, pilnuj wozu! A ty, Jaśko, chodź ze mną, żeby mnie ślachetny biskup nie oskubał z piniędzy. Wiadomo, jakie ony są, wielkie pany! A ty, niezguło, co się gapisz? Zostań z Pietrkiem pilnować, tylko mi po tłumokach słoniny nie szukaj. Jak wyżresz zapasy na drogę, to kości pogruchoczę!

Śmiało ruszyła do katedry, nie oglądając się za siebie, i tylko była ciekawa, który z braci Doliwów poczuje się Jaśkiem i poleci za nią. Stanęła u wrót, wzięła się pod boki i zadarła głowę, patrząc na wieżę wciąż noszącą ślady pożaru.

— Jezusie, jakie to wielkie! — przeżegnała się zamaszyście, tak jak robiła to Alwina, i odwróciła się.

Oczywiście, trzech Doliwów było za nią. Same Jaśki.

— Czego tu chcą? — Wzięła się pod boki i pochyliła lekko do przodu. — Ino Jasiek ze mną. Pietrek i Wojtek do wozu, poszli, ale już!

Musiała naciągnąć chustę na usta, bo chciało jej się śmiać tak bardzo, że zaraz mogła wybuchnąć. Pomyślała, że Doliwowie zaraz będą wyliczać albo losy ciągnąć, który jest Jaśkiem, i na samą myśl coś w niej zabulgotało ze śmiechu. Szyrzyk skoczył do przodu i wygrał zawody. Odwrócił się do braci i krzyknął do Chwała:

— Tylko słoniny nie wyżryj! Chamie!

— Już — skarciła go Jadwiga. — Nie wolno przed kościołem się awanturować, bo rozgrzeszenia nie dostaniesz. Chodźmy.

W katedrze trwały prace. Kamieniarze wykuwali bloki piaskowca, więc pył i stuk młotów skutecznie odciągał od nich uwagę. Gerward kiwnął im z bocznych drzwi wiodących ku zakrystii. Nie był sam. Za plecami biskupa stał przystojny, może trzydziestoletni mężczyzna o ciemnych, melancholijnych oczach i włosach układających się identycznie jak wijące się luźno pukle Władka. Jadwiga była pewna, że gdzieś go już widziała, ale nie mogła skojarzyć twarzy z osobą.

— Pani! — przywitał ją Gerward. — Książę inowrocławski Leszek. Bratanek twego męża.

— Ach, tak! — natychmiast przypomniała sobie Jadwiga. — Książę, wybacz, kiedy widziałam cię ostatnio, byłeś chłopcem. — Wyciągnęła do niego dłoń.

— Księżno. — Leszek ucałował jej palce.

Poczuła się zawstydzona. W podróży ubrudziła suknię, włosy nie czesane od trzech dni też w nieładzie wymykały się spod chusty.

— Gratuluję, Gerwardzie — odwróciła się do biskupa i wyprostowała plecy — mój mąż będzie rad, gdy po powrocie zastanie cię na biskupim stolcu. Ale przykro mi, nie mam od niego żadnych wieści.

— Ja mam, księżno — odezwał się Leszek.

Serce skoczyło w niej jak dzwon pociągnięty za linę. Nie była w stanie nic powiedzieć. Utkwiła wzrok w twarzy Leszka.

— Książę żyje...

Biło w niej tak, że każde uderzenie wstrząsało jej ciałem.

— ...jest na Węgrzech i choć król Andrzej umarł, są pewne szanse, że dostanie wsparcie wojenne od Amadeja Aby. Mój stryj próbuje ustawiać koalicję antyczeską na Węgrzech, licząc na to, że wespół z Węgrami uda się zachwiać potęgą Przemyślidów.

— To wszystko? — spytała, ledwie łapiąc oddech.

Leszek przyjrzał się bacznie.

— Człowiek, przez którego stryj przekazał wiadomość, nie ma pojęcia o tym, że ty, pani, i dzieci nie jesteście razem z księciem. Stryj chroni was przede wszystkim.

— Rozumiem.

— Za to arcybiskup Świnka martwi się o was — wtrącił Gerward. — On także, poprzez wysłanników kościelnych, próbuje nawiązać kontakt z księciem. Teraz, kiedy uwaga Václava zwróciła się na Węgry, nawet tam może się dla Władysława zrobić niebezpiecznie. Muskata już działa pośród węgierskiego kleru, a przyjazd obu Václavów do Budy jest tylko kwestią czasu. Należy założyć, iż książę opuści Węgry i uda się w dalszą drogę. Trudno przewidzieć dokąd, ale rozum podpowiada, że na Ruś, do książąt halickich.

Wytrzymam — pomyślała Jadwiga i zacisnęła zęby. — Wytrzymam tak długo, jak to będzie konieczne. Ale ani dnia dłużej.

— Złą wiadomością jest to, iż Václav opanował Pomorze Gdańskie od środka — powiedział Leszek.

— Co przez to rozumiesz?

— Starostą mianował niejakiego Tasso, Czecha z Wiesenburga. Ale rządzi, bo całkowicie pozyskał ród Święców. A Święcowie są na Pomorzu tym, kim Zarembowie w Starszej Polsce.

Teraz zrozumiała, dlaczego nie rozpoznała Leszka. Na jego piersi nie było czarnego gryfa.

— Przekupił ich? — spytała księcia.

— Tak. Moją ziemią. Unieważnił nadania, jakie książę Władysław poczynił na rzecz mnie i moich braci. I tymi wsiami wynagrodził Święców. W dodatku znalazł Piotrowi narzeczoną na praskim dworze i obiecał, że osobiście będzie mu drużbą na weselu. Starostą jest więc Tasso, ale Święcowie zostali niepisanymi namiestnikami Pomorza.

Przyjrzała mu się. Już dawno nie był chłopcem, którego pamiętała.

— Żałujesz, Leszku? Żałujesz, że ustąpiłeś memu mężowi z Pomorza?

— Nie, pani — odpowiedział twardo. — Gdybym nie ustąpił stryjowi, dzisiaj byłbym zgnieciony potęgą Przemyślidów. Ledwie starczyło mi sił do obrony Kujaw. Stawiliśmy opór, ale jak wiesz, przegraliśmy.

— Jest inna rzecz, księżno — wtrącił Gerward. — Jeszcze niepewna, ale powiedzmy, na dobrej drodze. Václav do zdobycia Kujaw brzeskich wezwał Krzyżaków. Będzie chciał się ich teraz pozbyć i jest szansa, że przekaże te ziemie pod zarząd księcia Leszka.

— Chcę, abyś wiedziała, pani, że gdy stryj wróci, oddam mu, co jego.

Jest dumny i chyba wierny — pomyślała Jadwiga.

— Kto negocjuje w tej sprawie?

— Arcybiskup Świnka, za moim pośrednictwem — powiedział Gerward. — Jakub II prosił, by ci przekazać, pani, abyś nie upadała na duchu.

— Dziękuję. Nie tracę wiary.

Jeszcze tego ranka byłoby to kłamstwo, ale teraz, gdy wie, że Władek żyje, można uznać, że to znów prawda.

— Jednocześnie arcybiskup prosi cię, księżno, byś za wszelką cenę nie pozwoliła się wytropić ludziom Václava. Gdyby Przemyślida miał ciebie i dzieci w ręku, twój mąż nie mógłby już nic zrobić.

— Rozumiem. — Skinęła Gerwardowi głową. — Czy Rikissa już została koronowana?

— Nie, pani — odrzekł biskup.

Nie odpowiedziała nic. Przyjęła do wiadomości, nie dając im poznać, że wie. Że ma świadomość, iż troska o nią i o jej dzieci jest tylko rezerwowym planem. Gorszym wyjściem. Jeśli Rikissa urodzi Václavowi syna, to ten dziedzic skupi na sobie uwagę całego Królestwa. Wychowają go od niemowlęcia na przyszłego króla, bo nieść będzie w sobie piastowską krew Przemysła. Postawią wszystko na to dziecko. Jej synowie staną się zbędnym balastem, a powrót Władysława z wygnania początkiem nowej wojny. Kim będzie wtedy ona? W najlepszym wypadku wyrzutem sumienia. Ale dzisiaj, kiedy nic nie jest pewne, trzymają ją w ukryciu i martwią się, by nie wytropił jej Václav. Wciąż jeszcze liczy się w tej grze. I choć na palcach nie ma żadnego ze swych pierścieni, a brudne włosy okrywa wełnianą chustą, to nadal stawką w tej grze jest królewska korona.

ELŻBIETA, księżna wrocławska, przeklinała Władka. Jej najmłodszy syn był najokropniejszym dzieckiem, jakie miała. Nie potrafił chwili usiedzieć spokojnie, a Elżbieta, która wcześniej cieszyła się sławą dobrej matki, traciła przez Władka opinię. Nie mogąc już znieść jego nieustannych awantur, wpychała syna w ramiona piastunek i uciekała do klarysek.

— Czego się martwisz? Najwyżej nazwą cię dewotką, która po śmierci męża postradała zmysły. — Wzruszyła ramionami Jadwiga Pierwsza. — Świat pełen jest dewotek! Słyszałam taki wierszyk: „Starym pannom nocą, dwa brzydkie słowa, których nie powtórzę, grzechocą". Niezły, co? Ale nie zawracajmy sobie głowy dewotkami, w końcu nas to nie dotyczy, jesteśmy w klasztorze! Bolke we Wrocławiu? Opowiadaj!

— Wyjechał.

— O nie! Trudno, najwyżej powtórzysz nam tamto, jak przyszedł do ciebie w nocy i był w zbroi.

— Jadwigo! — skarciła najstarszą klaryskę opatka. — Sądziłam, że papieskie nowiny ekscytują cię równie mocno jak alkowiane.

Jadwiga Pierwsza zrobiła nieokreślony gest prawą dłonią. Szeroki rękaw skutecznie ukrył jej intencje.

— Mikołaj Boccassini został specjalnym legatem Bonifacego na Węgry, Dalmację, Polskę i Czechy — oznajmiła przełożona.

— Przecież Václav nie podlega stolicy apostolskiej.

— Otóż to! — zapaliła się opatka. — Papież Bonifacy grozi Przemyślidzie palcem. A Boccassini, generał zakonu dominikanów, słynie z tego, że jest nieprzekupny!

— To jak on się w kurii utrzymał? — Jadwiga Pierwsza była źle nastawiona do rozmów na tematy, które narzucała opatka.

— Tajemnica spowiedzi! — odgryzła się jej siostra Głogowczyka. — Pytanie, czy Bonifacy wysłał legata przeciw Václavowi w sprawach polskich czy węgierskich?

— W jednych i drugich! — odkrzyknęły chórem Ofka i Elżbieta.

— O! Wygrywa frakcja Starszej Polski! Zapominacie się, moje drogie, że klasztor jest ponad podziałami?

— Przypadek — zaśmiała się Elżbieta.

— Pokrewieństwo dusz! — pocałowała ją w policzek Ofka.

— Na Węgrzech istne widowisko! Wojna dwóch chłopców, z których jeden ma poparcie papieża i sporo, jak na obecną sytuację, arpadzkiej krwi w żyłach, a drugi ma za sobą większość węgierskich możnych i złoto Przemyślidów.

— Jest jeszcze trzeci — ożywiła się Jadwiga Pierwsza. — Otto Bawarski, wnuk króla Beli. Moim zdaniem na razie czeka, aż tych dwóch się o siebie porozbija. A ty, Elżuniu, nie chcesz jakiegoś swojego synka pchnąć na potomka Arpadów? Po mamusi to ty jesteś pół-Arpadka!

Elżbieta zachmurzyła się. Oczywiście, że zawsze jej było blisko do spraw węgierskich, księżna Jolenta nawet nauczyła córki języka. Może gdyby miała przy boku silnego, dobrze ustawionego męża? Kto wie?

— Andegawena już koronowano — zauważyła Ofka. — I tak jak mówi nasza opatka, istne widowisko. Arcybiskup Ostrzyhomia, Grzegorz, jako jedyny ma uprawnienia, by koronować węgierskich królów...

— Hola! — zatrzymała ją opatka. — Grzegorz został wybrany, ale nie zatwierdzony przez własną kapitułę, tak więc prawomocność jego działań będzie można podważyć. Choć, rzecz jasna, papież tego nie zrobi, bo Grzegorz, Bicskei Gergely, jest jego człowiekiem.

— Tak, ale nie miał korony świętego Stefana, gdyż ta ukryta jest przez arcybiskupa Kaloscy. Więc ukoronował Karola Roberta zgodnie z prawem i za zgodą Bonifacego, ale nieprawdziwą koroną i przy sprzeciwie węgierskich panów.

— To tak, jakby twojego szwagra, Elżuniu, koronował Świnka jakimś naprędce skleconym diademem przy braku zgody Zarembów. Karol Robert się nie utrzyma — orzekła opatka. — Nie ma szans.

— Nie ferowałabym wyroków, jesteś młoda i płocha, choć taką ważną funkcję piastujesz — ofuknęła ją Jadwiga Pierwsza. — Karol Robert jest Andegawenem, a oni mają we krwi dwie rzeczy: cierpliwość i zaciętość. Jako król Neapolu nie ma szans, bo ma braci, więc dla niego węgierska korona to jedyne rozwiązanie. Wyssał tę wiedzę z mlekiem matki.

— Nie wspominaj przy mnie o karmieniu! — wstrząsnęło Elżbietą. — Mój okropny syn ostatnio pija wyłącznie święconą wodę.

— To raczej zbożny zwyczaj — wzięła dziecko w obronę Ofka.

— Nie mówiłabyś tak, widząc, jakie przy tym robi miny.

— Mnie o dzieciach nie ciekawi! Albo o miłości, albo o papieżu, albo pójdę się modlić — postraszyła Jadwiga Pierwsza.

— O Bonifacym VIII! — zdecydowała opatka.

— „Wszelkie stworzenie ludzkie poddane jest papieżowi rzymskiemu i nie może być zbawionym, nie wierząc w to" — zacytowała Bonifacego Pierwsza. — A to, w połączeniu z wysłaniem Boccassiniego, znaczy, że Ojciec Święty wypowiedział Václavovi wojnę. I jeśli Karol Robert wykaże się legendarną cierpliwością Andegawenów, a przypomnę wam, moje młodsze siostry, że wielu z jego przodków sukces osiągało dopiero w dojrzałym wieku, to wygra z małym, napalonym na tron Przemyślidą.

— Czy przypadkiem nie przesadzasz? — spytała Ofka. — Václav III może być tak samo zdeterminowany jak Karol Robert.

— Nie, dziecino. Václav od biedy będzie jeszcze mógł po ojcu objąć tron w Pradze lub w Poznaniu...

— Nie mów tak! Urodziłam się w Poznaniu. — W oczach Ofki zalśniły łzy.

— A ja miałam matkę Przemyślidkę — przypomniała jej rozzłoszczona nagle Jadwiga Pierwsza — i bardzo kochałam mamusię, i wy też musicie ją kochać, bo jest naszą dobrodziejką, fundatorką!

— Modlimy się o nią codziennie! A nowicjuszki trzy razy dziennie. Jedna krzyżem leży co piątek w intencji twej pani matki, a naszej babki, przypominam. Nie denerwuj się, proszę.

— Ja się nie denerwuję. Ja się złoszczę.

— Dobrze, masz rację — zażegnała spór Ofka. — Václav nie będzie tak uparty w dążeniu do celu jak Karol Robert.

— Lubię, jak się ze mną zgadzacie, bo wtedy mówicie tak roztropnie. — Przygładziła welon Jadwiga Pierwsza. — W nagrodę możemy porozmawiać o Gryfinie. Tej to się dopiero udało!

MUSKATA był w swoim żywiole. Żył dla tych chwil, które otwierały się teraz przed nim niczym płatki kwiatów muszkatu. Ha, ha! Właściwie gówno go obchodzi, czy muszkat ma płatki i kwiaty. Poetyckie bzdury dla dam dworu omdlewających przy dźwięku fideli. Najważniejsze jest w środku — wielki okrągły owoc zwany gałką — źródło fortuny Leo Muskaty ojca. Trzy gałki muszkatołowe w jego herbie i trzy korony. Dwie już ozłocił, teraz sięgnie po trzecią. Buda musi rozewrzeć przed nim swe podwoje, choćby miał nogę wsadzić między drzwi katedry. Arcybiskup Ostrzyhomia, Bicskei Gergely, zwany Grzegorzem, wciąż nie został zatwierdzony na urzędzie przez kapitułę niechętną stronnictwu papieskiemu — to najważniejsza z cudownych wiadomości. Druga, że panowie węgierscy proszą ich na tron.

— ...proszą nas na tron!

— Nas? — zdziwił się Václav.

— Nas, królu! — potwierdził Muskata.

— Mojego syna, chciałeś powiedzieć?

— Oczywiście, królu.

Muszę się hamować — pomyślał szybko i przystąpił do rozmów, póki Václav był w formie.

— Wszystko układa się doskonale. Jest tylko jedna komplikacja, panie.

Mały Vašek siedział przy oknie kolebki, którą jechali, i jadł solone słowackie kiełbaski. Jadł je całą drogę. Muskata widział różnych żarłoków niemało, ale Vašek budził jego niepokój. Królewski syn nie powinien być tak łapczywy. Václav siedział naprzeciw syna i wyłożył nogi na

482

siedzeniu kolebki. Mówiąc krótko, Muskata jechał między pochłania-
jącym zaprawione czosnkiem kiełbaski synem a nogami ojca.

— Komplikacja? — mruknął Václav II. — Mów.

— Tak przychylnie nastawiłem baronów węgierskich do dynastii
Przemyślidów, tyle argumentów za jej kandydaturą do tronu przed-
stawiłem...

— Jakich? — przerwał mu mały Vašek z pełnymi ustami.

Muskata nabrał powietrze ustami, żeby nie wąchać czosnku.

— Takich, mój młody panie, że Węgry włączone w krąg monarchii
Przemyślidów będą częścią najsilniejszego państwa środkowej Europy.

— A dla nas, synku, oznacza to, że zabezpieczamy Czechy węgierskimi ziemiami przed zaciśnięciem się wokół nas łańcucha wrogów — objaśnił Václav.

— W tym rzecz. — Muskata wolał teraz mówić do starszego
z nich. — Panowie węgierscy tak się rozochocili, że postanowili na
tron zaprosić ciebie.

— Ja jestem zajęty. Mam koronę czeską i polską. Ich jest dla Vaška.

— Dziękuję, tato.

— Proszę.

— Naturalnie — podjął Muskata. — To jest plan, do którego
dążymy. Jednak jak słusznie zauważa Matúš Čák, baron Trenczyna,
chłopcu, jakim jest Karol Robert, mocniej przeciwstawiłby się dojrzały król, taki jak ty, panie.

— Ale tata obiecał. — Kawałki kiełbasek posypały się z ust Vaška.

— I twój ojciec ci obiecał, i ja przysięgałem, że wasze marzenia
potrafię spełnić — słodko i jakby troskliwie uśmiechnął się Muskata, udając, że nie widzi, jak małemu leci z gęby. — Chcę tylko powiedzieć, byście nie byli zaskoczeni. Gdy baronowie wygłoszą mowę
powitalną w Budzie, padnie w niej imię Václava II. I wówczas dora-
dzałbym, abyś ty, królu, powiedział, że owszem. I że z miłości do
Węgrów oddajesz im swego syna...

— Jak z Ewangelii! — Klasnął w ręce Václav II.

— Ja nie chcę umierać na krzyżu... — rozbeczał się mały.

— Vašek. Jak ty się zachowujesz? — zbeształ go Václav II. — Biskup Muskata pomyśli, że nie nadajesz się na króla i darmo się użerał z Węgrami! Natychmiast przestań płakać. Podoba mi się to, co
zaplanowałeś, Janie — znów zwrócił się do biskupa i pochwalił go.
— Mam nadzieję, iż to ustalone z baronami?

— Z większością. Tak jak i imię przyszłego króla. Władysław V. Làszló V.

— Poprzedni Władysław, IV, był ten Kumańczyk?

Tego pytania nieco się Muskata obawiał, więc kiwnął głową od niechcenia.

— Owszem.

Václav II jednak ćwiczył pamięć dalej.

— Ten półpoganin z dzikiej matki?

— Ochrzcili ją, królu! — Machnął ręką Muskata i nieco ryzykownie chciał wybrnąć, więc szepnął lubieżnie: — Miał trzydzieści nałożnic...

— Nadzwyczajne! — podchwycił Václav, ale przerwał mu syn, pytając:

— Ty masz więcej, tato?

— Ja, synu, po okropnie długim wdowieństwie po twej matce, mam narzeczoną.

— Widziałem ją w Pradze. Prześliczna. Rozmawiałem z nią!

— Ty masz swoją i poznasz ją niebawem. Władysław V. Zaraz, ale czy ten IV nie został aby zasztyletowany we własnej jurcie?

— Ludzie to lubią o królach plotkować! No przecież nasz Vašek nie będzie nosił imienia Stefan, bo byłby konflikt świętych — na szybko zełgał Muskata. — To kanonicznie niedozwolone. Święty Wacław i święty Stefan to dwaj założyciele dynastii. Do wyboru ma jeszcze Andrzej, po teściu. — To odpowiednio zaakcentował, bo Václav był przez całe życie uprzedzony do ojca Guty i teraz lubił sobie na ucztach żartować, że przy Rikissie problem teścia odpada. — Albo Bela. Vašku, chciałbyś nosić imię Bela?

Vašek ładował sobie do ust kolejną kiełbaskę. Zaprzeczył z wypchanymi policzkami.

— Tyle w kwestii imienia. Przejdźmy do narzeczonej. Elżbietę uprowadzono do Wiednia, tak jak przypuszczałem! — zastrzegł to szybko, żeby nie było na niego. — Uważam, że trzeba bez zwłoki nacisnąć na Albrechta Habsburga, by wydano dziewczynę.

— Bardzo chciałbym mieć żonę, tato. — Vašek otarł usta.

— Wszystko w swoim czasie, synku.

— A dlaczego ty nie zaślubiasz swojej narzeczonej? — zapytał młodszy Václav starszego. — Ona mi się bardzo podoba.

Król odgarnął włosy z czoła i wyjrzał przez okno. Schował głowę i odpowiedział:

— Jeszcze nie czas. Jest za młoda.

— Dla mnie w sam raz — upomniał się Vašek i biskup nagle zrozumiał, że mały jest łapczywy nie tylko na kiełbaski.

— Księżna Gryfina przygotowuje ją do małżeństwa — wyślizgnął się od odpowiedzi ojciec.

— Czy Gryfina jest moją babką?

— Siostrą matki twego ojca — wyręczył Václava Muskata — i radziłbym ci, młody przyszły królu, raczej przy niej nie mówić słowa „babka". Jeśli kiedyś będziesz rozmawiał z księżną krakowską, mów co najwyżej „cioteczko".

— Zapamiętam, biskupie — grzecznie odpowiedział Vašek.

Muskata pomyślał, że łakomstwo jest grzechem głównym, ale przecież wybaczalnym. A pewna spolegliwość małego ogromnie mu odpowiadała. W końcu, gdy go szczęśliwie ukoronują, zostaną w Budzie we dwóch — król i prymas. Przyłożył do nosa chusteczkę nasączoną w olejku różanym i rozgrzeszył solone kiełbaski w imię wspólnej, świetlanej przyszłości.

WŁADYSŁAW i Amadej Aba patrzyli ze szczytu na dwoje starców z chaty na polanie. Mężczyzna jechał na oklep na Regősie, kobieta na Rulce. Siwe warkocze skakały na ich plecach.

— Nikt nigdy nie ośmielił się prosić mnie o to, by dosiąść Rulki — powiedział Władek, oddając Amadejowi bukłak z winem. — Dobre.

— Dostałem od króla Andrzeja zamek w Tokaju — uśmiechnął się Amadej, pociągając łyk i wskazał głową kobietę. — Ona nazwała twoją klacz „koniem, który mówi".

— Kim właściwie są?

Amadej otarł wąsy i przykładając dłoń do oczu, patrzył na starców.

— Mówimy na nich „Ojciec i Matka" i nikt nie wie, ile mają lat. Dawid, mój ojciec, do nich przychodził, a wcześniej dziadowie i ojcowie dziadów.

— Do tych samych? — zdziwił się Władek.

— A kto ich tam wie, Làszló fejedelem! Moja babka mówiła, że starość jest wieczna i jak człowiek ma sto lat, to już przestaje się starzeć. Dla mnie oni są święci, choć nie chwalę się tym biskupowi Koloscy. — Uśmiechnął się pod wąsem Aba. — Wiesz, są jak głos z tamtego świata, z czasów gdy Madziarzy oddzielili się od Attyli i Turul sprowadził ich do tej zielonej ziemi. Stróżują naszej pamięci, a Panu Bogu nie szkodzą.

Władek oparł się plecami o siodło Rulki. Kobieta nim jej dosiadła, rozkulbaczyła klacz.

— U nas się mówi na takich Stara Krew — przypomniał sobie Władek. — Krzyżacy jednak orzekli, iż to Dzicy, i się za nich wzięli; chrzczą żelazem. Mój ojciec, Kazimierz, lubił ich. Nie pozwalał na żadną przemoc, mówił, że mogą przyjąć wiarę w Boga, ale nie wolno ich karać, jeśli tego nie chcą. Papież nawet dał ojcu specjalną bullę pozwalającą na otoczenie książęcą ochroną ziem tych pogan, którzy dobrowolnie przyjęli chrzest. Ale odkąd nastali Krzyżacy, bulla nieważna, żelaźni bracia załatwili sobie lepsze i położyli łapę na „swoich Dzikich". O ile z Prusami poszło im jakoś, o tyle ludzie Starej Krwi nie wyginęli. Biegają po lasach i czczą święte dęby. Zresztą nie znam się na tym. Jestem prawym synem Kościoła.

— Ja też — przepił do niego Amadej.

Na łące w dolinie siwowłosi zsiedli z koni i puścili Rulkę i Regősa wolno. Starzy położyli się na trawie, a klacz i ogier pogonili na zielone pastwisko.

— Boli cię? — spytał Władek.

— Boli — odpowiedział Amadej. — Mieliśmy tylko jednych królów: Arpadów. Aż do śmierci Andrzeja...

— Mogliście wybrać Karola Roberta. Zawsze to w jednej czwartej krwi Arpad — nieustępliwie przypomniał Władek.

— Nie ja wybierałem — równie twardo odpowiedział Aba. — Przemyślida nie jest moim królem.

— To nas różni, Aba Amadé, przyjacielu. Ty miałeś za wiele do stracenia, podejmując samotną walkę z resztą baronów. Jesteś palatynem; stworzyłeś państwo w państwie. Myślałeś o tym, nim podjąłeś decyzję. Ja... powiem ci. Nikomu bym tego nie powiedział, ale tobie, Amadeju, powiem. Ja nie myślałem o niczym. Rzuciłem się w wojnę jak gówniarz, nie licząc sił, myśląc, że skoro czegoś pragnę, to muszę to zdobyć. Nie zastanawiałem się, że stracę nawet rodowe księstwo. Żonę, dzieci, dobre imię. To ostatnie boli najbardziej.

— Dlatego, biorąc miecz, sam siebie nazwałeś Karłem?

— Tak. Odkąd pamiętam, zawsze chciałem udowodnić światu, że nim nie jestem. A ludzie i tak patrzyli na mnie i widzieli, że jestem niski. Więc przyjąłem to jako imię. Niech tak będzie.

— Törpe Làszló fejedelem — powiedział Aba. — Herceg Loket.

— *Törpe* znaczy karzeł. — Wyciągnął rękę po bukłak z winem i dodał: — Chociaż wierz mi, wciąż jestem słaby. Wolałbym, żeby w moim kraju mówili „Törpe", przynajmniej nie każdy by rozumiał.

— Nie jesteś słaby, książę. Jesteś silny. My, koczownicy, czcimy trawę, bo jest silniejsza niż dąb. Niska, ale kiedy przechodzi wichura, trawa się ugnie, a dąb złamie. Wiatr odchodzi gnać w innych pustkowiach, dąb schnie, a trawa podnosi się. Siła ukryta jest w tym, ile razy się podniesiesz, a nie w tym, że raz się złamiesz.

— Dobry z ciebie przyjaciel, Aba Amadé. Ale... wypiłem twoje wino. Do dna. Zniszczyłem bukłak.

— Mówiłem ci, Làszló, że król Andrzej podarował mi Tokaj. Po dziś dzień nie zdążyłem przeliczyć beczek. — Amadej wstał i przyniósł z siodła drugi bukłak. — I byłbym zaszczycony, gdybyś zrobił to ze mną.

— Nie, Aba. Ruszam na Ruś. Do księcia halickiego Jerzego i mojej siostry Eufemii. Dostanę od szwagra wojsko.

— Ode mnie też, Làszló! I od Matúš Čáka!...

— Od niego? — Władek zagotował się. — Przecież Matúš poparł Przemyślidę. Był pierwszym w orszaku, który dał mu koronę świętego Stefana!

— Od niego też, Làszló. On jest przeciw rodowi Aba, ale nie przeciw tobie.

— Amadej! Obudź się. Kto jest z wielkim Przemyślidą, królem trzech koron, jest przeciw mnie!

— To co innego, Làszló! Matúš Čák będzie wierny Przemyślidom i skrycie wystawi dla ciebie wojsko. Może nie tak liczne jak to, które wiódł Juhász Hunor, ale da ci ludzi.

— Nie rozumiem. — Władek zerwał się na równe nogi i dopiero teraz poczuł, ile tokajskiego wina wypił.

— Törpe Làszló fejedelem... — Amadej nie wstał, ale uklęknął na kolanach; jego oczy zdradzały, że jest pijany przynajmniej tak samo jak Władek. — Ty jesteś nasz... Ty jesteś ze szczepu Attyli, jak my. Jesteś zaklinaczem koni. Wiecznym koczownikiem, który wiedzie nieposkromione stada. Ördög naznaczył cię niskim wzrostem, byś mógł jak stepowi jeźdźcy podbijać świat. Spójrz w dolinę!

Władek, chwiejąc się na nogach, popatrzył za wyciągniętym ramieniem Amadeja.

Rulka gnała z dziko rozchylonymi nozdrzami. Rżała, unosząc ogon. A Regős gonił za nią. Jego klacz stanęła dęba. Ogier Amadeja zatrzymał się w miejscu. Rulka zatańczyła na zadnich nogach. Regős nie ustąpił. Wskoczył na jej zad i chwytając klacz zębami za czarną grzywę, zmusił do uległości. Oddając mu się, cały czas rżała. A kiedy ogier Amadeja zeskoczył z jej grzbietu, wspólnie okrążyli polanę.

— Tak płodzeni są bogowie — powiedział Aba i podał Władkowi wino.

Władysław czuł się dziwnie. Jestem pijany — pomyślał — przecież na trzeźwo nie byłbym zazdrosny o klacz. „Da nam potęgę z łona kobiety" — przypomniał sobie słowa siwowłosej. Kobiety. Czyżby chodziło jej o Rulkę?

— Ucz swoją córkę węgierskiego, Làszló — powiedział Amadej.
— Będzie naszą królową.

— Kinga? — powiedział, myśląc o dziewczynce tak podobnej do Jadwigi.

— Nie, Làszló. Córkę, której jeszcze nie masz.

— Aba Amadé! Czy ja dobrze widzę? — Władek wskazał ręką dwoje starców na polanie.

Mężczyzna i kobieta zrzucili białe szaty szamanów i na ich oczach, i na oczach wciąż kłusujących koni kochali się.

— Làszló!... — jęknął Amadej Aba. — Przecież oni mają ze sto lat...

— To ty powiedziałeś, że po setce ludzie przestają się starzeć...

Siwowłosym nie przeszkadzał wiek. Kobieta dosiadła mężczyzny i w równym, namiętnym rytmie poruszali biodrami, a siwe warkocze podskakiwały na jej plecach. Władek miał poczucie, iż powinien odwróci wzrok. Ale nie mógł. Rulka i Regős galopowali wokół pary starców, a ci kochali się, jakby dzisiaj kończył się świat.

— Boże Wszechmocny — jęknął pijany Amadej — nasze konie spłodzą źrebca. Ucz córkę węgierskiego, Törpe Làszló fejedelem!... Może do nas należy świat? Zobacz, Przemyślida na waszym tronie i na naszym, dynastia Arpadów skończyła się...

Władek wyrwał mu bukłak z tokajskim winem i krzyknął:

— Ale Piastowie jeszcze nie wymarli! Törpe Làszló fejedelem!

Amadej Aba, wskazując na wielki miecz przy siodle Władka, pokręcił głową.

— Dzisiaj książę, jutro król. Kiràly! Törpe Làszló kiràly! — Aba usiłował wstać, ale wino podcinało mu nogi, jak wiatr.

Władek stał z rozkrzyżowanymi ramionami i śmiał się na całą dolinę.

— Widzisz, przyjacielu, ja mam tak całe życie — pod wiatr!

— *Ellenszél* — jęknął Aba — pod wiatr!

HENRYK, książę głogowski, długo się zastanawiał, szukając miejsca, gdzie może się w spokoju spotkać ze swym niedawnym wrogiem, Bolke Surowym. Pomógł mu Lutek Pakosławic i w nagrodę wytargował od księcia ułaskawienie dla swego przyjaciela, Henryka von Hacke.

— Panie, jeśli ma się odbyć tak, by nikt o was nie wiedział, to „Zielona Grota".

— Oszalałeś? To dom rozpusty przy głównym śląskim trakcie. Równie dobrze moglibyśmy spotkać się na wrocławskim rynku.

Henryk poczuł, jak mu się pocą dłonie. Jeden raz w życiu był w domu uciech i to było właśnie tam, w „Zielonej Grocie". Z pamięci może wymienić imiona dziewcząt: Trzmielina, Jeżyna, Jemioła, Irga, Wierzbka. Potarł mokrą dłonią kark. Tyle lat! Wtedy zaprosił ich książę wrocławski Henryk, wracali ze zjazdu piastowskiego. Książę Przemysł, jego słodki brat Przemek, Władek opolski z synami i Henryk. To były czasy! Przemysł był księciem i żadnemu z nich przez głowę nie przeszło, że będzie królem. A dzisiaj? Król nie żyje, jego brat nie żyje, Henryk nie żyje i nawet Władek opolski, choć wydawał się wieczny, też nie żyje. Z nich wszystkich został tylko on, Henryk. I syn Władka, Bolko opolski, orzeł na błękicie. Książę roześmiał się do wspomnień — Bolko wtedy był za młody, by pójść z dziewczynami na górę. Został z ojcem i pił słynne świdnickie piwo. Na samo wspomnienie „Zielonej Groty" książę poczuł się młody i...

— Mowy nie ma, Lutek.

— Ależ książę, wysłuchaj do końca, zanim łeb mi zetniesz. — Pakosławic błysnął zębami. — „Zielona Grota" przeniosła siedzibę. Panny nie przyjmują już przy trakcie ze Świdnicy do Wrocławia, tylko nieopodal Ścinawy. Otoczymy przybytek, a ty i Bolke spotkacie się niemal na granicy księstw.

Czy to jest grzech przeciw wierności małżeńskiej, jeśli na myśl o „Zielonej Grocie" czuję się młody? — bił się z myślami Henryk. — Przecież żadna z tamtych dziewczyn już nie... To tyle lat. Dwadzieścia? Może i trzydzieści.

— Zetnę ci łeb, obiecuję. Jeśli tylko ktokolwiek dowie się o spotkaniu. Proś Bolke Surowego na najbliższą środę. Zdążysz?

— Z Henrykiem von Hacke przy boku zdążyłbym i na jutro.

Jest taki jak ja — pomyślał Głogowczyk, gdy Lutek wyszedł. — Na śmierć wierny w przyjaźni.

„Zielona Grota" z zewnątrz przypominała wielką karczmę. Gospodyni wydała się Henrykowi łudząco podobna do tamtej, sprzed lat. Biuściasta, z dołkami w policzkach, białą chustą okręconą wokół głowy.

— Jak się zwiesz? — spytał.

— Ludwina.

— Niemożliwe. Ludwina była gospodynią „Zielonej Groty" przy trakcie świdnickim. — Bacznie przyjrzał się kobiecie.

— Masz rację, książę — skłoniła się, zamiatając spódnicami podłogę. — To była Ludwina Pierwsza, moja matka. Ja jestem Ludwina Druga, córka. I jest jeszcze moja siostra Ludwina Trzecia w Starszej Polsce.

— Piwo warzysz takie samo jak rodzicielka?

— Wszystko robię tak, jak nauczyła mnie mamusia — uśmiechnęła się, pokazując dołki w policzkach. — Czy mogę przedstawić księciu dziewczyny?

Nie — pomyślał. — Żadnych dziewczyn. Przyjechałem tu spotkać się z niedawnym wrogiem. Ale gdy otworzył usta, powiedział co innego.

— Tak. Czekam.

Ludwina zaklaskała w pulchne dłonie i na schodach mignęły zielone suknie. Piegowata i ruda biegła pierwsza, we włosy miała wplecione pęki różowych stokrotek. Za nią ciemnowłosa o urodzie bizantyjskiej Madonny. Za ręce trzymały się dwie panny o warkoczach sięgających pasa, jedna jasna, druga niemal czarna. Na końcu majestatycznie schodziła piękność w jarzębinowym wianku, o bujnym biuście i włosach w kolorze orzechów buczyny. Henryk poczuł się jak w głębi własnego snu sprzed niemal trzydziestu lat. W pamięci powtórzył ich imiona. Jeżyna, Trzmielina, Irga, Wierzbka, Jemioła. Litania do kurtyzan. Przełknął ślinę.

— Rudowłosa to Złocieniec — przedstawiła Ludwina. — Mało oryginalne, ale przynajmniej nikomu się nie myli. Ciemnowłosą nazywamy Bluszczyk i zapewniam, że gdy kogo oplecie, to nie puści. Te w warkoczach to Malina i Chaber, a piękność w jarzębinie na głowie to Dziewanna.

Wtedy był z rudowłosą i miała na imię Jeżyna. Ale choć dziewczyna w zielonej sukni łudząco przypominała tę z jego wspomnień, musiałaby być córką tamtej. A niech to.

— Bardzo piękne. Odpraw je, Ludwino. Mój gość i ja poprosimy, by podać nam piwo.

— Jak sobie książę życzy — wydęła usta gospodyni. — Córuchny, wracać na górę! Książę nie ma ochoty.

Nie ma ochoty? Kobieto, nic nie wiesz. Ale przynajmniej mi nie utrudniasz.

Dziewczęta zniknęły równie pięknie, jak się pojawiły, Henryk zatrzymał w nozdrzach woń kwiatów i zaraz po tym Lutek Pakosławic wprowadził gościa.

— Bolke! — przywitał go Henryk, wyciągając rękę.

— Henryku! — Uścisnął mu prawicę książę świdnicki.

Śląskie orły na ich piersiach poruszyły dziobami. Zalśniły czarne ślepia. Obwąchiwanie przeciwnika. A przecież te ptaki wykluły się w jednym gnieździe.

— Książę Władysław na wygnaniu, mówią, że nigdy nie wróci — zaczął Bolke, przypatrując się Henrykowi tak samo jak jego orzeł.

— Jest stracony. Nawet gdyby chciał powrócić, to nie ma do czego. Václav opanował jego ziemie, baronowie nie zaufają mu nigdy.

— Nastał czas Przemyślidy? — Przekrzywił głowę Bolke.

— Nie dla mnie — twardo odpowiedział Henryk. — Nie wycofałem się z posiadłości nad Obrą, które mam zapisane w traktacie z Krzywinia.

— Chcesz walczyć z potęgą Václava?

— Chcę mu pokazać, że się nie zgadzam. Bolke, tylko nas dwóch, z liczących się książąt, nie było na jego koronacji w Poznaniu — uniósł głos Głogowczyk. — Dołącz do mnie. Václav wyjechał na Węgry, jego starostowie są niemrawi. Podnieśmy broń, dajmy poddanym znak, że nie wszyscy pogodzili się z koronacją Václava.

— Co proponujesz?

— Wspólną wyprawę na Starszą Polskę.

Bolke skinął na giermka, by dolał mu piwa.

— Wahasz się? — nie dawał mu spokoju Henryk. — Ty? Który masz sławę nieustraszonego?

— Mam sławę, bo nigdy nie robię nic pochopnie. — Odstawił kubek Bolke. — I nie kieruję się emocjami. A twoja propozycja jest emocjonalna i nie budzi mojego zaufania.

— Wobec tego zostań w domu. Pilnuj księstwa i ciesz się tym, co masz. Pij z żoną wino i sław Václava. I opiekuj się wrocławskimi bratankami, pamiętając o tym, że przyjdzie czas, by każdemu z nich dać dzielnicę. Tak zresztą jak i twoim synom. Masz ich trzech i każdemu dasz mniej, niż sam dostałeś.

— Kiedy ruszamy? — spytał Bolke.

Henryk odetchnął, choć nie dał po sobie poznać, że zwątpił.

— Ja będę gotów w tydzień. I nie ma na co czekać, bo póki Václav zajęty na Węgrzech, trzeba brać, co się da.

— Musisz mi dać gwarancje, że to, co zdobędę, jest moje. — Bolke znów przywołał giermka.

— Dam ci je — potwierdził Henryk. — Nim stąd wyjdziemy, podzielimy Starszą Polskę.

— Nigdy nie dzielę łupów, nim ich nie zdobędę.

— Masz księstwo świdnickie i jaworskie. Jesteś opiekunem księstwa wrocławskiego i legnickiego. To najsilniejsza i najbogatsza część Śląska, Bolke. Przy moim boku dołączysz do niej południe Starszej Polski. Ja zachowuję dziedziczne księstwo głogowskie. Opolczyka na razie nie ruszamy...

— Do czego zmierzasz? — przerwał mu Bolke, ale błysk w jego oku powiedział Henrykowi, iż już wie.

— Jeśli mi pomożesz, staniesz się panem Śląska, Bolke. Przejęcie małych księstewek będzie tylko kwestią czasu. Nim Przemyślida się zorientuje, straci tu wszystkie wpływy.

— A ty? — Czarny orzeł zeskoczył z piersi Bolke i przeszedł na stół. Orzeł Henryka zrobił to samo. Przez chwilę oba ptaki krążyły wokół siebie, omijając kubki z piwem i nie spuszczając się z oczu ani na moment. Orzeł Henryka odbił się od stołu i usiadł na ramieniu swego pana.

— A ty? — powtórzył pytanie Bolke.

— Ja zawsze będę synem Śląska — wolno odpowiedział Henryk. — Wspólnie wesprzemy mieszczan i kupców w handlu. Zyskami z żup podzielimy się na pół, wszystko sprawiedliwie.

— Pytam, jakie ziemie zamierzasz objąć? — nastawał Bolke.

— Ja jestem jedynym prawym dziedzicem Poznania i Królestwa. Nie chcę niczego więcej niż to, co mi się należy.

JAKUB ŚWINKA czuł brzemię niewidzialnej korony dzień i noc. Oplatała skronie, przenikając cząstkami świętego oleju w głąb czaszki. Świdrowała jego umysł, nicując każdą myśl Jakuba, prześwietlając intencje, nieustannie wartościując. Skrupulatnie wypełniał obowiązki arcybiskupa, ale jednocześnie był strażnikiem Królestwa i żywym, choć niewidzialny ludzkim okiem, dowodem jego ciągłości.

Tak jak się spodziewali, Václav krótko po koronacji wyjechał. Naznaczył czeskim zwyczajem starostów, którym powierzył namiestniczą władzę nad każdą z dzielnic, i tyle go widziano. To nie było złe. Dawało krajowi względny pokój pod rządami czeskich urzędników, ale jednocześnie usypiało ducha. I to drugie było niewybaczalne. Królestwo bowiem nie może być tylko wspomnieniem. Nie może zamienić się w czas przeszły dokonany, zamknięty. Królestwo musi żyć, musi pulsować jak przyroda; z nią usypiać i budzić się do życia. Potrzebowali dziedzica. Potrzebowali syna Rikissy, który wniesie w życie poddanych światło, który stanie się symbolem odbudowania korony.

Borzysław stanął w drzwiach jego komnaty zdyszany, w podróżnym płaszczu. Jakub poderwał się i chwytając za serce, zapytał:

— I?...

— Nic, arcybiskupie. I nic.

Wszedł i zamknął za sobą drzwi. Jakub usiadł ciężko.

— Widziałem się z królewną. Rozmawialiśmy na osobności. Jest zdrowa, czuje się dobrze, ale do małżeństwa jeszcze niegotowa.

— Skończyła trzynaście lat! Idzie jej czternasty. Jesteś pewien?

Borzysław rozłożył ręce.

— O ile w takiej sprawie można być czegoś pewnym. Mówiłem, że powinien pojechać ze mną magister Mikołaj. Medyk by sprawdził...

Jakub gniewnie potrząsnął głową.

— Ten Mikołaj to szarlatan, nie medyk. Bzdura. Odkąd sięgam pamięcią, nikogo nie wyleczył. Matka królewny nie pozwoliła mu do siebie podejść w tych sprawach... A z księżną Gryfiną rozmawiałeś?

— Odpowiedziała mi dość gniewnie, że ona robi, co może, ale krwawić za Rikissę nie zacznie. Straszyła, że jak to dłużej potrwa, to się Václav całkiem do żony zniechęci.

— A co mówią matrony?

— To, co zawsze: czekać.

— Czternasty rok... To już może być lada dzień, choćby dzisiaj...

— Arcybiskupie, ja do Pragi dzisiaj nie pojadę, przecież ledwie wróciłem — jęknął Borzysław.

— Wiem, wiem. Tak sobie na głos myślę. Zaremba jej strzeże?

— Jak oka w głowie. Choć zdziwaczał w lochu doszczętnie.

— Każdemu z nas by się na głowę rzuciło. Cztery lata. No dobrze, skoro coś znów nie zależy od nas, dajmy czas Panu Bogu, by działał. Nie zamierzam jednak spać w oczekiwaniu na naszego dziedzica. Nazbierałem dość postulatów, by wnieść skargę do papieża na Muskatę i wytoczyć mu proces. Usiądź przy mnie, chcę ci to pokazać, Borzysławie.

— Postawimy na symonię i przekupstwa? Czy na gwałty, jakie zadaje wszystkim, którzy mają odwagę mu się sprzeciwić?

— To też, Borzysławie, szczegółowo. Ale przede wszystkim musimy zwrócić uwagę papieża na to, co Muskata robi dla węgierskich spraw Przemyślidów. Przypuszczam, iż biskup krakowski ma wobec siebie wielce wygórowane ambicje.

— Jest już głównym doradcą Václava III — mruknął Borzysław. — Jego rola w zdobyciu węgierskiej korony musiała być znaczna.

— I była. Znając apetyt Muskaty, biskup dopiero się rozkręca.

— Arcybiskupie — powątpiewająco wyraził się Borzysław. — Cóż taki Muskata może chcieć więcej?

— Niezależności. Jako biskup krakowski powinien podlegać mnie, a robi wszystko, by tę podległość podważyć. On wie, że w polskim Kościele nie ma miejsca na jego ambicje, i przypuszczam, że będzie chciał sięgnąć po największe dostojeństwa węgierskie. Gdyby mu się to udało, wpływ, jaki będzie mógł wywrzeć na Przemyślidów, przerasta nasze dzisiejsze wyobrażenia. Zatem chcąc za kilka lat odbudować Królestwo, nie możemy pozwolić, by pod bokiem wyrósł nam nieprzychylny duchowny arcyksiążę. Pamiętasz, jak Jan

Chrzciciel wołał? „Nawróćcie się, bo bliskie jest Królestwo Niebieskie!". Otóż to, Borzysławie, otóż to! Nie mogę spać, gdy Niewidzialne daje mi znaki. „Już siekiera do korzeni drzew przyłożona! Każde, które nie wydaje dobrego owocu, w ogniu zginie!".

— Święty Mateusz — wyszeptał Borzysław, rozpoznając słowa Ewangelisty. — „Plemię żmijowe, kto wam pokazał jak uciec przed nadchodzącym gniewem"...

— Zacznij pisać postulaty. Pierwszy: nieobecność w diecezji.

RIKISSA nie bała się Pragi, gdy był przy niej Michał Zaremba. Choroba, na którą zapadł w lochu, sprawiała, iż wszyscy odsuwali się od niego ze zgrozą. Ona nie. Przeciwnie, Michał ze zmienioną twarzą był jej jeszcze bliższy. Słyszała, gdy szepcą za ich plecami: „Idzie piękna i jej bestia", ale miała to gdzieś. Trzem lwom też w niczym nie przeszkadzała skaza jej rycerza.

Przez całą drogę niczym cień śledził ich Henryk z Lipy, lecz z przybyciem do Pragi ulotnił się. Jego miejsce zajęła straż Václava i tłum gości.

Przez pierwsze dni na zamku praskim składano jej nieustanne wizyty. Każdy chciał poznać przyszłą królową. Z ledwością zapamiętywała imiona i twarze. Janek, najpiękniejszy chłopiec, jakiego widziała w życiu, syn nieżyjącej siostry Václava, Agnieszki. Dwie zakonnice, Agnieszka i Elżbieta, siostry przyrodnie Václava. Dopiero później jej wyjaśniono po cichu, że „przyrodnie" znaczy nieślubne. I nieślubny syn jej przyszłego męża, Jan Volek. I trzy dziewczynki, córki Václava, Anna, Małgorzata, Elżbieta. Tu najczęściej damy miały na imię Eliška lub Anežka, Elżbieta lub Agnieszka, co przy jasnej karnacji i złotych odcieniach włosów czyniło je wszystkie podobnymi do siebie. Chłopcy mieli na imię Jan lub Mikołaj, bo Václav było zastrzeżone dla obu królów. Na młodszego mówiono Vašek. Był pulchny i niechlujny, jakby się nieustannie lepił. Nie domykał ust i gdy się złościł, wydymał policzki. Gdy próbował ją pocałować, zacisnęła zęby i z tęsknotą pomyślała o nieżyjącym, czyściutkim i jasnym, kawalerze Ottonie. Pokazano jej także kochanki Václava. Miały oczywiście na imię Agnieszka i Elżbieta i w oczach Rikissy wyglądały zupełnie jak jego siostry. Rikissa uśmiechała się do wszystkich, mówiła mało, oszczędnie, bo bała się, że pomyli te siostry, kochanki i córki. Dopiero kiedy Henryk z Lipy przywiózł wyznaczoną na jej opiekunkę dawną księżnę krakowską, Gryfinę, zobaczyła kobietę, która różniła się od wszystkich. Poznały się dość nieoczekiwanie, gdy księżna wtargnęła o poranku do jej sypialni odziana w intensywnie niebieską suknię.

— Ach! Więc to ty? — zawołała na powitanie.

— To ja — ziewnęła Rikissa, przecierając oczy. — A ty? — Przyjrzała się około pięćdziesięcioletniej kobiecie. — Zgaduję, iż nie masz na imię Elżbieta ani Agnieszka i nie jesteś ani córką, ani siostrą, ani kochanką.

— Wydaję ci się za stara na kochankę? — zagadnęła hardo.

— Przeciwnie, pani. Zapewne nie masz więcej niż trzydzieści lat.

— Więc dlaczego?

— Jesteś pani zbyt wyrazista jak na tutejsze gusta.

— Och, dziecko! — Siadła na jej łożu bez pytania. — A ty zbyt inteligentna jak na żonę Václava. Ale trudno, jakoś sobie z tym poradzimy. Czy te koty zawsze śpią z tobą w łóżku? — skrzywiła się.

— Koty? A gdzieżby. Nie znoszę kotów, bo powiedziano mi, iż mój przyszły mąż się ich lęka. To lwy.

— Lekcja pierwsza: nie mów, że się boi kotów. Mów, że nie cierpi ich miauczenia.

— Dziękuję, pani. Lwy nie miauczą, Bogu dzięki. Lwy ryczą.

— Brudzą? — dopytała.

— Nie wiem, nigdy nie sprzątam po nich.

Zaśmiała się gardłowo i rzekła:

— Jestem Gryfina, księżna wdowa krakowska. Była ksieni klarysek.

— Rikissa, narzeczona Václava. Wdowa po kawalerze Ottonie.

— O, ciekawe. Jaki on był, ten twój kawaler?

— Czysty, grzeczny, usłuchany.

— Biedactwo! To musiałaś się przy nim nieźle wynudzić, co?

— Przeciwnie, pani. Robił to, czego sobie życzyłam, więc bawiliśmy się dobrze.

— Ponoć poznałaś słynną Mechtyldę Askańską. Czy to prawda, co o niej mówią?

— Jeśli pytasz o latanie na miotle, to przyznam, iż nie widziałam.

— Lekcja druga: o Mechtyldzie przy Václavie tylko dobrze. Nazywa ją „Piękną Panią" i kocha się w niej od dziecka. Ale przy mnie możesz mówić całą prawdę. O ile jest ciekawa, bo przecież nie chcemy się nudzić.

— Dziękuję za lekcję. Czego jeszcze będziesz mnie uczyć, pani?

— Sztuki przetrwania, dziecko. Życie przyszłej królowej na dworze to nie elegancki rycerski turniej. To ciągła wojna podjazdowa, nieustanne manewry, szarpanie nerwów i próba sił. To umiejętność zawierania sojuszy i sztuka ich zmieniania. Czasami ordynarne zapasy w błocie. Czy jesteś na to gotowa?

Rikissa pogładziła po łbie lwa i powiedziała:

— Wolałabym spacer nad rzeką, księżno Gryfino. Ale jestem królewną, więc pójdę drogą, którą wyznaczył mi Pan.

— Bardzo dobrze. Czas na spacer nad rzeką też się znajdzie, lecz zacznijmy od zamku. Masz szczęście, twoje komnaty mieszczą się w nowym skrzydle. Václav uwielbia mówić: „Płomienista orlica ma dwa skrzydła, jedno króla, a drugie królowej". Jak ci to powie, wypada się zaśmiać w zachwycie nad konceptem. Skrzydło króla to najstarsza część zamku. Wielka Sala, w której już byłaś, to ta, gdzie się wyprawia uczty, gdzie Václav przyjmuje hołdy i poselstwa.

— Olbrzymia i zachwycająca — przytaknęła Rikissa.

Gryfina przewróciła oczami, mówiąc:

— Przy mnie nie musisz się wysilać, królewno. Komplementy zostaw dla Václava. Ale prawda, Wielka Sala jest imponująca. Najważniejsze: biegnie od niej korytarz wprost do prywatnej komnaty króla i dalej, do kaplicy Wszystkich Świętych. Msze prywatne król każe odprawiać o najróżniejszych porach, choć nie zawsze w nich uczestniczy. Widzisz, moja droga, Václav jest osobą religijną...

Rikissa uśmiechnęła się, ale Gryfina zmarszczyła brwi, mówiąc dalej:

— ...tyle że jego religijność jest nieco inna... No dobrze, musisz wiedzieć. Król ma sekretne przejście ze swej komnaty wprost na trybunę kaplicy, więc może wchodzić na mszę i wychodzić z niej niezauważony przez modlących się poniżej. I często to czyni. W dodatku w prywatnej komnacie urządził sobie coś w rodzaju własnego sanktuarium. Freski na ścianach i słynna skrzynia...

— Słynna? Nic o niej nie słyszałam — zdziwiła się Rikissa.

— Nie słyszałaś? To zobaczysz. — Gryfina podrapała się za uchem. — Lubi odpoczywać w skrzyni. Wyłożył ją relikwiami świętych.

— O — powiedziała Rikissa, bo nie umiała na poczekaniu znaleźć słów. — Zatem odpoczywa w jednym wielkim relikwiarzu? — Upewniła się, czy dobrze rozumie księżną.

— Tak. — Gryfina najwyraźniej odetchnęła, że nie musi tego tłumaczyć szczegółowo. Wstała i podeszła do jednego z okien. — Najważniejsze jest to okno. — Wyjrzała przez nie. — Stąd widzisz wejście do pałacu. Kto, o jakiej porze, jak często.

Rikissa zmarszczyła brwi, a Gryfina, widząc jej minę, roześmiała się.

— Moja droga! Wiedza o tym, kto gości u króla, jest podstawą życia na dworze. Jeśli nie opanujesz tej sztuki, staniesz się zabawką w rękach tych, których sama powinnaś ustawiać.

Księżna Gryfina okazała się nauczycielką dobrą, choć nieprzewidywalną i nie nazbyt gorliwą. Bywały dni, gdy wcale nie pokazywała się w komnatach Rikissy, mówiła potem: „Bolała mnie głowa” albo „Muszę odespać dziesięć lat jutrzni”. Lecz kiedy już pojawiała się, Rikissa lubiła jej żywiołowość i cięty język. Tylko Michał patrzył na nią z ukosa, a potem szeptał Rikissie:

— Uważaj na Gryfinę. Ona nie pracuje dla ciebie, ale dla Václava.

Królewnie zaś wydawało się, że księżna krakowska we wszystkim, co robi, kieruje się tylko jednym dobrem: własnym. Pozycja Rikissy na praskim dworze, w tym roju kobiet, z których większość należała do dynastii, od pierwszych dni była o tyleż wysoka, co skomplikowana. Córki Václava okazywały jej niechęć. Największą Elżbieta, prawie dwunastoletnia, gdy okazało się na pierwszej uczcie, iż Rikissie przeznaczono najwyższe miejsce przy głównym stole. Gryfina, jako jej oficjalna patronka, dzięki Bogu, zajęła miejsce tuż przy niej. Michał i Henryk z Lipy stanęli za jej krzesłem. Elżbieta wlepiła w nią wzrok. Była nazbyt pulchna, o bladych oczach, niezdrowym odcieniu cery i pozbawionych koloru włosach, które wyglądały, jakby wyprano je w zbyt wielu wodach i potem na mokro ściśnięto w warkocze. Podobnie jak jej brat, Vašek, zdradzała skłonność do łapczywego jedzenia i Rikissie zdawało się, iż córkę Václava bardziej ubodło to, iż nie jej pierwszej podano półmisek z kluseczkami.

— Dlaczego pan Jindřich z Lipé nie asystuje mnie, tylko jej? — wypaliła Elżbieta, śledząc wzrokiem kluski, które sługa przyniósł Rikissie.

Gryfina zdążyła szepnąć królewnie do ucha:

— Nie odzywaj się, proszę.

— Król wyznaczył mnie na strażnika swej narzeczonej, najjaśniejsza panienko — odpowiedział Henryk.

— To ona jest taka niegrzeczna, iż trzeba jej pilnować? — wydęła usta Elżbieta i przełknęła ślinę, patrząc, jak nakładają kluseczki na talerz Rikissy.

— Przeciwnie, panienko — odpowiedział, śmiejąc się, Henryk z Lipy. — To najgrzeczniejsza królewna, jaką znam.

— Głupiec — szepnęła Gryfina i miała rację, bo Elżbieta rozbeczała się głośno.

— A jeszcze niedawno tatuś mówił, że ja jestem najgrzeczniejsza...

Rikissa siedziała skonsternowana i starała się uśmiechnąć. Nie musiała próbować klusek, by stanęły jej w gardle. Anna, najstarsza, dwunastoletnia córka Václava, skarciła siostrę.

— Nie płacz, Eliško. Ona jeszcze nie nosi czerwonej sukni.

Przy stole zapadła cisza. Rikissa poczuła na sobie spojrzenia wszystkich. Elżbieta głośno wydmuchała nos, uniosła głowę i wbiła podpuchnięte oczy w Rikissę. A potem przeniosła je wyżej i dalej, patrząc za nią.

— Dlaczego ten Polak Rikissy jest taki brzydki? Nie chcę, by był z nami przy wieczerzy. Jego widok odbiera mi apetyt.

Gryfina zacisnęła palce na jej dłoni, ale tego było królewnie za wiele.

— Nie wyglądasz, królewno Elżbietko, na osobę, która kiedykolwiek traci apetyt — niewinnie uśmiechnęła się Rikissa.

Gryfina wbiła palce w jej rękę jeszcze mocniej. W kilku odleglejszych miejscach stołu ktoś parsknął śmiechem. Elżbieta wydęła policzki i głosem rozkapryszonego dziecka powtórzyła:

— On jest brzydki.

— To mój rycerz — głośno i wyraźnie oświadczyła Rikissa. — Dla mnie jest piękny. Ale skoro uważasz, królewno Elżbietko, że Michał Zaremba jest brzydki, to znaczy, że wiesz o brzydocie więcej ode mnie.

— Ja? — nadęła blade policzki Elżbieta. — A to dlaczego?

Przy stole zapanowała grobowa cisza, taka, która mogła skończyć się wybuchem tłumionego śmiechu lub wojny. Uratował sytuację sługa, podając kluski Elżbiecie. Na widok półmiska dziewczynka zapomniała o Rikissie i zaczęła nakładać je sobie ile wlezie.

— Uważaj na tę Knedlicę — szepnęła jej Gryfina. — Ta mała
żmija dzisiaj nie nadąża za tobą, ale któregoś dnia zrozumie na czas.
I któregoś dnia pojmie, że braku urody nie da się zamaskować nawet
najdroższą suknią.

— Co to znaczy, że „nie noszę czerwonej sukni"? — spytała równie cicho Rikissa.

— Później ci wyjaśnię.

— Powiedz mi teraz.

— Że jeszcze nie jesteś gotowa do małżeństwa.

— A nie jestem?

— A krwawisz już, moja ty dumna panno?

— Nie, Gryfino.

— No właśnie.

Kilka tygodni później wrócił z Węgier Václav. Cały dwór, który
gdy nie było króla, nudził się, plotkował i kłócił, nagle stanął na bacz-
ność. Jednego dnia wszystkie te Agnieszki, Elżbiety, Anny i Małgorzaty, ciotki, siostry, wdowy, kochanki i córki dostały rumieńców. Na
dziedzińcu zaroiło się od barwnych sukien, kwiatów, welonów, a służące dam tylko mijały się w biegu. Gryfina niemal fruwała nad po-
sadzką.

— Moja droga! Nie znamy dnia i godziny! Od dzisiaj aż do odwołania jesteśmy w gotowości. Václav czasami nie kładzie się spać, więc
i ty, na wszelki wypadek, będziesz szła do łóżka w klejnotach i sukni. Gdy nas wezwie, nie będzie czasu na strojenie. Pierwsze spotkanie narzeczonych jest nadzwyczaj ważne i musisz wypaść korzystnie.

Rikissa nie miała się komu przyznać, że czuje niepokój. Wcześniej, gdy zabierano ją z Brandenburgii, wprost z łap Waldemara,
Václav jako narzeczony wydawał się wybawicielem z chwilowej opresji. Potem, w Pniewach, czuła, iż może stawiać własne warunki, nawet
jeżeli jedyną rzeczą, na której jej wówczas zależało, było życie Michała. Kontrakt przedślubny był dla niej bardzo korzystny, choć, co
oczywiste, nie przejmowała się tym, ile srebra i ile miast jej zapisano
we wdowiej oprawie. Wiedziała, że wyznaczono jej rolę i po prostu
chciała ją wypełnić, a myśl, że gdy urodzi królewskiego syna, będzie
mogła z nim wrócić do Poznania, cieszyła ją, niczym obietnica rado-
snej przygody. Nie widziała powodu, dla którego coś miałoby pójść
źle, choć oczywiście już tu, w Pradze, zdała sobie sprawę, iż może nie
będzie łatwo. Ekscytacja, jakiej uległ dwór praski, niepokój Gryfiny

i napięcie, które nieudolnie skrywał przed nią Michał, udzieliło się jej samej.

— Biała jak niewinność! — Gryfina wskazywała palcem jej suknię. — Proszę ubrać królewnę w białą!

Pierwszego dnia król wypoczywał i nie miał życzenia oglądać narzeczonej. Rikissa widziała przez okno płaczące służki, którym się oberwało za źle ułożone kwiaty; kucharza z podbitym okiem, bo pieczeń była zbyt sucha, i psiarczyka, który dostał od dowódcy straży baty z powodu psów, co szczekały w nocy.

— Błękitna, jak twe oczy! Jak płaszcz Maryi Panny i jak nieboskłon! *Crinale*, siatka ze złotych nici z perełkami na włosy!

Drugiego i trzeciego dnia król wypoczywał nadal i nie wzywał narzeczonej. Z okna dostrzegła orszak królewskich córek kroczący do ojca.

— Knedlica w różowej sukni? — skrzywiła się Gryfina, wyglądając zza ramienia Rikissy. — Na jej miejscu unikałabym różu. Nie martw się, Rikisso, na pewno zaprosi cię zaraz po córkach.

Czwartego i piątego dnia z pewnością były u niego oficjalne nałożnice, bo służba nosiła do komnaty króla kosze owoców i dzbany wina, a perlisty śmiech Agnieszek i Elżbiet niósł się po dziedzińcu. Po nich przyszła kolej na siostry zakonne i wdowy, nawet na tego chmurnego, ślicznego Janka, siostrzeńca sierotę.

Po tygodniu od przyjazdu króla w drzwiach sypialni Rikissy stanął Henryk z Lipy i to był znak, że czas na narzeczoną.

— Zielona jak soczysta trawa, pas ze szmaragdem. *Crinale* z niebieskimi kamieniami i złotym diademem. Ty nawet w habicie wyglądałabyś nieźle — oceniła jej wygląd Gryfina. — Chodźmy, moja droga!

Michał Zaremba w kaftanie z półlwem za murem, z pasem rycerskim i mieczem, w rękawicach i jedwabnej chustce owiniętej wokół szyi, wyglądał jak zawsze, czyli dla Rikissy pięknie. Trzy lwy ruszyły przodem. Henryk usiłował powstrzymać Michała, mówiąc:

— Pan nie będzie narzeczonym potrzebny.

— Nie ty o tym decydujesz, Henryku z Lipy — warknął Michał. — Strzegę mojej pani.

— Nie kłóćcie się! Pilnujecie Rikissy razem. Nie moglibyście dojść do jakiegoś porozumienia? — rozzłościła się Gryfina. — Że jeden strzeże jej w dzień, a drugi w nocy? Razem jesteście nie do wytrzymania.

— Księżno, nie mam zamiaru opuszczać mej pani ani w dzień, ani w nocy — oświadczył Michał równie nieprzychylny Gryfinie jak Czechowi.

— Wobec tego ja też — nie ustąpił Henryk z Lipy.

Rikissa klasnęła na trzy lwy i poszli. Po raz pierwszy przemierzyła niedostępną dla niej wcześniej część korytarza, która od Wielkiej Sali biegła do prywatnej komnaty króla. Nim otworzyły się przed nimi drzwi, księżna uszczypnęła ją w ramię.

— Bądź miła.

Znalazła się w pomieszczeniu, którego ściany zdobiły malowidła świętych. Jan Ewangelista. Jan Chrzciciel. Święta Magdalena. Święty Stanisław. Święty Wojciech. Święty Florian. Święty Marcin. Święty Michał. Zrozumiała, o czym mówiła Gryfina, nazywając to miejsce prywatnym sanktuarium. Pośrodku komnaty, pomiędzy tymi wszystkimi malowanymi świętymi, stał przepiękny, złotowłosy mężczyzna. Wysoki i smukły o jasnej cerze, niebieskich, żywych oczach i równo przystrzyżonej złotej brodzie. Zapatrzyła się w niego, bo wydał jej się nierzeczywisty na tle tych wszystkich błogosławionych duchów.

— Wydaję ci się jak święty, co, królewno? Święty Wacław... Brzmi dobrze, ale jeden już był, mój przodek. Ja musiałbym być święty Wacław Drugi, a widzisz, całe życie jestem drugi, więc po śmierci chciałbym być pierwszy. Nie umiesz mówić czy tak cię olśniłem, że zaniemówiłaś?

Gryfina dotknęła jej ramienia.

— No, dalej, przywitaj się z narzeczonym, Rikisso!

Złożyła ukłon, ale nie umiała wykrztusić słowa.

Václav ominął ją łukiem i podszedł do Michała stojącego za nią.

— Ty jesteś słynny Zaremba. To ciebie zażądała moja narzeczona w prezencie. Hmm... widzę, Rikisso, że gustujesz w bestiach.

— Michał nie jest bestią! — Mowa wróciła jej natychmiast; odwróciła się gwałtownie i zobaczyła, iż Václav stoi twarzą w twarz z Michałem, przyglądając się mu bezczelnie.

— Więc jednak moja przyszła pani potrafi mówić! — zaśmiał się Václav i teraz podszedł do niej od tyłu. Pochylił się ku jej głowie i obwąchał jej włosy.

— Pachniesz cudownie — szepnął wprost do jej ucha i obszedł ją, stając z przodu tak blisko, że dotykał stopami szerokiego, sztywnego dołu jej sukni.

Rikissa odruchowo cofnęła się. Michał położył jej rękę na ramieniu.

— Piękna i bestia! Doskonałe! — zachichotał Václav, patrząc na nich.

— Ty, panie, też jesteś piękny — wykrztusiła Rikissa, starając się wydobyć cały urok z rytmu niemieckich zdań — i wierzę, że twoja dobroć dorównuje urodzie.

Václav patrzył ponad nią, wpatrując się w Michała. Wręcz chłonął jego twarz. Tak, Rikissa wiedziała, że szare łuski pokrywające czoło, policzki i brodę Michała budzą w ludziach chorobliwe zainteresowanie. Ale doprowadzało ją do wściekłości nazywanie go bestią. Ona jedna go znała, wiedziała, że nie ma wierniejszego przyjaciela, człowieka o bardziej prawym sercu. Václav nie odrywał oczu od Zaremby.

— Więc to ty ostatni mówiłeś z królem Przemysłem. To tobie w chwili umierania powierzył opiekę nad córką. Niezwykłe. Czy mówił coś jeszcze? Może jakieś imię?

— Rozkazał, bym strzegł Królestwa.

— Ach! Więc i mnie. — Václav postąpił krok, zbliżając się jeszcze bardziej do Rikissy, i oblizał wyschnięte usta. — Skoro jestem twoim królem...

— Królestwo to coś więcej niż król — odpowiedział zza jej pleców Michał.

— Masz rację. Nie chcę, by strzegł mnie rycerz, który nie obronił przed śmiercią swego króla. To zły znak.

Zrobił jeszcze krok ku Rikissie. Królewna cofnęła się i całymi plecami oparła o Michała. Václav osaczył ich oboje, przybliżył głowę, schylając ją nisko.

— Jesteś już gotowa do małżeństwa, moja królewska panno? — szepnął prosto w jej włosy.

— Nie.

Oddychała szybko, plecami czuła, jak Michał napina mięśnie.

— Długo każesz na siebie czekać... — Krople śliny Václava spadły na jej włosy i pomyślała, że jeszcze chwila i nie wytrzyma; odepchnie go.

— ...ale gdy nadejdzie ten dzień, bestii nie będzie z nami. Będę tylko ja i ty...

— Trzy lwy! — krzyknęła Rikissa, wymykając się Václavowi, który nieoczekiwanie znalazł się twarzą w twarz z Michałem.

Lwy warknęły, stając przed nią; Václav odwrócił się od Michała i zbladł.

— Co to jest?! — wyszeptał przerażony.

— To moje herbowe trzy lwy, królu — hardo oświadczyła Rikissa.

— Zabrać je stąd! I ją też! Gryfino, codziennie masz się u mnie meldować z raportem, czy moja narzeczona jest gotowa do spełnienia powinności. Wcześniej nie życzę sobie jej widzieć. Rikissa ruszyła do drzwi, za nią Michał.

— Jeszcze nie skończyłem — zawołał za nimi Václav.

Stanęli. Odwróciła się w stronę króla i powiedziała grzecznie:

— Słucham.

Václav patrzył na nią, a ona na niego. Słoneczne promienie wydobywały złoty blask aureoli świętych. Zupełnym przypadkiem Michał Zaremba stanął z wizerunkiem Archanioła Michała za plecami. Dalej święci Marcin, Katarzyna, Wojciech, Stanisław, Elżbieta. I pośrodku komnaty ten zjawiskowo piękny, złotowłosy mężczyzna, jej narzeczony, Václav.

Jakże piękno może być okrutne — pomyślała Rikissa, a Václav odwracając od niej wzrok, powiedział do Gryfiny:

— Ukochana cioteczko, księżno Gryfino. Przekaż mojej narzeczonej, że jeśli spotkam jej trzy lwy włóczące się gdzieś po zamku, to pomyślę, że to koty. I opowiedz jej, co ja robię z kotami.

Rikissa odwróciła głowę od Václava powoli, powolutku, aby nikt nie mógł odczytać jej gestu jako chęci obrazy króla. Jej wzrok padł na Michała. I zamarła. Zaremba stał z wysuniętą lewą stopą, z prawą dłonią zaciśniętą na rękojeści miecza, zupełnie jak archanioł za jego plecami. Oczy Zaremby... Serce zabiło jej tak gwałtownie, że omal się nie udławiła. Boże, on chyba nie wie... Zamknij oczy, Michale, zamknij szybko. Zacisnęła powieki, mając nadzieję, że odczyta to jako znak, polecenie, by zrobił to samo. Zrozumiał. Wyszli. Václav na pewno nic nie zobaczył. Gryfina? Henryk z Lipy? Oby nikt tego prócz mnie nie widział — modliła się w myślach żarliwie — panie Boże, błagam, błagam. Spraw, by nikt nie zauważył, że Michał ma pionowe źrenice.

JAKUB DE GUNTERSBERG gnał z Węgier do Pragi z duszą na ramieniu. Czatował na Władysława tygodniami; ten uwolnił się od towarzystwa Grunhagena, czy też być może zielonooki karzeł sam opuścił księcia, by wykonać to zadanie, o które Jakub go podejrzewał. Nie zmieniło to faktu, iż Jakub do księcia się nie mógł zbliżyć. Najpierw Władysława otoczyli ludzie Matúša Čáka, a potem Amadeja Aby. Z tym drugim polował w takiej głuszy, że przypadkowa obecność przybysza nie wchodziła w grę. I w chwili, gdy książę ruszył na Ruś, gdy znów stał się dla Jakuba osiągalny, nadeszła wiadomość, iż król wzywa go do Pragi bez względu na poprzednie rozkazy. Rozważał, czy aby nie wzywa go, by ukarać. Wciąż niepokoiła Jakuba obecność Grunhagena na Węgrzech. Dwóch sekretnych ludzi na jednym terenie łowieckim. Bardzo źle. Jeszcze rok, dwa lata temu nie przejąłby się tym, bo gdzież Grunhagenowi do niego! Ale teraz to król Węgier nie żyje i nie jest to zasługą Jakuba.

Wolał być w Pradze gotowym na wszystko, więc nim wjechał na królewski teren Grodu Praskiego, wtopił się w tłum podgrodzia Małej Strany. Miał taką karczmę przy Moście Judyty, gdzie za kilka groszy mógł się dowiedzieć, kto i od kiedy przebywa na złotym dworze. Znalazło się tym razem kilku znajomych. Przebrał się, przygotował do spotkania z królem i ruszył. Minął trzy potężne fosy i wjechał Bramą Zachodnią. Zlustrował wartowników na Białej Wieży, minął mur bazyliki świętego Wita i jak zwykle, w stajni, przejął go dowódca osobistej straży Václava. Ale nie poprowadził Jakuba do prywatnej komnaty króla, tylko do położonej na parterze łaźni.

— Królu — pokłonił się Jakub de Guntersberg i pomyślał, że tylko wariat przyjmuje zabójcę w kąpieli.

Václav leżał nagi w wielkiej balii, a jego sługa podawał mu pokrojone w idealne plasterki jabłka.

— Jakubie! Jakże miło. Ondriczku, musisz wyjść. Będę rozmawiał z tym panem na osobności. Zostaw mi nóż. Może gość zechce sobie ukroić jabłko?

Jakub de Guntersberg zlustrował łaźnię. Skrzynia pod ścianą; wystarczająco duża, by pomieścić chłopca. Albo karła. Zasłony, ale za nimi raczej pusto. Zdążył też zerknąć na korytarz, gdy sługa wychodził. Poza zwykłą strażą nic nie rzuciło mu się w oczy. Na tacy jabłko, nóż i mieszek.

— Wezwałem cię, bo mam zadanie.

— Domyślam się, królu.

— O, mógłbym też wzywać cię w innym celu. — Václav sięgnął po plaster jabłka i czubkiem palca przesunął nóż. — Dlaczego nie zabiłeś Władysława?

Bo w jego pobliżu kręcił się karzeł, który być może jest twoim nowym sługą — odpowiedział w myślach Jakub de Guntersberg, a na głos wyjaśnił krótko:

— Przejściowe trudności. Musiałem wyczekiwać.

Václav chlapnął wodą i kilka kropel wylądowało na twarzy Jakuba.

— Zabiłeś kogoś w tym czasie?

— Owszem — starł wodę z oka.

— Znam?

— Nie sądzę, królu.

Václav chwycił obiema dłońmi balię i zanurzył się cały. Jakub patrzył na długie włosy króla przysłaniające złotą falą jego twarz. Václav wynurzył się gwałtownie.

— Powiedz, kto to był?

— Jednooki mnich w rotundzie Świętego Stefana w Rzymie.

— Byłeś w Rzymie? — głos Václava był zachwycony, a Jakub pomyślał, że go sprawdza.

— Tak. Władysław też.

— Karzeł był w Rzymie? O nie... To ja, król trzech koron, nie byłem, a banita był... Niesłychane! Zabiłeś tego mnicha zamiast Władysława? Przez pomyłkę?

— Nie, królu. Dla wiedzy.

— Widzisz, Jakubie, jaką ty masz ciekawą pracę. Ty zabijasz dla wiedzy albo dla pieniędzy. Ja, wydając rozkazy, zabijam wyłącznie dla władzy. A władza nie zawsze idzie w parze z mądrością. Co ci powiedział mnich?

— *Atyám, bocsáss meg nekik, nem tudják, mit cselekszenek.* Mniej więcej — powtórzył Jakub ostatnie słowa jednookiego.

Václav klasnął w dłonie i znów sięgnął po jabłko. Tym razem nie dotknął ostrza.

— Co to znaczy?

— „Boże, wybacz im, bo nie wiedzą, co czynią".

— Pobożnie — pochwalił Václav. — Ale nieprawdziwe. Ty przecież wiedziałeś, co czynisz. Jak zginął?

— Przypiekłem go.

Václav leżący do tej pory w balii usiadł. Oblizał usta. Jakub wiedział, że król uwielbia takie szczegóły.

— Krzyczał? — spytał Václav, odgarniając mokre włosy z czoła, i natychmiast wsadził dłoń pod wodę.

— Nie. Był twardy.

— Twardy — powtórzył Václav, rytmicznie poruszając ręką. — Twardy...

Nie wypada, bym spytał, czy mam wyjść. Muszę stać tu i udawać, że nie wiem, co on robi. Poprzednio Waldemar kazał mu patrzeć, jak spółkuje z karczmarzówną. Teraz Václav. Czy to znak, że jego profesja schodzi na psy?

— Podasz mi ręcznik, Jakubie — jęknął Václav. — Jest w skrzyni.

Jeśli w skrzyni siedzi Grunhagen, to czegokolwiek nie zrobię, oskarżą mnie o królobójstwo. Łaźnia nie ma okien. Pod drzwiami straż. Sługa zostawił mnie sam na sam z królem.

Miał ramiona napięte do granic, gdy ponosił wieko. Wewnątrz leżały równiutko złożone białe prześcieradła. Odetchnął.

W tej samej chwili woda w balii chlusnęła i usłyszał kroki. Przez myśl błyskawicznie przeszło mu, że Grunhagen był ukryty w wodzie, i równie szybko tę myśl odrzucił, bo nikt nie mógłby wytrzymać bez oddechu tak długo. Odwrócił się.

Za jego plecami stał kompletnie nagi Václav Przemyślida z nożem w dłoni. Źle trzymał nóż, niewprawnie jak dziecko. Oddychał szybko przez rozchylone usta. Jego członek był w kompletnym wzwodzie.

— Królu? — spokojnie spytał Jakub. — Czy okryć cię?

Václav roześmiał się gardłowo.

— Tak, poproszę.

Wciąż trzymał nóż w wyciągniętej przed siebie dłoni. Jakub mógł wytrącić go jednym ruchem, ale wiedział, iż nie może tego zrobić, bo będzie to równoznaczne z zamachem na króla. Obszedł Václava i okrył jego plecy.

— Wytrzesz mnie? — spytał Przemyślida.

— Nie mogę, panie.

— Dlaczego? — Václav wolno odwrócił głowę, by patrzeć na Jakuba. Z brody kapała mu woda.

— Zasady sekretnych ludzi. Nie wolno nam mieć fizycznego kontaktu z tym, dla kogo zabijamy — zełgał Jakub.

— Nadzwyczajne! — Król chwycił prześcieradło i sam się owinął. Jego głos brzmiał już jak zwykle. Lekkim krokiem podszedł do stolika przy balii i rzucił na niego nóż. — Uwielbiam słuchać o waszych zwyczajach. Ale może innym razem. Chcę byś pojechał na Śląsk i natychmiast usunął z mej drogi księcia Bolke. Nazywają go Surowym, ale ja myślę o nim „Krnąbrny". Bolke Krnąbrny. Zgromadził w ręku najlepsze śląskie ziemie i jeszcze śmiał najechać mi Starszą Polskę. Koniec. Wszyscy myślą, że jak zająłem się Węgrami, to nie panuję nad Królestwem? Wezmę się za nich. Pokażę im! Trzy razy się przymierzałem do Wrocławia i wreszcie go złapię. Mój Jakubie... Mogę tak mówić do ciebie?

Jakub nie odpowiedział, ale Václavowi to już nie przeszkadzało.

— Jeden warunek. Nie guzdraj się z Bolke, tak jak z Władysławem. Nie przypalaj nikogo po drodze, nie czatuj bez końca. Jedź i go zabij. A potem wracaj po zapłatę. Zaliczka leży na tacy.

— Dobrze, królu. — Ukłonił się Jakub i chciał bez zwłoki skończyć to spotkanie. Wziął mieszek z tacy. Dość ciężki.

— Nie pytasz już: „Jak ma zginąć"? — dopomniał się Václav.

— Pytam zawsze przy drzwiach, panie — przypomniał mu Jakub i skierował się ku wyjściu. — Jak ma zginąć?

— Nagle! — powiedział Václav.

Jakub de Guntersberg szedł przez zamkowy dziedziniec, ocierając pot z czoła. Jego zawód nie należał do łatwych, ale to było najtrudniejsze ze spotkań z królem. Václav igrał z nim, to pewne. A zleceniodawca igrający z sekretnym człowiekiem to...

Zręcznie uskoczył w bok i pochylił głowę, by nie było widać jego twarzy. Środkiem dziedzińca szedł niewielki orszak. Poprzedzały go trzy goniące się lwy. Za nimi szedł Michał Zaremba. Jakub spodziewał się, że może go tu spotkać, i gdyby nie to, raczej nie poznałby dawnego chorążego Przemysła. Za Michałem kroczyło trzech strażników w barwach Przemyślidy z bronią. A za nimi najpiękniejsze stworzenie, jakie kiedykolwiek widział. Czy to możliwe, by przez dwa lata zmieniła się tak bardzo? Czternastoletnia dziewczynka o włosach tak jasnych, że niemal białych, ubrana w krwistoczerwoną suknię. Chyba urodę odziedziczyła po matce, nie była uderzająco podobna do ojca. Oczy, tak. Podbródek? Inna rzecz, iż Jakub ostatnio widział jej ojca w specjalnych okolicznościach. Przedostatnio również. Ależ tak, przypomina sobie! Młody Przemysł, szesnastoletni, w podsantockim lesie. Tak. Dziewczynka trzyma głowę tak samo jak Przemysł. Mógłby teraz stać i kontemplować jej urodę albo nawet ruszyć za jej orszakiem, w biegu zamienić się w sługę, w kogokolwiek, by jeszcze chwilę poprzebywać w pobliżu. Ale otworzyło się okno na pierwszym piętrze, w korytarzu wiodącym do komnaty króla i półnagi Václav krzyknął:

— Moja narzeczona! Jak miło cię widzieć!

Orszak Rikissy stanął. Zaremba uniósł głowę i zmierzył króla spojrzeniem wyrażającym pogardę. Rikissa zbladła. A Václav niczym nieskrępowany, w prześcieradle na nagiej piersi, zawołał:

— I mój miły sługa! Jeszcze nie w drodze?

Oczy Zaremby natychmiast skierowały się za wzrokiem Václava. I w chwili, w której powinny wylądować na twarzy Jakuba, jego już tam nie było. Słyszał śmiech króla. Pochwalił siebie za refleks. I zapamiętał, że ta piękna dziewczynka boi się Przemyślidy.

WŁADYSŁAW w eskorcie wojsk księcia Jerzego Lwowica przekroczył granice Rusi Halickiej. Jechali do Włodzimierza, tam jego szwagier przeniósł ze zniszczonego wojnami Lwowa stołeczny dwór. Miecz Bolesława tkwił przy siodle. Przekuta stal króla, który zdobywał te ziemie, owinięta w jelenią skórę, jechała bezpiecznie pod ochroną Rulki. Włodzimierz stał na granicy dawnych Grodów Czerwińskich, jeszcze nim wjechali do miasta, zobaczyli przepyszną złoconą kopułę cerkwi.

— O matko! — jęknął Jałbrzyk, podjeżdżając bliżej Władka. — Ależ to wielkie! Złota tyle, aż kłuje w oczy...

— Nie opowiadaj księciu, co sam widzisz — zganił go Bachorzyc. — Książę tego nie lubi. Prawda, książę.

— Prawda. Wyście nigdy na Rusi nie byli?

— Nie, książę! Ja na wieki będę błogosławił tę banicję. Gdyby nie ona, to ja bym świata nie widział — wyrwało się Jałbrzykowi. — A tak, jak wrócę, to będę wszystkim opowiadał, po kolei...

— Siedzi dziad z siwą brodą, miele gębą od świtu do zmierzchu i popierduje przy kominku. Wnuki cię znienawidzą. — Zarechotał jego brat Bachorzyc Pomian.

— Tak? A niby dlaczego?

— A co będzie, jeśli nigdy nie wrócimy? — zapytał Jałbrzyka Władek.

Młody zachmurzył się, ale tylko na chwilę. Bachorzyc wyręczył go:

— Lepiej wróćmy, książę. Bo jak nie, to mój brat będzie nam w kółko opowiadał, cośmy widzieli.

Kniaź Jerzy Lwowic i Eufemia, siostra Władysława, witali go przed soborem Zaśnięcia Najświętszej Marii Panny. Siedzieli na wysokich krzesłach, pod niebieskim baldachimem, a za ich plecami pysznił się złoty lew na błękicie, herb Rusi Halickiej

Po obu stronach drogi cisnął się tłum ludzi, którzy chcieli zobaczyć Małego Księcia, brata ich najjaśniejszej pani. Na jedno stajanie od podwyższenia, na którym siedziała książęca para, rozesłano długi kobierzec. Rulka fuknęła, nie lubiła chodzić po suknie. Władek wsunął stopy w strzemiona i dla parady wziął wodze w rękę. Skoro ma być na pańsko, książęco i bogato, niech będzie.

Pawełek Ogończyk i jego klacz Arda jechali przy boku księcia. Ludzie rzucali pod kopyta koni kwiaty, heroldowie dęli w rogi. Pawełek szepnął:

— Eufemia musi być tu kochana. I raczej niczego jej nie brak. A pamiętasz, książę, ile razy księżna Jadwiga mówiła ci, że ty się na swataniu nie znasz?

Władek zagryzł wargi. Jadwinia gadała to za każdym razem. „Upychasz te bratanice i siostrzenice po jakichś nic nieznaczących księstwach. Pożytku z tego nie będzie". Prawda, tak mówiła. I była to jedna z niewielu rzeczy, co do których Jadwinia nie miała racji. Jak wydawał Fenennę za Andrzeja Arpada, nikt nie przypuszczał, że wyrośnie z niego ostatni król Węgier. Jak Eufemię dawał za Jerzego, ten był księciem na dorobku, jego ojciec Lew żył i chłopaka do władzy nie dopuszczał. A teraz proszę, Lew zmarł i Jerzy od kilku miesięcy jest jedynym władcą Rusi Halickiej!

Na stopniach podwyższenia siedziało dwóch chłopców, na oko dziesięcioletnich. Przy krześle matki dziewczynka w podobnym wieku. Wstali, Władek zeskoczył z grzbietu Rulki i ruszył ku nim.

— Władysławie, mój bracie! — przywitał go Jerzy.

— Jurij! — Władek rozłożył ramiona. — Eufemio! Wyglądasz godnie! Macierzyństwo ci służy! To wasi synowie?

— Lew II i Andrzej — przedstawił chłopców Jerzy. — I moja pierworodna Maria.

— Piękna jak matka! — pochwalił Władysław siostrzenicę i uściskał dłonie siostrzeńców. — Co, mołojcy, już wiecie, jak miecz trzymać?

— Wiemy, wuju! — odpowiedzieli chórem.

— Bliźnięta?

— Nie, Władku. — Eufemia potargała jasne czupryny chłopców.

— Lew starszy, ale mówią jednym głosem.

— Jednomyślni bracia! To raczej rzadkość w panujących rodach. Ale dobry znak dla przyszłości księstwa. Sobór odbudowany? — spytał, zadzierając wysoko głowę i zerkając ku złotej kopule. — Ponoć spłonął?

— Ogień naruszył tylko mury. To jedyna cerkiew na całej Rusi, która wytrzymała wielki najazd Dzikich. — Kniaź Jerzy poprowadził Władka w stronę cerkwi. — My tu żyjemy, nawet przez sen patrząc na wschód, sprawdzając, czy nie rusza na nas Złota Orda. Mieliśmy spokój, póki synowie chana bili się między sobą o władzę, ale odkąd w ubiegłym roku Tokta pokonał Nogaja, liczymy dni, bo każdy może być ostatnim oddechem pokoju.

Niedobrze — pomyślał Władek. — Jeśli Jurij ma Mongołów na głowie, może mi nie dać wojska. Nic nie mówił, weszli do świątyni. Ze ścian patrzyły na Władysława poważne twarze bizantyjskich świętych. Ich ciemne, podkrążone oczy zdawały się martwić wraz z nim. Dziesiątki świec dawały pełzające, migotliwe światło, w którym centralny obraz ikonostasu zdawał się poruszać jak żywy. Władysław, odkąd jako chłopak był pierwszy raz na Rusi, uznał, iż schizma Kościoła go nie dotyczy. Klękał przed ikonami i modlił się tak samo gorliwie jak w Łęczycy czy Krakowie. Niejedną z wysłuchanych przez Boga modlitw szeptał w cerkwi. Biskupom w Królestwie się tym nie chwalił; kiedyś, gdy żyła jeszcze świątobliwa Kinga, spytał ją, co robić. Obruszyła się wtedy i powiedziała: „Pan słucha każdej modlitwy rozpoczętej wezwaniem Ojca, Syna i Ducha", więc uznał, iż tym samym potwierdziła, że schizmą ma się nie przejmować. Zgiął kolano przed centralnym obrazem ikonostasu. Najświętsza Maria Panna leżała z gromnicą u boku, jakby spała. Nad nią górował Chrystus odziany w królewskie złoto i trzymał na ręku niemowlę, które było duszą Marii. Oto Syn odbierał Matkę, jakby w chwili jej śmierci zamienili się rolami. Po obu stronach łoża śpiącej Maryi składają smukłe dłonie apostołowie. Jan Ewangelista, zwany tu Teologiem, pochyla łysiejącą głowę nad ramieniem Matki Chrystusowej, a apostoł Paweł ze sterczącą siwą brodą kłania się jej stopom. Maryja umiera we śnie, ale Chrystus weźmie jej duszę do nieba i to on, królewski, godny, wielki, zmartwychwstały jest panem tego obrazu, nie śmierć.

— Sława dla księcia Władysława, umiłowanego brata mego! — Wznosił toast za toastem kniaź Jerzy, gdy pod wieczór zasiedli do powitalnej uczty.

— Sława!

Eufemia pochyliła się do niego i spytała szeptem:

— Czy to prawda, że w Brześciu Krzyżacy?

— Wiem tyle samo, co ty, siostro — odszepnął jej.

— Władku — Eufemia złapała go za rękę. — W Brześciu grób naszej matki...

Z oczu księżnej popłynęły łzy. Władek poklepał ją po dłoni. Eufemia była oczkiem w głowie Eufrozyny, w przeciwieństwie do Władka. Tak jak jego matka nienawidziła i poniżała, nazywając „karłem", tak siostrę ubóstwiała. Jego droga ku dorosłości wiodła przez bolesne odrzucenie matki. Ale nigdy, ani siostrze, ani braciom, nie mówił, co Eufrozyna zrobiła. Tylko Leszkowi inowrocławskiemu powiedział prawdę, gdy chciał przestrzec bratanka przed zgubnym wpływem jego własnej matki, nocnej wdowy, Salomei.

— Jurij — Eufemia łagodnie zwróciła się do męża pomiędzy toastami. — Jurij, mój miły. Czy ty wiesz, że doczesne szczątki mej matki profanują Krzyżacy?

— Jakże to, Jewfimio?

— A tak to, Juriju, że Václav II wezwał Krzyżaków na pomoc, gdy zbrojnie opanowywał Kujawy. Dla niego zajęli Brześć i tam siedzą. Hospodi, pomyłuj! — załkała Eufemia. — A w Brześciu pochowaliśmy naszą najsłodszą mateczkę. Jak pomyślę, że żelaźni bracia urządzają sobie przy jej grobie swe bluźniercze uczty...

Eufemia zasłoniła twarz dłońmi i płakała, a w tym czasie jej służka lała Jerzemu wino. Szwagier wypił jednym haustem i mokrą od wina brodą dotknął czoła żony.

— Nie płacz, nie płacz, Jewfimio... — Całował ją po twarzy.

— Będę płakała nad losem całej mej rodziny! Władysław, prawowity książę, z ziemi wyzuty, od władzy odsunięty... grób matki w rękach Krzyżaków...

— Jewfimio!

— A przecież jak Rurykowicze o władzę walczyli, to król nasz, Bolesław, przyszedł im z pomocą!...

— Oj, Jewfimio, ty Bolesławów nie wspominaj. Ziemia ruska do dziś ich imiona wypowiada z trwogą!...

— Ale, Juriju miły, jednego o nich nie powiesz: gdy ruscy szwagrowie ich o pomoc prosili, to królowie nasi przybywali.

— Przybywali, Jewfimio — przeżegnał się trzykrotnie kniaź Jerzy. — Przybywali.

Służka księżnej znów napełniła kielich jej męża. Jerzy wychylił go i wstał, unosząc ramię.

— I ja przybędę twemu bratu z pomocą, Jewfimio! Władysławie, przysięgam, że Orda Ordą, ale nie zostawię cię w potrzebie. Nie zniosę łez ukochanej żony! Tak jak Chrystus stoi nad ciałem matki w dniu jej wniebowzięcia, tak ja pomogę waszą matkę z rąk krzyżackich wyzwolić! Sława!

— Sława! — zakrzyknęli bojarzy. — Sława!

Eufemia, ocierając łzy, spod przysłoniętej dłonią twarzy puściła do Władka oko. A on pomyślał, że był przez tyle lat skończonym głupcem, lekceważąc mądrość kobiet. I pomyślał jeszcze, że Eufrozyna, jego piekielna matka, jeden jedyny raz przydała się na coś. Po śmierci i wprost z grobu.

MUSKATA, odkąd wyjechał z Węgier Václav II, czuł się w Budzie jak udzielny książę. Mały Vašek był dość grzecznym chłopcem, zwłaszcza jak mu się pchało coś do paszczy. A tą potrafił ruszać od rana do nocy niczym wiecznie głodne pisklę. I pomyśleć, że kiedyś to było chude i chorowite dziecko!

— Niech je, niech nie rządzi — szeptał Jan Muskata i spełniał nic nie znaczące zachcianki młodego króla, w zamian podsuwając mu dokumenty do zatwierdzenia.

Odbywał dziesiątki spotkań i narad, odbierał setki wiadomości od rozesłanych po kraju cichych ludzi; tkał swą sieć pajęczą, wplatając w nią zręcznie przekupstwo, intrygę, pomówienie, oskarżenie, nieufność. Kary i odmowa dla tych, którzy sprzyjali Karolowi Robertowi. Nadania i nagrody dla węgierskich baronów, którzy pomogli w zdobyciu korony świętego Stefana dla Vaška. I wreszcie coś dla siebie. Przygotował sobie nominację na wicekanclerza Królestwa Węgierskiego, zgrabny list intencyjny młodego króla do biskupów, by Jana Muskatę obrano prymasem, i jeszcze nadanie wielkiego zamku w Pławcu, na Spiszu. Spisz, blisko Małej Polski, Janowi Muskacie marzyło się ponadgraniczne księstwo. W końcu harował na nie tyle lat!... Trzymał to wszystko w zanadrzu, czekając na odpowiednią chwilę, na moment, gdy Vašek, zwany tu Władysławem V, będzie w tym cudownie dziecięcym, ufnym, pełnym miłości nastroju, tak odpowiednim do czynienia nadań lekką ręką. To może być dziś, kto wie, może dziś? Vašek poprosił go rankiem do swej sypialni.

— Jak spał mój król?

Vašek siedział w łożu, rozmemłany, w koszuli. Oganiał się od pokojowca, który chciał zarzucić mu na ramiona płaszcz.

— O, widzę, że mój król obudził się nie w humorze — słodko zagdakał Muskata i pogonił sługę — Idź precz, przynieś swemu panu orzechów w miodzie!

— Ja nie chcę orzechów — oświadczył nadąsany Vašek.

— Mój król nie głodny? Czy aby nie chory? — poważnie zmartwił się Muskata.

— Nie chcę orzechów, chcę żonę.

— Twoją narzeczoną, Elżbietę, uprowadziła macocha i ukryła w Wiedniu.

— To dajcie mi inną! — zbuntował się Vašek. — Chcę i już. Zobacz, biskupie, urósł mi na brodzie jeden włos. Niedługo się zestarzeję w kawalerskim stanie!

— Mój królu. — Muskata usiadł na brzegu łoża. — Pomówmy jak mężczyźni. Chcesz żonę czy kobietę?

Vašek zamrugał i podrapał się po kroczu. Muskata miał go w garści. Ach, ci Przemyślidzi, ojciec i syn jeden w drugiego tacy sami! Dnia bez łóżkowych rozkoszy nie wytrzymają. Młodemu idzie czternasty rok i choć wciąż wygląda jak małe, nieopierzone, tłuste pisklę, to najwyraźniej odezwał się w nim miłosny zew.

— Widzisz, Vašku. Każdy wielki król ma prócz żony nałożnice. Tę pierwszą ma jedną, tych drugich, ile zechce. Jest jednak pewna zasada, której należy się trzymać, ojciec ci o niej nie mówił?

— Mówił — bąknął Vašek. — Że powinny mieć na imię Elżbieta, Agnieszka albo Małgorzata.

— Bardzo mądrze. — Muskata kiwnął głową. — Twój ojciec przekazał ci wielką, ukrytą prawdę. Wspominając, jak mają się zwać nałożnice, miał bowiem na myśli to, iż nie jest wszystko jedno, z kim uciech zażywa król. Muszą być to kobiety specjalnie wybrane, sprawdzone, pod każdym względem najlepsze i niezawodne. Mowy nie ma o jakiejś przypadkowej kochance.

— Muszę czekać, aż tatko przyśle mi je z Pragi? — jęknął Vašek.

— Nie, królu, nie martw się. Znajdziemy węgierskie Elżbiety

i Agnieszki. Ja ci je wybiorę i dostarczę. Będą miały na imię Erzsébet, Ágnes...

— I Margit — dopomniał się Vašek.

— I Margit. Ty tu czekaj, mój królu, przygotuj się, a Jan Muskata będzie czuwał i wybierał.

— Dobrze, biskupie — grzecznie odpowiedział łapczywy dzieciak. — To teraz mogę coś zjeść.

Muskata wyszedł od Vaška i otarł pot z czoła. To on swą ponętną Gerussę zostawił samą w Krakowie, a tu będzie młodemu panien nierządnych szukał, jak jakiś stręczyciel! Ale czego oczy nie widzą, to i Gerussie nie żal. Może naprawdę powinien wcześniej dziewcząt popróbować? Żeby i w służbie królowi znaleźć jakąś kroplę przyjemności?

Zarządca budziańskiego zamku przywiózł mu pięć do wyboru. Muskata kazał je przyprowadzić do łaźni, w końcu trzeba gąski wykąpać, nim się poda Vaškowi. Los niejednego Królestwa stanął na krawędzi z powodu sekretnej choroby roznoszonej przez kurtyzany. Trzy pierwsze, ciemnowłose, nieco śniade. O wyzywająco czerwonych policzkach, podbarwionych ustach i włosach upiętych w odsłaniające szyję koki; ubrane były jak na dziwki przystało — kolorowo, krzykliwie, z podniesionym wysoko biustem. Bardzo się Muskacie podobały. Nadzwyczajnie.

— Jak się zwiecie, moje damy? — zagadnął.

— Jenke. — Ukłoniła mu się pierwsza tak nisko, że mógł nos wsadzić w rowek między jej piersiami.

— Furuzsina — zachichotała druga, wykonując taneczny obrót i przeginając się.

— Napocska — zmysłowo wyszeptała trzecia, robiąc z ust wilgotny dzióbek.

— Ptaszyny! — jęknął Muskata. — Oj, ptaszyny! A wy co takie skromne? Panny chyba z innego przybytku? — zaczepił dwie ostatnie, które ubrane w jednakowe zielone suknie, jak siostry, trzymały się na uboczu. — Poproszę tu, do mnie.

Nie podobały mu się. Suknie zasznurowane pod szyję, włos nie upięty, tylko puszczony luźno w lokach. Jakieś kwiaty we włosach, jak wiejskie dziewuchy. Chwyciły się za ręce i zawirowały w tańcu dookoła Muskaty. Nim się zdążył obejrzeć, tak w tych obrotach zrzuciły z siebie kiecki i stanęły przed nim nago, jak je Pan Bóg stworzył.

— Málna i Alna — przedstawiły się dziewczyny.

— O rany — jęknął. — Malina i Jabłuszko? — Odchrząknął zawstydzony. — Bardzo ładne... imiona. No to, co ja chciałem? Jenke, Furuzsina, Napocska, proszę się rozebrać, jak tutaj, panie... Raz, dwa, szybciutko, bo ja czasu tak za bardzo nie mam...

Alna miała piersi jak imię, które nosiła — jak jabłuszka. A Málna bezwstydnie i rozkosznie malinowe sutki. Przełykał ślinę, jak sztubak. Jednak nie szata zdobi człowieka, nie szata. Jenke, Furuzsina i Napocska może ciał nie miały już tak jędrnych, rozebrane do naga wydały się znacznie starsze niż wcześniej. Ale Muskata nie skreślał ich, młody chłopiec powinien zaznać pierwszej rozkoszy od doświadczonej kurtyzany. Więc gdy kończyły kąpiel, ochlapał je wodą pachnącą olejkiem różanym i nadał im imiona: Erzsébet, Ágnes, Margit.

— A my? — spytała Málna, wychodząc z balii i ze zmysłowym ruchem bioder ciągnąc za rękę Alnę. — Jak nas, nazwiesz fioletowy ojcze?

— Dlaczego fioletowy? — obruszył się Muskata, niespokojnie dotykając nosa. Czasami, z zimna tak mu trochę drętwiał, ale teraz było mu przecież gorąco.

Málna pochyliła się do jego ucha, a niebezpiecznie malinowe czubki jej piersi dotknęły ramienia Muskaty.

— Boś ty biskup, mój panie — szepnęła.

— Skąd wiesz? Ktoś ci powiedział?

Dziewczyna poruszyła nosem, łaskocząc jego szyję.

— Poznaję po zapachu.

Alna przybliżyła się do jego drugiego boku i obwąchała go, niechcący trącając biodrem.

— Kadzidło...

— Ach — roześmiał się nerwowo Muskata — no tak. Ale to sekret. Rozumiecie?

Dziewczyny jak na komendę przyłożyły paluszki do ust. A potem jednocześnie wsunęły je między rozchylone wargi.

— Wy... wy... — Ciałem Muskaty wstrząsał dreszcz za dreszczem — Wy... nie musicie zmieniać imion... — wyjęczał wreszcie, ocierając pot z czoła. — Zostańcie przy swoich.

— Jak sobie życzysz, ojcze — powiedziały i równo schyliły się po leżące na podłodze suknie. Muskata złapał się za serce, bo Alna i Málna pokazały mu całą okrągłość swych pośladków. Jedyne, czego sobie życzył, to wziąć te dwie owocowe panny natychmiast, tu, na miejscu. W wyobraźni zrzucał ubranie i pląsał z nimi przystrojony w kwietny wianek na głowie. Kładł się na mokrej podłodze i pozwalał, by one biły go po nagim ciele brzozowymi i wierzbowymi witkami, oj, oj!... Pożerał malinowe sutki Málny i ssał okrągłe piersi Alny. Rozgniatał ich usta swoimi i...

— Jesteśmy gotowe. — Zgrabnie ukłoniło się przed nim pięć kurtyzan całkowicie ubranych.

— Ja też — jęknął biskup i powiódł je do komnaty Vaška.

Pokojowiec szepnął mu na ucho, że ten ich oczekuje. Muskata wkroczył przodem, a za nim orszak dam.

— Królu mój, królu! — zakrzyknął biskup. — Oto wiodę Ágnes, Erzsébet i Margit, które cię nakarmią, oraz Alnę i Málnę, owoce na deser!

Vašek siedział w rozmemłanym łożu jak wcześniej. Tyle że był przybrany w czystą koszulę. Rozdziawił usta i zamrugał.

— Te damy — wystawił palec i skierował je w Furuzsinę, Napocskę i Jenkę — są dla mnie za stare. Może ty je weź, Muskato? Wolę te dwie. — Pokazał na Alnę i Málnę. — Ale one mają źle na imię. Co powie mój tatko?

Muskata też wolał te dwie.

— Václav będzie z ciebie zadowolony.

— Ale tak jeszcze myślę, Muskato — zawahał się Vašek — że mówiłeś, iż one są na deser. Mam zjeść deser bez obiadu?

Piekielny żarłok. W życiu kobiety nie miał i na pierwszy raz chce pięć? — pomyślał biskup, a głośno spytał:

— Jak sobie, Vašku, wyobrażasz obiadek?

— Lubię takie małe kluski. — Oblizał się Vašek. — Tłuste, w śmietance, masełku i skwarkach ze słoniny.

On chce dupczyć czy jeść? — przez chwilę stracił orientację Muskata.

— Może te miłe panie mają jakieś córki? — podpowiedział mu Vašek i Muskata wreszcie zrozumiał, w czym rzecz.

— Drogie Ágnes, Erzsébet i Margit, zabieram was, byście pomogły mi poszukać tego, w czym gustuje król, a...

— ...a deserki mi zostaw, Muskato — grzecznie poprosił Vašek.

— Porozmawiam sobie z owocowymi pannami, skoro mówisz, że przed obiadem to nie grzech.

517

Z drżącym sercem zostawiał go sam na sam z Málną i Alną. Nieco obrażone trzy damy zachowały się jednak godnie i choć córek nie miały, znalazły mu nietkniętą trzynastolatkę o policzkach pulchnych jak knedle z dziurką oraz dwie czternastolatki, w tym jedną naprawdę grubą.

Vašek przez tydzień nie wychodził z sypialni. Służba tylko wnosiła tace z jedzeniem i wynosiła puste półmiski i dzbany. Kolejka możnych węgierskich z pilnymi sprawami do króla rosła. Muskata przyjmował wszystkich w imieniu Władysława V, załatwiał, rozstrzygał, brał kosztowne prezenty, dawał obietnice. Z wdziękiem skłócał baronów; pomawiał jednych przed drugimi. Budował zamek z wpływów, otaczał go fosą intryg i otwierał lub zamykał bramy swej łaski. Słowem: rządził.

Po tygodniu Vašek wypuścił dziewczęta. Aż żal było patrzeć, jak schudły. Przez głowę Muskaty przeszło, że młody jadł sam, a dziewczyny głodził, więc kazał wszystkie trzy zabrać do kuchni, odkarmić i przyprowadzić do niego, by mógł je przepytać. Zajrzał do sypialni, szukając Alny i Málny, ale sługa Vaška wyjaśnił, że te dwie starsze wyszły z samego rana.

Młody król leżał na boku z rączkami złożonymi pod policzkiem.

— Jak się czuje król Władysław V? — zagadnął Muskata.

— Król chce spać — oświadczył Vašek.

— Naturalnie, to zrozumiałe. Tyle tylko, że kraj czeka. Król oprócz tego, że ma nałożnice, musi jeszcze rządzić.

— Jestem śpiący. Czy nie moglibyśmy się pracą podzielić, Muskato? Ja nałożnice, ty rządzenie?

W głowie biskupa zagrzmiały złote tryumfalne trąby.

— Z biskupem krakowskim, mój panie, nie możesz podzielić się władaniem swym królestwem. Ale z wicekanclerzem Węgier i prymasem mógłbyś.

— Ja ich nie znam. Nie znoszę obcych. — Ziewnął Vašek, oczy mu się kleiły. Ręce chyba też.

— Jeśli starczy ci sił, by zatwierdzić trzy dokumenty, to już za chwilę możesz być odciążonym od znojów rządzenia. — Wyciągnął spod pachy skrzynkę i otworzył. — Tu jest akt mianowania przez ciebie Jana Muskaty wicekanclerzem Królestwa Węgierskiego. To drugie to list intencyjny do biskupów, by Jana Muskatę obrano prymasem Węgier.

Vašek podniósł się z trudem. Muskata podsunął mu dokument pod nos.

— Skoro już przygotowałeś, Muskato, to po co ci ja? A gdzie trzeci? Mówiłeś, że trzy.

— To nadanie zamku w Pławcu, na Spiszu. Jako rekompensata poniesionych trudów. — Podsunął mu przygotowany w swej kancelarii dokument. Ten, w którym napisał o sobie tak trafnie *„venerabilis princeps noster dilectus et vicecancellarius Regni Nostri"*, „czcigodny książę nasz drogi i wicekanclerz Królestwa Naszego". No przecież, jak mu Vašek da prymasa, to nie odmówi skromnego tytułu księcia.

Nie odmówił. Wyciągnął spod łóżka pieczęć królewską i powiedział:

— Mój wicekanclerzu, idź i rządź godnie. Król Władysław V jest zmęczony. Muskata wyprostował się i ruszył z wysoko uniesioną głową. Kazał wołać do siebie Furuzsinę, Napockę i Jenkę, skoro Jabłuszko z Maliną się ulotniły sobie tylko znanym sposobem z sypialni Vaška. Kurtyzany stawiły się, nie żywiąc urazy za to, jak potraktował je król, a przynajmniej tego nie okazując. Kazał im przebrać się w zielone sukienki, takie jak nosiły Alna i Málna, podlał je dzbanem dobrego, węgierskiego wina, poprawiając im rocznik, i ruszył z nimi w tan. Och, jakże mu tego brakowało! Jak umęczony pracą był *princeps noster*! Od tylu tygodni w pracy od rana do zmierzchu! Napocska masowała mu stwardniałe barki, Jenka wprawiała w ruch pośladki Muskaty wprawnymi palcami, a Furuzsina ugniatała obolałe stopy. Wołał drugi dzban i trzeci, potem piąty, bo jego damy miały pragnienie jak wawelskie smoki. Pił z nimi na umór, w końcu dzisiaj był jego wielki dzień! Z kim miał go uczcić, skoro Gerussa daleko? Muskata prymas, Muskata wicekanclerz, Muskata książę! Trzy dziwki i po trzykroć wiwat dla niego! Król będzie jadł mu z ręki. A co to, nie znajdzie w Budzie nowych dziewcząt? Ulice są pełne takich, które z rozkoszą dadzą się utuczyć i przywieść do komnat swego pana. Zawsze to lepiej oddać dziewictwo królowi niż łotrzykowi. Pierwszy pasł i płacił srebrem za dyskrecję, drugi mógł dać co najwyżej w łeb. Oczywiście, trzeba zadbać, by Buda nie zaroiła się od bękartów władcy. Ale od czego są babki? Weźmie się jedną na dwór, by doglądała Vaškowego stadka i już. Bękarty są specjalnością domu Przemyślidów w Pradze. Ale Muskata wolał Vaška prowadzić twardą ręką. Lepiej każdą z jego dziewczynek wyskrobać, niż potem się martwić. Jakieś zasady dobrze w życiu mieć.

— Co, Napocska? Lubisz twardą rękę? — spytał, wylewając kurtyzanie na brzuch kielich wina.

— Wolę jaja na twardo! — powiedziała, zanosząc się śmiechem i łapiąc w dłoń zwiotczałe przyrodzenie Muskaty.

— Głupia dziwka! — pchnął ją w kąt. — Dymisjonuję cię! Poszła precz!

— Ależ panie... — Wyciągnęła ku niemu ręce. — Daj mi szansę... błagam, błagam...

— Nie. Jesteś winna zdrady stanu! — Pijany Muskata był do bólu sprawiedliwy. — Powierzyłem ci swój najważniejszy odcinek, a ty nie utrzymałaś go w gotowości bojowej. Skazuję cię na chłostę! Jenka, daj mi bat.

— Panie — jęknęła Furuzsina. — Okaż łaskę. Weź nas jako zakładniczki, Jenkę i mnie. Jeśli Napocska nie postawi twej armii na nogi, wtedy skaż nas wszystkie.

— Dobrze — zgodził się Muskata Dobrotliwy. — Zakładniczki do mnie! Na kolana! Napocska masz ostatnią szansę wykazać się na polu bitwy. Weź mój róg i dmij w niego ile sił!...

— I niech zaleje nas duch bojowy — krzyknęła Jenka, pijąc wino wprost z dzbana, a potem lejąc po nich wszystkich.

Muskata kaca leczył dwa dni. Suszenie, jak mawiają w zakonach, suszenie. Sługa nosił mu sok z kiszonej kapusty i zmieniał okłady na dudniącej bębnem wojennym głowie. W końcu węgierski kucharz ugotował mu zupę rybną i Jan Muskata zjadł, i otrzeźwiał. Trzeciego dnia otworzył swoje wicekanclerskie podwoje. Czysty, pachnący, w pełni umysłowych władz. I pomiędzy kolejką uprzykrzonych baronów węgierskich dostrzegł znajomą, mysią twarz dowódcy swych cichych ludzi. Przegonił oczekujących i przyzwał go, starannie zamykając drzwi.

— Co się dzieje, Ruprechcie? — spytał.

— Walterze — poprawił go zwiadowca.

Zamrugał. Może ten człowiek powinien zmienić imię, skoro Jan wciąż nazywa go Ruprechtem?

— Mów... Walterze, mów śmiało.

— Do Budy przybył Mikołaj Boccassini, biskup Ostii i Velletrii, generał zakonu dominikanów.

— Legat papieski?!

— Tak, panie. Z kompetencjami na Królestwo Polskie, Węgierskie, Chorwację, Dalmację, Serbię, Ruś Halicką i Czechy.

— A niech to szlag! Czego chce?

— Otworzyłem jego listy, gdy nocował w gospodzie — pochwalił się Walter. — W jednym ma naganę dla arcybiskupa Kalocsy, Jana, i pociągnięcie go do odpowiedzialności przed papieżem za koronację Władysława V.

— Dobra, Jan właśnie zmarł. Mów, co ma w drugim.

— Unieważnienie koronacji młodego Przemyślidy. Ojciec Święty ogłasza wszem wobec, że jedynym prawowitym królem Węgier jest Karol Robert.

Muskata złapał się za serce.

— Do diabła z papieżem! — sapnął.

— To nie wszystko, mój panie. Ma jeszcze dwa listy.

— Mów, no mów! — Muskata uderzył go w ramię.

— Jeden jest prywatny, Bonifacy VIII pisze do legata, nazywając ciebie, panie, wilkiem z pastorałem.

— Ja też prywatnie o Bonifacym mówię źle. — Muskata wzruszył ramionami.

— Drugi zaś list jest do ciebie.

Jan Muskata przełknął ślinę. Skinął Walterowi, by mówił.

— Grozi ci karami kościelnymi z ekskomuniką włącznie za twą działalność na terenie Królestwa Węgier.

— To wszystko? — sucho spytał Muskata.

— Nie, panie. Jest jeszcze nakaz z pieczęcią kurii rzymskiej, w którym jest napisane, że na wezwanie legata masz się stawić w ciągu trzech miesięcy w Rzymie, pod groźbą złożenia z urzędu i odebrania ci wszelkich godności.

— Walterze — sztywno powiedział Muskata — jestem twoim dłużnikiem.

— Oczywiście, panie. Zwłaszcza że mam jeszcze jedną wiadomość. Arcybiskup Jakub Świnka wytoczył ci proces. Zamierza podważyć zasadność wyboru twej osoby na stolec krakowski. Jednym z głównych zarzutów będzie w nim nieobecność w diecezji. Pismo procesowe dojdzie do ciebie za jakiś miesiąc, bo posłaniec tydzień temu wyruszył z Gniezna i moi ludzie, jako przewodnicy górscy, wiodą go właśnie przez Karpaty najdłuższą drogą.

— Zapłacę za każdy dzień ich trudu. Srebrem! — obiecał Muskata.

Został sam. Kazał sobie przynieść zimnej wody. A potem słudze polecił lać ją na pulsującą głowę.

— Starczy! — Otrzepał się jak pies. — Odejdź!

Wszystko przemyślał w jednej chwili, jasno, trzeźwo, wyraźnie. Nieszczęsny list Vaška do biskupów węgierskich nakazujący jego wybór na prymasa już poszedł przez posłańców we wszystkie strony Królestwa Węgier. Jeśli któryś z hierarchów zechce go ujawnić, a zna kilku takich, co przed legatem papieskim zmiękną, to Mikołaj Boccassini ma w ręku kolejny argument przeciw niemu. Za wszelką cenę nie można dopuścić, by papież wezwał go do Rzymu. Jak tego uniknąć? Ulotnić się z Budy, nim legat wjedzie na zamek i dostarczy mu rozkaz Bonifacego. Dokąd? Oczywiście, do swej krakowskiej diecezji. Nim proces arcybiskupa Świnki ruszy, Muskata zdąży wysłać do rzymskich kardynałów hojne podarki. Tak.

Podszedł do okna i ze smutkiem spojrzał w siwy nurt Dunaju. Książę, wicekanclerz, prymas.

Z prymasem może się pożegnać. Legat suchej nitki tu na nim nie zostawi. Z wicekanclerzem na dwoje babka wróżyła. To stanowisko zastrzeżone dla rodowitych Węgrów, ale może Boccassini aż tak głęboko nosa nie wsadzi, by się dowiedzieć. Bzdura, doniosą mu o tym. Ale tytułu księcia mu nie wydrze. Zamku też. Prędzej czy później obejmie Pławiec. Trzeba tylko iść do Vaška i jakoś mu to wszystko wytłumaczyć. Uspokoić chłopaka. Pewnie się rozbeczy jak baba, gdy mu powiedzą, że papież unieważnia jego koronację. Hola, hola, Bonifacy w Rzymie, a Karol Robert ma słabe wojsko! Będzie trzeba Waltera zostawić przy młodym królu, przecież to łapczywe pisklę płomienistej orlicy gotowe sobie napytać biedy w jeden dzień. Prawda, chciał być niezastąpiony przy Vašku, i druga prawda: nie przewidział, że Bonifacy uderzy tak szybko i celnie. Tak, da mu Waltera, okopią się w Budzie, przygotują do obrony i niech Karol Robert forsuje Dunaj i próbuje przebić się przez mury, które tyle razy opierały się najazdom Dzikich.

Zagryzł paznokieć. Psiamać. Tak mu tu było dobrze. Ledwie wspiął się na szczyt, a już mu to chcą wydrzeć. Nie da się. I Vašek też nie może się dać wykurzyć Andegawenom. Legat, nawet tak twardy jak Boccassini, nie może siedzieć w jednym miejscu cały czas. On, Jan Muskata, pojedzie do Krakowa i wróci, jak tylko sprawy przycichną.

Przygładził włosy. Wziął głęboki oddech, łapiąc w płuca wilgotne powietrze znad Dunaju. I, na swoją chwałę pomyślał, że trzeba być nie byle kim, by papież w jego sprawie napisał cztery listy. Wilk z pastorałem? Skoro Ojciec Święty jest nieomylny — bardzo proszę. Zachowa się jak wilk.

WŁADYSŁAW na Rusi Halickiej nie nudził się. Na jego prośbę kniaź Jerzy brał go w dalekie podjazdy na nadgraniczne stanice, gdzie czatowali, wypatrując Złotej Ordy.

— Mój brat, Leszek Czarny, uwielbiał walczyć z Dzikimi.

— Nu. — Kiwnął głową Jurij, ale minę miał niewyraźną.

— Opowiadał, jak rozpłatał kiedyś pierś skośnookiego Mongoła i wyjął z niej wciąż bijące serce. — Władek zrobił ruch ręką, jakby trzymał w niej pulsujące serce.

— Nu. — Jurij zerknął na niego z ukosa.

— Co „nu"? — spytał Władek.

— Nu, ty nie pamiętasz, że Leszek na nas jeździł jak na Dzikich? Jeszcze pasa nie miałem, jak mnie ojciec mój, Lew Daniłowicz, na wojnę z nim prowadzał.

— Aha — przypomniał sobie Władek. — Widzisz, Jurij, tak to już w rodzinach jest. Z jednym bratem drużba, z drugim wróżda. Bywa.

— Nu, bywa. — Chwilę jechali w milczeniu. — Ja nie zapomnę, jak on gnał na czele wojsk, czarne włosy leciały za nim, jak krucze skrzydła... Wódz to z niego był. Nam dał w rzyć, Mongołom dał w rzyć, Jaćwięgom i temu, jak mu tam? Bratomirowi też.

— Dobra, koniec. Aż tak dokładnie nie musimy spraw rodzinnych wspominać. Coś mi się zdaje, że ktoś ku nam jedzie, widzisz?

Od strony Włodzimierza pędził ku nim jeździec. Po chwili Władek rozpoznał Pawełka Ogończyka.

— Książę! — sapnął zdyszany, gdy tylko dojechał. — Rzymska gaduła nas dopadła!

— Co? Mów wyraźnie.

— Rzym-ska ga-du-ła. Gaduła.

— Pawełek. Ty już jesteś dorosły. Masz trzydzieści lat. Mów jak dorosły.

— Diakon Mirosław, człowiek arcybiskupa Świnki, z kurii rzymskiej przybył. Chce z tobą pilnie mówić, książę.

— Bardzo ładnie. Tak się zachowują przyzwoici rycerze — pochwalił go Władek i po błysku zastanowienia spytał: — A czego on ode mnie chce?

— Nie wiem, mój książę, mi nic nie powiedział.

— Jak będziesz taki roztrzepany, to nikt ci nic ważnego nie będzie mówił — pouczył go Władek.

— Poprawię się.

— Jurij, szwagrze, pozwolisz, że ruszymy szybciej?

— Jedźcie, jedźcie.

Jak oddalili się spory kawał, Władek syknął do Pawełka:

— Zachowuj się. Nie chcę, by kniaź słyszał, że na posła mówisz „gaduła". To nie wypada, rozumiesz? Z godnością „poseł z Rzymu". Słyszysz, jak to poważnie brzmi?

— Słyszę — odpowiedział Pawełek, ale bez zrozumienia, bo po chwili dopytał: — A jak będziemy sami, to mogę mówić po ludzku?

Diakon Mirosław ucieszył się na widok Władysława, jakby spotkał krewniaka.

— Mój książę! Ja do ciebie w posły.

— Od arcybiskupa?

Mirosław zrobił nieco tajemniczą minę.

— Wyżej, książę.

— Od papieża?!

— Tak! — pisnął Mirosław.

— Mów.

— Pamiętasz, mój książę? W Rzymie, po twej lewej stronie spał Filip de Crois, zaufany sługa biskupa Bertranda d'Agoult. A po prawej Matteo Gaetano, kapelan Mikołaja Boccassiniego. Nie, przepraszam! — Mirosław wykonał jakiś jakby taniec z obrotem, i machając rękami, poprawił się: — Po lewej spał de Crois, a po prawej — zamachał dla pewności — po prawej Matteo, kapelan Boccassiniego. No i tenże Boccassini został przez papieża mianowany legatem na Węgry i Polskę. I Czechy.

— Słyszałem — odpowiedział Władek.

— I mnie zabrali ze sobą, w poselstwie na Węgry, mój książę! — Mirosław co powiedział zdanie, robił pauzę, jakby czekał na oklaski.

Władka już to nieźle zirytowało.

— Jechaliśmy przez Wiedeń, tam był dłuższy postój i narada. — Znów stanął i mrugając, wpatrywał się we Władka.

— Mów, Mirosławie, błagam cię, mów.

— Panie mój! Koalicja! Zbiera się koalicja przeciw Przemyślidom! — niemal wyjęczał radośnie Mirosław.

— Jezu. To nie mogłeś od tego zacząć? Gadasz i gadasz, kto koło kogo spał!

— No więc tak: Karol Robert wraz z baronami węgierskimi i chorwackimi stronnikami Andegawenów uderzy na Budę, na Václava III. Legat papieski podejmie się twardej misji dyplomatycznej przeciw panowaniu Czechów na Węgrzech i przeciw biskupowi Muskacie. Arcybiskup Jakub Świnka w tym samym czasie wezwie Muskatę do Krakowa, by osłabić młodego króla i wytoczy mu proces. A ty, mój książę, jeśli zechcesz wesprzeć to osaczanie Przemyślidów, powinieneś uderzyć w nich od strony Sandomierza.

Władek poderwał się.

— A co z Václavem II?

— Bonifacy zakazuje mu bezprawnego używania tytułu polskiego króla. Poseł legata dostarczy mu tę wiadomość na dniach.

— Bezprawnego! — powtórzył z lubością Władek. — Bezprawnego!...

— Na razie tylko tyle, ale to dlatego, że Albrecht Habsburg koronował się na króla rzymskiego i Bonifacy ma z nim niemal otwartą wojnę. Gdyby nie Habsburg, papież wystąpiłby wobec Václava bezwzględnie, bo polityka Przemyślidów uderzyła wprost w papieskie interesy na Węgrzech i w Królestwie. Wielkim stronnikiem naszych spraw jest legat Boccassini...

Mirosław gadał jak najęty. Władek nie słuchał go. Po raz pierwszy od kilku lat poczuł, iż w oporze przeciw potężnym Przemyślidom nie jest sam. Do tej pory żaden, nawet nieśmiały głos przeciw Czechom nie odzywał się w ościennych państwach. Václav II napędzany przez biskupa Muskatę, tego węża wyhodowanego na rodzimej, krakowskiej piersi, szedł od korony do korony, a wszyscy przed nim uginali kolana. Nawet jeśli ten atak na Václava od strony ziemi sandomierskiej jest pomysłem przedwczesnym, jest tą jedną jaskółką, która ponoć nie czyni wiosny, to Władek wiedział, że ruszy. Nie po to tyle lat się tuła po świecie, wygnany przez Václava z własnej ziemi, by teraz miał innym dać pierwszeństwo w zaatakowaniu go.

Wieczorem podczas uczty, jak zawsze u kniazia Jerzego obficie polewanej miodem i winem, wstał i spytał szwagra:

— Jurij, dasz mi hufiec na Sandomierz?

— Dam! — odpowiedział pilnowany przez Eufemię kniaź Jerzy Daniłowicz. — Dam! Moi ludzie pójdą chętnie, bo to tak, jakby szli na Leszka...

Eufemia skarciła go.

— Jurij, Leszek to był i mój brat.

— To, Jewfimio, jest twój najważniejszy brat — Jerzy wskazał Władysława — i dla niego pójdą nasze hufce, nawet pod wiatr!

— „Pod wiatr"! — Przepił Władysław do szwagra.

KALINA od miesięcy była w Pradze, ale nie mogła w żaden sposób dostać się do Rikissy. Gród Praski, na terenie którego znajdował się królewski pałac, był strzeżony niczym twierdza w czasie oblężenia. Wiodły do niego ledwie trzy bramy. Oficjalni goście wjeżdżali największą, zachodnią, ale wartownicy ze strzegącej bramy Białej Wieży nie chcieli z nią nawet rozmawiać. Brama Południowa służyła wyłącznie zaufanym ludziom króla, bo prowadziła wprost do pałacu. Próbowała więc dostać się na dwór przez Bramę Wschodnią, przy Czarnej Baszcie. Co rano stawała przy niej w kolejce dziewcząt i kobiet oczekujących na pracę i co rano odprawiano ją z kwitkiem. Nie umiała nauczyć się czeskiego i od razu brano ją za kogoś podejrzanego. Kilka razy widziała Michała Zarembę wyjeżdżającego przez południową, prywatną bramę w kierunku przedmieść Malej Strany i w końcu pomyślała, że musi go śledzić, by przez niego dotrzeć do królewny. Była wściekła, bo pierwszy raz w życiu zdarzyło się, że nie mogła gdzieś się dostać. I wściekła podwójnie, że musi uciekać się do pomocy Zaremby, z którym pożegnała się w gniewie. Na wspomnienie tamtej dzikiej miłości w poznańskim lochu do dzisiaj jej słabo. Nie, nie dlatego, że była wstydliwa. Wprawdzie Dębina nigdy nie proponowała jej roboty w „Zielonych Grotach", ale powodem było, że Kalina sens życia odnalazła w służeniu Rikissie. Gwałtowne zbliżenie z Michałem w czasie burzy, straszne i piękne, jakby w nich trafił grom, zbliżenie, które mogło być początkiem czegoś więcej, wszak prócz namiętności łączyła ich wierność królewnie, zakończyło się równie nagle, jak zaczęło. Obcesowa odmowa Michała dotknęła ją do żywego i paliła do dziś, jak źle gojące się oparzenie. Trudno, musi zapomnieć o dumie, tak jak on nie chciał zapomnieć o rycerskim honorze. Czas od dawna działa na jej niekorzyść.

Po ucieczce ze smyczy Waldemara musiała się leczyć. Mówiąc wprost, to nie był zwykły sznur. Piekielny margrabia wiedział, że złapał kobietę Starej Krwi. Więcej, polował na nią, bo jakżeby inaczej wytłumaczyć, że miał w sakwie przy siodle smycz uplecioną z martwego drewna? Taką samą Mechtylda Askańska udusiła przed laty Olchę. Sznur spleciony z włókien wypranych ze śladu życia, nasączony trupim jadem dawno zdechłych zwierząt. Ziejąca pustką materia. Ludzie Starej Krwi tracą od niego siły; sznur wciąga ich życie w swe sploty niczym wąpierz wysysający z żywych krew. Gdy Johan wywiózł ją z Salzwedel, straciła przytomność. Odzyskała ją w wiejskiej chacie. Strażnika już nie było, ubłagała gospodynię, by sprowadziła do niej najbliższą znachorkę, a dalej już poszło łatwiej. Znachorka miała na imię Bieluń i jak większość zielarek była kobietą Starej Krwi. Pomogła Kalinie wysłać zielone siostry do Pniew, by znalazły miejsce jako służki w orszaku królewny i strzegły jej, jak ustalono z Dębiną. Ale wszystko to zabrało im cenny czas i gdy wreszcie Bieluń mogła zająć się nadwątlonym smyczą zdrowiem Kaliny, było już późno. Przewieźli ją do chaty Bieluni na bagnach. Znachorka przez rok poiła ją naparami, okadzała, nosiła dla niej wodę żywą. Po tym czasie jej serce zaczęło bić dość równo i przestała tracić na wadze. Kolejne pół roku odzyskiwała siły. Jak tylko była w stanie wyprawić się w daleką drogę na południe, ruszyła bez dnia zwłoki. Choć i do dziś zdarzały jej się straszne noce, gdy budziła się całkowicie pusta, wydrążona jak spróchniały pień. Leżała wtedy jak kłoda, bez ruchu. Nie potrafiła nawet powieką mrugnąć, nic. Pustka. Przerażająca pustka. Straciła na smyczy Waldemara coś z siebie, co nie chciało wrócić. Otrząsnęła się. Rikissa. Przy małej królewnie odzyska to, co wyssało z niej martwe drewno.

Zasadziła się przy drodze, z której miała widok na Południową Bramę, i czekała. Z nudów przeliczała baszty w potężnym murze, naliczyła czternaście. Próbowała oszacować grubość murów, odgadnąć przeznaczenie skrytych za nimi pomieszczeń. Czekała tydzień i w końcu nadszedł dobry dzień. Rozpoznała Zarembę na długo przed tym, nim zobaczyła. Po prostu serce zaczęło jej bić jak oszalałe. Wyjechał z grupą zbrojnych. Między mężczyznami w barwach Przemyślidów on jeden, jakby osobny. Półlew za murem. Co z nim? Dół twarzy miał osłonięty chustą, jakby był chory. Zręcznie wmieszała się w tłum, przeciskając między przekupkami, handlarzami ryb, królewskimi dostawcami. Biegła, potrącając ludzi, by nie stracić go z oczu. Kierował się w dół zamkowego wzgórza, na podgrodzie Małej Strany. Już wiedziała, że w położonej niżej uliczce mają swe domy bogaci kupcy sukienni, a dalej, pośród krzewów są dwory czeskich mieszczan. Ale Michał minął ich domy i jechał dalej, w stronę Wełtawy, w kierunku zamkniętej dzielnicy żydowskiej. Zaklęła. Tam jej nie wpuszczą. Zbrojni otaczali Michała ścisłym kordonem. Znów straciła go z oczu, gdy drewniana brama zamknęła się za orszakiem. Tym razem nie da za wygraną. Obeszła drewnianą palisadę oddzielającą dzielnicę Żydów od miasta. Znalazła wyłamane deski, w sam raz, by prześlizgnął się dołem pies, dzieciak albo ona. Nie patrzyła na mijających ją ludzi, po prostu wczołgała się. Znalazła się nagle po stronie innego świata. Drewniane domki, malutkie, jeden wyrastał na drugim. Wszystkie kobiety osłaniały głowy i twarze chustami, więc patrząc, czy nikt nie widzi, ściągnęła z płotu suszącą się szmatę i obwiązała włosy, zasłaniając pół twarzy. Ruszyła śmiało, rozglądając się za końmi, i znalazła je niemal od razu. Stały przed domem o pomalowanych na niebiesko drzwiach. Zbrojni pilnowali koni, ale Michała między nimi nie było. Obeszła uliczkę i zaszła dom z drugiej strony, znajdując się w wąskim jak gardziel zaułku. Usłyszała za sobą kroki. Odwróciła się gwałtownie. Stała za nią kobieta i przyglądała się jej bacznie. Kalina położyła palec na ustach i podeszła do niej.

— Kto tu mieszka? — spytała.

— A kto pyta? — nieufnie odpowiedziała tamta.

— Zazdrosna żona.

Kobieta zmarszczyła brwi. Tylko orzechowe oczy było jej widać spod zasłony. Kalina zrobiła nieszczęśliwą minę.

— Mój mąż ucieka z domu i raz po raz przyjeżdża tu, do waszej dzielnicy. Jak pytam, nie odpowiada, więc serce mi mówi, że niewdzięcznik ma kochankę i wymyka się do niej. Nie wytrzymałam i przedarłam się za nim, rozumiesz? Muszę wiedzieć.

— Tu mieszka Malachiasz, słynny medyk, pani — odpowiedziała ze współczuciem. — I, prawda, ma przepiękne córki. Tak piękne, że tylko trzy razy w roku pozwala im opuszczać dom, a i wtedy muszą mieć zasłony na twarzy.

Kalina złapała się za serce i wymusiła łzy.

— Wiedziałam, wiedziałam... Pomożesz mi? Chcę tam wejść, po cichu i zobaczyć, jak mnie zdradza.

— Pomogę. Wprowadzę cię od kuchni. — Kobieta pociągnęła ją za sobą. — Ale jeśli cię znajdą, to nie mów o mnie. Malachiasz to potężny człowiek i mogę mieć kłopoty. Ty też — spojrzała na nią smutno — bo medyk jest pod ochroną samego króla. Przestrzegę cię, jeśli twe domysły są słuszne, to zobacz, co chcesz zobaczyć, i umykaj po cichu. Jeśli narobisz rabanu, jeśli służba i ojciec znajdą dziewczynę z twym mężem, to nasze prawo jest bardzo surowe. Powiodą i jego, i ją na śmierć, a w dodatku zrobisz sobie w Malachiaszu wroga.

— Wiem, dziękuję ci. Ja tylko... Ja chcę wiedzieć.

Przez niewielkie drzwi weszły do pustej kuchni. Słyszały służące kłócące się w pomieszczeniu obok, zręcznie wyminęły misy obranej marchwi, kosz z rybami i pełne wody cebry. Wąskim jak kiszka korytarzem dla służby przecisnęły się w drugą część domu. Kalina zorientowała się, że kobieta zna rozkład pomieszczeń tak dobrze, iż musiała bywać tu często. Bez wahania pchnęła niskie drewniane drzwi i znalazły się w zastawionej kuframi izdebce. Wskazała na lewą ścianę.

— Tam jest sypialnia panien. A za ścianą naprzeciwko pokój, w którym medyk przyjmuje cierpiących. Wiedzie do nich duży korytarz od strony ulicy. Ten, którym weszłyśmy, idzie równolegle i korzysta z niego wyłącznie służba. Do pokoi można wejść z obu korytarzy. Twój mąż jest albo u Malachiasza medyka i wtedy powinnaś mu współczuć, albo jest u panien i wówczas ja współczuję tobie. Wróć tak, jak weszłyśmy. Zasłoń twarz i udawaj, że nosisz wodę.

— Dziękuję ci! — Kalina ścisnęła dłoń kobiety. — Jak ci na imię?

— Rut — oczy nad zasłoną zalśniły w czymś w rodzaju uśmiechu — ale mówią na mnie Rutka. Bądź zdrowa, siostro.

O rany — pomyślała Kalina, gdy Rutka zniknęła — kobiety Starej Krwi w żydowskiej dzielnicy? Nie miała czasu, by nad tym myśleć. Ostrożnie wyminęła kufry i przyłożyła ucho do ściany, za którą miał przyjmować medyk. Usłyszała monotonny głos i cichy jęk. Tak. To był Michał. Obmacała ścianę, szukając w niej szpary. Znalazła wąską szczelinę i przyłożyła oko. Michał siedział na krześle, przodem do niej, a przed nim stał siwowłosy medyk i nakładał mu coś na twarz i piersi.

— ...jak poprzednio. Siedź, panie. Wrócę do ciebie, jak będzie czas zdjąć okłady.

Zobaczyła plecy medyka i usłyszała zamykające się za nim drzwi. Teraz albo nigdy — pomyślała i cicho wyszła na korytarz dla służby, prześlizgując się nim do kolejnego wejścia. Pchnęła drzwi. Zaskrzypiały głośno. Nie oglądając się, weszła do środka i zamknęła je za sobą.

— Kto tam? — niespokojnie spytał Michał.

Kalina zatkała usta dłonią, by nie krzyknąć. Michał Zaremba ro-zebrany do pasa miał twarz przykrytą białym płótnem. Jego piersi i brzuch okrywały łuski. Szaro-zielone na bokach ciała, z przodu jasne, niemal złote. Zachodziły na barki i kończyły się na linii ramion. Łuski, jak u węża. O Matki! Co się stało? Przez głowę przeszła jej błyskawica budząca niezrozumiałe wspomnienie. Loch, szorstka, aż ostra skóra Michała, jego pchnięcia, które dawały rozkosz, ale okraszoną bólem. Wtedy myślała, że to dzika namiętność, teraz zrozumiała, że może i coś więcej.

— Cicho — szepnęła zduszonym głosem. — To ja, Kalina.

Poruszył się nerwowo jak wąż.

Jest bezbronny — pomyślała — nie może zdjąć okładu z twarzy i wie, że widzę go takiego, jakim jest.

— Michał. — Podeszła i przykucnęła przy nim, szepcąc do przy-krytej białą płachtą twarzy. — Jestem w Pradze od trzech miesięcy, nie mogę się dostać do Rikissy. Na Białej Wieży wyśmiano mnie, gdy przedstawiłam się jako piastunka królewny. Proszę, zabierz mnie do niej, muszę być w jej pobliżu, ona mnie potrzebuje. Błagam.

— Czekaj wieczorem przy Wschodniej Bramie. Wiesz, która to? — powiedział zduszonym, cichym głosem.

— Tak. Przy Czarnej Wieży.

— Wyjdę przebrany za sługę.

— Rozumiem.

— Idź już. Medyk wraca... — syknął.

— Nie wystawisz mnie? — Złapała go za ramię.

— A ty mnie? — szepnął bardzo, bardzo cicho.

— Do wieczora.

Pocałowała go w ramię. W to miejsce, gdzie łuski przechodziły w skórę. Zesztywniał. Bezszelestnie wybiegła z izby, zamykając za sobą drzwi. Wyślizgnęła się wąskim korytarzem, nie napotykając nikogo. W kuchni znów było pusto, za to słyszała wiele kobiecych głosów na podwórzu. Osłoniła rąbkiem chusty twarz, aż po oczy, i wyjrzała na podwórze. Ruta stała z grupą służących i rozprawiały o czymś, wymachując rękami. Na jej widok zawołała:

— Ileż można czekać, dziewczyno! No, chodź ze mną, dalej!

Wyciągnęła ku niej rękę i ruszyły gardzielą zaułku. Wyprowadziła ją na uliczkę i powiedziała:

— Wyjdziemy przez bramę.

— Przez bramę?

Roześmiała się.

— Nie przez tę, o której myślisz. Dzielnica żydowska ma swe tajemnice. Chodź, pokażę ci, którędy chłopcy i dziewczęta wymykają się na schadzki, którędy wchodzą przemytnicy i złodziejaszki, i którędy ja uciekam do lasu.

— Jesteś?...

— Tak. Gdybyś kiedyś mnie potrzebowała, wejdź tą bramą, osłoń twarz zasłoną, jak tutejsze kobiety, i nie zakładaj zielonej sukni. Wtedy możesz pytać o wdowę Rut, krawcową. Pytaj dzieci, nigdy inne kobiety. I w żadnym wypadku nie odzywaj się do mężczyzn.

— Miałam szczęście, że trafiłam na ciebie.

— Obie znalazłyśmy się we właściwym miejscu, o właściwym czasie. Na północnych przedmieściach Pragi jest jedna „Zielona Grota", tam też znajdziesz pomoc, gdybyś potrzebowała.

— Matkom dzięki!

Rutka zaśmiała się.

— Ale to z mężem było niezłe. Przez chwilę się nabrałam. To brama. — Wskazała niewielkie drzwiczki osłonięte rosnącym dziko bluszczem. Możesz z niej korzystać bezpiecznie. Bądź zdrowa!

Kalina odsłoniła twarz, gdy z powrotem znalazła się w praskim zaułku. I wraz z chłodnym powietrzem, które uderzyło ją w twarz, poczuła na ustach dotyk łusek Michała. Dlaczego go pocałowała? Sama siebie oszukiwała, że po to, by dać mu gwarancję, pewność, iż nie zdradzi jego przypadłości. Prawda była inna, ale nad nią wolała się nie zastanawiać.

O zmroku wschodnią bramą wychodzili ogrodnicy. Wśród nich wyróżniał się jeden, wyższy o głowę, mimo iż się garbił. Podeszła do niego pewnie.

— Chodź — powiedział.

— Dokąd?

— Tam, gdzie po pracy chodzi służba.

Ruszyła za nim bez zbędnych pytań. Myślała tylko o tym, że twarz ma gładką, pozbawioną łusek. Szli uliczkami w stronę Wełtawy, aż do karczmy pod szyldem „Gąska Śpiewa". Zaremba pchnął drzwi i w nozdrza Kaliny wdarł się zapach pieczonego mięsa. Skrzywiła się.

— Panienka nigdy nie była w takim miejscu? — zapytał, siadając przy ławie w najciemniejszym kącie.

— Bywała.

— Głodna?

— Chleb i woda, poproszę.

— Nie radzę ci tutaj pić wody. Weź piwo.

Znów się skrzywiła.

— Wino! — zawołał do karczmarza. — I chleb.

Siedzieli naprzeciw siebie. Twarzą w twarz. Ostatni raz pamięta go takiego z uczty przed wyjazdem króla do Rogoźna. Zmienił się.

— Szukasz łusek? — zapytał. — Zostały u Malachiasza. Żydowski medyk zna lek na moją przypadłość. Kładzie mi go na twarz raz na tydzień. Potem...

— Odrastają?

— Tak.

Patrzył na nią wyzywająco, jakby mówił: „I co na to powiesz?". Nie miała pojęcia, co odpowiedzieć, więc udawała, że to oczywiste. Cóż w tym takiego, ot, mężczyzna pokryty na całym ciele łuskami jak wąż. Na całym? Nagła ciekawość zmieszała się z pożądaniem. Karczmarz przyniósł dzban wina, kubki i bochen chleba.

— Rikissa już wie, że przyjechałaś, ale wprowadzenie cię na zamek jest trudne. Václav strzeże narzeczonej jak oka w głowie.

— Narzeczonej. Czyli jeszcze nie?...

— Nie. Sprawy się skomplikowały, Kalino. Václav jest potworem. — Zaśmiał się nerwowo. — Wiem, że w moich ustach brzmi to dziwnie, bo...

— Dla mnie nawet pokryty łuskami od stóp do głów nie jesteś potworem — wyrwało się Kalinie i się zaczerwieniła. Powinnam panować nad sobą — pomyślała, zagryzając wargi.

— Mówisz jak Rikissa.

— Ona wie? — zdziwiła się. Czyżby królewna widziała Michała nago?

— Wie o twarzy, dłoniach i... oczach.

Przyjrzała mu się uważnie. Zamrugał nerwowo i wyjaśnił trochę zawstydzony:

— To się zdarza. To nie jest na stałe. To...

— ...skomplikowane — wyręczyła go.

— Powiedzmy. Nie mówmy o mnie, mówmy o królewnie. Václav z początku groził, iż jak tylko będzie zdolna do małżeństwa, weźmie ją do łoża. Rikissa się go lęka, więc chciała przed nim ukryć fakt, iż stała się kobietą.

— A więc już?...

— Tak. — Skinął głową. — Jej sekret wydała Gryfina, księżna krakowska, którą Václav wyciągnął z klasztoru, by opiekowała się jego narzeczoną. Od tej pory Václav wzywa Rikissę, ale nie bierze jej do łoża.

— To co z nią robi?!

— Nie z nią, tylko przy niej — spokojnie wyjaśnił Michał, choć szczęki mu drgnęły. — Obnaża się przy niej.

— Dlaczego jej nie zaślubia?

Wzruszył ramionami i dolał sobie wina. Kalina dłonią zasłoniła kubek.

— Powiedziałem ci, to potwór. Jest wyuzdany i ma skłonność do okrucieństwa. Okalecza się.

— Siebie?

— Tak, na szczęście siebie. Biczuje się, potrafi tygodniami pościć, leżeć krzyżem w klasztorze w Zbrasławiu albo w tej swojej dziwacznej, wyłożonej relikwiami skrzyni, a potem rzuca się w wir rozpusty z kurtyzanami. Utrzymuje na dworze oficjalne nałożnice, cały harem. Jest dziwakiem. Boi się kotów, ich głosów, miauczenia. Boi się — Michał spojrzał jej na moment prosto w oczy — burzy.

Znów się zarumieniła. Ale on też.

— Arcybiskup Świnka naciska. Biskupi tutejsi również. I im bardziej wszyscy mówią mu: „Królu, musisz poślubić Rikissę", tym bardziej on się zapiera i odwleka decyzję. W Poznaniu czekają w napięciu na dziedzica korony, Rikissa wciąż jest tylko narzeczoną, on wzywa ją do siebie i resztę już wiesz. Może być tak, że niedługo sytuacja polityczna zmusi go do ślubu. A może być jeszcze inaczej, bo kto wie, jaki plan powstał w głowie tego szaleńca.

Nie tylko w Poznaniu czekają — pomyślała Kalina. — Kobiety Starej Krwi też wyglądają dnia, gdy na tronie zasiądzie królowa.

— Najgorsze jest to, że moją rolą jest jej strzec, ale i strzec umów zawartych między panami Starszej Polski a Václavem. Czyli powinienem doprowadzić jak najszybciej do tego małżeństwa i poczęcia dziedzica — Michał nie krył wściekłości — a jak pomyślę, że on ma dotykać...

— Wiem. Nie musisz mówić. Zabierz mnie na zamek, spróbuję pomóc.

— Jak? — żachnął się.

— Odrobina kobiecej wiedzy. Zioła, napary, takie tam nic nie-
znaczące rzeczy, które potrafią zmienić bieg zdarzeń — powiedziała
to lekkim tonem, z uśmiechem.

Michał pokręcił głową z niedowierzaniem.

— Masz lepszy pomysł? — naskoczyła na niego. — Czy ty mógłbyś mi choć raz zaufać, Michale Zarembo?

— Ja ci ufam, Kalino. Właśnie tobie. I nie chcę od jutra bać się
o was obie, o królewnę i o ciebie. Nie doceniasz Václava, tak jak
większość ludzi. Ci, którzy brali go za nieszkodliwego wariata, gry-
zą dziś ziemię, a on włada trzema królestwami. To nie jest głupek. To
szaleniec, ale piekielnie sprytny.

— Dobrze, Michale. Więc i my bądźmy sprytni. Każdy szaleniec
ma słabe punkty. Pozwól mi znaleźć się w jego pobliżu.

Nagle złapał ją za rękę i przyciągnął przez stół do siebie.

— Kim ty jesteś, Kalino? — zapytał, w napięciu wpatrując się
w jej oczy.

— A kim jesteś ty, Michale Zarembo? — odpowiedziała mu,
chwytając jego drugą dłoń.

Wylądowali w łóżku na piętrze karczmy. W podłym pokoiku wy-
najmowanym przez tanie dziwki dla podrzędnych klientów. Michał
rzucił karczmarzowi na stół srebrną monetę, a ten wskazał im drzwi.
Po schodach biegli. On zaryglował drzwi od środka, ona rozbierała
się, rwąc wiązanie sukni. Przez maleńki, zasłonięty okiennicą otwór
nie przedostawało się światło. Tylko płomień świecy na brudnym,
koślawym stole. Wystarczyło, by zobaczyła łuski, gdy zrzucił kaftan
i koszulę. Pragnęła ich znów dotknąć. Poczuć pod palcami. Były ciepłe, cieplejsze niż ludzka skóra, miękkie, sprężyste. Najtwardsze na
plecach i nogach, niczym rogowe płytki. Wnętrze dłoni miał gładkie, zupełnie gładkie. Twarz też. Zaczynały się u nasady szyi. Zachodziły jedna na drugą, układając się w pionowe pasy i linie. Gładziła je,
a on prężył się pod jej palcami jak kot. Była ostrożna, uważała, by gła-
skać go wzdłuż łusek, nie na sztorc. Szukała dłonią pulsującej wypu-
kłości między udami, pamiętała pchnięcia jego miecza tyle lat. Ledwie musnęła i wyczuła, że tam też ma łuski, a Michał pchnął ją lekko
w stronę łóżka. Położył ją. Czekała. Chwilę stał nad nią. Zdawało jej
się, że łuski mienią się w migotliwym blasku świecy. Ona cała płonęła,
wyciągnęła po niego ręce. Zawahał się. Pociągnęła go na siebie i stało się. Gdy wchodził w nią, czuła rozkosz, gdy się poruszał, ból. Zro-

zumiała, że łuski są ułożone w jedną stronę i gdy wysuwa się z niej, ranią. Wrzeszczała. Ale gdyby przestał, darłaby się jeszcze bardziej. Rozkosz i ból zmieszały się ze sobą, skłębiły w nierozerwalne uczucie. Nie wie, czy kochali się chwilę czy całą noc, wszystko to trwało i wypełniało ją jednym, nieustanie pogłębianym napięciem, jakby rozkosz przedłużała się w pasmo górskie, za szczytem szczyt. Znów była Kaliną. Przepadła gdzieś smycz Waldemara. Martwe drewno, które wyssało z niej życie. Była życiem. Krew krążyła w niej całej z oddechem i miłosnym skowytem.

— Michał! — zawołała w chwili największej rozkoszy.

I zobaczyła jego oczy. Pionowe źrenice.

— Ty jesteś smokiem — jęknęła.

— Nie — odpowiedział. — Tylko nim bywam.

1302

ELŻBIETA, księżna wrocławska, czuła, iż być może po raz ostatni wchodzi żywa w progi klasztoru klarysek. Gardło ściskało wzruszenie.

— Księżna nie do opatki? — zdziwiła się furtianka.

— Najpierw do kaplicy.

Klęknęła przed sarkofagiem męża i przyjrzała się długiej półce obok niego. To będzie tu. Tu chce spocząć. Przeżegnała się i skinęła głową furtiance.

— Teraz prowadź.

Nim zapukała do celi Jadwigi, trzy razy szybko, cztery w odstępach, słyszała, że wewnątrz wrze jak w ulu, lecz kiedy weszła, zapadła grobowa cisza. Wszystkie trzy patrzyły na nią ze współczuciem.

— Wieczny odpoczynek racz mu dać, Panie — stęknęła Jadwiga Pierwsza.

— A światłość wiekuista niechaj mu świeci na wieki wieków — odpowiedziały jej tamte.

— Amen — szepnęła Elżbieta i usiadła.

— Byłaś na jego grobie? — spytała Pierwsza.

— Byłam, przed chwilą. Chcę spocząć przy nim.

Klaryski popatrzyły na siebie z konsternacją. Najstarsza poruszyła głową na boki, jakby chciała pokazać, że księżnej pomieszało się w głowie. Opatka syknęła:

— Przecież Bolke pochowali w Krzeszowicach...

— Ja nie byłam na grobie Bolke, tylko na grobie męża — z naciskiem powiedziała Elżbieta.

— Aha! — jęknęła zawiedziona Jadwiga Pierwsza. — A ja myślałam, że byłaś u niego...

— Jak sobie to wyobrażasz? A co by powiedziała na to jego żona, Beatrycze?

— Zapomniałam, że on miał żonę, i do tego jakąś Beatrycze — przepraszająco żachnęła się Pierwsza. — Tak wam tu dobrze razem było... Źle się stało.

— Źle — potwierdziła Elżbieta — ale będę go wspominała pięknie. Krótko i pięknie.

— Jak *Ojcze nasz*. Też parę zdań i wszystko na temat. Co teraz będzie? — zapytała Jadwiga Pierwsza.

— Przecież wszystko wiecie.

— My? — zdziwiły się wszystkie jednocześnie.

— Ale nie od ciebie — wypaliła Jadwiga. — Ty nam powiedz.

— Wyjeżdżam do Pragi. Václav zaproponował rękę swej córki Małgorzaty memu pierworodnemu synowi. Pod warunkiem, że zabiorę Bolesława na jego dwór.

— Zgodziłaś się na regencję Václava? A mówili, że nowy biskup wrocławski...

— Tak, oficjalnie opiekunem mych synów zostaje biskup Henryk, ale same wiecie, że to tak, jakby Václav. Biskup robi to, czego życzy sobie król.

— I ty teraz będziesz robiła tak samo — powiedziała twardo Jadwiga Pierwsza. — Chyba że się postawisz i nie pojedziesz do Pragi.

— Nie wyślę tam Bolesława samego, bo mi go zepsują. Wychowają po swojemu, czyli na Przemyślidę.

— To po co go żenisz z córką Václava? — wyjątkowo ostro powiedziała opatka.

— A jakie mam wyjście? Mam odmówić królowi? Ja, wdowa? Nie mam wojska, księstwem rządzi wrocławskie mieszczaństwo i odkąd zabrakło Bolke, robią, co chcą.

— Nie widzisz, że Václav osacza mojego brata, księcia głogowskiego? Odkąd zawarli sojusz, Przemyślida robił wszystko, by dopaść dwóch ostatnich książąt, którzy się mu oparli. Czy śmierć Bolke jest przypadkowa? Zdrowy mężczyzna umiera nagle we śnie? Obudź się, Elżbieto!

— Żyję w matni. Henryk z Wierzbna, nowy biskup wrocławski, to lis — próbowała bronić się Elżbieta. — Rządy zaczął od wymuszenia na mnie wszystkich przywilejów.

— I od morderstwa — ponuro powiedziała opatka. — Ma na rękach krew posłów legata papieskiego.

— Tego nie wiedziałam.

— Donieśli mu cisi ludzie, że posłowie legata Boccassiniego przybyli do Wrocławia rozmawiać z arcybiskupem Świnką.

— Arcybiskup był, to prawda. Przyjechał konsekrować Henryka z Wierzbna — potwierdziła Elżbieta. — Spotkałam się z nim, na chwilę.

— I co ci radził w sprawie czeskiego małżeństwa syna? — złośliwie zapytała opatka.

— Nie mówiłam z nim o tym.

— Przyznaj się. Wcale mu nie powiedziałaś!

— Co z Henrykiem z Wierzbna? — zmieniła temat Elżbieta. Nie miała zamiaru tłumaczyć się rozjuszonej opatce ze swych zamiarów. Ani z tego, że nie postąpi zgodnie z oczekiwaniem jej brata Głogowczyka. Ani z niczego innego.

— Jak tylko Jakub Świnka wyjechał z jego uroczystej konsekracji, Henryk nasłał siepaczy na posłów legata. Jednego zabili, drugiego poharatali.

— Znak, że nowy biskup wrocławski będzie najlepszym przyjacielem Muskaty — zawyrokowała opatka. — Kto przeciw legatowi, tego Muskata ozłoci.

— Jakub Świnka ruszył wprost z Wrocławia do Krakowa. Będzie sądził Muskatę.

— Dopóki nad Muskatą czuwa Przemyślida, Jakub Świnka nie osądzi biskupa krakowskiego. On jest za śliski, wymknie się. Jedyna szansa, że papież zagra ostro. Muskata w otwarty konflikt z Bonifacym nie może wejść, bo jak go Ojciec Święty pozbawi godności, to przestanie być przydatnym dla Václava.

— I w ten sposób wszystko zaczyna się i kończy na Przemyślidzie — przypomniała natrętnie opatka.

Elżbieta zdenerwowała się i wybuchła:

— Usłysz się, Jadwigo głogowska! Same powiedziałyście, że nowy biskup wrocławski to lis i morderca. Jak mam się z nim ułożyć? W pierwszym dniu po objęciu diecezji wymusił na mnie...

— Powtarzasz się — surowo zgromiła ją Jadwiga Pierwsza. — Wołasz do opatki „usłysz się". A czy ty się słyszysz, Elżbieto? Wciąż mówisz o tym, że ktoś coś od ciebie wymusza. Czy ty nie możesz w końcu się postawić i zacząć rządzić?

— Nie rozumiecie tego, bezpiecznie zamknięte w klasztorze — żachnęła się Elżbieta. — Życie księżnej wdowy to ciągłe wiszenie na łasce mężczyzn.

— To idź do klasztoru. Ocalisz godność.

— Trzy z moich córek wstąpią w nowicjat u was. Ja wyjeżdżam z synem do Pragi. — Uniosła głowę.

— Na posługi Przemyślidy. — Rozłożyła ręce rozczarowana opatka.

— Nie na posługi, tylko na zaproszenie. Będę jego teściową.

— Na rany Chrystusa! — jęknęła Jadwiga Pierwsza. — Ty jesteś z tego dumna! Nie wierzę...

— Dostanę swój dwór na Hradczanach — powiedziała wyniośle Elżbieta. Niech wiedzą.

— Tu masz swój dwór, we Wrocławiu! Václav cię zniszczy, wykorzysta!

— Gdzie Wrocławiowi do Pragi, moje drogie, gdzie? Mój syn...

— No, powiedz to wreszcie. — Opatka aż wstała z miejsca. Jej ładna, łagodna zwykle twarz poczerwieniała od gniewu. — Powiedz, co ci Václav obiecał?!

— Mój syn, a jego przyszły zięć, będzie namiestnikiem Śląska.

Opatka padła na kolana i przeżegnała się, wznosząc oczy ku wizerunkowi świętej Klary z lilią.

Ofka, najprzyjaźniejsza jej i tak bliska, zbladła i wyszeptała:

— Elżuniu, księstwo wrocławskie, legnickie i głogowskie były ostatnimi wolnymi od panowania czeskiego... Ty to wszystko chcesz oddać?...

— Za księstwo legnickie nie odpowiadam. Nie wiem, co zrobi wdowa po Bolke. — Wzruszyła ramionami Elżbieta.

— Ale ja wiem — sucho odrzekła Pierwsza — odda regencję swym braciom, margrabiom brandenburskim. Stronnikom Václava. Czyli będzie tak samo uległa jak ty.

— Mój brat się nie podda. — Jadwiga głogowska wstała z kolan. — Mój brat zostanie ostatnim wolnym księciem Śląska. A ja będę się za niego dzień i noc modliła.

— Widzicie? — sarkastycznie prychnęła Elżbieta, wskazując na opatkę. — Klasztor, śluby, reguła świętej Klary, a koniec końców z niektórych z was wychodzą dzielnicowe Piastówny. Które nie mogą znieść, gdy ktoś inny wybija się ponad rozbite księstewka. W dodatku jako dziewice lekceważycie siłę macierzyńskiej miłości, jakbyście nie wiedziały, że matka dbać będzie o przyszłość synów — skończyła, unosząc wysoko podbródek. A w myślach dodała: „i własną".

Bolke obudził w niej kobietę i ona zamierza żyć w Pradze pełną piersią. Wychodząc przez furtę, przeżegnała się. Wróci tu. Położy się kiedyś pod piękną, równą płytą z piaskowca. Kiedyś, ale jeszcze nie dziś.

ZYGHARD VON SCHWARZBURG nie krył złości, gdy giermek zapowiedział wizytę Henryka von Plötzkau. Od ich pierwszego
i ostatniego spotkania w Bałdze von Plötzkau awansował na komtura tejże. Już to było zastanawiające, bo komturię bałgijską traktowano
w zakonie specjalnie, jak północno-wschodni przyczółek.

— Z „niezdobytej baszty w murze przeciw Dzikim" twój ulubie-
niec sika prosto w spienione fale Bałtyku — zakpił Kuno.

— Jeśli tak, to od rana do nocy chodzi oszczany. Zapominasz
o północnym wietrze. — Zyghard splunął w bok i widząc, że są w zbrojowni sami, zacisnął palce na pośladku renegata.

— Spadaj, komturze — syknął Kuno — robisz się ckliwy.

W tej samej chwili zagrały rogi wieszczące gości, więc czy mieli
na to ochotę, czy nie, wyszli ich powitać. Na dziedziniec wjechało
kilkunastu jeźdźców i wóz.

Henryk von Plötzkau był niższy od Zygharda o głowę, od Kunona o prawie dwie. Kwadratowo strzyżona, ciemna broda dodawała
jego twarzy zaciętości. Miał ciemne, nieduże oczy, które przy odrobinie złośliwości Zyghard mógł uznać za skośne. Zza pleców komtura
Bałgi przyjaźnie uśmiechnął się wysoki, melancholijny młodzieniec.
Ach tak, to Woran, jego giermek.

— Na polecenie mistrza krajowego, Konrada von Sack, przybyłem obejrzeć waszą zdobycz! O niczym innym bracia nie szepcą od
Malborka do Bałgi.

— Wiem. — Zyghard chciał, by jego usta ułożyły się w uśmiech,
ale sądząc po minie Kunona, nie udało się. Zrobił drugą próbę, mówiąc: — Gdybym brał opłaty za oglądanie Starca, komturia w Rogoźnie byłaby skarbcem zakonu!

— Ha, ha. Dobre! — Klepnął się w bok von Plötzkau i uśmiech
też zszedł z jego twarzy.

Stali tak na dziedzińcu, naprzeciw siebie. Co za gościnne powitanie. Zyghard w końcu burknął:

— Zapraszam do lochów.

— Na czym polega niezwykłość tego starucha? — spytał Plötzkau, gdy szli w stronę baszty.

— To nie staruch — poprawił go Schwarzburg. — To Starzec. Naj-
prawdopodobniej to jeden z trzech głównych kapłanów Trzygłowa.

— Czyli na nasze to tak, jakbyście ujęli jakiegoś arcybiskupa? —
zaciekawił się gość.

— Tego się w żaden sposób nie da przełożyć na nasze. Dzicy nie mają jednolitej hierarchii. Kapłani są w ich oczach kimś w rodzaju nietykalnych, powiedziałbym nawet świętych. To pośrednicy między ich trzygłowym bożkiem a ludźmi. Proszę tędy, schodzimy do lochu. Tylko nie wszyscy — zatrzymał asystę Henryka. — Tam nie ma miejsca. Ty, bracie, i twój giermek. Wystarczy.

Plötzkau przez krótką chwilę okazał niezadowolenie, ale Zyghard nie miał miny, która dawała pole do dyskusji. Kuno ruszył przodem z pochodnią. Za nim Plötzkau, Woran i jako ostatni szedł von Schwarzburg. O ile krótkie nogi Henryka nie radziły sobie z wysokimi i stromymi stopniami zejścia do podziemi, o tyle giermek szedł z wdziękiem, bezszelestnie, jakby pół życia chodził w ciemności.

Na dole Kuno wcisnął pochodnię w rękę Worana i podszedł do Starca. Założył mu na oczy skórzaną przepaskę.

— Po co to? — spytał Plötzkau.

— Jest nerwowy. Lepiej, by nie widział ludzi — sucho odrzekł Kuno i zabrał pochodnię od giermka, wkładając ją w żelazny uchwyt na ścianie.

Komtur Bałgi podszedł do Starca z zainteresowaniem.

— Czy nie można przyświecić z bliska? Chciałbym obejrzeć te słynne obrazy na jego skórze.

Widząc, że żaden z nich się nie ruszył, dodał:

— Bardzo proszę, Zyghardzie von Schwarzburg. Byłbym wdzięczny.

Ten skinął głową i Kuno odpalił od pochodni niewielką lampę oliwną. Von Plötzkau niemal wyrwał mu ją z ręki i zbliżył się do Starca.

— Podchodzisz do niego na własną odpowiedzialność — ostrzegł Zyghard.

Plötzkau nie słuchał. Zrobił to, co każdy, kto po raz pierwszy widział skórę Starca — oniemiał. Gorączkowo obchodził jego ciało. Trzygłowy bożek wykłuty na lewej piersi i ramieniu, tak, iż jedna z jego twarzy patrzyła z przodu, od obojczyka, druga z boku ramienia, trzecia od pleców, ze szczytu łopatki. Poniżej siny wojownik z łukiem. Znów miał pełen kołczan strzał, ale opuszczoną cięciwę. Na razie — pomyślał Zyghard. — Kto wie, co zrobi dzisiaj!? Każde zejście do lochu było zagadką. Kapłan potrafił tkwić w bezruchu całymi dniami, to znów drgać w szaleńczym tańcu, na ile pozwalały mu obroża i łań-

544

cuchy. Czasami szeptał niezrozumiałe słowa, to znów zawodził, jakby śpiewał pieśni. Starzec miał nakłutą barbarzyńskim smarowidłem lewą połowę ciała. Plecy, piersi, brzuch całe ramię i nogę. Prócz Trzygłowa i wojownika z łukiem wiły się na jego ciele pędy dziwacznych roślin, ogony i paszcze bestii, pomiędzy którymi latały fantastyczne ptaki o zakrzywionych dziobach i maleńkie, drapieżne owady. Zygharda fascynował jednak kikut prawego, odgryzionego przez wilka ramienia, bo zauważyli z Kunonem, iż z czasem sina farba z lewej strony ciała Starca samoistnie przechodzi na prawą ku okaleczeniu. To było dziwne, ale nie mogło być złudzeniem; wszak Kuno odwzorował wzór dokładnie, linię po linii, natychmiast po tym, jak przewieźli kapłana do komturii. I na pergaminie Kunona obraz nie sięgał prawej połowy ciała. Najpierw zauważyli, że chudy prawy obojczyk oblókł się siną barwą; z początku sądzili, iż to na skutek tkwienia w łańcuchach. Ale po kilku dniach z tego, co wyglądało jak zasinienie, zaczęły układać się regularne linie, a pod obojczykiem na skórze pojawiły się łapy. Dzisiaj nowy twór wyglądał jak bestia bez głowy. Najdziwniejsze jednak było to, iż na ciele kapłana nie było miejsca na głowę — tułów bestii kończył się bowiem kikutem odgryzionego ramienia.

— Coś takiego! — Von Plötzkau odwrócił się w końcu od Starca, a jego mina mówiła sama za siebie. — W chrześcijańskim świecie rzecz nieznana. Jak oni to robią?

— Nakłuwają ciało igłą i w każdy otwór wcierają maź ze spopielonych ziół. — Odpowiedział Zyghard.

— Ależ to żmudna robota! Ten tutaj wykłuty od stóp do głów! Podobno Wielki Mistrz chce złożyć jego skórę w darze Ojcu Świętemu, na dowód zasadności naszej pruskiej misji — powiedział von Plötzkau.

Zyghard i Kuno spojrzeli po sobie.

— No co? — zdziwił się Plötzkau. — Gdyby tak się stało, bylibyście bohaterami Zakonu. Nie zależy ci, Zyghardzie?

Kuno wziął z ręki von Plötzkau lampę i zgasił ją. Zyghard w wyobraźni zobaczył, jak jego szary brat gasi też pochodnię, wyjmuje sztylet i przecina tętnicę komtura Bałgi, a potem rzucają jego ciało na pożarcie Starcowi. Otrząsnął się z marzeń. Zamiast tego Kuno wyraźnie stanął między więźniem a gościem, oddzielając ich od siebie. Henryk nie zwrócił na to uwagi, zbliżył się do Zygharda, mówiąc:

— Wiesz, jakie to zrobiłoby wrażenie na zebraniu Kapituły Generalnej w Wenecji? Zyghardzie! Gottfried von Hohenlohe nie spełnia naszych oczekiwań jako Wielki Mistrz tylko dlatego, że wciąż nie potrafi docenić naszych wysiłków w tworzeniu państwa zakonnego w Prusach. Interesuje go wszystko, tylko nie my. A to błąd. Serce Zakonu Najświętszej Marii Panny bije tu, na tej ziemi, a nie w zniewieściałej Wenecji. Skóra tego starucha...

— Starca — poprawił go zimno Zyghard.

— Zwał, jak zwał. Jego skóra jest żywym dowodem na to, iż Dzicy żyją i trzeba prowadzić wśród nich najtwardsze misje, jakie znał chrześcijański świat. Gdyby Konrad von Sack jako mistrz krajowy Prus przywiózł to trofeum na zebranie Kapituły Generalnej, bracia elektorzy w czasie jednego posiedzenia przegłosowaliby odsunięcie Gottfrieda von Hohenlohe od władzy i wybór padłby na kogoś bliskiego nam, biegłego w sprawach pruskich. A potem skóra powędrowałaby do Rzymu i raz na zawsze zamknęła pasmo papieskich pretensji do naszej działalności. Rozumiesz? Powiedz, że to rozumiesz?

Zyghard von Schwarzburg zrozumiał, iż z jakiegoś powodu Henryk von Plötzkau, którym on pogardzał, skumał się z Konradem von Sack. I jedyne, czego nie był pewien, to czy jego brat Gunter von Schwarzburg już o tym wie. Jeszcze podczas popijawy w Bałdze Gunter i Konrad byli najlepszymi przyjaciółmi. Ale wtedy Konrad był zastępcą mistrza, a teraz jest już mistrzem krajowym Prus. Czy to znak, że pozycja braci von Schwarzburgów spada? A jeśli tak, to czy na rzecz kogoś tak podłej kondycji jak ten tu, kwadratowobrody Plötzkau? Cóż to za nazwisko, cóż za kiepski ród!

— Drogi gościu — powiedział zimno Zyghard. — Jeśli zmierzasz do tego, iż mam ci wydać mojego jeńca, byś mógł zedrzeć z niego skórę i zawieźć wraz z Konradem von Sack do Wenecji, to wiedz, że nie zrobię tego.

— Bo co? — hardo spytał Plötzkau.

— Bo nie możesz mi nic rozkazać. Jeżeli taki nakaz wyda mi osobiście mistrz Konrad, wykonam polecenie. Ale w żadnym innym wypadku.

Plötzkau zrozumiał. Usiłował obrócić to w żart.

— Masz tu skarb, w loszku, Zyghardzie. Rozumiem, że strzeżesz go jak oka w głowie. Ha, ha!

Jego śmiech brzmi jak czkawka — z obrzydzeniem pomyślał Zyghard.

— Ale niepotrzebnie na mnie nastajesz, bo przywiozłem ci dobre wiadomości. Od mistrza Konrada von Plötzkau i twego brata, Guntera, właśnie. Zostałeś mianowany komturem Dzierzgonia! Awans!

Zyghard zmarszczył brwi.

— To dość nietypowy sposób na przekazywanie tak ważnych wiadomości — powiedział uważnie.

— Nominację i rozkaz opuszczenia komturii w Rogoźnie mam w sakwie, jak wyjdziemy, to ci przekażę. Oczywiście, jako komtur dzierzgoński zostaniesz jednocześnie wielkim szatnym zakonu. — Henryk zmrużył te skośne, ciemne ślepia chytrze i dokończył: — A co do sposobu, czyż to nie twój brat, drogi Zyghardzie, powiedział mi podczas spotkania w Bałdze, że wśród zakonnej elity obowiązują osobne, mniej sztywne reguły? Cóż w tym złego, że po przyjacielsku przywożę ci nominację? W końcu to wielki awans.

Elita zakonna — jęknął w duchu Zyghard, patrząc na kanciastą postać Henryka von Plötzkau. Jebał cię pies. Na głos zaś powiedział:

— Jestem rad. Zatem możemy iść na górę, bo chcę zobaczyć swą nominację. W kwestii Starca nie zmieniłem zdania. Zabiorę go ze sobą. Dzierzgoń to dla Dzikich specjalne miejsce, nie wiem, czy wiesz, że tam rozpoczęli przed czterdziestu laty powstanie przeciw zakonowi i tam, nad rzeką Sirgune, musieli złożyć akt kapitulacji w obecności słynnego Jakuba z Leodium, późniejszego papieża Urbana IV. — Zyghard miał świadomość, iż w jego głosie brzmi wyższość, której nie potrafił ukryć.

— Zapomniałeś, bracie, o świętym Wojciechu — odgryzł mu się von Plötzkau. — To tam jest miejsce jego kaźni.

— Proszę na górę — przerwał im Kuno, kierując się z pochodnią ku stromym schodkom. — Tędy.

Henryk ruszył za Kunonem, Zyghard zaraz za nim, bo miał ochotę patrzeć, jak ten pokurcz z trudem będzie się piął w górę. Został wynagrodzony w swej mściwości, bo Henryk musiał raz po raz przystawać i z lękiem szukać w ścianie podparcia. Kuno szedł, zapewne specjalnie, szybko i za to Zyghard pochwalił go w myślach.

Drugi raz pochwalił go w nocy, gdy goście odjechali, a bracia służebni zamietli dziedziniec, by ślad po bęcwale z Bałgi nie został. Siedzieli rozparci na ławie i pili.

— Jest wiele rzeczy, których w tobie nienawidzę, Kuno. Ile razy życzyłem ci śmierci, pewnie się domyślasz. Ale czasami jednym gestem zyskujesz w mych oczach odpust zupełny.

— Co masz na myśli? — Kuno był mistrzem w udawaniu tępaka.

— Jak rwałeś na górę, a Plötzkau nie mógł nadążyć.

— Nie robiłem tego z myślą o nim. — Kuno łyknął wina i położył rękę na ramieniu Zygharda, mówiąc: — Nasz Starzec rozmawiał z giermkiem von Plötzkau.

— Co? Z Woranem?

— Pamiętasz jego imię? — Kuno popchnął go mocno.

— A ty nie?

— Nie gustuję w giermkach. Ale tak, z nim. Właściwie nie Starzec z nim rozmawiał, tylko ten wykłuty na jego piersi wojownik. Jezu Chryste. Widziałem, jak usta wojownika otwierają się, widziałem, jak gestykuluje, tylko nie słyszałem nic...

Zyghard otrzeźwiał i przyjrzał się Kunonowi uważnie. Renegat burknął:

— Co? Nie wierzysz mi?

— Wierzę, choć nie mieści mi się to wszystko w głowie. Dlaczego sądzisz, że to z Woranem mówił, nie z tobą?

Kuno potarł czoło.

— Nie wiem. Tak sądzę. Przecież byłem sam na sam ze Starcem tyle razy i nigdy wcześniej... Nie wiem. Dziwne to wszystko.

— Dziwne. Ty też jesteś dziwny. Znamy się już pięć lat, a nic o tobie nie wiem — Zyghard powiedział to, co cisnęło mu się na usta od dawna.

— Daj mi pas, a wszystko ci powiem — zaśmiał się Kuno.

— Chcesz pas? Zdejmij mój. — Zyghard wysunął biodra, ale Kuno zignorował zachętę, i kręcąc głową, wyśmiał go.

— I ty śmiesz mówić, że von Plötzkau to prostak? Masz maniery obozowej ciury. Kto by pomyślał, że z ciebie taki pan! Książęca krew! Chociaż nie, jeśli mam znaleźć jedną rzecz, którą w tobie lubię, to właśnie smak twojej krwi, Zyghardzie von Schwarzburg.

— Przewrotny jak niewierny. Ostatnio plułeś moją krwią.

— Liczyłeś na to, że połknę ją wraz z jadem ze strzały Dzikich? Moja wierność nie sięga tak głęboko.

— Wierność? A co renegat wie o wierności? — Zyghard, wymawiając mu to, za każdym razem liczył, że choćby w odwecie Kuno powie mu coś o sobie.

Szary brat roześmiał się.

— Masz rację, Zyghardzie. Nie jestem wierny. Ale za to jestem lojalny.

— Jak trafiłeś do Prus?

— Przez Węgry.

— No chyba, że nie przez Litwę! A jak daleko sięga twa lojalność?

Kuno polał sobie, polał Zyghardowi, i patrząc we wnętrze kubka, odpowiedział:

— Czasami wnukowie piją wino wytłoczone z winorośli sadzonej ręką dziadów, kiedy indziej spłacają ich grzechy.

— Spłaca się długi. Grzechy można odpokutować. Więc jesteś w zakonie za karę? Swoją drogą zawsze tak myślę, gdy widzę twój skrzywiony pysk. — Zyghard przysunął drugą ławę i położył na niej nogi, wyciągając się wygodniej. Był zmęczony wizytą von Plötzkaua, a musiał zaplanować przenosiny do Dzierzgonia. Marzył o tym, by wypocząć.

— Opowiedz mi jakąś historię, Kunonie — poprosił.

— Nie znam zabawnych opowieści.

— To niech będzie smutna, ale taka, wiesz, co przywraca wiarę w sens tego wszystkiego! — Zatoczył ręką dookoła i ciężko opuścił ją na ławę.

Kuno chwilę milczał.

— Pewien rycerz porzucił rodzinę, żonę, dzieci, starych rodziców, bo usłyszał wezwanie do świętej wojny w obronie grobu Chrystusa. Ucałował ich, pożegnał się i ruszył na spotkanie przygody. Wystawił duży oddział, był dobrego rodu, więc szybko stał się prawą ręką hrabiego, wodza wyprawy. Dotarli do celu swej misji i walczyli dzielnie z niewiernymi. Wtedy do owego rycerza doszedł list pisany przez opata klasztoru znajdującego się nieopodal jego rodzinnych włości. Zakonnik donosił, iż cała rodzina rycerza poniosła śmierć w wyniku zarazy. Rycerz załamał się, poprosił hrabiego o zwolnienie z wyprawy, pragnął wrócić do domu i opłakiwać bliskich. Hrabia długo nie chciał się na to zgodzić, aż w końcu przystał na prośbę, ale postawił warunek honorowy: w drodze powrotnej musi odwieźć pewien miecz do odległego kraju. Rycerz ruszył. W podróży napadli go zbójcy i ukradli wszystko, co posiadał, nawet konia, tylko tego miecza nie chcieli wziąć, jakby czuli przed nim zabobonny lęk. Dwa dni później spotkał swych rabusiów — leżeli w lesie zagryzieni przez wilki — i odzyskał wszystko, co mu zabrali, prócz konia. Trzeciego dnia znalazł i konia, a wraz z nim dziewczynę, która twierdziła, iż zwierzę samo do niej przyszło w lesie. Rycerz spędził z dziewczyną noc, może dwie, pewnie więcej. Zapomniał przy niej, że jedzie opłakiwać rodzinę. Może nawet zakochał się? Jedno jest pewne, spłodził z nią syna. Wtedy zrozumiał, że nie może, jako dobrze urodzony, wprowadzić tej zwykłej kobiety do swego domu jako żony. Porzucił ją, wziął konia, miecz i ruszył dalej, zapominając także i o tym, że miecz nie należy do niego i że warunkiem zwolnienia z wyprawy krzyżowej było oddanie go...

— Kuno, błagam, przestań. Prawie zasnąłem. — Zyghard wstał z ławy i rozprostował ścierpnięte nogi. — Mówiąc, że historia nie musi być wesoła, nie miałem na myśli tego, żeby była piekielnie nudna. Chodź do łóżka.

— Sam sobie idź! — warknął Kuno. — Jesteś bęcwałem nie mniejszym niż...

Przerwało im walenie w drzwi.

— Wejść! — krzyknął Zyghard.

— Bracie komturze! — Skłonił się dowódca warty. — Starzec zniknął.

— Co?!

— Służba zeszła nakarmić go i napoić, jak co wieczór... a Starca nie było. Obroża jest, kajdany są, więźnia nie ma.

— Henryk von Plötzkau! — zawołali jednocześnie Kuno i Zyghard.

— Wykradł go. Chciał jego skóry. Zabiję komtura Bałgi! — Uderzył z całych sił pięścią w stół Zyghard.

Pobiegł z Kunonem i dowódcą do lochu. Nakazał przeszukanie komturii krok po kroku. Nic. Żelazna obroża była pęknięta pośrodku, obręcze zaś, w których tkwiły nogi i jedyne ramię Starca, nietknięte.

— Jezu Chryste! Co tu się dzieje?! Kuno, bierz dziesięciu zbrojnych i goń Henryka von Plötzkau w stronę Bałgi. Ja wezmę drugie tyle i ruszę w kierunku Malborka. Jeśli tylko ci się uda nie zabić bęcwała, lecz wziąć do niewoli, bierz. Jeśli nie, zabij go i nie zostawiaj świadków. Jakoś się z tego wytłumaczymy.

Ruszyli jeszcze tej nocy. Zygharda gnał gniew. Ale szybszy był Kuno. Dogonił go na drugim popasie. Wpadł między nich na spienionym, półżywym koniu.

— Masz go? — z nadzieją w głosie doskoczył do niego Zyghard.

Kuno zsiadł i otarł kurz z twarzy. Był szary od pyłu drogi, tylko jego jasne włosy i białka oczu były widoczne spod warstwy brudu. Pokręcił głową.

— Nie. I nie ma go Henryk von Plötzkau.

— Nie!... Nie wierzę! — Zyghard uderzył Kunona pięścią w ramię.

Renegat nawet nie zwrócił na to uwagi, tak był zmęczony.

— Dogoniłem ich, dopadłem na gościńcu. Jechali takim samym orszakiem, jaki wjechał do nas, do Rogoźna. Nie spieszyli się. Przeszukałem ich wóz, spojrzałem w twarz każdego brata, półbrata i ciury. Żaden z nich nie był Starcem. A Henryk, jak się dowiedział, kogo szukam, wściekł się. Miotał obelgi, że cię zniszczy za stratę takiego więźnia. Był tak wściekły i tak rozczarowany, że nie pojedzie z jego skórą do Wenecji, że wybacz, Zyghardzie, ale to nie mógł być on.

— Więc kto? Starzec sam wylazł z okowów?

— A zdziwiłbyś się, po tym co wyprawiał ostatnio? — naskoczył na niego Kuno. — Malunki na ciele same mu wykwitały, poruszały się, jego wojownik niemal cię nie zabił! Mało ci?

Zyghard potarł czoło. Ta historia zaczęła go przerastać.

— Kuno! — Przyszło mu coś do głowy nagle, jak grom. — Przecież gdy wychodziliśmy z lochu, ja szedłem za Plötzkauem! A za mną jego giermek...

Kuno zbladł. Zamrugał i powiedział cicho:

— Giermka nie było w orszaku von Plötzkau.

— Co?! Mówiłeś, że było ich tylu, ilu przyjechało do nas.

— Zapomniałem o giermku. Przeliczyłem konie. Dwanaście, tyle, ile wjechało do Rogoźna. Ale nie było wśród nich giermka.

— Jakim cudem, skoro liczba koni się zgadzała i na każdym ktoś siedział?

— Panie — odezwał się nieśmiało jeden z jego ludzi.

— Nie przeszkadzaj — warknął do niego Zyghard.

Mimo to sługa postąpił krok do przodu i powiedział głośno:

— Panie, gdy orszak komtura Bałgi wjechał do Rogoźna, giermek nie siedział na koniu. Siedział na wozie.

JAKUB ŚWINKA wjeżdżał do Krakowa w asyście biskupa kujawskiego Gerwarda Leszczyca. Choć obowiązkiem biskupa krakowskiego było przywitanie arcykapłana na granicy diecezji albo przynajmniej w bramach miasta, Jan Muskata tego nie uczynił, wymawiając się obłożną chorobą. Zresztą Jakub Świnka nie liczył na taki gest. Witał go wójt krakowski Albert, od samego wjazdu wypytując:

— Jaki jest cel wizyty tak znamienitego gościa? Jak długo będzie nam dane gościć? Z kim spotka się jaśnie wielmożny arcybiskup?

Jakub II nie zaszczycił wójta Alberta odpowiedziami nie dlatego, by miał coś przeciw mieszczanom, ale z najprostszego powodu — był poinformowany, iż wójt jest serdecznym stronnikiem Muskaty. W dodatku wcale mu nie zależało na nagłaśnianiu swej obecności we władanym przez Václava II Krakowie. Tak więc wójt, nie chcąc urazić znakomitego gościa, a jednocześnie nie mogąc z nim mówić, wlókł się na tyłach Jakubowego orszaku. Pozostająca pod jego rozkazami straż miejska trzymała się jeszcze dalej.

Jakub jechał konno, po jego lewicy Gerward, przed nimi straż arcybiskupia, dalej kanceliści. Nie zakładał szat pontyfikalnych, ubrany był jak podróżny, w wełniany płaszcz z kapturem. Tylko pektorał na jego piersi zdradzał, kim jest. Mimo to uliczki i zaułki natychmiast wypełniły się ludźmi. Od samych przedmieść ciągnęła za jego orszakiem miejska biedota; potem rzemieślnicy porzucali swe warsztaty, wycierali ręce i spocone czoła i szli za nimi. Gerward obejrzał się i szepnął:

— Jakubie II, pół Krakowa ciągnie za tobą.

Mijali cmentarz; grabarze kopiący dół rzucili łopaty i widły, a rodzina postawiła trumnę z umarłym, co czekał pogrzebu, i pobiegła za grabarzami, dołączając do tłumu gęstniejącego wokół orszaku arcybiskupa. Dotarli do rynku, gdzie ciżba ludzka kłębiła się ze swymi zwykłymi sprawami. Ponieważ straż miejska wójta Alberta nie uczyniła nic, dalej jadąc gdzieś z tyłu, straż jakubowa zaczęła wołać:

— Przejście dla orszaku arcybiskupa Królestwa Polskiego Jakuba II!

Przechodnie stawali w pół kroku i przyklękali, robiąc znak krzyża. Jakub wyciągał w górę ramię i błogosławił im.

Mniej więcej w tej samej chwili z boku, spomiędzy niewielkich domów dał się słyszeć głos kołatki zwiastującej nadejście trędowatych. Rozpętała się histeria. W tłumie ktoś krzyknął:

— Od Świętego Ducha idą zarażeni!

Przerażona ciżba zafalowała, dźwięk kołatki się zbliżał, a ludzie, bojąc się trędowatych, rozstępowali się, robiąc im miejsce. Zapanowała grobowa cisza, w której słychać było mamrotanie przewodnika trędowatych:

— ...dla świata... stań w Bogu... umrzyj dla świa... zmartwych... w Bo... yj... a świ...

Miał kaptur głęboko zarzucony na twarz, stąpał z trudem, włócząc nogę za nogą. Kostur z kołatką był dla niego ciężarem, nie wsparciem. Za nim szło pięciu innych nieszczęśników, wśród których byli chromi, pozbawieni rąk, nosów i jeden ślepiec.

— Stójcie, bracia! — zawołał do nich Jakub Świnka.

Ponury orszak zatrzymał się; przewodnik trędowatych z wysiłkiem i trwogą uniósł głowę. W tej samej chwili, gdzieś z tyłu, zza Jakuba, dał się słyszeć głos wójta Alberta.

— Poszli precz, psy parszywe! Straże, wygonić trędowatych z miasta!

— Nie! — krzyknął Jakub Świnka. — Chrystus przychodzi do nas pod postacią chorych i ubogich! Jak śmiesz, człowieku, podnosić rękę na tego, którego naznaczył Pan? Bracie, odrzuć kaptur, chcę zobaczyć twą twarz.

Trędowaty trząsł się na całym ciele przerażony tym, że tłum albo straż miejska zaraz go wygna, nie szczędząc kijów. Jakub II zsiadł z konia. Podszedł do trędowatego i sam zdjął mu kaptur. Jego oczom i oczom gawiedzi ukazała się twarz z jednym okiem pokrytym przerażającym bielmem, a drugim zaropiałym aż po policzek. W miejscu nosa chory miał dwie bezkształtne dziurki.

— Umarłeś dla świata, zmartwychstałeś dla Boga — pobłogosławił go Jakub Świnka znakiem krzyża. Zatrzymał dłoń nad jego czołem dłużej. A potem sięgnął do własnej piersi i zdjął z szyi złoty arcybiskupi pektorał i zawiesił na szyi trędowatego. Tłum jęknął, ci, co stali najbliżej, klęknęli. Jakub z pomocą sługi wsiadł na konia i krzyknął do ludu:

— Za każdym razem, gdy podnosicie rękę na biedaka, wbijacie gwóźdź w rany Chrystusowe! Jeśli nie boicie się Boga, to dalej grzeszcie, jak grzeszyliście. Ja, Jakub II, lękam się jego gniewu, bo dzień Sądu jest bliski! Już siekiera do korzeni drzew przyłożona i każde, które nie wyda owocu dobrego, zostanie w ogień rzucone!

— Oto nadchodzi ten, który chrzcić będzie was ogniem i Duchem Świętym, amen! — zawołał biskup Gerward.

— Bóg z wami, bracia! — Przeżegnał Jakub trędowatych, ruszając dalej.

Tłum rozstępował się, robiąc mu miejsce, ale nie wstając z kolan. Wyjechali za mury miasta i skierowali się prosto na wzgórze wawelskie do Dolnej Bramy. Przepuszczono ich bez słowa i arcybiskup zatrzymał orszak dopiero przed otoczonym krużgankami dziedzińcem katedry. Biskup Gerward wskazał mu dyskretnie okazały budynek po prawej.

— To pałac biskupa krakowskiego.

Świnka dał znać, by zsiedli z koni, i pieszo wkroczył na dziedziniec. Przed wrotami katedry stała straż z herbem Muskaty. Trzy korony.

— Gdzie biskup Jan Muskata? — zapytał dowódcę straży.

— Chory, arcybiskupie. Prosił przekazać, że jak tylko z łoża boleści wstanie, bez zwłoki przybędzie spotkać się z tobą i ugościć.

— Jak ci na imię? — Położył mu dłoń na ramieniu Jakub.

— Wojciech, dowódca straży katedralnej, sługa katedry świętych Wacława i Stanisława.

Świnka westchnął, kiwając głową.

— Wacława i Stanisława. A ja jestem Jakub Świnka, sługa katedry świętego Wojciecha. Nie potrzebuję gościny. Chcę pomodlić się przy relikwiach.

Dowódca skłonił się, mówiąc:

— Katedra krakowska stoi przed tobą otworem.

Jakub wszedł, za nim Gerward i inni. Przy położonym na środku katedry ołtarzu świętego Stanisława płonęła lampka. Arcybiskup skłonił przed nią głowę, i wyminął, kierując się do głównego ołtarza. Przed nim odwrócił się, szukając strażnika. Ten podbiegł natychmiast.

— Prowadź do skarbca.

Wojciech zbladł, wyjąkał w trwodze:

— Arcybiskupie, klucze ma tylko biskup krakowski...

— Nie frasuj się tym, człowieku. I nie lękaj, nie chcę stamtąd nic zabierać. Będę się modlił przy relikwiach, prowadź.

Ruszyli do dużej kaplicy na północnej ścianie prezbiterium. Jakub zatrzymał się w niej na chwilę. Uniósł głowę i obejrzał stary, nieco zatarty fresk, zdobiący sklepienie. Król Bolesław Śmiały w koronie, z wielkim mieczem w dłoni. Jakub westchnął ciężko. Król budował kaplicę na miejsce swego spoczynku. Nieszczęsny konflikt z biskupem Stanisławem wygnał z kraju Bolesława, a biskupa kosztował życie. Jednak ten drugi wyszedł z niego zwycięsko, bo mit pośmiertny zawsze trwa dłużej niż ludzkie życie.

Strażnik wskazał niewielkie uzbrojone żelazem drzwi. Zamykała je ciężka kłódka.

— To tutaj — szepnął struchlały.

Jakub sięgnął do rękawa, a następnie położył dłoń na kłódce. Odwrócił się do strażnika i swych ludzi, mówiąc:

— Uklęknijcie, pomodlę się, by otworzyły się przed nami drzwi.

Wyszeptał słowa modlitwy w skupieniu. Raz i drugi. Gdy kończył trzeci, kłódka puściła.

— Cud... — jęknął strażnik i przeżegnał się po trzykroć.

— Wystarczy raz, synu. Pan Bóg widzi — powiedział Jakub, kładąc mu dłoń na ramieniu. — Teraz otwórz drzwi, skoro kłódka puściła.

Wojciechowi trzęsły się ręce. Drzwi otwarły się bez skrzypnięcia.

— Tędy, arcybiskupie. Tu jest zejście do krypty, w niej zaś skarbiec wawelski.

Wziął w rękę pochodnię i odwrócił się.

— Ostrożnie, tu stromo. Schody wąskie...

Jakub Świnka pomyślał, iż tyle lat schodził po podobnych schodach katedry gnieźnieńskiej, by w wilgotnej i mrocznej czeluści południowej wieży szukać odpowiedzi na pytania o kres czasu Wielkiego Rozbicia. Chyba do końca życia niestrašne mu będą schody, lochy, podziemia, zamki, a nawet drabiny.

Zeszli do głębi. Gdy stanęli, gdy umilkły kroki, a kryptę rozświetliła trzymana przez Wojciecha pochodnia, Jakub spytał:

— Gdzie włócznia świętego Maurycego?

— Tutaj, w tej długiej skrzyni, arcybiskupie.

O dziwo skrzynia nie była zamknięta. Jakub sam otworzył wieko. Przyklęknął, a za nim inni. Pogrążył się w modlitwie.

Panie, ta włócznia jest dla nas podwójną relikwią — raz, bo zamknięto w jej grocie gwóźdź, którym Rzymianin przybił do krzyża twe najświętsze ciało. Dwa, bo od dnia, gdy włócznię przyniósł nam cesarz do grobu świętego Wojciecha, staliśmy się potęgą Królestwa. Dzisiaj, gdy kraj targany niepokojem, gdy na tronie obcy król i wciąż nie możemy doczekać się dziedzica, przychodzę błagać na kolanach, wróć nam, Boże, świetność. Nie przybywam jako arcybi-

skup, lecz jako sługa. Jestem jak ten gwóźdź, który przytwierdzał cia-
ło do krzyża, narzędziem Twej woli, Panie. Zatem modlę się dzisiaj
o Twe dzieło. Nie mówię, jak do niego dojść, bo już nie wiem tego,
Panie. Mówię „bądź wola Twoja" i do ostatniego tchnienia wierzę, iż
z Twej woli powstanie z kolan Królestwo. Amen.

Kończąc modlitwę, Jakub dotknął grotu świętej włóczni i przeżegnał się. Wstał z kolan i wyszedł pierwszy, nie potrzebował pochodni, by trafić stromymi schodami do wyjścia. Nie zatrzymał się także
pod ołtarzem biskupa Stanisława, bo kto jak kto, ale on nie uznawał
w nim świętego, odkąd przed laty zrozumiał, iż nieszczęsny biskup
był stronnikiem czeskim i zdrajcą. Wyszedł przed katedrę.

— Ależ arcybiskupie! — biegł za nim strażnik.

— Czy coś cię gnębi, człowieku? — Jakub dotknął jego ramienia. — Mówiłem ci, że chcę tylko wejść do katedry, by modlić się
przed relikwiami. Ta w skarbcu jest dla mnie najważniejsza. Strzeż jej!
I w moim imieniu upomnij biskupa krakowskiego, by zadbał o lepszą
kłódkę w skarbcu katedry.

— Ależ to był cud! Sama się otworzyła od tej modlitwy...

Jakub wyjął z rękawa zakrzywiony drucik, okręcił go w palcach
i wręczył zdumionemu strażnikowi.

— To nie był cud. Nie czekaj na nie i nie szukaj ich wokół siebie,
Wojciechu. Nosisz imię świętego męczennika, patrona Królestwa.
Tego, który jak Chrystus oddał siebie w ofierze, niosąc Słowo Boże.
Więc i ty znajdź w sobie siłę, Wojciechu, a zobaczysz, że cuda same
rozkwitną na twej drodze.

1303

GRYFINA, księżna krakowska, miała na dworze praskim kilku kochanków z jajami i dwóch tylko z głową. Wśród tych, którzy potrafili jej jednej nocy wynagrodzić rok klasztoru, byli: Ondriczek, pokojowiec króla Václava II; Jirka, dowódca dolnej straży; Pavel, wstyd przyznać, stajenny. Wszystkich trzech mogłaby używać od zmierzchu do jutrzni. Do rana — poprawiła się w myślach — czas jutrzni odchodzi w niepamięć. Dwóch kolejnych w łóżku się nie sprawdzało nawet przy jej najszczerszych chęciach, ale za to mieli inne atuty, jakże przydatne w życiu dworskim. Vladimir był królewskim notariuszem, a Sobiesław kancelistą. Był i ten, którego nie mogła dosięgnąć, mimo iż prostowała plecy, unosiła podbródek, wypinała pierś, skrapiała się wodą różaną i oblizywała usta, by lśniły. Nazywał się Henryk z Lipy i jak na złość, z racji pełnionych obowiązków, spędzała z nim całe dnie. Miał idealne plecy, biodra, na których pas rycerski układał się jak na głowie dziewicy wianek, opięte nogawicą łydki z pasmami mięśni i ścięgien tak zaznaczonymi, iż łykała ślinę, gdy szła za nim. Gładko wygolony podbródek Henryka przecinała rynna, w którą wsadzała język, niestety, tylko w myślach, ale za to za każdym razem, gdy mówił coś do niej. Miał też ciemne włosy, za które szarpała, usta z takim piekielnym serduszkiem w górnej wardze, co je tylko rozgniatać pocałunkami, i jak na mężczyznę przepięknie kształtne uszy, w które mogłaby szeptać te słowa, jakich inne kobiety nawet nie pomyślą. Wszystko na nic. Nie dla niej, więc na nic. Ale musiała się wyobrażeniem o Henryku z Lipy napaść, bo za chwilę do jej sypialni przyjdzie Sobiesław i jeżeli ma być lwicą, to potrzebuje czegoś bardziej ponętnego od Sobiesława. Choćby w myślach.

— Proszę!

— Gryfino? — Jego czerwony nos już jej szuka w półmroku sypialni.

— Sobiesławie! Dlaczego tak późno? Przecież ja tu od zmysłów odchodzę, szaleję, no chodź, nakarm, bo umrę...

— Głodna jesteś? Zawołam służącą, niech...

— Nie wołaj, sam mnie nakarm... — rzęzi zmysłowo, a w myślach dodaje: „Co za bęcwał!". — Gdzieś tak długo był, niedobry Sobiesławie?

— W pracy. Król Václav ma tyle kłopotów.

— Chodź bliżej, wybawię cię z każdego, tylko powiedz, co dręczy twą głowę.

— Papież Bonifacy.

— Moje biedactwo, papież go dręczy...

— Nie mnie, piękna, Václava. Czy ty wiesz, że kazał mu udowodnić, jakie ma prawa do polskiej korony? No wyobraź sobie!

— Sama mu księstwo krakowskie zapisałam — obraziła się na papieża.

— No tak, kochana, tak. Ale i panowie Starszej Polski go wybrali i arcybiskup ukoronował, i dziedziczkę Królestwa ma za narzeczoną. Ślub będzie, jeszcze w tym miesiącu.

Poczuła, jakby ją kopnął w żołądek. Tylko nie ślub. Póki Rikissa jest narzeczoną, Gryfina jest jej opiekunką. Jako królowa i żona nie będzie jej już potrzebowała.

— Co ty mówisz, Sobiesławie, jaki ślub, a po co?

— No właśnie po to, moja piękna. By praw do korony polskiej dowieść.

— Psiakrew! — wyrwało jej się.

— To nie cieszysz się, mój aniele, moja Gryfino złota? Przecież ty taka z Rikissą związana...

— Tak. Związana. Ona jeszcze niegotowa.

— No przecież sama dałaś znać królowi, że już można.

— Nie można! — wrzasnęła wściekle i widząc zdumione oczy Sobiesława, zmiękła. — Nie można, mój drogi, bo ona dziecinna. Całkowicie dziecinna. Bawi się z tymi lwami, sam widziałeś. Czy to się nadaje na żonę?

— Piętnaście lat niedługo skończy. Inne w jej wieku to i trójkę dzieci mają. Chciałbym cię pocałować — wsunął nochal w dekolt jej sukni — ty tak lubisz, jak cię całuję, moja lwico...

— Gówno — warknęła, wstając.

— Gryfinko! Nie poznaję cię... — Leżał zaskoczony, na plecach, jak żuk, którego niedobre dziecko przewróci i bawi się jego bezradnie poruszającymi się odnóżami. Gryfina myślała gorączkowo. Opanowała się szybko i wróciła do niego.

— Sobiesławie. — Położyła się przy nim wężowym ruchem i oblizała wargi. Przemogła się nawet i pocałowała jego oślizgłe usta, te dwa ślimaki bez skorupy ponad cuchnącą ropą czeluścią paszczy. Ale tylko raz.

— Czy prócz papieża jest jakiś powód, dla którego mój kochany siostrzeniec musi przyspieszać ślub z tym dzieckiem?

— Jest, Gryfino. — Przymykał oczy i poruszał wielkim czerwonym nochalem, szukając jej zapachu. Długo szukać nie musiał, wylała na siebie dziesięć kropel wody różanej. — Pachniesz jak... moja matka...

Chyba go rąbnę, kretyna — pomyślała, przewracając oczami.

— To cudownie, że kojarzę ci się z mamusią. Jaki to powód?

— Twój zapach najdroższa... — wysapał.

— Jaki jest drugi powód przyspieszenia ślubu? — syknęła.

— Ach, tak. Bonifacy. — Poruszył językiem w otwartych ustach.

— O Bonifacym już mówiłeś. — Uszczypnęła go w ucho, co przy dobrej woli mógł wziąć za pieszczotę. Wziął.

— Pierwszym powodem jest to, że papież zakwestionował prawa do polskiej korony. A drugim to, że Bonifacy VIII dogadał się z Albrechtem Habsburgiem przeciw Václavovi. — Mówił to, a jednocześnie majstrował przy swoich nogawicach. Cały czas napierał na nią swym brzuchem.

— Nie wierzę — jęknęła.

— Ja też — zacharczał — jak ty na mnie działasz, Gryfinko... Dotknij sama... To już... Wystarczyła sama rozmowa z tobą, oj... Jak dobrze...

Jak dobrze, że nie będziesz tego pchał we mnie — odetchnęła z ulgą i jednocześnie zrozumiała, że sprawy mają się źle.

— Wyjaśnij mi, Sobiesławie, jakim cudem papież, który na sam dźwięk imienia Albrechta Habsburga płonął gniewem i rzucał ekskomuniki i interdykty, dogadał się z nim. Słucham.

— Zapytaj papieża — odpowiedział kancelista, wstając z głośnym stęknięciem i zawiązując kaftan.

— Co?

— Zapytaj papieża — powtórzył całkiem trzeźwo i wysmarkał nos. — Muszę wracać do domu, żona czeka.

I najbezczelniej wyszedł z jej sypialni, zamykając głośno drzwi.

Była wściekła i nie dowierzała, że Sobiesław mógł tak po prostu wyjść, a Bonifacy dogadać się z Habsburgami przeciw Przemyślidom.

Pobiegła do Vladimira, królewskiego notariusza. Zajmował niewielki, ciemny pokój na parterze zamku, blisko pomieszczeń zarządcy.

— Księżna Gryfina? — Uniósł się znad wieczerzy.

Zerknęła mu w talerz. A jakże, knedliki i skwarków aż czarno.

— Mój Vlad opuścił Gryfinę? A ona tęskni i ckni jej się bez niego... — Starannie zamknęła drzwi i podeszła do Vlada, przesuwając misę knedli dalej. Zatrzymał jej rękę i złapawszy łyżkę, wepchnął sobie do gęby. Tłuszcz ściekał mu po rzadkiej brodzie.

— Gryyyfinooo — wymamrotał z pełnymi ustami.

— Vladimirze — pocałowała go w wydęty knedlami policzek — gdzie byłeś tak długo?

Dostrzegła, że notariusz zezuje w stronę michy, więc poszła na całość i złapała go za krocze. Jęknął i przełknął, nim powiedział:

— W pracy, moja duszko...

— A co się dzieje u mojego mężnego Vlada w pracy, że tyle czasu musi jej poświęcać zamiast rozpalonej Gryfinie? Co?

— Wojna. — Jeszcze raz zerknął tęsknie za knedlami i przeszedł do ataku na jej piersi. — Może być wojna z Habsburgami.

Poddała mu piersi, uwalniając je ze stanika sukni. Paluchy wciąż miał tłuste od skwarków.

— Nie wierzę — wyszeptała, lekko chwytając zębami płatek jego ucha — daj dowód.

— Papież Bonifacy tak długo wojował z Albrechtem, aż doszedł do wniosku, że albo się z nim pojedna, albo przegra z kretesem. Wykorzystał nas jak przynętę. — Vlad niezgrabnie odgarniał jej suknie, szukając skrawka nagiego uda. — Jak robaka na szczupaka, moja najdroższa. — Wjechał jej językiem do ucha, tak że mało nie zwymiotowała. Mocniej złapała jego przyrodzenie.

— Aaa — jęknął — aaa-Albrecht Habsburg już nie ma siostry zamężnej z naszym królem i ponoć wściekł się, jak Václav zdobył koronę węgierską, i uznał, że potęga Przemyślidów może być groźna i... — Poruszył biodrami. — Gryfino, zrób tak jeszcze raz, to, palcami.

Zrobiła. Wiedza kosztuje.

— Mów — zaszeptała do jego ucha. — Podnieca mnie, jak mówisz...

— Dogadali się pół na pół. Bonifacy uznał, że Albrecht jest królem rzymskim, a Albrecht uznał, że dostał ten tytuł od papieża.

O wszystkim donieśli nam cisi ludzie z Wiednia i Rzymu. Lada dzień obudzą się nowi pretendenci do tronu Węgier. A za zrywem Bonifacego przeciw Václavowi stoi ten kujawski książę, Karzeł, i legat Boccassini. Ach... Więc przed nami ślub z Polką i wojna, ani chybi wojna. A skarb pusty jak dzwon. Gryfino, dlaczego przestałaś? Jeszcze, jeszcze tak samo.

Odwróciła się na pięcie, i poprawiając stanik sukni, spod samych drzwi syknęła, wyciągając palec w stronę stołu:

— Knedle ci stygną.

A potem chmurna jak burza popędziła do pokoi królewskich, do Ondriczka, który miał między nogami ukryty skarb. Ale Ondriczek zajęty był biczowaniem Václava. Więc pobiegła do stajni, do Pavelka. Stajennego nie było. Wściekła, naładowana, przerażona i świadoma tego, co się naprawdę dzieje, złapała syna Pavelka, i nie pytając, jak mu na imię, pchnęła w stronę żłobów. A potem powiedziała:

— Jestem klaczą, która się grzeje, a ty jedynym ogierem w stadzie. Wiesz, co robić, chłopcze?

— Wiem, proszę jaśnie pani. Raczy się pani odwrócić tyłem.

— Raczę — odrzekła i zadarła suknię.

Dzień, w którym znów wyląduje w klasztorze, jest tak bliski jak świt. Nie pozwoli się wydymać i zamknąć tam bez wspomnień.

RIKISSA do katedry Świętego Wita jechała konno. Michał Zaremba wsadził ją na zdobione perłami siodło, podczas gdy Henryk z Lipy trzymał złocone strzemię. Biała klacz o mlecznej, zaplecionej w dziesiątki warkoczyków grzywie była jednym ze ślubnych prezentów od Václava. Z jej grzbietu patrzyła na tłum wiwatujących prażan, którzy, gdy wyjdzie z katedry, staną się jej poddanymi. Zaciskała palce na wodzach, ślizgał się gładki jedwab rękawiczek. Z pałacu do katedry było blisko, ale objeżdżali cały Gród Praski, bo król życzył sobie, by ludzie mogli ich zobaczyć. Plac Świętego Jerzego był zapchany barwnie ubranym tłumem. Wokół małego kościoła Świętego Bartłomieja nie dałoby się wetknąć szpilki. Widziała duży drewniany dom zbudowany wyłącznie na okazję uczty po dzisiejszej koronacji. Biegł od kościoła Świętego Jerzego do samej katedry. Przystrojony barwnymi kobiercami, z dziesiątkami ław wciśniętymi jedna przy drugiej. Iluż tu wejdzie gości? Václav nazwał tę budowlę „pałacem koronacyjnym" i oczywiście musiała mu powiedzieć, że to piękne.

Jechał przy niej, bok w bok, na równie pysznym koniu. Był dzisiaj tak złoty, tak piękny, że miała pewność iż, gdy nadejdzie czas, będzie równie zimny jak okrutny. Czy się bała? Tak, bała się. Wiedziała, iż to człowiek, w którym wszystko przybiera formy monstrualne. Gdy jest szczodry, to do rozrzutności, gdy smutny, wpada w histerię, gdy się boi, robi się niebezpieczny jak każdy tchórz. W miłości zaś był wyuzdany i tego ją uczył, każąc patrzeć, jak zabawia się ze swymi Agnieszkami i Elżbietami. Elżbieta. Tak od dzisiaj będzie miała na imię. To kolejne z jego okrutnych życzeń. Uznał, że musi przestać się wyróżniać. Ryksa, Rycheza, Richenza — wymyślał dziesiątki sposobów, jak mówić jej imię, byle nie zwracać się do niej Rikissa, bo to od razu układało mu się w jeden ciąg „Rikissa Trzy Lwy", a jej lwów też nienawidził. Czeskie służące mówiły do niej pieszczotliwie „Rejčka", ale Václav, wybierając między Małgorzatą, Elżbietą i Agnieszką, jakie imię ma przyjąć do koronacji i ślubu, postawił na „Elżbietę", bo ogromnie bawiła go niechęć jego córki, Eliški, do Rikissy.

Jedyną osobą, która robiła wszystko, by odwlec ślub w czasie, była księżna Gryfina. Wymyślała setki powodów, co dzień przedstawiając Václavovi nowy, ale jej wysiłki spełzły na niczym i płakały obie, choć pewnie każda z nich z innego powodu.

To już. Biała klacz po czerwonym suknie dowiozła ją do wrót katedry. Uzdę przytrzymał Henryk z Lipy, a Michał Zaremba zsadził ją z siodła i postawił na ziemi, szepcząc do ucha:

— Nie bój się, Rikisso.

Václav wszedł do katedry pierwszy. Henryk z Lipy podał Rikissie ramię, by poprowadzić ją do ołtarza i gdy wszyscy pochylili głowy, kłaniając się przed idącym przodem królem, powiedział cicho:

— Będę cię strzegł.

Nie odpowiedziała, bo już oczy ludzi podniosły się w górę. Ruszyła, wpatrując się w czubki swych trzewiczków i z każdym kolejnym krokiem podnosiła głowę wyżej i wyżej, aż stanęli przed ołtarzem. Václav, ślubując jej małżeńską miłość i wierność, patrzył na nią swymi złotymi oczami tak mocno, że gdyby go nie znała, uwierzyłaby w każde ze słów. I gdyby go nie znała, musiałaby zakochać się w królu, bo był piękny. Od ciemnozłotych loków po jasny kruszec brody. Płomienista orlica Przemyślidów na jego piersi przekrzywiła łeb, przyglądając jej się żółtym okiem, gdy wypowiadała słowa przysięgi.

— Nie opuszczę cię, Václavie, aż do śmierci, tak mi dopomóż Bóg. Amen.

Podała mu dłoń. Na jej palcu nie było pierścienia z perłą, tego, który ojciec podarował Małgorzacie w dniu ich ślubu. Václav założył jej własny z zielonym szmaragdem i niczym w tańcu odwrócił ją od ołtarza ku zgromadzonym.

— Moja żona Alžběta! — ogłosił, a Rikissa uśmiechnęła się do poddanych, bo wiedziała, że to o niej mowa.

Zobaczyła zacięty wzrok Eliški, pulchnej i obrażonej, w różowej sukni. Nadęte buzie jej sióstr, Małgorzaty i Anny. Przygnębioną Gryfinę z podkrążonymi oczami. Srebrnowłosą wysoką Elżbietę, księżną wrocławską, stryjeczną siostrę jej ojca. Swych nałożnic Václav nie zaprosił na ślub i pomyślała, że wykazał się nadzwyczajnym taktem.

Chór śpiewał psalm *Dziękujcie Panu, bo jest dobry*, ceremonialnie przechodząc od zaślubin do koronacji. Cały, długi psalm. Dwadzieścia dziewięć wersetów. Rikissa wiedziała, iż poprzednia żona Václava mdlała w czasie koronacji i zmarła zaraz po niej, bo była w połogu, i nie wytrzymała jej trudu. *Nie umrę, ale żyć będę i głosić dzieła Pana.* Jestem młoda i silna, wytrzymam — pomyślała. Patrzyła, jak na ołtarz wynoszą dwie korony, polską i czeską. Serce drgnęło. Była z ojcem i Małgorzatą w gnieźnieńskiej katedrze w tamtym dniu, gdy ich oboje koronowano. Pamięta białą szatę Małgorzaty. Pamięta martwe ciało ojca w krypcie. *Ciężko mnie Pan ukarał, ale na śmierć nie wydał.* Są większe nieszczęścia niż Václav II za męża. Pamięta tę koronę polskich królowych. Wygląda tak samo jak korona królów, ale jest mniejsza. *Otwórzcie mi bramy sprawiedliwości, wejdę przez nie i podziękuję Panu.* Ileż tych królowych miało Królestwo? Dwie. Jej imienniczka Rycheza, siostrzenica cesarza Ottona III, małżonka króla Mieszka II. I Małgorzata, jej macocha. Jakub Świnka mówił Rikissie, że tylko te dwie są pewne, bo nikt nie wie, czy Bolesław Śmiały ukoronował swą małżonkę, czy tylko poślubił. *Oto jest brama Pana, przez nią wejdą sprawiedliwi.* Ona będzie trzecią. I pierwszą. Pierwsza Piastówna na polskim tronie. Pierwsza królowa z własnego rodu. To tak, jakby Królestwo miało panią ze swego łona. *Dziękuję Tobie, żeś mnie wysłuchał i stałeś się moim Zbawcą.* Cóż, że zapłaci za to swym dziewictwem? Lęk przed Václavem odszedł, bo nawet jeśli jest szaleńcem, to jest i królem. A ona dzięki niemu będzie władać swym Królestwem. *Kamień odrzucony przez budujących stał się kamieniem węgielnym.*

Uklękła u stóp ołtarza. Księżna Gryfina rozplatała jej włosy. Wystawiła czoło na święty olej niewidzialnej korony i zamknęła oczy, gdy biskup Henryk ukoronował ją sakramentalnie. Chór zakończył psalm, gdy wkładali jej na skronie złotą koronę królowych. *Stało się to przez Pana i cudem jest w naszych oczach.*

Podano drugą z koron, koronę czeską świętego Wacława, i biskupi wznieśli ją nad jej głową, odmawiając modły. Papieżowi Bonifacemu i Albrechtowi Habsburgowi będzie po kres życia wdzięczna, bo dzięki nim wyjdzie z katedry Świętego Wita w polskiej koronie na głowie. Václav tym małżeństwem dawał dowód światu, że ma prawo do polskiego tronu, więc to on nastawał, by żona wyszła z katedry polską królową. Zamówił dla niej płaszcz królewski, jakiego nie miał nikt przed nią — na prawym ramieniu płomienista orlica Przemyślidów, na lewym biały orzeł Piastów i teraz oba ptaki okryły ją skrzydłami. *Wysławiajcie Pana, bo dobry, Jego łaska na wieki.*

— Królowa Polski i Czech Alžběta Ryksa! — obwieścił biskup, dając jej do ręki przypominające złotą lilię berło.

Václav podał jej dłoń. Spojrzała na niego poważnie, bez lęku. Cokolwiek czeka ją dzisiaj czy w przyszłości, jest to droga, którą prowadzi ją Pan. Szli ku wyjściu, ku światłu rozwartych wrót katedry, ku ostremu wiosennemu słońcu. Tłum krzyczał:

— Niech żyje królowa!
— Nasza królowa!
— Nasza Eliška Rejčka!

A ona śmiała się do tego tłumu i uniosła ku nim berło, wołając:

— Niech żyją moi poddani!

WŁADYSŁAW ze szczytu zamaskowanej czatowni na wzgórzu patrzył na żubra przemierzającego polanę. Zwierz szedł wolno, majestatycznie kiwał łbem na boki. Nie widział, że w oddali, za nim, sunie wataha wilków. One go zwietrzyły. Książę patrzył, jak wilki osaczają króla puszczy, który nie wiedział, że polowanie na niego już trwa. Dwa pierwsze drapieżniki wystartowały ku jego bokom. Mniejszy z nich skoczył na grzbiet żubra i wbił kły. Zwierz ryknął osłupiały i potrząsając łbem, próbował zrzucić napastnika. Wtedy największy basior rzucił się ku miękkiemu podbrzuszu żubra. Z prawa i lewa, parami nadciągały następne. Trzymały się z tyłu, żubr nie widział ich. Chciał trafić rogami w wilka uczepionego swego podbrzusza, ale wówczas ten, co siedział mu na grzbiecie, kąsał. Pierwszy basior odpadł od brzucha żubra, zwierz już sądził, że wygra starcie, ale nie widział, że przeciw niemu jest cała wataha. W miejsce jednego basiora wskoczyły dwa następne. Na trawie ślady krwi. Nim zapadł zmierzch, król puszczy leżał powalony przez dużo mniejsze od siebie wilki.

Wyprawa na Sandomierz, gdy dowodził wojskiem swego szwagra Jerzego, zakończyła się szybko; siły Václava poharatały ich i musieli się cofnąć na Ruś. Ale czyż wilki nie cofają się w czasie polowania? A może musieli wrócić tak szybko, bo dla Rulki zbliżał się czas rozwiązania? Źrebiec urodził się kary i nie odziedziczył po Regősie niebieskich oczu. Miał inny znak, który czynił go wyjątkowym — śnieżnobiałą strzałkę na czole, choć żadne z jego rodziców nie nosiło takiej. Rulce strzałka się nie podobała. Przez pierwsze tygodnie chciała ją zlizać z głowy ogierka. Władek dał mu na imię Radosz. Rulka, Regős i Radosz.

Koń skończył rok i nie nadawał się jeszcze do ujeżdżania, ale książę zabrał go jako luzaka. I ruszył na zaproszenie Habsburgów do Wiednia. Przed miastem podjęła ich straż Habsburgów i prowadziła do zamku. Gdy tylko przekroczyli bramy miasta, Bachorzyc ostrzegł brata:

— Jałbrzyk, cokolwiek zobaczysz, nie gadaj księciu, co widzisz!

Młodszy z Pomianów wzruszył ramionami, ale się nie obraził. Pawełek Ogończyk na Ardej jechał przy boku Władka.

— Rzymskiej gaduły jeszcze nie ma? — spytał i poprawił się: — Posła... diakona Mirosława nie widzę, książę?

— Czeka na nas na miejscu, miał przybyć razem z papieskimi posłami.

Na chwilę zatrzymali się przed wielką sylwetą katedry Świętego Stefana. Wrzała przebudowa, długie rusztowania opinały ściany kościoła niczym pajęczyna pień drzewa. Jałbrzyk zadarł głowę i otworzył usta. Władysław zmarszczył brwi, a chłopak powiedział:

— Całkiem jak u nas, w Łęczycy. — I spojrzał z cwanym uśmiechem na swego pana.

Łęczyca — pomyślał książę. — Jadwiga, synowie, córka. — Przeżegnał się. — Jeśli chcę do nich wrócić, muszę być twardy. Nie mogę się zachwiać. Najtrudniej przetrzymać ciemną wartę przed świtem.

Zamek Habsburgów był większy niż poznański, ale niewiele. Prosta, grubo ciosana kamienna bryła. To ród na dorobku — pomyślał. Zaczynali od przejęcia Austrii i Styrii po wymarłych Babenbergach. Ledwie od dwóch pokoleń dochrapali się tytułu królów Rzeszy. Albrecht teraz sięgnął i po koronę króla rzymskiego, mimo iż Habsburgów nigdy nie przyjęto w grono siedmiu elektorów Rzeszy. Wielki król, a wiecznie zależny od siedmiu innych. Oni go wybierają, oni go obalają, tak jak i Albrecht spiskiem elektorskim obalił Adolfa z Nassau, a potem dopiero pokonał na polu bitwy, dając dowód, że jest jedynym królem.

Spotkali się w dużej, ale niskiej i ciemnej komnacie, którą rozświetlały jedynie grube świece ustawiane na masywnych świecznikach w kształcie lwich łap. Czerwony stojący lew, herb Habsburgów, pysznił się na głównej ścianie, choć zdaniem Władysława przypominał bardziej niedźwiedzia niż lwa. Siedzący u szczytu stołu gospodarze, Albrecht Habsburg, król Rzeszy i Rzymu, i jego syn Rudolf, książę Austrii, byli wysokimi mężczyznami. Książę przyjrzał się Albrechtowi — więc to jest ten, który wypowiedział wojnę elektorom Rzeszy i ją wygrał? A potem, co tu kryć, pokonał nieposkromioną potęgę Bonifacego. Ale papież miał rację, Albrecht ma nos jak pantofel. Naprzeciw Habsburgów zasiadł poseł papieski i Władysław ze zdumieniem rozpoznał w nim kapelana Matteo Gaetano. Ten uśmiechał się teraz do księcia albo i do towarzyszącego mu diakona, Mirosława. Poseł i Habsburgowie siedzieli po dwóch przeciwnych końcach długiego stołu, jakby niedawni śmiertelni wrogowie wciąż jeszcze potrzebowali trzymać się na dystans. Władysławowi wyznaczono miejsce naprzeciw Andegawena, Karola Roberta. Patrzył w twarz piętnastoletniego mężczyzny, który szósty rok walczył o tron węgierski i choć wciąż przegrywał, nie wrócił do rodzinnego Neapolu. Obdarzony papieskim poparciem, ukoronowany przez prawego koronatora węgierskich królów, arcybiskupa Ostrzyhomia, Grzegorza, ale nie koroną świętego Stefana, bo tę trzymał Przemyślida. Na jego twarzy pierwszy nierówny ślad zarostu, niczym cień. Nieufne, ciemne oczy zdradzające upór i nieustępliwość.

Nawet jeśli zaczynał tę wojnę chłopców jako dziecko, to dzisiaj nim nie jest — pomyślał Władysław. — Musiał już zaznać goryczy porażek, z których jedna przechodzi w następną, plugawego smaku zdrad, zimnej niczym połknięty sopel lodu mocy komendy „odwrót".

Trzy andegaweńskie lilie na piersi Karola Roberta wyglądały nie jak kwiaty, lecz jak groty krwawych włóczni.

— Szlachetni goście, poseł papieski kapelan Matteo Gaetano ma dla nas wiadomość i od niej zacznijmy.

— Papież Bonifacy VIII nie żyje — obwieścił Gaetano.

Po twarzy Habsburga przeszedł skurcz. Karol Robert zamarł. A Matteo dokończył:

— Konklawe nowym biskupem Rzymu obrało znanego wam wszystkim, mego drogiego protektora, Mikołaja Boccassiniego, dawnego legata.

— Amen — odpowiedzieli wszyscy.

— Mikołaj Boccassini przyjął imię Benedykta XI. Jego pobożność i surowość jest wam wszystkim znana. Zdecydowanym życzeniem nowego papieża jest obranie kursu przeciw Czechom.

Władek nie śmiał pomyśleć, że pech, który go prześladował, właśnie się kończy.

— Nie mamy kropli wspólnej krwi, hercog Loket, Karolu Robercie... — zaczął Albrecht Habsburg.

Władysław powtórzył w myślach: „Hercog Loket" — to ja. Tak mówi o mnie.

—...lecz łączy nas coś, co potrafi być silniejsze niż pokrewieństwo, wspólny wróg: Václav II Przemyślida i jego syn, Václav III, który zwie się królem Węgier, Władysławem V. Mówiąc krótko, mamy do odbicia trzy królestwa. Karol Robert pragnie należnej mu korony świętego Stefana. Władysław korony Królestwa Polskiego. Papież Benedykt XI życzy sobie, jak rozumiem, przywrócenia obydwu tych Królestw pod apostolską władzę Rzymu, spod której Václav je wyrwał. A ja pragnę ukrócić potęgę Przemyślidów, bo nie mogę sobie pozwolić, by jeden z elektorów Rzeszy górował siłą nad innymi.

Matteo Gaetano, kapelan generała zakonu dominikanów, miał gładką bladą twarz surowego starca. Władysławowi przypominał nieco arcybiskupa Świnkę w swym braku zamiłowania do ozdób, ubierze pielgrzyma, a nie purpurata. Mówił cicho, lecz jego głos niósł w sobie misjonarski ogień.

— Spędziłem w podróży przez wasze kraje dwa lata, towarzysząc dzisiejszemu papieżowi, gdy był legatem. Prócz jawnej nieprawości

Przemyślidów papież odkrył zagrożenie, które czai się na wschodzie. Skośnookie dzikie ludy złączone w Złotą Ordę zaczynają kąsać kraje chrześcijańskiego świata. Dostrzegł demony wyciągające swe czarne, uzbrojone w pazury łapy, które sięgają po chrześcijańskie miasta, palą kościoły, chwytają jeńców i zamieniają w niewolników swych chanów. Dziś dawny legat, jako papież Benedykt, pragnie ustanowić pokój w Królestwie Węgierskim, bo ono pierwsze stać się może łupem Dzikich, więc musi być silne jak tarcza. A wraz z nim Królestwo Polskie, bo oba te kraje są niczym mur, co chroni Europę przed falą najeźdźców. Przywożę wam bullę wydaną krótko przed śmiercią przez Bonifacego, *Spectator omnium*, która jednoznacznie odmawia Václavowi praw do korony węgierskiej.

Na napiętej twarzy Karola Roberta pojawił się nieznaczny wyraz ulgi. Podziękował skinieniem głowy. A Gaetano na zakończenie zapytał:

— Co na to książę Władysław?

Władek wstał, położył rękę na piersi, na głowie swego półorła, półlwa i powiedział:

— Przegrałem z Václavem tyle razy, że nie będę wam tego wyliczał. Najpierw Kraków, potem księstwo sandomierskie, jeszcze za czasów Przemysła. Gdy umarł król i wezwano mnie na tron Starszej Polski, pokonali mnie margrabiowie brandenburscy i mój konkurent, książę śląski, a na końcu, gdy się wykrwawiałem Václav. Każdemu z nich z osobna dałbym radę. Ale wszystkim naraz nie dałem. Byłem jak zwierz, na którego zapolowała wataha wilków. I przez lata w wojnie przeciw Przemyślidzie byłem sam. Dzisiaj chcę wam zaproponować, abyśmy to my byli watahą, która osaczy wielkiego, złotego Václava. Bo żaden z nas osobno nie ma dość pieniędzy i wojsk, by go pokonać, ale jeżeli uderzymy razem, z trzech stron, to jest szansa, że wyczerpiemy jego siły w wojnie szarpanej, prowadzonej nieustannie, nękaniem. Może i to nie jest szczyt sztuki rycerskiej, ale czy Václav jest rycerski, kupując sobie posłuszeństwo? W moich oczach nie. Wolę niezłomność niż kupczenie wiernością. Mogę z wojskiem halickim i wojskiem mych węgierskich sprzymierzeńców uderzyć na Václava w Małej Polsce. Jeśli w tym samym czasie Karol Robert zaatakuje Budę, a król Albrecht Czechy, nawet Václavovi nie starczy sił, by walczyć ze wszystkimi naraz.

Matteo Gaetano pokiwał głową i przestrzegł:

— Wszyscy wiecie, że Václav równie sprawnie jak przekupstwem operuje prawem. Jego kancelaria jest w tym biegła.

— Wobec tego, zgodnie z prawem lennym, jako od wasala zażądam od niego dziesięciny z kopalń w Kutnej Horze — uśmiechnął się pod brzydkim nosem Albrecht Habsburg. — I nakażę mu oddanie korony polskiej księciu Władysławowi, a węgierskiej Karolowi Robertowi. A także, za zwrotem sum zastawnych, wydania Miśni. On, co pewne, nie spełni żadnego z tych żądań, więc powód do wypowiedzenia wojny mamy zgodny z prawem. Czas szykować wojska!

— Na mnie także czas, papież wyzywa do Rzymu. Wydanie bulli przeciw panowaniu Václava w Królestwie Polskim to kwestia najbliższych tygodni — oświadczył Gaetano.

Kiedy zaś żegnali posła papieskiego na dziedzińcu, ten, ceremonialnie obejmując Wacława, szepnął:

— Diakon arcybiskupa ma dla ciebie coś jeszcze. Nie wspominałem o tym, by nie budzić nadmiernych apetytów wśród twych nowych sprzymierzeńców, książę. W końcu to ty powiedziałeś, że będziecie jak wilki. — Mrugnął do niego. — Bóg z tobą.

Jak tylko zostali sami, palony ciekawością Władek złapał Ogończyka za łokieć i spytał:

— Gdzie rzymska gaduła?

— Kto, mój panie?

— Rzymska... Gdzie diakon?

— Już proszę, mój książę, aby przybył do ciebie — odpowiedział Ogończyk, udając dworaka. Władek machnął ręką.

— Co masz dla mnie? — spytał Mirosława, gdy ten stanął przed księciem.

— Skarb! — zapiszczał cicho diakon. — Pamięta książę pan, kto spał po prawej?

— Tak — warknął rozczarowany Władek.

— Brawo! Tak, Matteo Gaetano! I, książę mój, nie uwierzysz, jakim sposobem, ale było tak, że...

Wyłączył się. Nim diakon przejdzie do sedna, minie potok zdań. Zobaczył Ligaszcza, który najwyraźniej pragnął podszkolić górnoniemiecki, bo obłapiał jakąś cycatą dziewkę w rogu dziedzińca, a ona gadała do niego, wymachując rękami, jak do księcia Mirosław.

— ...naprawdę! To rzadko się zdarza, bo każdy papież kocha złoto, gdy należy do kurii rzymskiej, a tu takie coś! Benedykt XI jest inny, bo na własne oczy widział...

— Co?

— No powiedziałem przecież, skarb!

— Mirosławie, jestem zmęczony, czy możesz mówić do mnie jaśniej?

— Papież Benedykt daje ci gotówkę na opłacenie wojsk. Legat przekazał zarządzenia do kolektorów świętopietrza. Część pieniędzy zamiast do Rzymu, trafi do ciebie, książę.

— Bóg jest wielki i już policzył twe dni, Przemyślido! — krzyknął Władek i był gotowy do drogi powrotnej nawet bez odpoczynku.

VÁCLAV im więcej dostawał niepokojących wieści od swych cichych ludzi z Wiednia, Budy i Rzymu, tym większe urządzał uczty. Zresztą czyż między złymi wiadomościami nie było i dobrych? Trzy dni świętowali śmierć papieża! Zaciekły wróg Václava, Bonifacy VIII, nie żyje! Ach, dzięki jego rychłej śmierci Václav zaoszczędził na opłaceniu zabójcy, bo gdyby Bonifacy chciał rządzić dalej, niechybnie musiałby słać do Rzymu Jakuba de Guntersberg z rozkazem. A tak, wyręczył go król Francji, Filip Piękny, choć sekretny człowiek Filipa za pierwszym razem pomylił się i zamiast Bonifacego zabił biskupa Ostrzyhomia, Grzegorza. Też mu się należało, bo to on ukoronował Karola Roberta! Po Rzymie śpiewno, że Bonifacy żył jak król, zginął jak pies, a Václav myślał, że nieważne jak, ważne, że już go nie ma. Wprawdzie zaraz potem przyszła wiadomość, iż nowym papieżem został dawny legat Boccassini, więc jasne było, iż kuria znów będzie przeciwna Czechom, ale Václav dawkował sobie złe nowiny i przeplatał je dobrymi.

Wreszcie miał czas należycie uczcić piękny tryumf swych wrocławskich wysiłków — zaślubiny córeczki Małgorzaty z synem księżnej wrocławskiej Elżbiety. Do trzynastoletniego Bolesława mówił poważnie „zięciu". Ale do jego matki, wciąż pięknej, choć smutnej Elżbiety nie zwracał się teściowo, lecz „księżno". Miał się z czego cieszyć, odebrał biskupowi wrocławskiemu, Henrykowi z Wierzbna, rządy regencyjne we Wrocławiu i wziął je we własne ręce. W dodatku trzynastoletni zięć przepisał na niego prawa do wszystkich ziem za Odrą, jakie na jego ojcu wymusił przed laty książę Głogowa, trzymając Brzuchatego w żelaznej klatce. Na jednym ogniu tyle pieczeni upiec potrafił niedawno tylko biskup Muskata. Ach, Muskata!

— Ckni mi się za Muskatą, Ondriczku — westchnął król, gdy pokojowiec odziewał go przed kolejną ucztą.

— To go wezwij królu.

— Ale ty przecież wiesz, Ondriczku, że Jakub Świnka i papież nakazali Muskacie pod groźbą odebrania godności przebywanie wyłącznie na terenie krakowskiej diecezji!

— Nie wiem, królu.

— Mój syn go potrzebuje, w Budzie! A Muskata tkwi w Krakowie.

— To go wezwij królu — powtórzył spokojnie Ondriczek, wiążąc Václavovi trzewiki z haftowanej złotem skóry. — A bo to nie piłeś, panie, za śmierć papieża? A Świnka przecież jakby twój poddany, czyż się mylę? — Ondriczek popatrzył na Václava z dołu, z wysokości jego kolan.

— Mój poddany — powtórzył Václav za Ondriczkiem i wstrząsnął nim dreszcz na wspomnienie tego, jak Jakub II stał w drzwiach gnieźnieńskiej katedry i świdrował go wzrokiem. — Wezwę Muskatę do Pragi. Tak. Papież nie żyje. — Powziął decyzję i nagle Świnka przestał mu się wydawać kimś obdarzonym nieziemską mocą. — Wezwę go. Jeszcze dzisiaj. A kogo mamy na tej uczcie?

— Księcia Karyntii Henryka, mój królu. — Ondriczek poprawił mu pas na biodrach.

— Książę Karyntii! — prychnął Václav. — Jak to brzmi? Kiedyś mój wasal by go nie przyjmował, a dzisiaj takie nie wiadomo co ugoszczę ja.

— Jak sobie życzysz, mój królu. Kucharz obiecał całe stado pieczonych przepiórek.

— Nie lubię przepiórek. Małe i suche. Ale w sam raz dla Henryka karynckiego, co? — zachichotał Václav. — Niech wie, gdzie jego miejsce przy stole wielkiego władcy. Ach, Ondriczku, że też muszę szukać sprzymierzeńców wśród takich pcheł!...

— O, mój królu. Pchła pchłą, a nikt nie lubi jak gryzie.

— On jest starszy ode mnie, Ondriczku, a ja mu muszę własną córkę obiecać za żonę. Jeszcze nic jej nie mówiłem. Boże, będzie dla niej jak dziadek!

— Niektóre kobiety bardzo lubią starszych — powiedział Ondriczek, przeczesując loki Václava. — Księżna Gryfina prosi o rozmowę z tobą.

— Nie chce mi się. Nie mógłbyś ty z nią pomówić, Ondriczku?

Pokojowiec zarumienił się i odruchowo złapał za krocze.

— Jak sobie życzysz, mój panie. Co mam jej przekazać?

— Że moja żona, królowa, ma być gotowa na zawołanie. Jak tylko skończę się układać z sojusznikami, wezwę ją. Czas spłodzić dziedzica!

Henryk karyncki obiecał pomoc, choć w ostatniej chwili Václav przełożył obietnice ślubne na później; żal mu się zrobiło małej Anny, a może wolał najpierw wypróbować, jakim sojusznikiem będzie przyszły zięć? Nie wzywał jednak królowej ani tej, ani następnej nocy. Ani przez dwa następne tygodnie. Był zajęty, to raz. A dwa, że bawiło go, iż ona tam czeka. Pewnie boi się, trzęsie i czeka. Zwoływał wojska, zbroił je, szykował posłów. Witał Muskatę, pił z nim i zrobił go starostą krakowskim.

— Jak już masz siedzieć w Krakowie, mój Janie, to nie na darmo. Strzeż miasta w imieniu króla, jako mój namiestnik.

— Panie! — Pokraśniał Muskata. — Najchętniej bym z tobą pociągnął na Budę. Z odsieczą naszemu chłopcu!

— To nie jest chłopiec, Muskato. To węgierski król.

— Królu — całkiem poważnie powiedział Muskata — ty nie jesteś władcą, który ceni wyłącznie pochlebców...

— Lubię ich — przerwał mu Václav — są przydatni.

— Nie w czasie wojny. A idzie na wojnę, mój panie. I trzeba wszystkie siły rzucić, by bronić Budy. Władysław V, czy jest jeszcze chłopcem, czy już nie, nie może opuścić węgierskiego przyczółka. Znam Madziarów. Gdy raz ustąpisz, Vašek straci tron. A twoja potęga oparta jest na trzech koronach, królu. Wzniosłeś dynastię Przemyślidów na wyżyny, na jakich jeszcze nie była. Pamiętasz, jak przed laty szeptano, że prześcigniesz swego ojca, Přemysla Ottokara? I co? Osiągnąłeś po trzykroć więcej niż on!

— Mówiłem, że lubię pochlebców. — Václav uniósł kielich i przepił do Muskaty.

— To nie pochlebstwa. To fakty. Obroń Budę przed Andegawenem, a kto wie? Może sięgniemy i po Ruś?

— Po diabła mi Ruś? — skrzywił się Václav i nastawił ucha.

— Wiem, co się szepce w kurii rzymskiej, panie — szepnął Muskata. — Znany nam ze złej strony legat Boccassini, jako papież Benedykt XI, wyznaczył papiestwu nowy kierunek krucjat. Złota Orda to będzie marzenie każdego z kolejnych papieży. A na Ordę najlepiej wyprawiać się przez Ruś. Rządy Jerzego Daniłowicza chwiejne. W dodatku on ma synów, a ty wciąż dwie wolne córki na wydaniu. Można na jednym ogniu upiec kilka pieczeni — zdobyć ruski tron, ruszyć na Ordę i zasłużyć się w oczach świata jako wódz krucjaty! Czy wodzowi krucjaty papież odmówi praw do tronu Polski i Węgier? Nie. Wodza krucjaty papież będzie musiał stawiać w pierwszym szeregu chrześcijańskich władców, czy mu się to spodoba, czy nie. A bogactwa Rusi? A łupy? Na takiej krucjacie rycerstwo wyżywi się samo, a ty jeszcze skarbiec podreperujesz.

— Tęskniłem za tobą, biskupie! — westchnął Václav. — Dodajesz mi skrzydeł. Powiadasz, utrzymać Budę? Jeśli baronowie węgierscy nie zdradzą, uda się.

— Królu! Kup ich. Wierność kosztuje.

— Łatwo ci mówić, gdy to ja płacę.

— Nie płać, to odstąpią od twego syna. Stracisz Węgry i nadzieję na Ruś.

Wizja Muskaty zakiełkowała w nim szybciej, niż myślał. Gdy pożegnał biskupa, kazał wzywać żonę. Natychmiast. Dobrze by było w jasnym łonie Piastówny zasiać ziarno pod przyszły plon.

RIKISSA szła do sypialni Václava nie pierwszy raz. Bywało różnie, ale odkąd wróciła do niej Kalina, nie bała się. Piastunka parzyła napary, które przy udziale Ondriczka podawano jej mężowi, nim wstąpił do łoża. Po ich zażyciu był spokojny, niemal łagodny i prawie miły. Potrafił mówić jej komplementy, nazywał, tak jak poddani, pieszczotliwym mianem Eliška Rejčka i pragnął przytulać ją do swej obsypanej złotym puchem piersi. Spojrzenie miał nieobecne, to prawda, ale Rikissa ponad wszystko wolała te zamglone, jakby pływające źrenice niż prawdziwe, okrutne oczy Przemyślidy.

— Jesteś królową, pamiętaj o tym. Jesteś królową. Ty i twe dziecko wrócicie do Starszej Polski objąć tron — szeptała jej Kalina, aż Rikissa zapragnęła, by to stało się już.

Wiedziała, że Václav szykuje się do wyjazdu na węgierską wojnę i że może nie być go długo, więc zrozumiała, że mąż chce się nacieszyć żoną, nim ruszy.

Michał Zaremba wiódł ją wprost do drzwi sypialni króla. Wszedł i razem z Gryfiną wprowadził Rikissę.

Václav całkowicie ubrany siedział przy zastawionym stole. Dwóch zbrojnych pilnowało od środka drzwi.

— Alžběta! — powitał ją i poczuła, że coś jest nie tak. — Księżno Gryfino, dziękuję, jesteś wolna. A ty, Michale Zarembo, zostań z nami. Chcę spożyć z tobą i królową wieczerzę. Ondriczku, możesz podawać!

Usiadła przy Václavie, Michał naprzeciw nich. Ondriczek przyniósł złote talerze, kubki. Zerknęła na niego. Miał białą, zlęknioną twarz i zrozumiała, że nie podał Václavowi ziół. Do Michała też to dotarło, bo jego źrenice zapulsowały niebezpiecznie. Nie mogła nic przełknąć, Václav przeciwnie, miał doskonały apetyt i humor.

— Wina?

— Tak.

— Więcej?

— Poproszę.

— Liczę na to, Alžběto, że tej nocy spłodzimy syna!

— Ja też. — Podniosła głowę, bo cokolwiek ma się zdarzyć, nie będzie się bać.

— A ty, Michale? Czy raduje cię myśl, że za chwilę będę chędożył twą królową?

— To także i twoja królowa, panie. Szanuj ją — odpowiedział Zaremba zduszonym głosem.

— Straże! — odwrócił się w stronę zbrojnych. — Możecie wyjść. Ale stójcie pod samymi drzwiami, by słyszeć, jak wasz król płodzi dziedzica! Możecie wezwać także innych. Postaram się zaspokoić dzisiaj marzenia mych wszystkich poddanych — zachichotał, aż wino popłynęło mu, plamiąc złotą brodę — o dziedzicu!

Zamknęły się za nimi drzwi.

— Ty zostajesz! — Wstając od stołu, położył dłoń na ramieniu Michała. — W końcu jesteś strażnikiem swej pani. Alžběta! Proszę do łoża. Drogę znasz! Michale, pomożesz mi rozebrać królową? Nie chcę wzywać Ondriczka, pewnie towarzyszy księżnej Gryfinie.

— Nie trzeba, mężu. Poradzę sobie.

— Ależ trzeba! Jakub Świnka kazał twemu rycerzowi cię strzec i pilnować poczęcia przyszłego dziedzica. Niech zatem Michał zostanie z nami i będzie przy jego początkach. Właściwie najpierw rozbierz mnie, Zarembo.

— Zawołam Ondriczka — twardo powiedział Michał.

— Jeśli tak, to i jemu każę zostać i patrzeć — oświadczył Václav, a Rikissa dopiero teraz w pełni pojęła, co się święci. Tak, jak gdy byli narzeczeństwem, kazał jej patrzeć, jak się zabawia z nałożnicami, tak teraz każe na to patrzeć Michałowi.

— Michale, nie — szepnęła do niego. — Zostań tylko ty.

Zaremba, zaciskając szczęki, zdjął Václavowi kaftan. Rikissa w tym czasie sama rozwiązała suknię i wyswobodziła się z niej, zostając w koszuli.

— Skoro moja żona taka zręczna, po cóż opłacam jej wielki dwór? — zaśmiał się król. — Połóż się, Alžběto.

— Michał nie będzie nam potrzebny, mężu.

— A skąd to wiesz?

Poczuła w pościeli zapach jego nałożnic, znak, że były tu rano, lub wczoraj albo przez cały czas. Nie dbała o to. Dziecko, które ona urodzi, będzie prawym dziedzicem, a Przemyślidzi byli mistrzami w umieszczaniu swych bękartów na licznych urzędach tak, że nieprawe potomstwo nie garnęło się do walki o tron. Wszedł na nią. Zagryzła zęby. Gdy wypijał zioła Kaliny, sił starczało mu na kilka chwil, kilkanaście łagodnych pchnięć, w sam raz tyle, by dać szansę na poczęcie, ani chwili dłużej. Dzisiaj jednak jego oczy nie były przymglone. Wpatrywały się w nią uważnie.

— Idę na wojnę — powiedział, wbijając się w nią, i uniósł się na wyprostowanych ramionach. — Będę gonił raz, dwa, trzy. — Każdym pchnięciem pokazywał, jak bardzo będzie dzielny na wojnie. — Będę zmuszał wrogów do uległości... pięć, sześć, o-tak!

Rikissa nie zamykała oczu. Jakkolwiek chciała, by Václav szybko skończył to widowisko, żenujące dla niej i Michała Zaremby, to jednak nie zamierzała mu okazać uległości. Może udawać, że bawi się z nią w łóżku w wojnę. Ale nie pozwoli się poniżać.

— Jesteś zimna — wycedził, dysząc ciężko nad jej twarzą. — Nazwałem cię Elżbietą, ale brak ci uległości Elżbiet, frywolności Agnieszek i zręcznych paluszków Małgorzat.

Wyszedł z niej i klęknął.

— Mój ojciec miał faworytę, Agnieszkę. Ja mam dwie. Mój syn pewnie też. I każda z nich jest lepsza niż ty. Pokaż, że potrafisz, żono! Widziałaś, jak one to robią, nie raz.

Wysunął ku niej biodra, a Rikissa usiadła.

— Nie. Wchodzę z tobą do łoża, by począć dziedzica. Nie jestem twą nałożnicą, tylko żoną. Albo robisz to, co powinien robić mąż, albo wychodzę w tej chwili.

Przyrodzenie Václava natychmiast pokazało, że Przemyślida jest gotów. Przewrócił ją na brzuch i usiłował wtargnąć w Rikissę od tyłu. Wyślizgnęła mu się i położyła na plecach.

— Jesteś nudna — wycedził i wdarł się w nią celowo brutalnie.

Nie odpowiadała mu. Liczyła w myślach, ile to jeszcze może potrwać. Gdyby nie potrzeba urodzenia dziedzica, wstałaby i wyszła, i nie wróciła do niego nigdy. Uniosła biodra w górę, jak robiły to jego Agnieszki. Niech będzie, byleby skończył.

— Jes-teś nud-na, jes-teś nud-na! A! Aaa!...

Wytrysnął w niej i opadł na jej piersi. Odetchnęła z ulgą.

— Michale — poprosiła. — Zdejmij ze mnie króla. Spełnił swój obowiązek i ja też. Nie muszę spędzać z nim ani chwili dłużej.

— Jak sobie życzysz, królowo — powiedział zduszonym głosem Michał i odciągnął Václava, kładąc obok.

Oboje wiedzieli, że król teraz zapada nie w sen, a w niemoc, w której nie może się ruszyć ani wypowiedzieć słowa. To może trwać tylko kilka chwil, choć po ziołach Kaliny trwało długo, czasem do rana lub południa dnia następnego. Zaremba podał jej rękę, by wstała. Wyszła z łoża lekko. Michał pomógł jej się ubrać, okrył jej ramiona swoim płaszczem.

Spojrzała na niego.

— Nie mogłem go zabić. Specjalnie kazał czuwać strażom pod drzwiami. Gdybym tylko podniósł na niego rękę, krzyczałby, że jestem królobójcą — powiedział, tłumacząc się.

— Nie mogłeś. Muszę mieć z nim dziecko.

— Wiem, pani.

Uśmiechnęła się i wzięła Michała za rękę.

— Michale, korona Królestwa Polskiego jest warta o wiele więcej poświęceń.

MICHAŁ ZAREMBA wiedział, że korona warta jest wszelkich poświęceń. Wiedział, że jego powinnością jest doprowadzić do tego, aby królowa i dziecko, które urodzi, znaleźli się w Poznaniu. Wszystko to wiedział. Ale na Boga, nie pozwoli, by ten złoty, lubieżny wieprz poniżał jego panią! Odprowadził Rikissę do skrzydła królowej, przekazał w ręce Kaliny; ona zapytała:

— Michale? Co ci?

On odpowiedział:

— Nic. Jestem zmęczony. Zajmij się Rikissą, potrzebuje twoich ziół.

I wyszedł. Póki mogły go zobaczyć, szedł wolno, zresztą nie miał żadnego celu, nie wiedział, dokąd chce iść. Nosiło go. Zbiegł do stajni. Nie, nie może opuścić zamku. Zerknął w rozgwieżdżone niebo. Pełnia. Źle. W każdą pełnię nosiło go, jakby smok, którego krył w sobie, chciał pokonać barierę skóry i przebić się, unicestwiając na zawsze człowieka w nim. Pobiegł do kaplicy Wszystkich Świętych. Starannie zamknął za sobą drzwi. Rozejrzał się i nadsłuchiwał chwilę. Tak, był sam. Zupełnie sam. Tylko wieczny ogień przy ołtarzu. Ukłęknął. Ale nie słowa modlitwy wychodziły z jego ust. Michał klął.

— Boże Wszechmogący! Nienawidzę Václava, a wciąż jeszcze nie wolno mi go zabić. Liczę dni, Panie. Liczę dni i noce do...

Usłyszał zgrzyt otwieranych drzwi. Wysoko. Do kaplicy wpadła smuga światła, jak promień.

Znał to przejście, jak wszystkie inne na praskim zamku. Były dwa, jedno z Wielkiej Sali, drugie z komnaty Václava. To drugie było wyjściem wprost na drewnianą trybunę kaplicy. Kolejny z dziwacznych kaprysów wielkich Przemyślidów, którzy lubili prosto z sypialni wejść na mszę i pozostać niewidocznymi dla modlących się. Odwrócił głowę. W smudze światła stał Václav. Nagi, w płaszczu zarzuconym na ramiona. Musiał widzieć Michała, bo ten klęczał przed samym ołtarzem. Ale Zaremba nie widział twarzy Václava. Zobaczył tylko, jak król robi znak krzyża, odwraca się i wychodzi. Drzwi zamykające się za nim zdusiły światło. W kaplicy znów zapanował mrok.

— Boże! Sam widziałeś! Wszedł tu nagi, prosto z łoża, w którym sponiewierał Rikissę! Panie, widzisz to świętokradztwo i nie grzmisz?! Boże Wszechmogący, wzywam Cię!

Wieczna lampka przed ołtarzem zamigotała chwiejnie. I w tej samej chwili ponad absydą kaplicy rozległ się grzmot. Burza.

Michał zerwał się na równe nogi i rozkładając szeroko ramiona, krzyknął:

— Boże, skoro ja nie mogę go zabić, Ty spuść na niego wszelkie należne mu plagi!

Kolejny grzmot odbił się ponurym i potężnym echem od ściany kaplicy. Niewielkie okno rozbłysło jasnością błyskawic. Ciałem Michała wstrząsnął dreszcz tak silny, że powalił go na kolana. Upadł na ręce. Na czworakach zrobił krok w stronę ołtarza. Tak, zobaczył, że z dłoni wystają mu grube pazury. Że jest bestią kroczącą na czterech łapach. Wyciągnął długą szyję i gdy w kaplicę uderzył następny piorun, z jego paszczy wydobył się ogień. I nie wiedział już, czy to wieczna lampa u ołtarza, błyskawica czy on sam. Ogień jak płonąca struga rozlał się po posadzce kaplicy. Michał stał w ogniu, który go nie parzył. Płonęła kaplica wokół niego, a on nie spalał się. Odwrócił łeb i zobaczył, że drzwi od sypialni Václava otwierają się, że wylatuje przez nie płomienista orlica Przemyślidy, za nią wybiega na trybunę kaplicy Ondriczek. I zawraca, krzycząc:

— Królu, królu, kaplica płonie! Uciekajmy! — I znika w komnacie króla, szybko zamykając drzwi przed ogniem szalejącym w kaplicy.

Płomienista orlica leci ponad językami ognia ogarniającymi ołtarz, kołuje pod sklepieniem absydy, gubiąc płonące pióra. Ptak Przemyślidów krzyczy, ale nie z przerażenia! To oszalała w pożodze płomienista orlica, która karmi się ogniem, czerpiąc z niego moc!

I wtedy w smoku ocknął się Michał Zaremba, strażnik królowej. Siłą wstał na dwie łapy i ruszył ku wyjściu. Pchnął drzwi. Wybiegł na dziedziniec. Zalały go strugi ulewnego deszczu. Stał w nich, póki nie zobaczył, że smok schował się w Zarembie. Wtedy pędem skoczył ku skrzydłu królowej, by na rękach wynieść z pożaru Rikissę.

1304

LESZEK, książę inowrocławski, jechał na spotkanie z komturem chełmińskim Gunterem von Schwarzburg jak na ścięcie. Jechał zastawić ziemię michałowską. Długi rosły, nieustająca wojna ze stryjem Siemowitem wykańczała jego i skromne księstwo.

— Patko, po co ja żyję? — spytał giermka.

— A bo ja wiem? — szczerze odpowiedział Patko.

— Matka gnębi mnie nocnymi czuwaniami. Stryj Władysław na wygnaniu. Stryj Siemowit to warchoł i pijak, kłóci się o ziemię. Już nie mam za co go bić, a przestać bić nie mogę, bo wyjdę na mięczaka, nie księcia. Bracia patrzą na mnie, jakbym wiedział, co robić. A ja? Chodzę smętny i jeszcze muszę ziemię oddać pod zastaw Krzyżakom, których nienawidzę. I jestem lennikiem Václava, tak na dokładkę.

— No. Ja to bym nie chciał być księciem — uczciwie powiedział Patko. — Jezusie! — Przeżegnał się lewą ręką, bo w prawej trzymał akurat bukłak i wodze. — Krzyżaki!...

— Ten łysy to Gunter von Schwarzburg. Ale tamtych nie znam.

Czekali na niego pod samą bramą komturii. Leszek podjechał niespokojny.

— Komturowie Gunter von Schwarzburg i Zyghard von Schwarzburg! — przedstawił przybyszów szary brat, który wyglądał jak kopijnik. Wielki i pochmurny.

— Książę inowrocławski Leszek — zawył Patko.

— Prosimy do zamku, do Lipienka — powiedział bez uśmiechu Gunter von Schwarzburg i zawrócił konia, wjeżdżając w bramę.

Leszek i Patko ruszyli za nim, a Zyghard i szary brat zamknęli niewielki pochód.

Siedziba komtura chełmińskiego była ponurym, czteroskrzydłowym zamkiem z jedną wieżą. Dla Leszka wyglądała niczym loch. Wielki loch. Na dziedzińcu kręciło się nieco służby, kilkunastu szarych półbraci i ledwie kilku rycerzy zakonnych w białych płaszczach. Komtur chełmiński, Gunter był wyraźnie starszy od swego brata Zygharda. Ale co tu robił komtur dzierzgoński? Leszek we wszystkim, co tyczyło się Krzyżaków, upatrywał podstępu, więc gdy poprosili go na wieczerzę, zbladł.

— Otrują mnie — szepnął na ucho giermkowi.

— Nie, panie, nie opłaca się. Jakbyś wziął pieniądze i potwierdził zastaw, wtedy dopiero opłaca się ciebie truć.

Leszek zmierzył giermka złym wzrokiem. Cóż począć, Patko był z Doliwów, a ci talentu do dyplomacji nie mieli za grosz. Z dziada pradziada słynęli z tego, że gadają, co myślą.

Wieczerza upłynęła spokojnie, Leszek jadł i pił jak najmniej. Zyghard nie odzywał się wcale, jego brat skąpo.

— Zatem, książę, potrzebujesz gotówki.

— Tak.

— Na wojnę ze stryjem?

— Tak.

— Udzielimy ci pożyczki pod zastaw.

— Dziękuję.

— Teraz i w przyszłości, gdybyś potrzebował.

— Mam nadzieję, że nie.

— Ja także. Informuję, byś nie czuł się skrępowany. — Gunter rozciągnął wąskie wargi w czymś, co przypominało uśmiech.

Czuję się skrępowany — pomyślał Leszek.

Spisano akt zastawu i Leszek udał się na spoczynek. Gdyby nie to, iż miał wieźć ze sobą srebro, pojechałby w noc. Ale wolał przyjąć gościnę komtura, niż narazić się na utratę srebra. Dostali skromną, dwuizbową celę w wieży.

— Patko? Śpisz?

Cisza. Jego giermek mógł spać bez przerwy. Z dumą mawiał, że gdyby płacili za sen, byłby bogaczem. Leszek wstał. Ciągłe nocne wezwania Salomei przyzwyczaiły go do nocnych czuwań. Dusił się w kamiennej komnacie. W Inowrocławiu wychodził nocą na dziedziniec i strzelał z łuku. Mógłby być mrocznym strzelcem, takim, którego wojska puszczają nocą do obozów wrogów. Ziewnął. Sen nie nadchodził. Zszedł na dziedziniec lipieńskiego zamku.

Ależ to Krzyżacy urządzili — z podziwem patrzył na kamienne mury. Wzrok, ćwiczony w ciemności, miał jak kot. Usłyszał zduszony głos.

— ...jest u Amadeja Aby.

Amadej to najbliższy przyjaciel jego stryja banity. Leszek odruchowo skrył się w podcieniu krużganków. Nadsłuchiwał, skąd idzie szept.

— ...polował na niego człowiek Václava... nie...

To ze zbrojowni. Bezszelestnie ruszył w jej stronę. Drzwi były uchylone, nikła smuga światła wymykała się z wnętrza na dziedziniec. Leszek podkradł się za uchylone drzwi i przez szparę usiłował dostrzec rozmawiających. Rozpoznał głos Guntera von Schwarzburg.

— Mój brat nie może się dowiedzieć, jasne? Mój brat musi być poza wszelkimi podejrzeniami.

— Oczywiście, panie.

— Czuwaj, bądź w pobliżu. I gdy nadejdzie czas, usuń go i zastąp.

— To nie takie proste, panie. Z daleka, albo ktoś, kto go nie zna, to tak. Ale jego ludzie nie nabiorą się.

— Wystarczy, tyle wystarczy, by powiódł się plan. A teraz jedź, Grunhagen, czekam na kogoś. Jedź teraz, nocą. Nikt nie może cię zobaczyć, zwłaszcza książątko z Inowrocławia.

— Zaliczka, panie.

— Ach, tak. Naturalnie. Idź już.

— Dziękuję, panie.

Leszek czuł, iż powinien zniknąć zza drzwi. Ale nie chciał uronić ani słowa. Usłyszał kroki. Już za późno, wcisnął się za skrzydło drzwi, jak potrafił. „Książątko z Inowrocławia". Ten, który wychodził ze spotkania z Gunterem, szedł pewnie i nie dotykał drzwi. Już minął je i ukrytego za ich skrzydłem Leszka. Grunhagen — powtórzył Leszek, by zapamiętać. Z wnętrza zbrojowni dochodził miarowy krok Guntera von Schwarzburg i rytmiczne brzęczenie żelaza, jakby komtur uderzał w rękojeści mieczy ułożonych w stojaku. Leszek wysunął się zza drzwi na tyle, by spojrzeć na człowieka, który przed chwilą rozmawiał z komturem. Zamarł. Zamrugał i zamarł. Od zbrojowni w stronę stajni oddalał się człowiek tak niski, że gdyby nie to, iż było to niemożliwe, pomyślałby, że to jego stryj. „Usuń go i zastąp" — zadudniło mu w głowie polecenie Guntera von Schwarzburg. „Zaliczka, panie". Nogi ugięły się pod Leszkiem. Zrozumiał, kogo zastąpić ma niski mężczyzna, nazwany przez komtura Grunhagenem. Na Boga! Trzeba ostrzec stryja!

Leszek cicho wychodził zza drzwi, gdy nieoczekiwanie na dziedzińcu pojawił się ktoś jeszcze. Tym razem sylwetka była tak wysoka i barczysta, że mogła należeć wyłącznie do szarego brata, który towarzyszył młodszemu ze Schwarzburgów. Wrócił do swej kryjówki za drzwiami. Wielki półbrat zamaszystym krokiem wszedł do zbrojowni.

— Kuno! — przywitał go Gunter von Schwarzburg. — Czy to prawda?

— Raczej tak. Każdy ze złapanych Dzikich powtarza jedno: czekają na wielki znak, który ma dać im bóg władający piorunami. Wtedy są gotowi wznieść broń i wzniecić powstanie przeciw żelaznym braciom.

— Tak nas zwą? — roześmiał się Gunter.

— Mają też parę innych określeń, ale nie wiem, czy ci się spodobają.

— Mów!

— Rycerze Umarłego.

— Dobrze, nie mów. Paskudne. Wielki znak? Dla tych dzikusów to może być nawet zwykła burza.

— Nie. To ma być coś więcej. Coś, co wybiega znacznie poza zjawiska natury, jakie znamy. Tak w każdym razie zrozumiałem.

— Dziękuję, Kuno. Jestem z ciebie zadowolony. Mój brat też.

Leszek nie słuchał dalej. Ta rozmowa mogła się zakończyć w każdej chwili; wymknął się zza drzwi i najciszej, jak potrafił, skierował do wejścia wiodącego do komnat w mieszkalnej wieży. Był już skryty w jego podcieniu, gdy usłyszał stuk końskich kopyt na dziedzińcu. Wychylił się jeszcze, by sprawdzić, czy wzrok go nie zawiódł. Nie. Mężczyzna wyjeżdżający przez bramę komturii był niski. Dokładnie tak niski, jak jego stryj. Grunhagen — powtórzył Leszek.

Rankiem, gdy odbierał ze skarbca Lipienka srebro, udawał, iż nie dudni mu w uchu „inowrocławskie książątko". Pokwitował odbiór pożyczki i bez chwili zwłoki ruszył. Ale wiedział już, że pieniądze od Krzyżaków tylko w części pójdą na walkę z Siemowitem. Muszą mu starczyć na podróż na Węgry. Na odnalezienie stryja Władysława i przestrzeżenie go przed niebezpieczeństwem.

Braciom Przemysławowi i Kazimierzowi powierzył opiekę nad księstwem, ale tylko starszego z nich wtajemniczył w cel i powód podróży, nikogo więcej.

— Dlaczego kogoś nie poślesz z wiadomością? — denerwował się Przemysław. — Jak to? Sam książę inowrocławski będzie gnał na Węgry? To nie musisz być ty, Leszku.

586

— Muszę, Przemku. Zrozum, stryj wyjechał cztery lata temu, gdzie tam, prawie pięć! Nie wiemy, jak się zmienił. Nie wiemy, jak daleko człowiek Schwarzburga jest do niego podobny z twarzy. Jaką mamy gwarancję, że nasi ludzie ich rozróżnią? Z tyłu wyglądali jak jeden i ten sam mąż. Tylko ja tego człowieka widziałem. W nocy, z tyłu, ale widziałem. I tylko ja go słyszałem. Rozpoznam jego głos. Mnie nie zwiedzie.

— Co knują Krzyżacy? Boże drogi. Chcą zabić księcia Władysława, podmienić na jakiegoś karła...

— Przemek! Nie wolno ci tak mówić o stryju. I nie wolno ci nawet tak myśleć.

— Mówiłem o tym zabójcy... Przepraszam, wymknęło mi się. Jedź, Leszku. Zaopiekuję się księstwem.

Leszek ruszył dwa dni później, z niewielkim, dwunastoosobowym pocztem. Omijał siedziby rycerskie, gdy kto pytał, mówił, że do Sącza, modlić się u sióstr klarysek jedzie. Po tygodniu wjechali do Małej Polski. Po kolejnych dwóch kończyli się przedzierać przez góry. Wszędzie, w karczmach, gospodach i wioskach pytał, czy nikt nie widział małego rycerza. Ludzie mówili:

— Czekamy go, panie! Wiemy, że książę niezłomny powróci. Na białym koniu, z orłem na tarczy, wróci! Wróci i popędzi Czechów precz! Dość już ich mamy i ich rządów. Niemców wszędzie pozapraszali, na naszą ziemię, a nam źle...

— Nikt się nami nie przejmuje, panie! Starosta czeski traktuje gorzej niż psy! My tu Małego Księcia wyglądamy co dnia!

Chryste! — modlił się Leszek. — Pozwól mi, Panie, dogonić go, nim się stanie zło nie do odwrócenia! Przecież ten lud gotów na rękach nieść plugawego zabójcę Grunhagena, jeśli ten będzie dość sprytny, by przystroić się w książęce barwy.

Nazajutrz najął przewodnika, który miał ich prowadzić doliną Popradu do pierwszego z zamków Amadeja Aby.

— A szlachetny pan rycerz to na Spisz? Na wojnę? — spytał chłop, prowadząc za uzdę konia Leszka, gdy schodzili niebezpiecznie stromą ścieżyną w dół doliny.

— Jaką wojnę?

— No, na wojnę Czechów z Węgrami. O tron.

— Nic nie wiem o żadnej wojnie, człowieku. Nie gadaj, tylko idź.

Czarny gryf chciał zerwać się z jego piersi, więc Leszek przystawił mu rękawicę, by przeszedł na nią, i puścił go wolno. Gryf z krzykiem uniósł się w powietrze. Chłop zabobonnie przeżegnał się, patrząc, jak leci.

Na nocleg rozbili się niemal na dnie doliny Popradu, przy potoku. Leszek przeszedł się wzdłuż niego, szukając polującego gryfa. Zobaczył go, jak leci z rybą w dziobie. Odetchnął pełną piersią; widząc górskie turnie i szczyty, na chwilę przestał czuć lęk.

— Wracamy do obozowiska! — Gwizdnął na gryfa i ruszył z powrotem.

Już z daleka zobaczył blask ognia. Patek kręcił się koło wieczerzy.

— Po co takie wielkie? — spytał Leszek, wskazując ognisko.

— A, to ten nasz przewodnik mówił, żeby rozpalić duże. — Podrapał się po plecach Patek.

— Rozrzuć je. Nie podoba mi się to. Nie trzeba dawać znaku, że tu ktoś nocuje. Gdzie ten chłop? — Rozejrzał się.

— A tu... — Patek zrobił nieokreślony ruch ręką. — Tu był. Pewnie zaraz przylezie. Siadaj, panie.

— Zmniejsz ogień, natychmiast — rozkazał Leszek i nie myślał o siadaniu. — Pawle, Macieju, Sławie — zawołał na swych rycerzy. Nikt mu nie odpowiedział. Sięgnął po miecz i z ostrzem w dłoni ruszył między drzewa, gdzie powiązali konie. Usłyszał ich rżenie i w mroku, między świerkami zobaczył przekradające się sylwetki.

— Patek! Broń! — krzyknął i w tej samej chwili ktoś skoczył mu na plecy i błyskawicznie rozbroił go.

— Jeszcze giermek. — Leszek rozpoznał głos przewodnika. Przyprowadzono skrępowanego Patka.

— Kim jesteście? — zawołał, leżąc na igliwiu z wykręconymi do tyłu rękoma. — Gdzie moi ludzie? Coście z nimi zrobili?

Zamiast odpowiedzi poczuł, jak związują mu dłonie sznurem.

— To ten. Ten książę — z zapałem powiedział przewodnik.

Jakieś ręce z tyłu uniosły go i postawiły na ziemi.

— Dureń z ciebie, chłopie — zaśmiał się twardy, czeski głos. — To nie ten książę.

— No jak nie ten, jak ma półorła, półlwa? — zapierał się przewodnik. — Należy się mi zapłata.

— Głupi wieśniak! — zaśmiał się Czech, który wciąż trzymał go za plecy. — To gryf. Półorzeł, półlew wygląda inaczej, jak dwie bestie, a gryf jak jedna złożona z dwóch. Franta! Zapłać wieśniakowi jak za gryfa.

Na oczach Leszka krępy blondyn podszedł do przewodnika i wbił mu sztylet w szyję. Chłop nawet nie jęknął. Zalał się krwią i padł na ziemię.

— A zatem, kogo witamy na Spiszu? — Wyszedł zza jego pleców wysoki, niemłody mężczyzna z niewielką płomienistą orlicą na płaszczu.

— Książę inowrocławski Leszek. A kto łowi wędrowców w imieniu króla Václava?

— Tonda. Dowódca lotnej straży. A to się król zdziwi, gdy się dowie, iż jego lennik zamiast wypełniać śluby wierności, spieszy na Węgry pomóc jego wrogom.

— Wypuśćcie mnie. Daję słowo rycerskie, że zapłacę wam okup — syknął Leszek. — Gdzie moi ludzie?

— Twoi ludzie są tam. Tak się stało, iż musieliśmy ich zabić.

— Jesteście zbójcami czy królewską strażą?! — krzyknął Leszek.

— Gdy sądziliśmy, że mamy przed sobą zbójów, zabijaliśmy jak oni. Ale teraz, gdy wiemy, że złowiliśmy księcia krwi, zachowamy się jak godna, królewska straż. I odprowadzimy cię do praskiego lochu. Ale jeśli pozwolisz, książę, przenocujemy tutaj. Skorzystamy z tego pięknego ognia, skoro już rozpalony, i zjemy wieczerzę, bo twój giermek pewnie zdążył coś wrzucić na ruszt.

— Zabiliście wszystkich? — z niedowierzaniem i rozpaczą zapytał Leszek.

— Nie, książę. Ciebie i twego giermka nie. Konie też oszczędziliśmy. Są sporo warte w czasie wojny. Zapraszam do ognia.

Leszek ze związanymi rękami czuł się jak wieprz. Wściekły i bezradny. Gdy prowadzili ich do ogniska, poczuł, że coś kłuje go w pierś. To gryf. Dziobał go.

Leć — przekazał mu w myślach Leszek. — Leć do mego stryja Władysława.

I garbiąc ramiona na tyle, na ile pozwalały mu skrępowane na plecach dłonie, wypchnął gryfa ruchem klatki piersiowej. Czarne skrzydła załopotały w powietrzu i zniknęły w mroku nocy. Tonda splunął, mówiąc:

— Nietoperze. Wszędzie dziadostwa pełno!

VÁCLAV II wbiegał po stromych schodach zamku w Budzie, przeskakując po dwa stopnie, nie bacząc na to, że patrzy na niego straż czeska i węgierska. Pod zamkiem gęstniał tłum ludzi skandujących:

— Przemyślidzi do domu!

— Precz z Czechami!

— Precz! Precz! Precz!

Płomienista orlica ledwie nadążała za swym panem.

— Vašek!... — wołał król. — Vašek!...

— To tutaj — pokazał mu sługa i Václav pchnął drzwi. Były zamknięte.

— Vašek! Otwieraj!

— Nie... — dał się słyszeć ze środka głos.

— Otwieraj natychmiast! — ryknął Václav, aż krople śliny poleciały na drzwi. — Rozrąbać drzwi — nakazał słudze i odsunął się, robiąc mu miejsce. — Ale już!

Widział wahanie w jego oczach, niepewność, któremu panu ma służyć, czy temu, który zamknął się w sypialni, czy jego wściekłemu ojcu, który od dwóch dni przebywał na zamku w Budzie i nie zdołał z synem zamienić jednego słowa.

— Jirka — przywołał dowódcę praskiej straży, który dobiegł już do swego pana. — Rozbij te drzwi.

— Tak jest, królu!

Po kilku uderzeniach toporem drzwi puściły. Jirka wyjął je z zawiasów i odstawił na bok, by Václav nie musiał przechodzić przez rozłupane drzazgi.

W wielkim, pełnym skłębionej pościeli łożu, siedział Vašek, jego syn. Król Węgier, Władysław V. Obok niego piętrzyły się puste miski, talerze i koszyki. W pościeli wygryzione z miąższu skórki chleba, ogryzki jabłek, pestki wiśni, kości ogryzione z mięsa. I coś jeszcze. Václav podszedł bliżej i odsłonił kołdrę. Pod nią, obok Vaška, zgięta wpół, z głową przyciągniętą do kolan siedziała mała, gruba dziewczynka w koszuli.

— Kim jesteś?

— Erzsébet, Ágnes, Margit — odpowiedziała, patrząc na niego wystraszonym wzrokiem.

— Wyjdź stąd — powiedział spokojnie, choć poczuł, że zbiera mu się na torsje. — Wyjdź szybko, nim się zezłoszczę.

Dziewczę wyskoczyło na tyle zręcznie, na ile pozwalała jej tusza. Tłukąc gołymi piętami w posadzkę, umknęła przez wysadzone z zawiasów drzwi.

— Czy ona ma chociaż dziesięć lat? — spytał syna.

— Mówiła, że nie. Mam nadzieję, że nie kłamała — powiedział Vašek, nie ruszając się.

— Ubierz się. Nie będę rozmawiał tutaj. Jirka, doprowadź do mnie syna jak będzie gotów. Czekam w sali tronowej.

Szedł tam powoli. Krok za krokiem. Przeżuwał swą klęskę. Dlaczego sam nie objął tronu Węgier, tak jak zrobił to w Królestwie Polskim? Dlaczego zgodził się, by Władysławem V był jego głupi, bezmyślny, pełen chuci syn? Dzieciak, który w trzy lata zmarnował wysiłki i pieniądze włożone w ten tron. Václav zatrzymał się. Zwymiotował pod ścianę. Ondriczek podał mu chusteczkę i otarł twarz.

— Wina, królu? — spytał.

— Wina, Ondriczku.

Wszedł do pustej sali. Usiadł na tronie Arpadów i czekał, aż Ondriczek przyniesie mu kielich.

Lecz nim jego pokojowiec dobiegł z dzbanem i kielichem, na salę z brzękiem ostróg wkroczył Rupert, dowódca wojsk Václava. Ukłonił się.

— Królu, czy mogę mówić?

— Dobre wieści czy złe?

— Te drugie, mój panie.

— To poczekaj, aż Ondriczek poda mi wino. Napijesz się ze mną.

Do sali tronowej wszedł Jirka z Vaškiem. Jego syn, jego piętnastoletni syn, wyglądał jak Guta. Rozlazły i otyły, z ledwością upchnięty w złocistym kaftanie.

— Tylko że Guta urodziła dziesięcioro dzieci! — wrzasnął Václav, uderzając pięścią w oparcie tronu.

Wbiegł Ondriczek.

— Nalej mi i panu Rupertowi — powiedział Václav, i biorąc od pokojowca kielich, spojrzał na syna. Vašek przełknął ślinę.

— Mów, wodzu. — Václav wychylił łyk.

— Idzie na nas wojsko Karola Roberta. Z Andegawenem ciągną dzicy Kumani, których pozyskał przeciw królowi Władysławowi V. Panowie węgierscy wymawiają królowi posłuszeństwo, jeden po drugim. A książę Austrii Rudolf Habsburg wypowiedział wojnę Królestwu Czech. Zgrupował swe wojska koło Linzu, dołączyły do nich posiłki od Konrada, arcybiskupa Salzburga. Z południa ciągnie król Rzeszy i Rzymu, Albrecht Habsburg z wojskami Szwabii i Nadrenii. Lada dzień uderzą na Czechy.

— Albrecht Habsburg, mój szwagier. Mój były szwagier, wszak Guta w grobie. I jakby tego było mało, spłonął nam zamek w Pradze. Napijmy się, Rupercie! — Wzniósł w górę kielich. — Napijmy się za klęskę.

— Ależ tatku — jęknął Vašek i podbródek zaczął mu się trząść — ja już dwa ataki Andegawena przetrwałem w Budzie. Przetrwamy i trzeci.

— Rupercie, wytłumacz memu głupiemu synowi, dlaczego nie będziemy siedzieć w Budzie i czekać na atak Andegawena i Kumanów.

— Panie — Rupert skłonił się Vaškowi, ale ledwie głową — nasza ojczyzna, Królestwo Czech, jest w śmiertelnym niebezpieczeństwie. Wrogowie właśnie na to liczą, że będziemy bronić Budy za wszelką cenę. Że damy się uwięzić za murami twierdzy, a oni w tym czasie spustoszą nam kraj i wejdą do Pragi.

— Bardzo trafnie, Rupercie. Bez jednego zbędnego słowa. Napij się ze mną jeszcze. Ondriczku, polej nam.

Wychylił kolejny kielich. Słodkie tokajskie smakowało mu goryczą. Chyba nie był gotów na porażkę.

— Rupercie, ile mamy czasu, by opuścić Budę?

— Gdyby zależało to ode mnie, to zarządziłbym odwrót nawet dziś. Kumani Karola Roberta to sojusznicy równie niebezpieczni jak wrogowie. Dzikusy, którzy kochają grabić, gwałcić i palić. W naszym interesie jest, by pozwolono im iść przez Węgry. Wzbudzą taką nienawiść, że tutejsza ludność zatęskni za Przemyślidami i jak sądzę, przestanie krzyczeć: „Precz z Czechami!". Nadto Habsburgowie jeszcze nie połączyli swych sił w Linzu. Zatem przy szybkim marszu bez obciążania wojska wielkim taborem mamy szansę dotrzeć do Pragi, nim ruszy atak na Czechy.

— Tak też uczynimy, Rupercie. Ruszymy choćby i w północ. Szykuj wojska.

— A ja? Ojcze, a ja? — jęknął Vašek.

— Ty? Ty pojedziesz ze mną. Wracasz do domu. Ale najpierw zaprowadź mnie do skarbca. — Václav wstał z tronu Arpadów. — Nie potrzebuję w Pradze samego Władysława V. Wraz z nim chcę insygnia koronacyjne świętego Stefana.

WŁADYSŁAW jechał doliną Popradu na czele oddziałów węgierskich Amadeja Aby wiedzionych jak zawsze przez Mohara Białego. Obok niego stał Juhász Hunor. Matúš Čák nie mógł wystawić wielu zbrojnych, bo wciąż jeszcze tkwił w sojuszu z Václavem, ale przysłał mu Hunora, a wraz z nim lekką jazdę, z której zdjął swe znaki i zakazał im mówić, że są jego ludźmi. Kniaź Jurij, który nie zawiódł w czasie wyprawy na Sandomierz, tym razem miał na głowie Złotą Ordę i dał ledwie kilku rycerzy z pocztami. Do tego trzydziestka zaprawionych, kujawskich Doliwów, Leszczyców, Pomianów, Powałów i Awdańców. I Władysław z własnoręcznie przez jego siostrę, księżną Eufemię, wyhaftowanym sztandarem z półorłem, półlwem.

— Banici wracają do domu! — darł się na całą dolinę Ligaszcz.

Radosz, wciąż jako luzak, zbiegał z góry w dół, przed oddziałem, niczym harcownik przed wojskiem. Na prawym brzegu Popradu, na szczycie góry, pysznił się zamek Pławiec.

— Zamek strzeże brodu na Popradzie. Václav II dał go biskupowi Muskacie — powiedział Mohar.

— Muskacie? — zdziwił się Władek. — To dobrze. Od czegoś trzeba zacząć. Jałbrzyk! Dogoń Radosza, ogierek na linę i do wozów, żeby nam się przy robocie nie plątał. Uderzymy na Pławiec!

Podejście pod wzgórze było jedno. Górskie warownie nie dawały szans na zaskoczenie obrońców, którzy z zamkowej wieży widzieli cały teren jak na dłoni. Stanęli pod bramą. Władysław popatrzył na herb Muskaty — trzy korony — smętnie zwisające nad wejściem i Ligaszcz krzyknął:

— Książę Władysław z wizytą u biskupa krakowskiego Muskaty!

— Biskupa nie ma w zamku — odkrzyknął wartownik z bramy. Słowak.

— Więc wizyta się odbędzie bez gospodarza! Otwierać bramy!

— Książę chce oblegać? — dopytał Słowak.

— Jeśli nie zechcecie wpuścić!

Przez chwilę za bramą panowała cisza. Potem usłyszeli szczęk żelaznej zasuwy i brama została otwarta. Stanął w niej człowiek bez kolczugi, ledwie w przeszywanicy.

— Jestem Honza, dowódca załogi zamku.

— Witaj, Honza — powiedział Władysław i nie ruszył z miejsca. Rulka potrząsała łbem.

— Mój pan, biskup Muskata, zakazał mi jaśnie księciu otwierać bramy — oświadczył Honza, łypiąc za plecy Władka i próbując przeliczyć jego wojsko.

— To czemuś otworzył? — spytał książę.

— Bo ja mego pana, biskupa Muskaty, jeszcze na oczy nie widziałem. Polecenie wydał mi przez gońca. A ciebie, książę, widzę. — Rozbroił go szczerością Honza.

— Dobrze. Widzisz mnie, widzisz moje wojsko. Wyjdź, Honza, zobacz dobrze i przelicz. Mogę cię oblegać i zdobyć zamek, ale wtedy będę musiał zabić ciebie i obrońców. Ale możemy zrobić inaczej. Wy się poddacie, ja wejdę i obsadzę zamek i ty, Honza, i twoi ludzie, będziecie odtąd moją załogą. Masz żonę?

— Mam.

— Ja, Honza, swojej nie widziałem pięć lat i bardzo się do niej spieszę. Zamek Pławiec stoi mi na drodze. Więc zdecyduj.Ten przygryzł wąsy, raz jeszcze rzucił okiem na ludzi za jego plecami i powiedział:

— Zdecydowałem, książę. Wjedź.

Kopyta Rulki, a za nią kolejnych koni zabrzmiały na dziedzińcu.

— Honza! — zawołał książę, nie schodząc z konia. — Zdejmij wszystkie chorągwie Muskaty i przynieś tu, na środek.

Dał znak swoim ludziom, by okrążyli dziedziniec. Nie wszyscy się na nim zmieścili.

— Làszló fejedelem, ja z moimi zostanę pod zamkiem — zaproponował Hunor.

— Wybierz kilku, których zostawimy w Pławcu — szepnął mu Władek.

Chorągwie były trzy. Na każdej pyszniły się trzy gałki muszkatu i trzy królewskie korony.

— Rozpal ogień na dziedzińcu — rozkazał Władysław dowódcy zamku. — I spal je.

Honza spojrzał spode łba, ale wykonał polecenie.

Szmaty paliły się ciemnym, gryzącym dymem.

— Książę — powiedział półgłosem Wojciech Leszczyc — przeliczyłem ludzi. Rycerza tu nie ma żadnego, wszystkich razem zbrojnych, z Honzą, jest dziesięciu. Osiem bab i dwie dziesiątki różnej służby.

— Widzisz, Honza? Postąpiłeś mądrze. Łatwiej spalić chorągiew niechcianego pana, niż dać się samemu spalić. Kto cię zastępuje?

— Mój syn Martin.

— Przyprowadź go do mnie. Ile ma lat?

— Osiemnaście, książę.

Chłopak wyglądał na nieco mniej, ale w końcu Władek też nie wyglądał na swoje czterdzieści pięć.

— Martin pojedzie ze mną, biorę go na książęcą służbę. A tobie w jego miejsce zostawię trzech Węgrów. Nadal będziesz dowódcą Pławca, ale w moim imieniu. W imieniu księcia Królestwa Polskiego, Władysława Łokietka.

Honza przyklęknął i powiedział:

— Ludzie od dawna gadają, że Mały Książę przyjedzie. Ale ja nie wiedziałem, że do mnie. Jestem rad, panie.

— Już nie jestem Małym Księciem. Jestem Władysław Łokietek.

— Törpe Làszló fejedelem! — krzyknęli Madziarzy.

Nazajutrz opuścili Pławiec, zostawiając nad jego bramą chorągiew z półorłem, półlwem. Zeszli w dolinę Popradu i posuwali się szybko w stronę Dunajca. Władysław podnosił głowę, by patrzeć na zbocza gór przytykane złotem i czerwienią jesiennych liści, na górskie szczyty, ostre, wystające ponad zieleń świerków skały.

Przed zachodem słońca rozbili obóz u wlotu potężnej jaskini. Władek siedział przy ogniu, patrzył w jego płomienie i myślał o Jadwidze. O tym, jak wyglądają jego synowie, córka. Poczuł ucisk w żołądku. Zbliżali się do granicy Królestwa.

— Wina, książę? — spytał Ogończyk, podchodząc do niego z Moharem.

Skinął głową i wyciągnął rękę po bukłak. Jakiś spory ptak przeleciał nad ich głowami. Pawełek machnął ręką.

— Nietoperz. Pełno ich po jaskiniach.

Nazajutrz spotkali dwa czeskie zwiady, które na widok wojska Władysława umknęły.

— Ściągną posiłki — powiedzieli do siebie jednocześnie Pawełek Ogończyk i książę.

Władysław był gotów do bitwy, czekał na nią, choć przeczuwał, że Czesi w tej okolicy będą chcieli unikać bitwy i robić to, co najbardziej lubił robić on — szarpać. Szli z bronią w pogotowiu, z lotnym, madziarskim zwiadem Juhàsza Hunora, z Moharem w zabezpieczeniu tyłów. Dokładnie badali wąwozy i parowy, by nie wpaść w nie nieopatrznie i nie znaleźć się w potrzasku. Dwa dni drogi od klasztoru w Sączu wreszcie wpadli na zbrojny oddział Václava. Dwie szpice, węgierska i czeska, zderzyły się niemal łeb w łeb, wychodząc z wąwozu. Fehér Mohar wyjmując miecz, krzyknął:

— Za Węgry! Za tron Arpadów!

Wojciech Leszczyc, który był przy nim, zawołał:

— Za Królestwo Polskie i księcia Władysława!

I scepili się.

— Przyj! — krzyknął Władek, a do Węgrów: — Előre! Naprzód!

Bo nade wszystko nie chciał, by ludzie Václava zepchnęli ich z powrotem w wąwóz.

— Hunor! Bierz lekką jazdę i wjedźcie na zbocza. Trzeba oskrzydlić Czechów.

— Tak jest, Làszló fejedelem!

I za ludźmi Juhásza poszedł kurz. Z całą resztą Władek rzucił się w przód i zrobił to, o czym marzył od lat: bił Przemyślidów. Siły mieli wyrównane, o ile Czesi nie kryli gdzieś więcej zbrojnych po lesie. Ale kujawscy i węgierscy rycerze Władka byli tak wygłodniali, wyposzczeni bitwy, że szli, na ile konie pozwalały, i kosili wrogów jak zboże. Czesi rzucali kopie nieprzydatne w bliskim zwarciu, chwytali za miecze i kordy. Madziarzy cięli ich szablami, Doliwowie uderzali mieczami, tnąc skrzydła płomienistych orlic na trójkątnych tarczach, aż wióry leciały. A giermkowie, nie bawiąc się w piękną walkę, uderzali toporami, jakby rąbali drwa. Kilku Czechów rzuciło miecze na ziemię, krzycząc, iż się poddają, ale nikt tego nie słyszał, prócz Władka. W jego uszach czeskie „poddaję się" i „litości" brzmiało niczym hymn. A gdy czeski dowódca oddziału krzyknął: „Odwrót!", Władek najgłośniej, jak potrafił, wrzasnął:

— Gonimy! Előre!

I Rulka niosła go tak szybko, na ile pozwalały jej skały pod kopytami. Już przegonił Wojciecha Leszczyca, doganiał Mohara, już plecy Czecha były przed nim i darł się do niego:

— Stój i walcz! Walcz! Wyzywa cię książę Królestwa Polskiego, Władysław.

Czech, słysząc jego imię, zawrócił. Jego ludzie też. Władek poprawił tarczę i wpadł między nich.

— Zajęliście moją ziemię, a teraz chcecie uciekać, jak tchórze? — Uderzył mocno najbliższego. Ostrze miecza ześlizgnęło się po tarczy. Rulka, nie zmieniając kroku, sama skierowała się ku drugiemu.

W tejże chwili usłyszał znajome rżenie i tętent kopyt. Pomiędzy walczących wbiegł Radosz. Sznur, za który uwiązany był do wozu, luźno zwisał mu z szyi. Urwał się — pomyślał książę. Rulka prychnęła w stronę ogierka, ale on nie cofnął się.

— Nie puszczę was tak! — Władek uniósł ramię do ciosu, a Czech zasłonił się.

— Walcz! Walcz! — krzyczał do niego Władek.

Rulka, nie zwracając uwagi na Radosza, rozdęła chrapy i zmusiła konia przeciwnika do przejścia w młyn. Zrobili jeden obrót i książę wypatrzył drgnienie Czecha, przewidział zamach na bark, odparował i gwałtownie zmieniając tor swego ramienia, wraz z szybszym krokiem Rulki, pchnął Czecha w szyję. Chlusnęło krwią. Klacz nie znosiła posoki, skoczyła w bok. Radosz za nią. W tej samej chwili usłyszeli gwizd Juhásza i z góry, z krawędzi wąwozu posypał się grad strzał. Uskoczyli na boki i pozwolili Węgrowi dostrzelić niedobitki.

— Połapać konie! Radosza przyprowadzić. Pozbierać broń. Musimy pogrzebać poległych.

Władek dopiero teraz pożałował, że nie wziął choć jednego jeńca. Otarł czoło, oddychał ciężko.

— Psiakrew. Nie powinienem tak... — Zeskoczył z siodła. — Fryczko! Obejrzyj jej pęcinę. Nie wiem, czy nie jest draśnięta.

— Książę! Takich draśnięć jak to jedno Rulki ty masz na samej twarzy pięć. Na obliczu, chciałem powiedzieć.

— Ale obejrzyj, jak mówię!

— Obejrzę, proszę jaśnie księcia!

— Co ci? — Przyjrzał mu się Władek. — Dostałeś toporem w hełm i masz teraz pomroczność? Albo zawroty głowy?

— Nie, proszę jaśnie księcia. Ja mam teraz jasność i twoje wojsko też!

— Panie! — Podbiegł do niego Pawełek Ogończyk. — My już jesteśmy w Królestwie! Goniąc Czechów, przekroczyliśmy granicę!

— Jesteś pewien? — Władkowi serce podskoczyło do gardła.

— Spójrz, książę! — Ogończyk pokazał na zbocze góry, gdzie pomiędzy zjeżdżającymi jeźdźcami Juhásza zbiegali wieśniacy. Zbili się w grupkę na drodze i zdążali ku niemu. Zatrzymali się o pięćdziesiąt kroków od księcia i zdjęli czapki. Wpatrywali się w niego z niedowierzaniem.

— Kim jesteście? — spytał Władek.

— My tutejsi, ze wsi klasztornych, od klarysek z Sącza... — powiedzieli do niego łamaną, góralską gwarą, ale bez wątpienia po polsku.

W tej samej chwili Fryczko przyprowadził Radosza.

— Spójrz, książę.

Władek odwrócił się. Radosz miał nad czarnymi ślepiami, na szczycie białej strzałki, plamę krwi. Rulka podbiegła do ogierka. Dotknęła go łbem i polizała w czoło. Raz, drugi. Zlizała krew.

— Przecież ty nie znosisz... — zaczął Władek.

— O rany! — jęknął Pawełek. — Ale znak!...

— Törpe Làszló kirâly! — krzyknęli Węgrzy, a równo z nimi Kujawianie:

— Władysław Łokietek będzie królem!

Wieśniacy wbili wzrok w czoło Radosza, w czarną, piękną Rulkę i wreszcie we Władka. I przyklęknęli przed nim.

Władysław położył rękę na łbie Radosza. Dotknął białej strzałki na jego czole i śnieżnobiałej korony wieńczącej strzałkę, którą spod krwi wydobyła Rulka.

MECHTYLDA Askańska czekała na tę chwilę długo. Wreszcie wraca do gry. Václav Przemyślida w opałach; nikt nie rozdaje bogactw tak hojną ręką jak zaszczuty zwierz. Czas, by mu wystawić rachunek za sprzątnięcie im sprzed nosa Rikissy. Na wspomnienie wyrwania z Salzwedel królewny gotowała się w niej brandenburska krew! Ach! Tyle pracy włożyła w usunięcie ze świata pierwszej żony swego ukochanego syna, Ottona, by zrobić przy jego boku miejsce na Rikissę i gdy już była gotowa, sprawy wzięły w łeb! Gdyby nie to, że Václav szybko zaręczył się z Rikissą, to dzisiaj jej syn byłby dziedzicem Królestwa! A tak? Słodki Otto w ramionach drugiej żony znalazł pociechę po pierwszej i rozmodlił się, zupełnie tracąc prawdziwy brandenburski impet. Odbiło mu.

Z Ottonem ze Strzałą, swym kuzynem i kochankiem, spotkała się na polowaniu, pod Strzelcami Krajeńskimi. Przemierzali konno jesienny las, a czerwony orzeł Mechtyldy raz po raz odbijał się z jej rękawicy i leciał na łów.

— Pani! — Otto zawrócił konia tuż przed nią. — Jesteś w doskonałej formie.

— Co dzień ćwiczę orła! — zaśmiała się Mechtylda, pokazując ostre, białe zęby i mocno ściągnęła wędzidłem klacz. — Nie jestem cierpliwa, wiesz. Ale gdy sprawy idą źle, trzeba dzień w dzień być gotowym na zwrot losu. Tak jak ja!

— Tęskniłem za tobą — szepnął.

Przyjrzała się mu. Gładko wygolona łysa czaszka, skórzana przepaska na wybitym strzałą oku. Ale plecy już nie dość proste. Siwa ostra szczecina na brodzie. Ciemne plamy na skórze jak na skorupie ptasiego jaja. Jeszcze dziesięć lat temu był świetnym kochankiem. Dzisiaj nie miała na niego ochoty, dzisiaj nie biła od niego moc. Dlaczego wszyscy mężczyźni, którzy budzili w niej pożądanie, starzeli się tak szybko? Dlaczego wczorajsi wojownicy zamieniali się w dziadów, podczas gdy ona ciągle pozostawała sobą?

— Jedziemy! — zdecydowała. — Muszę przygotować Waldemara do spotkania z Václavem.

— Waldemara? — zdziwił się skrzekliwie. — Sądziłem, że pojedzie Jan. Waldemar jest zbyt porywczy.

— A ty zrobiłeś się nudny — powiedziała pod nosem, wiedząc, iż tego nie słyszy. Brandenburczyk musi być twardy, porywczy i nieco dziki. — Zaśmiała się do swych myśli. Takim byłeś, Ottonie ze Strzałą. Byłeś. I już nie jesteś.

Gdyby utoczyć krew z dwudziestopięcioletniego Waldemara, trzeba by zlewać ją do dwóch naczyń osobno. Młodzieniec bowiem był równo po połowie Piastem, po siostrze Przemysła, i Brandenburczykiem, po jej kuzynie, margrabim Konradzie. W jego żyłach działo się jednak coś dziwnego, jakby krew obu rodów nie łączyła się, tylko płynęła osobno, nieustannie się burząc. Mechtylda ilekroć widziała Waldemara, musiała uczciwie przyznać, iż marzyła, że na takiego mężczyznę wyrośnie jej własny syn. Teraz też. Patrzyła na obu margrabiów, którzy wyjechali im naprzeciw: wysoki, kluchowaty Jan o obliczu wiejskiego plebana i przy nim gibki, muskularny mężczyzna o sprężystej sylwetce żbika. Jak to możliwe, by jedno łono wydało dwoje tak różnych dzieci?

— Pani! — Waldemar uniósł dłoń na jej powitanie.

W jesiennym słońcu zalśniły idealnie złote loki.

Ma twarz anioła, ciało wojownika, a duszę mordercy — zauważyła Matylda. Jej brandenburski orzeł krzyknął do orła Waldemara i obie bestie wzbiły się w powietrze, krążąc nad ich głowami. Otto ze Strzałą przechylił głowę. Zesztywniały od jazdy kark nie pozwalał mu jej unieść prosto. Łypnął jedynym okiem na orły, na Waldemara i Mechtyldę. Odpowiedziała mu lekceważącym uniesieniem brwi. Czyż to jej wina, iż kiedyś, przed laty ich orły polowały wspólnie?

— Waldemar mógłby być twoim synem — syknął do niej z przyganą.

Wzruszyła ramionami i roześmiała się cicho.

— Nie bądź zazdrosny. To ośmiesza mężczyznę. Stary samiec musi wiedzieć, kiedy odejść ze stada, inaczej młody przegna go. — Wyprzedziła Ottona i uśmiechnęła się do Waldemara promiennie. — Margrabio! Znasz historię Strzelec Krajeńskich?

Ruszyli wspólnie do grodu. Waldemar rozciągnął usta w uśmiechu, tak iż zobaczyła dziurę po jego wybitym zębie.

— Znam, pani. Ale mam nadzieję, że ty oszczędzisz mi porównań do Przemysła?

Roześmiała się. Młody żbik.

— Krążą słuchy, że odbywasz po lasach specjalne polowania. Prawda to?

— Chcesz zobaczyć mój zwierzyniec, księżno Mechtyldo? Zapraszam, to w ruinach dawnego kościoła, za grodem.

Zjechali wąską drogą bok w bok. Trawy jeszcze zielone u nasady, złociły się już na szczytach. Konie wspinały się pod niewielkie wzgórze, po obu stronach ścieżki spalone kikuty pni czarnym ściegiem znaczyły drogę. Przed kamienną bryłą dawnej świątyni kręciła się straż. Na kościelnym murze szare i czarne ślady po ogniu sięgały dachu.

— Tyś go spalił? — spytała.

— Ja — odpowiedział Waldemar, zeskakując z siodła. Jego konia odprowadził sługa, a margrabia wyciągnął ręce ku Mechtyldzie.

— Pozwolisz, pani?

Spojrzała w jego jasne oczy, poczuła woń młodego męskiego ciała.

— Pozwolę — odpowiedziała, nie spuszczając z niego wzroku.

Chwycił ją w talii, uniósł i powoli opuszczał na ziemię. Trzymał mocno. Postawił i ich usta złączyły się na krótką chwilę. Mechtylda poczuła zimno.

— Zapraszam do zwierzyńca, pani!

Wartownik otworzył żelazne drzwi kiedyś wiodące do świątyni. Waldemar sam wziął pochodnię. Księżna uniosła wysoko suknię, przechodząc przez próg. W jej nozdrza uderzył smród spalenizny, ludzkich odchodów, brudnej słomy i spoconych ciał. Pod ścianami siedziało przynajmniej trzydziestu ludzi. W większości kobiety, dzieci. Kilku starców. Obdarci, brudni, wychudzeni i milczący. Żadnego płaczu, ani słowa skargi. Z ich oczu ziała pustka.

— To Dzicy — z dumą oznajmił Waldemar. — Mówią na siebie Stara Krew, ale ja zapewniam cię, że płynie jak każda inna. Łapię ich po lasach i przyprowadzam do Boga.

— Po co?

Roześmiał się.

— Gdy uzbieram stu, złożę Panu ofiarę żywą. Ten kościół nosił kiedyś wezwanie Wniebowstąpienia. Chcę go odnowić.

— Waldemarze, Wniebowstąpienie to pójście żywcem do nieba — nadała swemu głosowi lekkość — i dotyczy tylko osób świętych. Nie sądzę, by Dzicy mogli dostąpić takiej łaski.

— Ja także. Oni będą tylko ofiarą przebłagalną. Zamienię ich w dym.

Mechtylda poczuła ucisk w żołądku. Ona, którą pokątnie nazywano wiedźmą, czarownicą, okrutną panią, poczuła się przy Waldemarze nieswojo. Jednak nie mogła okazać słabości. Odwróciła się do niego i powiedziała głośno:

— Jesteś wielkim łowczym, margrabio. I nie wiedziałam, że jesteś aż tak religijny.

— Nie jestem. Ale mam nadzieję, że gdy złożę ofiarę, odzyskam wiarę — odpowiedział i pokazał jej, by wyszli.

— A czy nie chcesz zająć się teraz odzyskaniem potęgi rodu? — powiedziała, gdy szli do koni. — Nie masz ochoty na wystawienie Václavowi II rachunku za Rikissę?

— Co proponujesz, pani?

— Miśnię.

— Miśnię? — Jego jasne oczy zalśniły.

— Bogatą, piękną Miśnię, która zwieńczyłaby posiadłości brandenburskie, wzmacniając Marchię na południu. Václav da nam Miśnię, a my mu damy posiłki wojenne przeciw Habsburgom. Los tej wojny niepewny, trzeba urwać, co się da, a w zamian dać to, co nie kosztuje zbyt wiele. Naszemu rycerstwu przyda się odrobina rozrywki, jaką jest wojna na cudzym terenie, nie sądzisz, Waldemarze?

— A jeśli wygra Habsburg?

— To Miśnia i tak zostanie w naszych rękach — roześmiała się.
— Habsburg musi mieć poparcie elektorów Rzeszy, a jeśli, jak powiadasz, wygra, to on będzie się starał, by odwrócić sojusze. Wciąż jeden z siedmiu elektorskich głosów należy do nas, czyż nie?

— Mnie bardziej interesuje Pomorze niż Miśnia.

— A nie uważasz, iż jedno może być mostem do drugiego, Waldemarze?

Poprawił popręg przy siodle.

— Zatem, księżno Mechtyldo — powiedział, odwracając się do niej — należy zawieźć naszą ofertę już, bez dnia zwłoki. Póki Václav jest w odwrocie, póki słaby.

— I póki nie zlecą się padlinożercy, Waldemarze! — Klasnęła w dłonie i jej orzeł przyleciał natychmiast.

— Pomóc? — spytał, patrząc w jej oczy.

Zaprzeczyła ruchem głowy. Nie wiedzieć czemu, nagle poczuła, iż nie chce, by Waldemar znów jej dotknął.

— Dziękuję — odrzekła, wsuwając nogę w strzemię i podciągając się na siodło.

Podał jej wodze. Ich palce zetknęły się. Zrozumiała w jednej chwili. On stał się zimnokrwisty.

OFKA, klaryska wrocławska, z domu księżniczka Starszej Polski, siostra nieżyjącego króla Przemysła, wraz z Jadwigą Pierwszą i opatką pochyliła się nad Elżbietą. Srebrne włosy jej ciotecznej siostry straciły ten niezwykły lśniący czar, który tak odznaczał Elżbietę. Jadwiga Pierwsza pociągnęła nosem.

— Nie psuje się — powiedziała z uznaniem. — Zawzięta jest. Pewnie nie chciała dać nam satysfakcji, skorośmy się rozstały w gniewie.

W oczach Ofki lśniły łzy.

— Za młoda na śmierć.

— Gdyby nie skusiła jej złota Praga, żyłaby — smutno potwierdziła opatka. — A tyle razy prosiłyśmy: „Wstąp do klasztoru!". To nie. Świata jej się chciało. Władzy.

— Mężczyzny — uzupełniła Pierwsza i unosząc głowę znad otwartej trumny Elżbiety, spytała: — Myślicie, że miała tam jakiegoś Czecha? Przed wielkim pożarem?

— A czy to ważne w obliczu śmierci? — załkała Ofka.

— My tu wszystkie dziewice, modlimy się o dostąpienie łaski dobrej śmierci, liczymy na to, iż święta Klara zabierze nas do siebie — sucho powiedziała opatka.

— No właśnie. — Pierwsza była w jakimś zadziornym nastroju i powtórzyła sarkastycznie: — Liczymy.

— Wierzymy — poprawiła się opatka.

— Gryfinę ponoć zamkną do praskich klarysek. Mówiła ta nowicjuszka z Pragi, że księżna krakowska pazurami się trzyma dworu Václava.

— Nie ponoć, tylko na pewno. — Opatka wstała znad trumny i zajęła swoje zwykłe miejsce. — Pisała do mnie tamtejsza ksieni z pytaniem, czy my byśmy nie wzięły Gryfiny, bo one się jej boją. Zszargała sobie reputację.

— O! To może byśmy wzięły! — ożywiła się Pierwsza. — Miałaby co opowiadać w długie zimowe wieczory. I w letnie.

— A do Sącza nie wróci? — zdziwiła się Ofka, lokując się na wąskiej ławie naprzeciw trumny, tak by mogła spoglądać na twarz Elżbiety i myśleć, że stryjeczna siostra jest z nimi jak dawniej.

— Straszyła, że prędzej skoczy do Wełtawy, niż wróci do Sącza. Tak pisała ksieni od świętej Agnieszki z Pragi. Ale, siostry moje, ja bym jej nie brała. Wiem, Jadwigo Pierwsza, że lubisz sobie posłuchać o strasznym świecie, przed którym nas szczęśliwie osłonił klasztor, lecz my tu mamy same księżniczki krwi, jedna w drugą Piastówny. A Gryfina co? Z Rurykowiczów, po Leszku Czarnym żona Piasta i to jeszcze z zasługami wobec Przemyślidów. Niech oni ją na swój garnuszek wezmą, skoro im, a nie naszej dynastii służyła całe życie.

— Zgadzam się z opatką. Gdyby Gryfina nie zapisała Krakowa Václavovi, to kto wie, czy mój świętej pamięci brat, Przemysł, nie zdobyłby go wtedy? Kto wie, gdzie dzisiaj byśmy byli.

— A jakieś inne nowe przyjdą? — ugodowo spytała Pierwsza.

— Mamy trzy córki Elżbiety do nowicjatu — przypomniała opiekuńczo Ofka.

— Ale to dziewuszki, świata nie znają, co one nam będą opowiadać!

— Pomyśl, Jadwigo Pierwsza. Co twoja świątobliwa matka, a nasza babka, księżna fundatorka Anna, powiedziałaby na przyjęcie do zgromadzenia Gryfiny? — wjechała jej na ambicję opatka.

— Kapituluję! — Rozłożyła ramiona najstarsza i wstała, by rozruszać nogi. Poprawiła przy okazji Elżbiecie suknię, która się nieładnie zagięła.

— „Ja, biskup Henryk, który żyję w stanie książęcym" — zacytowała Henryka z Wierzbna Ofka, zmieniając temat. — Coś takiego! Ja myślałam, że po wojowniczym biskupie Tomaszu drugi taki się już nie urodzi, a tu proszę! Mamy nowego pasterza, co sam siebie nazwał księciem! Ciekawe, co na to Muskata? Do niedawna to biskup krakowski wiódł prym w łapczywości na władzę, majątki i tytuły.

— Ale go ukrócili. Muskata jest za cwany, by wojować z biskupem Henrykiem. Oni mi się zdają synami jednej matki. Pazerni, żądni władzy, o nieposkromionej ambicji. Jeśli się sprzęgną, jeśli połączą swe siły, to nawet Václav Przemyślida będzie im jadł z ręki.

— Václav to się na razie wstydu najadł — zaśmiała się z satysfakcją Pierwsza — za synalka. Historia o tym, jak go zabierał z Węgier, doskonała! Mogłyśmy tego pielgrzyma przetrzymać dłużej, to by nam jeszcze ze dwa razy opowiedział.

— Ale insygnia Arpadów ukradli do Pragi. — Załamała ręce Ofka. — Nasze zabrali z Poznania na koronację mej bratanicy Rikissy i nie zwrócili. Trzy korony w jednym skarbcu...

— Uspokój się, Ofko. Pamiętasz, co mówił arcybiskup Jakub Świnka? Złota korona, nawet najstarsza, nikogo królem nie czyni.

— No wiem, ale boli. — Ofka wytarła nos. — Szkoda, żeśmy się z Elżbietą rozstały w gniewie. Gdyby nie to, mogłybyśmy jej zlecić wykradnięcie z Pragi polskich insygniów! To by dopiero było!...

— A może by tak Gryfinę namówić? — próbowała być sprytna Jadwiga Pierwsza.

Opatka wstała z miejsca i zaklaskała w jasne, wąskie dłonie.

— Uspokójcie się. Jesteście mniszkami świętej Klary! Miałyśmy dzisiaj modlić się o dusze w czyśćcu cierpiące, a my co? Płoche plotki! Upominam was, że inne mamy powinności. Pomódlmy się za duszę naszej siostry Elżbiety, nim ją do grobu złożymy.

Przez chwilę szeptały przykładnie pod wodzą głogowskiej opatki, aż odwołała alarm stanowczym:

— Amen!

— Jadwigo... — nieśmiałym głosem zapytała Ofka, gdy wstały z kolan. — A skąd mamy wiedzieć, czy modły nasze wysłuchane? Jak poznać, czy dusza ludzka zostaje uwolniona z czyśćca?

Opatka rozłożyła ręce, mówiąc bezradnie:

— Nie wiem. Modlić się, modlić i cała nadzieja w Panu. Ogień czyśćcowy tym się różni od piekielnego, że nie pali się wiecznie.

Wokół otwartej trumny Elżbiety zapanowała niezręczna cisza. Przerwała ją najstarsza z nich.

— Moja babka, święta Jadwiga z Meranu, była też ciotką świętej Elżbiety i ze swą siostrzenicą nie raz wymieniała natchnione listy, w czasie gdy Elżbieta była już na łożu śmierci i widziała nad sobą otwarte niebo i pełen dusz czyściec. Ponoć Elżbieta przekazała jej wiadomość, iż dusze, którym wymodlimy łaskę, przechodzą do nieba w światłości przypominającej gromy, takie jak w czasie burzy. Tak to widziała święta Elżbieta.

— Ja się boję gromów — szepnęła Ofka.

— Ale i do świętej ci daleko — dość surowo stwierdziła najstarsza. — Świętość niczego się nie lęka.

— Więc sądzisz, że każda burza to znak, iż dusze zostają uwolnione z czyśćca? — dopytała opatka, starając się, by trwoga nie brzmiała w jej głosie.

— Burza to burza. Pioruny i deszcz. — Zdenerwowała się Jadwiga Pierwsza. — Coście się nagle zrobiły zabobonne? Toż to Dzicy modlą się do piorunów. Ja wam opowiadam o jasności wiekuistej! Babka mówiła jeszcze, że Pan Bóg raz na jakiś czas wpuszcza do nieba całe zastępy oczyszczonych i wówczas światłość bijąca od nich jest tak wielka, że widzimy na ziemi jasne światło, niczym kometę.

— A ja sądziłam, że kometa to zapowiedź nieszczęścia — wyrwało się Ofce.

Jadwiga Pierwsza łaskawie udawała, iż tego nie słyszy.

— A gdy moja święta babka sama była bliska śmierci, wyznała, że czasem dusza jednego człowieka, niczym baranek ofiarny, niesie na sobie grzechy księstw i królestw. Jeśli taką duszę Bóg uwolni z czyśćca, to światło na ziemi będzie takie, iż nas, maluczkich, porazi.

— Och! — Podskoczyły Ofka i opatka i niechcący potrąciły wieko trumny, które spadło z łoskotem na posadzkę. Twarz Elżbiety, do niedawna księżnej wrocławskiej, pozostała niewzruszoną. Bo dzisiaj była już zwykłą zmarłą i nie dotykały jej sprawy tego świata.

WŁADYSŁAW wiedział, że nawet jeśli wojska Václava II wpuściły go, bo je rozbił w górach, prędzej czy później zajdą mu drogę. Wiedział, że to tylko kwestia czasu; że nie ma co liczyć na tryumfalny pochód, mimo tego, iż ludność wsi witała go jak króla. W każdym przysiółku czekał na niego upleciony z gałęzi łuk tryumfalny i stół zastawiony miodem, chlebem i mlekiem. I legendy.

— Wiedzielim, że książę nadjeżdża, bo Madonna Wiślicka znaki oczami dawała.

— Już tamtej zimy był kaznodzieja wędrowny, co mówił, że czas powrotu króla bliski!

— Ta jaskinia, co się w niej najjaśniejszy książę ukrywał, sama zaczęła głosy dawać. Jak się do niej krzyknie: „Czy wróci?", to odpowiada: „Wróci".

— Jaskinia? Wyjaśnij mi, Fryczko, jaka jaskinia? — Władek przerwał ostrzenie miecza i spojrzał na giermka. Bo to Fryczko wszystkie opowieści o nim zbierał i wieczorami mu powtarzał.

— No, ta jaskinia, w której książę siedział i zbierał swe wojsko — poważnie odpowiedział Fryczko.

— Ale na Boga, ja nie siedziałem w żadnej jaskini!

— Moja wina, że książę nie siedział? A jak nie siedział, to może i Madonna Wiślicka znaków nie dawała, co? Madonnie książę zabroni? Kaznodziei włóczędze książę zabroni? A w ogóle, to jak książę w jaskini nie siedział, skoro lud wie, że siedział?

— Gdzie nasz książę siedział? — dopytał Jałbrzyk, który wszedł do namiotu.

— Fe, co za paskudztwo! — Fryczko szmatą przegonił ptaszysko, które wleciało za Jałbrzykiem. — Poszedł precz! Nietoperze w biały dzień! A książę pan w jaskini siedział — odpowiedział Jałbrzykowi, wracając. — Tak głosi lud, a lud swoje wie.

— To ja coś przegapiłem? Ja? I co ja będę wnukom opowiadał...

— Nie opowiadaj, Jałbrzyk, tylko wołaj do mnie Wojciecha Leszczyca — zarządził Władek. — Wyślemy go z posłaniem do kasztelana Wiślicy.

Odłożył miecz Bolesława. Wciąż nie nadał mu imienia, bo wciąż nie użył go w walce. Oręż był długi. Bardzo długi, dla wysokiego mężczyzny. Władysław wiedział, że od zdobycia Wiślicy musi zacząć. Jednocześnie wchodził w najtrudniejszy etap wojny — walkę we własnym kraju. W kraju obsadzonym czeskim wojskiem, czeskimi starostami i urzędnikami, ale zamieszkanym przez rodaków. To tak, jakby stąpał po pękającym lodzie — chce przejść na drugą stronę, a utonąć może w każdej chwili. Chciał odbijać kraj z rąk Czechów, a nie zabijać swoich. W dodatku wciąż zrobił ledwie krok i nie był pewien nastrojów, jakie panują w Królestwie. To, że przy granicy lud go witał, opowiadał legendy o Madonnie i jaskiniach; to, że przebijała przez nie nadzieja, iż wróci, i wreszcie to, że każdy, kogo spotykał, miał dość czeskich rządów, to jedno. Nikt tak dobitnie jak Władek nie przekonał się na własnej skórze, że to baronowie sadzają na tronach i z nich zrzucają. A baronowie mieli dość powodów, by dochować wierności Czechom. Zwłaszcza ci, których Václav II wynagrodził nadaniami, urzędami i swą złotą łaską.

Posłał młodego Leszczyca do Wiślicy. Ale gdy ten nie wracał cztery dni, Władek, nie chcąc czekać dłużej, zwołał dowódców węgierskich, Fehéra Mohara i Juhásza Hunora, i swoich, Pawełka Ogończyka i Wilka Awdańca.

— Panowie, będziemy radzić.

— Oczywiście, książę.

— Törpe Làszló fejedelem.

Władek wyprostował obolałe plecy.

— Siedzimy w miejscu przeszło tydzień — powiedział. — Wojciech nie wrócił, nie wiemy, co nas czeka w Wiślicy. Uważam, że nie powinniśmy dłużej zwlekać, tylko iść.

— Idziemy — powiedzieli Wilk i Pawełek.

— *Igen. Elöre.* — Kiwnęli głowami Węgrzy.

— No, to się naradziliśmy — potwierdził zadowolony Władek. — Zwijać obóz.

Ruszyli w rześkim, jesiennym powietrzu. Rulka poprowadziła przeprawę przez Wisłę. Radosz szedł przy jej boku, klacz pokazywała mu, jak szukać brodu, jak unosić łeb, gdy woda zbyt wysoka, i kiedy zawrócić. Władek wpatrywał się w strzałkę z koroną na łbie młodego ogiera. Znaki. Wszędzie znaki. Potrzebował ich, bo któż nie chce widzieć, że nadzieje mogą się spełnić? I jednocześnie nie ufał znakom. Skąd pewność, że pochodzą od Boga? Że nie są ułudą, grą zmysłów, podszeptem ciemnej mocy, mającej uśpić czujność?

— Książę! Na drugim brzegu wojska Przemyślidy!

— Przyspieszyć przeprawę! — krzyknął Władek.

W rzece są wystawieni na strzały jak kaczki. Rulka ruszyła szybciej, Radosz za nią. Czesi dopiero szli, byli dobre dwa stajania od brodu, ale proporce z płomienistą orlicą widać było z daleka; powiewały nad ich głowami jak języki ognia. Jego klacz już wychodziła na brzeg. Odwrócił się.

Madziarzy wyglądali, jakby konno wypływali z Wisły. Pawełek z Kujawianami już otrząsał się z wody. Giermkowie podawali rycerzom kopie.

— Naprzód! Z wody i pod wiatr! — krzyknął. — Zagasimy ogień przemyślidzkiej orlicy!

— *Előre! Ellenszél!* — zawyli Węgrzy.

I ruszyli. Byli jak mokra chmura, którą pędzi wiatr, ich konie strząsały z siebie wodę z przeprawy, i rżąc, biegły szybciej i szybciej. Czesi najpierw ustawili się w szyku, ale widząc rozpęd wojsk Władysława, zawrócili w miejscu i ruszyli w stronę Wiślicy.

Nie dać im schronić się — przemknęło przez głowę Władka — nie pozwolić im zamknąć się za murami miasta.

Rulka przeszła w galop, ale szybciej od niej biegł Radosz, wolny koń bez jeźdźca i siodła, który wyglądał teraz jak ogier prowadzący rozpędzone dzikie stado. Mohar i Hunor na skrzydłach, już sforowali się, już okrążali Czechów. Mury Wiślicy były blisko. Nie pozwolić im wpaść do środka.

Ivan, rycerz kniazia Jurija, krzyknął do Władka:

— Kniaziu! Łucznicy!

— Łucznicy! — zawył Władek, a Madziarzy w lot pojęli, że mają zrobić to, co robią Tatarzy. Ostrzelić uciekające rycerstwo, zarzucić je gradem strzał, które być może nie trafią i nie zabiją nikogo, ale zatrzymają ucieczkę, wytrącą jej impet na tyle, by pościg mógł dogonić uciekających i się z nim zetrzeć.

Poskutkowało. Szereg czeski złamał się. Wystarczyło, by zbrojni Hunora i Mohara domknęli okrążenie, zamykając Czechów w wielkim kotle pod murami Wiślicy. Władek stracił z oczu Radosza i już wjeżdżał pomiędzy pierwszy szereg czeski z kopią gotową do walki. Z grotem wycelowanym w najbliższą płomienistą orlicę na trójkątnej tarczy. Jest! Uderzeniem wysadził Czecha z siodła. Kopia skruszyła się; nim ją wyrzucił, przywalił drzewcem w łeb następnego. Miecz. Czas na miecz Bolesława. Okręcił się na Rulce. Zobaczył, że Czesi rzucają broń i proszą o litość, poddając się. Z murów Wiślicy patrzą ludzie. Musi zachować się godnie. Jak rycerz, jak książę. Już miał krzyknąć: „Dosyć!", gdy Rulka zarżała dziko i rzuciła się w stronę kłębowiska Czechów, pieszych i konnych. Widział tylko koński zad o kilkanaście kroków przed nimi. Spojrzał na jeźdźca. W górze ramię z mieczem, jak do pchnięcia. Klacz uniosła się do skoku, w ostatniej chwili złapał się grzywy, i nie zastanawiając się, co robi, mocno wychylił się w bok i pchnął rycerza w plecy. Długość miecza nagle stała się jego zaletą, nie przeszkodą.

— Radosz! — krzyknął, gdy Czech spadał z siodła, a Rulka wreszcie stanęła na ziemi.

Ogier rzucał się, atakując pieszych kopytami. Na szyi miał zarzucone pęto i jakiś giermek usiłował go złapać, drąc się:

— *To je čert!*

— Sam jesteś czort, głupku! — krzyknął Władek, uderzając go płazem miecza.

Giermek puścił sznur, Radosz wymknął się im i odbiegł parę kroków dalej, choć nie zamierzał opuszczać pola bitwy. Czesi poddawali się jeden po drugim.

— Brać jeńców! — krzyknął. — Nie dobijać!

Węgrzy pętali ich, odbierając broń. Giermkowie odprowadzali konie na bok. Władek gwizdnął na Radosza. Ogier podbiegł ku niemu chętnie.

— Rulka, luzak nie może walczyć, wytłumacz mu to. Koń bez jeźdźca w tumulcie bitwy to przeszkoda nawet dla swoich. I powiedz mu jakoś, że to ja jestem książę. Ja prowadzę wojsko, nie on.

— Od tej białej korony się mu w głowie poprzewracało — powiedział Ogończyk, podjeżdżając do księcia. — Ale musisz, panie, pomówić i z Węgrami. Fehér Mohar na każdym postoju chodzi do Radosza i daje mu jabłka, gada z nim po swojemu i pewnie mu mówi coś w rodzaju: „Radosz kiràly". Po dzisiejszym Madziarzy gotowi mu bić pokłony.

— To świetny koń. Ale na wojnie się nie wychowuje dzieci. — Pokręcił głową Władek i spojrzał w górę, na mury, na których gromadziło się coraz więcej ludzi.

— Pawełek, weź proporzec z półorłem, półlwem i każ wojsku ustawić się za mną.

Ogarnął wzrokiem pobojowisko. Zdjął hełm i podał giermkowi. Przeczesał palcami mokre włosy. Fryczko zdążył szepnąć za jego plecami:

— Nie zapomnij, książę, o Madonnie! O Jezusie i o strzemionach!

Ach, tak. Władek zwykle zapominał o strzemionach. Wisiały po bokach Rulki równie bezużyteczne jak uzda. Chwycił ją szybko i wsunął stopy na miejsce.

— Niewygodne, co, Rulka? — szepnął do klaczy. — Ale co zrobić. Książę musi tak, po pańsku. Nie dość, że Radosz nam biega luzem przed wojskiem, to jeszcze się wyda, że ja jeżdżę jak ten Dziki. No dobra. Gotowa?

Rulka przeszła w majestatyczny wolny krok, wysoko unosząc nogi i łeb. Jej piękna grzywa zatańczyła na wietrze.

— Mieszkańcy Wiślicy! — krzyknął Władek. — Oto nadszedł kres czeskiego panowania! To ja, wasz rodowity książę, nie żaden obcy! Władysław z rodu Piastów! Władysław, który musiał przed laty uciekać z kraju przed potęgą Václava Przemyślidy! Dzisiaj wracam do was. Jak widzicie, wzrostu mi nie przybyło, wracam do was jako Władysław Łokietek! — Uniósł wysoko ramię z mieczem Bolesława.

Przez chwilę trwała cisza na murach. Za swymi plecami usłyszał Ogończyka:

— Władysław Łokietek! Z Bożej łaski książę Królestwa Polskiego! Otwórzcie przed nim swe bramy!

— Törpe Làszló fejedelem! — zawołali wszyscy jego Węgrzy, uderzając szablami w tarcze.

I bramy otwarto. Ale nigdzie nie można było znaleźć kasztelana.

— Prowadźcie mnie do kolegiaty i do wiślickiej Madonny! — krzyknął Władek, bo Fryczko wciąż mu dawał oczami znaki.

Jechał pośród wiwatującego tłumu, z mieczem w dłoni. Widział zrywane pospiesznie z murów chorągwie z płomienistą orlicą. Zatrzymał się przed kościołem.

— Nie jestem barbarzyńcą, jestem chrześcijańskim księciem. Ale nie odeślę Václavowi II jego orlic. I nie spalę ich płomiennych skrzydeł. Wnieście je do kolegiaty. Podarujemy je wiślickiej Madonnie.

Znał ten kościół, modlił się w nim trzynaście lat temu, gdy zdobywał Małą Polskę i gdy ją tracił na rzecz Václava. Ale nie pamiętał Madonny. Może jej tu wtedy nie było? Złożył miecz na ołtarzu i ukląkł przed figurą. Patrzyła na niego kobieta. Uśmiechnięta kobieta z dzieckiem na ręku. Taka, która wita męża wieczorem w domu, stając w drzwiach i pytając, czy chce powiedzieć synowi dobranoc.

Taka, przy której wszystko się udaje. Madonna wiślicka nie miała w sobie cienia boskiej grozy, niebiańskiej melancholii, smutku matki rozumiejącej, iż trzyma w ramionach syna, którego ludzie ukrzyżują. Madonna wiślicka stała w najświętszym miejscu świątyni i śmiała się do niego, jakby chciała powiedzieć: „Nareszcie jesteś".

Wieczorem, gdy odebrał hołdy od wszystkich mieszkańców Wiślicy, gdy ściągać ku niemu zaczęło okoliczne rycerstwo, gdy odnalazł się już Wojciech Leszczyc, jak się okazało, zamknięty przez czeskiego dowódcę w lochu, zwołał swoich ludzi i obu węgierskich dowódców.

— Banici wrócili do domu! — Wzniósł z nimi toast. — Czas się naradzić, co dalej.

— Ja chcę zobaczyć Kraków! — oświadczył Hunor.

— Ja też — dołączył się Fehér Mohar. — I smoczą jamę. Bo to prawda, że macie smoki? Amadej Aba mówił, że w Krakowie żyją smoki.

— Ja myślę, że trzeba najpierw ruszyć na Kujawy. To twoje dziedzictwo, książę — powiedział Paweł Ogończyk.

— Mój brat Gerward jest już biskupem kujawskim — powiedział Przezdrzew Leszczyc. — Sądzę, że najpierw powinieneś się, książę, spotkać z biskupami, z arcybiskupem Jakubem Świnką, w Gnieźnie. Żeby pobłogosławili twój powrót. Poza tym, jak w każdym z kościołów ogłoszą, że książę Władysław wraca, to dopiero będzie powstanie ludu!

— Mnie się zdaje, że najpierw trzeba do Poznania tron Przemysła odzyskać. Bo to z tego tronu wyszliśmy — powiedział Nielubiec Doliwa.

— Z tego tronu nas zegnali — wszedł mu w zdanie Zdzierad. — I wcale nie wiemy, czy nas tam chcą.

— Dobra, spokój! Fryczko, polej wszystkim. Muszę skończyć z naradami — pokręcił głową Władysław — bo one się nie sprawdzają. Jesteście jednomyślni tylko wtedy, gdy pytam: „Bić czy nie bić?". A jak już trzeba coś przedsięwziąć, to każdy ma inne zdanie.

— Ale to miło, że książę nas pyta — uśmiechnął się Jałbrzyk. — Nawet jeśli nas nie słucha.

— Bracia Doliwowie, pojedziecie na Kujawy, wszyscy. Dacie znać naszemu rycerstwu, że idę z wojskiem. Przezdrzew, ruszysz do swego brata, biskupa Gerwarda, i do arcybiskupa Jakuba. Będziesz wiózł skarb.

— Skarb? Ale my nie mamy skarbu, książę.

— Mamy. Pamiętasz Ewangeliarz, który dał mi Bonifacy VIII? To jest skarb. Relikwia świętego Wojciecha. Arcybiskup Świnka stawia Wojciecha ponad każdym innym świętym, na jego kulcie odbudował arcybiskupstwo gnieźnieńskie. Chcę, żeby Ewangeliarz trafił do Jakuba II.

Władysław nie śmiał podyktować listu do arcybiskupa, bo co by w nim napisał? „Wróciłem"? Ale jednocześnie chciał mu dać znak, że jest i że zapamiętał każdą z jego nauk. Prawda, żal mu było rozstawać się z tą niewielką księgą, ale gdy przed laty uchodził z kraju, zostawiał za sobą wszystko, co było mu drogie i bliskie, więc lekcję rozstawania miał już przerobioną. Postanawiał i nie cofał słowa. Rozdzielał kolejne rozkazy.

— Przybysław ruszy do mojego bratanka, księcia inowrocławskiego, Leszka, i jego braci, Przemka i Kazia. Wilk i Dobiesław Pomianowie pojadą na Pomorze. A do Radziejowic, do księżnej pani, pojedzie...

— Ja — wyrwał się Pawełek Ogończyk.

— Ty? — zdziwił się Władek. — Przecież ty nigdy nie chciałeś jeździć z wiadomościami do księżnej. Nie, Pawełek, zostaniesz przy mnie. Do księżnej pojedzie ten gaduła. — Wskazał palcem Jałbrzyka.

— Ja? Naprawdę ja? — ucieszył się młody Pomian. — I będę mógł księżnej pani sam wszystko opowiedzieć? O Jezu!...

— Jałbrzyku. Będziesz nie tylko opowiadał księżnej. Zabierzesz ją i moje dzieci i sprowadzisz do Wiślicy. Bądźcie uważni, wszyscy. Ludzie Václava będą na was czyhać, to pewne. Żadnego chwalenia się po gospodach, kim jesteście. My zostaniemy w Wiślicy, żeby pozyskać rycerstwo sandomierskie. Chcę, byście obudzili ducha Kujaw.

— Książę! Książę! — Do komnaty wbiegł sługa. — Kasztelan wiślicki się odnalazł.

— Przyprowadzić!

Podszedł do nich szczupły niewysoki mężczyzna o twarzy zarośniętej kilkudniowym zarostem i z czołem niedbale zabandażowanym zakrwawioną szmatą.

— Panie! — Pokłonił się przed Władkiem. — Przybywam od biskupa krakowskiego Jana Muskaty.

— Toś ty kasztelan Wiślicy czy sługa biskupa? — wrogo spytał książę.

— Kasztelan i od dzisiaj twój wierny sługa, książę. Biskup Muskata mnie wezwał, jak tylko przybył do nas twój posłaniec, pan Wojciech Leszczyc. Kazał mi za wszelką cenę obronić Wiślicę przed tobą, panie. A gdybym cię spotkał, dał mi dla ciebie krwawy znak, który wybił na mym czole trzykrotnie swym pierścieniem.

Kasztelan odwinął szmatę i zobaczyli na jego głowie trzy krwawe gałki muszkatołowe.

— Biskup ci to zrobił? — rzucił się ku niemu Władek.

— Biskup. Jego siepacze trzymali mnie, a on mówił, że jeśli ci ulegnę, to wypali takie same na piersiach mych córek. On ciebie nienawidzi, panie. I zbiera wielkie wojsko, obsadza swe zamki jeden po drugim, szykuje się do obrony albo i wojny.

— Wojny? A odkąd to biskup prowadzi wojny? — Srogo zmarszczył czoło Władek.

— Odkąd Václav II uczynił go starostą Małej Polski. Swym namiestnikiem. Teraz to z nim będziesz walczył, książę.

— Trudno. Wydam mu wojnę. Skoro biskup stał się starostą Václava, nie mogę traktować go jak osoby duchownej.

— Nie możesz, panie. To nigdy nie był człowiek Kościoła, ale dziś, powiadam ci, jest straszny. I jeszcze jedno, książę. W lochu Muskaty jest twój bratanek, książę inowrocławski, Leszek.

TYLON cały rok przechorował, wilgotne powietrze Giecza nie służyło mu. Leżał w łóżku, służba grzała, ile się dało, a jego stare kości wciąż drżały. Nie pomagały gorące kamienie wkładane w workach do łoża, nie pomagał grzany miód. Miał dość czasu, by rozmyślać, i być może to właśnie było źródłem jego choroby. Nie dawało mu spokoju niedokończone dochodzenie, a przecież nikt go nie prosił, by prowadził to śledztwo. Sędzia Gniew orzekł, że króla zabili najemnicy, najpewniej na polecenie margrabiów brandenburskich. I wszyscy się z tym wyrokiem zgadzali, choć z braku dowodów nikt nie mógł do margrabiów wystąpić z jakimkolwiek roszczeniem. Tylona męczyły sprawy niezałatwione. Niewiadome, niedopowiedziane, niepewne. Były jak ssanie w żołądku, jak gorycz na podniebieniu, jak brzęczenie w uchu, które dopada w kościele i nie pozwala słyszeć psalmu. Gdy jesienią poczuł się jako tako lepiej, gdy mógł już dosiąść konia, powiedział do siebie: „Dość!". Dość leżenia, musi znów zacząć działać, wypuścić się, w choćby i ostatnią misję. I ruszył do Gostynia, do siedziby rodu Łodzia. Nie był tu od lat, wielu lat. Od czasu, gdy jako główny notariusz Przemysła napisał: *Sprawy ludzkie godne spamiętania idą nieraz w zapomnienie, jeżeli się ich nie utrwali na piśmie. Przeto my Przemysł, z Łaski Bożej książę Starszej Polski, oznajmiamy wszystkim ludziom i obecnym i przyszłym pokoleniom, którzy ten list czytać będą, że zważywszy wszystkie wierne zasługi ukochanego naszego komesa Mikołaja, generalnego sędziego dworu naszego, brata naszego umiłowanego nauczyciela Przybysława i syna Przedpełka, wojewody poznańskiego, dajemy jemu i jego potomkom z naszej życzliwości prawo założenia miasta w Gostyniu.*

I proszę, nowy Gostyń stoi! Dwie godne bramy, zameczek drewniany osłonięty od reszty grodu odnogą Kani. Wszędzie powiewają dumne chorągwie z płynącą łodzią, znakiem rodu. Życie wre! Mikołaja, wojewody gnieźnieńskiego, nie zastał. Z kimkolwiek rozmawiał i jakkolwiek się starał, niczego się nie dowiedział. O Płatku pamiętano, tak, owszem, był taki giermek króla. Ale że on nieślubny syn? Że bratanek wojewody Mikołaja? Natychmiast wszyscy nabierali wody w usta. O nie, potężny i prawy Łodzia nie mógł mieć nieślubnego syna. Mężczyźni odwracali głowy, a kobiety rumieniły się, przecząc. Jedna starowina przeżegnała się zamaszyście.

— Przecież on się powiesił! Tfu! Na psa urok! Duszę własną na zatracenie wystawił! Nie, jaśnie panie, to nie mógł być Łodzia. Panowie nasi pobożni i prawi!

Po takiej przemowie już nie śmiał wypytywać o miłość giermka do księżnej Lukardis. Wyjeżdżając z Gostynia Bramą Kaliską, pomyślał, że pamięć ludzka rządzi się swymi prawami. Gdyby giermek obronił króla, dziś wszyscy mówiliby, że tak, że on Łodzia z krwi i kości, ich syn, brat i najbliższy krewny. *Sprawy ludzkie godne spamiętania idą nieraz w zapomnienie, jeżeli się ich nie utrwali na piśmie.* O tak. Ale któż myślał o utrwalaniu historii tego czy tamtego rodu na piśmie?

— Dokąd teraz, panie? — zapytał sługa, gdy wyjechali na trakt. — Do braci pańskich, do Poznania? Czy do Giecza wracamy?

— Nie, nie wracamy, chłopcze.

Myśl o domu, o wilgotnym łożu, w którym spędził rok, wstrząsnęła nim. Wróci i całkiem oklapnie.

— Jesteśmy tak blisko Jarocina. Odwiedzę jeszcze Zarembów.

— Jak sobie jaśnie pan życzy. — W głosie chłopaka zabrzmiała niechęć. — Ale mnie się widzi, że na deszcz się zbiera.

Tylonowi wcześniej zdawało się, że wcale nie jest pochmurno, jego słabe oczy łowiły światło słoneczne.

— Na deszcz, powiadasz? — Bezradnie zadarł głowę.

— No, na deszcz. Co robić, kończy się jesień. Nie za późno to na podróże? Czy na dzień zaduszny zdążymy wrócić? Mnie matka ob- umarła tego roku, mam do omodlenia jej duszę.

— Podprowadź mnie synu do Jarocina i pojedziesz do domu. Wezmę sobie od Zarembów kogoś na powrotną drogę.

— Jak sobie jaśnie pan życzy — odpowiedział sługa wyraźnie za- dowolonym tonem.

Jechali szerokim, dobrym traktem, po obu jego stronach ciągnął się las. Konie raz po raz wstrząsały łbami i gubiły krok.

— Strasznie tu! — Przeżegnał się sługa.

— Strasznie? A to niby dlaczego?

— Nie wiem, jaśnie panie. Wciąż mi się zdaje, że ktoś równo z nami idzie tym lasem. — Przeżegnał się raz jeszcze. — Jakby jakieś zielone postacie widzę...

Stary notariusz zaśmiał się gorzko.

— Oj, synu! Nasłuchałeś się gadania ludzkiego, co? Widzisz, cza- sami lepiej jest być półślepym jak ja. Nie mogę sobie wmawiać, że wi- dzę duchy.

— To nie duchy, panie — znów przeżegnał się sługa — to ludzie. Tylko jacyś dziwni. Mówiłem, panie. Dzień zaduszny to zły czas na po- dróż.

— Zaraz będziemy w Jarocinie, chłopcze. I jak obiecałem, wró- cisz do domu.

— Dziękuję, panie.

Pożegnali się o stajanie przed bramą Jarocina. Tylonowi majaczył już zarys potężnej wieży i powiewająca na nim chorągiew.

— Jaki znak na chorągwi, chłopcze? — spytał sługę.

— O, panie, z tej odległości to ja widzę tylko, że bestia. Pewnie półlew za murem, bo co by innego u Zarembów?

— To ty też masz coś nie tak ze wzrokiem, synu? — zdziwił się Tylon.

— Nie, panie. Ze stajania to się znaku na chorągwi nie widzi.

— Hm. Tyle lat tracę wzrok, że mi się zdawało, iż zdrowy to widzi wszystko — melancholijnie westchnął Tylon. — Z Bogiem, chłopcze. Jedź i módl się za duszę matki. Z Bogiem.

— Z Bogiem, jaśnie panie.

Tylon nigdy nie był w Jarocinie. Najwięksi panowie Starszej Polski nie mieli opinii gościnnych. Trzymali sami ze sobą, zresztą, tylu ich było, że mogli sobie na to pozwolić. Wzrok wzrokiem, ale wielką, zawalistą wieżę widział w całej jej potędze, czy też raczej ogromie ciemnego kształtu.

— Notariusz Tylon z Giecza do pana kasztelana poznańskiego Sędziwoja Zaremby — sam się przedstawił na bramie.

— Kasztelan w Poznaniu — odpowiedział wartownik.

— A kto z rodziny obecny?

— Tylko panna Dorota Sędziwojówna.

— To ja chętnie z panną pomówię.

— Jak sobie pan notariusz życzy, ale...

— Ale co?

— Nasza panna jest trochę... — ściszył głos do szeptu — ...trochę dziwna.

— To nie jest dawna dwórka księżnej?

— Nie, tamta to była Zbysława. A to jest panna Dorota. Dobra dziewczyna, ale jak to mówią, nieco pomylona...

— Prowadź, człowieku, prowadź!

Posadzili go w obszernej komnacie na samym dole dworzyska. Z niepokojem rozejrzał się wokół. Ledwie jedna pochodnia. Westchnął. Po chwili przyszła do niego drobna dziewczyna i przywitała się.

— Dorota, córka Sędziwoja. Pan notariusz Tylon do mnie?

Rozłożył bezradnie ramiona i powiedział:

— Skoro pana kasztelana nie ma, to do panny, ale...

— Pan źle widzi? — spytała z niepokojem.

— Skąd panienka wie?

— Ja widzę dobrze — szepnęła.

Poczuł wstyd i ulgę jednocześnie.

— Jeśli nie sprawiłbym kłopotu, prosząc o więcej światła...

Zaklaskała w dłonie, wołając służbę. W komnacie zrobiło się ciepło od pochodni. I Bogu niech będą dzięki, jasno. Zobaczył ciemnowłosą i ciemnooką dziewczynę. Na ręku trzymała żywą wydrę. Druga, niczym kołnierz, owijała jej szyję. Przy boku panny stała olbrzymia, płowa suka i wyczekująco spoglądała na Tylona.

Zamrugał, wpatrując się to w Dorotę, to w wydry, to w sukę.

— Sądziłem, że wydra nie oddala się od wody.

— Pływanie ma w naturze, ale ta jest odmieńcem. A drugą odratowałam kiedyś z sideł, które założył mój ojciec, i od tamtej chwili nie opuszcza mnie na krok.

— Rozumiem. Piękne dworzysko. I ta wieża!

— Dziękuję w imieniu ojca. Pewnie ucieszyłby go komplement.

— A ciebie nie raduje, panno, że mieszkasz jak księżniczka?

— Nie potrzebuję tego. Mnie do szczęścia wystarczą moje zwierzęta i las.

— Ma ich panna więcej?

Przechyliła głowę i zmrużyła oczy, przyglądając mu się wyjątkowo uważnie.

— Mam. Ale proszę nikomu nie mówić. Jeśli pan notariusz chce, pokażę.

— Byłbym zaszczycony.

Dorota otworzyła ciężką okiennicę chroniącą komnatę przed chłodem i gwizdnęła cichutko. Przez okno do izby zaczęły wlatywać ptaki.

— Mój Boże! — szepnął zachwycony notariusz.

Wydra podniosła łepek i zsunęła się z jej karku na ziemię. Druga pobiegła za nią. Dorota rozłożyła ramiona i jeden po drugim przysiadły na nich ptaki. Dwie małe sowy. Kruk. Szare wróble. Panna powoli obracała się wokół jak w tańcu.

— Coś pięknego! Panna jest jak święty Franciszek...

Dorota stanęła z nieobecnym uśmiechem i dała ptakom znak, by odleciały. Zamknęła za nimi okiennicę.

— Nikomu proszę tego nie opowiadać — powiedziała jak dziecko.

— Słowo królewskiego notariusza.

— Więc o czym pan chce mówić? Pewnie to coś ważnego, skoro fatygował się pan taki kawał. Nas nigdy nikt nie odwiedza. Raz, arcybiskup Świnka, pamiętam. Zje pan ze mną wieczerzę?

— Z przyjemnością, panno Doroto. O czym ja chcę mówić? Hmm. Ciężko powiedzieć... — Poczuł nagły bezsens swej misji i jednocześnie przypływ zaufania do tej, jak powiedzieli, „pomylonej". — Powiem wprost. Po morderstwie króla nie daje mi spokoju kilka faktów. Panna jest siostrą nieszczęsnego Wawrzyńca Zaremby?

— Był moim bratem, ale czy ja jestem jego siostrą? — Znów przechyliła głowę, biorąc z powrotem na rękę wydrę. Pogłaskała ją po łebku. — Czy ja się nadaję na Zarembównę, panie Tylonie? Moja siostra, Zbysława, owszem. Ona była dwórką księżnych i królowej. Ale ja? Ja bym jednego dnia nie wytrzymała w mieście, na wielkim dworze. Czy ktoś pozwoliłby mi tam trzymać wydrę? A jeśli tak, to kazaliby jej pewnie wyczyniać sztuczki, by zabawić wielkie panie na ucztach.

— A panna wie, dlaczego Michał Zaremba zabił Wawrzyńca?

— Michał Zaremba. — Popatrzyła poważnie. — Tak, jego siostrą mogłabym być, chętnie. Ale w rodzinie nikt o takie rzeczy nie pyta, prawda? Zarembowie są biali, jak Michał, albo... — Zasłoniła usta dłonią i pokiwała głową, zamiast dopowiedzieć zdanie. — Tak, panie Tylonie. Ale jedni i drudzy strzegą swej pamięci. „Święta pamięć", tak się wołają i tak żyją. Co ja mogę powiedzieć? Że nikogo nie spotyka kara bez winy? Tak, tak, panie Tylonie. Tak mogę powiedzieć.

Zdawała mu się bożym dzieckiem. Niewinną duszą. Oderwaną od świata. Prawda, jednego dnia by nie wytrzymała na książęcym dworze. Miejscem takich ludzi jak Dorota jest wiejski, sielski dom, ciepło rodzinne, matka, ojciec. No tak. Ale jej matka nie żyje, a ojcem jest surowy Sędziwój Zaremba.

— A znała panna giermka króla, Płatka?

— Tego, co się powiesił? Bękarta Przybysława Łodzi?

„Bękart" w niewinnych ustach Doroty zabrzmiał jak zgrzyt żelaza po szkle. Tylon przełknął ślinę.

— O tego mi chodzi.

— Widzisz, Tylonie, to przykład, dlaczego wielkie rody strzegą czystości swej krwi. Bękart wprowadza zamęt w świat doskonale ułożony. Jest jak kropla piołunu w kadzi z miodem.

— Co masz na myśli, panno Doroto?

Roześmiała się twardo.

— Z wielkich rodów tylko Przemyślidzi znaleźli sposób na swoje bękarty, pewnie dlatego, że mają ich tak dużo. Dają im stanowiska na tyle znaczne, iż każdy syn czy córka z nieprawego łoża czują się częścią rodziny. — Mówiła głośno, jak nie ona. Jakby jej ustami przemawiał ktoś inny. Albo jakby powtarzała wyuczoną kwestię. — Łodzie nigdy nie chcieli przyznać, iż Płatek jest ich. A on? A on zrobiłby wszystko, aby go uznali, by dali mu nazwisko, bo jakżeby inaczej zdobył rękę Eufemii Nałęczówny?

— Nałęczówny? To on się nie kochał w księżnej Lukardis?

— Skądże. — Wzruszyła ramionami. — Moja siostra Zbysława, czwarta z dam dworu, opowiadała mi tę historię. Nałęczówna powiedziała Płatkowi, że wyjdzie tylko za prawego Łodzię.

— Mój Boże! A mnie powiedziała, że on się kochał w księżnej...

— Łgała, panie Tylonie. Damy dworu łżą na zawołanie.

Głos Doroty był twardy. Gdzie zniknęła niewinna dusza tańcząca z ptakami? Zamrugał, patrząc na nią.

— Kto żywił urazę do króla, panie Tylonie? Kogo z najważniejszych ludzi w kraju Przemysł pozbawił urzędu?

— Tomisława Nałęcza! Był wojewodą poznańskim i odebrano mu urząd tuż przed tym, jak Przemysł został królem.

— Otóż to. Tomisław Nałęcz, stryj pięknej Eufemii. Kto był kasztelanem Rogoźna w czas krwawych zapustów? Odpowiedzialnym za bezpieczeństwo króla? Kolejny Nałęcz. Czyje dobra przylegały do ziem brandenburskich? Nałęczów. Skoro własny ród nie chciał dać bękartowi nazwiska, jedyną drogą do serca i ręki ukochanej było przysłużyć się jej rodowcom. Szukasz i szukasz. Ale masz słaby wzrok, panie Tylonie, i łatwo dajesz się zwodzić. Nie doceniasz siły walki o urzędy i wpływy. Ogromu zawiedzionych dworskich ambicji.

Dorota wypuściła z rąk wydrę i ta wybiegła z komnaty, prześlizgując się przez szparę pod drzwiami. Druga ruszyła za nią.

Boże Przenajświętszy — pomyślał Tylon. — Spędziłem we dworze Nałęczów tyle czasu w chorobie. U nich piłem z feralnego niebieskiego szkła. Rozmawiałem z Eufemią i tak dałem się omamić. Nałęczowie...

Dorota zatarła drobne dłonie i wstrząsnęła się, jakby było jej zimno. Pokręciła głową.

— A może to nieprawda? — zapytała znów cichym i łagodnym głosem. — Co ja, pomylona, wiem o życiu na wielkim dworze? Co ja wiem o ambicjach, skoro ich nie mam?

— Ależ panno Doroto. Nie jesteś pomylona.

Zachichotała jak dziecko.

— Trochę jestem. Trochę.

— Ale to, coś mówiła o Eufemii i Płatku, to prawda? — spytał z niepokojem.

— Bo ja wiem? — Pochyliła się, by poprawić obrożę swej suce. — Tak mi opowiadała siostra. Ja tylko powtarzam, przecież ja na oczy nie widziałam tego giermka ani tej Eufemii, ani tych wszystkich wojewodów. Ja znam tylko Zarembów. I... — popatrzyła na niego, kręcąc lekko głową — ...i leśne siostry — dokończyła szeptem. — Piękne leśne zielone panny. Niektóre mieszkają w mateczniku, inne w takiej grocie. Noszą zielone sukienki. Ale nie mów o nich nikomu, dobrze? Mój ojciec byłby bardzo zły. Rozumiesz? Uczą mnie ziół i uzdrawiania. Chcesz, to spróbuję na tobie.

Nie czekając na jego odpowiedź, wstała i położyła mu chłodne palce na powiekach. Poszeptała coś, a potem strzepnęła palcami do ognia.

— Już! Może uzdrowiłam twoje oczy, panie Tylonie?

Nazajutrz wyjeżdżał z Jarocina zdruzgotany. Tak przybity, że dopiero nieopodal przeprawy przez Wartę zdał sobie sprawę, iż nie wziął od Zarembów sługi, który by pomógł mu dojechać do domu. Czy może wierzyć Dorocie, skoro ona sama sobie nie wierzy i powtarza, co jej mówili inni? Boże drogi, ale ta wersja z Nałęczami jest spójna jak żadna inna. I pomyśleć, że podsunęła mu ją pomylona dziewczyna, w dodatku Zarembówna. Powinienem pomówić z jej siostrą, ze Zbysławą. Tylko czy dumna dwórka powtórzy mu to, co mówiła swej siostrze? I czy stary Gniew zdecyduje się wznowić śledztwo?

Sina powierzchnia Warty zamigotała na krańcu traktu; zobaczył tratwę i biały krzyż na płaszczu pilnującego przeprawy joannity. Zrobiło mu się gorąco. Zobaczył?!

Zobaczył i wieżę komandorii na drugiej stronie. I powiewającą nad nią chorągiew rycerzy świętego Jana. Odwrócił się gwałtownie i spojrzał w las. Widział pokryte złotymi, jesiennymi listkami brzozy. Za nimi ciemne zielone sosny i jodły. Widział suchą trawę na skraju traktu. I kamyki. Popatrzył na swoje dłonie. Poruszył palcami. Nie wiedział, że ma tyle ciemnych plam na skórze, że paznokcie brudne. Dorota? „Może uzdrowiłam twoje oczy, panie Tylonie?".

Zsiadł z konia i na środku traktu przyklęknął.

— Panie Jezu! Tyś niejednemu ślepcowi wzrok wrócił. Nie jestem godzien takiej łaski i wcale się jej nie spodziewałem. Ale dziękuję ci, Boże!

Wstał i pociągnął konia za uzdę w stronę przeprawy.

— Bracie Wolframie! Witaj!

— Notariusz Tylon? — Głos joannity wyrażał bezbrzeżne zdumienie.

— Ja! — radośnie i pewnie krzyknął Tylon. — Przeprawisz mnie na drugą stronę?

— Oczywiście. — Joannita przyglądał mu się badawczo. — Oczywiście.

Dusza Tylona śpiewała psalm radosny ku czci odzyskanego wzroku. Gdy wchodził na tratwę, zobaczył, że liny są szare, postrzępione, stare. Zobaczył, że Wolfram ma piękne wyraziste oczy i że ten skrzywiony bark nieco mu się naprostował. Chciał powiedzieć mu dobrą nowinę: „Ja widzę!", ale się powstrzymał. Bawiło go, iż joannita postrzega go jako półślepego, i zupełnie nie przejmując się jego obecnością, dłubie w nosie, drapie po brzuchu. Coś w Tylonie chichotało jak w chłopcu. Znów zobaczył swoje brudne paznokcie. Fe!

— Pożyczysz mi na chwilę nóż, bracie? Chciałbym wyczyścić paznokcie, a mój sługa poszedł sobie precz. Jadę do Poznania, wstyd tak się pokazać na dworze, prawda?

Wolfram, który robił ruch do swego pasa po nóż, jak usłyszał o czyszczeniu paznokci, cofnął rękę. Pochylił się i ze stojącej na pokładzie skrzynki wyjął inny nóż.

— Proszę, Tylonie. Tylko się nie skalecz, jest ostry.

— My, półślepi, umiemy sobie radzić w ciemności! — wesoło odpowiedział Tylon i wygodnie usiadł na ławce.

Powinien zwolnić sługę, prawda. Chłopak zupełnie zaniedbał swe obowiązki. Jak to możliwe, że nie mówił swemu panu, iż ten wygląda jak stary niechluj? Z lewą ręką poradził sobie raz-dwa. Gorzej z prawą. Przekładał nóż, gdy jego uwagę przykuła rękojeść. Piękna, kościana rękojeść, na której wił się smoczy ostry ogon i straszyła rozwarta paszcza z ostrymi zębami. Zaraz, zaraz. Gdzieś już to widział. Poczuł uderzenie gorąca. Odwrócił nóż, by przyjrzeć się zwieńczeniu rękojeści. Było płaskie, jak stempel, i brudne. Odskrobał brud paznokciem. Splunął i wytarł je o płaszcz. Srebro. Nóż z wykończoną srebrem rękojeścią na tratwie joannitów? Wrzucony do skrzynki obok zardzewiałych haków i gwoździ? Brud wdarł się w zdobienie głęboko, ale Tylon, drapiąc paznokciami, wydobywał spod niego rysunek. Rozwarta smocza paszcza z zębami. Jezu! Toż to...

— Wolframie — wyszeptał.

W tej samej chwili tratwą wstrząsnęło, jakby zawadzili o coś w wodzie. Nóż wyleciał z dłoni Tylona i potoczył się wprost na krawędź tratwy. Notariusz rzucił się za nim, ale ostrze wiedzione jakąś własną siłą wolno potoczyło się i wpadło do rzeki. Tylon szybko wsadził rękę aż po łokieć do wody, ale nie zdołał go złapać. Przez chwilę widział, jak w mętnej wodzie coraz niżej i niżej opada nóż, którego rękojeścią być może zadano cios w plecy króla. Pieczęcią zabójcy. Ponad znikającym w odmętach Warty nożem mignął długi, zwinny kształt i na powierzchnię wynurzyła się lśniąca głowa wydry. Zwierzątko spojrzało mu prosto w oczy i zanurzyło się z powrotem.

Tylon wstał z kolan.

— Straciłem twój nóż, bracie Wolframie — powiedział do uważnie wpatrującego się weń joannity.

— To nie był mój nóż — odpowiedział twardo Wolfram, a na jego twarzy ukazał się rumieniec.

— A czyj, jeśli wolno spytać?

— Niczyj — szybko odpowiedział rycerz i jeszcze mocniej się zarumienił. — A bo to jedną rzecz zostawiają podróżni na tratwie? Ciągle coś gubią.

— Ale to był piękny nóż. Czułem pod palcami jak zdobiony. Musiał należeć do kogoś znacznego.

— Może tak. Może nie. Ja nie wiem. Trzymaj konia, Tylonie, bo dopływamy. Zaraz szarpnie tratwą.

Notariusz wyprowadził konia na drugi brzeg Warty. Odprowadzało go nieufne spojrzenie joannity. Wsiadł na siodło i ruszył w stronę Poznania pełen goryczy. To po to odzyskał wzrok, znalazł nóż, by go natychmiast stracić w wodzie? I zyskać kolejnych podejrzanych? Przecież oczywistym jest, że Wolfram zna właściciela noża. Może to on sam spowodował zachwianie tratwy, by wtrącić go z ręki Tylona?

Nim wkroczył na przeprawę, był pewien, że Pan ma jakiś plan w oddaniu mu wzroku. Czuł, że wszystko, co mówiła Zarembówna, jest właśnie jak to otwarcie oczu niewidomemu. I wystarczyła chwila, by wokół niego znów zapanował mrok. Czyż to możliwe, że każdy jest po trosze winny? Że każdy kogoś kryje? Zakaszlał. Mokry rękaw kaftana, mokre poły płaszcza. Czuł, że trawi go gorączka. Gdy pod wieczór zajechał do karczmy, był kompletnie rozbity.

— Daleko jeszcze do Poznania? — spytał korpulentną gospodynię.

— Do Poznania? Ależ to droga na Gniezno. Na Poznań trzeba panu zawrócić, spory kawał, aż do przeprawy.

— Ja od przeprawy jadę — powiedział z trudem i otarł spocone czoło.

— To pewnie szanowny pan za przeprawą pomylił drogę. Są dwie, na Poznań w lewo i na Gniezno w prawo. Joannita nie pokazał? A to łobuz. Pan chory?

— Odpocznę chwilę, jeśli można.

— Można. Choć jakby tu powiedzieć, to nie karczma.

— Nie karczma? A co?

Kobieta przewróciła oczami.

— Powiedzmy, dom spragnionych podróżnych — uśmiechnęła się. — O „Zielonej Grocie" pan nie słyszał?

— Nie. A dostanę coś picia? I czy mogę płaszcz wysuszyć w tej „Grocie"?

— Może pan — polubownie orzekła — i tak gości dzisiaj nie mam. Dziewczęta! Pomóżcie panu się rozebrać. Ale tylko z płaszcza! Trzmielinka, piwa panu ugrzej.

Ze schodów zbiegły ubrane w zielone suknie dziewczęta, jedna w drugą takie same.

— Zielone siostry? — przypomniał sobie, co mówiła Dorota.

— Ha! — Wzięła się pod boki gospodyni. — Więc jednak pan słyszał! Tak, słynne zielone siostry. Ale skoro podróżny tylko na suszenie i piwo, to nie będę moich dziewcząt przedstawiać.

Zasnął z głową na ławie. Kiedy się zbudził, czuł ból w kościach. Ledwie kark rozruszał. Musiał przespać popołudnie i noc, bo już było jasno. Wciąż widział, choć zaropiały mu oczy. Rozkleił powieki.

— Gospodyni? Gospodyni?

W karczmie panowała cisza. Zwlókł się z trudem. Płaszcz wysechł przy ogniu, nałożył go. Zostawił zapłatę za piwo na stole i wyszedł.

Ruszył na Gniezno. Nie miał siły zawracać na Poznań. Odpocznie dzień, dwa u kanoników albo u franciszkanów, pozbędzie się tej paskudnej gorączki i wtedy wróci do Poznania, by pomówić z sędzią Gniewem. Tak, niech Gniew sprawę ponownie zbada, niech przesłucha Nałęczów. I joannitów. I Łodziów. Gdy dotarł do gnieźnieńskiego klasztoru franciszkanów, nie miał już siły sam zsiąść z konia. Bracia położyli go w izbie dla gości, okryli kocami, dali ziół do picia i modlili się przy nim. Zapadał w przerywany gorączkowymi dreszczami sen. Gdy się budził, sprawdzał, czy wciąż widzi. Widział. I zasypiał. We śnie wciąż od nowa powtarzał swe śledztwo. Nóż ze smoczą paszczą. Nałęczowie. Łodzie. Zarembowie. Giermek, któremu wrony wydziobały oczy, gdy wisiał na drzewie. Jak Judaszowi?...

— Tylonie, słyszysz mnie?

— Słyszę, bracie.

— Może tobie trzeba medyka? My się na leczeniu nie znamy, a tyś chory.

— Medyka? — Przed oczyma stanął mu magister Mikołaj i suchym palcem wycelował wprost w pierś Tylona, mówiąc: „Lud u nas zabobonny, albo znachorkę wzywa, albo od razu księdza. Ile to ja bym książąt uzdrowił, gdyby najpierw nie wzywano Jakuba Świnki".

— Nie, bracia franciszkanie. Ja nie chcę medyka. Ja chcę arcybiskupa Świnki. O ile zechce przyjść do mnie...

Zapadając w sen, nie wiedział, czy wzywa Jakuba jako Anioła Śmierci, pragnąc na siebie sprowadzić kres cierpień, czy jako kapłana. Jego ciało rozrywały ataki kaszlu i dreszcze, a wzrok cudem odzyskany stawiał wokół niego najstraszliwsze obrazy. Widział przy drzwiach skłębione, powykręcane chude ciała demonów, które spoglądały na niego pustymi oczodołami i wyciągały długie zimne pazury ku jego piersi. Na suficie, w pełgającym blasku świec otwierała i zamykała się brama, ale to nie była brama niebios, lecz wionące chłodem drzwi do niewiadomej otchłani. Bał się. Paniczny lęk wypełniał jego wstrząsane drgawkami ciało, bo mimo tego, iż słyszał szmer modlitwy franciszkanów, nie widział wokół siebie ani jednego ducha, który przychodziłby w imię Boże. Nagle zakonnicy wstali z klęczek i otworzyli drzwi do celi. Stanął w nich Jakub Świnka. Jakub II. Demony spod drzwi natychmiast uciekły, wciskając się pod łóżko Tylona.

— Zostawcie nas samych — powiedział Jakub i franciszkanie wyszli.

— Wyjdźcie z ciemności! — krzyknął arcybiskup, a Tylon poczuł, jak łoże pod nim zaczyna się trząść. — Wyjdźcie z ciemności! — powtórzył nieznoszącym sprzeciwu głosem Jakub. — Dusza tego człowieka nie należy do was, lecz do jedynego Boga.

Spod łóżka wysunęły się wolno postacie demonów. Jeden, dwa, cztery. Sześć. Tylon naliczył ich sześć. Hardo patrzyły na Jakuba Świnkę, ale nie wyciągały już pazurów ku niemu. I nie bał się ich. Arcybiskup zrobił wolno znak krzyża, mówiąc:

— Chwała Ojcu i Synowi i Duchowi Świętemu. Jak było na początku. Teraz. Zawsze. Na wieki.

Demony rozpłynęły się w powietrzu. Zamieniły się w strużki dymu i zniknęły jak dym. Jakub sięgnął do stojącej w kącie misy ze święconą wodą, zanurzył w niej palce i pokropił izbę. Tylon odetchnął.

— Jakubie... dziękuję ci...

Spojrzał na sufit. Brama zniknęła. Zobaczył tylko to, co tam było. Deski stropu, pajęczyny. Arcybiskup usiadł przy jego łóżku.

— Tak się bałem — wyznał ze łzami Tylon. — Bałem się, że umieram i że demony porwą mnie do piekieł.

— Umierasz — powiedział Jakub Świnka i chwycił go za rękę. — Umierasz, Tylonie, ale odchodzisz w imię Boże, bo całe życie służyłeś Panu.

— Więc jednak — zmartwił się Tylon. — Ale zostawiam tu tyle spraw niezałatwionych. Dowiedziałem się o Nałęczach, o Płatku, że był bękartem, złą krwią i mógł się przysłużyć śmierci króla. I zobaczyłem nóż, którym uderzono króla w plecy, ale zgubiłem go...

— Zostaw — powiedział spokojnie Jakub i pogładził go po ręce. — Zostaw to, bo wrócą twoje demony. Powierz te sprawy Panu i nie myśl o nikim źle. Nie zabieraj na ostatnią drogę gniewu, bo to balast, który po śmierci ciąży podwójnie. Dusza Przemysła nie potrzebuje zemsty, ale modlitwy. Już niebawem Pan ją uwolni z czyśćca.

— Z czyśćca? To królowie nie idą po śmierci do nieba?

— Król, Tylonie, ma dwa ciała. Ludzkie, które umiera jak każdy człowiek i jak każdy jest grzeszne. I królewskie, które zasiada w pośmiertnej ławie królów, a jego skronie zdobi niewidzialna korona. Znak namaszczenia. To drugie musimy czcić, jako dawnego króla. A o to pierwsze i jego duszę modlić się.

— Jakubie... ale... ja widzę na twoim czole niewidzialną koronę... Czy to majak?

— Nie, Tylonie. To nie majak — uśmiechnął się smutno Jakub Świnka — to Królestwo, które niosę, by oddać je, gdy powróci król.

Tylon zamrugał. Korona na czole arcybiskupa lśniła nieziemskim światłem. Spojrzał w górę. Sufit klasztornej celi znów się otworzył. Notariusz ścisnął dłoń Jakuba Świnki.

— Brama! Jakubie, widzę bramę! Ale za nią jest pustka. Nie ma nic...

— To brama czyśćca, dlatego nie widzisz nic. Nie bój się. Przeprowadzę cię, Tylonie, jak tych wszystkich przed tobą.

— Nie puszczaj mnie, proszę. Jesteś jak święty...

— Nie, Tylonie. Jestem człowiekiem, któremu Pan stawia zadania i któremu daje siły, by je wypełniać. Ale jestem zwykłym człowiekiem. Powiem ci w tajemnicy — bękartem.

— Ty? Jakubie Świnko, ty?

— Widzisz, mój drogi, że nie należy ludzi osądzać pochopnie? Tak, ja. Jestem bękartem po wielekroć. Mój ojciec był mnichem, co złamał zakonne śluby i spłodził syna. I nie był pierwszym w rodzie, przed nim robili to inni. W mych żyłach płynie Stara Krew i krew piastowskiej dynastii, krew naszego pierwszego króla i jego syna, co zaparł się wiary i niszczył świątynie, deptał krzyż. A jednak większość z nich miłosierny Bóg już wypuścił z czyśćca, bo odkupili swe winy. Oto dowód potęgi Boga, który potrafi każdą duszę nawrócić. Gdy znajdziesz się po drugiej stronie, patrz na tych, co będą wokół ciebie, z miłością. Może to będą mordercy, może zdrajcy, może wielcy książęta i najpiękniejsze damy? To wie tylko Pan i on decyduje. Przygotuj się, Tylonie. Odpuść każdą z ziemskich spraw. Zostaw je tu.

Tylon zobaczył, że brama rozwiera się jeszcze bardziej, i zdawało mu się, iż widzi w głębi przezroczyste postacie. Ta droga już nie była pustką.

— Będę się za ciebie modlił, Tylonie. Nie bój się. Idź, czeka na ciebie Pan. Ja przyjmę tu twoją śmierć.

1305

WŁADYSŁAW czekał na przyjazd Jadwigi w napięciu. Udawał, że nie, ale tak było. Całe pięć lat tak nie czekał, jak ostatnich pięć tygodni. Jałbrzyk pchnął gońca, dał znać, że będą zaraz po Nowym Roku.

— To jeszcze miesiąc. Jezus Maria, Fryczko! Nie wydaje ci się, że gębę mam paskudną?

— Gdzieżby tam, panie. Tak jak zawsze.

— Pawełek! Ty powiedz. Zestarzałem się?

— A może byśmy tak, książę, pojechali odbić Sandomierz? Wojska przysłali Bogoriowie, Lisowie, Starżowie. Madziarzy się nudzą, ciągle wypytują o Muskatę i smoki.

— O jakie smoki?

— Wawelskie.

— Ach, tak. Zapomniałem. — Władysław potarł brodę i skrzywił się, bo poczuł, że jest nieogolony. — Skąd my im weźmiemy smoki?

— Nie mam pojęcia, książę. — Bezradnie rozłożył ręce Pawełek. — Próbowałem im wcisnąć nietoperza, lata taki jeden większy wokół obozowiska, to im mówię: „To jest smok". A Mohar mi na to: „To nie smok, to gryf. My chcemy zobaczyć wawelskie smoki". I co ja mam z nimi zrobić, książę? Ponoć tych smoków tam nie ma od dawna.

— Nie ma. Jama pusta. Ale łuski kiedyś znalazłem.

— Łuski? — Przydreptał do nich Fryczko.

— Moja ciotka, księżna krakowska Kinga, prosiła mnie o smocze łuski, chciała nimi ozdobić jakiś ołtarz klarysek. Przeszukałem całą jaskinię i znalazłem trzy. Dobra, Pawełek, smokami będziemy się martwić później. Dzisiaj zajmijmy się Muskatą. Jedziemy na Sandomierz.

— Wojciech Bogoria mówił, że tam wójt szczególnie zacięty. Bardziej strzeże interesów czeskich niż Muskata w Krakowie.

— Muskata! Przyjdzie i czas na bezbożnego biskupa! Starosta! Też mi coś. Szykuj wojsko.

— Radosza bierzemy? Ogierek nudzi się w stajni jak Węgrzy.

— Weźmy. Ale na linkę.

— Oczywiście. Na linkę.

Ruszyli o świcie. Po białym śniegu, w chłodnym powietrzu. Władek pokłonił się przed Wiślicką Panią i obiecał jej Sandomierz. A ona, trzymając Jezusa na ręku, śmiała się do niego. Czy mu błogosławiła? Nie wie. I tak, co na nią spojrzy, widzi Jadwigę ze Stefanem. Dziwi się, że z fałd jej sukni nie widać małej Kingi. Kunegundy.

Po raz pierwszy od lat dowodził wojskiem złożonym z regularnych polskich oddziałów. Bogoriowie, Lisowie, Starżowie dali mu swe poczty i pierwszych synów. A jednak gdy pod murami unosił w górę miecz Bolesława i dawał sygnał do walki, krzyczał po węgiersku:

— *Előre!* Naprzód! *Ellenszél!* „Pod wiatr"!

A Radosz, czarny, niepokorny, z koroną na czole, znów biegł przed wojskiem. Rulka goniła syna, Władek swe marzenia.

Zdobyli Sandomierz. Chryste, coś na krzyżu konał! Już drugi raz w jego życiu! Już raz był tu księciem, nim wszystko przez Václava stracił. Zaciskał zęby do bólu szczęk i gdy go nie widzieli, ocierał łzy. Odzyskane smakuje królewsko. Ukarał wójta, odbierając mu urząd, i osadził swojego człowieka poleconego przez Wojciecha Bogorię.

A potem poszedł się modlić przed stosem świętych czaszek.

Czterdziestu dziewięciu posieczonych w kawałki zakonników. Już raz tu klęczał, przed laty. O czym wtedy myślał? Zdaje się, że o niczym. Teraz, mówiąc słowa modlitwy, pochylał się nad każdym strzępkiem sczerniałych kości świętych braci. Nie klął Dzikich, którzy mordu dokonali. Modlił się o dusze zasiekanych. A gdy wstał, zapytał Fryczka:

— Są wieści z Wiślicy? Księżna pani przyjechała?

— Nie, panie.

Więc ruszył dalej, odbijając Muskacie ziemie między rzeką Nidą a Szreniawą i tym samym podszedł pod Kraków o dzień drogi.

O dzień drogi od Wawelu. Czyż to możliwe? Czy to sen jakiś? Jeśli teraz, duchu ciotki Kingi, mi nie dopomożesz...

To co? — zapachniało wokół niego liliami.

— Książę! — Do namiotu wbiegł Fryczko. — Mówią, że księżna jedzie! Z dziećmi!

— Z dziećmi! — zgromił go Władek, czując, że serce mu łomoce.

— Nie! Mówią, że z dziećmi.

— Do Wiślicy! — krzyknął książę. — Naprzeciw pani!

Zapomniał o nieogolonych policzkach. Zapomniał, że się zestarzał. Rulka niosła go na spotkanie z jego Madonną, jaśnie panią Jadwigą.

— Kaliszi Hedivig! — krzyczeli Węgrzy Juhásza Hunora. — *Magyar hercegnő!*

— Córa Arpadów! Złoto Budy! — darł się wniebogłosy Fehér Mohar.

I tak jechała ku niemu Jadwiga. Orszaki spotkały się pod murami Wiślicy, tam, gdzie pobił Czechów. Owinięta w futro z brunatnych wydr, białolica. Pod jej oczami i wokół ust bruzdy, jakby żłobione łzami. Piegi, zimą niewidoczne, znaczyły twarz bladozłotymi plamami. Przy niej dziewuszka na źrebcu, dziewięcioletnia Kinga. I na koniu prowadzonym przez Jałbrzyka za uzdę chłopak. Duży chłopak. Stefan? Jego pierworodny? Ciemne oczy i butna, harda mina. Panie!... Mój syn. A przed Jadwigą, na koniu, dziecko małe, odziane w futrzaną szubę. Władek? Ten, co go miała w brzuchu, gdy wyjeżdżał? Pięć lat minęło, odkąd uciekał. Pięć lat. A on, głupek, widział ją jako Madonnę z niemowlęciem na ręku.

— Jadwigo. — Zeskoczył z Rulki.

— Władysławie — odpowiedziała mu.

Wyciągnął ręce po dziecko. Po syna, którego nigdy nie trzymał w ramionach. Chłopiec rozpłakał się.

— Władziu, to twój tata — powiedziała uspokajająco Jadwiga, a dzieciak, nie przestając płakać, odpowiedział:

— Ta-ta wróci. Wró-ci!

— Już wrócił, synu. — Władek przycisnął go do piersi mocno, nie zważając na szloch. — Kunegundo! Stefanie! — Wyciągnął ramiona do starszych dzieci.

Wziął je na ręce i tak, trzymając troje, krocząc przy koniu Jadwigi, wszedł do Wiślicy. I zaprowadził ich do śmiejącej się Pani.

A potem, wieczorem ułożył całą trójkę do łóżek. Ucałował ich czoła. I biorąc za rękę Jadwigę, poprowadził ją do sypialni.

Fryczko napalił w kominku. Za oknami sypał śnieg. Pijani Węgrzy śpiewali i darli się wniebogłosy:

— Kaliszi Hedivig! Magyar hercegnő! Hedvig! Làszló! Radosz kiràly! Törpe Làszló kiràly!

— Törpe? — powtórzyła zaskoczona Jadwiga.

— Łokietek. Władysław Łokietek. Tak się nazwałem — wyszeptał, zdejmując jej z głowy kaptur.

Zachłysnął się splotami jej warkoczy. Zębami wyjmował z nich kościane szpile.

— Radosz? Kim jest Radosz? — spytała, łapiąc oddech z trudem.

— To ogier naszej córki — odpowiedział, rozplątując węzły wiązań jej sukni.

— Kunegundy? — Złapała go lekko zębami za brodę.

— Nie, nie Kunegundy. Tej córki, którą poczniemy dzisiaj, Jadwigo.

— Dla-czego go... go... czczą? — szepnęła wprost w jego włosy pochylone nad jej piersiami.

— Opowiem ci wszystko, każdy dzień wygnania. Ale pozwól mi dzisiaj wrócić do siebie, moja księżno — odpowiedział, łowiąc rozwartymi ustami woń różowych sutek.

— Obiecaj, że nigdy więcej — jęknęła, rozwierając przed nim jasne uda.

— Odzyskuję cię, jak Królestwo — powiedział, wbijając się w łono żony. — I nigdy więcej. Nie opuszczę cię aż do śmierci. Bo jesteś moim życiem, Jadwigo!

JAKUB DE GUNTERSBERG jechał po dziecko. Dziewczyna skończyła osiem lat, to wiek, w którym powinna zacząć pracę. Czas, by odrobiła pieniądze, które przeznaczył na jej odchowanie.

Pierwszych pięć lat spędziła w chłopskiej chacie, wciśnięta między prosiaki, kozy, kury i zasmarkane dzieciaki gospodarzy. Z nimi walczyła o miejsce do snu, derkę do przykrycia grzbietu i miskę.

Potem dał ją na służbę do psiarni we dworze wielkich Nałęczów z Szamotuł. Chciał, by od małego znała psy, by się ich nie bała, nauczyła się nad nimi panować. Szczuć, nagradzać i rozumieć psi instynkt.

Kolejny rok spędziła w stajniach cystersów z Kołbacza, jako pomocnik stajennego. Tam kazał jej nauczyć się jeździć konno, w siodle i na oklep, i opanować opiekę nad koniem. Polecił też udawać chłopca niemowę i nim ją zostawił, powiedział ze szczegółami, co jej zrobi stajenny, gdy odkryje, że jest dziewczynką. Przyjechał po nią, jak skończyła siedem lat, i zabrał z Kołbacza, odwożąc do Bierzwnika, czy jak mówili Niemcy, Marienwaldu, gdzie kołbaccy cystersi założyli filię klasztoru, i oddał w ręce opata.

— To mój bratanek — powiedział. — Sierota. Zwą go Hugo. Ma ładny głos i nadzwyczajną pamięć, więc sądzę, że raz-dwa opanuje psalmy. Zwierząt się boi, zwłaszcza psów i koni, więc jeśli łaska, proszę go do zwierząt nie posyłać. Brat mój przed śmiercią miał życzenie ofiarować syna Bogu i przeznaczył na jego wychowanie dziesięć brandenburskich denarów, które ojcu opatowi wraz z Hugonem przynoszę.

Opat przyjął denary i dziewczynę, która po psiarczyku i niemowie stajennym stała się Hugonem, oblatem u cystersów. Jakub liczył, że klasztorne wychowanie da jej w kość. Nim ją zostawił, obiecał, że jeśli w rok przekona zakonników, by nauczyli ją czytać, dostanie od niego własnego, srebrnego denara. Tylko dla siebie. Chciał, by poczuła wartość pieniądza, by zapragnęła tego srebra, zwłaszcza że nim go dostanie, spełnić będzie musiała jeszcze jeden warunek.

Rok minął i Jakub zgłaszał się po swą własność. Zostawił konia w kępie drzew nieopodal klasztornego muru. Przebrał się w cysterski habit, zarzucił kaptur na głowę i wraz z nastaniem zmroku przekradł do bierzwnickiego klasztoru. Policzył mnichów spieszących rzędem na nocne modły. Dwunastu dorosłych i tyle samo oblatów. To za mało, by niezauważonym wmieszać się między nich. Wybrał ostatniego w szeregu idących, i zatykając mu usta dłonią, wciągnął w boczny korytarz. Unieszkodliwił bez trudu, mnich szedł na jutrznię w półśnie. Zamienił się z nim na habity i nim cystersi przekroczyli próg kościoła, był jednym z nich.

— Boże, wejrzyj ku wspomożeniu memu! — zaczęli zakonnicy i Jakub z nimi.

Jednak tego się nie zapomina — zauważył zaskoczony, gdy werset po wersecie przypominał sobie nocne psalmy. Spędził dwa lata w opactwie benedyktynów i stąd wiedział, że klasztor jest szkołą życia i przetrwania surowszą niż każda inna. Nim zaczęła się psalmodia z najniższej ławy, tej, którą zajmowali chłopcy oblaci, wstał jeden z głową wygoloną jak inni i ruszył na miejsce lektora. Gdy tylko zaczął śpiewać *Ratuj Panie bo nie ma pobożnych*, Jakub poczuł dumę. *Zabrakło wiernych wśród ludzi.* Głos wysoki i czysty, słowo po słowie wyraźne. *Wszyscy mówią kłamliwie do bliźniego.* Żadnego sennego mamrotania, żucia słów. *Mówią podstępnymi wargami i z sercem obłudnym.* Warto było dać za rok jej nauki dziesięć denarów. Po roku udawania niemowy powtarza trudne łacińskie zdania, nie zacinając się nawet na jednym wersie. *Słowa Pańskie to słowa szczere. Wypróbowane srebro, bez domieszki ziemi, siedmiokroć czyszczone.* Tak, czuł dumę jak ojciec. Była niepozorna, jak trzeba. Twarz bez znaków szczególnych, wyprana po równi z urody i brzydoty. Jedyne, co ją wyróżniało, to ten głos. Dźwięczny i czysty. On mógł się stać znakiem rozpoznawczym dziewczyny. Ale prawda jest taka, że głos można zmieniać, a jak kogoś natura obdarzy długim nosem czy żabim wyłupiastym okiem, to już nic z tym się zrobić nie da. Albo jak Grunhagena karlim wzrostem. Skończyła się oracja i zakonnicy wracali do dormitorium. Bez trudu rozpoznał łóżko, na którym powinien się położyć, a gdy naciągnął koc na twarz, udawał, że nie słyszy szeptu z lewej:

— Bracie Zachariaszu, a ty spać idziesz w kapturze?

Chrapnął głośno i czekał, aż mnisi i oblaci zasną. W jego czasach, u benedyktynów, trwało to zwykle mniej niż chwilę. Pamiętał takich, co potrafili śpiewać jutrznię i spać jednocześnie. Bezszelestnie wyszedł spod koca i podszedł do łóżka dziewczyny. Obudził ją krótkim potrząśnięciem. Ciekawe, czy krzyknie. Nie. Otworzyła oczy i była przytomna.

— Nowicjat skończony, Hugonie — szepnął do niej.

Kiwnęła głową i wstała ostrożnie, rozglądając się na boki. Wyszli z dormitorium do wąskiego, zimnego korytarza. Tam wsunął w rękaw jej habitu sztylet.

— Nowicjat skończony, ale zadanie nie. Który z mnichów uprzykrzył ci życie najbardziej?

— Zachariasz — spojrzała mu prosto w oczy.

Uśmiechnął się. Cwana bestia. Zachariaszem był on.

— A który nauczył cię czytać?

— Teodoryk.

— Idź i zabij go. Poczekam przed bramą, ale tylko do prymy. Jeśli narobisz hałasu, ucieknę i nigdy więcej się nie spotkamy.

Kiwnęła głową w odpowiedzi i wróciła do dormitorium. Jakub de Guntersberg nie wyszedł przed bramę, ale wślizgnął się do przyległego pomieszczenia i przez szparę między deskami przepierzenia obserwował, co zrobi dziewczyna. Najpierw wróciła do własnego łóżka i zaścieliła je starannie. Potem podeszła do łóżka Zachariasza i je również posłała. Wygładziła dłonią koc. Pochyliła się nad śpiącym obok. Chwilę wpatrywała się w niego. Jakub wstrzymał oddech. Pierwsze zabójstwo jest najważniejsze, jak naznaczenie. Cofnie się? Zawaha? Czy wie, jak użyć sztyletu? W które miejsce pchnąć? Dziewczyna chwyciła sztylet zębami. Delikatnie wsunęła ręce pod głowę mnicha i uniosła, przyginając do jego piersi. Przytrzymała lewą ręką, a prawą wyjęła z zębów sztylet i poderżnęła mu gardło pod brodą. Jakub pokręcił głową z podziwem. Albo widziała na wsi, jak chłop zarzyna prosiaki, albo jest samorodnym talentem. Wybrała jedną z najskuteczniejszych pozycji. Chrząstki krtani cofają się i obie tętnice wyłażą na wierzch gotowe do poderżnięcia. Dziewczyna wytarła nóż o koc Teodoryka,potem ręce. Nakryła mnicha po czubek głowy. I znów podeszła do łóżka Zachariasza, pochyliła się i głęboko pod siennik wsunęła sztylet. Jakub błyskawicznie opuścił pomieszczenie i pobiegł do bramy. Ona przyszła chwilę po nim.

— Daj mi dukata — wyciągnęła rękę.

Położył na niej srebrną monetę. Zacisnęła na niej palce i zaśpiewała cicho, patrząc mu w oczy:

— *Słowa Pańskie to słowa szczere. Wypróbowane srebro, bez domieszki ziemi, siedmiokroć czyszczone.*

Wziął ją za rękę i ruszyli do ukrytego w kępie drzew konia. Tam oboje zdjęli habity, oboje złożyli je starannie i Jakub schował je do sakwy. Dał dziewczynie męskie ubranie. Przyglądał się jej, gdy się ubierała. Była chuda i koścista. Zalążki piersi, jeszcze przez wiele lat do ukrycia. Na plecach ślady po chłoście. Posadził ją przed sobą w siodle i wyjechali na trakt. W bierzwnickim klasztorze dzwonili na prymę.

— Kto cię wychłostał? Zachariasz?

— Nie, panie. Teodoryk. Zachariasz był najmilszym z mnichów.

— Kłamiesz bez mrugnięcia okiem — pochwalił ją. — To wielka sztuka. Kłamstwo jest chlebem codziennym naszej pracy. I zostawiamy je w pracy. Między sobą zawsze mówimy prawdę. Rozumiesz?

— Tak, panie.

— Więc kto był ci najbliższym z mnichów?

— Nikt, panie.

— Jak zatem przetrwałaś rok w klasztorze? — zdziwił się i ciekaw był odpowiedzi. Wiedział, że oblat nie przeżyje bez czyjejś pomocy.

— Kłamałam, panie — odrzekła dziewczyna.

— Ach tak — pomyślał, że teraz też nie ma pewności, czy nie kłamie. — Wypełniłaś zadanie i możesz przyjąć imię. Jak chcesz się od dziś nazywać?

— Hugo, panie.

MUSKATA wściekł się i aż zakipiał z gniewu, gdy doniesiono mu, że Biecz wpadł w ręce Bogoriów ze Żmigrodu, najzagorzalszych nowych stronników księcia Władysława.

— Psiakrew! Tylko nie Biecz! — Kopnął w krzesło, aż upadło z łoskotem na posadzkę. — Oskóruję za to opata tynieckiego!

— Uspokój się — powiedział do niego szwagier, wójt wielicki Gerlach. — Źle się stało, ale to jeszcze nie koniec świata.

— Nie koniec?! Václav dał mi Biecz wraz z okolicznymi posiadłościami, bo to najważniejszy punkt obronny przed siłami przeklętego Karła!

— To po coś go dzierżawił opatowi? Sam sobie jesteś winien.

— Bo nie miałem pieniędzy — warknął Muskata. — I nadal ich nie mam. Karzeł wykrada mi miasto po mieście, gród po grodzie! Już stoją przy nim wojewoda sandomierski Otto Toporczyk, krakowski Mikołaj Lis oraz ci dwaj Lisowie, Pakosław z Warcisławem, sędziowie krakowski i sandomierski, o wszystkich razem Bogoriach nie wspomnę. A on idzie przez Małą Polskę i tytułuje się księciem sandomierskim i krakowskim! Do diabła!... Czy ten pokurcz musiał wracać akurat, gdy ja zostałem starostą Małej Polski?! Václav grosza nie daje na obronę, a wymaga! „Książę Łokietek"! A by go obesrało! — prychnął, zalewając się winem od brody po brzuch.

— Trzeba więcej ludzi po gościńcach łapać. Z okupów można sporo wyciągnąć. Musiałeś księcia Leszka do Pragi odesłać? Za niego byśmy ładnie wzięli.

— Musiałem. Król sobie życzył mieć bratanka Łokietka. — Za każdym razem, gdy mówił „Łokietek", krew go zalewała. Bo w Małej Polsce żadnego innego imienia nie powtarzano równie często. Małe miasteczka i całe grody otwierały przed nim swe bramy i Karzeł z dnia na dzień otaczał Kraków pasmem posiadłości, które skupiał w ręku.

— Gerlachu — położył szwagrowi rękę na ramieniu. — Czynię cię dowódcą mego zamku w Lipowcu. Mej twierdzy, stróżującej nad szlakiem ze Śląska do Krakowa. Jeśli istnieją zamki nie do zdobycia, to Lipowiec jest takim. Zbudowałem tam potężną twierdzę z kamienia. Wysoką, masywną wieżę, fosy wykute w litej skale. Jak będzie trzeba, masz mą zgodę, by puścić z dymem drewniane budy podzamcza. Uczyń z Lipowca swą kwaterę główną. Obsadź też zamek w Chęcinach, tam nie zdążyłem dokończyć budowy, ale mury stoją i są nowe, nie znajdziesz w nich nawet pół zmurszałego kamienia.

— Zaraz, zaraz. Wielki zaszczyt mi dajesz, a obowiązek jeszcze większy. Jak mam zarządzać obroną bez pieniędzy?

— Pieniądze zdobędę. Nie martw się. W tydzień, najdalej dwa przyślę ci srebro. — Muskata ścisnął szwagra za ramiona. — Gerlachu, nie zawiedź mnie. Obaj jedziemy na tym samym czeskim wozie. Jeśli z niego spadniemy, to razem.

— To wóz, w którym urwały się trzy koła — drwiąco odpowiedział wójt wielicki. — Twój Václav stracił koronę węgierską, ma Pragę otoczoną wojskami Habsburgów, a teraz Łokietek wydziera mu Małą Polskę.

— Wydziera, ale nie wydrze! — wrzasnął Muskata. — Nie, póki ja jestem starostą. I póki ty jesteś przy mnie! Masz, to na dobry początek.

Otworzył wieko stojącej na stole okutej skrzyni i wyjął z niej złoty kielich wysadzany rubinami.

— Proszę, weź. To dla ciebie. — Wcisnął kielich Gerlachowi.

— Skąd to masz?

— To złoto.

— Widzę. Złoto i rubiny. — Gerlach okręcał kielich. — Wygląda na stare.

— Stare, drogie i królewskie. Nim Łokietek wkroczył do Wiślicy, zdążyłem opróżnić dolny skarbiec kolegiaty. Bolesław Chrobry ufundował to jako wotum w podzięce za zdobycie Rusi.

Gerlach wziął ze stołu dzban z winem i nalał sobie do kielicha. Zarechotał.

— Król Gerlach de Culpen, dawny wójt wielicki! Na zdrowie królu! — Uniósł kielich i odpowiedział sobie: — Na zdrowie! — i wypił.

Przez twarz Muskaty przebiegł skurcz. „Król Gerlach" też coś! Ten prostak, jego szwagier, to ma ambicje. Ale ma też łeb na karku i trudno, niech sobie gada, co chce, byleby Lipowiec obronił. Muskata uśmiechnął się więc do Gerlacha serdecznie, krzepiąco i powiedział:

— Tak, bardzo ci z tym do twarzy. No, jedź, mój drogi przyjacielu. Mój dowódco obrony! Ruszaj w drogę i nie zawiedź mnie.

— Jeszcze jedno, Muskato. — Gerlach cofnął się spod drzwi. — Potrzebuję silnej zachęty.

Chciwus — zaklął w duchu Muskata, a na głos spytał z gładkim uśmiechem:

— Co masz na myśli?

— Gerussę, twoją kochankę — wypalił Gerlach, patrząc mu prosto w oczy.

— Przecież jesteś żonaty z moją siostrą! — wściekł się Muskata.

— No i co z tego? A ty jesteś biskupem i ślubowałeś celibat.

Muskata błyskawicznie przeliczył w myślach, co mu się opłaci. Utrzymać Małą Polskę i łaskę króla czy nałożnicę.

— Dobrze. Gerussa będzie twoją nagrodą za wygraną wojnę.

Gdy tylko drzwi za Gerlachem de Culpen zamknęły się, biskup wezwał Waltera, dowódcę swych cichych ludzi.

— Byłeś w Wiślicy? — naskoczył na niego od wejścia. — Ukarałeś w mym imieniu prałata, co wprowadził Łokietka do kolegiaty?

— Tak, panie. Kustosz Zygfryd nie żyje. Wywlekliśmy go z kościoła i ciągnęliśmy za koniem, póki ducha nie wyzionął.

— Chwała Bogu! Łokietek to widział?

— Nie, panie. Gdyby był w mieście, nie weszlibyśmy. Ma potężne wojsko, stoją przy nim prócz Węgrów zbrojni małopolscy — Lisowie, Starżowie i Bogoriowie. Ale lud widział i bał się.

— Chociaż tyle — westchnął nieco zawiedziony Muskata. — Górny skarbiec ograbiłeś?

— Tak, panie. Mam na wozach księgi, świeczniki, zastawę mszalną. Ornaty też brałem, bo sporo złotem haftowanych. Ale to wciąż mało. Najemnicy chcą zapłaty. Burzą się. A coraz więcej miast i wsi sprzyja księciu. Jest niedobrze, powiem uczciwie. W dodatku zaczyna szerzyć się zabobon, bo niektórzy zakonnicy ogłaszają cię, panie, wyklętym.

— Nikt mnie nie wyklął! — Wzruszył ramionami Muskata. — Wioskowe gadanie. Słyszałeś coś konkretnego?

— Zobaczyłem wilka krwiożerczego odzianego w biskupie szaty — zaczął Walter.

— Co ty chrzanisz?

— Pytałeś panie, co słyszałem. Powtarzam słowo w słowo, co powiedział franciszkanin zwany ojcem Mirosławem.

— Aha! To mów dalej. — Muskata nalał sobie wina i rozsiadł się w wykładanym złotogłowiem fotelu.

— Zobaczyłem wilka krwiożerczego odzianego w biskupie szaty, stojącego na tylnych łapach. Trzymał w skrwawionym pysku pastorał, którego krzywaśń ociekała posoką. A u stóp jego stały dwie tarcze. Na jednej napisane było: „Drapieżny wilku! Wyciągnąłeś miecz z pochwy i skrwawiłeś go. Miecz pomsty przebije duszę twoją!". A na drugiej: „Oto Jan, biskup krakowski".

Muskata zastygł. Słuchał zafascynowany. Wyobraził sobie ten ociekający krwią pastorał. Jakub Świnka miał taki złoty pastorał z koralami w krzywaśni, teraz mu się przypomniało. Gdyby nie wojenna zawierucha, wziąłby się i za Świnkę. Arcybiskup odkrył jego plany oderwania diecezji krakowskiej od Gniezna i oczywiście zablokował to w kurii rzymskiej. I pozwał go ponownie. Będzie czas na proces. Póki wojna, przed żaden sąd nikt go nie wezwie. *Miecz pomsty przebije duszę twoją.* Otrząsnął się.

— Franciszkanin takie rzeczy wygaduje? To jedź, wyrwij mu język i przybij go do drzwi kościoła. A do mnie wołaj Dohnę.

— Czy możesz uściślić, panie, co mam przybić? Franciszkanina czy jego wyrwany język?

— Co? Jedno i drugie, byle szybko.

Dohna był dowódcą jego siepaczy. Gerlach wyszukał go w wielickim lochu, świeżo skazanego za morderstwo rodziny żupników. Morderstwo? Więcej: dusicielstwo. Powiesił ich w kolejności, według wzrostu i ciężaru, od dzieciaków zaczynając, a na ojcu kończąc. Każdemu precyzyjnie dobrał grubość konopnego powroza i zgrabnie zacisnął na szyi stryczkowy węzeł. Ten dla ojca był szczególnie staranny, z dziewięcioma równiusieńkimi owinięciami, jak dla skazańca. Najwyraźniej Dohna coś miał do żupnika i za coś go skazał. Na swej robocie się znał jak nikt; nim stał się mordercą, był najlepszym wielickim powroźnikiem. W zamian za darowanie życia podjął się zebrać oddział takich jak on, gotowych na wszystko i poprowadzić ich dla biskupa na wojnę.

— Panie! — Stanął przed nim żółtowłosy i nieogolony. — Wzywałeś mnie?

— Dohna, ruszysz dla mnie jeszcze dzisiaj na misję. Misję specjalną. Dodam, że przydadzą wam się łopaty.

— Jako oręż przydatniejsza siekiera.

— Oczywiście. A do kopania łopata.

— Co mamy kopać? — Dohna łypnął w stronę stojącej na stole otwartej skrzyni.

— Groby. Ruszycie od plebanii do plebanii i wszędzie tam, gdzie pleban ogłosił się już poddanym Łokietka, oczyścicie kościół ze sprzętów, precjozów, nawet ksiąg. Szukajcie też pod podłogą, bo wierni w czas zawieruchy znoszą do kościoła własne skarby. Opornych puszczać z dymem. A gdy z kościołem będziecie mieli załatwione, brać łopaty i przekopać cmentarze. Nieboszczykom skarby niepotrzebne, a mi owszem. Pojedzie z wami mój człowiek.

— Nie ufasz nam? — krzywo uśmiechnął się Dohna.

— Nie ufam nikomu. Mój sługa będzie wam patrzył na ręce, żeby się do nich nic nie przykleiło. Zapłatę za swą posługę macie wziąć od ludności. Ja jestem biskup, więc co z kościoła i cmentarza, to moje.

— Rozumiem — powiedział siepacz.

— Moje ramię jest długie, wiesz o tym. — Pogroził mu Muskata. — Odpowiadasz za swoich ludzi.

Żółtowłosy skinął głową, a Muskata przemógł wstręt i klepnął go w plecy, mówiąc:

— Gdzie ci będzie lepiej, niż przy mnie!

Wyszli razem na dziedziniec zamku. Biskup chciał osobiście wyprawić swą armię. Zobaczył pięćdziesięciu ludzi uzbrojonych w puginały, kordy, długie bojowe noże i topory wszelkiej maści. Pięćdziesiąt zakazanych pysków, które wyglądały tak, jakby listę swych czynów miały wybitą stemplem na czole. Na widok schodzącego do nich Muskaty podnieśli się ze snopków i ław nieco powolnie, niedbale. Muskata podszedł do najbliższej stojącego i wyjął z jego dłoni topór. Uniósł go, krzycząc:

— Oto klucz świętego Piotra do otwierania kościołów! Bracia, jedźcie w imię moje! Czekam na was jak dobry ojciec z otwartymi ramionami. Przywieźcie mi to, co biskupowi należne, a ja wyprawię dla was taką ucztę na zamku, jakiej wasze oko nie widziało. Jako że zaczyna się czas Wielkiego Postu, ja wam dzisiaj, mocą moją, daję dyspensę. Możecie pić i spożywać bez grzechu, gdy walczycie dla biskupa Krakowa. Błogosławię wam na drogę, synowie moi!

I przeżegnał ich trzymanym w dłoni toporem.

— Ja, Jan Muskata. Krwawy wilk z pastorałem — powiedział do siebie, gdy jego siepacze jeden po drugim wyjeżdżali przez bramę.

KALINA dbała o Rikissę i dziecko w jej brzuchu dużo bardziej, niż obiecała Dębinie. Było to po wielokroć łatwiejsze, gdy po pożarze

640

praskiego zamku cały dwór przeniósł się do rezydencji praskiego złotnika Konrada. Dworzysko Konrada w pobliżu kościoła dominikanów było w sercu miasta i choć zostało ogłoszone „siedzibą królewską", siłą rzeczy nie przestrzegano tu tego całego ceremoniału wyjść i wejść tak skrupulatnie jak na zamku. Komnaty królowej były dużo wygodniejsze; służba szeptała, i słusznie, że złotnik Václava żyje znacznie lepiej niż król.

Od Rutki Żydówki dostawała zioła świeżo zrywane na łąkach i te z ubiegłorocznych zbiorów. Księżną Gryfinę usunięto, zamykając u klarysek świętej Agnieszki Przemyślidki i po tym, jak zniknęła z ich życia, Kalina z łatwością pozyskała względy Ondriczka, pokojowca króla. Jeśli tylko się dało, Ondriczek podawał mu napary, a zioła wytłumiały nadmiernie rozbudzonego Václava. Król oczywiście kazał przenieść swą relikwiarzową skrzynię do nowej siedziby, ale przynajmniej nie było w niej tych szalonych świętych fresków.

Pewien problem mieli z Vaškiem, zabranym z Budy przez ojca, bo ten wyjątkowo lepił się do Rikissy, ale młodego króla zawsze można było czymś zapchać; najedzony usuwał się w cień. A gdy to nie pomagało, naprzeciw Vaška stawał Michał Zaremba, i mały, paskudny Przemyślida zmykał. Bał się Michała jak ognia.

Dziewczyny z praskiej „Zielonej Groty" dostarczały jej wiadomości, o jakie trudno było na dworze Václava, gdzie każdy, kto mógł, oszukiwał i kłamał. Trwała wojna, a źle jest rodzić dzieci w czas wojny. Król starał się utrzymać spokój pośród swych licznych córek, ciotek, kuzynek i nałożnic, ale dwór pełen histerycznych kobiet to złe miejsce dla brzemiennej kobiety, zwłaszcza gdy wojska nieprzyjaciela tak blisko od Pragi.

— Michale — wślizgnęła się do komnaty Zaremby — co będzie, jeśli Habsburg lub inny wróg Václava zacznie oblegać miasto? Czy nie moglibyśmy gdzieś wywieźć królowej? W jakieś spokojne miejsce?

— Nie. Ale skorzystamy z tej szansy natychmiast po tym, jak Rikissa urodzi syna. Zabierzemy ją i dziedzica do Poznania, pod pretekstem bezpieczeństwa królowej i dziecka.

— Syna. Wciąż powtarzasz, że ma urodzić syna. A co wam szkodzi, by królowa urodziła królową?

— Nie zaczynaj — burknął.

Był w wyraźnie złym humorze. W takich chwilach wolała się do niego nie zbliżać. Wciąż jeszcze rycerz w Zarembie był silniejszy niż smok, ten drugi jeszcze ustępował potędze woli Michała. Widziała, jak się z tym męczy, widziała jego lęk, że ktoś na dworze dostrzeże smocze stygmaty i odsuną go od Rikissy. Nie była biegła w niuansach ich religii, ale lata spędzone na dworze nauczyły ją swobodnego poruszania się po całej chrześcijańskiej legendzie. Wiedziała więc, że Archanioł Michał, smokobójca, który jest jego patronem, walczy ze smokiem, w którego sam się zmienia. I wystarczająco znała się na ludziach, by wiedzieć, że to śmiertelna gra na wyniszczenie. Od czasu pożaru zamku wszystko to przybrało na sile. Ale nie mówiła z nim o tym, bo on nie chciał słuchać. Nie słowa ich połączyły, lecz namiętność. Te krótkie i gwałtowne zbliżenia sprawiały, iż on i ona w równym stopniu, choć każde osobno, dotykali samych siebie. Nie kochali się w tym znaczeniu, w jakim ludzie potrafią się kochać i oddawać wzajemnie. Nawet nie byli sobie bliscy. Może się lubili, ale na każdy temat mieli odmienne zdanie i żadnej chęci, by się w nim ku sobie zbliżyć. Nie byli także parą zakochanych, takich, co szukają każdej sposobności, by się dotknąć, uśmiechnąć do siebie czy czymś obdarować. Nie. To zawsze była sprawa chwili. Każda burza sprawiała, że rzucali, co mieli w rękach, i wiedzeni instynktem spotykali się w jego komnacie, by połączyć natychmiast w zbliżeniu gwałtownym, namiętnym, bolesnym i pięknym. Równie mocno łączyły ich pełnie księżyca i nowie. Słońce w południe w bezwietrzny dzień. Sporadycznie zaś serie przypadkowych dotknięć, które prowadziły do kumulacji, jaką mogło być spojrzenie w oczy albo otarcie się o siebie niespodziewane i nagłe. Tak, sami dla siebie też bywali nieprzewidywalni.

Dzieliło ich wszystko, łączyło oddanie Rikissie. Kalina szybko zrozumiała, że na tym polega ich miłość. Ona i Michał kochają królową. Dwie bezgraniczne miłości, które spotykają się w Rikissie. Tyle tylko, że choć nawet cel mieli wspólny — doprowadzić Rikissę i jej dziecko na tron Królestwa, to już w następnej kwestii różnili się zasadniczo. Michał uważał, iż tylko syn Rikissy będzie mógł być dziedzicem korony, a Kalina wierzyła, że królową i panią Królestwa może być i Rikissa, i jej córka. Kalina pragnęła córki.

— Michale, co wam szkodzi, by królowa urodziła królową?

Spojrzał na nią znad sztyletu, który czyścił. Zmarszczył czoło.

— Kalino. Wiele się zmienia. Do Królestwa wrócił książę Władysław. Mała Polska wita go niczym przyszłego króla, a on zamek po zamku obala władzę Václava. Boję się, że nasze plany wezmą w łeb, bo Władysław i jego podwójna bestia mogą zdobyć tron, nim wprowadzimy na niego dziedzica Rikissy.

Poczuła zimno w głowie, jakby Waldemar znów zacisnął na jej szyi pętlę z martwego drewna.

— Co ty mówisz? Co mówisz? To niemożliwe.

— Jeszcze zimą wydawało się nierealne. Ale dzisiaj Władysław tytułuje się księciem krakowskim i sandomierskim. W Małej Polsce wybuchła histeria. Lud i rycerstwo wołają: „Wrócił nasz pan i nasz król!", jakby Władysław zawładnął ich duszami jakąś tajemną siłą. Zrzuca panowanie Václava gród po grodzie. Poddani krzyczą: „Precz z Czechami!". Rozumiesz? W tej sytuacji Rikissa i jej syn mogą stać się dla ludu kontynuacją znienawidzonych Przemyślidów.

Wstał gwałtownie. W jego oku otworzyła się smocza pionowa źrenica. To na Kalinę działało jak pocałunek w podbrzusze. Próbowała myśleć.

— Nie mów tak. Lud w Królestwie nie potraktuje Rikissy jak obcej. To córka wielbionego króla Przemysła. A arcybiskup? Przecież stanie za nią Jakub Świnka. — Już oddychała głośno, już czuła na języku smak jego ostrego, rozdwojonego języka.

Pokręcił głową i przeczesał palcami włosy. Spojrzał na dłoń i zobaczył, że zalśniły na niej złote łuski.

— Arcybiskup nie strzeże jednego władcy, lecz Królestwa. Nie wiem, jak ci to wytłumaczyć, Kalino. On jest strażnikiem tego, czego nie widać gołym okiem. — Spojrzał na nią i przełknął ślinę.

Od wtopienia się w siebie dzieli ich już tylko oddech.

— Jednak prócz arcybiskupa o wyborze decydują baronowie. Jedyne, co mogę obiecać, to, że Władysława nie poprze złoty smok.

Rozerwała suknię, zdejmując ją; pożądanie rzuciło się na nią podmuchem ognia.

— Ty jesteś złotym smokiem, Michale — szepnęła wprost w jego suche usta.

— Nie — syknął. — Złoty smok to ukryty znak Zarembów.

RIKISSA usłyszała daleki grzmot letniej burzy. To kolejna. Przechodziły nad Pragą jedna za drugą od wiosny. Poprosiła służące, by otworzyły okna, i podeszła do nich, łowiąc w płuca wilgotne, ciepłe i wonne powietrze. O tym, że chciałaby teraz boso tańczyć na trawie mogła tylko pomarzyć. Uśmiechnęła się do złotej Pragi skąpanej w świetle błyskawic. Teraz, gdy mieszkali w dworzysku złotnika Konrada, miasto było bliżej. Wyciągnęła ramiona najdalej, jak mogła, by złapać w dłonie chłodne, wielkie krople. Trzy lwy wskoczyły na kamienny parapet okna i zaryczały. Poczuła ciepło na nogach. Spojrzała w dół. Stała w kałuży wody. Zrozumiała, że to nie deszcz, nie burza, to jej dziecko wypływa z niej.

— Gdzie mój błękitny płaszcz rodowy? — spokojnie spytała służkę.

— W kufrze, moja królowo.

— To przynieś.

Wiedziała, że matka urodziła ją na błękitnym płaszczu i swemu dziecku chciała podarować to samo, królewskie wyjście na świat.

— Rozłóż na krześle. — Uśmiechnęła się do służącej. — I rozpuść mi włosy.

— Królowo! — zadrżała młoda Czeszka. — Odchodzą ci wody!

— Już odeszły. Rozpuść mi włosy.

— Ależ ty rodzisz, pani! Trzeba zawołać biskupa, medyka, powiadomić króla... — służąca była blada jak ściana.

— Źle się czujesz? Jeśli tak, to odejdź i zawołaj do mnie Kalinę.

— Ja nie... ale ty, pani!...

— Nie chcę biskupa, medyka i króla. Przyprowadź do mnie Kalinę. Ale najpierw pomóż mi zdjąć suknię. Jest niewygodna i ciasna.

Służka szybko wyswobodziła ją z ciężaru jedwabiu. Rikissa sama zrzuciła koszulę. Stała naga.

— Przyniosę koszulę, tę haftowaną we lwy, twą ulubioną, pani.

— Potem. Teraz chcę być naga. I chcę zostać sama. Idź po Kalinę.

Gdy za służką zamknęły się drzwi, poczuła skurcze. A więc to tak — ucieszyła się — nareszcie. Gdy pierwszy z nich ustał, podeszła do otwartego okna. Zawiał wiatr i chłodne krople deszczu obsypały jej nagie ciało. Rozwiały włosy. Przytrzymała się parapetu, gdy przyszedł kolejny skurcz. Wczepiła się palcami w zimny kamień. Trzeci był bolesny. Szeroko rozstawiła nogi i zaparła się, otwartymi ustami łowiąc krople. Gdzieś w dali uderzył piorun. Czwarty i piąty uznała za łagodne. Przy szóstym zacisnęła zęby. Lwy zbliżyły się do niej, mrucząc gniewnie.

— Ciii... Nie przeszkadzajcie. Rodzę.

Dwa chwyciły ją zębami za palce i odciągały od okna.

— Dobrze, usiądę.

Ruszyła prowadzona przez lwy i w tej samej chwili drzwi komnaty otworzyły się, i stanął w nich Henryk z Lipy. Zobaczył nagą królową, osłoniętą jedynie rozpuszczonymi włosami, z lwami przy nogach. Zalał go rumieniec.

— Królowo... — szepnął — trzeba ci medyka, biskupa i...

— Wyjdź — powiedziała twardo. — Trzeba mi spokoju. Wróć. Możesz podać mi wodę?

Usiadła w wyścielonym płaszczem fotelu. Chłodny, błękitny jedwab pod pośladkami. To płaszcz, który jej matka przywiozła ze Szwecji. Płynął przez wzburzone morze, gdy matka w kapturze z futra młodej foki spieszyła na pierwsze spotkanie z ojcem. Opowiadała jej, jak zakochała się od pierwszego wejrzenia. Jak jej rodowe trzy lwy miłośnie uściskały wspiętego lwa, herb Przemysła. Czyż to nie dziwne, że znakiem osobistym Przemyślidów był także stojący lew, jak u jej ojca? Tyle że Václav w swej pokrętnej naturze zawsze stawiał na znak Czech, płomienistą orlicę.

Henryk z Lipy podał jej kielich z wodą. Piła łapczywie. Złapał ją skurcz i ona złapała go za rękę, by się przytrzymać. Już. Puścił. Puściła.

— Rodzisz króla, pani — wyszeptał Henryk.

— Albo królową — uśmiechnęła się Rikissa. — Podaj mi ręcznik, chcę otrzeć pot.

Przyniósł śnieżnobiałe płótno, klęknął i sam otarł ją, trwożliwie omijając piersi. Na sutkach lśniły krople.

Otworzyły się drzwi i wbiegła służąca.

— Pani wybacz! Nigdzie nie mogę odnaleźć Kaliny! I pan Zaremba też zniknął... Co mam robić?...

— Przygotuj powijaki. I nie krzycz, proszę. Chcę słyszeć deszcz za oknem. Ach...

Skurcz, który ją dopadł, był jak uderzenie w brzuch, tyle że płynące od środka. Lwy warknęły. Rikissa dyszała ciężko.

— Pomóż mi wstać — szepnęła, gdy minął.

Henryk podał jej ręce, a ona wsparła się na nich i pochyliła. Skurcze przychodziły jeden za drugim, chaotycznie i często. Stała pochylona. Przy kolejnym złapała z całych sił skrzyżowane pnie lipy na piersi Henryka. Zaciskała zęby i patrzyła mu w oczy, gdy ciepłym chluśnięciem wyskoczyło z niej dziecko.

— Łap! — zdążyła krzyknąć do Henryka i opadła na krzesło.

Podał jej zakrwawione sine ciałko, mokre i ciepłe, śliskie.

— Masz córkę, królowo... — wyszeptał.

A Rikissa krzyknęła:

— Mam córkę! — Wzięła dziecko za nogi, głową w dół. I z całych sił uderzyła w plecy. Odkrztusiło i zaczęło płakać.

— Daj nóż, Henryku.

Przycisnęła małą do piersi. Ma córkę. Co za szczęście.

— Przetnij pępowinę. Urodziłeś to piękne dziecko wraz ze mną, Henryku z Lipy. Będę ci wdzięczna do końca życia.

VÁCLAV II chodził w gniewie po komnacie. Zrobił to, czego najbardziej nie znosił — układał się. By ochronić Czechy, musiał się układać. Jego syn Vašek poległ na całej linii w Królestwie Węgier, które opanowali baronowie i zjednoczony z nimi Karol Robert. Jan Muskata nie radził sobie z bojowym marszem Karła przez Małą Polskę. Na Kujawach powstał bunt rycerstwa, które zamek po zamku, miasto po mieście wypowiadały mu posłuszeństwo. A pod Pragą stały wojska Albrechta Habsburga. Do licha! Trzy korony Václava chwiały się. Jak drwina brzmiała w jego pamięci płomienna przemowa Muskaty: „Idź na Ruś!". Jeszcze czego! Jeszcze czwartej korony mu brakuje, by go pociągnęła na dno. Sprzedał Węgry, tak. Sprzedał Ottonowi Bawarskiemu, prawemu wnukowi Arpadów. Wszystko, byle nie Andegawen, byleby nie Karol Robert. W zamian dostał od niego wojsko przeciw Habsburgowi. Drugie od Henryka Karynckiego. Zapłacił za nie dziewictwem Anny, swej córki. Ślub za rok, teraz wojna i nie czas na zbytki. Za trzecią armię zapłacił Miśnią. Wzięli ją margrabiowie brandenburscy.

Tych posłał przeciw dzikim Kumanom, którzy pod rozkazami Habsburga i Andegawena wtargnęli mu od południa, pustosząc słodkie Czechy. Dzicy! Święty Wacławie, Dzicy! Płowowołosi, błękitnoocy Dzicy, którzy gwałcą, palą i biorą w jasyr jego Elżbiety, Agnieszki i Małgorzaty. Co zawiodło? Przecież dzień chwały był blisko. Grzał się w złocie trzech koron, trzech Królestw. Urok. Ktoś rzucił na niego zły urok. Kto?

— Ondriczku, kto?

— Nie wiem, królu.

Chodził wokół komnaty gniewny, wściekły. W dodatku ten pożar, który odebrał mu ukochany zamek! Prace remontowe zajmą wieczność! A Konrad? Jego złotnik Konrad, który oddał mu do dyspozycji własne dworzysko? Łasi się teraz jak lis, bo jest dobrodziejem pana swego, a kto by przypuszczał, że jego dwór jest wygodniejszy od zamku praskiego? I jeszcze jego polska żona urodziła córkę. Jak śmiała? Takie nadzieje z nią wiązał! Potrzebował nowego syna, bo Vašek, jedyny, który mu pozostał z Guty, nadaje się dokładnie do niczego. Dupczenie i żarcie, oto czym wypełnia się głowa Vacka. Próżny, chciwy i nikczemny — taki jest jego syn. Potrzebował nowego, jak sucha ziemia deszczu, a ona, wredna Polka, urodziła mi córkę.

— Zrobiła to na złość! Na złość mi, prawda, Ondriczku?

— Nie wiem, królu.

— A niechby zniknęła, co, Ondriczku? Przepadła. Ożeniłbym się z jakąś Habsburżanką i zakończył tę wojnę. Jest jakaś wolna?

— Dwie, królu. Katarzyna, lat dziewięć, i Guta, wybacz panie, Guta lat trzy.

— Mój syn gustuje w niedorosłych dziewczynkach. Ja wolę kobiety.

— Kobiet nie ma na wydaniu, mój królu.

— A siostra Ottona Bawarskiego?

— Katrina, królu. Trochę starsza od ciebie.

— Do diabła! Są jeszcze brandenburki! Brandenburska żona to jeden głos elektorów i trzy setki wojska, nie licząc tego, które daliby Waldemar i Jan. — Zatrzymał się przy zamkniętym oknie. Spojrzał przez grube, barwne gomółki. Psiakrew, że też złotnika stać na takie okna! Praga wydawała się wykrzywionym kolorowym miastem z nierównymi wieżami kościołów.

— Wiem, co robić, Ondriczku. — Odwrócił się od nierealnego obrazu miasta. — Czy Jakub de Guntersberg przybył na me wezwanie?

— Przybył panie.

— To wołaj go do mnie, teraz.

— Panie, wyznaczyłeś teraz spotkanie królowej i nowo narodzonej córce.

— Poczekają.

Zanurzył dłonie w miednicy z wodą, czekając na sekretnego człowieka. Obmył twarz, przeczesał włosy.

— Królu.

— Jakubie! Jak dobrze cię widzieć. Kojarzysz mi się z tym, co w życiu najpiękniejsze. Posłuchaj. Moja żona chce umrzeć w połogu. Śmiała urodzić mi córkę.

— Przecież odeślesz to dziecko do Poznania, panie.

— Nie wtrącaj się. Jesteś mym zabójcą, nie doradcą. Zabij Rikissę, dziecko zostaw. Jakoś je ustawię. No co się tak gapisz? Nigdy nie komentowałeś moich decyzji, nie rozczarowuj mnie, Jakubie.

— Masz gości, panie — powiedział de Guntersberg.

Przez uchylone drzwi komnaty wsunęła się piastunka Rikissy, Kalina. Przy jej stopach trzy lwy.

— Co to ma znaczyć? — Václav wskazał wielkie koty oskarżycielsko. — Zabierz je stąd. Natychmiast.

— Królowa czeka przed drzwiami z córką na ręku, panie — powiedziała twardo Kalina.

— No i co z tego? — wzruszył ramionami. — Niech poczeka. Nie chciałem córki i nie chcę tu tych kotów. Jak poczekają trochę, nic się im nie stanie.

— Im nie — szepnęła Kalina, postępując krok naprzód.

— Czego chcesz? — spytał piastunkę, a ona posunęła się jeszcze krok naprzód. — Daj mi spokój. Jestem zmęczony. Zajęty. Jestem królem.

— A Rikissa królową. Panią — odszepnęła piastunka i nie wiedzieć czemu, wydało mu się, że jej głos brzmiał złowieszczo.

— Jakubie — jęknął.

Jego sekretny człowiek postąpił ku niemu bliżej niż Kalina.

— Panie, nie wypełnię twego zlecenia.

— Co? Co ty mówisz? — zdenerwował się Václav.

— Nie zabiję królowej. Nie dam śmierci tej pięknej istocie. Ale przez wzgląd na te lata, które nas łączyły, dam ci prawo wyboru. Jak chcesz zginąć?

Václav poczuł się, jakby połknął jedwabną chusteczkę. Słowa uwięzły mu w gardle. Widział Jakuba de Guntersberg wyciągającego sztylet z cholewy buta. Widział Kalinę kroczącą ku niemu, gotową udusić go gołymi rękami. Białego jak ściana Ondriczka. Przez głowę przemknął mu obraz Muskaty szczującego go na Ruś.

— Wszystko przez twoje ambicje, Muskato... — jęknął. — Ty wepchałeś Vaška na tron węgierski, ty...

— Jak chcesz zginąć? — spokojnie spytał go Jakub de Guntersberg.

— Jak król — szepnął Václav, rumieniąc się.

Dotarło do niego, że to się dzieje naprawdę. Spojrzał na Jakuba i spytał:

— Kto płaci za moją śmierć?

— Nikt, panie. Robię to za darmo.

Václav nie chciał umierać. Pragnął żyć. Czuł, że pożąda życia każdą swą tkanką. Ale kroczyło ku niemu dwoje zabójców. Patrzył w ich twarze. To na Jakuba, to na Kalinę.

Nieoczekiwanie jego myśl poszybowała do Przemysła II. Czy on też tak się czuł? Przecież de Guntersberg patrzył na niego tymi samymi, stalowymi oczami. Nagle ponad wszystko inne zapragnął wybaczenia.

Przemyśle, czy przyjmiesz mój żal wyrażony w ostatniej chwili? Wybaczysz mi, królu? — Chwycił się tego pragnienia, jakby ono mogło odsunąć od niego własną śmierć. Ale nie, śmierć szła ku niemu. Spojrzał Jakubowi de Guntersberg w oczy.

— Chcę umrzeć jak król — powtórzył pewnie.

W tej samej chwili trzy lwy Rikissy skoczyły ku niemu. Popchnęły, upadł na posadzkę. Poczuł ich płowe cielska na piersi. Warkot. Przydusiły go, brakło mu tchu. Jeden wbił mu się zębami w gardło, dwa w nadgarstki. Ostre kły otworzyły mu żyły. Wykrwawiał się, czując ciepło płynącej posoki, czując jej woń.

Po trzykroć ciemność. Oto jak wypływa krew Przemyślidy — pomyślał i wciągnął go mrok.

JAKUB ŚWINKA przedzierał się przez mokradła Obry w stronę Krzywinia. Niósł ze sobą miecz króla Przemysła. Ten oręż tajemnej mocy, piękny i straszny w kolejach swych dziejów. Ostatnim akordem jego historii była przysięga na wierność Królestwu, którą złożyli przed ukrytym za gobelinem mieczem Zarembowie. I trzeba im przyznać, dochowywali przysięgi. Ale to koniec. Miecz trzeba pogrzebać, jak króla. Na jego zbroczu zastygło zbyt wiele krwi, krwi źle przelanej.

Czarodziej Merlin, magów król
Co zna zaklęcia wszystkie
Powiedział, że nadejdzie dzień
Gdy klątwa miecza pryśnie

Nie, Jakub nie czuł się żadnym Merlinem, gdzieżby tam. Uczepiła się go dzisiaj ta pieśń, gdy tylko ruszył w drogę. Arcybiskup trzymał oręż u siebie, czekając, aż przyjedzie do Poznania dziedzic, wnuk Przemysła. Jemu chciał przekazać miecz króla. Ale Bóg chciał inaczej. Rikissa powiła córkę, Václav II zmarł nagłą, nieoczekiwaną śmiercią. A do Królestwa powrócił książę Władysław. I jak powiedział Przezdrzew Leszczyc, wiezie przy boku miecz królewski pochodzący od Bolesława. Nie może być dwóch koronacyjnych mieczy w jednym Królestwie, tak jak dwóch królów. Czeski umarł. Władysław jest mocą jego śmierci raz na zawsze oczyszczony z uwłaczającej przysięgi w Klęce. Jeśli znajdzie w sobie siły, by odzyskać Królestwo, zacznie się dla kraju nowy czas, jak rozdział w Księdze Stworzenia. Dlatego miecz Przemysła musi odejść.

Jakub długo zastanawiał się, jak pogrzebać miecz. I w końcu podjął decyzję, że miejscem jego wiecznego spoczynku powinny być okolice Krzywinia. Tego Krzywinia, gdzie po śmierci króla podzielono Starszą Polskę na pół. Nie, nie był naiwny, by sądzić, że tym jednym aktem przywróci jedność krajowi. Ale mimo iż ostatnie lata naznaczyły jego duszę pasmami cierpień i upokorzeń, nie dobiły jej grzechem zwątpienia. Więc może jednak? Może pogrzebanie miecza uwolni Królestwo?

Poprawił miecz na plecach. Żelazo ciążyło mu.

W tym ostrzu jakaś klątwa tkwi
starsza niż jego dzieje...

Strząsnął z siebie natrętną pieśń i rozejrzał się. Szczęśliwie minął już bagna i teraz droga rozdwajała się na dwie ścieżki. Którą pójść? Żywego ducha nie widać, spytać nie ma kogo, którędy na Krzywiń. Pomodlił się i ruszył tą, w którą pchnął go Pan. Po obu stronach drogi rozciągał się wonny las liściasty, w głębi parowały mokradła. Pewnie jakieś jezioro jest blisko. Otarł spocone czoło i szedł dalej. Po chwili zdało mu się, że słyszy ludzkie głosy. Najpierw pomyślał, że dzwoni mu w uszach ze zmęczenia i od upału. Potem usłyszał znajomą melodię podśpiewywaną na zmianę przez dwa głosy.

— *Zielone lasy, ciemne wzgórza, cieniste wstęgi rzek*
Przeklęty rycerz, przeklęty miecz dopłynął na ten brzeg.
— *Los ścigał go już wiele lat, zaklęty w ostrzu miecza*
On szukał zguby, szukał śmierci, szukał własnego cienia.

No masz ci los! — jęknął w duszy. — Znowu pieśń o mieczu. Ale już zobaczył, że to nie złudzenie, po mokradłach brodzą kobiety z koszami na plecach i śpiewają sobie.

— Niech będzie pochwalony! — krzyknął do nich.

— Dzień piękny! — odpowiedziały.

— Dobre kobiety, czy wy tutejsze?

Wyszły na drogę. Zielone suknie miały podkasane wysoko. Zmrużył oczy. Zna takie dziewczyny.

— Czy... czy panny są od pani Dębiny? — spytał niepewnie.

— Tak!

— A szlachetna Dębina jest tu z wami? — Wszystko to wydało mu się zaskakującym zbiegiem okoliczności.

— A kto pyta? My nie znamy.

— Wy nie, ale pani Dębina zna i panna Jemioła... Są tu z wami? Ja jestem Jakub Świnka.

— Ojczulek Świnka? Słyszałyśmy, słyszałyśmy. Ale co taka ważna osoba robi na mokradłach, sama, z mieczem na plecach?

— Idę do Krzywinia.

— Krzywiń to w drugą stronę, całkiem niedaleko.

— Blisko.

— W drugą? Ach, tak... — Więc dokąd wiedzie ta droga, na którą wskazał Pan?

— Tędy ojczulek dojdzie do jeziora. Już je widać, jak się dobrze przyjrzeć. Pani Dębina zaś jest w pobliżu, przy rzece, która nazywa się Samica. Po drugiej stronie jeziora jest wieś Osieczna. Potrzeba jakiejś pomocy?

— Nie, dziękuję.

— To wracamy zbierać wodne jaskry — uśmiechnęły się do niego nieco zbyt śmiało i znów weszły na mokradła.

— Jezioro. Niech będzie jezioro. — Poprawił miecz na plecach i ruszył.

Po chwili wyszedł wprost na brzeg. Przed nim rozpościerała się skrząca tafla wody. Odetchnął i zdjął z pleców ciążący mu oręż. Jak rycerze mogą coś takiego przy pasie nosić? Rozejrzał się. W trzcinach stała zacumowana łódka. Wypchnął ją na wodę i odczepił linę. Ostrożnie włożył do niej miecz, sakwę podróżną i swój płaszcz. Wstyd przyznać, ale sam nigdy w życiu nie płynął. Jak to robią? Wypychają łódź na wodę, a potem tak jakoś zręcznie wskakują do środka. Łatwo powiedzieć. Stał po pas w wodzie, trzymając burtę łódki i dumał. Może wrócić po te miłe panny i poprosić o pomoc? Nie, nie wypada. Podkaszą suknie jeszcze wyżej i tylko się wstydu naje. Zręcznie wskoczyć. Podciągnął się na ile sił mu starczyło i zupełnie niezręcznie wpadł do wnętrza łódki. Zakołysała się na wodzie niebezpiecznie. Leżał na dnie, czekając, aż się uspokoi. No, już. Teraz wiosła. Ilekroć go wożono, zawsze ruchy wioślarzy wydawały mu się lekkie, naturalne. Jemu pióra wioseł wpadały za głęboko i łódź stała w miejscu, zamiast się posuwać. Długą chwilę ćwiczył. Raz i dwa. Raz i dwa. Teraz pojął, dlaczego wioślarze są zwykle tacy porozbierani. Pot zalewał mu oczy. Raz i dwa. Ale łódź coraz sprawniej i gładziej płynęła ku środkowi jeziora. Stała tam kępa drzew, która z daleka wydawała się niewielką wyspą, a z bliska okazała ledwie nieco zalesioną kępą. Wokół niej na powierzchni kołysały się białe kwiaty lilii wodnej.

Korony wodne — pomyślał i odłożył wiosła.

Sięgnął za burtę, obmył chłodną wodą spocone czoło. Do łodzi podpłynęło stadko ptaków. Przyglądały się Jakubowi badawczo.

— Piękne miejsce ostatniego spoczynku dla królewskiego miecza.

Wziął go w ręce. Po raz ostatni spojrzał na głowę króla wyrytą na głowni, tuż pod jelcem. W rowkach żłobienia wciąż czarne ślady krwi. Jakie imię nadał mieczowi Przemysł? Nikt nie wie. Jakkolwiek brzmiało, Przemysł zabrał je ze sobą do grobu i nie powierzył nikomu. Samo to powinno stać się znakiem, iż należy wraz z królem pogrzebać i miecz.

W tym mieczu jakaś klątwa tkwi
Starsza niż jego dzieje
Kto weźmie miecz, ten wpada w mgłę
I nie wie, co się dzieje

Jakub przełożył miecz z ręki do ręki. W tej samej chwili poczuł, iż to nie on trzyma oręż, ale miecz sidli jego. Żelazo przekuwane od czasów Chrobrego znów roztacza tę tajemną moc, która sprawia, że klękali przed nim baronowie Starszej Polski. Był pewien, że zna ledwie część tajemnic miecza. A może go nie wyrzucać? Może oczyścić go z krwi i zachować? Posłuszeństwo baronów przyda się każdemu władcy, który nadejdzie... A może on, Jakub, powinien zbadać prawdziwe dzieje miecza, odczytać wszystkie zaklęcia, które na nim wyryto, i te, co są do dziś zakryte przed okiem? Może tak, jak kiedyś zgłębiał dzieje klątwy Wielkiego Rozbicia, powinien zająć się historią miecza?

— Nie. — Przemógł się i powiedział głośno, aż odbiło dźwięk od tafli wody: — Nie. Przybyłem tu, gdzie podzielono Starszą Polskę, by skończyć klątwę miecza, jakąkolwiek by ona była i jakiekolwiek niosła w sobie tajemnice. By dać wieczny spokój duszy Przemysła i Królestwu.

Wstał i bez trudu złapał równowagę na chwiejnym dnie łodzi. Wyciągnął miecz przed siebie.

— Wszystko, co nas otacza, pochodzi od Boga. I niech do niego wróci.

Otworzył ręce i wypuścił miecz. Żelazo wpadło w wodę i tylko kręgi na jej powierzchni były śladem po nim.

— Chwała niech będzie Ojcu, Synowi i Duchowi Świętemu, amen!

Obmył dłonie w wodzie, wziął wiosła i ruszył ku brzegowi. Gdy dopływał, dostrzegł stojącą na brzegu wysoką sylwetkę. Dębina.

Zręcznie wyskoczył z łodzi i dopchnął ją w trzciny. Tak, przed laty było tak samo. W obecności Dębiny Jakub przestawał być niezdarą i robił rzeczy, jakie mu się nie śniły. Zerknął podejrzliwie na piaszczystą plażę. Nie, nie ma ognia. A raz kazała mu przejść przez ogień, i przeszedł. Dębina osłoniła oczy dłonią i zanuciła:

Wtem Merlin czarodziej, magów król
Pojawił się na brzegu
Rozwiany włos, rozwiana szata, rozwiana broda biała
Klątwa miecza Boleści dopełnić się tu miała.

No tak. Skoro to dzień tej pieśni, Jakub, choć przed chwilą się tego nie spodziewał, doszeptał jej ostatnią strofę:

Pani Jeziora, Pani czysta
zakończmy klątwy dzieje
tej głowni, która kryła czar
co w falach skończył wodnych mar.

I uwolnił się od pieśni. Wyciągnął do niej rękę.

— Dębino. To dość niesłychane, że spotykam ciebie tutaj w takiej chwili.

Dłoń Dębiny była duża, ciepła, o palcach znaczonych węzłami stawów. Spojrzeli sobie w oczy, jak przed laty. Z lasu za jej plecami wybiegła dziewczyna w zielonej sukni, z łukiem.

— Panna Jemioła? — Nie był pewien, czy ją poznaje.

— Ojczulek... — Zatrzymała się niepewnie, i patrząc na niego, pokłoniła się Dębinie. — Matko...

— Czekałam na ciebie. — Dębina przekrzywiła głowę, patrząc na łuk Jemioły.

Więc nie na mnie? — pomyślał Jakub Świnka.

Jemioła była inna, niż ją zapamiętał sprzed lat. Niespokojna, zmęczona, napięta. Zdjęła z pleców kołczan, prawie pusty, z ledwie kilkoma strzałami.

— Matko — szepnęła — dokonało się.

— Dokonało? — surowo powtórzyła Dębina. — Nie, dziecko. Nic nie dzieje się samo.

Na twarz Jemioły wystąpiły rumieńce, zagryzła wargi.

— Masz rację. Ja to zrobiłam. Pomściłam go. Zabiłam wszystkich winnych, wszystkich noszących czarnego, ukrytego smoka...

Jakub II zmarszczył brwi. Czy na pewno powinien tego słuchać? Chciał odejść, ale Dębina powstrzymała go gestem dłoni.

— Moja strzała nie dosięgła najważniejszego z nich, ale czuję, że... — Jemioła uniosła oczy na matkę. Dębina przymknęła powieki, jakby nadsłuchiwała czegoś dalekiego.

— Ciii... — powiedziała szeptem. — Już. Jego życie nie należy do ciebie. Jego los musi dopełnić się sam. Pozbądź się broni, porzuć łuk i strzały. Nie potrzebujesz ich.

— Jak? — spytała dziewczyna.

— Tak jak Jakub Świnka. — Wyciągnęła ramię, wskazując na wodę. — Pospiesz się, za chwilę będzie burza.

Jakub spojrzał w bezchmurne niebo. Nic nie zapowiadało deszczu. Jemioła wbiegła w wody jeziora. Chciał o coś spytać, ale Dębina zaczęła rozmowę, odwracając jego uwagę od dziewczyny. — Doszły mnie słuchy, Jakubie, że mieliśmy to samo marzenie.

— Co masz na myśli? — Przyjrzał się jej przejrzystym oczom w kolorze żywej wody, srebrnosiwym splotom włosów. Mówiła mu kiedyś, że niektóre z kobiet Starej Krwi nie starzeją się, choć sama nie wyznała, ile ma lat. Z jej opowieści domyślił się, że niemal tyle, co Królestwo.

— Osadzenie na tronie Rikissy — odpowiedziała.

Westchnął.

— To nie takie proste, Dębino. Gdyby kobiety mogły samodzielnie władać, nie istniałby połowa kłopotów dynastycznych.

— Jaką widzisz przeszkodę? Przecież są koronowane tak jak i królowie.

— Prawo, Dębino.

— To zmień prawo. — Wzruszyła potężnymi ramionami.

Pokręcił głową.

— Prawa nie zmienia się z dnia na dzień, a te, dające królom moc szczególną, pochodzą od samego Boga.

— Czyżby? To twój Bóg ustala, że władać może tylko król, choć gdyby nie królowe, żaden z nich nie znalazłby się na świecie? Jakubie, zastanów się. Czyż sama natura nie podpowiada prawych i prostych rozwiązań?

Zamyślił się. Nawet jeśli miała rację, to nie była to prawda, którą można dzisiaj wcielić w życie.

— Jeśli taka będzie wola Boża, to kiedyś będziemy mieli królowe władające niepodzielnie — odpowiedział Dębinie.

— Co z Rikissą? — spytała. — I z jej córką?

— Poproszę, by wróciły do Starszej Polski. Tu jest ich dom, zaopiekujemy się nimi.

Przyjrzała mu się uważnie i powiedziała kpiąco:

— Ale na tron zaprosisz jakiegoś księcia, tak?

— Dębino, przeceniasz mnie. Kim ja jestem, bym zapraszał na trony?

Uniosła głowę i spojrzała ponad nim daleko na drugi brzeg jeziora. Zmarszczyła brwi, jakby nasłuchiwała. Rzeczywiście, jasne przed chwilą niebo zasnuło się płaszczem niskich, skłębionych chmur. Jemioła w mokrej sukni wychodziła z wody; bez łuku, bez kołczana strzał i bez tej pionowej bruzdy na czole. Niebo rozdarła błyskawica i usłyszeli grzmot. W jego dźwięku Dębina odpowiedziała:

— Jak to kim? Jesteś koronatorem polskich królów.

SĘDZIWÓJ ZAREMBA, od śmierci Beniamina wojewoda poznański, wracał z pogrzebu wojewody kaliskiego, Mikołaja Łodzi.

Wykrusza się stare wojsko — pomyślał, choć nie znosił zmarłego. Łodzia był zbyt powolny Czechom, zbyt śliski. Zbyt gięty kark miał jak na barona Starszej Polski. Sędziwoja, z racji na wiek, coraz częściej bolał kark, ale jednego był pewien — trzeba go trzymać prosto.

— Witaj, wojewodo Zarembo! — Pokłonił mu się nisko joannita na przeprawie.

— Bóg z tobą, Wolframie. Na burzę idzie czy mi się zdaje?

— Chmury ciągną z południa, panie. Będzie grzmiało. Może przeczekasz burzę w komandorii? Do Jarocina kawał drogi.

— Nie, na noc stanę w Brzostkowie. Ktoś godny uwagi przeprawiał się ostatnio? — spytał, bo joannici od dawna dawali mu znak o wszystkich ważnych przeprawach.

— Arcybiskup we własnej osobie. Wczoraj.

— Jakub Świnka? Dokąd zmierzał?

— Nie powiedział. Był z niewielkim orszakiem i wielkim pakunkiem. — Wolfram spojrzał na Sędziwoja znacząco.

— Co wiózł?

— Miecz. Miecz dobrze znany braciom joannitom.

— Ten?

— Tak, panie. Ten sam. Jakby legenda naszej komandorii odżyła. Pięćdziesiąt z górą lat! Kto by pomyślał.

— Dziwne — skrzywił się Sędziwój. — Arcybiskup z mieczem króla? Dziwne. Może nasz Andrzej, biskup, coś będzie wiedział.

Drogę do Brzostkowa odbył szybko, wciąż widział na horyzoncie niskie, sunące chmury. Pozdrowił wartowników.

— Zejdźcie z czatowni, gdyby grzmiało! — przestrzegł ich.

Wciąż myślał o mieczu. Nawet śmierć Wawrzyńca nie osłabiła w nim więzi z tym żelazem. Ze świętą pamięcią całego rodu Zarembów.

— Ochna we dworze? — spytał stajennego, zeskakując z siodła.

— Tak jest, panie. Gotuje dla ciebie bobrze ogony.

Na podwórzu pociemniało. Usłyszał daleki pomruk zbliżającej się burzy i w tej samej chwili wartownik przy bramie krzyknął:

— Michał Zaremba do wojewody Sędziwoja!

Sędziwój poczuł ukłucie w sercu.

— Który Michał? Mój brat czy...

— Syn Beniamina! — odkrzyknął wartownik.

Serce starego załomotało. Nie widział Michała od dnia, gdy wypuszczał go z lochu, od dnia, gdy dostrzegł w zabójcy swego syna złotego smoka. I ugiął przed nim kolano. Boże! — pomyślał. — Tak czekałem na niego! Tak pragnąłem go zobaczyć!

— Otwierać bramy! Michał Zaremba jest moim gościem! Szybko, bo zaraz lunie!

Rzeczywiście, zagrzmiało i niebo rozdarła błyskawica. W jej świetle wpadł na podwórze Michał na czarnym jak smoła koniu.

— Michale! — Otworzył ramiona Sędziwój.

Ten jednak nie odpowiedział, zaciągnął chustę na twarz i zeskakując z konia, syknął w biegu:

— Prowadź gdzieś, gdzie będziemy sami!

Sędziwój pchnął drzwi dworzyska i powiódł go do jadalnej sali.

— Poszły precz! — krzyknął na służebne, pomocnice Ochny. Płomiennowłosa gospodyni wychynęła z kuchni. — Ty też! Nie przeszkadzać nam!

— Ale potrawkę ugotowałam — jęknęła rozczarowana Ochna.

— Z drogi, kobieto! — huknął na nią.

Michał rozejrzał się po sali, jakby sprawdzał, że są sami, i zamknął dokładnie drzwi. Wtedy zdjął z twarzy chustę. Za dworzyskiem uderzył piorun, w jego błysku Sędziwój zobaczył twarz Michała i nabożnie klęknął.

— Bóg wysłuchał mych modłów!

Przed nim stał najdoskonalszy smoczy człowiek, jakiego mógł sobie wyobrazić. Twarz Michała pokrywała złota łuska, a on mimo to nie stracił swego oblicza. Wciąż był Michałem Zarembą.

— Mój ojciec, słynny Janek Zaremba, mówił, że kiedyś złoty smok powróci. Alem ja nie sądził, że dożyję tej chwili. Michale! Michale!...

— Ty patrzysz na to jak na objawienie, Sędziwoju, a ja jak na przekleństwo. Wiesz, jak trudno mi żyć wśród ludzi? Ile wysiłku wkładam w to, by łuski na twarzy znikały? Czasami się udaje, ale burza nieodmiennie wywołuje ze mnie smoka. Muszę uważać na gromy. — Dawny chorąży króla uśmiechnął się smutno. — Jadę prosto z Pragi i dzisiaj jeszcze ruszam do Gniezna, do arcybiskupa Jakuba.

— Nie znajdziesz go tam. Wczoraj przeprawiał się przez Wartę i jeszcze nie wracał do Gniezna.

— Źle. Muszę z nim mówić i to szybko, i wracać do Pragi. Zajeździłem trzy konie, a nie każdy pozwala mi na siebie wsiąść — powiedział Michał, zdejmując rękawice.

Wierzch dłoni miał pokryty rogowymi płytkami. Sędziwój nie mógł oderwać od niego oczu. Michał usiadł ciężko przy stole.

— Dam ci z brzostkowskiej stajni, ile zechcesz — powiedział.

— Konie się mnie boją — westchnął Michał. — Ludzie też. Trafiłem po drodze na madziarską lekką jazdę, jakiś zwiad księcia Władysława. Krzyczeli na mój widok: „Smok!" i chcieli mnie złowić na linę. Bogu dzięki, że nie strzelali z łuków, bo byłbym bez szans. Proszę, wstań z kolan Sędziwoju. Teraz, gdy zabrakło Beniamina, jesteś dla mnie jak ojciec. Nie możesz przede mną klęczeć.

— Mogę — odpowiedział Sędziwój. — Ty jesteś złoty smok.

— Bywam nim, nie jestem. Proszę, wstań.

Sędziwój nie chciał, by smok prosił jego, więc przytrzymując się ławy, wstał z kolan. Zesztywniały mu.

— Po co ci arcybiskup, jeśli to nie tajemnica?

Michał przez chwilę z niepokojem nadsłuchiwał dalekich gromów. Wyraźnie nie mógł się przy nich skupić.

— Przysięgałem mu, że będę chronił królową, że przywiozę ją do Poznania, jak tylko narodzi się dziedzic. Ale Rikissa powiła córkę, Václav II zmarł, a książę Władysław wrócił z wygnania i zdobywa kraj od południa. Jeśli baronowie Starszej Polski przyzwą go na tron, Rikissa i jej córka będą niepożądanymi gośćmi we własnym Królestwie. A pod Pragą mamy wojska habsburskie i wojna wisi na włosku. Muszę wiedzieć, czego Jakub II oczekuje ode mnie. Jakie ma plany wobec królowej.

— Nie mogę mówić w imieniu wszystkich rodów, ale mogę dać ci słowo, że Zarembowie nie uznają we Władysławie swego pana. Nie wezwiemy go na tron.

Grzmoty zbliżały się do nich, nawałnica wyraźnie szła na Brzostków. W drewniane, solidne ściany dworzyska chlusnęło deszczem, jakby otworzyła się chmura.

— A co, jeśli zrobi to arcybiskup? — spytał Michał. — Przysięgaliście mu wierność. Biskup Andrzej, mój ojciec, ty, wojewoda pomorski Piotr Święca, wojewoda kaliski Mikołaj Łodzia.

— Mikołaj nie żyje, twój ojciec nie żyje — powiedział odruchowo Sędziwój.

Od dnia, gdy klęknął przy Jakubie II i powiedział: „Przysięgam uroczyście, iż nieść będę Królestwo w sobie, póki sam Najwyższy nie odda nam prawowitego dziedzica!", w niczym nie złamał przyrzeczenia, w niczym nie uchybił woli arcybiskupa od spraw wielkich po najdrobniejsze. Ale teraz, gdy Michał go pytał, doznał niezwykłego wrażenia, jakby coś w nim pękało.

— Wybacz, muszę na chwilę na powietrze, duszno mi — powiedział i nie patrząc na Michała, wyszedł na podwórze.

Lało. Strugi wody, jakby ktoś ciął mieczem chmurę. Wybiegł w deszcz. Nie mógł zaczerpnąć tchu, a jednocześnie czuł się tak lekko, jakby coś, co mu ciążyło, ulatywało. Spływało wraz z deszczem zalewającym mu oczy. Grzmot huknął tuż nad jego głową i po chwili błyskawica przecięła niebo. Błyskawica, która wyglądała niczym miecz. Święty miecz Zarembów zdradziecko odebrany im przez Przemysła. Ostrze miecza dotknęło piersi Sędziwoja, uwalniając go ze wszystkich składanych przed nim przysiąg. Poczuł zimno.

— Sędziwoju! — przez huk burzy przedarł się krzyk Michała wybiegającego na podwórze za nim. — Wracaj do dworu! Nie możesz tu zostać!

Sędziwój rozłożył ramiona, odchylił głowę do tyłu i szukał w rozcinających niebo błyskawicach głowni miecza. Chciał ją zobaczyć jeszcze raz.

— Sędziwoju! — wielkim głosem zawołał Michał i stary Zaremba zwrócił się ku niemu, przecierając zalane ulewą oczy.

W błysku pioruna zobaczył pionowe źrenice Michała. Zobaczył, jak pęka mu kaftan na plecach, jak przez kółka kolczugi przebijają się wzdłuż jego grzbietu rogowe płytki.

Zobaczył złotego smoka w całej chwale i w tej samej chwili piorun uderzył w niego. Serce Sędziwoja zatrzymało się w pół uderzenia. Poczuł swąd własnych palących się włosów i skóry. Ogień w głowie, ogień, którego nie gasiły strugi wody. Stał jak skamieniały. Widział wybiegającą służbę. Widział histerycznie krzyczącą Ochnę. Widział konie z rozdętymi chrapami wybiegające ze stajni. Nagle, w jednej chwili, zrozumiał, że śmierć jego syna Wawrzyńca była złożeniem ludzkiej ofiary, by mógł dokonać się ten cud.

I ostatnim, co poczuł, była wszechspalająca go wolność. Umierał jako wolny człowiek, Sędziwój Zaremba, szczęśliwy, bo przed śmiercią ukazał mu się złoty smok.

VAŠEK był rozgoryczony, że ojciec zostawił go w takim momencie. Co mu szkodziło najpierw zakończyć jakoś tę awanturę z Habsburgami, a dopiero potem umrzeć? Ale nie, Václav II uważał, że jest nieomylny, i żył, nie myśląc o śmierci, a w każdym razie umarł, nie zostawiając synowi jakichkolwiek wskazówek.

Vašek szedł przez zamkowy dziedziniec. Na pogrzeb Václava nazjeżdżało się gości! Teraz wszyscy, poselstwa z obcych dworów, straż królewska, stajenni i umykające pod ścianami służące przyklękali przed nim. Oto idzie następca tronu!

Ciało ojca wystawiono na marach w dworze złotnika Konrada, tam ciągnął korowód tych, co chcieli się pokłonić zmarłemu, ale na miejsce złożenia hołdu nowemu władcy Vašek wybrał zamek. Mają mu się kłaniać jak królowi! Kazał odmalować Wielką Salę, ściany zasłać kobiercami, zniszczoną posadzkę wyłożyć grubym suknem i ustawić tron. Kaplica Wszystkich Świętych była w ruinie, ale w końcu nie w kaplicy będą przed nim klękać. Na całym zamku woń spalenizny, świeżego wapna i setek kwiatów, z których kazał uwić girlandy, mieszały się ze sobą. Zadarł głowę. Tak, kwiaty i zielone gałęzie przysłaniają okopcony mur. Wszedł do tej dziwacznej komnaty, której ściany zamalowane były wizerunkami świętych. Rozejrzał się. Freski przysnuła lekka patyna dymu, ale ponadto nie ucierpiały więcej.

— Co rozkażesz, panie? — Zgiął się przed nim sługa.

Młody król zapatrzył się na straszliwego Michała Archanioła, który mieczem przebijał wijącego się mu u stóp smoka. Wstrząsnął nim dreszcz.

— Pieczone półgęski w sosie z wiśni, bochen chleba, obwarzanki, wieprzowe kiełbaski, parę jajek w śmietanie. I wino — odpowiedział słudze.

— Gdzie podać wieczerzę?

— Tutaj! — Wskazał palcem relikwiarzową skrzynię ojca.

660

To oczywiste, że kazał ją przenieść, jak tylko wrócił na zamek.

— Ależ panie, król Václav nigdy nie jadał na tej świętej skrzyni — wyszeptał pobladły służący.

— Teraz ja jestem król Václav. I będę jadał, gdzie mi się spodoba.

Jego pierwszą myślą było wezwać Muskatę z Krakowa. Przy biskupie czuł się pewnie i wiedział, że ten powie mu, co powinien zrobić. Ale oznajmili mu, że to niemożliwe, bo biskup prowadzi wojnę z księciem Władysławem. Zwołał więc radę królewską do Wielkiej Sali i przez cały dzień wysłuchiwał biskupów, kanclerzy, baronów i innych doradców, którzy traktowali go jak chłopca, nie potrafiąc, a może i nie chcąc, ukryć nuty pogardy w głosie. „Powinieneś, królu, to, musisz tamto, niezwłocznie należy owamto, bezwzględnie trzeba siamto". Przez pierwsze pół dnia słuchał, przez drugie zadawał pytania, lecz mimo nacisków doradców żadnej, ale to żadnej decyzji nie podjął. Nie zgodził się także na przyjęcie żadnego z obcych poselstw. Bawarczycy, Brandenburczycy i inni. Niech czekają.

Za to zdał sobie sprawę, iż czeka go więcej kłopotów, niż początkowo sądził. Że wraz z koroną ojca dziedziczy wszystkich jego wrogów, wojny i długi. Że znacznie mniej dostaje w spadku, bo lista sprzymierzeńców zrobiła się krótka, a skarb wyczerpany wojnami i niemal pusty.

Gdy przyniesiono wieczerzę, kazał rozpalić wszystkie świeczniki rozstawione wokół wizerunków świętych. Kazał nakryć do posiłku wprost na relikwiarzowej skrzyni. I kazał zostawić się w spokoju. Półgęsek ukoił jego głód. Chleb ukoił rozedrgane nerwy. Kiełbaski go pocieszyły. Wino odsunęło niepokój, dając miejsce jasności myśli. Gdy jadł jajka, już wiedział, iż musi się pogodzić z tym, że nie utrzyma trzech koron. I że tą, którą rzuci na pożarcie goniącej go sforze wrogów, będzie korona świętego Stefana. Szczerze jej nie cierpiał. Czuł jej złoty ciężar na skroniach i pamiętał, jak bolała go głowa w czasie koronacji. Tak się z tym spieszyli, że nikt nie pomyślał, iż korona będzie na niego za duża. W ostatniej chwili ukryto w jej wnętrzu srebrny diadem, który miał sprawić, że korona zatrzyma się na jego skroniach i nie opadnie na oczy. Diadem był za ciasny, biskup wcisnął go na skronie Vaška siłą, a on musiał przez całą ceremonię trzymać się prosto, by ta konstrukcja nie spadła mu z głowy. Upokarzające doświadczenie, w którym on, król Węgier, był na własnej koronacji najmniej ważną osobą! Potem ta ucieczka, gdy ojciec przyjechał do Budy i zabrał go jak szczeniaka, jak niegrzeczne dziecko, do domu. Drwiące spojrzenia węgierskich baronów, okrzyki tłuszczy: „Precz z Czechami!". Nie wróci tam. Za żadne skarby nie wróci. Ojciec już obiecał, iż Przemyślidzi zrzekną się na rzecz Ottona Bawarskiego praw do tronu Arpadów. Ale ojciec wytargował za ten akt zbyt mało.

— Zbyt mało — powtórzył, dolewając sobie wina. — Dlaczego dostał za mało? Bo obiecał, a nie dał. A każdy lubi — łyknął sobie porządnie — coś dostać.

Paskudna korona świętego Stefana spoczywa w praskim skarbcu obok korony Piastów i Przemyślidów.

— I ja mu ją dam do ręki. Niech bierze i niech sam sprawdzi, jakie to niewygodne. — Vašek zachichotał do kielicha na myśl, jak brzydki, stary Otto upycha sobie koronę na głowę. — Ja mu powiem, że to najcudowniejsza święta korona, jaką świat stworzył. Powiem mu, że poczuje się jak wybraniec boży, gdy mu ją wsadzą na skronie. Ale jeśli mu się marzy być królem Węgier w sojuszu z Przemyślidami, niech najpierw pokaże, na co go stać. Za dar królewski płaci się po królewsku. Wojskiem. Na wojnę z Polakami.

Pijąc toast za wojnę, odchylił głowę do tyłu. Dopiero teraz dostrzegł, że na sklepieniu, nad samą skrzynią jest malowidło przedstawiające świętego Wacława.

— Ojciec kładł się do skrzyni i gapił na świętego patrona? Dobre!

Dolał sobie i zadarł głowę. Święty Wacław ucieka do kaplicy przed siepaczami brata. Za chwilę go zabiją i przejdzie do wieczności, stając się męczennikiem. Ale teraz jest tylko zaszczutym, przerażonym królem gonionym przez trzech zbirów.

— Jak to dobrze, że ja nie mam brata! — Wypił zdrowie ojca po raz pierwszy od jego śmierci.

Nagle zapragnął poczuć się jak Václav II.

— Ondriczku! — zawołał na pokojowca ojca. — Ondriczkuuu!

Sługa zjawił się po długiej chwili.

— Gdzieś był? Opuściłeś służbę?

— Nie wiedziałem, czy młody król będzie sobie życzył posługi Ondriczka — odpowiedział, podnosząc podpuchnięte oczy.

— Czemuś płakał? Ktoś ci co zrobił?

Pokręcił głową.

— Z żalu... za królem... — Pociągnął nosem pokojowiec.

— Bałeś się, że straciłeś służbę, co?

— Nie, panie. Kochałem twego ojca i nie mogę odżałować, że nie żyje.

Vašek podszedł do Ondriczka bliżej, przyglądając się mu. Na pogrzebie Václava wylewała łzy jego siostra, królewna Elżbieta, bo ojciec nie zdążył wydać jej za mąż i była przerażona, że teraz każą jej iść do klasztoru. Płakały Elżbiety, Małgorzaty, Agnieszki i Anny, nałożnice ojca, bo oto skończył się czas ich panowania. Płakał przyrodni brat ojca, książę Mikołaj z Opawy, ale robił to tak demonstracyjnie i tak przy tym prężył pierś, jakby chciał powiedzieć: „Oto jestem!". Płakał młody Bolke, książę wrocławski, żonaty z jego siostrą Małgorzatą, a jego wystraszone oczy mówiły, że zupełnie nie wie, co robić. Nic dziwnego, wszak Václav II sprawował regencję w jego księstwie i sterował każdym ruchem smarkatego zięcia. I jak skarżył się Bolke, nie wypłacił mu sum posagowych Małgorzaty. Wdowa po Václavie, Rikissa, nazywana przez wszystkich Elišką Rejčką, nie płakała. Odcięła się żałobnym welonem od świata i tuliła do siebie maleńką córkę, której ojciec zdążył nadać imię Agnieszka. Szlochali ci i owi, ale każdy z jakiegoś powodu. Każdy po coś. A Ondriczek płakał, bo „nie może odżałować". Dziwne.

— Byłeś z moim ojcem w chwili, gdy umierał, tak?

— Tak, panie! — Pociągnął nosem pokojowiec. — Do końca życia tego nie zapomnę.

— Właściwie dlaczego umarł król?

— Krew go zalała. Trysnęła z niego. O tu, z nadgarstków i z szyi. Nie mogłem tego zatamować... — Zaniósł się szlochem tak wstrząsającym, że Vašek podszedł do niego i go przygarnął.

— No już, nie płacz, proszę. Przecież to nie twoja wina. Chcę, abyś był i moim pokojowcem. — Sam się zdziwił, że mu to zaproponował. Może z litości nad tymi łzami?

— Naprawdę, królu? — Otarł oczy Ondriczek.

— Naprawdę. Zacznij od zaraz. Chcę się położyć jak mój ojciec w skrzyni.

— Już robię, panie! — Pokłonił się w pas pokojowiec i zręcznie sprzątnął naczynia. Otworzył wieko i znów wybuchł płaczem.

Wewnątrz leżała poduszka, a w nogach jeden złoty pantofel króla.

— Szukałem go... — łkał Ondriczek nad butem jak nad relikwią. — Szukałem...

Vašek przyjrzał się wieku wykładanym od środka relikwiarzami.

— Co mój ojciec robił w tej skrzyni? — spytał, wchodząc do niej i kładąc niczym w trumnie.

— Rozmyślał, królu. Odpoczywał. Znajdował rozwiązania największych problemów Królestwa.

— Rozmawiał z tobą o nich?

— Rozmawiał, królu.

— Radził się?

— Nie śmiałbym... Po prostu mówił, co mu leży na sercu.

— Aha. A ja też mogę ci powiedzieć?

— To będzie dla mnie zaszczyt, królu.

Vašek zapatrzył się w tajemnicze relikwiarze.

— Co tu jest? — Wskazał palcem srebrną płaską skrzyneczkę.

— Święty Idzi, królu.

— A tu? — spytał o drewniany krzyż umieszczony na wysokości twarzy.

— Święty Wacław, królu.

— A to co takiego?

— Święta Agnieszka, mój panie.

— A komu ufał mój ojciec?

— Sobie królu.

— A z doradców? Czyich rad słuchał?

— Wszystkich, ale robił po swojemu, panie.

— Co mówił o Henryku karynckim?

— Prywatnie?

— Jak leżał w skrzyni.

— Aha. Że to skromny, prawy człowiek. I wielce rozumny. I... — Ondriczek ściszył głos. — Nikomu się nie przyznawał, że liczy się z jego zdaniem.

— A liczył się?

— Liczył, panie. Tylko... — Ondriczek przyłożył palec do ust.

— A dlaczego?

— Bo jego doradcy nie szanowali księcia Karyntii — szepnął. — Musiał się przed nimi tłumaczyć ze swej decyzji.

— Której?

— Że przeznaczył go na męża twej siostry Anny.

— Aha. Wezwiesz go do mnie?

— Tutaj?

— Tutaj. Ojciec tu przyjmował zaufanych ludzi.

— Oczywiście, panie.

— Tylko sza, Ondriczku.

— Ma się rozumieć, panie. — Zniknął za drzwiami sługa.

Vašek leżał i myślał nad pierwszym pytaniem. Jak zaskoczyć szwagra? Jak go sprawdzić?

— Mój królu! — Pochylił się nad skrzynią przyprószony siwizną mężczyzna o wyjątkowo nieładnej szczęce.

— Henryku, mój przyszły szwagrze. — Vašek wyciągnął ze skrzyni dłoń do pocałowania. — Jak ci się układa z Anną?

Policzki czterdziestoletniego Henryka zaczerwieniły się.

— Jak narzeczonemu z narzeczoną, królu.

— Spałeś z nią?

— Nie śmiałbym, panie.

— Czyli spałeś?

— Prosiła mnie — wyznał Henryk czerwony po czubki uszu. — W noc po śmierci twego ojca. Poprosiła mnie, bo bała się, że doradcy zmarłego króla wykorzystają jego zgon, by zmienić decyzję odnośnie naszego małżeństwa.

Vašek otworzył usta, patrząc w nieładną twarz księcia, który był dwadzieścia pięć lat starszy od jego siostry.

— Ty się jej podobasz? — wykrztusił zaskoczony.

Henryk pokręcił głową.

— Nie sądzę, królu — odpowiedział smutno. — Przez Annę przemówiła chłodna kalkulacja. Moja siostra Elżbieta jest żoną Albrechta Habsburga. Anna uważa, iż mógłbym dzięki temu wynegocjować pokój z Habsburgami, przysłużyć się Czechom i zdobyć lepszą pozycję przy twym boku.

— A mógłbyś? — zaciekawił się Vašek.

— Tak, raczej tak. Gdyby udało się podburzyć margrabiów brandenburskich, Albrecht zacząłby się obawiać, iż wojna rozniesie mu się na kraje Rzeszy. A na to go nie stać. Tak przynajmniej mówi moja siostra.

— Twoja siostra, moja siostra — uśmiechnął się do niego Vašek. — Widzisz, Henryku? Światem rządzą ambicje kobiet.

Spojrzał na relikwiarz świętej Agnieszki.

— Uważasz, że byłoby dobrze, gdybym pojął za żonę wdowę po moim ojcu? Co, Henryku? Polacy się buntują, a dzięki Rikissie Václav II umocnił swe prawa do ich tronu.

Henryk karyncki zamrugał nieładnymi oczami.

— Nie, królu. To byłoby niestosowne. Tak postępowali barbarzyńscy królowie. Ale zważywszy na rozruchy w Królestwie Polskim, dobrze byś zrobił, poślubiając jakąś mało ważną Piastównę. Najlepiej z takiej gałęzi rodu, która słynie z niechęci do Niemców.

— Niemców?

— Tak, królu. Polacy zrzucają niemieckich urzędników twego ojca. Zawróciłbyś im w głowie, biorąc żonę spośród takich, którzy mają sławę obrońców przed niemczyzną.

Vašek zamyślił się. Muszę zerwać zaręczyny z arpadzką królewną. Skoro oddaję węgierską koronę, po co mi węgierska narzeczona? Zresztą i tak mi jej nie wydali. Zabrali ją gdzieś do Austrii.

— Radziłbym ci, królu, jak najszybciej zerwać zaręczyny z arpadzką królewną — powiedział Henryk karyncki i Vašek zdumiał się, że przyszły szwagier czyta mu w myślach.

— I co jeszcze byś mi radził? — Zerknął na niego ciekawie.

— Spłodzić syna z prawego łoża. — Zaczerwienił się Karyntczyk. — Václavie III... jesteś ostatnim Przemyślidą. Ale wokół ciebie...

Książę patrzył na Vaška niepewnie i niespokojnie, jakby obawiał się dokończyć. Vašek pomyślał: Mikołaj, książę opawski... — I kiwnął głową zachęcająco, by Henryk kontynuował.

— ...wokół ciebie krążą nieślubni synowie, nieprawi bracia twego ojca... A przecież czysta krew dynastii jest najważniejsza. I płynie w twoich żyłach.

Vašek z uznaniem pomyślał o Henryku.

— Co byś chciał dostać ode mnie, Henryku — zaczął z uśmiechem — za wynegocjowanie pokoju z Habsburgami? Ale żebyśmy się dobrze zrozumieli, nie chodzi mi tylko o to, by Albrecht Habsburg zakończył wojnę. Chcę, by uznał moje prawa do korony czeskiej i polskiej. Węgierskiej się zrzeknę, choć nie na rzecz jego pupila Andegawena.

Książę Karyntii przygładził siwiejące włosy, które spadały mu na twarz; wszak rozmawiał, zgięty wpół, z Vaškiem leżącym w skrzyni. Zaczerwienił się przy tym.

— Twój ojciec, król Václav II, obiecał mi rękę twej siostry Anny. Zaręczył nas, ale nie zdążył doprowadzić do ślubu. A ja ponad obietnicę przedkładam fakty. Każdy lubi coś dostać, Václavie. Chcę więc ślubu z Anną, natychmiast.

„Każdy lubi coś dostać" — powtórzył w myślach Vašek, upewnia-
jąc się, że między nim a Henrykiem istnieje jakiś rodzaj więzi, powi-
nowactwa dusz, choć oczywiście Henryk był tylko księciem Karyntii,
a on, jako Václav III, dziedzicem dwóch królestw. No i on był ładny,
a Henryk brzydki. Stary i brzydki. Jak Anna mogła iść z nim do łóżka? A jeśli spłodzili nieopatrznie dziecko przed ślubem? Dość tych
zagadek z bękartami.

— Każdy lubi coś dostać — powiedział na głos. — A wiesz,
Henryku, że ja też wolę młodsze? — Zachichotał, osłaniając usta.
— Jak to jest, kochać dziewczynę o dwadzieścia pięć lat młodszą,
powiesz mi?

Książę Karyntii zaczerwienił się łącznie z czołem, aż siwe włosy
odbijały bielą od purpury czoła.

— To jakby czerpać z krynicy wody żywej — powiedział z trudem.

— Przygotowania do waszego ślubu zaczniemy natychmiast.
I równie szybko przystąpisz do rozmów z Albrechtem Habsburgiem,
jako mój szwagier, oczywiście. Możesz odejść.

Henryk karyncki wyprostował się z wyraźną ulgą, lekko utykając,
ruszył do wyjścia.

Krynica wody żywej potrzebna mu natychmiast — wyjrzał za nim
Vašek. Mnie też. Jestem taki zmęczony przejmowaniem władzy.

— Ondriczku!

— Tak, mój panie?

— Ile lat ma najmłodsza z nałożnic mego ojca?

Pokojowiec zamyślił się.

— Agnieszka Szósta może mieć trzynaście. Na oko, bo nie pytałem.

Vašek pogardliwie wydął usta. To Henryk może sobie pozwolić
na dwadzieścia pięć lat młodszą, a on ma się zadowolić trzema latami
różnicy? Nie ma sprawiedliwości.

— Chcę, byś wyszukał dla mnie młodsze dziewczęta. — Widząc nieco zdezorientowany wzrok pokojowca, wyjaśnił: — Po ojcu
odziedziczyłem zamiłowanie do różnicy wieku, od polskiej żony był
starszy siedemnaście lat.

— Sam rozumiesz, królu, że przy twoich szesnastu to zadanie
dość trudne.

— Bez przesady, Ondriczku, przecież nie chcę, byś mi tu spro-
wadzał niemowlęta! — zachichotał Vašek. — No już, idź na poszuki-
wania! I weź pod uwagę, że lubię pulchne dziewczęta.

667

Kolejne tygodnie umykały szybko, a odkąd Vašek usunął z dworu dawnych doradców ojca i zastąpił ich nowymi, młodszymi, ze starych wiekiem wprowadzając do najbliższej rady, już szwagra, Henryka z Karyntii, sprawy zaczęły się układać pomyślnie. Zerwali zaręczyny z ostatnią córą Arpadów i pokazali mu portret nowej narzeczonej.

— Viola Piastówna, córka księcia cieszyńskiego, Mieszka.

— Ile lat?

— Trzynaście, królu. Olśniewająca uroda.

— Na tym portrecie wygląda chudo — zaniepokoił się.

— Malarz się spieszył i nie domalował krągłości. Słynie z urody, a jej ojciec z nienawiści do Niemców. Polacy zobaczą swego króla w nowym świetle, zwłaszcza żeś mianował dwóch z nich namiestnikami. Muskatę w Krakowie i Piotra Święcę na oba Pomorza. Jest tylko jeden problem.

— Jaki, Rajmundzie?

Rajmund z Lichtenburka najbardziej mu przypadł do gustu spośród czeskich baronów. Herbowy Panów z Lipy, a nie tak dumny i zarozumiały jak oni. Oni! Oni wszyscy doprowadzali Vaška do pasji; obsiedli go po śmierci ojca i myśleli, że będą kierować młodym królem według własnych interesów.

— Baronowie czescy wściekli się. Uważają, że powinieneś pojąć za żonę jakąś utytułowaną księżną, a najlepiej królewską córkę. Nie rozumieją naszej idei, królu. I tego, że Mieszko, książę cieszyński, to otwarta droga z Pragi do Krakowa. Viola to dla nich dynastyczna drobnica.

Vašek zaniósł się śmiechem.

— Drobnica! I to mówią baronowie o księżniczce piastowskiej? Wróble oceniają pawie! Dobre! Tym bardziej poślubię Violę i to już.

— I to już, panie, trzeba się spieszyć, bo w konkury do niej idzie Andegawen.

— Co?

— Twój niedawny przeciwnik węgierski tak jak i my szuka sojuszu z Polską. Poprosił księcia Władysława o znalezienie mu piastowskiej żony i pewnym jest, że będą jej szukać jak najbliżej, na Śląsku. Viola z jej urodą jest teraz świetną partią. Ale twoi baronowie z brzuchami pełnymi knedli nie widzą tego.

— Knedli? Ja też jestem głodny, Rajmundzie. Burczy mi w brzuchu. Widzisz, nie ma sprawiedliwości. Moi baronowie najedzeni, a ja muszę rządzić o pustym żołądku.

— Nie, mój królu — uśmiechnął się Rajmund. — Twój pan z Lichtenburka zadbał o ciebie!

Na jedno klaśnięcie do komnaty wkroczyły dziewczęta. Vašek poczuł, jak leci mu ślina. Niosły misy dużych klusek ze skwarkami, malutkich w śmietanie i tych średnich, pływających w miodzie i masełku. Półmiski pieczonych w słonince kapłonów. Kosze rumianych bułeczek. A żadna z dziewcząt, na oko żadna z nich nie miała jedenastu lat! I jedna w drugą krąglutkie!

— Rajmundzie! Wywiązujesz się ze swych obowiązków doskonale! Jak tak dalej pójdzie, uczynię cię marszałkiem Królestwa!

— Jeszcze wino, mój królu — uśmiechnął się Rajmund, pilnie patrząc mu w oczy.

Do komnaty wkroczyli chłopcy z dzbanami. Równie młodzi i pulchni jak dziewczęta.

Vašek zmierzył Rajmunda uważnie.

— Wolisz?... — skrzywił się.

Pan z Lichtenburka roześmiał się nerwowo i odpowiedział:

— Skądże! Po prostu nie znalazłem dość dziewcząt i rolę podczaszych musiałem dać chłopcom. Swoją drogą, czyż to nie doskonały pomysł, by usługiwały dzieci? Nie trzeba ściszać głosu, gdy się obgaduje znanych na całym zamku panów! Tak, mój królu! Przy dzieciach każdy czuje się swobodnie.

Zasiedli do stołu. Gdy Vašek nasycił pierwsze pragnienie, odkrył, iż naprawdę był głodny. Nie żałował sobie. Jedzenie go uspokajało. Pełen żołądek uwalniał myśli. Wino, zwłaszcza trzeci i czwarty kielich, rozjaśniało umysł.

— Jak to miło, że zrzekając się korony węgierskiej, nie musiałem jej oddać Karolowi Robertowi. — Oderwał kapłonowi nóżkę i oblizał. — Ja mam kłopot z głowy, Habsburg musi uznać, że ustąpiłem, a Andegawen i Węgrzy będą mieli nową wojnę o swoją okropną koronę!

— To było mistrzowskie posunięcie, królu — pochwalił Rajmund i skinął na chłopca, by dolał im wina.

— Mój szwagier też bardzo się przysłużył królestwu! — Rozparł się Vašek, wyrzucając ogryzione udko i dopychając się bułeczką. — Wynegocjował z Albrechtem Habsburgiem wszystko, cośmy chcieli. Król rzymski uznał moje prawa do korony czeskiej i polskiej, i do wszystkich księstw lennych. Teraz tylko trzeba Polaków zmusić do uległości i zaprzestania buntów.

— Twój szwagier to zręczny polityk — tajemniczo uśmiechnął się Rajmund.

— Co chcesz przez to powiedzieć? — Vašek wypluł kęs bułki, która nagle przestała mu smakować.

— Nic, królu. Zręczny polityk to skarb. Trzeba go pilnować.

— Wiesz, Rajmundzie, a ja bym chciał nie musieć pilnować. Chciałbym komuś zaufać. — Vašek z żalem spojrzał na niego i po raz kolejny poczuł się chłopcem skrzywdzonym przez zbyt nagłą śmierć ojca.

— Nie powiedziałem, królu, że nie możesz ufać Henrykowi karynckiemu. Powiedziałem, że trzeba wykorzystać wszystkie jego zdolności, wiatr, który poczuł w skrzydłach od dnia zaślubin twej siostry. Ale nie można go spuszczać z oka, by nie poczuł się zbyt pewnie.

— A czy to ty mógłbyś go nie spuszczać? — Vašek poczuł ciepło w żołądku od wina.

— Robię to, królu. I wierz mi, na razie twój brzydki szwagier wywiązuje się wzorowo. Chciałbym coś podpowiedzieć, jeśli można.

— Mów.

— Margrabiowie brandenburscy, którzy w ostatnich dniach życia twego ojca tak przysłużyli się nam w wojnie z Albrechtem, są gotowi wesprzeć cię w natarciu na zbuntowane Królestwo Polskie. To nadzwyczaj cenny sojusznik, zwłaszcza teraz, gdy baronowie czescy są tak bardzo niechętni kolejnej wyprawie zbrojnej. Masz hufce Ottona Bawarskiego, które dostaniesz za koronę świętego Stefana, nimi uderzysz z południa. Gdyby do wojny wciągnąć Krzyżaków, którzy sprawdzili się i już raz pomogli twemu ojcu opanować Kujawy, ci ruszyliby z północy. I gdyby od zachodu uderzyć wojskiem brandenburskim, jest nadzieja, że szybko pokonasz zbuntowane Królestwo.

Vašek przywołał dziewczynkę z miską słodkich klusek i kazał sobie dołożyć.

— Jak ci na imię? — spytał.

Podniosła na niego szare, ładne oczy i uśmiechnęła się, pokazując dołki w policzkach.

— Agnieszka, królu.

Odwrócił się do Rajmunda i powtórzył:

— Jest nadzieja? A ja myślałem, że to oczywiste, iż szybko pokonam buntowników.

— Pokonasz, w to nie wątp, królu. Ale trzeba sięgnąć po nadzwyczajne środki. Jeszcze nim książę Władysław wrócił z banicji, twój ojciec walczył z jego zaciętym wrogiem, głogowskim Henrykiem. To jakiś książę straceniec. Nic już nie znaczy, a wciąż walczy przeciw naszemu panowaniu i choć to nie jest przeciwnik na wielką wojnę, to nieustannie wiąże nasze siły. Trzeba i na niego puścić większe wojsko i zdusić te głogowskie ambicje. Ale wróćmy do prawdziwego wroga. Książę Łokietek zagarnął całą Małą Polskę, a na Kujawach jego bratankowie walczą zażarcie. W Starszej Polsce zaczyna się wrzenie i bunt niczym iskra padnie na nią lada moment. Żeby opanować pożar, trzeba działać równie szybko, jak on się rozprzestrzenia.

Słodkie kluski wystygły i już tak nie roztapiały się na podniebieniu jak wcześniej. Przed chwilą wydawało mu się, że pokój z Habsburgiem i wojska Bawarczyka na jego zawołanie to szczyt marzeń. A teraz okazuje się, że sprawy z Królestwem Polskim wyglądają groźnie. Vašek przełknął i popił winem.

— Co mam robić?

— Krzyżaków połechce wzywanie ich na pomoc. Zapłacisz im po robocie, nakładając na buntowników podatek. Z Brandenburczykami gorzej, nie przystąpią do wojny bez konkretów.

— Każdy lubi coś dostać — powiedział Vašek, a Rajmund roześmiał się, znów przyzywając chłopca z winem.

— Doskonale powiedziane, królu! Każdy lubi coś dostać! Za poprzednią rozprawę Brandenburczycy dostali Miśnię, ale wiem, że marzy im się Pomorze. Jest warte dużo więcej, więc gdyby oddali Miśnię, a wzięli Pomorze, to zapłatę mamy z głowy.

— Ale Pomorze to część Królestwa Polskiego.

— Na co ci ono, królu? Leży tak daleko, że twój ojciec tam nigdy nie dotarł. Rządził Pomorzem wyłącznie dzięki możnemu rodowi Święców. Nawet jak uspokoisz Królestwo, koronujesz się w Poznaniu, to i tak po powrocie do Pragi nie jesteś w stanie utrzymać tam spokoju, bo musiałbyś połowę swych wojsk trzymać na stałe na północnych rubieżach.

— Polacy się wściekną, jak oddam Brandenburgii Pomorze.

— Ty? A dlaczego ty? — uśmiechnął się sprytnie Rajmund. — Pomorze Brandenburgii przekaże twój namiestnik, ich rodak, Piotr Święca. Niech zrobi coś dla Czech, skoro Czechy dały mu tak wiele. Ty, w oczach swych polskich poddanych, będziesz czysty.

Vašek oblizał palce klejące się od miodu z zastygłym masłem.

— Wezwiemy Krzyżaków do Królestwa. I oddamy Pomorze Brandenburgii. Czy to starczy, by odzyskać je dla mnie? Pamiętaj, że za wojsko na tę wojnę zapłaciłem koroną węgierską. Nie stać mnie, by stracić drugą koronę.

— Nie stracisz, mój królu. — Rajmund przywołał tę małą, z bułeczkami. — Będziesz jak twój ojciec, władcą obu Królestw. I zawsze już będziesz od niego lepszy, bo to ty nosiłeś trzecią koronę, świętego Stefana.

1306

ANDRZEJ ZAREMBA, biskup poznański, wrzał z gniewu. Litwini pod wodzą swego wielkiego kniazia, dzikiego Witenesa, wtargnęli w granice Królestwa i w łupieskim najeździe dotarli pod sam Kalisz!

— Od dziesięciu lat coś takiego się nie zdarzyło! Poganie czują się bezkarni, bo nikt nie broni Królestwa! Václav zmarł, jego smarkaty syn siedzi w Pradze, a namiestnicy? Pożal się Boże! Nie radzą sobie ze stłumieniem wrzenia rycerstwa, które ród po rodzie oddaje się Władysławowi! Po moim trupie, słyszysz, Piotrze?

— Słyszę, ojcze biskupie — odpowiedział kanonik.

— Nie po to raz go wykląłem, bym miał teraz się Karłowi kłaniać.

— On teraz przyjął imię Łokietek, ekspiacyjnie — podpowiedział kanonik. — Był w Rzymie w roku wielkiego jubileuszu. Żadna klątwa już na nim nie ciąży.

Andrzej czuł, jak krew podchodzi mu do policzków. Usiadł i czekał, aż się uspokoi.

— Piotrze, nawet jeśli książę kujawski jest wolny od klątwy, to ja nie widzę go na tronie. Czy mój stryjeczny brat już przybył?

— Wojewoda kaliski właśnie wjeżdża. Orszak w czerni, w żałobie. — Wyjrzał przez maleńkie okno kanonik. — Oj, cały dziedziniec pełen półłwów za murem!

Andrzej z zadowoleniem przygładził włosy. Póki żył Sędziwój, tylko on mógł zwoływać rodowe zjazdy Zarembów. Po jego śmierci głową rodu wreszcie został Andrzej. Tyle lat czekał na to, by przewodzić Zarembom! I doczekał się.

Po prawdzie, to nie zwoływał zjazdu; spotkali się w Pyzdrach ze smutnej okazji pogrzebu wojewodziny Krajny, żony Sędziwojowego brata. On, jako biskup poznański, załatwił wojewodzinie piękne, godne miejsce wiecznego spoczynku u franciszkanów w Pyzdrach. Toż to był ukochany zakon dawnego księcia kaliskiego Bolesława. Tak. Uroczystości odprawione, a obecność wszystkich Zarembów w jednym miejscu trzeba było wykorzystać. Andrzej ogłosił, że prosi ich do Jarocina w trzy dni po pogrzebie. Zmian tu wielkich nie przeprowadzał od śmierci Sędziwoja, jedyne co, to poza malowanym na ścianie złotym smokiem, kazał krzesło nowe zrobić, dla siebie. Raz, że jakoś nieswojo mu było siedzieć na tym Sędziwojowym, dwa, że już dziesięć lat temu, po śmierci króla Przemysła, kazał sobie takie paradne zrobić, ze złotym smokiem na obiciu i do tej pory na nim nie siedział. Zasady są niezłomne — ród Zarembów ma jedną głowę i tylko ten jeden, najważniejszy z nich, ma prawo używać znaku smoka.

Wieczorem przywitał ich na wielkiej uczcie w Sercu Edmunda. Wdowiec, wojewoda kaliski, a brat świętej pamięci Sędziwoja, dobrze wyglądał w żałobnej czerni. Miejsca obok niego zajęli synowie jego zmarłych braci, Mikołaj i Gotpold, kasztelana santockiego Olbrachta; Mikołaj, syn niegdysiejszego wojewody kaliskiego, takoż Mikołaja, Marcin, ostatni syn Sędziwoja.

On, biskup i gospodarz, zajął główne miejsce przy stole.

— „Święta pamięć"! — zaczął rodowym zawołaniem.

— „Zarembowie strzegą"! — odpowiedzieli zebrani.

Przeżegnał się i przeszedł do rzeczy.

— Wieści są fatalne — zaczął. — Litwini wtargnęli w granice Królestwa, a młody Václav wezwał przeciw nim Krzyżaków! Pozwolił żelaznym braciom najechać nasze ziemie pod pretekstem walki z pogańskim najazdem! Tyle że Witenes umknął na Litwę z jeńcami, a Krzyżacy zostali. I jeszcze gorsza wiadomość, o ile wśród złych mogą być gorsze. Przemyślida oddał Pomorze Gdańskie Brandenburczykom!

Przez zgromadzonych w sali stu Zarembów przeszedł pomruk niezadowolenia, jak grad.

— W dodatku do kraju wrócił książę Władysław i lada chwila możemy się go spodziewać w Starszej Polsce.

— Nie tak szybko, Andrzeju — wszedł mu w zdanie brat Sędziwoja, nowy wojewoda kaliski. — Mam świeże wieści z obozu Łokietka. Otoczył Kraków i oblega Wawel. A wszyscy wiemy, że to nie takie proste.

— Owszem — spokojnie powiedział biskup poznański — zdobyć Wawel to sztuka. Lecz przypuszczam, patrząc na postępy, jakie zrobił Władysław, że Kraków prędzej czy później otworzy przed nim bramy. Zdobędzie i zamek, i miasto, bo ma wokół siebie pierwszych baronów Małej Polski! Wojewoda krakowski i sandomierski. Rody Lisów, Starżów i Bogoriów. Muskata nie będzie w stanie oprzeć mu się dłużej, zresztą traci na rzecz Władysława zamek po zamku.

— Wygląda na to, że dawny Mały Książę zamienia się w Wielkiego Księcia — z przekąsem rzekł Marcin Zaremba — i co gorsza, zamierza swój powrót oprzeć nie na Starszej Polsce i Poznaniu, ale na Małej i Krakowie.

— Odebrać nam stołeczny królewski prymat! — Uderzył pięścią w stół Andrzej Zaremba. — Nie pozwolę! Nie pozwolę mu na to!

— Jest wyjście — odezwał się stary Żegota Zaremba, sędzia kaliski. — Uprzedzić ruch księcia Władysława i wezwać na tron.

— Jego? — krzyknął Andrzej. — Nigdy!

— Andrzeju! Twoja nienawiść do księcia jest znana — spokojnie odpowiedział Żegota — ale na Boga, nie możemy z powodu twej niechęci stać się jedynymi w Królestwie, którzy zostaną wierni Przemyślidom. Cały kraj zrzuca czeskie panowanie. Kujawskie rycerstwo walczy z Krzyżakami i starostą czeskim, małopolskie stanęło przy Władysławie jako pierwsze.

— Arcybiskup Jakub II popiera kujawskiego księcia. Jesteśmy winni wierność Jakubowi. — Wstał wojewoda kaliski.

— Nie, bracia! — zaprzeczył Andrzej. — Byliśmy mu winni wierność, póki Beniamin, Sędziwój i ja ślubowaliśmy. Póki arcybiskup miał miecz. Ale wiem na pewno, że Jakub II już go nie ma. Sędziwój i Beniamin nie żyją. I ja, biskup poznański, głowa rodu Zarembów, czuję się zwolniony z przysięgi.

— Skąd to wiesz? — spytał Gotpold.

— Od joannitów. Jakub II przeprawiał się przez Wartę z mieczem ukrytym przy końskim boku, a wracał bez niego. Brat Wolfram potwierdził wiadomość.

Zapadła chwila ciszy. Zarembowie trawili wiadomość o mieczu. W końcu odezwał się Żegota:

— Ja nie chcę być poddanym Czechów. Nienawidzę Przemyślidów.

— My też — odezwały się głosy z każdego kąta sali.

— I ja — stanowczo powiedział Andrzej. — Dlatego my zmieciemy Czechów ze Starszej Polski sami! My! Jak Zarembowie powstaną, to Przemyślidzi nawet miesiąca nie utrzymają się u władzy. — Biskup wyprostował się, poprawił pektorał na piersi i wzniósł w górę kielich.

— Jako głowa rodu wzywam was, byście wystawili poczty zbrojne i bez zwłoki ruszyli na Przemyślidów. Miasto po mieście będziemy odbierać im władzę niesłusznie przejętą. Gród po grodzie. Ani piędzi ziemi we wrażych czeskich rękach nie zostawimy!

— Amen! — ryknęło stu Zarembów, wstając.

— Tron nie może być pusty — uciszył ich gestem upierścienionej dłoni Andrzej — my, Zarembowie, od wieków jesteśmy strażnikami Królestwa. Dlatego chcę, byśmy przyzwali na tron Starszej Polski jedynego księcia prawego, dziedzica Przemysła, przeciwnika Władysława zwanego Łokietkiem, księcia głogowskiego Henryka!

— Niechaj tak będzie — krzyknęli. — Amen!

MECHTYLDA ASKAŃSKA śmiała się pełną piersią. Późnowiosenny poranek był świetlisty i pełen barw. Wbijała ostrogi w końskie boki i gnała na spotkanie z Jakubem de Guntersberg. Tym razem nie wybrała klasztoru w Kołbaczu, lecz znacznie mniejszy od niego, filialny, w Bierzwniku.

Marzyła o tym dniu od tylu lat! Od dnia ślubu z księciem Zachodniego Pomorza, legendarnym Barnimem, nie miała innego pragnienia, jak połączenie Zachodniego i Wschodniego wybrzeża. Objęcie panowania na Bałtyku. Oczywiście, nie dla swego męża tego pragnęła, lecz dla rodu brandenburskich Askańczyków. Temu miało służyć porwanie króla Przemysła przed dziesięciu laty! Chcieli wymusić od niego zrzeczenie się Pomorza, a zakończyło się pechowym królobójstwem. Lecz oto spełnia się jej sen! Vašek daje im Pomorze w zamian za pomoc przy opanowaniu Królestwa Polskiego!

— To tak jakby dać wilkowi owcę w nagrodę za to, że zabił jelenia! — krzyczała w las radośnie, pełną piersią.

Jej orszak jechał z tyłu; gdy Mechtylda zakładała męskie ostrogi, nie pozwalała się wyprzedzić nawet straży. Dzisiaj jej święto. Jej wielki dzień. Nagle ogier Mechtyldy zarżał dziko i rzucił się w bok. Mocno ściągnęła wodze i siłą zawróciła go na trakt.

— Co, u licha?! — Uderzyła konia. — Co ty wyprawiasz?

Ogier zarżał i potrząsnął łbem. Coś w lesie na poboczu poruszyło się i na drogę wyszedł wielki, stary wilk. Koń zdębiał.

Wywołałam wilka z lasu — przemknęło przez głowę Mechtyldy, ale nim się nad tym zastanowiła, w ślad za wilkiem wyszedł na trakt wysoki, suchy, długowłosy starzec. Zaschło jej w gardle, choć nie należała do kobiet lękliwych. Mężczyzna był obnażony powyżej pasa i miał tylko jedno, prawe ramię, w którym trzymał sękaty kostur. Wyglądało tak, jakby stary wilk prowadził siwowłosego starca. Poczuła, jak łomoce jej serce, bo w tej samej chwili dotarło do niej, że skóra starucha jest pokryta malunkiem, jak kościelna nawa freskiem.

To Dziki. To kapłan Starej Krwi — zrozumiała, usiłując uspokoić tańczącego pod nią konia.

— Czego chcesz? — krzyknęła zaczepnie do mężczyzny.

— A czego się boisz? — odpowiedział pytaniem.

— Niczego — warknęła, choć czuła, że drżą jej kolana pod gęstymi fałdami sukni.

— Jeśli nie boisz się niczego, Czerwona Pani, to znaczy, że twój dzień jest bliski — powiedział wolno, patrząc na nią tak, jakby rozbierał ją z sukni. Nie tylko on wpatrywał się w nią. Z jego piersi i ramienia patrzyły na Mechtyldę oczy trzygłowego bożka. Bezdenne otchłanie. Na piersi, poniżej pogańskiego bożka, stał wojownik z łukiem i naciągał cięciwę, kierując strzałę prosto w księżną. Nie wierzyła, póki nie poczuła gwałtownego ukłucia w ramieniu.

— Twój dzień jest bliski, ale to jeszcze nie ten dzień — wymamrotał starzec i jednym długim krokiem zniknął w lesie.

Mechtylda jęknęła z bólu. W jej ramieniu tkwiła nie większa od palca strzała. Wyszarpnęła ją, drąc jedwab sukni. Z rany popłynęła krew. Zerwała z głowy nałęczkę i obwiązała ranę.

Odtrutka — pomyślała gorączkowo — potrzebna mi odtrutka.

Zeskoczyła z siodła i otworzyła sakwę.

— Do diabła! — syknęła. — Niewiele tu mam, jak na złość. Wronie sadło na rany i tyle.

Posmarowała ramię, ale już widziała, że puchnie.

— Pani! Księżno! — Dojeżdżał do niej orszak. — Co się stało?

— Nic — warknęła — skaleczyłam się. Stać i czekać.

Podciągnęła suknie i poszła w las. Jeśli będzie miała szczęście, znajdzie bieluń, zwany przez prostaków czarcim zielem. Czuła, jak kręci jej się w głowie.

— Orle! — Wyrwała śpiącego na sukni czerwonego ptaka. — W las! Znajdź mi bieluń i przynieś. Ale już!

Orły źle sobie radzą w zamkniętej przestrzeni drzew, to nie myszołowy, trudno. Sama nie da rady, nie dojdzie. Oddychała głęboko, z całych sił opanowując drżenie mięśni. Już dawno zauważyła, że

wbrew utartym naukom truciznę dobrze zwalcza się trucizną. Usłyszała szum skrzydeł. Orzeł wracał, z trudem klucząc pod koronami
drzew. W dziobie niósł całą łodygę bielunia.

— Dobry ptaszek — pochwaliła go i oderwała biały kwiat, uwalniając z kielicha kilka kropel soku. Przyłożyła je czubkiem palca do
rany i odetchnęła z ulgą.

— Mam nadzieję, że nie nażarłeś się tego? — spytała podejrzliwie. — Bo jeśli tak, to zdechniesz.

Orzeł wstrząsnął łbem i syknął, szeroko otwierając dziób. Nie
miała siły zastanawiać się, czy syknął na tak czy na nie.

Wstała i nie otrzepując sukni, ruszyła przed siebie. Orzeł przeleciał nad jej głową, i bijąc skrzydłami na wprost jej twarzy, krzyczał.

— Co? A, chcesz mnie zawrócić? — Rozejrzała się i parsknęła
śmiechem. — Masz rację, idę w las.

Lecąc przed nią, wyprowadził Mechtyldę na drogę.

— Księżno — zajęczał sługa, patrząc na swą panią.

— Czego?

— Twoja suknia... Ramię ci krwawi...

— Zraniłam się. Nie słyszałeś? Zwolnię cię! — Zatoczyła się,
chcąc wskoczyć na siodło.

Sługa podsadził ją i oberwał za to po łbie.

— Naprzód! — krzyknęła i ruszyła szybko.

Las po obu stronach drogi nabrał niebieskiego odcienia. Pnie
drzew wydawały się Mechtyldzie purpurowe. Widziała kapelusze
grzybów rosnących w głębi, nawet te skryte pod mchem nie mogły
umknąć jej wyostrzonemu wzrokowi.

— Czarcie ziele! — zachichotała.

Widziała też jaszczurki przemykające pod korzeniami drzew,
myszy w norach, zające strzygące przez sen uszami. Słyszała trzepot
skrzydeł i dopiero po chwili zrozumiała, że to skrzydła ważki.

— Ale jazda! — Wbiła ostrogi w końskie boki.

Spojrzała w niebo i zobaczyła je wściekle zielonym.

Gdy wyjechali z lasu i na wzgórzu pokazały się zabudowania
klasztoru w Bierzwniku, poczuła się, jakby znała to miejsce od lat.
Z oddali, gdy widać było tylko zarys dzwonnicy, ona umiała rozpoznać wewnętrzną linię pomieszczeń przejść i korytarzy. Czuła mokrą woń wełnianych mnisich habitów. Jej oko pobiegło dalej, drogą
wiodącą za klasztor. Ach tak! Jechała tędy do Strzelec Krajeńskich na

spotkanie z margrabią Waldemarem. Z zimnokrwistym. Wspomnienie margrabiego wstrząsnęło nią i na chwilę otrzeźwiała.

Jakub de Guntersberg czekał na nią w klasztornym ogrodzie. Dzisiaj był cystersem, ogrodnikiem. Ona donatorką klasztoru, więc furtian wprowadził ją niemal uniżenie.

— Pani? — Przyjrzał jej się badawczo sekretny człowiek.

Ona jemu również. Przez długą chwilę zastanawiała się, po co wzywała zabójcę na spotkanie. Po kogo? Kogo miał dla niej zabić? Pustka w głowie. Zagaiła, licząc, iż sama się rozjaśni.

— Masz krew Václava na rękach?

— Sekretni ludzie dbają o czystość, pani.

— Zabiłeś go czy nie? Wiem, że byłeś wtedy w Pradze.

— Byłem, ale nie zabiłem.

— No tak — roześmiała się dźwięcznie. — Kto by ci zapłacił za króla?

— Ty, pani — odpowiedział śmiało. — Za jednego zapłaciłaś.

— Prawda! Teraz, gdy Brandenburgia przejmuje Pomorze, stać mnie będzie i na drugiego!

— Życzysz sobie?

— Czego? — Rośliny w wirydarzu zdawały się poruszać łodygami, jakby chciały złowić każde słowo ich rozmowy. Biedronka spadła z listka na ziemię. Dlaczego jest granatowa? Zamiast kropek na skrzydłach ma gwiazdy?

— Życzysz sobie drugiego z Václavów? — spytał Jakub.

Chciałam się z nim spotkać, by wydać jakiś wyrok — myślała gorączkowo Mechtylda — ale jaki? Bieluń czarcie ziele wysprzątał jej umysł ze ściśle ułożonych planów. Co z tego, że przez ściany konwentu widziała pracujących w skryptorium zakonników, co z tego, że pod ziemią w rogu wirydarza dostrzegła rozkładające się zwłoki dwóch mnichów, pogrzebanych niedbale, byle jak wrzuconych do dołu, jeśli nie mogła przypomnieć sobie, kogo pragnęła unicestwić ręką Jakuba de Guntersberg.

— Znasz mnie — powiedziała do niego ze śmiechem — więc podaj dwa imiona, jakie przychodzą ci do głowy w związku z naszym spotkaniem.

— Jestem od zabijania, nie od zgadywania. Nie znoszę zagadek — poważnie powiedział Jakub, a ona dostrzegła, że nosi zakonny habit z lekkością i wprawą. — Sądziłem, że chcesz usunąć Václava, by dał wam wolną drogę do zagarnięcia Starszej Polski, skoro Pomorze już dostaliście za Miśnię.

— Václava — powtórzyła. — I? Kogo jeszcze? No, wysil się, Jakubie? Kogo chciałaby się pozbyć twoja pani?

— Zbyt natarczywego kochanka? Takiego jak Otto ze Strzałą?

Otto? Pomyślała o nim i poczuła przypływ pożądania tak silny, jak wtedy, gdy oboje mieli po trzydzieści lat. Nie, na pewno nie chciała go zabić.

— Zabij króla — wybrała przez naturalną selekcję.

Sięgnęła do paska sukni i odwiązała mieszek.

— Oto zaliczka.

Jakub zręcznie schował ją w rękawie habitu i ukłonił się. Mechtylda pożegnała go skinieniem głowy i wyszła z wirydarza.

— Księżna dobrodziejka raczy się spotkać z opatem? — spytał furtian.

— Nie. Mam go w dupie — wyrwało się Mechtyldzie i uśmiechając się olśniewająco, opuściła klasztor.

Gdy odjechali spory kawał, odwróciła się i spojrzała z dala na wysoką dzwonnicę pośród uprawnych pól. Miała wrażenie, że gdzieś, z oddali słuchać dziki śpiew. Niemożliwe, by niosło głosy zamkniętych przez Waldemara ludzi. Rozbolała ją głowa i wydało się jej, że tam, w oddali za klasztorem, otwiera się niebo. Fioletowe niebo. Dostrzegła świetlistą bramę, ale gdy odwróciła konia, by się jej przyjrzeć, brama nieba zatrzasnęła się jej przed nosem.

Wzruszyła ramionami i mruknęła:

— Mam cię w...

HENRYK, książę głogowski, ruszył do Starszej Polski z wojskiem zebranym ze wszystkich swoich ziem. Nie było przy nim Ottona von Seidlitz, zwycięskiego wodza poprzedniej wyprawy. Nie żył. Jego miejsce zajął jego syn, Teodoryk von Seidlitz. Nie było i kanclerza Ottona von Dier. I on zmarł, a urząd kanclerski Henryk powierzył Fryderykowi von Buntensee. Byli za to wierni bracia Wezenborg, Mroczek i Bogusz. I Lutek Pakosławic ze swym upiornym przyjacielem von Henrykiem Hacke. I bracia: Jenszyn, Merbot i Rudgier von Haugwitz z wybitnej rodziny ministeriałów Rzeszy. Sydelman wywodzący się z mieszczaństwa wykształcony wszechstronnie medyk, notariusz i osobisty kapelan księcia.

Tak, Henryk wyciągnął lekcję ze śmierci króla Przemysła II — otaczał się ludźmi nowymi. Dawał się im wykazać w książęcej służbie, pozwalał zrobić karierę przy swym boku, oceniając wyłącznie to, co jest dzisiaj: pracę, służbę i wierność. Nie patrzył wstecz. Nie wspierał starych rodów tylko dlatego, że ich tradycje sięgały czasów tak zamierzchłych, że można było snuć niesprawdzalne opowieści o dawnych zasługach na rzecz księstwa czy Królestwa. Nie. Koniec z przyzwoleniem na tworzenie rodowych legend, które w swej pysze chcą dorównać książęcym. Jeśli ród pragnie być przy księciu, uczestniczyć w jego władzy, niech służy przez dzisiejsze czyny, a nie wspomnienie przeszłych. Jego von Dier, Seidlitz, Buntensee, Haugwitz, Wezenborg i inni byli nowi. Pozbawieni wiekowych koneksji. Mogli więc liczyć tylko na łaskę księcia i zasługiwać na nią czynami, każdego dnia od nowa.

Gdy tylko doszła go wieść o śmierci Václava II, zaczął zbierać wojsko. To nie było trudne; nikogo nie wyrywał z domowych pieleszy, jego zbrojni nieustannie walczyli z Czechami. Na małą skalę, ale walczyli. Henryk broni przed Przemyślidą nie złożył nigdy i nigdy nie uznał jego tytułu „króla polskiego". Nie był na poznańskiej koronacji, hołdu nie składał. Tylko raz w życiu popełnia się błąd, potem już nigdy. Raz uległ dyplomacji Przemyślidy i po wielu latach jego awansów zgodził się na sojusz. I co? I Václav zdradził go niemal od razu, wspierając Władysława srebrem, które ten wydał na wojnę z Henrykiem. Potem Václav uprzedził go po raz drugi, wysyłając swatów do Rikissy.

Henryk znał swe miejsce. Wiedział, iż jest tylko księciem, nie królem. Czekał. I się doczekał.

Václav II nie żyje, a jego, Henryka, panowie Starszej Polski wzywają na tron poznański.

Prawda, ruszył zbrojnie, nim przyszło wezwanie. Posłowie Zarembów zastali go już pod Krzywiniem. Znów Krzywiń, jakby przez te wszystkie lata zdarzenia zatoczyły krąg, by spotkać się w tym samym punkcie.

— Z uznaniem przyjmuję zaproszenie waszych baronów — odpowiedział im, przyzywając ku sobie syna, czternastoletniego Henryka. — Jak widzicie, nie czekałem na nie. Idę na Poznań, po drodze rozbijając czeskie załogi. Za mną już na każdym zamku, grodzie i mieście powiewają czarne głogowskie orły. Tam, gdzie przeszedłem, nie ma ludzi młodego Václava. I cieszę się, że biskup Andrzej dotrzymuje słowa danego mi przed laty w Kościanie. Idę po serce Starszej Polski, bo jestem jej prawowitym dziedzicem. Tym, którego naznaczył zamordowany król. Ja, Henryk, książę Głogowa, dotrzymuję każdej z umów. Dopełniam każdej przysięgi. Skoroście mnie wezwali, prowadźcie, proszę, na Poznań.

I nie oglądając się na nich, wsiadł na koń. Młody Henryk trzymał się przy nim, bo tak mu ojciec przykazał. Za książętami kanclerz Fryderyk von Buntensee i cała reszta jego ludzi. Przed nimi Lutek Pakosławic z chorągwią Głogowa.

Na wozach taborowych przygotowane sztandary, teraz jeszcze czekając na swą chwilę, zwinięte.

Ruszyli. W drodze zbliżył się ku księciu jeden z posłów Zarembów, stary magister Mikołaj, dawny medyk króla.

— Panie — zwrócił się do niego — czy moglibyśmy zamienić kilka zdań, na osobności?

— Nie mam tajemnic przed swym kanclerzem ani tym bardziej przed synem, magistrze. I nie lubię sekretów — oświadczył Henryk. — Często kryją się za nimi matactwa.

Medyk poruszył suchymi wargami, a jego głowa zakołysała się na chudej szyi o wyraźnie odstającej grdyce. Rozejrzał się i zbliżając konia ku księciu, powiedział niezbyt głośno:

— Śmiem zauważyć, że masz w orszaku zbyt wielu Niemców. Twoi najbliżsi doradcy nie są Polakami.

— I co z tego? — Henryk bacznie przyjrzał się magistrowi.

— Bunt, jaki wybuchł w Starszej Polsce przeciw rządom Przemyślidów, był w znacznej części sprzeciwem wobec niemieckich urzędników Václava. Nie chcę, by ciebie spotkało to samo, panie.

— Jesteś sługą Zarembów? — spytał go Henryk.

— Nie! — oburzył się stary magister. — Jestem sługą Królestwa.

— Więc służ Królestwu nadal, bo ja jestem jego dziedzicem. I wierz mi, magistrze. Potrafię docenić ludzi, którzy nie patrzą na osobisty interes.

Henryk odwrócił się od medyka, dając mu do zrozumienia, że skończył rozmowę. Zacisnął szczęki, aż zabolały. Tak, oto panowie Starszej Polski! Wezwali go na tron i już knują, jak wprowadzić na urzędy swoich. Ciekawe, co go czeka w Poznaniu?

By jego wjazd, wjazd po latach, był uroczystością, której nie za-kłóci żaden incydent, posłał przodem wojsko z młodym Teodorykiem von Seidlitz i braćmi Wezenborg, sam zaś rozłożył obóz w pobliżu i czekał. Nie bezczynnie. Wysyłał swych zbrojnych, by czyścili oko-lice ze stronników Václava, ale wkrótce przekonał się, że ci stopnie-li, zniknęli lub zmienili barwy. A w każdym razie nie podnosili głów.

Gdy tylko Bogusz Wezenborg dał znać, że Poznań czeka, Hen-ryk wezwał giermka i kazał się odziać uroczyście. Siebie i syna. Obaj nałożyli czarne kaftany z samitu ze strzyżonym włosem, tak iż układał się na nich wzór złożony z czarnych orlich piór.

— Wyjmij ze skrzyni tuniki! — nakazał giermkowi.

Zamówił je specjalnie na tę chwilę. Szyte z grubego jedwabiu, pod-bite delikatnym futrem popielic. Dwubarwne, z przodu lśniące bielą, na plecach czernią. Na śnieżnobiałych piersiach pysznił się czarny ślą-ski orzeł złotem dzioba i szponów, pokazując, na co go stać. A na głę-bokiej czerni pleców rozwijał skrzydła biały orzeł, symbol Królestwa.

Giermek spiął jego biodra pasem rycerskim i przypiął do niego miecz. Młody Henryk, wciąż jeszcze niepasowany na rycerza, założył zwykły pas i do niego kord z wysadzaną perłami rękojeścią. Na skro-niach obu zalśniły książęce diademy. Siwe pasma we włosach ojca od-bijały się czernią w starannie ułożonych puklach syna.

Wyszli przed namiot i rycerstwo głogowskie przywitało ich ślą-skim zawołaniem:

— „Czerń i złoto"!

Henryk położył lewą rękę na ramieniu syna, uniósł prawicę i od-powiedział im zawołaniem rycerstwa Starszej Polski:

— „Niepodzielni"!

Giermkowie podprowadzili konie. Obydwa wierzchowce oble-czono w purpurowe kropierze znaczone rombami; w co drugiej ra-mie złotego rombu pysznił się czarny orzeł na zmianę z białym. Jego kanclerz, Fryderyk von Buntensee, rozpromienił się.

— Mój pan wygląda królewsko!

Rycerstwo głogowskie uformowało orszak i ruszyli. Przed murami Poznania witał ich niewielki poczet w barwach Zarembów i Bogusz Wezenborg. Wielką Bramę otworzył mu wójt miasta, Tylo.

— Gdzie biskup Andrzej?

— Czeka na ciebie w pałacu biskupim na Ostrowie Tumskim, książę.

685

Gdy przejechał bramę, uderzyła go cisza. Z wysokości końskiego grzbietu przyjrzał się stojącym ciasno po obu stronach wjazdu mieszczanom. Oni także patrzyli na niego, z napięciem, z uwagą. Poczekał, aż bramę miejską przekroczy cały jego orszak, wtedy zatrzymał konia, uniósł ramię, pozdrawiając poddanych i krzyknął ku nim:

— Jestem Henryk, książę Głogowa. Moją matką jest Salomea, siostra Przemysła I, urodzona tu, w Poznaniu, wasza księżna. Mym dziadem Henryk, ostatni z wielkich książąt Wrocławia, ten, który własną piersią osłaniał Królestwo przed najazdem dzikich Mongołów! Ten, który nie zawahał się, by oddać życie i głowę za Królestwo. Moją prababką jest Jadwiga z Meranu, kanonizowana święta. To mi wasz ukochany Przemysł II, jeszcze jako książę Starszej Polski, zapisał Starszą Polskę jako dziedzictwo, i będąc już koronowanym królem, tego zapisu nie cofnął. To mi i tu obecnemu Henrykowi, memu pierworodnemu, ustąpił Poznań książę Władysław układem w Krzywiniu, układem, którego nie dotrzymał. Dzisiaj przybywam do was, zmiatając ze swej drogi panowanie znienawidzonych Przemyślidów. Uzurpatorów korony Królestwa. Oto jestem! Bo prawo jest jedno, a łamanie go jest deptaniem przysiąg składanych przed Bogiem. Jeśli wy przysięgniecie mi wierność, ja przysięgnę wam, iż biorę was, ludu Poznania, w opiekę. A ja, Henryk, żadnej z przysiąg nie złamałem i nie złamię. Lecz nim to się stanie, chcę jechać do katedry poznańskiej i złożyć pokłon na grobie króla Przemysła. Pomodlić się w intencji jego duszy. Idźcie za mną, mieszczanie Poznania! Idźcie za mną!

Nie czekając, co odpowiedzą, ruszył. Słyszał, jak tłum szemrze, widział, jak faluje. I, wreszcie zobaczył, że tłum ruszył, ruszył za nim.

— Panie — podjechał ku niemu, z trudem przeciskając się przez ciżbę, Bogusz Wezenborg. — Biskup Zaremba czeka na ciebie w pałacu nieopodal katedry.

— Niech poczeka. — Henryk uśmiechnął się do Bogusza samymi tylko źrenicami. — Ja też czekałem długo, by on wywiązał się z obietnic składanych w Krzywiniu i Kościanie. Dobrze mu zrobi, jeśli z okien pałacu zobaczy tłum kroczący za mną ku katedrze.

— Jak uważasz, panie. Siedziba też jest gotowa na twe przyjęcie.

Henryk uniósł głowę i po drugiej stronie rzeki zobaczył wzgórze, a na nim wspięty zamek. Nie przyspieszał. Czekał tyle lat, poczeka jeszcze. Przed katedrą zsiadł z konia i ramię w ramię z synem wszedł w jej progi. Ostrogi zadźwięczały na posadzce. Zgiął kolano przed głównym ołtarzem.

— Tędy, panie! — Poprowadził go ku południowej wieży drobnej postury kanonik. — Oto kaplica Przemysła, płyta grobowa króla i jego drugiej żony, księżnej Rikissy.

Ukląkł i pogrążył się w modlitwie. Pomiędzy jej żarliwymi wersetami dostrzegł świeże kwiaty na płytach i przed niedokończonym ołtarzem. W jego centrum płaskorzeźba z piaskowca z wizerunkiem Jana Chrzciciela, po jej bokach dwa puste miejsca. Gdy wstał od modlitwy, skinął na kanonika i spytał go:

— Nie widzę pomnika króla Przemysła?

— Bo go nie ma, książę — odpowiedział ten.

— Nikt nie zlecił wykonania? Przez dziesięć lat od śmierci króla?

— Nie, książę. Najpierw trwały walki o Poznań, jak sam wiesz. A potem Václav nie miał życzenia ani woli, by czcić pamięć poprzednika. Budował w Poznaniu, ale obiekty, które miały służyć podkreśleniu jego roli.

— Jakie?

— Ratusz miejski. Jego starostowie wykorzystali zbieżność herbów osobistych nieżyjącego Przemysła II i rodu Przemyślidów.

— Jedni i drudzy znaczyli się wspiętymi lwami. — Kiwnął głową Henryk.

— Dlatego na znak panowania Václava II i jako podkreślenie ciągłości z umiłowanym królem, Poznań zaczęto ozdabiać lwami.

— Wobec tego ja zamówię posągi grobowe Przemysła i Rikissy. Ściągnę tu kamieniarzy ze Śląska i sfinansuję robotę — oświadczył Henryk.

— Chcesz zatem, książę, pokazać poddanym, iż zaczynasz od uczczenia poprzednika, a nie od symboli własnych ambicji? — Przyjrzał mu się uważnie kanonik katedralny.

— Chcę oddać królowi, co mu należne — odrzekł Henryk, i nie oglądając się na niego, wyszedł.

Przed katedrą czekała na niego ciżba ludzka.

— Powiedz im, książę, o posągach — szepnął mu do ucha Bogusz.

Nie — pomyślał Henryk — zbyt wysoko się cenię, by kupować sobie przychylność tanimi gestami.

Pozdrowił więc lud, który już nieśmiało pokrzykiwał:

— Niech żyje książę Henryk!

— Niech żyje!

I udał się do siedziby biskupa poznańskiego Andrzeja Zaremby.

Gdy tylko przekroczył jej próg, zrozumiał, że biskupi poznańscy po dziś dzień kultywują początki swej diecezji. Pierwszej na ziemiach polskich, przez ponad sto lat jedynej i zależnej wyłącznie od papieża. Imiona biskupów misyjnych, ryte w surowym piaskowcu, ale wielkimi literami, znaczyły drogę od wejścia do wielkiej sali, w której przyjmował Andrzej. Henryk nie spieszył się, szedł i przeczytał dwa pierwsze, rozpoczynające długą listę, niczym kamienie węgielne w rogach świątyni: Jordan i Unger. Jeden za księcia Mieszka, drugi za Bolesława Chrobrego. Tak, tu już było biskupstwo, nim powołano archidiecezję gnieźnieńską. Starsza Polska. Gdzie nie spojrzysz, tam ślady pierwszych królów. Znając Zarembę, oni sami czują się niczym królowie.

— Henryku! — powitał go biskup, otwierając ramiona.

— Biskupie — skinął mu głową książę.

Zaremba odezwał się z szerokim uśmiechem:

— Pamiętasz, jak powiedziałem ci w Kościanie: „Od dzisiaj obaj możemy o tobie myśleć jako o jedynym prawym dziedzicu Królestwa"? Minąć musiało kilka lat, by tamto życzenie się ziściło. Jednak ani razu przez okres rządów Václava nie zwątpiłem, że ten czas nadejdzie.

— Ja również, biskupie — chłodno odpowiedział Henryk. — Bo sprawiedliwość jest tylko jedna. Czekałem na nią cierpliwie.

— I twój czas nastał. Przekonałem wszystkich moich rodowców, by wezwali na tron właśnie ciebie.

— Dotrzymałeś słowa danego mi w Kościanie.

Henryk widział, iż jego powściągliwość nieco wytrąca z równowagi biskupa. Nie zamierzał mu niczego ułatwiać. Stał i czekał na kolejne gwarancje, wpatrując się w Andrzeja.

— Zarembowie staną za tobą, książę, murem. Jak rodowy półlew — zażartował — za murem!

Książę nie uśmiechnął się, zapytał:

— A pozostałe rody? W bramie witał mnie wójt Tylo w imieniu mieszczaństwa, witał lud. Ale nie widziałem ani jednego przedstawiciela Nałęczów, Grzymalitów czy Łodziów.

— To my, Zarembowie, wezwaliśmy cię na tron — przypomniał Andrzej, prostując plecy. — Moi rodowcy zjadą lada dzień do Poznania. A pozostali przyłączą się prędzej czy później. Czyż miasto nie otworzyło przed tobą bram, panie? Czyż sam metropolita nie wita cię jak oczekiwanego władcy? — W głosie biskupa zabrzmiało zniecierpliwienie.

— Owszem — skinął głową Henryk — i bardzo się z tego cieszę. Jak wiesz, Andrzeju Zarembo, nie należę do pochlebców. Oceniam wyłącznie fakty. To pozwala w przyszłości oszczędzić rozczarowań.

Biskup gestem ramienia zaprosił go, by przeszli w głąb sali i siedli przy zastawionym do posiłku stole. Henryk pilnował, by jego syn zajął miejsce po drugiej stronie biskupa.

— Zatem jak oceniasz fakty, książę? — spytał Andrzej, gdy zasiedli.

— Syn Václava zapłacił Brandenburczykom Pomorzem za pomoc wojskową. Wiem także, że dostanie duży oddział od Ottona Bawarskiego, więc nawet wobec niechęci własnych baronów ruszy na wojnę lada dzień.

— Niechęci? Nie przypuszczam, by czeskie rycerstwo było niechętne wyprawie.

— A ja to wiem.

— Wybacz, ale skąd masz takie wieści?

— Moja siostra Jadwiga jest opatką klarysek we Wrocławiu.

— A, tak! Słynny klasztor piastowskich księżniczek. Nasza Eufemia, siostra nieżyjącego króla, jest tam mniszką. Ale wybacz, Henryku — pobłażliwie uśmiechnął się biskup. — Skąd mniszki zamknięte w murach klasztornych mają znać plany czeskich panów?

— Stąd, że nieustannie przyjmują pielgrzymów z Moraw i Czech, służąc im gościną w drodze.

— No tak — powątpiewająco odpowiedział Andrzej. — W jednym jesteśmy zgodni, młody król ruszy na Królestwo. I moim zdaniem, najpierw będzie walczył o Małą Polskę. To dzielnica najbliższa Czechom z racji położenia. A tam książę Władysław. — Wyczekująco zerknął na Henryka biskup.

— Przypuszczam, iż Václav III zetrze się z nim. Ale przeciwko nam wyśle Brandenburczyków. Dlatego nie zamierzam bezczynnie czekać, lecz chcę sposobić kraj do obrony. Czyż nie tego pragną poddani? By książę strzegł ich domów? Oczekuję zatem, że rycerstwo Starszej Polski zmobilizuje się pod moim przywództwem do walki.

— Zatem zostajesz z nami? — Gdzieś w głębi głosu biskupa zabrzmiała nuta zawodu.

Zaremba liczył, iż ja jedynie nominalnie obejmę władzę i zaraz przekażę ją z radością w jego ręce — pomyślał Henryk, a na głos powiedział:

— Zostaję, choć nie będę rządził sam. Znany już ci Bogusz Wezenborg został przeze mnie wyznaczony na starostę. Wybacz, Andrzeju, być może liczyłeś na ten urząd, ale spójrz, co piastowanie starostwa robi z biskupami: Muskata okrył się ponurą sławą, wrocławski Henryk z Wierzbna niedługo mu dorówna. Nie chcę, by do tego niechlubnego grona dołączano twe nazwisko. Ale dotrzymuję przysięgi i chcę, byś był kanclerzem.

O ile na początku Zaremba pobladł, o tyle teraz się rozpromienił. To dziwne — pomyślał Henryk — dlaczego ludzie są wzruszeni, gdy ktoś dotrzymuje obietnic?

— Jestem rad! — Pokiwał głową biskup. — Oczywiście pamiętasz, książę, iż ustaliliśmy złączenie urzędu biskupa poznańskiego z kanclerstwem całego Królestwa? Przemawia przeze mnie troska o mych następców. Nikt nie jest wieczny.

— Pamiętam. Gdy odzyskamy koronę, uczynię to bez zwłoki. Na razie sam przyznasz, biskupie, byłoby to przedwczesne, czy też, jak mawiają niektórzy, życzeniowe.

— Oczywiście — przytaknął Zaremba.

— Teraz ja chciałbym cię zapytać o arcybiskupa Jakuba Świnkę. Jakie jest jego stanowisko wobec zaistniałych faktów?

Andrzej Zaremba okręcił biskupi pierścień na palcu, przygładził pektorał.

— Powiem wprost, książę: arcybiskup od dawna sprzyjał księciu kujawskiemu. Dzisiaj waha się między tą, między nami mówiąc, niezrozumiałą sympatią a lojalnością wobec córki Przemysła, wdowy po Václavie.

— I koronowanej polskiej królowej — przypomniał Henryk. — W przeciwieństwie do Przemyślidy, który sięgnął po koronę jako uzurpator, aktu tego wobec córki Przemysła nie kwestionuję. I mam dla arcybiskupa wybawienie z tej rzeczywiście niezręcznej sytuacji.

— Nie rozumiem, książę. — Wzrok Zaremby wyrażał całkowite zaskoczenie.

— Zamierzam zwrócić się do królowej wdowy z propozycją małżeństwa — oświadczył Henryk.

— Ty, panie? Wszak jesteś żonaty!

— Ja, jako pan Poznania, ale nie dla siebie, lecz dla mego syna, Henryka.

Jego pierworodny zamarł. Prawda, Henryk wcześniej nie mówił mu o tej idei. Obiecał sobie, że zrobi to dopiero w Poznaniu. I zrobił.

Zaremba milczał, jakby trawił tę wiadomość. Odezwał się Bogusz Wezenborg.

— Królowa wdowa tylko cztery lata starsza od naszego Henryka.

— Ma dziecko — powiedział jego syn i głos spłatał mu niemiłą niespodziankę, unosząc się nagle, jak u chłopca. Odchrząknął zaczerwieniony i powtórzył: — Ma dziecko.

— To córka, więc się nią zaopiekujesz — uspokoił go Henryk.

— Nie wiem, czy... — biskup nerwowo poruszał upierścienionymi palcami — ...czy przyjmie twą propozycję. Była królową, a twój syn...

— Gdy zdobędę Królestwo, będzie królem, po mnie. Nikt nie jest wieczny, biskupie. A Rikissa i Henryk są młodzi. Mogą poczekać, jak i ja czekałem. Poza tym dla wdowy po Václavie moja propozycja powinna być godna. Umożliwi jej powrót do Poznania wraz z dzieckiem. Czyż to nie wspaniałomyślne z mej strony?

Andrzej Zaremba kiwnął głową i wezwał sługę, by dolał im wina. Przy toaście przyglądał mu się z uwagą, Henryk czuł jego spojrzenie. Wyczekiwał, aż padnie imię. I nie mylił się.

— A jakie plany masz, panie, wobec księcia Władysława? Faktu jego powrotu nie da się zaprzeczyć. — Odstawił głośno kielich.

Henryk namyślał się chwilę, jak ująć w słowa to, co chciał przekazać. W końcu odpowiedział, z uwagą dobierając słowa:

— Mylą się ci, którzy nazywają mnie mściwym. Nie jestem mściwy. Jestem cierpliwy i sprawiedliwy, nawet jeżeli moja sprawiedliwość wydaje się ludziom surowa. Władysław nie dotrzymał żadnej ze złożonych mi w Krzywiniu obietnic, zatem i ja nie czuję się w obowiązku ich dochować. Nie zgadzam się na podział Starszej Polski taki, jaki ustaliliśmy wówczas. Nie oddam ani piędzi ziemi. Ale przyjmuję do wiadomości, iż wrócił. Rozumiem, że pielgrzymka pokutna zdjęła z niego twą klątwę, a z ziem interdykt. I uznaję, iż tym, co mu się prawem naturalnym należy, jest dziedziczne księstwo Kujaw. Nikomu ojcowizny nie zamierzam odbierać. Lecz do Starszej Polski go nie wpuszczę, bo to ja jestem dziedzicem Królestwa.

Wstał od stołu. Pozostali poderwali się za nim. Podszedł do okna biskupiego pałacu i wyjrzał na dziedziniec. Wśród morza ludzkich głów powiewały na wietrze chorągwie, które przygotował. Takie same jak tunika, którą mieli na sobie on i syn. Z jednej strony czarne z białym orłem, z drugiej białe z czarnym. I w oddali, na wzgórzu, z zamkowej wieży dumnie łopotał biało-czarny sztandar.

— Tak, biskupie Andrzeju. — Odwrócił się do patrzącego na to w zdumieniu Zaremby. — Taki jestem i się nie zmienię. Czarno--biały.

WŁADYSŁAW rozłożył się z obozem nad Wisłą na tyle daleko od wawelskiego wzgórza, by nie mogły ich trafić potężne kusze wałowe, które załoga zamku ustawiła na nowo zbudowanych murach. Wysłał emisariuszy do wójta krakowskiego Alberta i do starosty, biskupa Muskaty. Wrócili, nic nie osiągnąwszy, tyle tylko, że dowiedzieli się, iż Jana Muskaty nie ma w Krakowie.

— Skrył się w Lipowcu, gdzie obroną dowodzi jego szwagier Gerlach. Dowódcą wawelskiej załogi jest Czech — zdawał relację Wojciech Bogoria. — Negocjować nie chcą, będą się bronić. Václav II zdążył zbudować cały pas nowych murów, czują się pewnie.

— Cały? — Pokręcił głową Władek i osłaniając ręką oczy, wskazał na miejsce obok Smoczej Bramy. — Mnie się zdaje, że spory kawał przy bramie jest niedokończony.

— Racja — kiwnął głową Bogoria — mnie wpuścili Dolną Bramą i zasłonili mi oczy, prowadząc do dowódcy.

— Jak zapadnie zmrok, wyślemy zwiadowców. A teraz wracajcie do swoich oddziałów i dopilnujcie budowy machin.

Chciał jak najszybciej wrócić do Jadwigi, zostawił ją w książęcym namiocie samą, tylko ze służbą. Idąc przez obóz, pozdrawiał czyszczących broń giermków, którzy na jego widok zrywali się i zginali w ukłonie. Machał im ręką, by się nie wygłupiali, tylko wracali do roboty. Czuł ucisk w piersi, patrząc na powiewające wokół namiotów chorągwie. Doliwowie, Leszczyce, Powały obok małopolskich Bogoriów, Starżów, Lisów. Złowił w nozdrza świetną woń polewki w obozie Awdańców i widząc, iż sługa zostawił kocioł na ogniu, odwracając się po cebulę, pochylił się i szybko spróbował.

— Zostaw to, ciuro! Gdzie pchasz pysk? — usłyszał za plecami głos sługi.

— Dobra! — pochwalił ze śmiechem. — Księżnej pani by smakowała.

Sługa z cebulą w ręku padł na kolana, jak stał.

— Wybacz, książę, nie poznałem... Wybacz!...

— Daj spokój. Skończ gotować i przynieś trochę dla mojej żony, księżnej Jadwigi. To ten największy namiot z półorłem, półlwem.

Władek popędził dalej, przeskakując między ogniskami, zgrabnymi stosami drewna i chrustu. Pomiędzy wielkim zwałowiskami różnych wielkości kamieni przygotowanych do ostrzeliwania zamku. W otaczającym jego osobiste namioty obozie Madziarów nadział się na Hunora.

— Törpe Làszló fejedelem! Księżna będzie rodzić!

— Rodzić? Już? To czego mi mówisz dopiero teraz!

— Ganiam za tobą, książę, po obozie od rana, ale co gdzieś trafię, to mówią: „Książę był, ale już poszedł". Jestem zziajany jak koń na stepie.

— Do księżnej, szybko!

Jadwiga trzymała się za wydatny brzuch, twarz miała odrobinę spoconą. Od ciągłego przebywania na słońcu jej czoło i policzki zdobiły najpiękniejsze złote piegi, a warkocze nabrały jasnego, połyskującego odcienia. Kunegunda była przy matce, podawała jej zmoczone ręczniki i ocierała czoło.

— Gdzie chłopcy? — spytał Władek, nie widząc ani Władysława, ani Stefana w namiocie.

— Latają po obozie, jak ty — jęknęła Jadwiga i złapała się za brzuch.

— To już?

— Zaczyna się.

Fehér Mohar podstawił księżnej wielki, szeroki fotel, rzucając na niego swój płaszcz. Jadwiga usiadła.

— Prosiłem cię, księżno, byś się zgodziła do norbertanek, to tu, niedaleko. Mniszki pomogą przy porodzie.

Kinga otarła Jadwidze pot z czoła, a żona spojrzała na Władka ostro.

— Mniszki wiedzą o rodzeniu mniej niż ja. Nie pójdę do norbertanek i już! Czy ty wiesz, co by było, gdyby wiadomość o tym, że księżna rodzi w klasztorze, przedostała się do zbrojnych Václava? Oblegaliby klasztor, bo najsłabszym punktem męża na wojnie jest żona i dziecko.

— No właśnie — jęknął Władek. — Prosiłem, byś została w Wiślicy...

— A wcześniej obiecywałeś, że mnie nie opuścisz. Chyba że to, co obiecujesz w czasie, gdy się kochamy, obowiązuje tylko do zaśnięcia? — mściwie uśmiechnęła się Jadwiga.

Kunegunda ciekawie zamrugała, jakby liczyła na to, że dowie się więcej.

— Nie opuszczę. Ale dzisiaj, najdalej jutro zaczynamy oblężenie.

— Nie urodzę dzisiaj, urodzę jutro albo pojutrze.

— To czego Mohar mówił, że się zaczyna?!

— Bo Mohar zna się na rodzeniu tak jak twoje norbertanki, Władziu. Urodzę tutaj i już.

— Nie, Jadwigo. Wybacz, ale na obleganiu to ty się akurat nie znasz. Albo tak jak oni na rodzeniu. Obóz może być zagrożony pożarem od ognistej strzały. Musisz mieć pewny dach nad głową.

W tej samej chwili w jego umyśle pojawiła się myśl, myśl tak niedorzeczna, tak nieprawdopodobna, że aż rzeczywista.

— Jadwigo! — Ukleknął przy niej. — Wiem, gdzie cię ukryć. Wiem, gdzie nikt nie będzie cię szukał. Urodzisz w Smoczej Jamie.

Księżna spojrzała na niego, jakby był chłopcem; tak samo patrzyła na Stefana, gdy rano zapytał: „Mamo, czy mogę wrzucić do ognia but, żeby się zagrzał?".

— Co mam do wyboru, oprócz norbertanek? — spytała.

— Niewiele. W osadzie na Okole można znaleźć jakąś porządniejszą chałupę, ale trzeba by i Okół otoczyć wojskiem. Do Smoczej Jamy jest tylko jedno wejście.

— Jesteś pewien?

— Jestem, byłem tam nie raz, sprawdzałem. Jeśli dam ci pięciu ludzi, to za Boga Ojca nikt tam nie wejdzie. Jest tylko jedna niedogodność...

— Jaka?

— Hałas. Bo będziemy oblegać Smoczą Bramę i mur tuż obok niej, czyli walki toczyć się będę ponad twoją głową. Wejście do jaskini jest sporo poniżej bramy. Ale w litej skale mocno niesie głos.

— Nie słyszałeś, jak twoi synowie się bawią w wojnę, to nie wiesz, co to jest hałas! — roześmiała się Jadwiga.

Wraz z nastaniem zmroku stawiła się grupa zwiadowców przygotowanych przez Wojciecha Bogorię.

— Idziemy — powiedział do nich książę i ruszył.

— A?... A ty, książę, dokąd? — zapytał pobladły Wojciech.

— Ja? Na zwiad. A co myślałeś, że ja będę siedział w obozie, jak mogę na własne oczy zobaczyć? Fehér Mohar i Juhász Hunor też idą. I Pawełek Ogończyk.

— Ale to za dużo... Zauważą nas z murów...

— Nie, Węgrzy i Ogończyk zostaną trochę niżej, przy smoczej jamie.

Władysław ufał swym nowym małopolskim sojusznikom, bo idąc za nim od Wiślicy, na szalę rzucili wszystko. Gdyby rządy Przemyślidów miały powrócić, Lisowie, Bogoriowie i Straże byliby spaleni w Małej Polsce tak jak przed laty jego Doliwowie na Kujawach. Ufał im, ale po prostu nie chciał, by więcej ludzi, niż trzeba, wiedziało o Jadwini w Smoczej Jamie. Jadwinia. Nazywał ją już tak tylko w myślach. Nie odważyłby się tego powiedzieć na głos. Na strażników narodzin swego dziecka wybrał Węgrów, bo błagali go na kolanach, że chcą być w Smoczej Jamie. I dołożył Ogończyka, którego tak lubiła księżna. Prócz niej samej i Kunegundy do jaskini trzeba było przemycić służące, wodę, skóry baranie, koce, jedzenie i nieco jakichś pakunków przygotowanych przez Jadwigę. Jego dwaj synowie mieli zostać w obozie, by nie przeszkadzali matce. Dał ich pod opiekę Wojciecha Leszczyca, tego, co ich wyprowadził z katedry na Lateranie. Skoro poradził sobie z tłumem pielgrzymów, da radę i dwójce chłopców, nawet rozbrykanych.

Wszystkim tym zająć się miał Ogończyk, w czasie gdy Władysław wraz ze zwiadowcami wspiął się pod Smoczą Bramę. Choć dookoła Wawelu stał już potężny mur, nowy, solidny, zbudowany za Václava II, to przy Smoczej Bramie nadal trwały prace budowlane. Brama wciąż jeszcze tkwiła wewnątrz obmurowanego przejazdu przez dawny wał. Nad nią pyszniła się kamienna, cylindryczna wieża.

— Jeśli mamy się przebić, to tylko tędy — szepnął Władek do Wojciecha Bogorii.

— Ciężko tu podprowadzić machiny. Trebuszy nie wciągniemy na wzgórze.

— Trebuszy nie. Ale osła tak.

— Mamy trzy. Dwa wielkie, co mogą spokojnie miotać z dołu i dosięgnąć, i jednego małego.

— Małego ustawimy tam, spójrz, Wojciechu. — Pokazał mu skalną półkę obrośniętą głogiem. — Ma tak stromy tor lotu pocisku, że nawet stojąc blisko muru, kamień przeleci. Haki na rusztowaniach poradzą sobie z rozpruciem tego kawałka wałów.

— Pan Bóg nad nami czuwał, że Václav nie zdążył dokończyć budowy murów. Jakby je domknął przy Smoczej Bramie, to oblegalibyśmy zamek przez rok.

— Ja dokończę mury. A zamek zdobędziemy dzisiaj, mówię ci to. Najdalej jutro. Trebusze trzeba przepchnąć od drugiej strony zamku. Uderzymy z nich w Dolną Bramę.

Zaplanował ten atak dokładnie. Od tylu miesięcy rozmyślał, jak to będzie. Każdej nieprzespanej nocy na Rusi, na Węgrzech, na Słowacji, w Austrii i drodze do Rzymu, i z Rzymu ustawiał swoje wojska wokół Wawelu. Odtwarzał w głowie ze swych młodzieńczych czasów każdy załom murów, każdą półkę skalną w wawelskim wzgórzu, rozstawiając na nich poszczególne machiny tak, by zdobyć niezdobyte. Znał Smoczą i Dolną Bramę na pamięć, prześlizgiwał się nimi jako chłopiec, gdy z zamku biegał do miasta. Wyliczał w głowie trajektorie lotu pocisków tyle razy, że odkąd rozłożyli się z obozem nad Wisłą, wiedział, co robić, krok po kroku. Setki i dziesiątki uzbieranych kamieni od razu kazał dzielić według wielkości i ciężaru, i od początku rozkładał je we właściwych punktach obozowiska, by jak najmniej nosić. Gdy tylko służba obozowa rozbiła namioty, skierował ją do zbijania z desek plutei, wielkich tarcz ochronnych, pod którymi schować się mogło od dziesięciu do piętnastu oblegających. Mieli ich dzisiaj zrobioną setkę. Połowa najlepszych na pierwszy rzut natarcia, połowa na drugi, gdy obrońcy strzaskają pierwsze. Miał cztery masywne tarany i baranie skóry moczone w wodzie do ich osłony przed ogniem z góry.

— Pierwsze uderzenie na Dolną Bramę. — Rozpoczął naradę w namiocie wojewody krakowskiego. — Trebusze, zaraz za nimi tarany i równocześnie ostrzał z wielkich kusz. Tym uderzeniem dowodzić będziesz ty, wojewodo krakowski. — Uścisnął dłoń Mikołajowi Lisowi. — Ja będę dowodził atakiem na Smoczą Bramę, osobiście.

— Ależ książę...

— Cicho! — skarcił wojewodę sandomierskiego, Toporczyka. — Nie pamiętasz mnie Ottonie z czasów, gdy pierwszy raz zdobywałem wawelski zamek?

— Pamiętam, alem sądził, żeś książę, że tak powiem, dorósł.

Władek wyprężył pierś i dotknął dłonią czoła.

— Jak widzisz, nie. Jestem Łokietek! Hercog Loket, jak tytułuje mnie Albrecht Habsburg. Nie urosłem ani trochę i będę dowodził atakiem. Bez dyskusji. Uderzenie na Smoczą Bramę zaczniemy, gdy Mikołaj Lis na dobre zwiąże siły obrońców na Dolnej Bramie. Mikołaju, będziesz walił z trebuszy raz po raz i dokładał im z balisty, na zmianę. Dołączysz do tego dwa wielkie osły miotające kamieniami. Mają mieć wrażenie, że kończy się świat. Mają pchnąć wszystkie siły na Dolną Bramę.

— Skąd po drugiej stronie będziemy wiedzieli, że to już? — dopytał Bogoria.

— Gaduła Jałbrzyk zostanie z nimi jako obserwator i będzie puszczał do nas gońca za gońcem z opowieścią, co się dzieje. Gotowi? Nie ma pytań? To ruszamy.

— Książę, ile razy oblegałeś Wawel? — spytał go na ucho Ligaszcz, gdy szli na stanowiska.

— W myślach oblegałem go tysiąc razy. Ale raz zdobyłem, z rąk księcia wrocławskiego Henryka. Nie było wtedy takich murów, lecz wierz mi, Ligaszczu, zasady są takie same. Przerazić obrońców. Sprawić, by się bali. By z przerażenia nie mieli czasu załadować kuszy, by ręce im drżały, gdy będą z niej mierzyć. A potem jak najszybciej przedrzeć się do środka i rozbić ich wewnątrz murów. To proste. I my to zrobimy dzisiaj, najdalej jutro.

— Nie ma w tobie cienia wątpliwości, książę.

— Nie, Ligaszczu. Ani lęku.

Gdy przemykał na czele swoich oddziałów kutą w skale drogą ku Smoczej Bramie, na chwilę zboczył do jamy. Nim jednak postawił przed nią stopę, o jego pierś oparł się grot włóczni.

— Juhász, to ja, Làszló.

— Wybacz, książę.

— Jak tam? Czy już? — Chciał zajrzeć do Smoczej Jamy, ale w mroku nic nie widział prócz czeluści jej otworu.

— Chyba nie. Pani krzyczy.

— Od dawna krzyczy?

— Od dawna. Ale pani obiecała, że nam powie, jak będzie już.

— Dobrze. Pilnujcie jej. Za chwilę zaczynamy. Będzie hałas.

— Wiem, Törpe Làszló fejedelem. Pani mówiła, że będzie krzyczeć jeszcze głośniej.

Wrócił do swoich, dogonił ich przed bramą. Gdy dobrze zajęli pozycje, wciąż jeszcze niezauważeni przez straż na strzegącej bramy wieży, usłyszeli łoskot od drugiej strony. Obejrzał się w tył. Zobaczył połyskującą w strzępku księżycowego światła Wisłę. Zobaczył wokół siebie nieruchome, zastygłe sylwetki swoich ludzi. Wyobraził sobie Jadwinię pod nimi, w bezpiecznej skalnej jamie. I pomyślał, że to najpiękniejsza chwila w jego życiu. Zrobił znak krzyża.

— Ciotko moja, Kingo z Arpadów, błogosławiona i świątobliwa. I ty, wuju Bolesławie, świętej pamięci księciu krakowski. Leszku Czarny, mój przyrodni bracie. Królu Bolesławie, którego miecz noszę. Wszyscy wy, nieżyjący, przodkowie moi, coście władali z Wawelu Krakowem, wesprzyjcie mnie, księcia Łokietka, gdy idę odebrać nasz święty Wawel Przemyślidom. Amen.

Zgiełk na murach, dalekie krzyki od Dolnej Bramy, uderzenia głazów wystrzelonych z trebuszy, budzący grozę dźwięk kruszonych murów, od tego wszystkiego Władysław zachłystywał się szczęściem, raz po raz. Po chwili miał pierwszego gońca od Jałbrzyka, potem drugiego. Sam widział, jak znad ich głów, z wieży strzegącej Smoczej Bramy zbiegają obrońcy przepchnięci przez dowódcę do wzmocnienia Dolnej.

— W wieży naliczyłem pięciu, ale słabo widać — szepnął do niego Ligaszcz.

— Przydałby się książę Leszek, mój bratanek. Widzi w ciemności jak sowa.

— Na pewno są wzdłuż tego niedokończonego wału, wydaje mi się, że rozstawieni co dziesięć kroków.

— Muszą być. Żaden dowódca nie zdjąłby całej obrony i nie przerzucił jej w jedno miejsce.

Gdy trzeci goniec od Jałbrzyka powiedział, że trebusz uszkodził Dolną Bramę i Mikołaj Lis wysyła taran, Władek wiedział, że to już.

— Naprzód! — krzyknął. — Kusznicy!

Celowali na oślep, tuż nad wałami, chcąc raczej sparaliżować obrońców, niż ich trafić. W tej samej chwili przygrzali kamieniem wyrzuconym z zamaskowanego osła. W ostatnim momencie jego drewniane ramię zaskrzypiało i obrońcy zorientowali się, gdzie stoi. W stronę machiny poleciały zapalone strzały.

— Pluteje! — przywołał Władek wielkie tarcze — Zarzucić je mokrymi skórami. Pod ich osłoną podejść z drabinami! Już!

Miał na głowie mały hełm sekretny, tylko tyle, by być osłoniętym. Wbiegł na przystawioną do wału drabinę, nim ktokolwiek zdołał go zatrzymać. Miał to miejsce wybrane od chwili oględzin ze zwiadem.

Niewielka wyrwa między starym wałem a nowym murem, można by rzec, niedomurowana dziura. Wiedział, że się nią prześlizgnie.

— Książę! — krzyknął za nim jakiś rycerz od wojewody sandomierskiego.

To nie mógł być nikt z jego kujawskiej drużyny, ci wiedzieli, że jak już książę rusza w bój, to nie ma co się za nim drzeć, bo można tylko ściągnąć uwagę wrogów. Władek szybko wspiął się, już sięgał dziury, gdy ukazała się w niej twarz obrońcy. Pchnął go nożem i za upadającym trupem przecisnął się na drugą stronę. Tak, tak jak przewidział. W tym miejscu od wnętrza biegł pomost. Wskoczył na niego i rozejrzał się. Obrońców nie było wielu. Na środku dziedzińca płonęło w żelaznych koszach kilkanaście ogni i w ich świetle dostrzegł, że kilkudziesięciu zbrojnych kłębi się, broniąc Dolnej Bramy. Przy Smoczej było najwyżej kilkunastu. Czy zeskoczyć z pomostu i otworzyć bramę od środka, pomiędzy obrońcami, to będzie szaleństwo? Będzie. Zabiją go, gdy tylko ruszy. Ale gdyby miał przy sobie pięciu, sześciu ludzi, to już byłoby rozsądnie. Niezauważony przez zajętych strzelaniem obrońców, prześlizgnął się z powrotem do swoich. Przywołał Ligaszcza.

— Za chwilę zrób coś, by przyciągnąć całą uwagę obrońców do miejsca po drugiej stronie bramy.

— Co?

— Wymyśl. Możesz tańczyć i śpiewać, bylebyś był skuteczny.

Wziął pierwszych sześciu zbrojnych z brzegu, nie zastanawiając się, czy to giermkowie, czy rycerze. W ciemnościach niewiele widać, a czasu na gadanie nie miał. Pokazał im, co mają robić. Jednego szybko wymienił, bo był za gruby. I już. Po chwili wszyscy byli na pomoście od wnętrza muru. Usłyszeli krzyk obrońców i tupot stóp. Wszyscy biegli na drugą stronę bramy, zostawiając ledwie siedmiu po stronie Władka.

Nie wiem, co Ligaszcz zrobił — pomyślał książę — ale dam mu za to nagrodę.

Siedmiu, po jednym na głowę. Przemykając po pomoście na tyle cicho, na ile się dało, poderżnęli im gardła jednocześnie, zachodząc od tyłu. Władek i szczupły mężczyzna w kolczudze dobrali się do bramy. Pozostałych pięciu ich ubezpieczało. Mężczyzna wyjął zza pasa topór i po prostu zaczął walić. Władek szybko wyrwał topór trupowi wartownika i robił to samo. Już obrońcy zorientowali się, w czym rzecz. Już biegli na nich, gdy od strony dziedzińca usłyszeli głośny, przeraźliwy krzyk.

— Katedra płonie!

Ta chwila przestrachu obrońców wystarczyła, by ludzie Władka rzucili się na nich i pozbawili życia.

— Kto wolny, rąbać bramę! — rozkazał książę i rzucili się ku niej wszyscy prócz dwóch, co jeszcze walczyli z obrońcami.

Władek czuł skurcz serca ma myśl o płonącej katedrze, ale wiedział, iż nie mogła zapłonąć w lepszej chwili. Brama puściła. Zobaczył Ligaszcza osłoniętego tarczą i rzeka jego ludzi z okrzykiem: „Pod wiatr"! wdarła się Smoczą Bramą na Wawel.

— Coś ty zrobił? — krzyknął do Ligaszcza książę.

Pomian odsłonił tarczę. Był za nią nagi.

Władek przewrócił oczami.

— Ubieraj się i do walki, ale już!

A do wbiegających wojsk krzyknął:

— Zaatakować obrońców Dolnej Bramy od środka!

Sam zaś rzucił się ku katedrze. Pożar nie był wielki, ale przez otwarte wrota widać było ogień. W drzwiach stał osmolony człowiek.

— Ktoś ty? — krzyknął, nadbiegając, Władek.

— Wojciech, strażnik katedry. — Powiedział osmolony i ukłęknął przed nim z szeroko rozwartymi oczami. — I jej podpalacz, książę Władysławie.

— Gaś! Zagnaj całą służbę zamkową do gaszenia! Jeśli ugasisz pożar, zostaniesz jej strażnikiem i pod moimi rządami. No czego się gapisz?! Już zdobyliśmy zamek! Gaś! — wrzasnął z całych sił Władek.

Dolna Brama puściła. Wlewali się przez nią ludzie wojewody Lisa. Łapano ostatnich obrońców. Służba zamkowa poddawała się sama.

— Wszyscy do gaszenia katedry! — krzyknął Władek. — Pod rozkazy strażnika Wojciecha!

— Wojewodo krakowski! Zdobyłeś dla mnie Dolną Bramę! — Uścisnął prawicę spoconego Mikołaja Lisa.

— Ale to ty, książę, pierwszy postawiłeś nogę na dziedzińcu. To ty zdobyłeś Wawel. — Klęknął przed nim wojewoda.

— Ja! — kiwnął głową Władek i zdjął hełm. — Obejmij dowództwo, muszę iść do żony.

Ruszył z powrotem do roztrzaskanej Smoczej Bramy. Wyszedł

nią, nie dziurą w murze. Oddychając głęboko, schodził skalną drogą ku jamie. Zatrzymał go grot włóczni Fehéra.

— To ja, Mohar. Zamek zdobyty.

— I dziecko urodzone.

— Zdrowe?

— Zdrowe, Làszló fejedelem. Krzyczy na całą smoczą jamę. Ja, ja sam przecinałem pępowinę. Hedvig hercegnő pozwoliła mnie. Dziewczynka, tak jak nam przepowiedział Aba Amadéj. Królowa Węgier. Erzsébet.

— Dobrze, Fehér Mohar, dobrze. Przyjdzie czas na królową Węgier, teraz to jeszcze niemowlę. — Władek czuł, jak dopada go zmęczenie całego oblężenia. — Ale weź już tę włócznię, wpuść mnie. Chcę zobaczyć żonę i dziecko. I zabrać je ze Smoczej Jamy na wawelski zamek.

VAŠEK przed wyjazdem na wojnę odczuwał wszystko po wielokroć radośniej. Tak, znał opowieści rycerskie, jak to życie smakuje, gdy się wyjeżdża i gdy wraca, i dzisiaj czuł się niczym bohater heroicznych pieśni. Najpierw odwiedził w sypialni swą żonę. Na szczęście Viola Elżbieta mimo prawie skończonych piętnastu lat wyglądała na nieco młodszą. To czyniło ją w jego oczach ciekawszą. Była śliczna to fakt, ujmująco śliczna, ale chuda dokładnie tak, jak przedstawił ją portrecista. I póki co nie była płodna. Spółkował z nią od dziesięciu miesięcy i nic. Z pewnością to nie po jego stronie leży wina, bo córka damy dworu ledwie co urodziła mu dziecko. Nazwał je Elżbieta. Owszem, słyszał plotki, że Elżbieta może być dzieckiem jego ojca, ale wiedział, że są to złośliwe pomówienia. Viola tylko się zamartwiała i czyniła mu łzawe wyrzuty, że jej kazał przybrać imię Elżbieta, dzieciakowi dał Elżbieta, że jego siostra Elżbieta. A przecież powinna się cieszyć, bo to takie ładne imię. Królowej wdowie też było Rikissa Elżbieta. Viola wyjątkowo powoli przywykała do życia w Pradze, ale liczył na to, że nim wróci z wojny, pojmie wszystko i wszystko zrozumie. Zresztą wtedy ukoronuje ją koroną Piastów, więc niech się cieszy dziewczyna z Cieszyna.

— Ondriczku, załóż mi nową tunikę! Z lwem!

— Już się robi, królu.

Pokojowiec pospieszył ku niemu z purpurową, mięsistą tuniką, na której piersiach pysznił się wspięty, złotogrzywy lew. Vašek dał się odziać i pogładził lwa po łbie.

— Twój dziad, Přemysl Ottokar II, nosił lwa — powiedział Ondriczek.

— Dlaczego mój ojciec przestał?

— Nie wiem, panie. Václav II kochał płomienistą orlicę.

— I przyniosła mu pożar. — Wzruszył ramionami Vašek, a potem wyprężył pierś. — Ja jestem lwem, a nie ptaszyną! Chcę się napić styryjskiego wina, tego słodkiego, nie kwaskowego!

— Dobrze, królu.

— Ale w skrzyni. Chcę się napić w skrzyni.

Ondriczek złapał się za serce, lecz nie ośmielił sie protestować. Nie pierwszy to raz! Dlaczego tak mu smakowało picie wina i jedzenie pieczonych kokoszek w skrzyni? Nie wie. Ale smakowało i już. Próbował też chędożyć w skrzyni, ale to mu nie szło. Relikwiarz świętej Agnieszki obtarł mu plecy. To była dziewica i w dodatku jego praprababka. A w relikwiarzu upchali jej palec. Pewnie wskazujący. Jemu osobiście nie przeszkadzało chędożyć przy prababce, ale jej chyba tak, bo po tamtym razie miał na plecach krwawą pręgę, zaczerwienienie i pryszcze. Tak mówił Ondriczek, który go pielęgnował. On sam zaś czuł ból tak doskwierający, że mu się odechciało.

— Oj! — powiedział Ondriczek, otwierając skrzynię i cyknął ustami jak starzec.

— Co?

— Okruchy, panie — ze zgorszeniem wyszeptał pokojowiec.

Rzeczywiście, w skrzyni walały się okruchy bułek, ogryzione kosteczki z kokoszek i to małe, pewnie zasuszone kluski.

— Czego cykasz, posprzątaj — podpowiedział słudze.

— Ja? Mnie nie wolno tykać relikwiarza! — struchlał pokojowiec.

— To nie tykaj, tylko wybierz okruchy. No już, mam cię obić?

— Nie, nie, królu.

— Wskakuję! — oznajmił, gdy Ondriczek skończył sprzątanie. Wskoczył i zaległ w skrzyni.

— Wino! — zażądał, wyciągając rękę.

Naburmuszony Ondriczek podał mu kielich. Wypił duszkiem połowę i zamyślił się. Polacy są niewdzięczni. Tak jak Węgrzy. Krzyczą ponoć: „Precz z Czechami!" i „Przemyślidzi, wracajcie do Pragi!".

702

Jak dzieci. Nie widzą, ile dał im czeski porządek. A ten książę karzeł? Jak mogą kłaniać się karłowi? Rozumie, klaskać, śmiać się, gdy robi sztuczki, ale przecież nie kłaniać. Nazwał się Łokietek. To tak, jakby jego ojciec kazał na siebie mówić „Václav Złoty", a on „Vašek Łakomy". Nie, no „Złoty" wypada najlepiej. Pójdzie tam, zrobi z nimi porządek i ukoronuje się w Gnieźnie.

— Ach! — westchnął.

— Co ci, królu? — usłyszał spod drzwi głos Rajmunda.

— Zbieram siły.

— Wojsko czeka, panie. Powinniśmy wyruszyć w południe.

— To ruszymy w północ! Muszę być gotowy. A właśnie zgłodniałem. Przywołaj Ondriczka, niech przyniesie jedzenie. Posłałem go do kuchni, a on gdzieś przepadł.

— Idę, panie! — W głosie Rajmunda, nie wiedzieć czemu, zabrzmiała pretensja.

Vašek zapatrzył się w malowidło na sklepieniu komnaty. Oczyszczono je po wielkim pożarze. Święty Wacław ucieka przed siepaczami swego brata Bolesława. Chce schronić się w kaplicy, ale minę ma tak przerażoną, że wiadome, iż nie zdąży. Każdy z trzech siepaczy ma inną twarz. Jeden zerka z ukosa, zezując. Drugi groźnie, niczym sam Szatan, zresztą oczy ma podstępne i czarne. Trzeci zaś wygląda jak cherubinek, słodko i niewinnie, i to pewnie jego sztylet dopadnie Wacława. Swoją drogą, jakby tak każdy zamordowany król zostawał świętym?

Poczuł woń pieczonej kokoszki.

— Z jajkami?

— Dali osobno, panie — powiedział Ondriczek, pochylając się nad skrzynią.

— A ja lubię, jak jest upieczona z jajkiem w środku! Czy oni nie mogą się tego nauczyć?!

— Nie wiem, panie, już podaję.

Zatopił zęby w mięsie. Ssał soki. Uspokoił się przy kokoszej piersi.

— Królu, powinniśmy jechać. — Zajrzał do skrzyni Rajmund.

— Powinni mi podać z jajkami — odpowiedział mu.

— Wiem, królu, ale sprawy się komplikują. Książę Władysław oblega Kraków. Biskup Muskata nie poradzi sobie bez naszej pomocy.

— Żartujesz, Rajmundzie! Muskata to najsprytniejszy z ludzi! Póki on był przy mnie, wszystko się udawało.

— W tym rzecz, panie. Jak ty będziesz przy nim, znów się powiedzie. Tylko już wyruszmy.

Vašek wyrzucił ze skrzyni ogryzioną drugą nóżkę.

— Szkoda, że kokoszka nie ma czterech, co? — zażartował sobie, ale Rajmund był śmiertelnie poważny. — Ty się boisz, przyjacielu? — spytał.

— Nie, ja się tylko martwię, żeśmy jeszcze nie ruszyli.

Do Ołomuńca jechali tydzień. Rajmund miał mnóstwo czasu, by narzekać. Pan z Lichtenburka najchętniej zajeżdżałby konie na śmierć, byleby było szybciej. Vašek nie dał się zwariować. Popas musi być i dla ludzi, i dla koni. W Ołomuńcu czekały na nich niedobre wieści — Poznań zajęty przez księcia Głogowa Henryka, krakowski zamek przez Władysława. Cały dzień musiał wysłuchiwać utyskiwań baronów, które streścić można było w jednym zdaniu: „Po co nam ta wojna?". W jego imieniu przemawiał Rajmund z Lichtenburka i na szczęście dla niego miał dar przekonywania. Vašek nudził się, był głodny i spragniony, jedyne, o czym marzył, to suta kolacja i sen. Wypatrzył sobie służącą, malutką dziewuszkę o twarzy niepozornej, ale biodrach krągłych i wypiętym brzuszku. Roznosiła ser w koszykach i jak trafiła do niego za drugim razem, uszczypnął ją w tyłeczek.

— Jak ci na imię? — spytał.

— Hunia, królu — Zapłoniła się.

— Hunia? Co to za imię?

— Zdrobnienie od Hugo, królu. Tatko myślał, że będę chłopcem, i nie potrafił wynaleźć imienia dla dziewczynki — odpowiedziała szczerze, jak tylko szczere potrafią być małe, pulchne dziewuszki.

— Bardzo ładnie roznosisz ser, Huniu — pochwalił ją. — Chyba wezmę cię na służbę, o ile twój tatko pozwoli.

— Pozwoli, królu! — Przygryzła wargę białymi ząbkami. — Chyba się zgodzi. Tatko uczył mnie, jak usługiwać wielmożnemu państwu, a król to się przecież liczy na wielmożę, prawda?

— Liczy się, Huniu! — Przełknął ślinę.

Rajmund kończył właśnie kwiecistą przemowę. Tak kwiecistą, jakiej Vašek nie słyszał w życiu. Ale mimo iż pan z Lichtenburka dokonywał cudów wymowy, krzycząc:

— ...jeśli opuścicie króla, spadnie na wasze rody hańba, skaza, której nie zmyjecie po wieki wieków! — Odpowiedziała mu cisza.

W tej ciszy Vašek wstał i powiedział dźwięcznie:

— Amen.

Po czym odszedł od stołu. Obecni stali jak wmurowani, patrząc na wychodzącego króla. Zatrzymał się w drzwiach. Cofnął się. Wolno przeszedł wzdłuż szeregu swych panów. Każdemu z nich spojrzał w oczy, milcząc. A gdy skończył, rzekł:

— Baronowie Moraw i Czech! Nie widzę w waszych oczach zdrady. Praga was karmi moją szczodrą ręką. Ale dzisiaj matka Praga i ojciec wasz, król Czech, są w potrzebie. Czy w chwili próby porzucicie ojca swego i matkę swoją? Nie. Wzywam was, byście ze swymi wojskami jutro w południe stanęli przy mnie, tu, w Ołomuńcu.

I wyszedł. Rajmund za nim.

Gdy znaleźli się w sypialnej komnacie, Rajmund uścisnął mu obie dłonie i krzyknął rozpromieniony:

— Królu mój! To było najwspanialsze wezwanie do walki, jakie słyszałem w życiu! Poruszyłeś ich twarde serca! Są twoi!

— Rajmundzie, jestem taki zmęczony. Przywołaj do mnie Ondriczka, muszę zjeść i spocząć. I zajrzyj do jadalnej sali. Powiedz tej małej, że chcę koszyczek sera, ale szybko.

— Oczywiście, mój panie. Spełniać twoje życzenia jest rozkoszą dni moich.

— Jestem bardzo głodny. — Odesłał go Vašek.

Gdy został sam, opadł na łoże, tak jak stał, w ubraniu.

Po chwili drzwi otworzyły się cicho. Usłyszał lekkie kroki. Tak lekkie, jakby stawiała je dziewczynka.

— Hunia? — spytał, unosząc głowę.

— Tak, królu — zachichotała dźwięcznie.

— Masz bardzo ładny głos, Huniu — pochwalił ją, zastanawiając się, czy tak samo spodobają mu się jej łydki. — Przyniosłaś ser?

— Nie — odpowiedziała zaskoczona.

— Dlaczego nie? Przecież mówiłem, że chcę, byś mnie znów nakarmiła!

— Król powiedział, że weźmie mnie na służbę. — Zbliżyła się do łoża na paluszkach. — A to chyba nie znaczyło, że chodzi o ser.

Pochyliła buzię tuż nad jego twarzą. Widział nierówne krawędzie jej zębów, znak, iż wyrżnęły się nie tak dawno. Dołki w policzkach. Bladą grzywkę. Oczy błękitne. Krople potu na nosku.

— Hunia! — jęknął i pomasował sobie krocze. — Idź po ser! I wracaj szybko!

— Dobrze, królu! — dygnęła grzecznie.

Opadł na poduszki. Znów skrzypnęły drzwi.

— Rajmund? Ondriczek?

Nikt mu nie odpowiedział. Poczuł chłód koło serca i zerwał się z łoża gwałtownie.

Od drzwi szło ku niemu trzech siepaczy. W rękach mieli sztylety, ostre i dość długie.

— Kim jesteście? — zapytał drżącym głosem.

Nie odpowiedzieli.

Patrzył to na jednego, to na drugiego, to znów na trzeciego. Cofnął się o krok, ale za nim było łoże. Pomyślał z trwogą o Huni, co będzie, jeśli mała tu wejdzie? Mogą jej zrobić krzywdę. Trzech siepaczy, bez znaków rodowych na piersiach. Boże drogi! Jak na wizerunku męczeństwa świętego Wacława! Ale żaden z nich nie jest podobny do cheruba, co zadał cios, ani do Szatana, co zezował czarnym okiem. I on nie ma kaplicy, w której mógłby szukać schronienia. Wskoczył na łoże, zręcznie niczym kot. Ach tak! Przecież jest lwem! Lwem Przemyślidów.

JAKUB DE GUNTERSBERG wsunął się do komnaty wraz z dziewczyną. Hugo, nawet utuczona, poruszała się zwinnie. Schował się za kotarą i patrzył, jak jego podopieczna sobie radzi.

— Masz bardzo ładny głos, Huniu — powiedział z głębi łoża Vašek.

Gdybyś słyszał, jak śpiewa psalmy, to byś dopiero oniemiał z zachwytu, królu — pomyślał.

Ona, chichocząc, pochyliła się nad łożem. W tej samej chwili drzwi komnaty otworzyły się bezszelestnie i w to samo miejsce, które on wybrał, niesłyszalnym krokiem wszedł ktoś jeszcze.

— Grunhagen? — szepnął bezgłośnie Jakub.

— Guntersberg? — zdziwił się niemile zielonooki karzeł. — Czułem, że kiedyś nas to spotka i zderzymy się na robocie. Co to za grube dziecko?

— Moja pomocnica — z dumą odpowiedział Guntersberg.

— Hunia! — usłyszeli napalony jęk Vaška. — Idź po ser! I wracaj szybko!

— Dobrze, królu! — Dygnęła grzecznie Hugo i puszczając oko do kotary, wyszła z komnaty.

— Niech zgadnę — szepnął samymi ustami Grunhagen — przysłała cię Mechtylda, albo Waldemar.

— A ciebie Krzyżacy i kazali ci się pokazać, co?

— Skąd wiesz? — zapłonił się karzeł.

Jakub dotknął półorła, półlwa na piersi zielonookiego i wykrzywił się w uśmiechu.

— Komturzy pragną, by książę Kujaw był widziany na miejscu zbrodni, co, Grunhagen? Krew króla ma splamić honor Małego Księcia?

Vašek leżał na łożu i masował sobie krocze, cicho jęcząc. W tej samej chwili do komnaty wślizgnęli się kolejno trzej siepacze ze sztyletami.

Guntersberg i Grunhagen o mało nie parsknęli śmiechem.

— Ten pierwszy to pachołek baronów Moraw, drugi jest od panów z Lipy.

— Trzeci służy Habsburgom.

— Nie pozwólmy im spartaczyć roboty — poprosił Grunhagen. — Muszę być obecny, bo mi Krzyżacy nie wypłacą.

— Nie rwij się tak, karle. Pozwól działać małej Hugo. Potem zbiorę dowód dla mej pani, a ty się pokażesz na dziedzińcu. Każdy z nas weźmie swoją działkę. A moja dziewczyna się podszkoli.

— Kim jesteście? — poderwał się przerażony Vašek.

Cofał się, aż wlazł na łoże.

— Uch! Nie w moim stylu. Pościel byłaby cała poplamiona. — Pokręcił głową Guntersberg.

— I nie w moim. Mam za krótkie nogi, by skakać po łożu.

W tej samej chwili do komnaty wsunęła się Hugo z koszem twardego, solonego sera.

Odstawiła koszyczek na stołku i z wszytej w plecy sukienki długiej kieszeni wyjęła puginał. Zaszła siepaczy od środka i nie tracąc czasu, pchnęła w plecy tego z Moraw na wysokości serca.

— Dokładna! — pochwalił Grunhagen.

— Dziękuję — powiedział Guntersberg.

Hugo nie traciła czasu i w chwili, gdy dwaj pozostali odwracali się ku niej, dźgnęła siepacza panów z Lipy pod obojczyk, a drugiego w szyję. Padli na ziemię.

— Huniu! — jęknął Vašek. — Nic ci nie jest?

— Nie, królu! — uśmiechnęła się słodko. — Ten pan pobrudził mnie krwią, muszę się wytrzeć. — To mówiąc, zrzuciła z siebie luźną sukienkę i stała golutka, z pulchnym tyłkiem, brzuchem i udami jak knedle.

Vašek zeskoczył z łoża i złapał ją za krągłe ramiona.

— Huniu! Skąd miałaś broń?

Wyślizgnęła się z jego rąk, chichocząc, i w żartach zarzuciła mu na szyję zwiniętą w wałek sukienkę. Przyciągnęła Vaška sprawnie.

— Co robisz?

— To, co lubisz, królu! — Przekrzywiła główkę. — Łapię cię w sidła! Aaa!

— Nie możesz mnie złapać — odpowiedział nieco zniecierpliwiony — jestem lwem.

— To umrzyj jak lew — powiedziała bez cienia śmiechu w głosie i zacisnęła mu suknię wokół szyi.

— Jak umierają lwy? — wycharczał, czerwieniejąc.

— Rycząc — podpowiedziała mu zabójczyni.

Nie był w stanie zaryczeć, siniał w uścisku jej sukni.

Grunhagen dotknął ramienia Guntersberga i szepnął z podziwem:

— Gratuluję i zazdroszczę. Jest warta fortunę.

— Nikt nie jest wieczny. Czasami nawet sekretny człowiek pragnie udać się na spoczynek.

Hugo dodusiła Vaška do końca, nim rozluźniła węzeł sukni. Poczerwieniała z wysiłku. Wreszcie puściła go i upadł.

W tej samej chwili drzwi komnaty otworzyły się i do środka cicho wślizgnął się człowiek w kapturze. Dwaj sekretni ludzie za kotarą spojrzeli na siebie i na intruza.

— O... — powiedział ten, widząc, iż król leży na ziemi, a obok niego trzech martwych siepaczy. Kaptur zsunął mu się z głowy, na której miał krzywo wygoloną tonsurę.

— Rzymska gaduła, diakon Mirosław na usługach Jakuba Świnki — szepnął Grunhagen do Guntersberga, przedstawiając nowego.

— Przepraszam — powiedział diakon, uśmiechając się do Hugo. — Jak widzę, nic tu po mnie. Już znikam. — Naciągnął kaptur na oczy i równie szybko, jak się zjawił, wyszedł.

Hugo pochyliła się nad zamordowanym królem i pocałowała go w usta. Podnosząc głowę, powiedziała za kotarę:

— On naprawdę był miły.

Jakub de Guntersberg, wychodząc z ukrycia, skarcił ją.

— Nie czas na prywatę. Jak widzisz, jest wielu chętnych na pracę, którą tobie powierzyłem.

Odciął Vaškovi pukiel włosów dla Mechtyldy i na chwilę stanął przy trupie. W mig zjawił się przy nim Grunhagen. Miejsce nad głową zajęła Hugo.

Patrząc w jego matowiejące źrenice, powiedzieli na trzy głosy, jednocześnie:

— Tak umarł ostatni z Przemyślidów.

MUSKATA dowiedział się od gońca przesłanego mu z Opawy, przez księcia Mikołaja.

— Zamordowany? Król Václav III zamordowany? — Omal nie upadł.

— Tak, panie. Trzej siepacze zabili młodego króla.

— Kto ich nasłał?

— Nikt się nie dowie, bo kiedy straż królewska wbiegła do sypialni pana, z wściekłości i bezradności zasiekła zabójców na śmierć. I na kawałki.

Aha — zrozumiał Muskata. — Zatem panowie czescy wysłali zabójców na swego króla, a potem usunęli wykonawców swej woli.

— Książę Mikołaj z Opawy prosi cię, panie, o spotkanie sekretne w najpilniejszych państwowych sprawach.

Jan Muskata musiałby być głupcem, by na spotkanie nie pojechać. Oto w przeciągu jednego roku stracił obu swych królewskich protektorów. Wawel odbił Łokietek i tylko miasto Kraków, dzięki hardej postawie wójta Alberta, wciąż broniło się przed księciem. Już po śmierci Václava II było źle, ale teraz? Teraz sprawy układały się paskudnie jak odór nad trumną.

Spotkali się w Karniowie na pograniczu morawskim.

— Janie Muskato! — Otworzył potężne ramiona Mikołaj.

— Książę! Cóż za wielka strata!

— Prawda! Nie mogę przeboleć, że Władysław odbił ci Wawel.

— Mówię o śmierci twego bratanka, Vaška.

— A, to. — Mikołaj opawski machnął wielką jak bochen dłonią.

— Nie bawmy się w podchody, Muskato. Prawda jest taka, że nie żałuję go. Nie miał w sobie krztyny talentu swego ojca. Byłby złym królem i tyle.

— Co prawda, to prawda! — Usiadł ciężko Muskata i rozejrzał za winem.

Napięcie ostatniego roku, nieustanne zmaganie się z przeciwnościami sprawiło, iż pił coraz więcej i częściej. Pociągnął łyk białego, styryjskiego i powiedział:

— Młody był nieumiarkowany w jedzeniu i piciu, to zgubi każdego.

Książę opawski klepnął się po wydatnym brzuchu i wskazując na kolejny kielich lany sobie przez Muskatę, zarechotał.

— Zgubi, jeśli idzie w parze. A jak osobno, to nie.

— I co, Mikołaju? Zostałeś ostatnim Przemyślidą. Tylko pełni krwi ci brakuje. Szkoda, żeś bękart, miałbyś teraz drogę do tronu wolną.

— Szkoda. Jak mi ojciec załatwił uznanie legalności narodzin przez papieża, to jednocześnie zastrzegł, że bez praw do tronu. Ale, Muskato! Dynastia wygasła, a tego się nikt nie spodziewał. Nikt. Na bezrybiu dobry i bękart, co? Zwłaszcza że szanowany w kraju.

— Poczekaj, Mikołaju. Wyścig do tronu zaraz się zacznie. Jest młody Jan, siostrzeniec Václava II i jednocześnie bratanek Albrechta Habsburga. Od lat wychowywany w Pradze, wiek już ma w sam raz sprawny i krew dwóch wielkich rodów w żyłach. Jeśli poprą go Habsburgowie, to nim miesiąc minie osadzą Janka na tronie. Tylko poczekaj, znajdą się i inni.

— Właśnie, że nie mam zamiaru czekać, Muskato. Mam za sobą księstwo opawskie, na początek. Mam przysięgę moich czterech miast na wierność. I mam spore wpływy na dworze. Wystarczające, by ukrócić Henryka z Karyntii.

— Szwagra Vaška? To sądzisz, że i on wystartuje w gonitwie?

— Już się zgłosił. Vašek ustanowił go namiestnikiem na czas wyprawy wojennej, a do tego, jako mąż jego siostry Anny, ma największe prawa do tronu. Tyle że z poparciem u niego kiepsko.

— Daj spokój, Mikołaju! Takich szwagrów to król miał na pęczki. A ten z Wrocławia? Bolesław?

— Też w podskokach wrócił do Pragi. Ja też bym na szwagrów nie stawiał, bo panowie czescy za nimi nie pójdą.

— Kto zabił Vaška? Jak odpowiesz na to pytanie, dowiesz się, kto ma największe szanse na tron.

Mikołaj przywołał sługę i kazał donieść drugi dzban, bo Muskata dość szybko opróżnił pierwszy.

— Sprawa jest dość tajemnicza, Janie. Bo w Ołomuńcu widziano i ludzi związanych z Habsburgiem, i z Karyntczykiem, i z baronami węgierskimi i... we własnej osobie księcia Władysława Łokietka.

— Gadasz! — Muskata aż podskoczył. Wytrzeźwiał w jednej chwili i szybko wlał sobie kielich, by uzupełnić braki. Gdyby to okazało się prawdą! Za taki czyn Władysław mógłby być znów skazany na banicję! Za taki czyn...

— Widziano. Wielu to przysięga. No w każdym razie karłów z półorłem, półlwem nie ma na pęczki, co? Ale kłopot w tym, że choć wysłano za nim pogoń, nie został złapany. Więc samo posądzanie go o czyn nic nie da.

— W dupę z tym! — Muskata upił łyk wina. — To tak jak z Brandenburczykami po śmierci króla Przemysła. Wszyscy wiedzieli, że to oni, a nikt za rękę nie złapał. Każdy z ewentualnych sprawców żyje i śmieje się w nos.

Coś mu się przypomniało.

— Mikołaju! Potrzebuję twej pomocy. Muszę ugodzić czymś księcia Władysława w Krakowie, czymś, co go zaboli i skłoni do ustępstw. Poszukuję jego bratanka, księcia inowrocławskiego Leszka. Moi ludzie ujęli go, a Václav II kazał mi go odesłać do Pragi. I słuch po księciu zaginął.

— Leszka? Psiakrew. Pół roku temu miałem go w lochu w Opawie, bo Václav przykazał z racji na wagę jeńca, by co kilka miesięcy zmieniać zamek, w którym jest trzymany. Z Opawy wysłałem go do Brna. Szukajmy w Brnie.

— W Brnie — powtórzył Muskata. — Mam nadzieję, że książę nie zgnił w lochu. Trupem źle się negocjuje.

— Jest młody i silny — pocieszył go Mikołaj — przeżyje. Wróćmy do spraw czeskich. Janie, jeśli ty mnie poprzesz i użyjesz swych świetnych kontaktów z panami czeskimi w mej intencji, to wierz mi, starostwo krakowskie na zawsze zostanie w twoich rękach.

Muskata był za starym lisem, by nie czuć, że Mikołaj kłamie. I zbyt trzeźwy, by nie wykalkulować samemu, co książę opawski naprawdę ma na myśli. Ale nos dyplomaty podpowiadał mu, by udawać głupka.

— Zgoda, Mikołaju. Poprę twą kandydaturę do tronu Czech z całej siły.

— Byłbyś biskupem starostą Małej Polski, przyjacielu! — ucieszył się książę opawski.

Już nim byłem — ponuro prychnął w myślach Muskata. — I byłem kanclerzem, i prymasem Węgier. I krwawym wilkiem z pastorałem. Nikt nie jest wieczny, Mikołaju z Opawy. — Uśmiechnął się do księcia. — A Jan Muskata tym się różni od was, że jakiekolwiek los zsyła mu przeszkody, zawsze jest gotów — dodał w myślach.

I ten, którego król Václav II nazywał bratem, a Václav III ojcem, uniósł w górę kielich i napił się za niepowodzenie misji bękarta Przemyślidów. *Wakujące trony, niepewne korony, królestwa rozbite, racz dać nam, Panie!*

RIKISSA próbowała nauczyć Agnieszkę chodzić. Nie słuchała dam dworu, że roczne dziecko powinno leżeć ściśle skrępowane w powijakach. Wynosiła ją do ogrodu i w ciepłe, późnoletnie dni, puszczała na trawę. Zresztą, dwór teraz miała ograniczony. Henryk z Lipy po morderstwie Václava III uparł się, że Rikissa musi wrócić na zamek praski, z racji na bezpieczeństwo. Na zamku prócz niej był i Henryk karyncki z Anną, choć gnieździli się we wciąż niewyremontowanej części. Pożar nie tknął skrzydła królowej, jedynie okopcił je nieznośnym, wciskającym się w każdy kąt dymem. Komnaty Rikissy były odświeżone. Wielka Sala już nie straszyła czernią wypalonych belek, Vašek kazał ją odnowić zaraz po śmierci Václava. Kaplica Wszystkich Świętych wciąż wyglądała najgorzej, ale to w nią uderzył piorun, od którego zaczął się pożar.

W ogrodzie była z nią Kalina, dwie służące i Michał Zaremba.

— Nie wierzę, by książę Władysław zabił Vaška — zaprzeczyła plotce, która krążyła po praskim dworze. Uniosła dłoń do oczu i spojrzała w stronę zamkowych murów. Z wież i bram zwieszały się czarne flagi. Gdy tylko w czerwcu zdjęto żałobę znaczącą rok od śmierci Václava II, już w sierpniu wieszano następną, za Václava III.

— Co z jego żoną?

— Królowa Viola uciekła do Cieszyna, do ojca. — Kalina, nie przerywając rozmowy, pilnowała małej Agnieszki. Trzy lwy goni-

712

ły wokół raczkującej królewny. Próbowała wstać, wczepiając piąstki w ich złocistą sierść.

— Rikisso — głos Michała Zaremby był chmurny — musimy zdecydować o twojej przyszłości. Albrecht Habsburg nadał Czechy w lenno swemu synowi Rudolfowi, i mimo iż baronowie czescy wybrali nowym władcą Henryka z Karyntii, Habsburgowie idą na Pragę i nie ustąpią. Lada dzień będzie tu zbyt niebezpiecznie dla ciebie i dziecka. Jako wdowa...

— Mów — uśmiechnęła się do Michała, który wciąż zapominał, że była już żoną i ma dziecko. Wciąż traktował ją jak niedorosłą dziewczynkę.

— ...jako wdowa jesteś najlepszą partią z możliwych. Wybacz.

— To nie twoja wina, że jestem wdową. — Poklepała Michała po rękawicy. — Chyba że twoja? Co?

Zaczerwienił się gwałtownie.

— Michale! Wiem, że nienawidziłeś Václava i tylko poczucie obowiązku nie pozwalało ci go zabić. Nie musisz się wstydzić, że miałeś takie pragnienia — powiedziała zupełnie poważnie. — Ale nie wierzę, że miałeś coś wspólnego z jego śmiercią. Tak jak i nie wierzę w plotki rozpuszczane przez stajennych, że to ty wznieciłeś pożar na zamku. To była burza.

— Tak, wtedy była burza — odpowiedział Michał.

Dzisiaj jego twarz była niemal pozbawiona łusek, widocznie wczoraj był u swego żydowskiego medyka. Michał był jedną z piękniejszych rzeczy, która jej się w życiu przydarzyła. Drugą była Kalina. I, oczywiście, Agnieszka. Rikissa nie czuła bólu, nazywając córkę imieniem kochanki Václava. Mogłaby na dziecko wołać „mała" i byłaby równie szczęśliwa i tak samo dziękowałaby Bogu, że je ma. Nie żywiła żadnej nienawiści do zmarłego, bo chyba nie była zdolna jej żywić do kogokolwiek.

— Rikisso, Henryk z Lipy zadbał, by podkomorzy dostarczył dzisiaj do twych komnat ostatnią skrzynię srebra. Wypłacono ci całą oprawę wdowią, dwadzieścia tysięcy grzywien srebra. Jesteś bogata.

— Chyba nigdy nie byłam biedna — zastanowiła się. — Ale gdybym nie miała Agnieszki, trzech lwów i was, czułabym się uboga.

— Ktoś biegnie do nas — dała znak Kalina.

— Henryk — skrzywił się Michał. — Rikisso, błagam, wróćmy do tej rozmowy, jak tylko pan z Lipy sobie pójdzie.

— Mógłbyś być dla niego milszy. Jak tylko go widzisz, stroszysz łuski — upomniała Michała Rikissa.

Zaremba otworzył usta. Ona roześmiała się.

— Myślałeś, że ich nie widzę? Widzę. Bardzo je lubię.

— Królowo! — ukłonił się Henryk z Lipy, dobiegając do nich. — Musisz natychmiast wrócić do zamku. Habsburgowie otoczyli Pragę.

— A więc wojna — powiedziała Rikissa. — Kalino, weź Agnieszkę. Lwy, idziemy.

Pan z Lipy czerwienił się na jej widok, choć przecież nie był chłopcem, tylko mężczyzną, ale od dnia, gdy był przy niej, kiedy rodziła dziecko, czuł się wyraźnie skrępowany.

— Pokonasz Habsburgów, Henryku? — Wzięła go pod ramię i ruszyli w stronę zamku.

— Nie wiem, pani.

— Dwa lata temu pokonałeś. Obroniłeś Kutną Horę.

— Górnicy obronili. Ja tylko walczyłem za Królestwo. — Znów się zaczerwienił.

— Dlaczego się peszysz? — spytała wprost.

— Pani... proszę... — jęknął.

— Co? Mówią, że jesteś żonaty, masz dzieci.

— Mam, pani.

— No to czemu się wstydzisz? Pewnie i swojej żonie pomagałeś przy porodzie.

— Nie, pani! — prawie krzyknął. — Królowo — opanował się. — To nie jest tak, jak myślisz, zrozum. Normalne kobiety nie chodzą nago po komnacie w towarzystwie lwów. Wybacz, nie chciałem cię urazić, pani...

— Nie uraziłeś mnie. Bardzo mi żal normalnych kobiet.

— Normalne kobiety rodzą z kobietami, nie z mężczyznami... Wybacz.

— Normalne kobiety nie mają lwów w herbie — roześmiała się Rikissa. — A ja też chciałam rodzić z Kaliną, ale akurat tylko ty byłeś pod ręką. Jeśli cię to krępuje, możemy o tym nie mówić.

— Nie. Tak.

Spojrzała na niego badawczo.

— Prawda, nie wiem, czy obronisz Królestwo. Zrobiłeś się jakiś niezdecydowany. — Poklepała go po dłoni. — Ale postaraj się. Ja w ciebie wierzę, Agnieszka też.

714

— Królowo, dwa lata temu nasz skarb wyglądał źle. Dzisiaj wygląda katastrofalnie. A jak wiesz, wojna i skarb są ze sobą powiązane.

— To dlaczego wypłaciłeś mi oprawę wdowią? Jeśli potrzebujesz tych pieniędzy, by obronić Królestwo, weź je. Oddasz mi później.

— Nie, królowo. Królestwo to coś więcej niż... — Westchnął, szukał słów. — Królestwo to prawo, to pewność poddanych, że i ono spełnia swe obowiązki. Te pieniądze należą się tobie i choć byłem wierny Václavowi, to powiem wprost: to niewielka rekompensata za to, co kobieta taka jak ty musiała doświadczyć z rąk Václava.

Z wrześniowego nieba zaczął kropić drobny deszcz.

— Zamknij oczy, na chwilę — powiedziała do Henryka. — Czujesz deszcz?

— Tak.

— A czy on przenika pod twą skórę, czy spływa po niej?

— Spływa.

— Otwórz.

Szli chwilę w milczeniu.

— Václav był deszczem, który po mnie spłynął. Już jestem czysta, Henryku z Lipy.

— Zawsze byłaś, Rikisso.

Odprowadził ją pod same drzwi jej komnat. Zamienił z Michałem kilka słów na osobności. Miała dzięki temu czas, by pomówić z Kaliną.

— Możemy wziąć Agnieszkę, Michała, poczet zbrojnych i wymknąć się do Poznania — szepnęła Kalina.

— Jeszcze nie wiem, czy tego chcę. Mam wrażenie, że powinnam zostać, że droga, którą wyznaczył mi Pan, wciąż nie odbiega od Pragi. Zresztą, Kalino. Fakty są takie, że Władysław zdobył Kraków...

— Tylko zamek, miasto jeszcze...

— Jeszcze. Ale to kwestia czasu. Zobaczysz, miasto też otworzy przed nim bramy. Wiesz, dlaczego? Bo Królestwo Polskie dopiero pod obcymi rządami Przemyślidów zdało sobie sprawę z tego, czym jest. Póki krajem władali Piastowie, nikt nie zastanawiał się, czym jest naród. To obcy uświadomił ludowi, kim jest swój władca. A nie będzie dla poddanych nikogo bardziej swojskiego niż ten książę, mały wzrostem, ułomny, a niezłomny. Rozumiesz, Kalino? Ja jestem królową, wysoko urodzoną damą, żoną obcego. Nikt, patrząc na mnie, nie zastanawia się, co przeszłam, bo tego na mojej twarzy nie widać. A on jest swój. On wrócił z poniewierki, z wygnania, odpracował klątwę. Jego twarz zdobią rany z dziesiątek bitew. Jego żona rodzi mu dzieci w mozole i trudzie. Ich los jest losem tysięcy poddanych, więc ludzie pójdą za nimi i choćby mieli gołymi rękami rozebrać mury miejskie, zrobią to. Bo nigdy wcześniej władca nie był tak ludzkim, jak we Władysławie. Nigdy wcześniej nie mogli zobaczyć siebie samych w królu.

— Rikisso — jęknęła Kalina — skąd to wszystko wiesz?

— Znasz mnie od dziecka. Naprawdę mogłaś przypuszczać, że jestem płochą, urodziwą idiotką?

Wszedł do nich Michał i przerwały rozmowę. Nie wracały do niej więcej, bo i nie było po co. Agnieszka płakała nocami, w dzień gorączkowała: wyrzynały jej się kolejne zęby. Kobiety pilnowały jej na zmianę, do ogrodu nie mogły wychodzić, bo Habsburgowie rozbili się z obozem wokół Pragi.

— Król rzymski nie uznaje praw córek Václava do dziedziczenia tronu. Tym samym kwestionuje wybór Henryka z Karyntii na króla Czech — przyniósł najnowsze wieści Michał. — Wojskiem dowodzi Rudolf III wraz z młodszym bratem, Fryderykiem.

— To praw Janka też nie uznają? — spytała Rikissa.

Lubiła tego ślicznego chłopca, już młodzieńca właściwie. Dziecko bez ojca i matki, od lat w tułaczce. To koszmarne nie mieć oparcia w żadnej z krwi, która płynie w jego żyłach. Nie chcą go ani Przemyślidzi, ani Habsburgowie.

— Nie. Uznają, iż tylko Rudolf Habsburg ma prawo do tronu. Zgodnie z prawem opuszczonym lennem, czyli Czechami po wygaśnięciu dynastii, dysponuje senior, czyli król rzymski Albrecht. A on nadał Czechy synowi, Rudolfowi.

— Co z Henrykiem karynckim i Anną?

— Nadal mają poparcie baronów, ale czy uda się dowieść tego na polu bitwy? Nie jestem pewien. Walki są zacięte. Spłonęły przedmieścia Pragi. Karyntczyk jest kiepskim wodzem i nie porywa tłumów.

— Wiem. Też go nie lubię, choć nic złego mi nie zrobił. Wydaje mi się suchym, nazbyt ambitnym starcem, a przecież nie ma aż tak wielu lat. Jak na władcę, w sam raz. Ale nigdy nie patrzy w oczy. Zerka gdzieś poniżej jak złodziej.

Gdy miała chwilę, szła na Białą Wieżę, wspinała się na sam szczyt. Patrzyła na obóz Habsburgów rozciągnięty wokół miasta. Bielił się setkami jasnych płacht namiotów, czerwieniał drapieżnym lwem Habsburgów na chorągwiach. Unosiły się nad nim dymy dziesiątek ognisk. I widziała starcie wojsk, płomienistą orlicę prowadzoną w bój przez Henryka z Lipy, podczas gdy Karyntczyk, dla którego walczył, stał owinięty płaszczem na wzgórzu, otoczony strażą królewską. Padało. Widać jemu deszcz przeszkadzał. Gdy wojska cofnęły się na wyjściowe pozycje, widziała ogłupiałe konie pędzące po pobojowisku, bez jeźdźców. Widziała śmierć i przygaśnięte skrzydła płomienistej orlicy.

W środku nocy do jej komnaty zapukał Henryk z Lipy.

— Królowo, muszę z tobą pomówić.

— Wejdź! — Wpuściła go, osłaniając się płaszczem pod szyję.

Kalina spała z Agnieszką w jej łożu.

— Jutro Habsburgowie przyślą do ciebie posłów.

— Do mnie? Po co?

Henryk z Lipy miał zmęczoną twarz. Bruzdy wokół ust. Pionowa między jego brwiami wydawała się tak głęboka, jak wycięta nożem.

— Rudolf III poprosi cię o rękę.

Ach tak — pomyślała, a lwy przysiadły u jej kolan.

— Ja, pani, jestem stronnikiem Henryka z Karyntii. I po dzisiejszym starciu wiem, że walczę po przegranej stronie.

— Co mam zrobić? — spytała Henryka z Lipy.

— Jeśli zgodzisz się zostać żoną Habsburga, wojna skończy się jutro. Karyntczyk będzie protestował, dowodził swych praw, ale jego siły, nawet jeśli ja, z całym rodem i z panami Czech, wytrwamy przy nim, nie mają się nijak do potęgi Habsburgów.

— A jeśli się nie zgodzę?

— Wtedy będą szturmować Gród Praski, by mógł wziąć cię za żonę siłą.

— Więc każesz mi się oddać za Pragę?

— Nie, pani. Przyszedłem rozmawiać. I to w tajemnicy, bo stronnictwo czeskie, któremu przewodzę, będzie przeciwne Habsburgowi.

— I mnie jako jego żonie.

Henryk z Lipy chwycił ją za ręce i wyszeptał:

— Królowo, jeśli wojnę wygra Karyntczyk, to będzie zwycięstwo na chwilę. On nie będzie potrafił utrzymać kraju w ryzach i panów czeskich w szacunku do siebie. Wybuchnie wojna domowa. A rządy Habsburga sam nie wiem, czym się skończą. Ale to pewne, zamkną przelew krwi. I gdybyś ty znów zasiadła na tronie, to zrobiłabyś dla Czech to, co zrobi-

717

łaś wcześniej dla swojego Królestwa: zapewniła ciągłość. Na polskim tronie byłaś kroplą krwi Piastów. Teraz na czeskim będziesz łączniczką między Przemyślidami a Habsburgami.

— Nie zmienimy losu, Henryku. Poza zamordowanym Vaškiem mój mąż nie miał synów z prawego łoża. Męska linia Przemyślidów zamknęła się.

— Przenieś krew, Rikisso. Jesteś jak strażniczka ognia w świątyni. — Henryk klęczał u jej stóp i szeptał.

— Czy ty jesteś dokładnie ochrzczony, panie z Lipy? — zażartowała.

Ale on w tej chwili nie znał się na żartach. Klęczał przed nią pierwszy baron Czech, który ją błagał, by została żoną Rudolfa Habsburga. I który powiedział prawdę, że oficjalnie będzie bronił przeciwnego stronnictwa.

A ona poczuła na głowie brzemię niewidzialnej korony. Tej podwójnej, Piastów i Przemyślidów, którą świętym olejem naznaczono na jej czole.

Podała rękę Henrykowi, by wstał.

— Zgadzam się. Zostanę żoną Rudolfa Habsburga.

I po raz drugi odkąd się spotkali, powiedziała:

— Henryku z Lipy, prowadź mnie drogą, którą wyznaczył Bóg.

ZYGHARD VON SCHWARZBURG ukłonił się sztywno wszystkim komturom zgromadzonym na kapitule wielkiej w Marienburgu.

— Dziękuję wam, bracia, za wybór. Nie spodziewałem się. Piastowanie godności mistrza prowincji pruskiej to dla mnie wielki zaszczyt. Zaśpiewajmy, proszę, *Salve Regina*.

Komturowie wstali i patrzyli na niego z wyczekiwaniem. Dopiero teraz do Zygharda dotarło, że jako wielki mistrz musi zacząć. Złożył dłonie i zaśpiewał:

Salve, Regina, mater misericordiae:
Vita, dulcedo, et spes nostra, salve.

Widział kwadratową brodę i zacięte usta Henryka von Plötzkau, gdy wyduszał z siebie:

Ad te clamamus, exsules, filii Hevae.

Widział szczęśliwą i spokojną twarz brata Guntera von Schwarzburg, śpiewającego czystym głosem:

Ad te suspiramus, gementes et flentes...

Konrad von Sack, który sam ustąpił z urzędu z racji na podagrę, nawet nie udawał, że śpiewa. Mrugał do Zygharda wesoło, jakby chciał powiedzieć: „Udało się, co, chłopcze?".

Gdy skończyli śpiewać, Konrad podszedł do niego, zdjął sobie z szyi złoty krzyż z rubinem w miejscu serca Jezusowego i założył go na szyję Zygharda.

— Zyghardzie von Schwarzburg, od tej chwili na tobie spoczywa zaszczytny obowiązek chronienia rubieży chrześcijaństwa przed zalewem Dzikich. Zostałeś mistrzem krajowym Prus i noś swój urząd z godnością ku chwale Zakonu Szpitala Najświętszej Maryi Panny Domu Niemieckiego.

— Amen — odpowiedział Zyghard.

Konrad nie mógł się wspiąć na palce, wykręcone chorobą stawy odmawiały mu posłuszeństwa, więc gestem dłoni poprosił, by Zyghard nachylił ku niemu ucho.

— Pamiętaj, chłopcze. Rejzy, rejzy i jeszcze raz rejzy. Szkatuła zakonu jest głodna złota i srebra wielkich panów. Za zimową, na Matki Boskiej Gromnicznej, kasuj więcej, za letnią jest trochę taniej, ale liczba miejsc ograniczona...

— Konradzie. Mam nadzieję, że zostaniesz ze mną w Marienburgu. Na ile zdrowie ci pozwoli, mógłbyś czuwać nad rejzami.

Świńskie oczka Konrada von Sack zalśniły.

— Ale nie mogę mieszkać od strony Nogatu. Rwie mi stawy od wilgoci.

— Mieszkania mistrza nie mogę ci odstąpić, z przyczyn wyłącznie proceduralnych. Ale każde inne jest do twojej dyspozycji.

— Możesz na mnie liczyć, chłopcze.

Spróbowałbym nie — kwaśno pomyślał Zyghard i udał, że uśmiecha się do Konrada.

— Zapraszam was, bracia, na ucztę — oznajmił zebranym, choć jedyne, na co miał ochotę, to na chwilę znaleźć się sam

719

na sam z Kunonem. Właściwie, dlaczego nie? Niech zaczną bez niego.

Wymknął się i znalazł renegata w zbrojowni.

— Chodź, Kuno. Zapraszam cię do naszego nowego mieszkania.

— Co ty chrzanisz, Schwarzburg? — skrzywił się ten, ale poszedł za nim.

Zrozumiał dopiero, gdy mijali straż przy głównej sali kapituły.

— Przejście dla mistrza krajowego Prus Zygharda von Schwarzburg!

— On żartował? — spytał Kuno, gdy dochodzili do komnat mistrzowskich.

— Oczywiście. Stoi knecht na warcie i gada bzdury. Właź do środka.

— Wybrali cię? — nie dowierzał Kuno, gdy zamknęły się za nimi drzwi.

— Niestety. Zanim zdążą mnie obalić, spełnię jedno swe marzenie.

— Jakie?

— Ściągaj te łachy, ale już.

— Odczep się. Władza przewróciła ci w głowie.

— Rozbieraj się z szarego habitu i wybierz sobie ze skrzyni jakiś biały. Jutro niedziela, poprowadzę cię do ołtarza.

— Ciebie porąbało, Schwarzburg.

— Za dużo sobie obiecujesz, Kuno von Kuno. — Zaśmiał się Zyghard do renegata. — Jutro pasuję cię na rycerza Zakonu Najświętszej Marii Panny. Tylko to miałem na myśli, nic więcej. Noc przed pasowaniem musisz spędzić w kościele, leżąc krzyżem. Więc jeżeli inaczej wyobrażałeś sobie moje intencje, to idź do spowiedzi. Stary Bruno uwielbia takie chłopięce grzechy, zanim wyduka z siebie pokutę, każe ci trzy razy opowiedzieć, o czym myślałeś.

— Pasujesz mnie? — bez zaczepki zapytał Kuno.

— Tak — zmiękł Zyghard i pocałował go.

Wyszedł, cicho zamykając drzwi, i poszedł do refektarza. Bracia siedzieli przy piwie i litewskim miodzie. Jak mawiał Konrad von Sack, pij to, czym się poi twój wróg, a go pokonasz. Na razie miód pokonywał zakonnych braci, wrzało jak w ulu. Niektórzy, jak Henryk von Plötzkau, zalewali porażkę. Inni opijali wolność, jak von Sack. Nieśmiały Luther z Brunszwiku zdawał się zupełnie nieobecny.

— Gdzie Woran, twój giermek, Henryku? — spytał bez ogródek Zyghard.

— Został w Bałdze — hardo odpowiedział komtur.

— Wyjaśniłeś sprawę jego udziału w zniknięciu Starca?

— Nie ma żadnego udziału — odciął się von Sack. — Nawet jeśli tobie to na rękę, by zwalić winę za niedopilnowanie tak ważnego jeńca, mój giermek nie ma z tym nic wspólnego. Zresztą — wzruszył ramionami Henryk — skóra ze Starca też się nigdzie nie ujawniła, więc to nie ja. Widzisz źdźbło w oku bliźniego, a kłoda we własnym nie pozwala ci dostrzec prawdy, Zyghardzie. Odpowiedzialnym za zniknięcie kapłana Dzikich jesteś ty. Nie rozumiem dzisiejszego wyboru kapituły.

— Nie wszystko musisz rozumieć. — Położył nagle rękę na jego ramieniu Gunter von Schwarzburg i bez cienia kurtuazji skończył tę rozmowę. — Mistrzu, czy mogę cię prosić na prywatną rozmowę?

Zostawili prostackiego Henryka von Plötzkau i udali się do przylegającej do refektarza rozmównicy. Gdy zamknęli za sobą drzwi, Zyghard powiedział do starszego brata:

— Gunterze, szczerze mówiąc, ja też nie rozumiem wyboru kapituły.

— Teraz albo nigdy, Zyghardzie. To nie my siebie wybraliśmy, to chwila dziejowa wybrała nas.

— Rymujesz Pismo, jak chcesz — zażartował Zyghard.

— Daj spokój! — Lekceważąco machnął ręką brat. — Jak wiesz, Konrad von Sack przy moim skromnym udziale negocjował z emisariuszami Łokietka warunki zawieszenia broni na Kujawach. Książę nie dotrzymał zobowiązań, a myśmy układając je, już wiedzieli, że tak będzie, że Władysław gra z nami na czas. Jego umysł zaprząta tylko jedno — zdobyć Kraków. Przemyślidów zmiotło z tego świata w jednej chwili. Już po kraju niesie się wieść, że Łokietek miał w tym swój udział.

— A miał?

— Ani mnie, ani ciebie przy śmierci Václava III nie było. Ale jego widziano na miejscu zbrodni — wymijająco odpowiedział Gunter. — To nieco zszarga jego imię, podważy wiarygodność w oczach sąsiednich władców. To jest nasz czas, bracie.

— Dlaczego ja, a nie ty?

— Mnie kapituła nie wybrałaby. Jestem zbyt... zwykły? Tak. Przeciętny, przyzwoity komtur. Bez strat, bez olśniewających sukcesów.

A ty jesteś łowcą Dzikich. Na twoje szczęście, nim Starzec ci uciekł, widzieli go niemal wszyscy liczący się komturowie.

— On mi nie uciekł. Konrad i jego giermek wykradli go.

— Dobrze, nie gorączkuj się. Puścisz Kunona w las, złapie ci następnych. Zyghardzie, dzisiaj nastał nasz dzień. Twój dzień. Przemyślidów już nie ma. Habsburg nawet jeśli obejmie tron czeski i wraz z wdową po Václavie zacznie się tytułować królem Polski i Czech, to nie ruszy do Królestwa, nim nie ureguluje wrzenia w państwie. A jak to zrobi, to najpierw uderzy na Władysława, by odbić mu Kraków i Małą Polskę. Brandenburczycy krok po kroku obejmują Pomorze, spiesząc się, by następca Václava im tego daru nie odebrał. Morze! Gdańsk! Porty! Zrobiliśmy z Konradem von Sack świetną robotę, dwa razy przybywając na wezwanie Przemyślidów do Królestwa i dwa razy ustępując, gdy wywalczyliśmy dla nich, co chcieli. Jesteśmy w oczach świata godni zaufania, czyż nie? Czyż nie warto będzie wezwać nas na pomoc, by odbić z rąk Brandenburczyków Gdańsk? — Gunter zaśmiał się metalicznie i Zyghard w mig pojął jego plan.

— Do trzech razy sztuka? Za trzecim razem nie ustąpimy? — upewnił się, że dobrze myśli.

Brat kiwnął głową.

— Zakon jest u szczytu swej potęgi. Mamy wojsko, mamy zaciężnych rycerzy i pełen skarbiec. Ty zdecyduj, kiedy ujawnimy prawdę o naszym pochodzeniu. O naszych prawach krwi.

Zygharda przeszedł dreszcz. Nigdy wcześniej brat nie wyraził się równie jasno. Tak, nie kryli swego rodowodu, ale i nie chwalili się nim, w zakonie bracia rycerze byli równi. Ale to nieprawda. Wśród równych są lepsi i gorsi. I oni, bracia von Schwarzburg, byli tymi najlepszymi z najlepszych.

Bo to w ich żyłach płynęła królewska krew Piastów i Rurykowiczów. Ich matka, Zofia, była wnuczką Bolesława Krzywoustego, a dziad to wielki Daniel, książę halicki. Krew nie woda, mawiają. I ta królewska krew w jednej chwili zawrzała w żyłach nowego mistrza krajowego Prus, Zygharda von Schwarzburg.

WŁADYSŁAW obudził się przed świtem. Obok niego spała Jadwiga. W półmroku jej włosy wydawały się niemal miedziane. Oddychała szybko, przez rozchylone usta. Na czole i małym nosku księżnej perlił się pot. Przyglądał się śpiącej długo. Kilkanaście lat małżeństwa. Ile nocy spędzili razem? Gdyby się uparł, mógłby je policzyć. A jeśli nawet, to zwykle zrywał się o świcie, nim się obudziła, i biegł, pędził gdzieś. Wojna, potyczka, obrona, ucieczka. Polowanie. Wyprawa. Łowy. Dawno skończył czterdzieści pięć lat. Ma czworo dzieci. Śliczną Kunegundę, która ciemną urodę odziedziczyła po Arpadach, a smukłą i wysoką sylwetkę po Piastach Starszej Polski. Już powinien szukać jej męża, choć Jadwiga mówi, że on się na swataniu nie zna. Stefan, jego pierworodny. Osiem lat, butne szare oczy, ciemne loki, których nie znosi, i gdy nikt nie widzi, ciągnie się za nie, by wyprostować włosy i nie wyglądać jak baba. Sześcioletni Władek, drobny, jakby budową chciał się wdać w ojca. Ruchliwy niczym jaszczurka. Stefan i Władek wciąż walczą. Na drewniane miecze, na patyki, jak matka nie widzi, to i na kamienie. Mężczyzna musi mieć braci. Ale przyszły władca? Od którego dnia brat przestaje być towarzyszem, a staje się rywalem w drodze do jedynowładztwa? Jadwiga poruszyła się przez sen. Jej powieki migotały, jakby śniła coś o zmiennych obrazach. Palcem dotknął jasnych brwi żony. Odetchnęła, pewnie niespokojny sen odpłynął od niej. Władek wstał cicho, by jej nie budzić. Ubrał się, nie wołając Fryczka. Podszedł do wąskiego okna wieży.

Nowej wieży. Nie było jej w czasach ciotki Kingi i Bolesława. Trzy kondygnacje, piwnica, piękne stropy. Za coś będzie jednak wdzięczny Przemyślidom. Spojrzał z okna na zamkowy dziedziniec. Nie ma sali o dwudziestu czterech słupach. W jej miejscu stoi kamienne, wyniosłe palatium. To już nie ten sam Wawel, a przecież czuje tu obecność wszystkich duchów. Wydaje mu się, że ciotka Kinga za chwilę przemknie, rozsiewając wokół siebie woń lilii.

Cicho wyszedł z komnaty i zbiegł na dziedziniec. Potrzebował przemierzyć go w tej ostatniej chwili ciszy, nim zacznie się poranny ruch. Nim zbudzą się ptaki i ludzie.

Przeszedł w stronę Dolnej Bramy, już naprawionej po zniszczeniach. Wspiął się na pomost, by z góry popatrzeć na leżące u stóp wawelskiego wzgórza miasto. Ileż książąt przed nim miało albo sam gród, albo sam zamek! Odwieczny problem Krakowa. Wyniosła królewska twierdza na wzgórzu i zamknięte za murami miasto. Kraków tylko wydawał się spać. A przecież już tu i ówdzie szły w niebo dymy, służba warzyła swym panom poranną strawę. Wieże kościołów i pękające w szwach składy kupieckie. Sukiennice i Kramy Bolesławowe. Klasztor franciszkanów, którzy mu tyle razy pomogli. Ratusz z domem notariusza miejskiego. Wielka i Mała Waga. Topnie kruszców na rynku. Kościół Świętego Wojciecha, do którego biegli kupcy przed wyruszeniem w drogę, i wielki kościół Wniebowzięcia Najświętszej Marii Panny w budowie. Czyż są towary, których nie można kupić w Krakowie?

Te wszystkie zbytki, tkaniny o dziwnie brzmiących nazwach, o mieniących się barwach. Złotnicze cuda; buty, które wyglądają, jakby były nie do chodzenia, a do podziwiania. Zamorskie korzenie przyprawiające o zawrót głowy woniami i kolorami; składy win i miodów, warzelnie wszelakiego piwa. Snycerze, mincerze, płatnerze, rogownicy, bednarze, garncarze, kowale i szewcy. Wszyscy oni już, na jego oczach, budzili się, spiesząc do pracy. A przecież potęga tego miasta wywodzi się z handlu. Sól z Bochni i Wieliczki, miedź z Węgier, ołów z Olkusza i Sławkowa. To trzymają w rękach najbogatsi kupcy. To do nich należą obładowane wozy jadące przez Miechów, Piotrków, Łęczycę wprost do Torunia, by tam przenieść towary na barki i Wisłą spławić do Gdańska. To oni, kupcy krakowscy, mają w Gdańsku i Toruniu własne floty handlowe, którymi wiozą swe skarby przez cieśniny morskie do Flandrii. Albo szlak zwany wschodnim, przez Bochnię, Przemyśl, Lwów do genueńskich kolonii handlowych nad Morzem Czarnym. I jeszcze droga wrocławska, dzięki której docierają na zachód, przez Lipsk do Frankfurtu, Norymbergii, Augsburga. Tak. Całe to bogactwo i zdolność jego wiecznego pomnażania ukryte jest w mieście u stóp wawelskiego wzgórza. Zamku, który zdobył. Miasta, które wciąż nie chce otworzyć przed nim bram. Schodząc z pomostu, przypomniał sobie, jak porównał kiedyś Starszą Polskę do żony, a Małą do kochanki. Więc tak, teraz z żoną przy boku niczego bardziej nie pragnął, niż wejść w bramy ukochanego miasta. Usłyszał nad głową szum skrzydeł i gardłowy, ptasi krzyk. Odwrócił się. Przez jedną chwilę wydawało mu się, że to nie ptak, ale gryf, czarny gryf. Ale skąd gryf w Krakowie? To niedorzeczne.

— Książę — powiedział ktoś z dołu i ciemny ptasi kształt umknął. Kłaniał mu się siwowłosy mężczyzna.

— Ktoś ty? — spytał, schodząc ku niemu szybko.

— Wojciech, strażnik katedry.

Przyjrzał mu się.

— Byłeś sługą biskupa Jana Muskaty?

— Do dnia, gdy przybył do Krakowa arcybiskup — nieśmiało odpowiedział Wojciech. — Jakub II otworzył mi oczy, mówiąc, że mam być strażnikiem skarbu. Od tamtej pory wiedziałem, komu służę.

— Jakub tu był? — Władek nie miał o tym pojęcia.

— Tak. Modlił się przy... Zaprowadzę cię, książę.

Pożar nie zostawił wielkich zniszczeń, większość zwęglonych belek usunięto.

— Tędy! — Strażnik zręcznie omijał rusztowania i cebry z resztkami zaprawy.

Weszli do kaplicy przy północnej ścianie. Na suficie nieco zatarty przez czas fresk. Na nim król Bolesław Śmiały z mieczem w dłoni. Władysław zadrżał. Jego miecz. Król budował tę kaplicę na miejsce swego wiecznego spoczynku, nie wiedząc, iż śmiertelny zatarg z biskupem Stanisławem wygna go z kraju, pozbawiając nawet grobu.

Boże — jęknął Władek. — To ten miecz. Przekuty, ale ten sam.

— Tu są drzwi do skarbca, książę. — Wojciech pchnął ciężkie, okute skrzydło. — Zaraz poświecę.

Zamigotała pochodnia w ręku strażnika; przez głowę Władka przeszło, że tą samą ręką Wojciech podpalił katedrę, by utorować mu drogę do zdobycia zamku.

— Jesteśmy na miejscu. Tutaj modlił się arcybiskup. — Strażnik przepuścił go do długiej skrzyni.

Władek otworzył ją.

— Nie mamy koron królewskich ani berła, bo najpierw Przemysł zabrał je do Gniezna na swą koronację, a potem do Pragi wywiózł insygnia Václav II. Została nam tylko włócznia świętego Maurycego. Najstarsza i jak powiedział Jakub II, najświętsza, bo niesie w sobie relikwie Krzyża.

— Włócznia, którą niesiono przed cesarzem Ottonem i Chrobrym. — Władek dotknął jej grotu. — Święta włócznia. Wojciechu, strzeż jej, a ja niebawem po nią przyślę.

Gdy wyszedł z katedry, na dziedzińcu zamkowym wrzał ruch. Służba biegała od bramy do kuchni, od studni do piwnic. Stajenni poili i czyścili konie. Jałbrzyk wyprowadzał ubranego w pełną uprząż Radosza na błonia, by go ujeżdżać i ćwiczyć. Skończyło się dzikie dzieciństwo ogierka. Już stał się koniem. Giermkowie czyścili broń. Pomiędzy nimi biegali jego synowie, drąc się wniebogłosy.

Nauczycieli im trzeba, wychowawców — przemknęło mu przez głowę, ale gdy chciał zawołać chłopców, już ich nie zobaczył. W tej samej chwili zagrzmiały rogi na Dolnej Bramie, znak, że jedzie poselstwo. Władysław pospieszył w tamtą stronę, nie myśląc, iż mógłby jako książę i pan zamku przyjąć je w dużej sali palatium.

— Książę! — powitał go Pawełek Ogończyk, który jak on, biegł w stronę bramy.

— Idź statecznie — skarcił go Władek. — Nie jesteś służbą zamkową, żeby latać do bramy jak odźwierny.

— A książę co? Siedzi w majestacie?

— Dobra, chodź. Niech będzie, że pan i jego ukochany rycerz idą razem na obchód zamku, niby przypadkiem zbaczając do bramy — mrugnął Władek.

— Ukochany rycerz! Mój Boże, że też Doliwowie tego nie słyszeli. O rany, to kasztelan z Wiślicy, poznaję! — Ogończyk nie wytrzymał i wyrwał się do przodu, machając rękoma. — Tu jest książę Władysław, kasztelanie!

Ten zeskoczył z konia, podbiegł, przyklęknął i powiedział:

— Książę! Król Václav III Przemyślida nie żyje!

— Co? Co ty mówisz? — Serce stanęło w piersi Władka. — Na pewno III, a nie II?

— Na pewno. Młody król zebrał wojsko i ruszył, by odbić z twych rąk ziemię krakowską, i po drodze w Ołomuńcu został zamordowany.

— Przez kogo?!

— Nie wiadomo, różnie gadają.

— Kiedy?

— Trzy niedziele temu. Aleśmy się dowiedzieli, że Czesi robili, co mogli, by wiadomość się nie przedostała do Krakowa.

— Pawełek! Paweł. Zwołaj wojewodę krakowskiego i sandomierskiego, moich rycerzy, kasztelanie, ty też choć z nami na Radę. Ogończyk, zaraz potem idź do księżnej pani i... Albo nie, ja sam do niej pójdę. Ty wyślij gońców z wiadomością do wójta Alberta i rajców Krakowa.

Ruszył do wieży.

Ostatni Przemyślida zamordowany. Nie żyje ten, który chciał mu wydrzeć tron krakowski. Czy Bóg, czyniąc taki znak, chce mu coś powiedzieć?

— Władku, nigdzie nie można znaleźć naszych synów. Wojciech Leszczyc gania za nimi od rana. Rozwiali się w powietrzu. — Jadwiga chodziła z Elżbietą przy piersi po komnacie, niespokojna. — Miałam zły sen, posłuchaj.

Stał w progu i patrzył na nią. Na swoją żonę, która wciąż wyglądała jak młoda dziewczyna. Bez podwiki, bez nałęczki, w warkoczach luźno puszczonych przez plecy. Biegł tu, by jej powiedzieć, że ostatni król Czech nie żyje. By pierwsza się dowiedziała, że największy konkurent do tronu został usunięty z ich drogi. Że sprawy przybrały świetny, ale i niepewny obrót. Że teraz wszystko zależy od tego, kogo Czesi powołają na tron. Ale kiedy stanął w drzwiach i zobaczył ją tak, z niemowlęciem na ręku, to nagle poczuł, że ważniejszy jest jej sen, dobry czy zły, każdy. Że cała reszta może poczekać.

— ...święty Franciszek stał na wyspie z zielonej trawy, a wokół niego była spalona ziemia. Stał i wołał nasze dzieci. Kunegunda i Elżbieta nie widziały go. Władzio go nie widział. A Stefan usłyszał i zobaczył. Pobiegł do świętego, wskoczył na tę zieloną wyspę trawy i obaj odpłynęli. — Z oczu Jadwigi toczyły się łzy.

— Nie płacz, to chyba dobry sen. Święty...

— Władek! — fuknęła na niego nagle, aż łzy stanęły w miejscu na jej policzkach. — O czym ty myślisz? Pierworodnego syna przeznaczyć do klasztoru? Czyś ty zgłupiał?! Pierworodny dziedziczy po ojcu władzę. Drugiego się zostawia, by był wodzem. Trzeciego czy czwartego syna można poświęcić karierze duchownej! Tak jak pierwszej i drugiej córki nie daje się do zgromadzenia. Zacznij myśleć jak książę!

— Nie złość się, chciałem jakoś to wytłumaczyć... A w tej drugiej sprawie to już zacząłem. Zwołuję więc rycerstwa. Václav III nie żyje, Jadwigo.

Zrozumiała w jednej chwili. Podbiegła do niego.

— Pan Bóg ci jednak błogosławi, Władku.

Miała rację, bo już w południe przed bramą zamku stanęła delegacja od wójta Alberta i druga, biskupa Muskaty. Na wiadomość o śmierci Václava rajcy zmienili ton.

— Miasto Kraków z radością otworzy przed tobą, książę, bramy.

Zobaczył je takim, jak widział o świcie, zasnutym senną mgłą, wielkim, tętniącym ukrytym życiem składów, kantorów, warsztatów, uliczek...

— ...ale pod pewnymi warunkami.

Oczywiście, jakżeby wielki Kraków miał wpuścić księcia, nie wynegocjowawszy wcześniej warunków? To nie po kupiecku.

— Słucham! — Skinął głową z tronu ustawionego na podwyższeniu w palatium.

Swoje twarde warunki stawiał i Muskata, który wedle słów jego posła, nie był „krwawym wilkiem z pastorałem", ale „pasterzem strzegącym owczarni". A Władek wiedział sprzed chwili, że Muskata ledwie wrócił z tajnej narady z księciem Mikołajem opawskim. Co knuli? Przejęcie władzy w Małej Polsce czy od razu skok na Pragę? Słuchał, nie mówił, co myśli. Jeszcze parę lat temu, przed wygnaniem, kazałby przyprowadzić Muskatę, zakułby go w łańcuchy i zamknął w lochu za to, co wyczyniał w czasie niedawnych walk o Małą Polskę. Wójta Alberta ukarałby dożywotnio, że dwa miesiące trzymał przed nim zamknięte bramy. Jeszcze niedawno, ale nie dziś. Dzisiaj był księciem, który wrócił z dalekiej podróży. I dlatego potwierdził miastu przywileje, dodał do nich nowe, czyniąc Kraków potężniejszym, niż był kiedykolwiek. Obiecując miastu, że na znak szacunku dla jego odrębności nigdy nie połączy Krakowa z zamkiem murami. Bo dzisiaj wiedział, że nikomu nie zegnie karku siłą i od nikogo nie może wymagać, by go kochali za sam fakt, że jest i wrócił. Drugą rękę do zgody wyciągnął dla Muskaty, puszczając w niepamięć jego wyczyny. Banita wracał do domu.

— Ruder byłby z ciebie dumny, książę. Nie opuściłeś rozmów aż do samego końca — szepnął mu na ucho Pawełek Ogończyk, gdy opuszczali palatium.

Władysław był zmęczony; miał rację Ogończyk. Rozmowy nużą bardziej niż walka. Na placu boju wszystko jest jasne. Są reguły walki, albo walka bez reguł. Ale tamten czas, gdy lekceważył rozmowy, już za nim, czy mu się to podoba, czy nie.

Znów, jak rankiem, stanął w drzwiach komnaty. W półmroku wieczoru Jadwiga siedziała na krześle z pochyloną głową. Więc już minął cały dzień?

— Wiec rycerstwa obwołujący mnie panem Małej Polski i Krakowa za trzy dni. A uroczysty wjazd do miasta pojutrze, bo rajcy muszą... Co się stało? — Zobaczył, że Jadwiga płacze.

— Stefan chory. Leży w gorączce, majaczy.

— Jak to chory? Rano biegał, widziałem go.

— Wrócili z Władkiem po południu, miał całe oczy czerwone, zaropiałe. Przemyłam mu rumiankiem, ale nic.

— Przejdzie mu, dzieci często chorują...

— Medyk powiedział, że to trzeciaczka.

— Co? Jaka trzeciaczka?

— Gorączka, Władku. Taka, która co trzy dni nawraca i spycha chorego do grobu.

Jadwiga ciężko wstała z krzesła, podeszła do niego.

— Dlaczego akurat on? — zadała pytanie bez odpowiedzi.

Władysław ruszył do pokoju synów, żona za nim. Wewnątrz panował mrok, tylko jedna świeca płonęła, nic więcej.

— Mówił, że światło go razi — bezbarwnym głosem powiedziała Jadwiga.

Służąca czuwająca przy łożu wstała i zrobiła im miejsce. Po jej minie zrozumiał, że jest kiepsko. Stefan był śmiertelnie blady. Mokre, posklejane loki oblepiały mu głowę, czyniąc ją jeszcze mniejszą. Ledwie oddychał, przez rozchylone wyschnięte usta łapiąc powietrze jak wyrzucona na brzeg ryba. Z jego oczu ciekły dwie strużki, które z daleka wyglądały jak łzy, ale z bliska widać było, że to krwawa ropa. Trzeciaczka — przypomniał sobie w jednej chwili — krwawa gorączka. Świństwo przywleczone z Ziemi Świętej przez krzyżowców. Bezwzględna i zawsze śmiertelna.

Władysławem wstrząsnęło. Widział umierających. Męczących się tygodniami od źle zagojonych ran. Widział konających na miejscu po pchnięciu mieczem, puginałem, kordem czy uderzeniu toporem. Ale nigdy nie widział umierającego dziecka. Położył dłoń na jego czole. Było mokre i zimne.

— Wezwij księdza. Natychmiast — rozkazał służącej.

Odwrócił się do Jadwigi, która stała z bezradnie opuszczonymi rękami. Chwycił ją za ramiona.

— Jadwigo, nasz syn umiera.

Kiwnęła głową, jakby odruchowo. Jej usta wyszeptały:

— Mój sen...

— Patrzył na świętego i jego oczy tego nie zniosły — powiedział Władek zupełnie bez przekonania. Nie wiedział, jaki sens może być w śmierci dziecka. Gdzieś czaiła się w nim jeszcze nadzieja, że pod wpływem ostatniego sakramentu Stefan obudzi w sobie życie. Ale to była nieprawda. Namaszczenie dało mu tylko łaskę dobrej śmierci. Nie przywróciło mu życia jak Jezus Łazarzowi.

Umierający Stefan nie był samotny, jak pierwszy męczennik na fresku w Basilica di Santo Stefano Rotondo. I nie jednooki strażnik, lecz matka i ojciec siedzieli przy martwym dziecku do rana. Przy gromnicy, przy szeleście litanii szeptanej przez kapelana. Jedno przy drugim, trzymając się za zziębnięte, suche ręce. Koło północy piastunka przyniosła kwiląca Elżbietę, i Jadwiga nie wstając od ciała syna, nakarmiła córkę. Władek drgnął; współobecność życia i śmierci poraziła go. Dlaczego Stefan? Dlaczego syn pierworodny? W głowie zadudnił mu głos strażnika rzymskiej bazyliki. „A co, jeśli Pan zażąda ofiary? Jeśli powie: Daj mi to, co kochasz, tak jak ja dałem umiłowanego Syna na ofiarę za ciebie, człowieku. Co wtedy?".

Stało się. Bóg nie wystawił go na próbę wiary, jak Abrahama. Nie zażądał ofiary z pierworodnego; nie kazał ojcu przystawiać noża do tętnic syna. Po prostu go zabrał. To, co nie mieściło się w głowie, dokonało się.

Nazajutrz czuwali przy nim na zmianę. A trzeciego dnia ruszyli wszyscy z Wawelu do miasta, bo oto Kraków przy biciu dzwonów wszystkich kościołów otwierał przed nimi swe bramy. Z zamkowych wież spuszczono czarne sukno na znak żałoby po pierworodnym synu i tryumfalne purpurowe chorągwie Królestwa z białym orłem. Pomiędzy nimi, tak jak na piersi Władysława, kujawskie półorły i półlwy. Przed księciem wojewoda krakowski niósł włócznię świętego Maurycego. Wojewoda sandomierski — miecz króla Bolesława. Władysław jechał na Rulce, przy nim Jadwiga na Radoszu. Księżna na ręku trzymała Elżbietę, urodzoną w Smoczej Jamie, w czas oblężenia Wawelu. Dziecko, któremu nie straszny był żaden hałas. Nawet ten zgiełk, jaki czynił lud Krakowa, przekrzykując bijące dzwony:

— Niech żyje książę Władysław!
— Niech żyje księżna Jadwiga!

Za parą książęcą, na marach jechało ciało Stefana. Przebrany w czarno-złoty kaftan, z umytą ze śmiertelnej ropy twarzą. Obsypany kwiatami i zielem. Martwy pierworodny. Za marami jechała konno Kunegunda, przy niej Władek na źrebcu prowadzonym przez Wojciecha Leszczyca. Oto oni, rodzina książęca. W jednej chwili Bóg daje, w jednej odbiera.

Uroczystym pochodem okrążali miejskie mury, by wjechać Bramą Floriańską. Falował dźwięk kościelnych dzwonów, jakby jedna świątynia przekazywała ich drugiej. Gdy stanęli przed bramą, wojewoda krakowski zawołał:

— Przybył wasz pan. Władysław Łokietek, książę krakowski, sandomierski i kujawski. Otwórzcie przed nim swe bramy!

I bramy rozwarły się. Zobaczyli za nimi ułożone na gołej ziemi czerwone sukno. Biskupa Jana Muskatę, w otoczeniu kanoników. Wójta Alberta, za nim rajców miejskich, co do jednego, wszystkich. I nieprzebrany tłum ludzi. Z przodu możnych kupców krakowskich, ubranych w złotogłowie, jedwabie, samity i najdroższe futra. Za nimi zwykłych kupców, rzemieślników, mieszkańców zaułków. Z tyłu biedotę miejską. Wszyscy oni pokłonili się jednocześnie przed wkraczającym w bramę orszakiem. Włócznią świętego Maurycego. Mieczem króla Bolesława. Władysławem na grzbiecie Rulki. Jadwigą z Elżbietą przy piersi na Radoszu. Ciałem Stefana na marach. Kunegundą i Władkiem. Całym książęcym wojskiem. Niewielką garstką kujawskich banitów, rycerstwem krakowskim i sandomierskim. Węgierską jazdą Juhásza Hunora i Fehéra Mohara.

I po purpurze orszak wjechał pomiędzy rozstępujący się przed nimi tłum.

JAKUB ŚWINKA, który zanim został arcybiskupem, tyle lat spędził w krypcie gnieźnieńskiej katedry na badaniu dziejów Królestwa i klątwy Wielkiego Rozbicia, dzisiaj wspinał się na jej wieżę. Krok za krokiem, po dawno niesprzątanych schodach. Serce kołatało mu w piersi, oddech się rwał, a on czuł, jakby te nierówne, drewniane stopnie były drabiną jakubową. Tyle że nie patrzył na nią we śnie, ale wchodził sam, stopień po stopniu pokonując opór już niemłodego ciała. Kolan, które zginały się coraz trudniej, serca, co przyspieszało rytm, pokazując, iż już nie wszystko mu wolno.

Na szczycie katedralnej wieży było niewielkie pomieszczenie, zwane Orlim Gniazdem, bo i widok z niego był zachwycający. By się do niego wspiąć, pozostało do przejścia siedem stopni już nie po schodach, lecz po chwiejnej drabinie.

— Arcybiskupie? — odezwał się z góry Janisław i wyciągnął rękę.
— Pomogę.

I Jakub choć do niedawna nie korzystał z niczyjej pomocy, chwycił tę dłoń i pozwolił, by kanonik pomógł mu się podciągnąć.

— Ależ stąd widok! — sapnął Jakub, gdy już stanął, i przytrzymując się okiennej wnęki, patrzył w dół. Oto Królestwo widziane z głębi serca, z gnieźnieńskiej katedry. Pochyłe dachy domów, drogi niczym kreski wyrysowane patykiem na piasku, ściśnięte murami miejskimi, jak paskiem Siedem gnieźnieńskich wzgórz. Dalej nierówne kwadraty pól i łąk, zielone chmury koron drzew, lśniące w słońcu tafle niewielkich jezior, migotliwe jak źrenice. Ludzie, niczym ziarnka grochu rzucone ręką siewcy między domy, drogi i pola.

— Zatem to dziś, Janisławie? Czy może jutro?

Kanonik rozłożył ręce, mówiąc:

— Niezbadane są wyroki boskie. A... jeśli chodzi o ludzi uczonych i badaczy Pisma, to powiadają, iż wielka błyskawica może uderzyć w ziemię i dzisiaj, i jutro, i za kilka dni. Jedni określają ją jako olbrzymi błysk, ogień, co zapłonie tuż nad ziemią i deszczem pożogi spadnie na nas. Inni mówią, że to będzie lśniąca gwiazda, taka jak betlejemska, co wiodła do Dzieciątka mędrców ze Wschodu, zatem pomyślny znak, który żadnej krzywdy nie wyrządzi Ziemi. Lecz są i tacy, co powiadają, że czeka nas deszcz spadających z nieba kamieni. Apokalipsa jak u świętego Jana.

— Otwarte niebo?

— W istocie, arcybiskupie, tak mówią. Że niebo otworzy się, aż zobaczymy trzewia raju i by zaraz po nim doznać nie wizji klęski, lecz jej materializacji.

Jakub zmrużył oczy i przytrzymał się ramienia Janisława.

— Pamiętaj, mój drogi, że apokalipsa to nie tylko zniszczenie i śmierć, ale i Nowe Jeruzalem. — Usiłował nadać swemu głosowi barwę bliską nadziei.

Ale i tak zakręciło mu się w głowie. Usiadł, przecierając dłonią zakurzoną ławę. Dookoła wieży biegły wąskie, otwarte wnęki okienne, które każdej mrocznej wojny zamieniały się w okienka strzelnicze dla łuczników. Teraz jednak były dla Jakuba oknami prowadzącymi we wszystkie strony Królestwa. A on siedział pośrodku, patrzył w nie kolejno i nie było w nim strachu, choć wiedział, że czeka na zapowiadaną w proroctwie kometę, gwiazdę z ognistym ogonem, znak Bożej obecności. Albo i koniec ziemskiego świata, jeśli tego właśnie chce Bóg.

— Przyniosłeś co trzeba, Janisławie?

— Naturalnie, arcybiskupie. — Kanonik skłonił się i nie lękając wysokości, zręcznie okrążył wieżę katedry. Uniósł potężną skrzynię, jakby to było jakieś piórko i przeniósł, stawiając przed Jakubem. Otworzył ją i z namaszczeniem wyjął z wnętrza skrzyni kielich, owinięty białym płótnem chleb i zalakowany dzban z winem. Zamknął wieko, rozłożył na nim płótno od chleba, ustawił kielich, chleb i wino.

Jakub przyglądał mu się z uwagą.

— Daleko zajdziesz, Janisławie. — Nawiedziła go nieoczekiwana myśl i wypowiedział ją. Choć, jeśli na dzisiaj zapowiadają koniec świata, to czy ta wizja się ziści? — Jesteś młody, sprawny niczym rycerz, a do tego obowiązkowy, pracowity i — nie ma co ci żałować — uczony! Sam wniosłeś na górę skrzynię? Podziwiam.

— Zabrałem także Ewangeliarz Wojciechowy — powiedział kanonik, wyciągając z zanadrza niewielką, wytartą księgę, którą przekazał im książę Władysław.

Jakub dotknął zniszczonej okładki.

— Widzisz, Janisławie. Człowiek planuje, walczy, zabiega, ale krokami jego kieruje Pan. Václav II i Václav III nie żyją. Skończyła się złota dynastia Przemyślidów. A w Królestwie nikt nie woła: „Umarł król!", lecz wszyscy krzyczą: „Powrócił książę!", rozgrzeszając Władysława ze wszystkiego, co było w nim słabe, złe i ułomne. Co dalej, Boże? Rikissa zostanie żoną potężnego Habsburga. Czy jej mąż sięgnie po nasz tron? Władysław powrócił i Kraków otworzył przed nim swe bramy. Książę Małej Polski. W Starszej Polsce Zarembowie wezwali na tron surowego Henryka z Głogowa. Nad Poznaniem ponury czarno-biały sztandar. A na północy mistrzem krajowym zakonu został Zyghard von Schwarzburg, ten, który w dniu elekcji obwieścił rycerzom zakonnym, że w jego żyłach płynie królewska krew Piastów. Panie? Dokąd wiedziesz Królestwo?

Jakub otworzył Ewangeliarz. Jedna z kart miała pozłacany brzeg i wysunęła się poza inne. Arcybiskup wziął ją w palce. Była złożona.

— Co to?

— List od Pana Boga? — zażartował Janisław.

— Nie. — Jakub rozłożył kartę i zerknął. — List świętego Piotra. Dlaczego włożono go między karty?

— Może ten, który ci podarował Ewangeliarz, chciał, byś go przeczytał?

— Nie sądzę. To pismo nie wyszło z kancelarii księcia Władysława. Wygląda raczej na dzieło kurii rzymskiej.

— Zatem Ojciec Święty — skonstatował Janisław. — Więc dzisiaj, gdy Bonifacy VIII nie żyje, to jak list zza grobu.

— *Zbliżając się do Tego, który jest żywym kamieniem, odrzuconym wprawdzie przez ludzi, ale u Boga wybranym i drogocennym* — odczytał arcybiskup i uniósł wzrok, patrząc w oczy Janisława. — *…Wy również, niby żywe kamienie, jesteście budowani jako duchowa świątynia, by stanowić święte kapłaństwo, dla składania duchowych ofiar…* Zaskakująca to rzecz, Janisławie, że czekając na, jak powiedziałeś, „deszcz spadających z nieba kamieni", znajdujemy list Piotra o kamieniach żywych i…

— …odrzuconych, co stają się kamieniem węgielnym?

— *Oto kładę na Syjonie kamień węgielny, wybrany, drogocenny, a kto wierzy w niego, na pewno nie zostanie zawiedziony.*

Spojrzeli sobie w oczy.

— Przez ludzi odrzucony — powtórzył Janisław.

— Tylko jeden człowiek wpisuje się w te słowa święte.

— Władysław — powiedzieli obaj, jednocześnie.

— Tylko jeden był przez wszystkich odrzuconym. Czyżby Ojciec Święty to właśnie chciał przekazać? — spytał Jakub i przeczytał dalej: — *…nieposłuszni słowu, upadają, do czego zresztą są przeznaczeni. Wy zaś jesteście wybranym plemieniem, królewskim kapłaństwem, narodem świętym, ludem Bogu na własność przeznaczonym, abyście ogłaszali dzieła potęgi Tego, który was wezwał z ciemności do przedziwnego swojego światła.*

Uniósł głowę i obaj przysłonili oczy. W zachodnim oknie ujrzeli pierwszy ognisty znak.

— Janisławie, czas rozpocząć mszę. — Jakub Świnka wstał i przeszedł za skrzynię jak za ołtarz. — Pan z wami!

— I z duchem twoim — odpowiedział kanonik.

Ponad ich głowami świetlisty nóż rozciął niebo.

KAPŁANI TRZYGŁOWA, trzej Starcy siwobrodzi, stanęli wokół wielkiego dębu. Byli w swym miejscu mocy, w głębokiej puszczy w widłach Noteci i Warty, na uroczysku opodal Sowiej Góry.

Byli sami. Wojownicy trzygłowego boga strzegli ich spokoju, otaczając zwartym kręgiem uroczysko; pilnując, by nikt nie przeszkodził Starcom w przyzwaniu Trzygłowa. Starcy zrzucili płaszcze, zostając jedynie w przepaskach. Połowę ciała każdego z nich zdobiły kłute sinym jadem obrazy. Gdy otoczyli dąb, objęli go rękoma i chcieli chwycić się za dłonie. Ale jeden z nich nie miał prawego ramienia i krąg nie został domknięty.

— Boże trzech światów, przybywaj! — krzyknęli jednym głosem, uderzając głowami w pień, aż krew pokazała się na korze.

— Boże...

— ...trzech.

— Przybywaj!...

Uderzyli znów. Posoka wsiąkała w drzewo.

— Po trzykroć przybywaaaj!... — zawyli, uderzając tak mocno, aż krew zalała im twarze.

W tej samej chwili niebo rozdarła błyskawica i zrozumieli, że zamiast Trzygłowa, który widzi wszystko i wie wszystko, na ich wezwanie odpowiedział gromowładny Perun. Urwane ramię trzeciego z nich; nie trzy, lecz dwa uściski dłoni, niewysłuchane wezwanie potrójnego boga wykorzystał ten, który jest nieparzysty. Ten, który jest jeden i włada ogniem idącym z nieba. Krzyknęli do niego:

— Żywy i wieczny niech będzie ogień!

I otworzyło się niebo, nad ziemią przeleciał wiatr, przyginając drzewa, łamiąc konary, i rozpętał się ognisty deszcz. Błysk, od którego ślepi otwierali oczy, a widzący ślepli. Huk, który ogłuszał słyszących. Dziki świst nieznany ludzkiemu uchu.

JANISŁAW, rzucając się na kolana przy ołtarzu rozłożonym na skrzyni w południowej wieży gnieźnieńskiej katedry, krzyknął:

— Jednak apokalipsa, Jakubie! Pochwalony niech będzie Pan i Objawienie Jego!...

I zdało się mu, że widzi siedmiu aniołów, z których pierwszy zadął w trąbę. Z okna wieży zobaczyli, że powstają grad i ogień przemieszane z krwią, rzucone ze straszną siłą na ziemię i jedna trzecia ziemi płonie; wypala się sucha trawa, ogień porywa korony drzew, pożera pnie i gryzie gałęzie, jęcząc.

Sąd Ostateczny, dzień bliski. Oto niebiosa otworzyły się i jasność, która z nich biła, wydobyła z czasu przeszłego wszystkie dawne uczynki, które działy się teraz, ponownie, jednocześnie, jakby czas powtarzał swą pętlę. Jakby piasek wpadł z impetem do jednego z naczyń klepsydry i wymieszał się, ziarnko w ziarnko. Janisław i Jakub Świnka widzieli na własne oczy, jak siwobrodzi Starcy o nagich, pokrytych freskami ciałach wykrzykiwali widoczną tylko sobie przepowiednię.

— Przybędą, śpiewając pieśniii... w umarłym języku...

A stu ubranych w białe habity rycerzy Zakonu Najświętszej Marii Panny śpiewało jednocześnie:

— *Salve Regina, mater misericordiae...*

Podczas gdy Starcy wyli:

— ...wataha za wataaahą... na koniach okrytych żelazem...

— *Vita, dulcedo, et spes nostra, salve* — potężnym głosem kontynuowali Krzyżacy.

— ...z krzyżem Umarłego na płaszczach iii... podłożą pod święte gaje ogień, aż kraj zasnuje dym...

— *Ad te clamamus, exsules, filii Hevae.* — Zacięty Henryk von Plötzkau wbijał wzrok w nowego wielkiego mistrza Zygharda von Schwarzburg.

I na oczach arcybiskupa Świnki i Janisława drugi anioł zadął w trąbę. Uniosła się w powietrzu skała ziejąca żywym ogniem i mocą anioła została zrzucona w spienione fale Bałtyku, aż jedna trzecia morza zamieniła się w krew. Fale krwi uderzają spienioną grzywą o brzeg.

I zobaczyli, jak Jan Muskata, biskup krakowski, kłania się księciu Władysławowi i Jadwidze w Bramie Floriańskiej, a w głębi duszy bluźnierczo miele językiem: *Wakujące trony, niepewne korony, królestwa rozbite racz dać nam, Panie!*

I zaraz za nim, na ich oczach, Waldemar, margrabia brandenburski, stał i patrzył, jak jego słudzy obwiązują niewielki kościół snopami słomy.

— Uzbierałem stu i złożę Panu ofiarę żywą. Puszczę Dzikich z dymem, zamienię w siwy obłok! — Rzuca zapaloną pochodnię i podbiega tak blisko, że żar ognia, w którym stanął dawny kościół Wniebowstąpienia, osmala mu włosy. Lecz nawet to nie jest w stanie ogrzać jego zimnej krwi. Krwi, która płynie w Waldemarze osobno, jakby miał dwa równoległe krwiobiegi. I nie daje mu to ani wiary, ani oczyszczenia, lecz wściekłą rozpacz człowieka, w którego duszy nie ma Boga, tylko głuchy, rozpaczliwy jęk.

I Jakub z Janisławem widzą przez okna wieży błyskawice. Wstrząsa katedrą, jakby kamień chciał się poruszyć na kamieniu. Grzmoty. Trzęsienie ziemi. Lądy wyrywają się z łożyska mórz. Słońce ciemnieje. Księżyc czerwienieje jak krew.

Skóra Starców siwobrodych płonie, jakby każdy jeden wykłuty na niej fresk stawał się żywą rzeką ognia. A patrząc na nich, szary brat Kuno nie szepce, lecz krzyczy do ogłuchłego nagle Guntera von Schwarzburg:

— Dzicy czekają na wielki znak, który ma dać im bóg władający piorunami. Wtedy będą gotowi wznieść broń i wzniecić powstanie przeciw żelaznym braciom!

Gunter nie widzi kamieni spadających z nieba i Kuno osłania tym razem jego, nie Zygharda. Półbrat zarzuca szary płaszcz na gładką czaszkę prawnuka Krzywoustego.

I Janisław, i Jakub Świnka widzą arcybiskupa Jakuba II w niewidzialnej koronie na skroniach, który idzie z pastorałem wzniesionym ku górze. A lecące jeden za drugim kamienie omijają krzywaśń pastorału, jakby światło z niej bijące wytyczało nietykalny szklak. Arcybiskup woła:

— Już siekiera do korzeni drzew przyłożona i każde, które nie wyda owocu dobrego, zostanie w ogień rzucone! Oto nadchodzi ten, który chrzcić będzie was ogniem i Duchem Świętym!

I nagle czterej kolejni aniołowie odrzucają trąby.

Ziemia, morze i powietrze płoną żywym ogniem. Przez otwarte niebiosa wdziera się światło, które każe żywym zamknąć oczy. Bo oto kraina umarłych!

W niebiosach, w zbudowanej z przejrzystej materii tronowej Sali Królów unoszą się z miejsc dawni królowie. Potężny Bolesław Chrobry, jego syn, Mieszko II, Bolesław Śmiały i Przemysł II wstają, gdy do nawy królów wchodzi Václav II. Jedyny wśród Piastów Przemyślida. Śmierć odebrała mu złoty blask; jest jak oni wszyscy — strojny jedynie w niewidzialną koronę, zbrojny tylko w berło wypisane świętym olejem na wnętrzu dłoni. I na tej dłoni obok oleju krzyżma ma krew. Ze spuszczoną głową idzie wprost do Przemysła.

— Wybaczysz? — pyta, pokazując naznaczoną posoką dłoń.

Przemysł II, król, na ramionach którego siedzi wielki biały orzeł, okrywając go skrzydłami niczym płaszczem, odgarnia z czoła kasztanowe loki, mówiąc:

— Nie ty jeden mnie zabiłeś. I nie tylko ty za moją śmierć zapłaciłeś własną. Spójrz!

Każe się Václavowi odwrócić, pokazując mu stojące za ich tronami kolejne. Złote, z pysznym oparciem i gotowe na przyjęcie następnych władców. Mówi:

— Pośmiertna nawa królów, Václavie. Po nas przyjdą inni, bo my umieramy, a Królestwo trwa. Silniejsze od nas, wieczne. Gdy żądza władzy jest mocniejsza niż człowiek, trzeba umrzeć, Václavie, by zrozumieć, że Królestwo to więcej niż król. Zobacz!

I Przemysł II pokazuje mu Starszą Polskę skąpaną w nieziemskim świetle pożaru. Świetlistej łuny, która trawi ziemię. Gradzie płonących, lecących z otwartych niebios kamieni.

Dym zasnuwa ziemię. Ale to tylko dym.

Uderzenia ognistych głazów w końcu milkną. Zmarli władcy w nawie królów siadają na tronach. Świst pożarów przechodzi w hymn. I przez zaciągnięte chmurami niebo prześwietla promień, padając wprost na siódmy królewski tron. Pierwszy po Václavie, pusty. Kto na nim zasiądzie? Kto będzie godzien?

RODY

Piastowie

Od Bolesława Chrobrego, pierwszego króla aż do Bolesława Krzy-
woustego tworzyli niepodzielną dynastię. Potem, w wyniku Statutów
Wielkiego Rozbicia podzielili się na rody, biorące początek w synach
Krzywoustego, władające dzielnicami dawnego królestwa.

Piastowie Starszej Polski

Linia: wywodzą się od księcia Mieszka Starego.
Zawołanie: „Niepodzielni".

→ {**Przemysł I**} — książę, syn Władysława Odonica i Jadwigi.
→ {**Elżbieta**} — żona Przemysła I, księżniczka wrocławska.

→ {**Konstancja**} — córka Przemysła I i Elżbiety, żona margrabiego brandenburskiego Konrada.

→ **Eufrozyna** — córka Przemysła I i Elżbiety, ksieni cysterek w Trzebnicy.

→ {**Anna**} — córka Przemysła I i Elżbiety, ksieni cysterek w Owińskach.

→ **Eufemia** — córka Przemysła I i Elżbiety, klaryska wrocławska.

→ {**Przemysł II**} — syn Przemysła I i Elżbiety, książę.

→ {**Lukardis**} — pierwsza żona Przemysła II, księżniczka meklemburska.

→ {**Rikissa Valdemarsdotter**} — druga żona Przemysła II, królewna szwedzka.

→ **Rikissa** — córka Przemysła II i Rikissy, żona Václava II, królowa Czech i Polski.

→ **Małgorzata Askańska** — księżna, trzecia żona Przemysła II, księżniczka brandenburska.

→ {**Bolesław** zwany **Pobożnym**} — książę, syn Władysława Odonica i Jadwigi.
→ **Jolenta z Arpadów** — żona Bolesława.

→ **Elżbieta** — córka Bolesława i Jolenty, wdowa po Henryku Brzuchatym, kochanka Bolke Surowego.

→ **Jadwiga** — córka Bolesława i Jolenty, żona Władysława zwanego Karłem.

→ **Anna** — córka Bolesława i Jolenty, klaryska.

Piastowie Małej Polski

Linia: wywodzą się od Kazimierza Sprawiedliwego.
Zawołanie: „Tron seniora".

→ {**Leszek Biały**} — ostatni senior, zginął w „krwawej łaźni w Gąsawie".
└→ {**Grzymisława z Rurykowiczów**} — żona Leszka Białego.

   → {**Salomea**} — córka Leszka Białego i Grzymisławy, błogosławiona dziewica.

   → {**Bolesław** zwany **Wstydliwym**} — syn Leszka Białego i Grzymisławy, książę.
   └→ {**Kinga z Arpadów**} — żona Bolesława, święta.

      → {**Leszek Czarny**} — herbu półorzeł, półlew, adoptowany syn Bolesława i Kingi.
      └→ **Gryfina** — żona Leszka Czarnego, księżna halicka, opiekunka Rikissy, córki Przemysła II.

Piastowie Mazowsza

Linia: wywodzą się od Bolesława Kędzierzawego, linia główna wygasła na jego synu. Dzielnica przekazana Kazimierzowi Sprawiedliwemu (władcy Małej Polski), co spowodowało późniejsze pretensje kolejnych jego potomków do tronu krakowskiego. Tak zwana linia młodsza wywodzi się od Konrada, zwanego Szalonym Piastem z Mazowsza, jego syn Kazimierz utworzył linię kujawską.

Piastowie kujawscy

Zawołanie: „Pod wiatr".

→ {**Kazimierz** zwany **Kujawskim**} — książę kujawski.

→ {**Jadwiga**} — pierwsza żona Kazimierza, córka Władysława Odonica, księżniczka Starszej Polski.

→ {**Konstancja**} — druga żona Kazimierza, księżniczka śląska.

→ {**Leszek Czarny**} — syn Kazimierza i Konstancji, później adoptowany syn Bolesława, księcia Małej Polski.

→ **Gryfina** — żona Leszka Czarnego, księżna halicka, opiekunka Rikissy, córki Przemysła II.

→ {**Siemomysł** zwany **Siemieszką**} — syn Kazimierza i Konstancji, książę inowrocławski.

→ **Salomea** — żona Siemomysła, córka Sambora II, księcia tczewskiego.

→ **Leszek** — syn Siemomysła i Salomei, książę inowrocławski.

→ **Przemysł** — syn Siemomysła i Salomei, książę inowrocławski.

→ **Kazimierz** — syn Siemomysła i Salomei.

→ **Eufemia** — córka Siemomysła i Salomei.

→ **Fenenna** — córka Siemomysła i Salomei, księżniczka kujawska, żona króla Węgier, ostatniego z rodu Arpadów, Andrzeja III.

→ **Konstancja** — córka Siemomysła i Salomei, opatka zakonu cystersów.

→ **Eufrozyna** zwana **Piekielną Wdówką** — trzecia żona Kazimierza.

→ **Władysław** zwany **Karłem** — syn Kazimierza i Eufrozyny, książę brzeskokujawski i dobrzyński.

→ **Jadwiga** — żona Władysława, córka Bolesława, księcia Starszej Polski.

→ **Kunegunda** — córka Władysława i Jadwigi.

→ **Stefan** — syn Władysława i Jadwigi.

→ **Władysław** — syn Władysława i Jadwigi.

→ **Elżbieta** — córka Władysława i Jadwigi.

→ {**Kazimierz**} — syn Kazimierza i Eufrozyny, książę brzeskokujawski, dobrzyński i łęczycki.

→ **Siemowit** — syn Kazimierza i Eufrozyny, książę dobrzyński.

→ **Anastazja** — żona Siemowita, córka Lwa Halickiego, księcia halicko-włodzimierskiego.

→ **Leszek** — syn Siemowita i Anastazji.

→ **Władysław** — syn Siemowita i Anastazji.

→ **Bolesław** — syn Siemowita i Anastazji.

→ **Eufemia** — córka Kazimierza i Eufrozyny, żona Jerzego Lwowica, księcia halickiego.

Piastowie śląscy

Linia: wywodzą się od księcia Władysława Wygnańca.

> {**Henryk Pobożny**} — książę śląski, krakowski i wielkopolski, poległ w bitwie pod Legnicą.
> → {**Anna Przemyślidka**} — żona Henryka, królewna czeska.

→ {**Henryk Biały**} — syn Henryka i Anny, książę wrocławski.

→ {**Władysław**} — syn Henryka i Anny, biskup Salzburga.

→ {**Gertruda**} — córka Henryka i Anny, żona Bolesława I mazowieckiego.

→ {**Konstancja**} — córka Henryka i Anny, żona Kazimierza I kujawskiego, ojca Władysława zwanego Karłem.

→ {**Elżbieta**} — córka Henryka i Anny, żona Przemysła I, matka Przemysła II.

→ {**Agnieszka**} — córka Henryka i Anny, opatka cysterek w Trzebnicy.

→ **Jadwiga Pierwsza** — córka Henryka i Anny, była opatka klarysek wrocławskich.

> {**Bolesław Rogatka**} — syn Henryka i Anny, książę śląski, krakowski i wielkopolski, twórca linii legnickiej.
> → {**Jadwiga Anhalcka**} — żona Bolesława, córka hrabiego Anhaltu.

→ **Bolke Surowy** — syn Bolesława i Jadwigi, książę jaworski i świdnicki, po śmierci Henryka Brzuchatego regent księstwa wrocławskiego i legnickiego.

→ **Bernard** — syn Bolka.

→ **Henryk** — syn Bolka.

→ **Bolek II** — syn Bolka.

→ **pięć córek.**

┌→ {Henryk Brzuchaty} — syn Bolesława i Jadwigi, ksią-
└ żę legnicki i wrocławski.
  └→ Elżbieta — żona Henryka, księżniczka Starszej Polski.

   ┌→ Bolko zwany Rozrzutnym — syn Henryka i Elż-
   └ biety, książę legnicki i brzeski.
     └→ Małgorzata Przemyślidka — żona Bolka, córka
       Václava II.

   → Henryk zwany Dobrym — syn Henryka i Elżbiety.

   → Władysław (pogrobowiec) — syn Henryka i Elżbiety.

   → Elżbieta — córka Henryka i Elżbiety, klaryska wrocławska.

   → Helena — córka Henryka i Elżbiety, klaryska wrocławska.

   → Anna — córka Henryka i Elżbiety, klaryska wrocławska.

   → Jadwiga — córka Henryka i Elżbiety.

   → Eufemia — córka Henryka i Elżbiety.

┌→ {Konrad I} — syn Henryka i Anny, książę głogowski, twór-
└ ca linii głogowskiej.
  └→ {Salomea} — żona Konrada, siostra Przemysła I.

   → Konrad zwany Garbusem — syn Konrada i Salomei,
   książę żagański, biskup Akwilei.

   → {Przemko} — syn Konrada i Salomei, książę ścinawski, poległy pod Siewierzem.

   → Jadwiga głogowska — córka Konrada i Salomei, opatka klarysek wrocławskich.

   ┌→ Henryk III zwany Głogowczykiem — syn Konrada
   └ i Salomei, książę głogowski.
     └→ Matylda Brunszwicka — żona Henryka.

     → Henryk — syn Henryka i Matyldy.
     → Konrad — syn Henryka i Matyldy.
     → Bolesław — syn Henryka i Matyldy.
     → Agnieszka — córka Henryka i Matyldy.
     → Jan — syn Henryka i Matyldy.
     → Salome — córka Henryka i Matyldy.

→ **Katarzyna** — córka Henryka i Matyldy.
→ **Przemek** — syn Henryka i Matyldy.
→ **Jadwiga** — córka Henryka i Matyldy.

Przemyślidzi

Linia: stara czeska dynastia królewska.

→ **Přemysl Ottokar** — król Czech.

→ **{Małgorzata Babenberg}** — pierwsza żona Přemysla, małżeństwo zakończone rozwodem.

→ **{Agnieszka z Kuenringu}** — kochanka Přemysla, dama dworu Małgorzaty Babenberg.

→ **Mikołaj** — nieślubny syn Přemysla i Agnieszki, książę opawski. Legitymizowany przez papieża, pozbawiony jednak prawa do dziedziczenia tronu.

→ **{Agnieszka}** — nieślubna córka Přemysla i Agnieszki.

→ **{Elżbieta}** — nieślubna córka Přemysla i Agnieszki.

→ **{Kunegundis}** — druga żona Přemysla, księżniczka halicka.

→ **Kunegunda** — córka Přemysla i Kunegundis, żona Bolesława, księcia płockiego.

→ **{Agnieszka}** — córka Přemysla i Kunegundis, żona Rudolfa II, syna króla Niemiec.

→ **Václav II** — syn Přemysla i Kunegundis, król Czech i Polski.

→ **Guta von Habsburg** — pierwsza żona Václava II, poślubiona w dzieciństwie, córka króla Niemiec.

→ **{Przemysł}** — syn Václava II i Guty, zmarł w pół roku po narodzeniu.

→ **Václav III** — syn Václava II i Guty, następca tronu.

→ **{Agnieszka}** — córka Václava II i Guty, bliźniaczka Václava III.

→ **Anna** — córka Václava II i Guty, żona Henryka, księcia Karyntii.

→ **Elżbieta** — córka Václava II i Guty, żona Jana Luksemburskiego, syna króla Niemiec.

→ **{Guta}** — córka Václava II i Guty, zmarła w rok po narodzeniu.

→ **{Jan}** — syn Václava II i Guty, zmarł w miesiąc po narodzeniu.

→ **{Jan}** — syn Václava II i Guty, zmarł w rok po narodzeniu.

→ **Małgorzata** — córka Václava II i Guty, żona Bolka zwanego Rozrzutnym, księcia brzeskiego i legnickiego.

→ **{Guta}** — córka Václava II i Guty, zmarła tuż po porodzie.

→ **Rikissa** — druga żona Václava II, córka Przemysła II.

→ **Agnieszka** — córka Václava II i Rikissy.

→ **{Małgorzata}** — córka Přemysla i Kunegundis.

Askańczycy

Linia: niemiecka dynastia wywodząca się od Albrechta Niedźwiedzia.
W Brandenburgii funkcjonował podział na rody:

linia z Salzwedel

↱ **{Otto III Pobożny}** — margrabia brandenburski.
⌊→ **{Bożena Przemyślidka}** — żona Ottona III, królewna czeska.

   ↱ **Otto V Długi** — syn Ottona III i Bożeny, margrabia bran-
   ⌊ denburski, w dzieciństwie Václava II regent Czech i opiekun
      młodego króla.
   ⌊→ **Jutta z Hannenbergu** — żona Ottona V.

      → **Matylda** — córka Ottona V i Jutty, wdowa po księciu
         wrocławskim Henryku.
      → **Beatrycze** — córka Ottona V i Jutty, żona Bolke Suro-
         wego, księcia świdnickiego.
      → **Judyta** — córka Ottona V i Jutty, żona Rudolfa, księcia
         Saksonii i Wittenbergi.
      → **Herman** — syn Ottona V i Jutty, margrabia branden-
         burski i hrabia Koburga, po śmierci Bolke Surowego
         opiekun jego młodszych synów; żonaty z Anną Habs-
         burżanką.

   → **Otto VI Mały** — syn Ottona III i Bożeny, templariusz.
   ↱ **Albrecht III** — syn Ottona III i Bożeny, margrabia branden-
   ⌊ burski.
   ⌊→ **Matylda** — żona Albrechta III, córka króla Danii.

      → **Małgorzata** — córka Albrechta III i Matyldy, żona
         Przemysła II, królowa Polski.

→ **Beatrycze** — córka Albrechta III i Matyldy, żona Henryka Lwa, brata księżnej Lukardis.

→ **Otto** — syn Albrechta III i Matyldy, narzeczony Rikissy, córki Przemysła II, zmarł w dzieciństwie.

→ **Jan** — syn Albrechta III i Matyldy, zmarł w dzieciństwie.

→ **Mechtylda Askańska** — córka Ottona III i Bożeny, wdowa po księciu Zachodniego Pomorza, Barnimie.

→ **Beatrycze** — córka Mechtyldy Askańskiej.

→ **Hildegarda** — córka Mechtyldy Askańskiej.

→ **Małgorzata** — córka Mechtyldy Askańskiej.

→ **{Barnim II}** — syn Mechtyldy Askańskiej.

→ **Otto I** — syn Mechtyldy Askańskiej.

linia ze Stendal

→ **{Jan I}** — margrabia brandenburski.

→ **{Zofia}** — żona Jana I, córka króla Danii Waldemara II Zwycięskiego.

→ **{Jan II}** — syn Jana I i Zofii, margrabia brandenburski.

→ **Otto IV ze Strzałą** — syn Jana I i Zofii, kuzyn Ottona Długiego, margrabia brandenburski, głowa rodu ze Stendal, kochanek Mechtyldy Askańskiej.

→ **{Eryk}** — syn Jana I i Zofii, arcybiskup Magdeburga.

→ **Konrad** — syn Jana i Zofii, margrabia brandenburski.

→ **{Konstancja}** — żona Konrada, siostra Przemysła II.

→ **Jan IV** — syn Konrada i Konstancji, margrabia brandenburski.

→ **Jadwiga** — żona Jana IV, córka Elżbiety i Henryka Brzuchatego.

→ **Otto VII** — syn Konrada i Konstancji, templariusz.

→ **Waldemar** — syn Konrada i Konstancji, margrabia brandenburski.

Zarembowie

Zawołanie: „Święta pamięć".

Linia: wywodząca się od Janka Zaremby:

→ **{Janek}** — wojewoda kaliski, kasztelan kaliski, wojewoda poznański, wychowawca Przemysła II.

  → **{Olbracht (Albert, Wojciech)}** — syn Janka, kasztelan ostrowski i santocki.

    → **Mikołaj** — syn Olbrachta.
    → **Gotpold** — syn Olbrachta.

  → **Mikołaj** — syn Janka, wojewoda pomorski, wojewoda gnieźnieńsko-kaliski.

    → **Mikołaj** — syn Mikołaja.
    → **Michał** — wojewoda kaliski (po swoim bracie Mikołaju).
    → **Krajna** — żona Michała.

  → **Sędziwój** — syn Janka, pan Jarocina i Brzostkowa, kasztelan rudzki, kasztelan poznański, wojewoda poznański.

    → **Marcin** — syn Sędziwoja.
    → **{Wawrzyniec}** — syn Sędziwoja, ścięty podczas zamachu na króla w Rogoźnie.
    → **Zbysława** — córka Sędziwoja, dwórka królowej Małgorzaty.
    → **Dorota** — córka Sędziwoja.

Linia: wywodząca się od Wawrzyńca:

→ {**Wawrzyniec**} — łowczy poznański.

  → **Beniamin** — syn Wawrzyńca, wojewoda poznański.

    → **Michał, Południowy Wicher** — chorąży króla Przemysła II.

Linia: wywodząca się od Szymona:

→ {**Szymon**} — brat Janka Zaremby, cześnik kaliski, kasztelan gnieźnieński.

  → **Andrzej** — syn Szymona, archidiakon kaliski, prepozyt poznański, kanclerz Przemysła II, biskup poznański.

OD AUTORKI

Oto *Niewidzialna korona*. Dla jednych będzie to pierwsze spotkanie z Królestwem odradzającym się po czasach Wielkiego Rozbicia, dla innych — kontynuacja losów bohaterów *Korony śniegu i krwi*. Ta książka, jak każda poprzednia, była dla mnie przygodą na wielu płaszczyznach. Znów nie sprawdziły się wymyślone wcześniej scenariusze. Kilku bohaterów nie dało się zepchnąć na margines i wywalczyło sobie szersze role niż te, które im przewidziałam. A ja? Dałam się uwieść opowieści, chociaż w przeciwieństwie do *Korony śniegu i krwi*, to nie jest historia wzrastania i jednoczenia, lecz ponowne sięgnięcie w mrok podzielonego Królestwa.

Jak często zapominamy, że polskim królem był Przemyślida, Václav II? Jak często pamiętamy, że to dzięki niemu po raz pierwszy w historii na naszym tronie zasiadła Piastówna, Rikissa? I wreszcie, jeśli zastanawiamy się, kiedy obudziła się w naszych przodkach tożsamość narodowa, to bez wątpienia jesteśmy na ostatnich kartach *Niewidzialnej korony*. Te dwa wielkie zdarzenia: obcy król i wojna z zakonem krzyżackim uświadomiły Polakom sprzed siedmiuset lat, kim są, na czym polega ich odrębność, narodowość, tożsamość.

Jako autorka obdarzam miłością każdego ze swych bohaterów bez wyjątku. Takich, których kochać łatwo, jak Rikissę i Michała, i tych, co swoją historię znaczą ponurym tropem Jakuba de Guntersberga czy uśmiechają się do nas z dyskusyjnym urokiem Vaška. Ale największym wyzwaniem dla mnie było zmierzenie się z postacią księcia Władysława. Ułomny i niezłomny. Kochany przez Polaków Łokietek; władca, którego przydomek zapamiętują dzieci na lekcjach historii. Przez setki lat jego postać obrosła w romantyczne mity, które przysłoniły mniej chlubne karty w dziejach Małego Księcia. A mnie się wydaje, że Władysław rozebrany z mitu, nagi król na tle własnych błędów, małości i porażek jest dużo ciekawszy. Bo nagle staje się ludzki. W *Niewidzialnej koronie* śledzimy dziesięć najtrudniejszych lat z życia Władysława. Asystujemy w klęsce. I dostajemy nagrodę, bo na naszych oczach dokonuje się cud przemiany. Bez bicia dzwonów. Bez hymnów w kościołach. Między jedną poniewierką a drugą. Tak, *Niewidzialna korona* jest jak pieczęć Królestwa widoczna na grzbiecie tej książki — przełamana. A jednak nad rozbitym krajem czuwa duch. Jest w nas, Polakach, coś niezwykłego — przywiązanie do symboli narodowych, w których czujemy niemal namacalnie wielkiego ducha przeszłości. To kazało naszym rodakom w zawieruchach wojennych z narażeniem życia, przy niewyobrażalnym wysiłku chronić narodowe zasoby. Ukrywać je, wysyłać za granicę, byleby przetrwały dziejowe apokalipsy. I także o tym jest ta opowieść. O niesieniu w sobie Królestwa, niczym niewidzialnej korony.

Co mogę obiecać? Że to nie koniec. Odrodzone Królestwo powróci.

Podczas pracy nad *Niewidzialną koroną* najpierw zastukałam do znajomych drzwi, prosząc o pomoc historyków i specjalistów, którzy wsparli mnie wcześniej, przy pisaniu *Korony śniegu i krwi*. Nieoceniony w tym względzie był profesor doktor habilitowany Tomasz Jurek, wielki autorytet w dziedzinie rozbicia dzielnicowego, autor monografii o Henryku głogowskim. Profesorowi (wśród wielu innych zasług) zawdzięczam odkrycie węgierskiego przydomka Władysława Łokietka, który brzmiał „Törpe", czyli... Karzeł. I profesorowi dziękuję za pozyskanie wsparcia węgierskiego historyka, pana Daniela Bagi z uniwersytetu w Peczu, który był tak miły, że w środku nocy pisał do nas po węgiersku. Panie Tomaszu, dziękuję za „nocne czuwania" i nieustanne odpowiadanie na maile zaczynające się od słów „Ratunku, nie rozumiem...". Jak tabliczkę mnożenia zapamiętam lekcję o tym, że człowiek średniowiecza nie podpisywał żadnych dokumentów.

Profesor doktor habilitowany Tomasz Jasiński, poza fantastycznymi opowieściami o epoce, pomógł mi zdjąć z Lateranu warstwy pożarów, przebudów i remontów, by spróbować odtworzyć pałac Bonifacego VIII i Rzym jego czasów. Profesorowi także zawdzięczam kontakt z panią doktor Marzeną Matlą, o której powiedział: „To bohemistka, której Czesi w pas się kłaniają". Teraz już wiem, dlaczego. Pani Marzeno, choć pożar Grodu Praskiego przyprawił mnie niemal o zawał, to jestem pani niezmiernie wdzięczna za niezwykły profesjonalizm, dzięki któremu mogłam pisarskim okiem uchwycić siedzibę

Václava i Pragę Przemyślidów w tym krótkim czasie między 1300 a 1306 rokiem.

Marcin Bąk, historyk, dziennikarz i instruktor szermierki w warszawskiej Akademii Broni, znów, jak podczas pracy nad *Koroną śniegu i krwi*, zabrał mnie na średniowieczną wojnę. Doświadczenie i wiedza Marcina zachwyca mnie za każdym razem, bo to facet, który na poczekaniu układa pojedynki, nie zapominając o tym, że książę Władysław jest niższy niż każdy jego przeciwnik.

Wołodar, w cywilu znany jako doktor Piotr Lemieszek, już w *Trzech młodych pieśniach* wyciągał dla mnie serce z piersi żyjącego człowieka, a teraz podjął się roli konsultanta zwłok, jak już wiecie, królewskich.

Po wydaniu *Korony śniegu i krwi* zyskałam wielu nowych Czytelników; niektórzy z nich pisali do mnie i z tej korespondencji powstały znajomości, na których skorzystała *Niewidzialna korona*. To dzięki niewinnemu mailowi od doktora Tomasza Ratajczaka, adiunkta w Zakładzie Historii Sztuki Średniowiecznej UAM, zaczęło się prawdziwe trzęsienie ziemi — dowiedziałam się o meteorycie, który uderzył w Wielkopolskę około 1304 roku. Od tego wybuchu zaczęła się nasza współpraca. Panie Tomaszu, dziękuję za fantastyczną asystę podczas pisania *Niewidzialnej*, za wszystkie odpowiedzi, a często i podpowiedzi, za Poznań i Wawel czasów Václava. I za świetny finisz naszej współpracy na porodówce — w Smoczej Jamie.

Panią Agnieszkę Teterycz-Puzio, która jest adiunktem w Zakładzie Historii Średniowiecznej Akademii Pomorskiej w Słupsku, także poznałam dzięki refleksjom po lekturze poprzedniego tomu. Choć pani Agnieszka zasłynęła monografią Henryka Sandomierskiego (do niego też się kiedyś dobiorę!), to specjalizuje się w szalonych Piastach mazowieckich. Żałuję, że z przyczyn fabularnych tak niewiele o książętach Mazowsza w *Niewidzialnej*, ale dzięki pani, pani Agnieszko, mogłam zrehabilitować Bolesława mazowieckiego w oczach Władka. Żal byłoby tej przyjaźni...

Elżbietę Żukowską spotkałam po którymś ze spotkań autorskich, gdy podeszła i powiedziała: „Specjalizuję się w wierzeniach słowiańskich", oferując pomoc. Oczywiście, skorzystałam. Potem okazało się, że Ela, związana z Uniwersytetem Gdańskim, jest jedynym w Polsce doktorem od słowiańskiej fantasy. Dzięki niej Kalina z taką wprawą porusza się w mrocznym świecie bytów pośmiertnych.

Przemysława Michalaka poznałam, gdy postanowił założyć fanpage *Legionu* na Facebooku. Podczas rozmowy opowiedział o swoich jeździeckich fascynacjach i dzięki jego doświadczeniu i wiedzy mogłam wiarygodnie obudować tę specjalną więź, jaka łączy księcia Władysława i Rulkę.

Maciej Ratajczak z Przemętu wiele dołożył do wojny Głogowczyka z Władkiem, od starych map bagien zaczynając, a na entuzjazmie nie kończąc.

Wszyscy ci ludzie poświęcili mi swój cenny czas w naszym zwariowanym życiu, w którym to czas staje się wartością limitowaną; podzielili się wiedzą i jestem im za to serdecznie, przyjacielsko i zawodowo niezmiernie wdzięczna. A przecież „wpadałam na szybkie pytanie" i do wielu innych. Zawsze niezawodnego profesora Przemka Urbańczyka i fantastycznej Agnieszki Budzińskiej-Bennett. Marka Skubisza, powroźnika z Wieliczki. Kasi Werbelskiej, która o każdej porze wieczoru wie, kto z jakiego szkła pijał i gdzie mógł je kupić, nie tylko w XIII wieku. Łukasza Narolskiego, który podesłał mi najpiękniejsze tatuowane mumie, które mogły stać się pierwowzorem dla Starców Trzygłowa.

Jednocześnie podkreślam z całą mocą, iż żaden z konsultantów nie jest odpowiedzialny za moje fabularne wybryki, bo pytam jedynie o fakty, po to, by na gruncie historii tkać swą opowieść, ożywiać bohaterów i obdarzać ich wizerunkiem zupełnie nie kanonicznym.

Jestem szczęściarą. Moim pisarskim towarzyszem broni jest mój Wydawca, Tadeusz Zysk. Nasze niekończące się rozmowy, wywracanie bohaterów do góry nogami i wspólna pasja do historii dodają *Niewidzialnej* rumieńców, a pracę nad książką czynią osobną przygodą. Przecież w ten sposób, dzięki detektywistycznej żyłce Tadeusza, do książki trafił niezwykły Ewangeliarz świętego Wojciecha. Przy okazji kłaniam się nisko pasjonatom Starszej Polski z Gnieźnieńskiego Archiwum Archidiecezjalnego, szczególnie dyrektorowi, ks. dr. Michałowi Sołomeniukowi.

Dziękuję całemu zespołowi redakcyjnemu, a szczególnie: Jankowi Grzegorczykowi za opanowanie w pracy, a entuzjazm w czytaniu; Tomkowi Zyskowi za zręcznie ukryte komplementy; Magdzie Wójcik za niezwykły komfort, jaki daje obcowanie z nią, Kasi Lajborek — za czułe czuwanie. I Patrycji Poczcie, że nim urodziła Wiktorię, zdążyła zdobyć dla mnie wszystkie niezbędne książki.

Dziękuję moim Czytelnikom. Wasze wyczekiwanie na *Niewidzialną koronę* było najlepszą zachętą do pracy. Uwielbiam, gdy żyjecie książką, gdy dajecie mi odczuć, jak bardzo bohaterowie stali się Wam bliscy. Wszystkie zaczepki, ponaglenia, dopytywania: „Kiedy Władek?" sprawiały, iż wiedziałam, dla kogo piszę tę książkę.

Spis treści

Wydrukowano na papierze
Ecco Book 60g, 2.0